Boris Pasternak · Doktor Schiwago

Boris Pasternak

Doktor Schiwago

ROMAN

IM BERTELSMANN LESERING

Titel der Originalausgabe »Doktor Schiwago«
Aus dem Russischen übertragen von Reinhold von Walter
Übertragung der Gedichte
des Jurij Schiwago von Rolf-Dietrich Keil

Lizenzausgabe für den Bertelsmann Lesering
mit Genehmigung der S. Fischer Corporation, New York
© S. Fischer Verlag, Frankfurt a. M., 1958
Einbandentwurf Ilse Ziemer
Gesamtherstellung Mohn & Co GmbH, Gütersloh
Printed in Germany · Buch-Nr. 8259/10

Die wichtigsten Personen des Romans

SCHIWAGO, Jurij Andréitsch, genannt Jura, Jurotschka
WEDENJAPIN, Nikolai Nikoláitsch, genannt Kolja; Jurij Schiwagos
DUDUROV, genannt Nicki; Freund Jurij Schiwagos   [Onkel
GORDON, genannt Mischa; Freund Jurij Schiwagos
GROMEKO, Alexander Alexandritsch
GROMEKO, Anna Iwanowna; Alexander Gromekos Frau
GROMEKO, Antonina Alexándrowna, genannt Tonja; Alexander
GUICHARD, Amalja Karlowna   [Gromekos Tochter
GUICHARD, Larissa Fjodorowna, genannt Lara; Amalja Guichards
                                                    [Tochter
GUICHARD, Rodion Fjodorowitsch, genannt Rodja; Amalja
                                                    [Guichards Sohn
KOMAROVSKIJ, Victor Ippolitowitsch
ANTIPOV, Pawel Pawlowitsch, genannt Pascha, Paschenjka; Larissa
GALIULLIN, Gimazetdin   [Guichards Mann
GALIULLIN, genannt Fatima; Gimazetdin Galiullins Frau
GALIULLIN, Iossif Gimazetdinowitsch, genannt Jussupka;
TIVERSINA, Marfa Gawrílowna   [Gimazetdin Galiullins Sohn
TIVERSIN, Kuprian Ssaweljitsch, genannt Kuprik; Marfa Tiversínas
TJAGUNOVA, Pelagéja   [Sohn
SAMDEWJATOV, Anfím Jefímowitsch
MIKULIZYN, Avertkij
MIKULIZYNA, Jeléna; Avertkij Mikulízyns Frau
MIKULIZYN, Liberij Averkjewitsch; Avertkij Mikulízyns Sohn
TUNZEWA, Glafira, genannt Glascha; Liberij Mikulízyns Tante
TUNZEWA, Seraphima, genannt Sima; Liberij Mikulízyns Tante

ERSTES BUCH

Fünfuhr-Expreß

Man ging und ging und sang ›Ewiges Gedenken‹. Und wenn die Stimmen verstummten, tönte der Trauergesang fort im Rhythmus der Schritte, im Geklapper der Pferdehufe und im Wehen des Windes.

Passanten gaben den Weg frei, um den Trauerzug vorbeiziehen zu lassen, sie zählten die Kränze und bekreuzigten sich. Neugierige schlossen sich der Prozession an und fragten: »Wer wird begraben?« – »Schiwago«, hieß die Antwort. – Das also war es. Man mußte es wissen. Aber nicht ihn begrub man. Sie, seine Frau. Es kam auf das gleiche heraus. Gott gebe ihrer Seele Frieden. Sanft möge sie ruhen. Ein reiches Begräbnis! –

Die letzten Augenblicke blinkten auf und verlöschten – abgezählte Minuten, unwiederbringlich vorbei! ›Die Erde ist des Herrn, und was in ihr ist, das Erdreich, und alles, was auf ihr wohnet.‹ Der Priester schlug ein Kreuz und streute eine Handvoll Erde auf Marja Nikolajewna. Man sang die ›Seelen der Gerechten‹. Hierauf gab es ein unfeierliches Hin und Her. Man verschloß den Sarg, nagelte ihn zu, ließ ihn ins Grab hinab; ein Regen von Erdklumpen trommelte auf ihn nieder. Hastig, mit vier Spaten zugleich, wurde das Grab zugeschaufelt. Ein kleiner Berg häufte sich auf. Ein zehnjähriger Junge erkletterte den Grabhügel.

In jenem Zustand dumpfer Betäubung, der die Menschen zuweilen am Ende ausgedehnter Begräbnisfeierlichkeiten befällt, glaubten einige der Trauernden, der Knabe wolle auf dem Grab seiner Mutter eine Rede halten.

Er hob den Kopf und starrte vom Erdhügel aus mit abwesendem Blick in die herbstlich öde Landschaft und auf die Kuppeln der Klosterkirche. Er verzog sein stupsnasiges Gesicht und streckte den Kopf vor, wobei seine Halsmuskeln sich strafften: so hebt ein Wolf den Kopf in die Höhe, bevor er zu heulen beginnt. Der Knabe bedeckte sein Gesicht mit den Händen und brach in Schluchzen aus. Aus einer Wolke, die der Wind ihm entgegentrieb, brach ein Sturzregen nieder, der in eisigen Güssen auf sein Gesicht und seine Hände prasselte und peitschte. Ein Mann in Schwarz, der einen Anzug mit zu engen Ärmeln trug, näherte sich dem Grab. Es war Nikolai Nikoláitsch Wedenjapin, ein ehemaliger Priester, der auf eigenen Wunsch in den Laienstand zurückversetzt worden war – der Onkel des weinenden kleinen Jungen. Er ging auf das Kind zu und führte es aus dem Friedhof hinaus.

II

Sie übernachteten in einer der Klosterzellen, die man dem Onkel als altem Bekannten zur Verfügung gestellt hatte. Es war am Vorabend von ›Maria Schutz und Fürbitte‹. Am nächsten Morgen sollte es auf eine große Reise gehen; sie wollten nach dem Süden, in eine Stadt an der Wolga fahren, wo Vater Nikolai in einem Verlagsunternehmen mitarbeitete, das die fortschrittliche Zeitung der Provinz herausgab. Sie hatten ihre Fahrkarten schon besorgt, das Gepäck stand verschlossen und verschnürt in der Klosterzelle. Der Wind trug vom nahe gelegenen Bahnhof her die klagenden Pfiffe der Lokomotiven, die in der Ferne rangierten.

Gegen Abend wurde es empfindlich kalt. Durch die beiden zu ebener Erde gelegenen Fenster sah man den bescheidenen, mit Akazien bepflanzten Klostergarten, die vereisten Pfützen der Landstraße und einen Teil des Friedhofs, auf dem Marja Nikolajewna begraben worden war. Bis auf einige Reihen von gefrorenen, blaugeäderten Kohlköpfen war der Garten leer. Bei jedem Windstoß gebärdeten sich die entlaubten Akaziensträucher wie Besessene, ihre Zweige bogen sich tief über die Straße.

In der Nacht erwachte Jura von einem Klopfen ans Fenster. Die dunkle Zelle wurde von einem unirdisch weißen, flackernden Licht erhellt. Er lief im Nachthemd zum Fenster und preßte sein Gesicht gegen die kalte Scheibe.

Draußen konnte man weder die Straße noch den Friedhof oder den Garten erkennen. Der Sturm tobte, die Luft war von wirbelndem Schnee erfüllt. Es war, als hätte der Schneesturm Jura entdeckt und als heulte er nun im Bewußtsein seiner furchteinflößenden Wirkung mit verdoppelter Stärke, um die Aufmerksamkeit des Knaben auf sich zu ziehen und Eindruck auf ihn zu machen. Vom Himmel senkte sich, Flocke um Flocke, in unermeßlicher Verschwendung, ein weißer Schleier und bedeckte die Erde mit einem Leichentuch. Der Schneesturm war allein auf der Welt, nichts gab es, was sich mit ihm hätte messen können.

Jura kletterte von der Fensterbank herunter. Seine erste Regung war der Wunsch, sich anzukleiden und ins Freie zu laufen, um irgend etwas zu tun. Ihm wurde angst bei dem Gedanken, daß die Kohlköpfe im Klostergarten unter dem Schnee begraben würden, so daß man sie nicht mehr herausschaufeln konnte. Dann wieder stellte er sich vor, wie seine Mutter da draußen auf dem Friedhof unter der weißen Schneedecke lag, hilflos ausgeliefert jener Macht, die sie immer weiter von ihm entfernte und immer tiefer in die Erde versinken ließ.

Er brach von neuem in Tränen aus. Der Onkel erwachte. Er sprach zu ihm von Christus und versuchte, ihn zu trösten. Dann mußte er gähnen und blieb eine Weile nachdenklich am Fenster stehen. Sie begannen, sich anzukleiden. Draußen wurde es langsam hell. Am Horizont stieg der Morgen auf.

III

Solange die Mutter noch lebte, hatte Jura nicht gewußt, daß der Vater sie schon lange verlassen hatte und seine Zeit damit verbrachte, in Sibirien und im Ausland umherzureisen. Niemand hatte ihm gesagt, daß dieser Vater ein Trinker war, der ihr Millionenvermögen in alle vier Winde verschleudert hatte. Man hatte dem Kind erzählt, er halte sich in Petersburg auf oder er sei auf einer der großen Messen, am häufigsten auf der Irbit-Messe, jenseits des Ural.

Dann erkrankte die Mutter, die immer leidend gewesen war, an Tuberkulose. Sie reiste von nun an regelmäßig zur Kur nach Südfrankreich und nach Norditalien, wohin sie Jura zweimal begleiten durfte. Juras Kindheit war unruhig und voll von quälenden Geheimnissen. Oft wurde er bei fremden Leuten untergebracht und jedesmal anderswo. Er hatte sich an den ständigen Wechsel gewöhnt. Und inmitten der allgemeinen Verwirrung fiel ihm die Abwesenheit seines Vaters nicht mehr auf.

Als er ganz klein war, hatte es eine Zeit gegeben, in welcher der Name, den er trug, eine große Anzahl der verschiedensten Dinge bezeichnete:

Es gab die Fabrik Schiwago, die Bank Schiwago, das Immobilienbüro Schiwago, das Verfahren Schiwago, mit Hilfe dessen man Krawattenknoten durch Nadeln befestigte, und sogar eine Sorte von runden Kuchen, der man den Namen Schiwago gegeben hatte. Damals brauchte man einem Moskauer Kutscher nur zuzurufen ›Zu Schiwago‹, und der Schlitten entführte einen ans Ende der Welt in ein verzaubertes Königreich. Ein stiller Park schloß sich von allen Seiten zusammen. Von den Zweigen der Tannen rieselte der Schnee, wenn sich eine Krähe darauf niederließ.

Rassehunde liefen über den Weg jenseits der Schneise, wo die neuen Gebäude standen. Dort unten zündete man die Lichter an. Der Abend nahte.

Eines Tages löste sich die ganze Herrlichkeit in nichts auf. Sie waren arm geworden.

IV

Im Sommer des Jahres 1903 fuhr Jura mit seinem Onkel in einem Zweispänner durch die Felder nach Dupljanka, dem Landsitz des Seidenfabrikanten und Kunstmäzens Kologriwov. Sie wollten dort Iwan Iwanowitsch Woskoboinikov, einen Pädagogen, der populärwissenschaftliche Bücher verfaßte, besuchen.

Es war zur Zeit des Festes der Heiligen Jungfrau von Kasan, und die Ernte war in vollem Gange. Wegen der Mittagsstunde oder wegen des Festtages trafen sie in den Feldern keine Menschenseele. Die Sonne brannte auf die halb abgeernteten Kornfelder nieder, die abrasierten Sträflingsköpfen glichen. Vögel kreisten über der Ebene. Das reife Korn stand mit leicht niedergebeugten Ähren in schnurgeraden Reihen in der reglosen Mittagsstille. In einiger Entfernung vom Weg sah man die Umrisse kreuzförmig gebundener Garben, die sich bei längerer Betrachtung zu bewegen schienen wie Landmesser, die am Horizont entlanggehen, um irgendwelche Eintragungen zu machen.

»Gehören diese Felder dem Gutsherrn oder den Bauern?« fragte Nikolai Nikoláitsch den Hausmeister Pawel, der beim Verlag angestellt war, jedoch auch zu anderen Arbeiten herangezogen wurde. Jetzt saß er nachlässig, mit übereinandergeschlagenen Beinen auf dem Kutscherbock, als wolle er damit zeigen, daß er kein richtiger Kutscher sei und daß sein Beruf nicht darin bestand, einen Wagen zu führen.

»Diese Felder hier gehören zum Gut«, antwortete Pawel und zündete sich eine Zigarette an, »die dort drüben«, – er machte eine lange Pause, um ein paarmal an der Zigarette zu ziehen, und deutete mit dem Peitschenstiel in eine andere Richtung –, »diese gehören uns. Heda, ihr schlaft wohl!« rief er dazwischen seinen Pferden zu, deren Schweif und Kruppe er ständig im Auge behielt wie ein Lokomotivführer sein Manometer.

Die Pferde benahmen sich so, wie alle Pferde der Welt es tun. Das Deichselpferd strebte voran mit der angeborenen Geradheit einer einfachen Seele, während das Beipferd seinen Hals reckte wie ein Schwan und mit seinen eigenwilligen Sprüngen und dem Schellengeklingel auf jeden Außenstehenden einen faulen und verspielten Eindruck machte.

Nikolai Nikoláitsch brachte die Korrekturbogen eines Buches von Woskoboinikov über die Agrarfrage mit, das der Verleger wegen der verschärften Zensurbedingungen noch einmal zu revidieren gebeten hatte.

»Das Volk scheint im ganzen Gouvernement in Unruhe zu sein«, sagte Nikolai Nikoláitsch zu Pawel, »im Penjkovschen Kreise hat man einen Kaufmann erstochen. Dem Semsky* hat man seine Zuchtstallungen angezündet. Was hältst du davon? Was sagt man dazu in eurem Dorf?«

Es zeigte sich, daß Pawel die Lage noch finsterer beurteilte als der Zensor, der Woskoboinikovs leidenschaftliche Stellungnahme in der Agrarfrage mildern wollte. »Was sollen die schon sagen? Man hat die Zügel zu locker gelassen. Man hat die Bauern zu sehr verwöhnt, sie können das nicht vertragen. Wenn man den Bauern zuviel Freiheit läßt, werden sie sich gegenseitig umbringen. Wahrhaftiger Gott, so ist es. – He, seid ihr eingeschlafen?«

Onkel und Neffe fuhren zum zweitenmal nach Dupljanka. Jura

* Landesbevollmächtigter eines Agrarverbandes

glaubte, den Weg in Erinnerung behalten zu haben, und jedesmal, wenn die Ebene sich erweiterte und ein schmaler Waldstreifen sichtbar wurde, glaubte er, die Stelle wiederzuerkennen, wo die Straße nach rechts abbog, um schon nach Minutenfrist den Blick freizugeben auf das riesige Panorama der Besitzungen Kologriwovs mit dem in der Ferne aufschimmernden Fluß und der Eisenbahnlinie am anderen Ufer. Aber er täuschte sich immer wieder. Felder und Waldränder lösten einander in endloser Folge ab. Die Seele paßte sich der Weite des Raumes an. Man bekam Lust, zu träumen und an die Zukunft zu denken.

Zu dieser Zeit war noch keines der Bücher geschrieben, die Nikolai Nikoláitsch später berühmt machen sollten. Aber seine Ideen hatten schon feste Gestalt angenommen. Er ahnte nicht, wie nah seine Stunde war.

Bald genug sollte er seinen Platz unter den Schriftstellern, Philosophen und Universitätsprofessoren der revolutionären Bewegung einnehmen, als einer, der außer der Problemstellung und der Terminologie nichts mit ihrer Denkweise gemeinsam hatte. Sie alle hielten sich an ein Dogma und gaben sich mit Worten und äußeren Erscheinungen zufrieden, während Vater Nikolai, der ehemalige Priester, durch den Tolstoiismus hindurchgegangen war und als revolutionärer Idealist seinen eigenen Weg ging. Er sehnte sich nach einer schöpferischen und doch wirklichkeitsnahen Idee, die einen klaren Weg weisen würde, von dem es keine Umkehr gab. Diese Idee sollte die Welt bessern und von solch leuchtender Klarheit sein, daß selbst ein Kind oder ein völlig Unwissender sie sehen und erkennen konnte wie einen aufzuckenden Blitz, wie den Widerhall eines Donnergrollens. Er sehnte sich nach etwas vollkommen Neuem.

Jura fühlte sich wohl bei seinem Onkel. Er erinnerte ihn an seine Mutter. Genau wie sie war auch er ein freier Mensch, der nicht die geringsten Vorurteile gegenüber dem Ungewohnten hatte. Wie sie besaß auch er jenen aristokratischen Sinn für die Gleichheit aller lebenden Wesen. Auch er erfaßte alles auf den ersten Blick und wußte seinen Gedanken unmittelbar Ausdruck zu geben, bevor sie ihren ursprünglichen Sinn und ihr wahres Leben eingebüßt hatten.

Jura war glücklich, daß sein Onkel ihn nach Dupljanka mitgenommen hatte. Die Gegend war sehr schön, und auch dies erinnerte ihn an seine Mutter, die immer die Natur geliebt und ihn oft zu

Landausflügen mitgenommen hatte. Im übrigen freute er sich, Nicki Dudurov wiederzusehen, obgleich Nicki, der zwei Jahre älter war, ihn wahrscheinlich verachtete. Dudurov war ein Gymnasiast, der bei den Woskoboinikovs wohnte. Er hatte die Angewohnheit, einem bei der Begrüßung sehr kräftig die Hand zu schütteln und sie nach unten zu ziehen. Dabei beugte er den Kopf so tief, daß ihm das Haar in die Stirn fiel und das halbe Gesicht bedeckte.

V

»Der Lebensnerv des Problems des Pauperismus«, las Nikolai Nikoláitsch aus dem korrigierten Manuskript vor.

»›Das Wesentliche‹ wäre, glaube ich, besser«, unterbrach Iwan Iwanowitsch und trug eine Anmerkung in die Korrekturbogen ein. Sie arbeiteten im Halbdunkel einer Glasterrasse. Gießkannen und Gartengeräte standen überall herum; ein Regenmantel hing unordentlich über einem zerbrochenen Stuhl. In einer Ecke standen Wasserstiefel mit eingetrocknetem Schmutz an den Schäften, die sich bis zum Boden hinunterbogen.

»Andererseits zeigt die Statistik der Geburten und Todesfälle«, diktierte Nikolai Nikoláitsch.

»Man muß einfügen ›für das laufende Jahr‹«, sagte Iwan Iwanowitsch und machte sich eine Notiz. Auf der Terrasse wehte ein leichter Luftzug. Man hatte die Druckfahnen, die wegzufliegen drohten, mit kleinen Granitstücken beschwert.

Als sie ihre Arbeit beendet hatten, wollte Nikolai Nikoláitsch sich sogleich verabschieden.

»Ein Gewitter ist im Anzug. Wir müssen uns auf den Weg machen.«

»Was denken Sie! Auf keinen Fall lasse ich Sie jetzt weggehen! Wir wollen Tee trinken.«

»Ich muß heute abend unbedingt in der Stadt sein.«

»Nichts zu machen. Sie bleiben hier.«

Der Tee wurde im Garten serviert. Der Geruch der brennenden Holzkohle aus dem Samowar war stärker als der Tabakrauch und der Duft des Heliotrops. Aus dem Haus wurden Rahm, Erdbeeren und Käsekuchen gebracht. Dann kam die Nachricht, daß Pawel weggegangen war, um ein Bad im Fluß zu nehmen, wobei er die

Pferde mitgenommen hatte. Nikolai Nikoláitsch mußte wohl oder übel nachgeben.

»Wir wollen zum Flußufer gehen und uns dort auf eine Bank setzen, bis wir zum Tee gerufen werden«, schlug Iwan Iwanowitsch vor. Als guter Freund der Kologriwovs verfügte Iwan Iwanowitsch über zwei Räume im Haus des Verwalters. Das Häuschen mit seinem kleinen Vorgarten stand in einem verwilderten Teil des Parks, in der Nähe der alten Allee, die übersät mit Unkraut war und nur noch als Abladeplatz für Bauschutt benutzt wurde. Kologriwov, ein Millionär mit fortschrittlichen Ideen, der mit den Revolutionären sympathisierte, befand sich zur Zeit mit seiner Frau im Ausland. Das Herrenhaus wurde nur von den beiden Töchtern Nadja und Lipa mit ihrer Erzieherin und einigen Dienstboten bewohnt.

Eine dichte Holunderhecke trennte das Gärtchen des Verwalters vom Park mit seinen Teichen, Wiesen und dem Herrenhaus. Als Iwan Iwanowitsch und Nikolai Nikoláitsch an dieser Hecke entlanggingen, flogen aus dem Gebüsch in regelmäßigen Abständen Schwärme von Spatzen auf und erfüllten die Luft mit ständigem Gezwitscher und Geschilpe, wie Wasser, das in einer Röhre am Weg entlang rinnt.

Sie kamen an den Treibhäusern, an der Wohnung des Gärtners und an den Ruinen einiger Steinbauten vorbei. Sie sprachen über neue Talente in der Wissenschaft und in der Literatur.

»Natürlich findet man hier und da begabte Leute«, sagte Nikolai Nikoláitsch, »aber sie sind isoliert. Im Augenblick sind die Kreise und Gruppen, die Vereinigungen und Zirkel in Mode. Der Herdentrieb ist immer die letzte Zuflucht für Unbegabte, ob es sich nun um die Anhänger von Ssolowjov, Kant oder Marx handelt. Wer die Wahrheit sucht, muß allein bleiben und mit all denen brechen, die sie nicht genügend lieben. Wie viele Dinge in dieser Welt verdienen wirklich unsere Treue? Es sind wenig genug, wie mir scheint. Man sollte der Unsterblichkeit die Treue halten, denn sie ist nur ein anderes Wort für das, was wir sonst Leben nennen. Man muß der Unsterblichkeit treu sein, wie man Christus treu sein muß. Weshalb machen Sie solch ein finsteres Gesicht. Sie haben mich natürlich wieder nicht verstanden, mein Lieber.«

»Hm«, machte Iwan Iwanowitsch. Er war ein magerer, zappliger blonder Mensch mit einem dürftigen Bärtchen, das ihn einem Amerikaner aus Lincolns Zeiten ähnlich machte (ständig nahm er das Ende dieses Bärtchens zwischen die Finger oder versuchte, es mit den Lippen oder der Zunge zu erreichen). »Ich habe hierzu nichts zu sagen. Ich betrachte diese Dinge von einem anderen Standpunkt aus. Übrigens, wie war es eigentlich, als man Sie in den Laienstand zurückversetzte? Schon lange wollte ich Sie das fragen. Ich nehme an, Sie haben sich sehr gefürchtet vor diesem Augenblick. Hat man das Anathema über Sie verhängt?«

»Sie versuchen, das Thema zu wechseln. Nun, wie Sie wünschen ... Das Anathema? Nein, man verhängt es heute nicht mehr. Es gab Unannehmlichkeiten, die gewisse Folgen gehabt haben. Zum Beispiel bin ich für lange Zeit vom Staatsdienst ausgeschlossen, und ich darf nicht in Moskau oder in Petersburg wohnen. Aber das sind Nebensächlichkeiten. Kommen wir wieder auf den Gegenstand unserer Unterhaltung zurück. Ich habe gesagt, daß es notwendig ist, Christus die Treue zu halten. Ich will das näher erklären. Sie können vielleicht nicht begreifen, daß man Atheist sein kann und nicht weiß, ob es einen Gott gibt und wozu er da ist, und dennoch überzeugt davon ist, daß der Mensch nicht in der Natur lebt, sondern in der Geschichte, und daß die Geschichte, wie wir sie heute verstehen, von Christus durch das Evangelium begründet worden ist. Was ist Geschichte? Sie ist der Beginn einer jahrhundertelangen systematischen Arbeit, die dazu bestimmt ist, das Geheimnis des Todes aufzuklären und endlich den Tod selber zu überwinden. Aus keinem anderen Grund komponieren die Menschen Sinfonien, entdecken sie die mathematische Unendlichkeit und die elektromagnetischen Wellen. Um in diese Richtung vorzudringen, braucht man einen gewissen Aufschwung der Seele. Sie können keine Entdeckungen machen ohne das geistige Rüstzeug, das uns in den Evangelien gegeben ist. Da ist als erstes die Nächstenliebe, diese hochentwickelte Form der lebendigen Energie, die das Herz des Menschen bis zum Überfluß erfüllt und nach Hingabe und Verschwendung verlangt. Da sind die zwei wesentlichen Elemente, die für die Existenz des modernen Menschen unerläßlich sind: die Idee der Freiheit der Persönlichkeit und die Vorstellung vom Leben als Opfer. Bitte beachten Sie, daß dies alles bis zum heutigen Tage aufregend neu ist! Eine Geschichte in diesem Sinne hat die Antike nicht gekannt. Da gab es die animalische Wildheit und Grausamkeit pockennarbiger Caligulas, die nicht einmal im Traume ahnten, wie zweitrangig jeder Tyrann, der seine Mitmenschen versklavt, notwendigerweise sein muß. Es gab die prahlerische tote Ewigkeit bronzener Denkmäler und Marmorsäulen. Christus mußte kommen, damit die nachfolgenden Jahrhunderte und Generationen frei aufatmen konnten. Er mußte sterben, damit die Menschen in ihren Nachkommen weiterleben. Er mußte den Tod erleiden, damit der Mensch nicht mehr wie ein Hund auf der Straße krepiert, sondern bei sich zu Hause stirbt, in der Geschichte, auf dem Höhepunkt seiner Arbeit, die der Überwindung des Todes geweiht ist . . . Uff. Mir ist ordentlich heiß geworden. Und dabei ist alles verlorene Mühe. Man könnte ebensogut gegen eine Wand reden.«

»Das ist Metaphysik, mein Lieber. Das hat mir mein Arzt verboten; mein Magen verdaut diese Kost nicht.«

»Also Gott mit Ihnen. Lassen wir es, es ist hoffnungslos. – Was für eine wunderbare Aussicht haben Sie von hier, man könnte sie stundenlang genießen! Aber wenn man das täglich sieht, merkt man es wohl gar nicht mehr.«

Der Fluß blendete so, daß es den Augen weh tat. Er glänzte in der Sonne wie blankes Metall. Auf einmal bedeckte sich seine Oberfläche mit Fältchen und Runzeln. Eine schwerbeladene Fähre setzte Pferde und Karren, Bauern und Bäuerinnen ans andere Ufer über.

»Denken Sie nur, es ist noch nicht einmal sechs«, sagte Iwan Iwanowitsch. »Der Expreß aus Sysran kommt hier kurz nach fünf Uhr durch.«

In der Ferne entdeckte man einen hübschen gelb-blauen Zug, der, winzig wie ein Spielzeug, von rechts nach links über die Ebene fuhr. Auf einmal bemerkten sie, daß er angehalten hatte. Von der Lokomotive stiegen weiße Dampfwölkchen auf, einen Augenblick später hörten sie die Alarmpfeife.

»Merkwürdig«, sagte Woskoboinikov, »irgend etwas stimmt da nicht. Es gibt keinen Grund, mitten auf freiem Felde anzuhalten. Es muß etwas passiert sein. Kommen Sie, wir wollen jetzt Tee trinken.«

VI

Nicki war weder im Garten noch im Hause zu finden. Jura vermutete, daß er ihre Gesellschaft mied, weil er sich mit ihnen langweilte und weil er, Jura, nicht der richtige Spielkamerad für ihn war. Der Onkel und Iwan Iwanowitsch hatten sich auf die Terrasse zurückgezogen, um zu arbeiten. Jura streifte ziellos in der Umgebung des Hauses umher.

Wie schön war es hier! Der reine Pfiff des Pirols erklang immer von neuem; nach den drei Tönen des Rufs folgte jedesmal eine Stille der Erwartung, in der die Landschaft sich gleichsam vollsog mit dem feuchten, klagenden Laut, der einer Schalmei zu entstammen schien. Der in der Luft vibrierende Duft der Blumen blieb dicht über der Erde haften, die Hitze ließ ihn nicht in die Höhe steigen. Wie sehr erinnerte ihn das an Antibes und Bordighera! Jura blickte sich nach allen Seiten um. Über den Wiesen des Parks glaubte er plötzlich einen schwachen Widerhall der Stimme seiner Mutter zu hören. Die Stimme der Mutter klang mit in den melodischen Tonfolgen des Vogelgesanges und im Summen der Bienen. Jura zitterte vor Erregung, denn er spürte immer deutlicher, daß die Mutter nach ihm rief und daß sie seine Nähe wünschte.

Er ging auf das Steilufer zu und stieg durch den lichten Wald und durch dichteres Erlengehölz in die Schlucht hinunter. Hier unten war es dämmrig und feucht. Der Boden war mit toten Ästen und Reisig bedeckt. Es roch nach Aas, und es gab nur wenig Blumen. Die Ranken des Efeus glichen den Zeptern und Krummstäben der ägyptischen Ornamente, mit denen seine illustrierte Kinderbibel ausgeschmückt war.

Dumpfe Traurigkeit hielt ihn umfangen. Er fiel auf die Knie nieder und brach in Tränen aus.

»Engel des Herrn«, betete er, »mein heiliger Schutzengel. Stärke meinen Geist, auf daß ich den rechten Weg finde, und sage meiner Mutter, daß ich es hier gut habe, damit sie sich keine Sorgen macht. Wenn es ein ewiges Leben gibt, o Herr, so nimm Mama zu dir in dein Paradies, wo die Heiligen und die Gerechten wie Sterne leuchten. Sie war so gut, es ist nicht möglich, daß auch sie eine Sünderin war. Erbarme dich ihrer, Gott, und mache, daß sie keine Qualen zu erdulden hat. – Mutter«, rief er in herzzerreißender Verzweiflung, so als erflehe er die Fürbitte einer neuen Heiligen im Himmel. Plötzlich konnte er die Qual nicht mehr aushalten, schlug auf den Boden hin und verlor das Bewußtsein.

Seine Ohnmacht dauerte nicht lange. Als er wieder zu sich kam, hörte er die Stimme seines Onkels, der nach ihm rief. Er antwortete ihm und fing an, den Abhang der Schlucht wieder hinaufzusteigen.

Auf einmal fiel ihm ein, daß er nicht für seinen abwesenden Vater gebetet hatte. Aber die kurze Ohnmacht hatte ein so wunderbares Gefühl von Leichtigkeit und Wohlbefinden in ihm zurückgelassen, daß er sich scheute, dies Glück aufs Spiel zu setzen. Und so verschob er das Gebet für den Vater auf ein anderes Mal. ›Das hat Zeit‹, dachte er, ›das eilt nicht.‹ Jura hatte keinerlei Erinnerung an seinen Vater.

VII

In einem Zweiter-Klasse-Abteil des Zuges, der in der sumpfigen Ebene jenseits des Flusses angehalten hatte, saß Mischa Gordon, der mit seinem Vater, einem Rechtsanwalt aus Orenburg, auf Reisen war. Mischa war ein elfjähriger Junge mit einem nachdenklichen Ausdruck im Gesicht und großen schwarzen Augen. Sein Vater hatte eine Stellung in Moskau angenommen, und Mischa sollte dort ins Gymnasium eintreten. Mutter und Schwester waren vorausgefahren, um die neue Wohnung einzurichten.

Sie waren schon seit drei Tagen unterwegs. Rußlands Felder, Steppen, Dörfer und Städte flogen, in weiße Wolken von Staub und Sonnenglast gehüllt, an ihnen vorüber. Kolonnen von Bauernkarren zogen über die Landstraßen und bogen schwerfällig in Feldwege ein. Vom Zug aus, der mit voller Geschwindigkeit fuhr, hatte man den Eindruck, daß Wagen und Pferde sich nicht von der Stelle bewegten.

An den größeren Stationen rasten die Reisenden wie besessen zu den Büfetts der Bahnhofsrestaurants. Die Strahlen der untergehenden Sonne, die durch das Laub der Stationsgärten drangen, streiften ihre Beine und ließen das Metall der Wagenräder aufleuchten.

Für sich betrachtet erscheinen alle Bewegungen und Regungen in dieser Welt das Ergebnis nüchterner Berechnung zu sein. Im Zusammenhang jedoch wirken sie unbewußt und wie berauscht vom gewaltigen Strom des Lebens, der sie vereint. Die Menschen arbeiten und mühen sich ab, vorangetrieben vom Mechanismus ihrer individuellen Sorgen. Aber diese Mechanismen könnten niemals funktionieren ohne den Regulator einer ihnen übergeordneten, fundamentalen Sorglosigkeit. Diese Unbekümmertheit gründet sich auf das Bewußtsein der Gemeinsamkeit aller menschlichen Existenzen, die miteinander verbunden sind durch das Gefühl einer glücklichen Entsprechung des Seins. Alles, was geschieht, scheint sich nicht nur auf der Erde abzuspielen, wo man die Toten begräbt, sondern zugleich auch auf einer höheren Ebene, die von den einen das ›Reich Gottes‹, von anderen ›die Geschichte‹ oder ähnlich genannt wird.

Von dieser Regel bildete der Knabe Mischa eine bittere und unglückliche Ausnahme. Seine wesentliche Triebfeder war das Gefühl der Besorgnis. Er kannte nicht jene wohltuende Sicherheit und Unbekümmertheit der Natur, die alle Dinge im Leben erleichtert und schöner macht. Er war sich klar über die Gefahren dieses ererbten Charakterzuges, dessen Kennzeichen er mit mißtrauischer Wachsamkeit beobachtete. Sein Mangel an Sorglosigkeit bekümmerte und bedrückte ihn.

Soweit seine Erinnerung zurückreichte, hatte er sich immer von neuem voller Staunen gefragt, wie es möglich war, daß er, der doch die gleichen Arme und Beine, dieselbe Sprache und dieselben Gewohnheiten wie jedermann besaß, so verschieden sein konnte von allen anderen Menschen. Aus welchem Grunde, so fragte er sich, bin ich so geschaffen, daß nur wenige mich leiden können und niemand mich liebt? Er konnte nicht begreifen, daß man gewisse grundlegende Dinge, die einen gegenüber anderen Menschen benachteiligen, nicht aus eigener Kraft ändern und bessern kann. Was bedeutete es, ein Jude zu sein? Warum gab es so etwas überhaupt? Wodurch wurde diese Heimsuchung, die nichts als Leid und Kummer brachte, gerechtfertigt und belohnt?

Als er bei seinem Vater Antwort auf diese Frage suchte, erwiderte ihm dieser, daß seine Prämissen unsinnig seien und daß man Überlegungen dieser Art nicht anstellen dürfe. Aber die Lösung, die er statt dessen vorschlug, besaß nicht genügend Tiefe und Anziehungskraft für Mischa, um ihn dazu zu bringen, sich vor dem Unabänderlichen zu beugen.

Mischa verspürte allen Erwachsenen gegenüber ein wachsendes Mißtrauen, wobei er nur seine Eltern ausnahm. Er war überzeugt davon, daß er das Durcheinander, das die großen Leute gestiftet hatten, entwirren könne, wenn er erwachsen wäre.

Kein Mensch hätte zu sagen gewagt, daß Mischas Vater unrecht hatte, als er jenem Verrückten nachrannte, der aus dem Abteil des

Zuges auf die Plattform stürzte, und daß es falsch gewesen war, die Notbremse zu ziehen, als der Wahnsinnige Grigori Ossipowitsch heftig zurückstieß, die Wagentür öffnete und sich kopfüber – wie ein Schwimmer vom Sprungbrett ins Wasser – auf den Bahndamm hinunterwarf.

Aber es war nicht irgendeiner, sondern Grigori Ossipowitsch gewesen, der die Notbremse gezogen hatte. Und aus diesem Grund war niemand anderes als die Familie Gordon an diesem langen Aufenthalt schuld, so wenigstens kam es Mischa vor.

Niemand wußte genau, aus welchem Grund der Zug so lange hielt. Die einen sagten, durch das ruckhafte Anhalten sei die Luftbremse beschädigt worden, andere glaubten, der Zug sei vor einer Steigung der Strecke stehengeblieben, welche die Lokomotive nicht ohne Anlauf bewältigen könne. Und noch ein drittes Gerücht machte die Runde: der Tote, so hieß es, sei eine prominente Persönlichkeit, und der Anwalt, der ihn begleitete, habe verlangt, daß man von der nächsten Station Kologriwovka Zeugen herbeiholen solle, um ein Protokoll aufzunehmen. Aus diesem Grunde sei der Maschinist auf einen Telegrafenmast geklettert: die Draisine mit der Untersuchungskommission sei schon unterwegs.

Der leichte Uringeruch, der von der Toilette des Wagens bis in die Abteile drang, wurde vom Duft des Kölnisch-Wassers überlagert. Außerdem roch es nach gebratenem Huhn, das in ein schmutziges und fettiges Papier eingewickelt war. Grauhaarige Damen aus Petersburg, denen der Ruß der Lokomotive und die sich auflösende Schminke auf ihren Gesichtern ein zigeunerhaftes Aussehen verliehen, unterhielten sich mit tiefen und heiseren Stimmen, wobei sie sich fortwährend puderten und ihre Handflächen mit dem Taschentuch abwischten. Wenn sie am Abteil der Gordons vorbeikamen, zogen sie – so kam es Mischa vor – ihre Stolen enger um ihre Schultern und drehten sich mit einer gewissen Koketterie nach den beiden Reisenden um, so als wollten sie, ohne die Lippen zu öffnen, sagen: du meine Güte, was für empfindliche Pflänzlein! Sie halten sich wohl für ganz besondere Wesen! Es sind Intellektuelle. Für sie ist das alles zuviel!

Der Leichnam des Selbstmörders lag im Gras neben dem Bahndamm. Ein dünner Streifen geronnenen Blutes zog eine schwarze Spur über sein Gesicht, das aussah, als sei es durchgestrichen. Das Blut schien nicht aus den Adern des Toten zu stammen, sondern von außen gekommen zu sein wie ein Pflaster oder ein Spritzer getrockneten Schmutzes oder ein feuchtes Birkenblättchen.

Die kleine Gruppe von neugierigen und anteilnehmenden Zuschauern, die sich um den Toten herum gebildet hatte, bekam ständig neuen Zuwachs. Der Freund und Reisegenosse des Selbstmörders, ein dicker und anmaßender Advokat, stand mit finsterem undurchdringlichem Gesichtsausdruck neben der Leiche. Er schien vor Hitze fast umzukommen und fächelte sich mit seinem weichen Hut Kühlung zu. Auf alle Fragen antwortete er nur mit einem Schulterzucken, ohne sich nach dem Fragenden umzudrehen: »Ein Alkoholiker. Was kann man da anderes erwarten? Typische Kurzschlußhandlung im Delirium tremens.«

Schon einige Male hatte sich eine magere Frau in einem Wollkleid mit Spitzenkragen dem Toten genähert. Es war die alte Tiversina, die Witwe und Mutter eines Maschinisten, die mit ihren beiden Schwiegertöchtern auf Freifahrtschein in der dritten Klasse fuhr.

Die beiden Frauen folgten ihr still, sie hatten die Kopftücher tief in die Stirn gezogen und glichen zwei Nonnen, die hinter ihrer Äbtissin hergehen. Die Gruppe, die sie bildeten, rief Ehrfurcht hervor, man gab ihr den Weg frei und wich zur Seite.

Frau Tiversíns Mann war bei einem Eisenbahnunfall lebendig verbrannt. Sie blieb einige Schritte vor dem Leichnam stehen, so daß sie ihn über die Menge hinweg sehen konnte, und seufzte, als stelle sie Vergleiche an. Jedem sein Geschick, schien sie sagen zu wollen. Der eine stirbt durch Gottes Willen, der da hat einen närrischen Einfall gehabt. So geht es den Reichen: sie verlieren den Verstand.

Fast alle Reisenden hatten sich den Leichnam des Selbstmörders angesehen. Nur die Furcht, während ihrer Abwesenheit bestohlen zu werden, ließ sie in ihre Wagen zurückkehren.

Während sie auf die Gleise hinuntersprangen, ein Stück die Bahnstrecke entlanggingen, Blumen pflückten und sich die Beine vertraten, hatten sie alle den seltsamen Eindruck, daß die Landschaft mit den Sumpfwiesen, dem breiten Fluß, dem schönen Haus und der Kirche über dem Steilufer erst durch den Aufenthalt des Zuges ins Leben gerufen worden war und vor dem Unfall gar nicht existiert hatte.

Auch die ängstliche Abendsonne, die diese Szene beleuchtete, schien nichts als eine örtliche Staffage zu sein. Ihre Strahlen näherten sich nur zögernd der Unfallstelle wie eine Kuh, die ihre in der Nähe weidende Herde für einen Augenblick verläßt, um die Menschen auf der Bahnstrecke zu betrachten.

Mischa war erschüttert von allem, was sich ereignet hatte. Aus Schrecken und Mitgefühl hatte er angefangen zu weinen. Im Laufe der langen Reise war der Selbstmörder mehrere Male in ihrem Abteil gewesen, um mit Mischas Vater zu reden. Er sagte, in ihrer Gegenwart spüre er eine moralische Reinheit und Klarheit, die seinen Geist beruhige, und er stellte Grigori Ossipowitsch eine Menge schwieriger juristischer Fragen über Wechsel, Stiftungsurkunden, Bankrott und Unterschlagungen. »So ist das also«, wiederholte er mit Verwunderung bei Gordons Erklärungen. »Die Gesetze, auf die Sie hinweisen, scheinen mir viel humaner zu sein. Mein Rechtsanwalt hat mir andere Informationen gegeben. Er ist viel pessimistischer als Sie.«

Jedesmal, wenn dieser nervöse Mensch etwas ruhiger wurde, kam sein Rechtsanwalt und Reisebegleiter aus der ersten Klasse und nahm ihn in den Speisewagen mit, um mit ihm Champagner zu trinken. Es war der gleiche gedrungene arrogante Advokat mit dem glattrasierten Gesicht und dem geckenhaft modischen Anzug, der jetzt vor dem Toten stand und den nichts in der Welt aus dem Gleichgewicht zu bringen schien. Man konnte sich des Eindrucks nicht erwehren, daß die fieberhafte Erregung, in der sich sein Klient befunden hatte, ihm persönlich von Nutzen gewesen war.

Der Vater hatte Mischa erzählt, daß der Besucher ein bekannter reicher Mann namens Schiwago sei, ein liederlicher aber gutmütiger Mensch, der nicht mehr als ganz zurechnungsfähig gelten konnte. Die Anwesenheit des Kindes hinderte ihn nicht, von seinem Sohn, der ungefähr Mischas Alter hatte, zu sprechen und von seiner gerade verstorbenen Frau, dann erzählte er von seiner zweiten Familie, die er gleichfalls verlassen hatte. In diesem Augenblick schien ihm ein neuer Einfall zu kommen, er wurde bleich vor Schrecken, redete wirr durcheinander und verlor den Faden seiner Gedanken. Mischa gegenüber zeigte er sich von einer unverständlichen Zärtlichkeit, die vielleicht nicht ihm, sondern einem anderen galt. Alle Augenblicke machte er ihm kleine Geschenke, die er bei den Aufenthalten des Zuges an größeren Stationen kaufte, wo man an den Bücherständen und Kiosken Spielzeug und regionale Volkskunst anbot.

Er trank ohne Unterbrechung und klagte darüber, daß er seit drei Monaten nicht mehr geschlafen habe und in den wenigen Stunden der Nüchternheit an Schmerzen leide, die ein normaler Mensch sich nicht vorstellen könne.

Noch eine Minute vor seinem Ende war er in ihrem Abteil erschienen, hatte Grigori Ossipowitschs Hand ergriffen, um ihm etwas zu sagen, konnte jedoch kein Wort hervorbringen. Gleich darauf war er durch den Korridor zur Plattform gelaufen, um sich aus dem Zug zu stürzen.

Mischa betrachtete eine kleine Sammlung von Steinen aus dem Ural in einem Holzkästchen; dies war das letzte Geschenk des Verstorbenen. Auf einmal geriet alles in Bewegung. Auf dem Nachbargleise war die Draisine angekommen und hatte neben dem Zug haltgemacht. Ein Inspektor mit Dienstmütze und Kokarde, ein Arzt und zwei Polizeibeamte stiegen aus. Man hörte ihre Stimmen, die in kaltem, amtlichem Ton Fragen stellten. Man machte Notizen, während die Polizisten mit großem Ungeschick den Leichnam auf den Bahndamm hinaufschleiften, wobei sie auf dem glatten Sand immer wieder auszugleiten drohten. Eine Bäuerin fing zu heulen an. Man forderte die Reisenden auf, sich in ihre Wagen zurückzubegeben. Ein Pfeifensignal ertönte. Der Zug setzte sich in Bewegung.

VIII

›Schon wieder dies salbadrige Gerede‹, dachte Nicki wütend, und er fing an, im Zimmer hin und her zu laufen wie ein Raubtier im Käfig. Der Rückzug war ihm abgeschnitten. Im Schlafzimmer waren zwei Betten aufgestellt, von dem eines ihm und das andere Woskoboinikov gehörte. Ohne lange zu überlegen, versteckte sich Nicki unter dem zweiten Bett.

Er hörte, wie sie ihn im Nebenzimmer suchten und sich über sein Verschwinden wunderten. Endlich kamen sie auch ins Schlafzimmer. »Da ist nichts zu machen«, sagte Wedenjapin, »mach einen kleinen Spaziergang, Jura. Vielleicht findest du deinen Kameraden später wieder, dann könnt ihr zusammen spielen.« Eine Weile sprachen sie von den Studentenunruhen in Petersburg und Moskau, so daß Nicki für mehr als zwanzig Minuten in seinem unsinnigen und erniedrigenden Versteck bleiben mußte. Endlich gingen sie auf die Terrasse. Nicki öffnete leise das Fenster, stieg auf die Fensterbank und sprang in den Park hinunter.

Er war heute schlechter Laune, weil er die letzte Nacht nicht geschlafen hatte. Er stand nun in seinem vierzehnten Lebensjahr und hatte es satt, immer nur ›der kleine Junge‹ zu sein. Während der letzten Nacht hatte er kein Auge zugetan, und in der Morgendämmerung war er aus dem Hause gegangen. Die Sonne ging gerade auf, und die Bäume warfen lange, durchbrochene, taufeuchte Schatten auf den Boden des Parks. Der Schatten war nicht schwarz, sondern dunkelgrau wie nasser Filz. Die betäubenden Wohlgerüche des Morgens schienen von jener Stelle der Erde auszuströmen, die in den feuchten Schatten eingetaucht war. Hier und da durchdrangen einzelne Sonnenstrahlen den Schatten, die den Fingern kleiner Mädchen glichen.

Plötzlich entrollte sich einige Schritte vor ihm ein quecksilbrig schimmernder Faden, der den Tautropfen im Grase ähnlich sah. Das fadenförmige Rinnsal floß immer weiter, aber die Erde sog es nicht auf; mit einer unerwartet jähen Bewegung bog es zur Seite und verschwand. Es war eine Kupferschlange! Nicki erbebte.

Nicki war ein merkwürdiger kleiner Junge. Wenn er aufgeregt war, sprach er mit lauter Stimme mit sich selbst. Mit seiner Mutter teilte er die Neigung für hohe erhabene Gegenstände und für Paradoxien.

›Wie schön ist es auf der Erde‹, dachte er, ›aber warum tut einem das Herz davon weh? Natürlich gibt es einen Gott. Aber wenn er existiert, so bin ich dieser Gott.‹ Er warf einen Blick auf eine Espe, deren Laub vom Wipfel bis zum Stamm zitterte (ihre feuchten schillernden Blätter schienen aus Metall geschnitten zu sein). ›Ich werde ihr befehlen, stillzustehen‹, dachte er. Und in einer unnatürlichen Willensanstrengung wünschte er mit seinem ganzen Wesen, mit Fleisch und Blut: ›Still.‹ Und sogleich erstarrten die Blätter gehorsam, der Baum stand bewegungslos da. Nicki stieß einen Freudenschrei aus. Dann lief er, so schnell er konnte, zum Fluß hinunter, um zu baden.

Sein Vater, der Terrorist Dementi Dudurov, befand sich in einem Zwangslager, wo er seine Strafe verbüßte, nachdem er durch einen Gnadenakt des Zaren vom Tode des Erhängens befreit worden war. Seine Mutter war eine georgische Prinzessin aus der Eristowschen Linie, eine verwöhnte und schöne, noch junge Frau, die sich immer für irgendeine Sache begeisterte – bald für Aufstände und extreme Theorien, bald für berühmte Künstler und für schiffbrüchige Existenzen.

Sie vergötterte Nicki und machte aus seinem Vornamen ›Innokenti‹ eine Unmenge kindlicher Verkleinerungen, sie erfand unwahrscheinlich zärtliche und törichte Kosenamen wie ›Inotschek‹ oder ›Notschenka‹. Sie hatte ihn nach Tiflis mitgenommen, um ihn ihrer Familie vorzuführen. Ein weit verästelter Baum im Hofe des Hauses, in dem sie wohnten, war ihm dort unten am meisten aufgefallen. Dieser Baum war ein unförmiger Tropenriese. Seine Blätter glichen Elefantenohren. Mit ihnen schützte er den Hof vor der Gluthitze des südlichen Himmels. Nicki konnte sich nicht an den Gedanken gewöhnen, daß dieser Baum kein Tier, sondern eine Pflanze war.

Der verfemte Name seines Vaters konnte für den Knaben Unannehmlichkeiten mit sich bringen. Mit dem Einverständnis der Mutter Nina Galaktonowna hatte Iwan Iwanowitsch eine Eingabe an den Zaren gemacht, man möge dem Kind die Erlaubnis geben, den Namen der Familie seiner Mutter zu führen.

Während Nicki unter dem Bett versteckt lag und wieder einmal unzufrieden war mit dem Lauf der Welt, dachte er unter anderem auch an diese Eingabe. Wer war eigentlich dieser Woskoboinikov, der sich in alle Dinge einmischte! Er würde ihm schon eines Tages zeigen, daß man sich mit einem Jungen wie Nicki nicht alles erlauben durfte.

Und diese Nadja! Nur weil sie fünfzehn Jahre alt war, nahm sie sich das Recht heraus, mit ihm von oben herab wie mit einem kleinen Jungen zu sprechen! Auch ihr würde er zeigen, wer er war. ›Ich hasse sie‹, wiederholte er mehrere Male, ›ich werde sie töten! Ich werde sie zu einer Bootsfahrt auffordern und sie ertränken.‹

Seiner Mutter war Nicki ebenfalls böse. Sie hatte ihn und Woskoboinikov in die Irre geführt, als sie weggefahren war: keineswegs in den Kaukasus, wie sie beide dachten. An der nächsten Station hatte sie den Zug nach Petersburg genommen, um dort in aller Seelenruhe mit ihren Studenten auf die Polizei zu schießen. Und inzwischen konnte er bei lebendigem Leib in diesem dumpfen Loch verfaulen! Er würde es ihnen allen zeigen. Er würde Nadja ersäufen, das Gymnasium verlassen und zu seinem Vater nach Sibirien fliehen, um einen Aufstand zu organisieren.

Der Teich war mit Seerosen dicht bewachsen. Das Boot durchschnitt die Blätter mit einem harten trockenen Geräusch. Durch die zerrissenen Blätter trat das Wasser an die Oberfläche wie der Saft einer Wassermelone, aus der man ein Stück herausschneidet. Die beiden Kinder versuchten, die Seerosen zu pflücken. Sie zerrten zur gleichen Zeit am selben widerstandsfähigen und elastischen Stiel. Auf diese Weise kamen sie sich so nahe, daß ihre Köpfe zusammenstießen. Das Boot trieb auf das Ufer zu, als hätte ein Bootshaken es erfaßt. Die Stiele wurden kürzer und verflochten sich ineinander. Die weißen Blüten mit dem eidottergelben und blutroten Herzstück versanken unter die Wasseroberfläche und tauchten, tropfend vor Nässe, wieder auf.

Nadja und Nicki fuhren fort mit dem Blumenpflücken. Das Boot neigte sich zur Seite, sie kauerten dicht nebeneinander und beugten sich über seinen Rand.

»Ich habe es satt, in die Schule zu gehen«, sagte Nicki. »Es ist an der Zeit, mit dem Leben zu beginnen, sein Brot zu verdienen und unabhängig zu sein.«

»Und ich wollte dich gerade bitten, mir die Gleichungen zweiten Grades zu erklären. Ich bin so schwach in Algebra, daß ich die Prüfung fast noch einmal machen mußte.«

Nicki glaubte, in diesen Worten einen kleinen Stich zu spüren. Sie hatte ihn auf seinen Platz verwiesen und ihn daran erinnert, wie klein er noch war. Die Gleichungen zweiten Grades! Und er hatte von Algebra keine Ahnung!

Nicki zeigte nicht, wie sehr er sich verletzt fühlte. Er fragte mit gespielter Gleichgültigkeit – und er begriff im gleichen Augenblick, wie töricht diese Frage war:

»Wenn du groß bist, wirst du dann heiraten?«

»Ach, das hat noch lange Zeit. Vermutlich werde ich überhaupt nicht heiraten. Ich habe mich mit diesem Gedanken bisher noch nicht beschäftigt.«

»Bitte, bilde dir nur nicht ein, daß mich das besonders interessiert.«

»Weshalb fragst du dann?«

»Dumme Gans!«

Sie fingen zu streiten an. Nicki erinnerte sich an seinen Anfall von Weiberfeindschaft am Morgen. Er drohte Nadja, daß er sie ertränken würde, wenn sie nicht sogleich mit ihren Frechheiten aufhöre. »Versuche es nur«, sagte Nadja. Da packte er sie mit beiden Armen. Es kam zu einer Balgerei, sie verloren das Gleichgewicht und fielen ins Wasser.

Beide konnten schwimmen, aber die Seerosen klammerten sich an ihren Armen und Beinen fest, und sie hatten noch keinen Boden unter den Füßen. Endlich wateten sie durch den Schlick, und es gelang ihnen, ans Ufer zu klettern. Das Wasser rann aus ihren Schuhen und Taschen. Nicki war der Erschöpftere von beiden.

Noch vor kurzem, etwa im vergangenen Frühjahr, wären sie nach einem solchen Abenteuer, triefend, wie sie da nebeneinandersaßen, unweigerlich in einen neuen Streit und in lärmendes Gelächter ausgebrochen.

Jetzt aber schwiegen sie und wagten kaum zu atmen im Bewußtsein der Unsinnigkeit des Geschehens. Nadja verharrte in stummer Empörung. Nicki taten alle Glieder weh, so als hätte man ihm Arme und Beine blau und grün geschlagen und die Rippen eingedrückt.

Endlich sagte Nadja mit leiser ruhiger Stimme wie eine Erwachsene: »Du bist verrückt.« Und er äußerte, ebenfalls im Ton eines Erwachsenen: »Verzeih mir, bitte.«

Als sie den Weg zum Haus zurückgingen, hinterließen sie eine feuchte Spur wie zwei leckende Wasserfässer. Sie kamen über eine staubige Anhöhe, wo es von Schlangen wimmelte. In dieser Gegend hatte Nicki am frühen Morgen die Kupferschlange gesehen.

Nicki mußte an die fieberhafte Erregung der Nacht zurückdenken, an den Zauber der frühen Stunde und an seine morgendliche Allmacht, als er der Natur seinen Willen aufgezwungen hatte. ›Welchen Befehl soll ich ihr jetzt geben‹, dachte er, ›was wünsche ich in diesem Augenblick mehr als alles andere in der Welt?‹ Er wurde sich klar darüber, daß er große Sehnsucht verspürte, noch einmal mit Nadja ins Wasser zu fallen, und daß er viel darum gäbe, im voraus zu wissen, ob sich dies ein zweites Mal in seinem Leben ereignen würde.

Ein Mädchen aus anderen Kreisen

I

Der Krieg mit Japan war noch nicht zu Ende, als andere unvorhergesehene Ereignisse die allgemeine Aufmerksamkeit von ihm ablenkten. Die Wellen der Revolution gingen über Rußland hin, eine höher und furchtbarer als die andere.

Zu dieser Zeit kam die Witwe eines belgischen Ingenieurs, Amalja Karlowna Guichard, vom Ural nach Moskau. Sie war eine Russin französischen Ursprungs und hatte zwei Kinder, Rodion und Larissa. Sie brachte ihren Sohn Rodion in einer Kadettenanstalt unter, die Tochter Larissa trat in ein Mädchenlyzeum ein, wo sie zufällig die gleiche Klasse mit Nadja Kologriwov besuchte.

Madame Guichard hatte von ihrem Mann einige Wertpapiere geerbt, die nach vorübergehendem Anstieg im Kurs stark gesunken waren. Ihre Mittel schmolzen dahin. Um Abhilfe zu schaffen und eine Beschäftigung zu haben, kaufte Madame Guichard ein kleines Geschäft, das Schneideratelier Lewizkaja in der Nähe des Siegestores. Sie erwarb das Recht, den alten Firmennamen weiterzuführen und Kundschaft, Modistinnen und Lehrmädchen zu übernehmen.

Madame Guichard hatte sich dabei von dem Rechtsanwalt Komarovskij beraten lassen, der ein Freund ihres Mannes war und die Familie unter seinen Schutz genommen hatte. Komarovskij war ein kaltblütiger Geschäftsmann, der das kommerzielle Leben in Rußland wie kein anderer kannte. Madame Guichard hatte mit ihm wegen des Umzuges korrespondiert, und er hatte die kleine Familie am Bahnhof empfangen, um sie durch die ganze Stadt bis zum Hotel Montenegro in der Arsenalstraße zu begleiten, wo er Zimmer bestellt hatte. Er war es auch gewesen, der Madame Guichard dazu bestimmt hatte, Rodion in die Kadettenschule eintreten zu lassen und Lara auf ein Lyzeum zu schicken, das er empfohlen hatte. Er pflegte zerstreut mit dem Jungen zu scherzen und warf dem kleinen

Mädchen dabei Blicke zu, die ihr das Blut in die Wangen trieben.

II

Bevor sie die kleine Dreizimmer-Wohnung bezogen, die zum Schneideratelier gehörte, hatten sie etwa einen Monat lang im Hotel Montenegro gehaust.

Das Hotel lag in einem der finstersten Stadtviertel von Moskau. Auf den Straßen trieben sich übel beleumundete Droschkenkutscher, Spelunkengesindel und Prostituierte herum.

Die Kinder wunderten sich nicht über den Schmutz in den Zimmern, über die Wanzen und das ärmliche Mobiliar. Seit dem Tode des Vaters lebte die Mutter in ständiger Angst vor der nackten Armut. Rodja und Lara waren daran gewöhnt, zu hören, daß sie am Rande des Ruins ständen. Sie wußten wohl, daß sie keine namenlosen Kinder von der Straße waren. Aber im Grunde ihres Herzens hatte sich die gleiche tiefe Scheu vor den Reichen eingenistet, wie man sie bei den Zöglingen öffentlicher Waisenhäuser findet.

Ihre Mutter war ihnen ein lebendiges Vorbild für diese tief eingewurzelte Furcht. Amalja Karlowna war eine üppige Blondine von etwa fünfunddreißig Jahren, die unter Herzanfällen und Anwandlungen von Schwachsinn litt. Sie war außerordentlich feige und hatte eine tödliche Angst vor Männern, aber gerade ihre Furcht und ihre Verwirrung trieben sie stets von neuem in ihre Arme.

Im ›Montenegro‹ bewohnten sie das Zimmer Nummer 24. Nebenan, auf Nummer 23, lebte, schon solange das Hotel existierte, der Cellist Tyschkewitsch, ein braver glatzköpfiger und ewig schwitzender Mann, der eine Perücke trug. Er pflegte die Hände in einer flehenden Gebärde auf sein Herz zu legen, wenn er jemanden von etwas überzeugen wollte, und er warf den Kopf in den Nacken zurück und rollte begeistert mit den Augen, wenn er in einer Gesellschaft oder in einem Konzert spielte. Er war nur selten zu Hause und verbrachte ganze Tage im Großen Theater oder im Konservatorium. Die Zimmernachbarn machten Bekanntschaft; gegenseitige Hilfeleistungen brachten eine weitere Annäherung.

Da die Gegenwart der Kinder Amalja Karlowna bei den Besuchen Komarovskijs zuweilen lästig war, überließ ihr Tyschkewitsch, ehe er das Haus verließ, die Schlüssel seines Zimmers, damit sie ihren Freund dort empfangen konnte. Bald hatte sich Madame Guichard so sehr an den Altruismus des Musikers gewöhnt, daß sie ein paarmal, in Tränen aufgelöst, bei ihm anklopfte und ihn bat, sie vor ihrem Beschützer in Schutz zu nehmen.

III

Das Haus war einstöckig und lag an der Ecke der Twerskaja in der Nähe des Brester Bahnhofs. Die Dienstwohnungen der Bahnangestellten, Depot- und Lagergebäude befanden sich in unmittelbarer Nachbarschaft.

Dort wohnte Olja Demina, ein kluges kleines Mädchen, die Nichte eines Angestellten am Güterbahnhof. Olja war als Lehrling im Atelier Lewizkaja tätig. Schon der früheren Besitzerin war sie aufgefallen, nun wurde sie von Madame Guichard protegiert. Olja Demina bewunderte Lara sehr.

Im Atelier blieb alles wie zur Zeit der Lewizkaja. Die Nähmaschinen surrten, angetrieben von den eifrig tretenden Füßen der müden Mädchen und von ihren unruhig umherfahrenden Händen. Eine der Näherinnen saß auf dem Tisch über ihrer Arbeit und holte jedesmal weit mit Nadel und Faden aus, ehe sie zu einem neuen Stich ansetzte. Der Fußboden war mit Flicken übersät. Man mußte mit lauter Stimme sprechen, um das Nähmaschinensurren und die melodischen Triller des Kanarienvogels Cyril Modestowitsch, dessen Käfig im Fensterkreuz aufgehängt war, zu übertönen: die ehemalige Inhaberin des Ateliers hatte das Geheimnis seines Namens mit ins Grab genommen.

Im Empfangssalon gruppierten sich die Kundinnen um den Tisch mit den Modezeitschriften zu einem lebenden Bild. In den Posen, die sie in den illustrierten Blättern gesehen hatten, standen und saßen sie im Zimmer herum und unterhielten sich über die neuesten Modelle. An einem anderen Tisch thronte auf dem Sessel der Direktrice, der Assistentin Amalja Karlownas, die erste Zuschneiderin, Faina Ssilantjewna Fetissowa, eine knochige Person mit Warzen auf den eingefallenen Wangen.

Sie hielt eine Zigarettenspitze aus Bein zwischen ihren gelblichen Zähnen und zwinkerte mit ihren gelblichen Augen, wobei sie aus Mund und Nase gelbliche Rauchfäden entließ. Sie notierte die Maße, die Quittungsnummern und die Adressen und besonderen Wünsche der Kundinnen, die sich um sie drängten, in ihr Merkbuch ein.

Amalja Karlowna war in diesem Atelier ein Neuling ohne jede Erfahrung. Sie fühlte sich nicht als die eigentliche Inhaberin der Schneiderwerkstatt. Aber das Personal war ehrlich und anständig, und auf die Fetissowa konnte sie sich verlassen. Dennoch befanden sie sich damals in verworrenen Verhältnissen. Amalja Karlowna lebte in ständiger Angst vor der Zukunft. Wenn die Verzweiflung sie ergriff, verlor sie die Kontrolle über sich selbst und ihre Angelegenheiten.

Komarovskij kam häufig, um sie zu besuchen. Wenn Victor Ippolitowitsch durch das Atelier in die Wohnung ging, überraschte er manchmal die Kundinnen beim Umziehen. Bei seinem Anblick flüchteten die Damen hinter die Wandschirme und parierten von dort aus mit Genuß seine anzüglichen Bemerkungen, während die Näherinnen sich spöttisch und verächtlich zuflüsterten: »Sieh an, seine Lordschaft! Amaljas Liebling! Der Ladykiller.«

Noch größer war ihr Haß auf seine Bulldogge Jack, die so heftig an ihrer Leine riß, daß Komarovskij aus dem Schritt kam und sich wie ein Blinder, der seinem Führerhund folgt, vorwärts ziehen ließ.

An einem Frühlingstag hatte Jack Lara ins Bein gebissen und dabei ihren Strumpf zerrissen.

»Ich bringe ihn um, diesen Satan«, flüsterte Olja Demina mit heiserer Stimme ihrer Freundin Lara ins Ohr.

»Er ist wirklich ein gemeines Biest. Aber wie willst du das anstellen, kleine Närrin.«

»Psst, sprich nicht so laut. Ich werde dir sagen, wie wir es machen. Du kennst doch diese Ostereier aus Stein, die auf der Kommode deiner Mutter liegen.«

»Natürlich, diese Eier aus Marmor und Kristall!«

»Komm näher, ich will es dir ins Ohr sagen. Also eines dieser Eier taucht man in Fett ein, das an ihm haften bleibt. Der dreckige Köter wird es herunterwürgen und daran verrecken. Da liegt er und streckt alle viere von sich. Aus und vorbei.«

Lara lachte, und beim Anblick des kleinen Mädchens, das in Not und Armut lebte und Geld verdienen mußte, wurde sie von Neid ergriffen. ›Die Kinder aus dem Volk entwickeln sich früh‹, dachte sie. ›Aber wie kindlich und unbekümmert ist diese Olja doch noch! Und weshalb ist es mir bestimmt, den Dingen auf den Grund zu gehen und mir alles zu Herzen zu nehmen?‹

IV

»Mama ist doch seine – wie nennt man das? Er ist doch Mamas – ich mag diese häßlichen Worte nicht aussprechen. Aus welchem Grund also blickt er mich mit solchen Augen an? Ich bin doch Mamas Tochter, nicht wahr?«

Sie war etwas über sechzehn Jahre alt, aber sie wirkte wie ein erwachsenes junges Mädchen. Man hätte ihr achtzehn Jahre und mehr gegeben. Sie war von Natur klug, klar und heiter und sah außergewöhnlich hübsch aus.

Sie und Rodja wußten, daß sie im Leben alles aus eigener Kraft erreichen mußten. Im Gegensatz zu den Menschen, deren Existenz gesichert ist und die sich dem Müßiggang hingeben können, hatten sie keine Zeit zu vorzeitigen theoretischen Spekulationen über Dinge, die sie in der Praxis noch nichts angingen. Nur das Überflüssige ist unrein. Lara aber war das reinste Wesen von der Welt.

Bruder und Schwester kannten den Preis aller Dinge, und sie wußten das Erreichte richtig einzuschätzen. Man mußte überall gern gesehen sein, um sich durchsetzen zu können. Nicht ihr theoretischer Wissensdrang hatte aus Lara eine Musterschülerin gemacht, sondern allein die Notwendigkeit, vom Schulgeld befreit zu werden, was nur möglich war, wenn man gute Noten bekam. Mit der gleichen Selbstverständlichkeit widmete sie sich ihren anderen Aufgaben. Sie spülte das Geschirr ab, half im Atelier und machte Besorgungen für ihre Mutter. Sie bewegte sich auf eine sanfte, geschmeidige Art, ihre Figur, ihre Stimme, die grauen Augen und die blonden Haare, alles schien wunderbar aufeinander abgestimmt zu sein.

Es war an einem Sonntag im Juni. An Feiertagen konnte Lara etwas länger im Bett bleiben. Sie lag auf dem Rücken, die Arme unter dem Kopf verschränkt.

In der Werkstatt herrschte ungewohnte Stille. Das Fenster zur

Straße stand offen. Lara hörte, wie eine über das Kopfsteinpflaster ratternde Droschke in eine Schiene der Pferdebahn geriet: das lärmende Gepolter wurde von einem sanft gleitenden Geräusch des Räderrollens abgelöst. ›Ich sollte noch etwas schlafen‹, dachte Lara. Das Brausen der Stadt unter den Fenstern schläferte sie ein wie ein Wiegenlied.

Lara spürte auf einmal die Grenzen ihres Körpers, sie empfand die Wölbung ihrer linken Schulter und die große Zehe ihres rechten Fußes. ›Das ist meine Schulter, mein Fuß‹, dachte sie, ›das alles bin ich, meine Seele, mein Wesen. Der Entwurf meiner selbst ist in feste Umrisse gebannt.‹ Und zur gleichen Zeit spürte sie grenzenloses Vertrauen in die Zukunft, der sie entgegenging.

›Ich möchte einschlafen‹, dachte Lara, und sie versuchte, sich die Sonnenseite der Karetnaja mit den Verkaufsläden und den großen Karossen, den geschliffenen Gläsern der Wagenlaternen und den Decken aus Bärenfell vorzustellen: das Leben der reichen Leute. Sie malte sich aus, wie in der gleichen Straße weiter unten die Dragoner auf dem Kasernenhof exerzierten, wie die Pferde im Kreise herumliefen und die jungen Soldaten in die Sättel sprangen und vorüberritten im Schritt, im Trab, im Galopp. Und vor dem Gitter des Kasernenhofs standen die Kindermädchen und Ammen mit ihren Zöglingen und sahen bewundernd zu.

›Noch weiter unten‹, dachte Lara, ›ist die Petrovka-Straße.‹ »Du lieber Himmel, Lara, was für eine Idee! Ich will Ihnen nur meine Wohnung zeigen. Sie ist gleich nebenan . . .«

Es war am Namenstag der kleinen Olga gewesen, der Tochter von Freunden Komarovskijs, die in der Karetnajastraße wohnten. Bei dieser Gelegenheit machten sich die Erwachsenen einen lustigen Tag: eine Soirée mit Tanz und Champagner. Er wollte Mama mitnehmen, aber Mama konnte an diesem Tage nicht ausgehen, weil sie sich nicht wohl fühlte. Sie hatte gesagt: »Nehmen Sie Lara mit. Sie haben mir immer geraten: ›passen Sie gut auf Lara auf‹. Heute abend können Sie selbst auf sie aufpassen.« Das hatte er dann auch getan, und wie! Hahaha!

Dieser Walzer war an allem schuld! Man dreht sich und dreht sich, ohne an etwas zu denken. Während die Musik spielt, dehnt das Leben sich endlos wie das Leben in den Romanen. Doch sobald die Musik aufhört – dies Gefühl des Skandals, als würde man mit kaltem Wasser begossen oder unbekleidet überrascht! Und dann die

Freiheiten, die er sich herausnahm und die man sich gefallen ließ, nur um vor den anderen erwachsen zu erscheinen!

Sie hätte niemals vermutet, daß er so gut tanzen konnte. Wie klug und sicher waren seine Hände! Mit welcher Selbstverständlichkeit faßte er sie um die Taille. Nie mehr würde sie irgend jemandem erlauben, sie auf diese Weise zu küssen. Sie hätte nie geglaubt, wieviel Schamlosigkeit die Lippen eines anderen offenbaren konnten, wenn sie sich längere Zeit gegen die eigenen preßten.

Diese Dummheiten sollten ein für allemal aufhören. Sie würde dies ganze Theater nicht länger mitmachen, nicht länger die Schüchterne spielen und schamhaft lächelnd die Augen niederschlagen. Früher oder später konnte das ein schlimmes Ende nehmen. Ein Schritt weiter, und man schlitterte in einen Abgrund. Sie würde ihn einfach zurückweisen unter dem Vorwand, daß sie nicht tanzen könnte oder daß sie sich ein Bein gebrochen hätte.‹

V

Im Herbst kam es zu Unruhen unter den Eisenbahnarbeitern im Moskauer Bezirk. Auf der Strecke Moskau-Kasan wurde gestreikt. Die Arbeiter der Strecke Moskau-Brest-Litowsk drohten, diesem Beispiel zu folgen. Der Streikbeschluß war zwar gefaßt worden, aber das Komitee hatte sich nicht über das Datum des Streikbeginns einigen können. Jedermann auf der Strecke war vom Stand der Dinge unterrichtet, und es bedurfte nur eines geringfügigen Vorwands für den irregulären Ausbruch des Streiks.

Es war an einem kalten trüben Morgen Anfang Oktober. An diesem Tag sollten die Gehälter ausbezahlt werden. Lange Zeit hörte man nichts von der Abrechnungsstelle. Dann betrat ein Junge mit der Kontrolltabelle, der Zahlungsanweisung und einem Paket von Arbeitsbüchern, die beschlagnahmt werden sollten, das Büro. Die Auszahlung begann. Die Schlange der Zugführer, Weichensteller, Maschinisten und ihrer Gehilfen, der Putzfrauen und des übrigen Personals zog sich weit über das öde Gelände hin, das den Bahnhof mit seinen Werkstätten, Wagendepots und Magazinen von den Holzgebäuden der Verwaltung trennte.

Der Geruch des beginnenden Winters lag in der Luft. Der Rauch der Lokomotiven mischte sich mit dem Duft des frischen Brotes,

das man im Kellergeschoß des Bahnhofsrestaurants buk, und mit
dem bitteren Aroma zertretener Ahornblätter und schmutzigen
Schneewassers. Züge trafen ein und fuhren wieder ab. Man stellte
sie zusammen und nahm sie auseinander; man winkte mit eingeroll-
ten und offenen Fähnchen. Die Hörnersignale der Aufseher über-
tönten die Trillerpfeifen der Bahnbeamten und die dunklen Baß-
töne der Lokomotiven. Rauchsäulen stiegen in endloser Folge in
den Himmel auf, überlagerten und vermischten sich. Die Lokomotiven standen fahrbereit unter Dampf. Sie erfüllten den kalten
Winterhimmel mit Schwaden sengend heißen Rauches.
Auf dem Bahnsteig erschienen der Chef des Bahnbezirks, Fuflygin,
ein Brückenbau-Ingenieur, und der Wagenmeister Pawel Ferapontowitsch Antipov. Dieser Antipov führte seit einiger Zeit ständig
Klage bei den Reparaturwerkstätten über das Material, das man
ihm zur Erneuerung des Gleis-Unterbaues zur Verfügung stellte.
Der Stahl war nicht hart genug, die Gleise hatten die Zerreißprobe
nicht bestanden. Antipov befürchtete, daß sie bei starkem Frost
platzen würden. Doch die Verwaltung reagierte nicht auf Antipovs
Reklamationen. Irgend jemand, der Geld dabei verdiente, hatte
offenbar Interesse daran, die Angelegenheit zu verschleiern.
Fuflygin trug einen teuren pelzgefütterten Mantel mit den Litzen
der Bahnbeamten-Uniform, der keine Knöpfe hatte und seinen
neuen Zivilanzug aus Serge erkennen ließ. Der Chef der Station
ging vorsichtig den Bahnsteig entlang und betrachtete mit Wohlgefallen die Revers seiner Anzugsjacke, seine tadellos gebügelten Ho-
senfalten und die modische Form seiner Schuhe. Antipovs Worte
nahm er nur flüchtig auf. Er dachte an etwas anderes; immer wieder zog er seine Uhr hervor, man merkte, daß er es eilig hatte.
»Aber natürlich, mein Lieber«, sagte er zu Antipov, dessen Rede
er ungeduldig unterbrochen hatte, »das gilt aber nur für die Haupt-
strecken und für einige Knotenpunkte mit viel Verkehr. Denke
doch daran, wie es in deinem Bezirk aussieht. Nichts als Neben-
und Abstellgleise. Kletten und Brennesseln auf dem Bahndamm,
höchstens ein wenig Herumrangieren mit leeren Wagen und alten
Lokomotiven. Und da bist du auch noch unzufrieden! Du bist verrückt, mein Lieber, das sage ich dir! Wir brauchen hier keine Schienen aus Stahl. Holzgleise genügen.«
Fuflygin blickte auf seine Uhr, klappte den Deckel zu und starrte
in die Ferne, wo die Chaussee die Bahnstrecke überquerte. Dort

war ein Wagen aufgetaucht, der Fuflygin gehörte. Seine Frau kam, um ihn abzuholen. Der Kutscher hielt die Pferde dicht vor den Gleisen an. Er redete ihnen gut zu, mit hoher Stimme wie ein Kindermädchen seinen Zöglingen, die das Mäulchen verziehen, denn die Pferde fürchten sich vor der Eisenbahn. In der Wagenecke saß, bequem in die Kissen zurückgelehnt, in nachlässig-eleganter Haltung, eine schöne Dame.

»Nun, mein Bester, auf ein anderes Mal!« sagte der Chef des Bahnbezirks mit einer Handbewegung, die zu bedeuten schien: was gehen mich deine Schienen an! Es gibt Dinge, die wichtiger sind. Er stieg in den Wagen ein, und das Ehepaar fuhr davon.

VI

Drei oder vier Stunden später, beim Einfall der Dämmerung, tauchten plötzlich zwei Gestalten im Felde jenseits der Landstraße auf und entfernten sich schnell, wobei sie sich ab und zu nach rückwärts umwandten, um die Strecke zu überblicken. Es waren Antipov und Tiversín.

»Wir müssen uns beeilen«, sagte Tiversín. »Ich fürchte nicht die Polizei, die uns vielleicht auf den Fersen ist, aber ich habe Angst vor dem Augenblick, in dem diese Burschen, die nicht wissen, was sie wollen, uns einholen. Ich kann sie nicht mehr sehen. Wenn die Sache doch nicht weiterkommt, hat es keinen Sinn, sich länger damit aufzuhalten. Wozu ist das ganze Komitee da? Weshalb sollen wir mit dem Feuer spielen und uns dann wieder in unsere Mauselöcher verkriechen? Und du kannst mir schon gar nicht imponieren mit deiner Unterstützung der Affäre auf der Strecke Moskau–Petersburg.«

»Meine Darja hat Bauchtyphus. Ich müßte sie ins Krankenhaus bringen. Solange ich das nicht getan habe, bin ich zu nichts zu gebrauchen.«

»Heute ist Zahltag. Ich will noch mal schnell zur Kasse gehen. Wenn heute nicht Zahltag wäre, würde ich mich nicht länger mit euch aufhalten und ohne Zögern dem ganzen Hin und Her ein Ende machen.« – »Und wie, wenn man fragen darf?«

»Nichts einfacher als dies. Man geht ins Kesselhaus, gibt das Signal mit der Alarmpfeife, und die Komödie ist zu Ende.«

Sie verabschiedeten sich und gingen in verschiedenen Richtungen auseinander.

Tiversín folgte den Gleisen und ging nach der Stadt zu. Unterwegs begegnete er Bahnarbeitern, die ihren Lohn von der Kasse geholt hatten. Es war eine große Anzahl, und Tiversín schätzte, daß die Auszahlung im Bahnhofsbüro fast beendet sein mußte.

Es begann dunkel zu werden. Auf dem offenen Bahnsteig vor dem Büro drängten sich unbeschäftigte Arbeiter im Schein der Bahnhofslampen zusammen. Vor dem Eingang des Bahnhofsgebäudes hielt Fuflygins Wagen. Seine Frau saß in der gleichen Haltung wie am Morgen in der Ecke zurückgelehnt zwischen den Kissen. Man hätte meinen können, sie habe den ganzen Tag über den Wagen nicht verlassen. Sie erwartete ihren Gatten, der gerade sein Gehalt abholte.

Ein nasser Regenschnee fiel vom Dämmerhimmel. Der Kutscher stieg vom Bock und machte sich daran, das Lederverdeck aufzuspannen. Während er das zusammengefaltete Gestänge des Verdecks auseinanderzog, wobei er einen Fuß gegen die hintere Wagenwand stemmte, betrachtete Madame Fuflygina die silbergrauen Perlschnüre des Wassers, das im Schein der Lampen aufblinkte. Sie streifte die Menge der Arbeiter mit einem starren und abwesenden Blick, der durch sie hindurchzugehen schien, als seien sie aus Dunst und Nebel gemacht.

Durch einen Zufall entdeckte Tiversín den Ausdruck ihres Gesichtes. Er ging an ihr vorbei, ohne zu grüßen, und beschloß, seinen Lohn später abzuholen, um an der Kasse nicht mit ihrem Mann zusammenzutreffen. Er setzte seinen Weg auf der schlechter beleuchteten Seite des Bahnhofsgeländes mit den Werkstätten fort, wo man den schwarzen Kreis der Drehscheibe und die sternförmig auseinanderstrebenden Gleise für die ins Depot fahrenden Lokomotiven sehen konnte.

»Tiversín! Kuprik!« riefen einige Stimmen aus der Dunkelheit. Vor den Werkstätten hatte sich eine Gruppe von Menschen zusammengerottet. Von innen hörte man jemand brüllen, ein Kind weinte. »Kuprian Ssaweljitsch, so helfen Sie doch dem Kind«, sagte eine Frau aus der Menge.

Es war der alte Bahnmeister Pjotr Chudolejew, der wie gewöhnlich seine Wut an seinem Opfer, dem minderjährigen Lehrling Jussupka, ausließ.

Dieser Chudolejew war nicht immer der Schrecken der Lehrlinge und ein betrunkener Grobian gewesen. Es gab eine Zeit, in welcher die Kaufmanns- und Popentöchter aus den Moskauer Industrievororten sehnsüchtige Blicke auf den hübschen jungen Mann richteten. Aber Tiversíns Mutter, die damals noch in die Klosterschule ging und um deren Hand er angehalten hatte, wollte ihn nicht heiraten und verlobte sich statt dessen mit seinem Kollegen, dem Lokomotivführer Ssawelij Nikititsch Tiversín.

Sechs Jahre nach dem furchtbaren Tod Ssawelij Nikititschs (er war 1888 bei einem Eisenbahnunfall in den Flammen umgekommen) erneuerte Pjotr Petrowitsch seine Werbung, und Marfa Gawrílowna wies ihn von neuem ab. Seit dieser Zeit gab sich Chudolejew dem Trunke hin und entwickelte sich zu einem Raufbold, der sich auf diese Weise für die Ungerechtigkeit rächen wollte, mit der das Leben ihn behandelt hatte.

Jussupka war der Sohn eines gewissen Gimazetdins, der Portier im gleichen Hause war, in dem auch Tiversín wohnte. Tiversín hatte den kleinen Jungen unter seinen Schutz genommen, was die Wut Chudolejews nur noch mehr reizte.

»Wie hältst du die Feile, du Asiatenfratze«, schrie Chudolejew, indem er Jussupka an den Haaren zerrte und ihn in den Nacken schlug. »Feilt man so ein Gußstück, du schlitzäugiger Tataren-Bastard?«

»Ich habe die Spindel nicht angerührt, Herr, ich schwöre, ich habe sie nicht angerührt.«

»Hundertmal habe ich dir gesagt, du sollst die Finger vom Werkstück lassen. Jetzt hätte mir der Hundesohn doch fast die Spindel zerbrochen.«

»Weshalb mißhandelst du den Jungen? Was hat er dir getan?« fragte Tiversín, der sich einen Weg durch die Menge gebahnt hatte.

»Wenn sich die Hunde vom gleichen Hofe beißen, soll ein Fremder sich nicht einmischen«, fiel ihm Chudolejew ins Wort.

»Ich habe dich gefragt, weshalb du den Jungen mißhandelst?«

»Und ich sage dir, mach, daß du fortkommst. Man sollte den Kerl umbringen. Er hat mir beinahe meine Spindel zerbrochen! Er sollte mir auf den Knien danken, daß ich ihn am Leben lasse, dieser Satansbraten. Ich habe ihn nur etwas an seinen Ohrläppchen gezogen, um ihm eine Lehre zu geben.«

»Und wegen einer solchen Kleinigkeit willst du ihm den Kopf abreißen, Väterchen Chudolejew! Du solltest dich schämen. Ein alter Meister wie du! Dein Haar ist zwar grau geworden, aber in deinem Kopf ist noch immer keine Spur von Vernunft.«

»Ich habe dir gesagt, mach, daß du weiterkommst, solange du noch deine Knochen beisammen hast. Ich reiße dir die Seele aus dem Leib, du Hundesohn, der du es wagst, mir gute Lehren zu erteilen. Dich hat man irgendwo auf den Gleisen gezeugt, du Fischblut, du elendes, dicht vor der Schnauze deines Vaters! Deine Mutter, die Hure, kenne ich in- und auswendig, die räudige Katze, den lumpigen Weiberrock.«

Was sich nun abspielte, dauerte kaum eine Minute lang. Beide griffen nach dem ersten besten Gegenstand, der ihnen in der Werkstatt unter die Hände kam. Sie hätten sich mit den eisernen Werkzeugen umgebracht, wenn einige Zeugen des Vorfalls sich nicht auf sie gestürzt hätten, um sie zu trennen. Chudolejew und Tiversín standen sich von Angesicht zu Angesicht gegenüber, so dicht, daß ihre Stirnen sich fast berührten. Ihre Erregung war so groß, daß sie kein Wort sagen konnten. Man hielt sie fest, man bog ihnen die Arme nach hinten zusammen. Immer wieder versuchten sie, sich mit aller Kraft loszureißen, ihre Körper bäumten sich auf und rissen die Kameraden mit, die sie zurückzuhalten versuchten. Die Haken und Knöpfe ihrer Kleider rissen ab, Kittel und Hemden glitten von ihren Schultern, bald standen sie mit halbnacktem Oberkörper da. Der Lärm um sie herum verstummte keinen Augenblick.

»Nehmt ihm die Spindel weg, die Spindel. Er schlägt ihm den Schädel ein. Nimm dich in acht, Onkel Pjotr, wir kugeln dir den Arm aus dem Gelenk.«

»Weshalb sollen wir uns noch länger mit ihnen herumschlagen. Man muß sie auseinanderbringen und hinter Schloß und Riegel setzen.«

Auf einmal gelang es Tiversín durch eine übermenschliche Anstrengung, den an ihm hängenden Menschenhaufen abzuschütteln und sich loszureißen. Mit einem Satz war er an der Tür. Man wollte ihn von neuem ergreifen, aber als man sah, daß er nicht in die Werkstatt zurückkehren wollte, ließ man ihn gehen. Er verließ den Raum und schlug die Tür zu, ohne sich noch einmal umgedreht zu haben. Draußen drang die feuchte Herbstluft auf ihn ein, finstere Nacht umgab ihn. »Da will man ihr Bestes«, murmelte er, »und sie stoßen einem zum Dank das Messer zwischen die Rippen.« Er wußte nicht, wohin er ging und was er tun wollte.

Diese Welt der Lüge und Niedertracht, in der eine üppige ›Gnädige‹ es sich erlauben konnte, auf die armen dummen Arbeiter herabzuschauen, während das betrunkene Opfer dieser Gesellschaftsordnung sich damit vergnügte, seinesgleichen zu mißhandeln – er haßte sie mehr denn je zuvor. Er beschleunigte seinen Schritt, so als könnte ihn seine Eile jener Zukunft näherbringen, in der die Welt vernünftig und harmonisch geordnet sein würde. Seine Gedanken arbeiteten fieberhaft am Bild dieser besseren Zukunft. Die Anstrengungen der letzten Tage, die Störungen auf der Strecke und die Versammlungsreden mit dem noch nicht ausgeführten Streikbeschluß waren nichts als Etappen auf dem langen Weg, auf dem sie weitergehen mußten.

In diesem Augenblick hatte seine Erregung einen solchen Grad erreicht, daß er diesen Weg, der ihnen bevorstand, am liebsten in einem einzigen Anlauf zurückgelegt hätte, ohne Atem zu holen. Er wußte nicht, wohin er seine langen Schritte lenken sollte, aber seine Füße wußten wohl, wohin sie ihn trugen.

Tiversín wußte in diesem Augenblick noch nicht, daß das Streikkomitee, kurz nachdem er mit Antipov weggegangen war, beschlossen hatte, mit dem Streik noch in dieser Nacht zu beginnen. Die Mitglieder des Komitees hatten vereinbart, wie die Streikposten zu besetzen seien und welche Arbeiter man bei der Durchführung des Streiks überwachen müsse. Als Tiversín vom Kesselhaus her, wie einen Aufschrei vom Grund seiner eigenen Seele, das Alarmsignal hörte, dessen Ton von Sekunde zu Sekunde reiner und stärker klang, war die Menge der Arbeiter, die von den Depots und vom Güterbahnhof kamen, schon auf dem Weg in die Stadt. Andere Gruppen, die ihre Arbeit beim Ertönen des Signals niedergelegt hatten, schlossen sich ihnen an.

Lange Zeit glaubte Tiversín, daß er allein es gewesen war, der in dieser Nacht die Arbeit angehalten und den Verkehr stillgelegt habe. Erst der spätere Prozeß, in dem er wegen verschiedener Delikte angeklagt war, klärte ihn über seinen Irrtum auf: die Anstiftung zum Streik war nicht unter den Anklagepunkten.

Die Menschen kamen aus ihren Häusern ins Freie, liefen zusammen und fragten: »Was bedeutet die Sirene?« Andere Stimmen antworteten in der Dunkelheit: »Ihr hört es doch. Es wird Alarm gegeben. Eine Feuersbrunst.« – »Wo brennt es denn?« – »Wenn die Sirene heult, brennt es irgendwo, soviel ist klar.«

Türen wurden zugeschlagen, andere Arbeiter kamen hinzu und mischten sich ein: »Wenn ich so etwas höre: Feuersbrunst! Hört doch nicht auf den Dummkopf. Das Signal bedeutet: aufhören, Feierabend! Die Bude wird zugemacht. Geht nach Hause, Jungens.« Die Menge wuchs ständig an. Die Eisenbahner streikten.

VII

Drei Tage später kam Tiversín, durchgefroren bis auf die Knochen und zum Umfallen müde, nach Hause. In der vorangegangenen Nacht war der Frost stärker gewesen als sonst um die Jahreszeit. Tiversín war viel zu leicht gekleidet. Am Hoftor empfing ihn der Hausmeister Gimazetdin.

»Vielen Dank auch noch, Herr Tiversín«, fing er an. »Du hast es nicht zugelassen, daß man Jussupka Böses antat. Mein Leben lang werde ich für dich beten.«

»Bist du verrückt geworden, Gimazetdin, daß du mich mit ›Herr‹ anredest? Laß das, ich bitte dich. Beeile dich, du siehst doch, was für eine Kälte wir haben.«

»Wieso Kälte, bei dir ist es warm, Ssaweljitsch. Gestern hat man deiner Mama, Marfa Gawrílowna, vom Güterbahnhof einen Riesenhaufen Birkenholz gebracht, schön und trocken.«

»Danke, Gimazetdin. Aber du wolltest doch noch etwas sagen. Beeile dich bitte, ich bin halb erfroren, verstehst du.«

»Ich wollte dir sagen: übernachte nicht zu Hause heute nacht, Ssaweljitsch! Du mußt vorsichtig sein. Der Wachtmeister hat nach dir gefragt, und der Inspektor auch. Beide wollten wissen, wer hier ins Haus kommt. Ich habe ihnen gesagt: niemand kommt hierher. Der Hilfsmaschinist kommt ab und zu, hab' ich ihnen gesagt, ein paar Eisenbahner und die Fahrer von den Lokomotiven. Aber niemand von auswärts, kein einziger Fremder.«

Das Haus, in dem der Junggeselle Tiversín mit seiner Mutter und seinem verheirateten Bruder lebte, gehörte der benachbarten Gemeinde der Dreifaltigkeitskirche. Außer einigen Geistlichen und Gemeindehelfern waren dort die Genossenschaftsbüros der Fruchthändler und Metzger, die in der Stadt Straßenhandel betrieben, untergebracht. Doch der Hauptteil des Hauses war von Bahnangestellten und -arbeitern der Brest-Litowsker Strecke bewohnt.

Es war ein steinernes Haus mit Holzgalerien, die den schmutzigen Innenhof von allen Seiten umgaben. Zu den Galerien führten knarrende und glitschige Holztreppen hinauf, auf denen es nach Katzen und Sauerkraut stank. Auf den Vorplätzen standen Aborthäuschen und Verschläge, die als Rumpelkammern dienten.

Tiversíns Bruder war als Soldat bei Wafangou verwundet worden. Er befand sich zur Zeit im Krankenhaus in Krassnojarsk, wo seine Frau und seine beiden Töchter ihn gerade besuchten. Als Angehörige einer alten Eisenbahnerfamilie konnten die Tiversíns mit Freifahrtscheinen in Rußland umherfahren. Im Augenblick war die Wohnung leer und still. Nur Mutter und Sohn waren zu Hause zurückgeblieben.

Die Wohnung befand sich im ersten Stockwerk. Vor der Haustür stand ein Faß, das vom Wasserträger immer neu aufgefüllt wurde. Als Kuprian Ssaweljitsch die Holztreppe hinaufstieg, stellte er fest, daß der Deckel des Fasses verschoben war. Auf der Eisschicht, die das Wasser bedeckte, stand ein eiserner Krug.

›Das kann nur Prov gewesen sein‹, dachte Tiversín lächelnd. ›Er säuft wie ein Loch und kann sich niemals satt trinken. Er hat Feuer im Leib.‹

Prov Afanassjewitsch Ssokolow, der Kirchendiener, war ein hübscher junger Mann, der zur entfernten Verwandtschaft der Marfa Gawrílowna gehörte.

Kuprian Ssaweljitsch riß den Krug von der Eiskruste los, schob den Deckel auf das Faß und läutete an der Türglocke. Vertraute Gerüche nach Rauch und Essensdunst schlugen ihm aus der Wohnung entgegen.

»Was für ein schönes Feuer, Mütterchen. Wie warm es hier ist! Bei Euch kann man sich wohl fühlen.«

Die Mutter schloß ihn in die Arme und brach in Tränen aus. Er streichelte ihr Haar, wartete einen Augenblick und schob sie dann sanft beiseite.

»Wer nichts wagt, gewinnt nichts, Mama«, sagte er mit leiser Stimme. »Mein Weg führt von Moskau bis nach Warschau.«

»Ich weiß. Deshalb weine ich ja. Es kann schlimm mit dir enden. Du solltest dich in Sicherheit bringen, Kuprik, du solltest dich irgendwo, weit weg von hier, verstecken.«

»Dein lieber Freund und Verehrer Pjotr Petrow hätte mir fast den Schädel eingeschlagen«, sagte er, um sie zum Lachen zu brin-

gen. Doch sie verstand den Scherz nicht und erwiderte ernsthaft:
»Du solltest dich nicht über ihn lustig machen, Kuprik. Du solltest
Mitleid mit ihm haben. Er ist ein armer Teufel, eine verlorene Seele.«

»Man hat Antipov, Pawel Ferapontowitsch, verhaftet. Sie kamen
in der Nacht und durchsuchten das Haus, es ging drunter und drüber. Am Morgen haben sie ihn dann abgeführt. Und seine Darja
liegt mit Typhus im Krankenhaus. Der kleine Pawel, der Realschüler, ist jetzt allein mit seiner tauben Tante in der Wohnung.
Man will sie auf die Straße setzen. Ich glaube, wir müssen das
Kind aufnehmen. Und was wollte Prov? Weshalb war er hier?«

»Woher weißt du denn, daß er hier war?«

»Ich habe das offene Wasserfaß mit dem Krug gesehen. Da habe
ich gleich gedacht: das war kein anderer als Prov, der niemals genug trinken kann.«

»Wie schlau du bist, Kuprik! Du hast recht, es war Prov. Er kam
hier vorbei, um sich Brennholz auszuleihen, das ich ihm auch gegeben habe. Aber fast hätte ich die Neuigkeit vergessen, die er
mitgebracht hat. Der Zar, verstehst du, hat ein Manifest unterschrieben. Alles soll jetzt anders werden. Die Bauern bekommen
Land, und das Volk soll die gleichen Rechte wie der Adel haben.
Das Manifest ist bereits unterschrieben, es muß nur noch ver-
öffentlicht werden. Von der Synode ist der Text eines neuen Gebe-
tes für die Gesundheit des Zaren gekommen, das in den Gottesdienst aufgenommen werden soll. Ich weiß nicht mehr genau, wie
es heißt. Prov hat's mir gesagt, aber es ist mir entfallen.«

VIII

Pascha Antipov, der Sohn des verhafteten Pawel Ferapontowitsch
und der Darja Filimonowna, die mit Typhus im Krankenhaus lag,
wurde von den Tiversíns ins Haus aufgenommen. Er war ein sau-
beres Kind mit regelmäßigen Gesichtszügen und kastanienbrau-
nem, sorgfältig gescheiteltem Haar, das er ständig bürstete und
kämmte. Ebensooft zupfte er den Kittel und den Gürtel seiner Uniform mit dem Abzeichen der Realschule zurecht. Pascha konnte
bis zu Tränen lachen, er war ein ausgezeichneter Beobachter. Er
ahmte mit viel Geschick und Komik alles nach, was er in seiner
Umgebung sah und hörte.

Bald nach dem Manifest vom 17. Oktober war eine große Demonstration geplant, die zwischen dem Twersker und dem Kalugaer Tor stattfinden sollte. Die Organisation dieses Unternehmens war mehr als mangelhaft. Verschiedene revolutionäre Vereinigungen, die sich für den Plan einsetzten, gerieten miteinander in Streit und zogen sich, eine nach der anderen, von dem Projekt zurück. Schließlich erfuhren sie, daß die Menge am Morgen des für die Demonstration festgesetzten Tages trotzdem auf den Straßen wartete, und sie beschlossen in aller Eile, ihre Vertreter doch noch zu den Demonstrierenden zu schicken.

Trotz der Warnungen ihres Sohnes Kuprian war Marja Gawrílowna mit dem fröhlichen und aufgeschlossenen kleinen Pascha zu der Demonstration gegangen.

Es war an einem kalten und trockenen Wintertag Anfang November. Nur ab und zu fielen einzelne Schneeflocken, die abgezählt zu sein schienen, aus dem stillen grauen Himmel nieder. Sie flogen lange ziellos in der Luft herum, ehe sie zögernd zu Boden sanken, wo sie wie eine graue Staubschicht liegenblieben.

Auf den Straßen strömte das Volk zusammen: immer neue Gesichter zwischen wattierten Wintermänteln und Lammfellmützen; Greise, Studenten und Kinder, uniformierte Ingenieurschüler der Straßenbauverwaltung, Arbeiter der Straßenbahn und der Telefonzentrale in hohen Schaftstiefeln und Lederjacken, Gymnasiasten und Realschüler.

Man sang die ›Warschawjanka‹, ›Als Opfer seid ihr gefallen‹ und die ›Marseillaise‹. Aber auf einmal hörte der Mann, der dem Zug voranging und den Takt für den Gesang angab, mit dem Dirigieren auf, setzte seine Kosakenmütze, die er in der Hand geschwenkt hatte, wieder auf den Kopf, drehte dem Zug den Rücken und hörte zu, was die anderen Ordner sagten, die an seiner Seite gingen. Der Gesang geriet durcheinander und brach gleich darauf ab. Man hörte nur noch den Marschtritt der unübersehbaren Menge auf dem gefrorenen Straßenpflaster.

Die Führer der Demonstration hatten die Nachricht erhalten, daß ein paar Straßen weiter Kosaken bereitgestellt worden seien. Die Meldung war telefonisch an eine benachbarte Apotheke gegeben worden.

»Nicht den Kopf verlieren und ruhiges Blut bewahren«, sagten die Führer der einzelnen Kolonnen des Demonstrationszuges. »Wir müssen das erste beste öffentliche Gebäude besetzen, unsere Leute auf die drohende Gefahr aufmerksam machen und einzeln auseinandergehen lassen.«

Doch konnte man sich nicht gleich über das Gebäude einig werden, das man wählen sollte. Die einen schlugen die ›Gesellschaft kaufmännischer Angestellten‹ vor, andere die Technische Hochschule, wieder andere die Schule für Auslandskorrespondenten.

Während man noch verhandelte, näherte sich der Zug einem öffentlichen Gebäude an der Straßenecke, in dem gleichfalls eine staatliche Lehranstalt untergebracht war. Dieses Haus war nicht besser oder schlechter für das Vorhaben der Führer der Demonstration geeignet als die Gebäude, die zur Diskussion gestanden hatten.

Als der Zug dies Gebäude erreicht hatte, stellten sich die Führer auf der halbrunden Freitreppe auf und gaben durch Zeichen zu verstehen, der Zug solle hier haltmachen. Die Flügeltür des Haupteinganges wurde geöffnet, und der ganze gewaltige Zug, Pelz an Pelz und Mütze an Mütze, strömte in das Vestibül der Schule und begann, die Haupttreppe hinaufzusteigen.

»In die Aula!« riefen einige Stimmen in den hinteren Reihen, aber ein Teil der Menge hatte sich schon in die Korridore und Klassenzimmer verteilt.

Als es endlich gelungen war, die Menschen in den Saal zu leiten, wo die Demonstranten auf den Stühlen der Aula Platz genommen hatten, versuchten die Führer, der Versammlung klarzumachen, daß in der Nähe Kosaken auf sie warteten, aber niemand hörte ihnen zu. Man hielt den Aufenthalt des Zuges und die Zusammenkunft in einem geschlossenen Gebäude für eine Aufforderung, eine improvisierte Versammlung abzuhalten.

Nach dem langen Marsch und dem ständigen Singen hatten die Leute Lust, sich ein wenig auf ihren Stühlen auszuruhen. Jetzt sollten sich zur Abwechslung andere an ihrer Stelle die Kehlen wundschreien. Die unerwartete Ruhepause löste unter der Menge ein Gefühl des Wohlbefindens aus, das weit stärker war als die Beunruhigung über die geringfügigen Uneinigkeiten unter den einzelnen Rednern, die sich im übrigen in der Hauptsache gut zu verstehen schienen.

So kam es, daß der schlechteste Redner den größten Erfolg hatte, weil er die Anwesenden nicht mit weitschweifigen Erklärungen langweilte, sondern nur das Verlangen in ihnen wachrief, ihm zu folgen und zuzustimmen. Jedes seiner Worte wurde von Beifall-kundgebungen begleitet. Niemand bedauerte es, daß seine Rede vom allgemeinen Gebrüll fast völlig übertönt wurde. Man hatte es eilig, sich mit ihm einverstanden zu erklären, man schrie »Schmach und Schande«, setzte ein Protesttelegramm auf. Und als man sich seine eintönige Stimme lange genug angehört hatte, erhob sich der Saal plötzlich wie ein Mann und drängte, ohne weiter auf den Red-ner zu achten, Mütze an Mütze, Reihe hinter Reihe, zu den Türen hinaus, die Treppe hinunter, auf die Straße. Die Demonstration wurde fortgesetzt.

Während der Versammlung in der Aula hatte es draußen geschneit. Die Straßen waren weiß geworden. Immer dichter fielen die Flocken.

Als dann die Kosaken heransprengten, merkten die Leute in den hinteren Reihen des Zuges im ersten Augenblick nichts hiervon. Plötzlich brach in den vorderen Reihen ein Stimmengewirr los, das sich schnell zum Geschrei steigerte; es war, als riefe die Menge: »Hurra!« Einzelne Schreie »Zu Hilfe« und »Man ermordet uns« gingen im allgemeinen Lärm unter. Auf der Woge dieses Geschreies schienen fast lautlos die Pferde mit ihren Mähnen, den vorgestreck-ten Köpfen und den säbelschwingenden Kosaken, durch eine schmale Lücke in die Menge hineinzureiten.

Die halbe Schwadron galoppierte zwischen der auseinanderwei-chenden Menge hindurch, machte kehrt, formierte sich neu und attackierte den Zug von hinten. Das Massaker begann.

Einige Augenblicke später war die Straße fast menschenleer. Die Menge hatte sich in die Nebengassen geflüchtet. Der Schneefall hatte inzwischen nachgelassen. Auf einmal tauchte die untergehen-de Sonne hinter den Häusern auf und sandte ihre Strahlen aus, um gleichsam mit dem Finger auf alles, was rot auf der Straße war, zu deuten: auf die roten Mützen der Kosaken, auf das rote Tuch der am Boden liegenden Fahne und auf die Blutspuren und -rinnsale im Schnee.

Am Rande der Fahrbahn schleppte sich stöhnend ein Mann mit gespaltenem Schädel, auf allen vieren kriechend, weiter. Einige Reiter kamen im Schritt vom anderen Ende der Straße zurück, nachdem sie die Menge zerstreut hatten. Marfa Gawrílowna warf sich ihnen zu Füßen. Ihr Kopftuch war in den Nacken gerutscht, und sie schrie wie von Sinnen: »Pascha, Paschenjka!«

Er war die ganze Zeit über an ihrer Seite geblieben und hatte sich damit unterhalten, den letzten Versammlungsredner nachzuäffen. Dann war er im allgemeinen Tumult, den der Angriff der Kosaken ausgelöst hatte, plötzlich spurlos verschwunden.

Ein Knutenhieb hatte Marfa Gawrílowna getroffen, und obgleich ihr doppelt wattierter Mantel sie keinen Schmerz fühlen ließ, fing sie zu fluchen an und drohte den Reitern, die sich schnell entfernten, mit der Faust, außer sich vor Zorn, weil sie es gewagt hatten, eine alte Frau unter den Augen der Menge niederzuknüppeln.

Marfa Gawrílowna sah sich verzweifelt nach allen Seiten um. Zum Glück entdeckte sie auf dem gegenüberliegenden Bürgersteig den Jungen. Dort stand zwischen einer Kolonialwarenhandlung und einem vorspringenden Steinhaus eine Gruppe von Gaffern, die ein Kosake mit der Kruppe und den Flanken seines Pferdes gegen die Mauer zurückgedrängt hatte. Er schien sich an ihrem Schrecken zu ergötzen, versperrte ihnen den Durchgang und vollführte vor ihren Augen allerlei Reiterkunststücke: er ließ sein Pferd langsam, wie in der Manege, rückwärts gehen und sich zur Levade erheben. Plötzlich entdeckte er seine Kameraden, die sich im Schritt auf der Straße näherten. Er gab seinem Pferd die Sporen und hatte sie mit zwei, drei Sprüngen erreicht.

Die Menschen, die er gegen die Hausmauer gedrängt hatte, zerstreuten sich. Pascha, der vor Angst keinen Ton hervorbringen konnte, stürzte seiner Großmutter entgegen.

Auf dem Heimweg murmelte Marfa Gawrílowna die ganze Zeit über vor sich hin: »Verdammte Mörder, verfluchte Totschläger. Da freuen sich die Menschen, weil der Zar ihnen die Freiheit gegeben hat. Sie aber dulden es nicht. Alles müssen sie verderben, jedes Wort kehren sie einem im Mund um.«

Sie grollte mit der ganzen Welt, mit den Kosaken und sogar mit ihrem Sohn. In ihrer Wut gab sie Kuprians Leuten und ihren unsinnigen Umtrieben die Schuld an allem, was geschehen war.

»Otterngezücht! Was wollen sie eigentlich, diese Verrückten! Keine Ahnung haben sie. Das Maul aufreißen und Dummheiten machen, das ist alles, was sie können. Was sagte er doch gleich, dieser Versammlungsredner mit der großen Schnauze! Mach es doch vor, Pascha, mach es mir noch einmal vor. Ah, ich kann nicht mehr, ich sterbe vor Lachen. Er ist's, wie er leibt und lebt. Tatati, tatata! Ach, dieser Schmutzfink, dieser Mistkäfer!«

Zu Hause überhäufte sie ihren Sohn mit Vorwürfen. Sie sei nicht mehr in dem Alter, daß ihr irgendein gemeiner Schuft mit der Knute über den Rücken fahren dürfe.

»Aber Mama, was fällt Ihnen ein. Man könnte meinen, ich sei ein Kosakenoffizier oder der Chef der Gendarmerie!«

IX

Nikolai Nikoláitsch stand am Fenster, als sich die ersten Flüchtenden auf der Straße zeigten. Ihm war klar, daß es sich um Demonstrierende handelte. Er blickte auf die Menge hinunter, doch er fand weder Jura noch sonst einen Menschen, den er kannte, unter den Leuten, die sich auf der Straße zusammendrängten. Für einen Augenblick glaubte er, den Sohn dieses Dudurov zu erkennen (Nikolai Nikoláitsch hatte seinen Namen vergessen), einen unverbesserlichen Draufgänger, dem man erst vor kurzem eine Kugel aus der linken Schulter herausoperiert hatte, was ihn keineswegs zu hindern schien, sich schon wieder bei Demonstrationen herumzutreiben.

Nikolai Nikoláitsch war im Herbst aus Petersburg gekommen. Er besaß keine Wohnung in Moskau und hatte keine Lust, längere Zeit im Hotel zu logieren. Deshalb hatte er bei den Swentizkijs, mit denen er entfernt verwandt war und die ihm ein Arbeitszimmer im Dachgeschoß zur Verfügung stellten, Quartier bezogen.

Das zweistöckige Haus war zu groß für das kinderlose Ehepaar, das die Wohnung bereits vor langer Zeit von den Fürsten Dolgorukij gemietet hatte. Die Dolgorukijs waren auch die Besitzer der umliegenden Gebäude, die in den verschiedensten Stilarten in den Nebengassen errichtet waren. Der ganze Komplex mit den drei ineinandergehenden Innenhöfen und dem großen Garten war unter dem Namen ›das Mehlstädtchen‹ bekannt.

Trotz seiner vier Fenster war das Arbeitszimmer schlecht beleuchtet. Es war mit Büchern, Akten, Teppichen und Gravüren vollgestopft und hatte einen Eckbalkon. Die doppelte Glastür, die auf diesen Balkon hinausführte, war schon für den Winter abgedichtet. Von den zwei Fenstern und der Balkontür aus konnte man die Straße mit ihren zahlreichen Schlittenspuren zwischen den schiefen kleinen Häusern und Zäunen ihrer ganzen Länge nach überblicken.

Aus dem Garten drangen schwere violette Schatten in das Arbeitszimmer. Es war, als wollten die alten Bäume ihre reifbedeckten Zweige, die an die Wucherungen tropfenden Stearins erinnerten, auf dem Fußboden ausbreiten.

Während Nikolai Nikoláitsch auf die Straße hinuntersah, dachte er an den vorangegangenen Winter in Petersburg zurück, an den Popen Gapon*, an Gorki, an den Besuch Wittes** und an die Schriftsteller, die dort gerade in Mode waren. Er war diesem oberflächlichen Getriebe entflohen, um hier in der Stille an seinem geplanten Buche zu schreiben. Aber er war vom Regen in die Traufe gekommen. Täglich hatte er neue Vorlesungen, Referate und Vorträge zu halten, so daß er kaum zur Besinnung kam. Bald waren es die Hochschulkurse für junge Mädchen, bald religionsphilosophische Vorträge in geschlossenem Kreise, dann wieder eine Veranstaltung für das Rote Kreuz oder zugunsten des Streikkomitees. Man müßte irgendwohin in die Schweiz flüchten und sich dort in einem der Waldkantone verborgen halten: ein See in strahlendem Sonnenlicht, ein Himmel von heiterem Blau und die Berge mit ihrer überklaren vibrierenden Luft, in der kein Ruf ohne Echo bleibt . . .

Nikolai Nikoláitsch wandte sich vom Fenster ab. Er verspürte auf einmal Lust, irgendeinen Besuch zu machen oder ziellos durch die Straßen zu wandern. Doch da fiel ihm ein, daß der Tolstoi-Anhänger Wywolotschnov ihn aufsuchen wollte, so daß er nicht weggehen konnte. Er begann, im Zimmer auf und ab zu gehen. Er dachte an seinen Neffen.

Als Nikolai Nikoláitsch seinen abgelegenen Wohnort an der Wolga verlassen hatte, um sich in Petersburg niederzulassen, hatte er Jura in Moskau bei verwandten Familien – bei den Michaelis, den Wedenjapins und den Gromekos – untergebracht. Zunächst wohnte Jura bei dem alten Ostromyslenskij, einem ziemlich wirren Schwätzer, der im Familienkreise einfach Fedka genannt wurde. Fedka lebte mit seiner Schülerin Motja zusammen. Aus diesem Grund hielt er sich für einen Rebellen gegen die Gesellschaftsordnung und für den Vorkämpfer einer Idee. Er hatte das Vertrauen mißbraucht, das man in ihn gesetzt hatte, und einen Teil des Geldes, das er für

* Gapon, Priester und Revolutionsführer, der die Demonstration vor dem Winterpalast 1905 leitete
** Witte, Ministerpräsident im Jahre 1905

Juras Unterhalt erhielt, für eigene Zwecke ausgegeben. Hierauf brachte man Jura in der Familie des Professors Gromeko unter, wo er bis zum heutigen Tage geblieben war.

Bei den Gromekos fand Jura eine Atmosphäre vor, die über alles Erwarten günstig für ihn war.

›Sie bilden eine Art von Triumvirat‹, dachte Nikolai Nikoláitsch, Jura, sein Klassenkamerad Gordon und die Tochter des Hauses, Tonja Gromeko. Alle drei haben sie bis zur Bewußtlosigkeit den ›Sinn der Liebe‹ und die ›Kreutzersonate‹ gelesen. Die Predigt der Keuschheit hat ihnen den Kopf verwirrt.

Die Jugend muß zwar den Fanatismus der Reinheit kennen. Aber sie gehen ein wenig zu weit, sie lassen die Grenzen des Vernünftigen hinter sich.

Diese Kinder mit ihrer seltsamen Phantasie! Für die Sinnlichkeit, die sie so sehr beunruhigt, haben sie alle möglichen Namen. Sie nennen sie ›vulgär‹, und sie verwenden dies wenig glückliche Wort in verschiedenstem Sinn. ›Vulgär‹ bedeutet für sie die Stimme des Instinktes und die pornographische Literatur, die Ausbeutung der Frau und überhaupt die ganze Welt des Sinnlichen. Sie werden rot oder blaß, wenn man das Wort vor ihnen ausspricht.

›Wenn ich in Moskau gewesen wäre‹, dachte Nikolai Nikoláitsch, ›wäre es nicht so weit mit ihnen gekommen.‹ Schamhaftigkeit ist notwendig, aber nur in gewissen Grenzen . . . »Ah, Nil Feoktistytsch, kommen Sie herein.« Er ging seinem Gast entgegen.

X

Ein korpulenter Mann in einem grauen, von einem breiten Gürtel zusammengehaltenen Russenhemd betrat das Zimmer. Er trug Filzstiefel, und seine Hose war ausgebeult an den Knien. Er machte den Eindruck eines gutmütigen wackeren Menschen, der etwas in den Wolken lebt. Auf seiner Nase saß ein kleiner Kneifer, der an einer schwarzen Schnur befestigt war und ab und zu herunterfiel.

Er wollte im Vorzimmer ablegen, führte diese Absicht aber nicht ganz aus. Das Ende seines Schals schleifte auf dem Fußboden hinter ihm her, und seinen runden Filzhut hatte er in der Hand behalten. Die beiden Gegenstände behinderten ihn in seiner Bewegungsfreiheit. Er konnte Nikolai Nikoláitsch zur Begrüßung nicht einmal die Hand geben.

»Hmmm«, murmelte er verlegen und verwirrt und sah sich nach allen Seiten um.

»Legen Sie Ihren Hut hin, wo Sie wollen«, sagte Nikolai Nikoláitsch, und mit diesen Worten gab er Wywolotschnov seine Selbstsicherheit zurück.

Er war einer jener Tolstoijünger, in deren Köpfen sich die Gedanken eines rastlosen Genies in aller Ruhe niederließen, um hoffnungslos seicht und flach zu werden.

Wywolotschnov war gekommen, um Nikolai Nikoláitsch zu bitten, in einer Schule zugunsten politisch Verbannter einen Vortrag zu halten.

»Ich habe dort bereits schon einmal gesprochen.«

»Aber nicht zum Besten der Zwangsverschickten?«

»Doch.«

»Dann sollten Sie es noch einmal tun.«

Nikolai Nikoláitsch machte weitere Einwände, schließlich sagte er jedoch zu.

Der Zweck des Besuches war hiermit erreicht. Nikolai Nikoláitsch hielt seinen Besucher nicht länger zurück. Wywolotschnov hätte sich erheben und gehen können. Aber er hielt es für unhöflich, sich so bald wieder zu verabschieden. Vorher mußte er noch einige geistvolle, ungewöhnliche Bemerkungen von sich geben. Eine quälende Unterhaltung begann.

»Also Sie sind jetzt unter die Dekadenz gegangen? Sie beschäftigen sich mit Mystik?«

»Wie kommen Sie denn darauf?«

»Ein verlorener Mensch. Erinnern Sie sich noch an die Versammlungen im Landschaftsrat?«

»Selbstverständlich. Wir haben dort für freie Wahlen gekämpft und für die Volksschulen.«

»Außerdem haben Sie sich für die öffentliche Wohlfahrt eingesetzt.«

»Das ist wahr. Eine Zeitlang habe ich dort mitgewirkt.«

»Hmmm. Und jetzt sind Sie unter die Epheben gegangen. Parole: Seien wir wie die Sonne!* Ich kann es einfach nicht glauben. Ein so

* Nach einem damals weitverbreiteten Gedicht Konstantin Balmonts

53

kluger Mann wie Sie, der Humor hat und das Volk kennt. Überlassen Sie das doch anderen, bitte . . . Oder ist meine Einmischung unerwünscht? Handelt es sich um ein Geheimnis?«

»Weshalb reden wir so ins Blaue? Worum geht der Streit eigentlich. Sie kennen meine Ideen nicht.«

»Rußland braucht Schulen und Krankenhäuser, keine Epheben.«

»Niemand leugnet das.«

»Die Bauern leben in Hunger und Not . . .«

Auf diese Weise sprang das Gespräch von einem Gegenstand zum anderen. Nikolai Nikoláitsch, der die Zwecklosigkeit seiner Versuche im voraus erkannte, wollte dennoch erklären, was ihn an gewissen Schriftstellern der symbolistischen Schule anzog, dann ging er auf Tolstoi über.

»Bis zu einem bestimmten Punkt bin ich mit Ihnen einig. Aber Tolstoi sagt, daß sich der Mensch vom Guten entfernt, wenn er sich der Schönheit verbündet.«

»Glauben Sie etwa, daß es umgekehrt sei? Daß die Schönheit die Welt erretten wird: die Mysterien des Mittelalters, Rosanov, Dostojewski und so weiter?«

»Warten Sie ab, was ich sagen will. Ich meine, wenn man das im Menschen schlummernde Tier durch Drohungen irgendwelcher Art – zeitlicher oder ewiger Strafen – bändigen könnte, dann wäre die höchste Verkörperung des Menschlichen der Dompteur im Zirkus mit seiner Peitsche, und nicht etwa der Prediger mit seinem Opfer. Aber die Macht, die den Menschen im Lauf der Jahrhunderte über das Tier erhoben und so weit gebracht hat, war nicht die Knute, sondern die Musik: die unwiderstehliche Gewalt der unbewaffneten Wahrheit und die Anziehungskraft ihres Beispiels. Man hat bis jetzt immer die moralischen Maximen und Sittengesetze für das Wichtigste im Evangelium gehalten. Für mich besteht das Wesentliche darin, daß Christus seine Gleichnisse, mit deren Hilfe er die Wahrheit erhellt, aus dem Alltagsleben genommen hat. All diesem liegt der Gedanke zugrunde, daß die Gemeinschaft unter den Sterblichen unsterblich ist und daß das Leben als solches, weil es eine tiefere Bedeutung hat, symbolisch ist.«

»Ich habe nichts begriffen. Sie sollten ein Buch darüber schreiben.«

Als Wywolotschnov gegangen war, ließ er Nikolai Nikoláitsch in einem Zustand äußerster Gereiztheit zurück. Er ärgerte sich über sich selbst, weil er diesem Dummkopf von Wywolotschnov einen

Teil seiner geheimsten Gedanken anvertraut hatte, ohne den geringsten Eindruck zu hinterlassen. Nikolai Nikoláitschs Ärger wechselte auf einmal den Gegenstand, wie das häufig geschieht. Er vergaß Wywolotschnov vollkommen, als hätte er niemals existiert. Ein anderer Vorfall kam ihm in den Sinn. Er führte kein Tagebuch, aber ein- oder zweimal im Jahr notierte er die Gedanken, die ihn am meisten bewegten, in ein dickes Schulheft. Jetzt suchte er dies Heft hervor und fing in seiner weitzügigen, leicht lesbaren Schrift zu schreiben an.

»Den ganzen Tag habe ich mich über diese dumme Person von Schlesinger geärgert. Vom frühen Morgen bis zum Mittagessen war sie hier und hat mich zwei geschlagene Stunden lang gezwungen, mir ihren Galimathias anzuhören. Eine Versdichtung des Symbolisten X als Textunterlage für die kosmogonische Sinfonie des Komponisten Y – mit Planetengeistern, Stimmen der vier Elemente und so weiter. Ich wappnete mich in Geduld und konnte es doch nicht aushalten. Ich habe sie angefleht, mir weiteres zu ersparen. Es geht einfach über meine Kraft.

Auf einmal habe ich begriffen, aus welchem Grund dies Thema immer so tödlich unecht und so unerträglich ist, sogar im ›Faust‹. Das Interesse, das man diesen Dingen entgegenbringt, ist künstlich und verlogen. Der moderne Mensch braucht das alles nicht. Wenn die Geheimnisse des Alls seinen Geist beschäftigen, sucht er die Lösung in der Physik und nicht in den Hexametern Hesiods.

Es geht nicht nur um den Anachronismus dieser Formen. Es handelt sich auch nicht darum, daß diese Feuer- und Wassergeister den Horizont verdunkeln, den die Wissenschaft gerade erst erhellt hat. Wesentlich ist allein, daß dieses Genre dem Geist und Ursprung der modernen Kunst in keiner Weise mehr entspricht.

Diese Kosmogonien entstanden auf der dünn besiedelten Erde von einst, auf welcher der Mensch noch nicht die Natur verstellte. Damals gab es noch Mammutherden, und die Erinnerungen an Dinosaurier und Drachen war noch frisch. Die Natur stand dem Menschen ständig als eine gewaltige drohende Gegenwelt vor Augen, sie sprang ihn mit der Wildheit einer Bestie an und schien über und über von Göttern erfüllt zu sein. Aber dies sind nur die ersten Seiten in der Chronik der Menschheit, die damals begann.

Diese Ära endete mit dem übervölkerten Rom der Spätantike. Rom war zu einem gewaltigen Trödelmarkt und Umschlagplatz für entliehene Götter und eroberte Völker geworden. In dem chaotischen Durcheinander standen Erde und Himmel zum Ausverkauf. Daker, Heruler, Skythen, Sarmaten, Hyperboräer – schwerfällige Räder ohne Speichen, schwimmende Augen in verfetteten Gesichtern, Grausamkeit, Doppelkinne, Fische, die man mit dem Fleisch gebildeter Sklaven ernährte, analphabetische Imperatoren! Es gab mehr Menschen auf der Erde als in den folgenden Jahrhunderten. Sie drängten sich in den Gängen des Kolosseums zusammen, sie erdrückten sich gegenseitig und litten furchtbare Qualen . . .

Und in diese geschmacklose Überfülle von Marmor und Gold kam, leichtfüßig und in Licht gekleidet, dieser Mensch, Provinzler aus Galiläa, und vom gleichen Augenblick an gab es weder Götter noch Völker mehr, und an ihre Stelle trat der Mensch auf den Schauplatz der Geschichte, der homo faber, der Pflüger, der Hirt inmitten seiner Schafherde bei Sonnenuntergang, der Mensch der Demut, den die Wiegenlieder der Mütter besingen und dessen Antlitz die Gemäldegalerien unserer Museen beherrscht.«

XI

Die Umgebung der Petrowka und ihrer Nebenstraße schien ein Stück Petersburg zu sein, das man nach Moskau versetzt hatte. Die symmetrischen Gebäude zu beiden Seiten der Straße, die stilvollen Ornamente der Fassaden, die Bibliothek, das kartographische Institut und die Buchhandlung riefen diesen Eindruck hervor, der durch das elegante Tabakgeschäft und das Restaurant mit seinen runden Gaslaternen auf massiven Konsolen noch verstärkt wurde. Im Winter wirkte die ganze Gegend düster und unzugänglich. Die Bewohner dieser Straßen waren geachtete Leute, die freie Berufe ausübten, sich gegenseitig respektierten und Geld genug für ein gesichertes Leben verdienten.

Hier hatte Victor Ippolitowitsch Komarovskij eine elegante Junggesellenwohnung im ersten Stock gemietet, zu der eine breite Treppe mit einem Eichenholzgeländer hinaufführte. Emma Ernestowna, seine Wirtschafterin und die Kastellanin seiner friedlichen Zurückgezogenheit, führte still und fast unsichtbar den Haushalt; sie überwachte alles und schien sich doch in keiner Weise einzumischen, wofür sich Komarovskij in ritterlicher Weise erkenntlich zeigte, indem er keine Besucher in der Wohnung duldete, die den Frieden ihrer altjüngferlichen Welt hätten stören können. Klösterliche Stille herrschte in Emma Ernestownas Reich. Auf den niedergelassenen Gardinen lag kein Staubkörnchen, setzte sich nicht der geringste Schmutz fest. Man hätte glauben können, in einem Operationssaal zu sein.

Sonntags, vor dem Mittagessen, pflegte Victor Ippolitowitsch mit seiner Bulldogge auf der Petrowka und dem Kusnezkij-Most spazierenzugehen. An einer bestimmten Straßenecke erschien dann der Schauspieler und Kartenspieler Konstantin Illarionowitsch Satanidi, der sich ihm anschloß.

Sie gingen ein Stück weit auf dem Bürgersteig entlang, tauschten Anekdoten und kurze Bemerkungen aus, die so unbedeutend und süffisant waren, daß man sie durch ein undeutliches Gemurmel hätte ersetzen können. Ihre Stimmen drangen bis auf die andere Straßenseite hinüber, sie unterhielten sich in tiefem vibrierendem Baß, schamlos laut, abrupt und rücksichtslos.

XII

Das Wetter entsprach nicht der Jahreszeit. Wassertropfen fielen in regelmäßigen Abständen auf die blechernen Gesimse und von den Dachrinnen. Wie im Frühling schienen sich die Dächer Morsezeichen zu signalisieren: es taute.

Lara legte den ganzen Weg in einem Zustand halber Betäubung zurück. Erst daheim begriff sie, was geschehen war.

Das ganze Haus lag in tiefem Schlaf. Wie in Trance ließ sie sich vor dem Toilettentisch ihrer Mutter nieder. Sie saß vor ihrem Spiegelbild, diesem Mädchen im fliederfarbenen, fast weißen Spitzenkleid mit dem langen Schleier, den sie sich für den Abend aus dem Atelier ausgeliehen hatte, wie zu einem Maskenball. Sie starrte in den Spiegel, konnte jedoch nichts erkennen. Dann bedeckte sie ihr Gesicht mit beiden Händen.

Mama würde sie umbringen, wenn sie davon erfuhr. Sie würde sie umbringen und sich dann selber töten.

Wie war es soweit gekommen? Wie hatte es geschehen können? Jetzt war es zu spät. Sie hätte früher darüber nachdenken sollen.

Jetzt war sie ein ›gefallenes Mädchen‹, wie man das nennt. Jetzt glich sie den Heldinnen französischer Romane. Morgen würde sie im Lyzeum auf der gleichen Bank mit diesen kleinen Mädchen sitzen, die im Vergleich mit ihr die reinsten Babies waren. Mein Gott, mein Gott, wie konnte das nur geschehen!

Vielleicht würde sie eines Tages, nach langer Zeit, das Ganze einmal Olja Demina erzählen, und Olja würde sie umarmen und mit ihr in Tränen ausbrechen.

Draußen vor dem Fenster wisperten und flüsterten die Tautropfen. Jemand klopfte an die Tür des Nachbarhauses. Lara hob den Kopf nicht. Ihre Schultern bebten. Sie weinte.

XIII

»Meine liebe Emma Ernestowna. Das alles ist doch nicht so wichtig. Ich mag nicht mehr davon reden, es langweilt mich.«

Er ließ verschiedene Gegenstände achtlos auf den Teppich und auf den Diwan fallen, Manschetten, Krawatten, Vorhemden. Er zog alle Schubladen auf, ohne zu wissen, was er wollte.

Er mußte sie sehen, koste es was es wolle. Und es gab keine Möglichkeit, am Sonntag mit ihr zusammenzutreffen. Er lief wie ein Raubtier im Käfig im Zimmer umher und fand keinen Augenblick Ruhe.

Wie durchgeistigt ihre Schönheit war! Ihre Hände versetzten ihn in Staunen wie ein hoher Gedanke. In dem zarten Schatten, der sich an der Wand des Hotelzimmers abgezeichnet hatte, glaubte er das Sinnbild ihrer Reinheit zu erkennen. Das Hemd umspannte ihre Brust so einfach und fest wie ein Stück Leinen, das man auf den Stickrahmen aufzieht.

Komarovskij trommelte gegen die Fensterscheibe im Rhythmus der Pferdehufe, die auf dem regennassen Asphalt der Straße klapperten. »Lara«, flüsterte er und schloß die Augen. Er sah den Kopf des jungen Mädchens in seinen Armen ruhen. Sie hatte die Lider gesenkt und schlief. Sie ahnte nicht, daß er sie stundenlang betrachtete, ohne Schlaf zu finden. Ihr aufgelöstes Haar, das auf den Kissen lag, versengte seine Augen wie Feuer. Ihr Anblick gab seinem Herzen einen Stich.

Sein gewohnter Sonntagsspaziergang wurde ein Mißerfolg. Er ging mit Jack ein paar Schritte auf dem Trottoir entlang, dann blieb er stehen und dachte an Satanidis Scherze und an die Menschen und Bekannten, denen er begegnen würde. Nein, das überstieg seine Kräfte! Wie ekelhaft ihm alles erschien! Er machte kehrt. Der Hund hob erstaunt den Kopf, warf ihm einen mißbilligenden Blick zu und folgte ihm unlustig.

›Was hat das zu bedeuten‹, dachte Komarovskij, ›es ist wie verhext. Erwacht die Stimme des Gewissens, empfinde ich Mitleid oder Reue? Mache ich mir Sorgen um sie? Aber nein, sie ist bei sich zu Hause, in Sicherheit. Aus welchem Grund also muß ich immerzu an sie denken?‹

Komarovskij betrat das Vestibül des Hauses und stieg die Treppe bis zum ersten Absatz hinauf. Dort befand sich ein venezianisches Glasfenster mit bunten Wappenornamenten, das einen farbigen Widerschein auf den Fußboden und auf die Fensterbank warf. In der Mitte des zweiten Treppenabsatzes blieb Komarovskij stehen. Er durfte sich diesen Folterqualen der Sehnsucht nicht länger überlassen. Schließlich war er kein Kind mehr. Er mußte sich klarmachen, was mit ihm geschehen würde, wenn dieses kleine Mädchen, diese Tochter seines verstorbenen Freundes, seine Leidenschaft bis zur Raserei entflammte, statt ein bloßer Zeitvertreib zu sein. Er mußte seine Fassung wiedergewinnen. Er wollte sich und seinen alten Gewohnheiten treu bleiben. Sonst würde es zur Katastrophe kommen.

Komarovskij umklammerte das Geländer mit der Hand, bis ihn die Finger schmerzten. Für einen Augenblick schloß er die Augen, dann drehte er sich kurz entschlossen um und stieg die Treppe wieder hinunter. Im Flur mit den bunten Lichtreflexen fing er den bewundernden Blick seiner Bulldogge auf. Jack blickte von unten zu ihm auf, mit erhobenem Kopf wie ein alter speicheltriefender Zwerg mit Hängebacken.

Der Hund liebte das junge Mädchen nicht. Er hatte ihr die Strümpfe zerrissen, und er fletschte die Zähne und knurrte, wenn er sie sah. Er war auf Lara eifersüchtig, als fürchte er, daß sie seinen Herrn mit etwas Menschlichem verseuchen könne.

›Also du glaubst, es bleibt alles beim alten: Satanidi, die gemeinen Witze und Anekdoten? Ich will dir zeigen, was los ist, du sollst es mir büßen!‹

Und er begann, mit seinem Spazierstock auf die Bulldogge einzuschlagen und sie mit den Füßen zu treten. Jack heulte auf, riß sich los, lief mit bebenden Flanken die Treppe hinauf und kratzte an der Haustür, um sich bei Emma Ernestowna zu beklagen.

Tage und Wochen vergingen.

XIV

In was für einen Zauberkreis war sie geraten! Wenn Komarovskijs Einbruch in ihr Leben nur Ekel und Widerwillen in Lara hervorgerufen hätte, würde sie sich dagegen empört und mit ihm gebrochen haben. Aber so einfach lagen die Dinge nicht.

Sie fühlte sich geschmeichelt, daß der gutaussehende Mann mit den grauen Schläfen, der ihr Vater hätte sein können, seine Zeit und sein Geld damit verschwendete, sie in Konzerte und ins Theater auszuführen und ihr immer wieder zu sagen, sie sähe wie eine Göttin aus. Er, bei dessen Erscheinen in Versammlungen man Beifall klatschte und dessen Name in den Zeitungen stand, hatte sie unter seine Protektion genommen, um sie geistig zu fördern, wie man so sagt.

Schließlich und endlich war sie noch eine Schülerin des Lyzeums, die ein schlichtes braunes Schulkleid trug und an harmlosen Verschwörungen und Streichen ihrer Klassenkameradinnen beteiligt war. Komarovskijs Galanterien im geschlossenen Wagen, unter den Augen des Kutschers, oder in der Loge, vor den Augen des ganzen Theaters, übten auf sie eine Faszination aus, die sie ihrerseits dazu anregte, sich kühner und unbekümmerter zu zeigen, als ihr zumute war. Aber diese kindlich kecke Lust am Abenteuer ging bald vorüber. Statt dessen fühlte Lara sich innerlich gebrochen und empfand Abscheu vor sich selbst. Sie war zermürbt von schlaflosen und durchweinten Nächten. Ständige Kopfschmerzen quälten sie ebenso wie die Schulaufgaben, die sie täglich machen mußte. Dies alles führte zu einem Zustand körperlicher Übermüdung und Schwäche.

XV

Er war der Fluch ihres Lebens, sie haßte ihn, ihre Gedanken bewegten sich Tag für Tag in den gleichen Bahnen.

Sie war seine Gefangene auf Lebenszeit. Auf welche Weise war es ihm gelungen, sie zu seiner Sklavin zu machen? Was für eine Macht zwang sie dazu, sich ihm immer von neuem zu unterwerfen und hinzugeben? War es sein Alter, das ihn so überlegen machte oder ihre finanzielle Abhängigkeit? Nein und abermals nein! Das war alles Unsinn.

Nicht sie war ihm untertan, sondern er ihr. Sie merkte doch, wie er sich in Sehnsucht nach ihr verzehrte. Sie hatte nichts zu befürchten, ihr Gewissen war rein. Er dagegen mußte Angst vor dem Augenblick der Schande haben, wenn sie ihn vor aller Welt entlarvte. Aber gerade dies würde sie niemals tun. Dazu fehlte ihr die Gemeinheit, die Komarovskijs Stärke den Untergebenen und Schwachen gegenüber ausmachte.

Hierin bestand der Unterschied zwischen ihnen, der das Leben so furchtbar machte. Wenn dies Leben einen wenigstens durch einen Blitz und Donnerschlag vernichtet hätte! Aber nichts von alledem. Seine Waffen waren schiefe Blicke und geflüsterte Infamien. Es bestand aus Betrug und Zweideutigkeiten. Es war wie mit einem Spinnennetz: man glaubt einen Faden zu fassen, man zieht, und schon hat sich das Ganze in nichts aufgelöst. Doch sowie man versucht, sich aus dem Netz zu befreien, ziehen sich seine Maschen nur um so enger um einen zusammen.

Die Gemeinen und Schwachen triumphieren über die Starken.

XVI

›Und wäre ich verheiratet‹, fragte sie sich, ›was für einen Unterschied würde das machen?‹ Sie versuchte es mit Sophismen. Dann wieder erlag sie Anfällen von auswegloser Melancholie.

Daß er sich nicht schämte, zu ihren Füßen zu liegen und sie anzuflehen: »Das kann nicht so weitergehen. Denke nur, was ich dir getan habe. Du bist auf einem gefährlichen Weg. Gestehen wir alles deiner Mutter. Ich werde dich heiraten!«

Und er weinte und bestand auf seiner Absicht, so als habe sie widersprochen! Das alles waren nichts als leere Phrasen. Lara hörte schon lange nicht mehr auf diese hohlen, pathetischen Worte. Inzwischen fuhr er fort, sie – tief verschleiert – in die Séparées dieses schrecklichen Restaurants zu führen, wo die Kellner und Gäste ihr mit den Blicken folgten und sie mit den Augen zu entkleiden schienen. Und sie fragte sich vergeblich: Muß man sich so erniedrigen, wenn man liebt?

Eines Tages hatte sie einen Traum. Sie befand sich unter der Erde, und nur die linke Seite von der Hüfte bis zur Schulter und ihre rechte Fußsohle schienen von ihr übriggeblieben zu sein. Aus ihrer linken Brust wuchs ein Grasbüschel. Und oben, auf der Erde, wurden Volkslieder gesungen: ›Schwarze Augen, weiße Brüste‹ und ›Mascha darf nicht über den Fluß gehen . . .‹

XVII

Lara war nicht fromm. Sie glaubte nicht an kirchliche Dogmen und Riten. Aber manchmal bedurfte sie einer gewissen inneren Musik, um das Leben ertragen zu können. Diese Musik konnte man nicht aus eigener Kraft bei jeder Gelegenheit komponieren. Lara fand etwas von dieser Musik in Gottes Wort über das Leben. Und sie ging deshalb in die Kirche, um hierbei weinen zu können.

An einem Dezembertag, als Laras Herz so schwer war wie das der Katharina in Ostrowskis ›Gewitter‹, ging sie zur Kirche, um zu beten. Sie glaubte, die Erde müsse sich unter ihren Füßen auftun und das Gewölbe des Kirchenschiffs über ihr zusammenstürzen. Sie meinte, sie hätte nichts Besseres verdient, und dann sei wenigstens alles zu Ende. Schade, daß sie diese Olja Demina mitgenommen hatte, die ihren Mund nicht halten konnte!

»Prov Afanassitsch«, flüsterte Olja ihr ins Ohr.

»Still. Laß mich doch bitte in Ruhe. Welcher Prov Afanassitsch denn?«

»Prov Afanassitsch Ssokolov. Unser Onkel dritten Grades. Er rezitiert die Psalmen.«

»Ach so, du meinst den Psalmensänger. Er gehört zur Verwandtschaft der Tiversíns. Ich bitte dich, sei still, störe mich nicht länger.«

Sie waren zu Beginn der Messe gekommen. Man sang den Psalm: ›Meine Seele lobet den Herrn und alles, was in mir ist, seinen heiligen Namen.‹

Die Kirche war halb leer, und der Gesang hallte von ihren Gewölben wider. Die Gläubigen drängten sich in der Nähe der Iko-

nostase* zusammen. Die Kirche war ein Neubau. Das farblose
Glas der Fenster ließ die verschneite Straße draußen mit ihren
Passanten und Fahrzeugen noch grauer erscheinen. An einem der
Fenster stand der Kirchenälteste und redete, ohne auf den Gottesdienst Rücksicht zu nehmen, auf eine schwerhörige, zerlumpte
Frau ein. Seine Stimme war genau von der gleichen alltäglichen und
gewöhnlichen Art wie die graue Straße vor den Fenstern.
Lara ging vorsichtig an den Betenden vorbei, um ihre und Oljas
Kupfermünzen in den am Kircheneingang aufgestellten Opfer-
stock zu tun. Während Prov Afanassitsch die neun Seligpreisungen
herunterleierte wie etwas, was alle ohnedies schon auswendig
kannten, kehrte Lara an ihren Platz zurück, wobei sie sich Mühe
gab, niemanden anzustoßen.
›Selig sind die geistlich Armen . . . Selig sind die Leidtragenden . . .
Selig sind, die da hungern und dürsten nach Gerechtigkeit . . .‹
Lara fuhr zusammen: man sprach ja von ihr, sie war gemeint. Er
hatte gesagt: Selig sind die Leidtragenden, die Schwachen und
Unterdrückten. Sie haben der Welt etwas Besonderes zu sagen,
ihnen gehört die Zukunft. Das also hatte Er gedacht. Das war Seine
Meinung. Das hatte Christus gelehrt.

XVIII

Es war in den Tagen des Presnja-Aufstandes**. Die Wohnung der
Guichards lag in der Zone der Rebellen. Ein paar Schritt von
ihrem Haus entfernt hatte man in der Twerskaja eine Barrikade
errichtet, die man vom Fenster des Wohnzimmers aus sehen konnte.
Die Leute vom Hof brachten Eimer voll Wasser, die sie auf die
Barrikade schütteten, um Schutt und Steine durch eine Eisschicht
zu festigen.
Der Nachbarhof diente den Kämpfenden als Sammelpunkt. Er war
zugleich ärztliche Hilfsstation und ›Feldküche‹ mit Essenausgabe.
Lara kannte zwei der Jungen, die auf diesen Hof zu den Aufständischen gingen. Der eine war Nicki Dudurov, den sie bei ihrer
Freundin Nadja kennengelernt hatte. Er war von der gleichen

* Bilderwand vor dem Altar
** Presnja ist der Name einer Moskauer Straße, der letzten Bastion des Aufstandes
   im Dezember 1905

Art wie sie selbst: aufrecht, stolz und schweigsam. Aus diesem Grund interessierte sie sich nicht für ihn.

Der andere Junge war der Realschüler Antipov, der bei der alten Frau Tiversín, der Großmutter Olja Deminas, wohnte. Während ihrer Besuche bei Marfa Gawrílowna hatte Lara gemerkt, welchen Eindruck sie auf den jungen Antipov machte. Pascha war noch so unschuldig und kindlich, daß er nicht versuchte, sein Glück über Laras Besuche zu verbergen. Er bewunderte sie mit der gleichen reinen Daseinsfreude wie etwa ein Birkengehölz mit frischem grünem Gras zwischen den Stämmen und Wolkenhimmel über den Baumwipfeln, dessen Anblick man in den Ferien genießt.

Schon damals übte Lara unbewußt einen starken Einfluß auf Pascha Antipov aus. Aber erst viel später befaßte sie sich ernsthaft mit der Bildung seines geschmeidigen und weichen Charakters. In jenem Stadium ihrer Freundschaft, die schon ein paar Jahre dauerte, wußte Pascha bereits, daß er Lara grenzenlos liebte und nie mehr im Leben von ihr loskommen sollte.

Die beiden Knaben spielten das schreckliche Spiel der Erwachsenen: Krieg. Und noch dazu jene Abart von Krieg, in dem man standrechtlich erschossen und aufgehängt wurde. Aber ihre Kapuzen verrieten, daß es sich noch um Kinder handelte, die unter der Aufsicht ihrer Väter und Mütter standen. Lara betrachtete sie mit den Augen der Erwachsenen. Über ihren gefährlichen Spielen lag ein Hauch von Unschuld, der sich ihrer ganzen Umgebung mitteilte: dem eisigen Abend mit seinem Reif, der so dicht war, daß er schwarz statt weiß wirkte; dem blauen Hof und dem Haus gegenüber, in dem die Jungen verschwanden. Und sogar die Revolverschüsse, die pausenlos in diesem Haus widerhallten, schienen in ihrer Gegenwart nicht ganz ernst gemeint zu sein.

›Die Kinder spielen mit dem Feuer‹, dachte Lara, und sie meinte damit weder Nicki noch Pascha allein, sondern alle, die in der Stadt schossen. ›Es sind gute aufrichtige Jungen‹, dachte sie. ›Sie sind gut. Und aus diesem Grund schießen sie.‹

XIX

Es hieß, die Barrikade sollte unter Artilleriebeschuß genommen werden und das Haus sei in Gefahr. Es war schon zu spät, um ein Notquartier bei Freunden in einem anderen Moskauer Stadtteil zu suchen. Der ganze Bezirk war umzingelt. Man mußte eine Unterkunft in der Nachbarschaft finden. Das ›Montenegro‹ fiel ihnen ein.

Es stellte sich heraus, daß zahlreiche andere Leute auf den gleichen Gedanken gekommen waren. Das Hotel war überfüllt. Aber da man sie aus früherer Zeit in guter Erinnerung behalten hatte, versprach man, sie in der Wäschekammer unterzubringen.

Um nicht durch Koffer und großes Gepäck aufzufallen, packten sie das Allernotwendigste in drei Bündeln zusammen. Dann aber verschoben sie den Umzug von einem Tag auf den anderen.

In der Werkstatt, wo patriarchalische Sitten herrschten, hatte man die Arbeit während des Streiks fortgesetzt. Aber an einem kalten und trüben Abend wurde an der Haustür geklingelt. Ein Mann trat ein und verlangte nach der Inhaberin. Faina Ssilantjewna ging ins Vestibül, um die allgemeine Aufregung zu beschwichtigen. »Kommt her, Mädels«, rief sie den Arbeiterinnen zu und stellte sie der Reihe nach dem Besucher vor. Er tauschte mit jedem Mädchen einen ungeschickten Händedruck und ging wieder weg, nachdem er sich mit der Fetissowa verständigt hatte. Die Arbeiterinnen kehrten in das Atelier zurück, wo sie sogleich ihre Schals umbanden und ihre Pelzmäntelchen anzogen.

»Was geht denn hier vor«, fragte Amalja Karlowna, die gerade eingetreten war.

»Man schickt uns nach Hause, Madame. Wir streiken.«

»Aber was habe ich euch denn Böses getan?« rief Madame Guichard und brach in Tränen aus.

»Regen Sie sich doch nicht auf, Amalja Karlowna. Wir werden nichts gegen Sie unternehmen, wir sind Ihnen zu Dank verpflichtet. Aber es handelt sich nicht um uns und um Sie. Es ist jetzt überall das gleiche. Alle streiken. Wir können nicht abseits stehen.«

Alle gingen weg, sogar Olja Demina und Faina Ssilantjewna, die der Chefin im Vorübergehen zuflüsterte, man habe diesen Streik nur zum Besten der Besitzerin und des Unternehmens in Szene gesetzt. Aber Amalja Karlowna wollte sich nicht beruhigen.

»Das ist ja die schwärzeste Undankbarkeit. Wie man sich in Menschen täuschen kann! Diese Kleine, für die ich so viel getan habe. Immerhin, sie ist noch ein Kind. Aber diese alte Hexe!«

»Aber so begreifen Sie doch, Mama. Sie können keine Ausnahme machen«, sagte Lara, um sie zu trösten. »Kein Mensch hat etwas gegen Sie. Im Gegenteil. Alles, was sich augenblicklich um uns herum abspielt, geschieht im Namen der Menschheit zur Verteidigung der Schwachen und Unterdrückten und zum Besten der Kinder und Frauen. So ist es! Schütteln Sie nicht den Kopf, seien Sie nicht so ungläubig. Eines Tages werden wir es besser haben, Sie und ich.«

Aber die Mutter begriff es nicht.

»Es ist immer das gleiche«, rief sie aus und schluckte ihre Tränen herunter, »es ist ohnedies schwer genug, klar zu sehen, und da kommst du und sagst etwas Unglaubliches. Man hat mir einen bösen Streich gespielt, und nun soll alles auch noch in meinem Interesse geschehen sein. Ich glaube wirklich, ich habe den Verstand verloren.«

Rodja war in der Kadettenschule. Lara und ihre Mutter wohnten allein in dem verlassenen Haus. Die unbeleuchtete Straße blickte aus leeren Augen in die Zimmer hinein, und die Zimmer erwiderten ihren Blick.

»Lassen Sie uns ins Hotel gehen, Mama, noch bevor es Nacht wird. Hören Sie nicht, Mama? Wir gehen, jetzt gleich!«

»Filat, Filat«, rief Amalja Karlowna den Hausdiener, »Filat, mein Lieber, begleite uns bitte ins ›Montenegro‹.«

»Zu Ihren Diensten, Madame!«

»Du nimmst das Gepäck, Filat. Und noch eins: Gib acht auf das Haus, solange wir weg sind. Vergiß nicht, Cyril Modestowitsch sein Futter zu geben. Und schließe alle Zimmer ab. Und bitte, besuche uns von Zeit zu Zeit.«

»Gewiß, Madame.«

»Danke, Filat, der Herr möge dich beschützen. Und nun wollen wir noch für eine Minute niedersitzen, ehe wir Abschied nehmen. Und dann wollen wir gehen, mit Gott.«

Als sie auf die Straße hinauskamen, glaubten sie, wie nach einer langen Krankheit, die Luft nicht wiederzuerkennen. Durch den eisigen, sauberen, gleichsam polierten Raum rollten leicht, so als wären es glatt gedrechselte Kugeln, in allen Richtungen, übereinander hinweg, die klatschenden, peitschenden Schüsse und Salven, die alle Entfernungen ineinanderzuschmelzen schienen.

Trotz Filats Warnungen waren Lara und Amalja Karlowna der Ansicht, daß es sich um blinde Schüsse handelte.

»Sei nicht töricht, Filat. Sage selbst, wenn es keine Blindschüsse wären, müßte man doch jemanden sehen, der schießt. Wer ist denn der Schütze nach deiner Ansicht, der Heilige Geist vielleicht? Es kann nicht scharf geschossen werden.«

An einer Straßenkreuzung wurden sie von einer Patrouille angehalten. Grinsende Kosaken durchsuchten sie von Kopf bis Fuß. Sie trugen ihre Mützen schief aufs Ohr gedrückt, so daß alle einäugig zu sein schienen.

›Welch ein Glück‹, dachte Lara. Sie würde Komarovskij die ganze Zeit über nicht sehen, solange sie von der übrigen Stadt abgeschnitten waren! Nur ihre Mutter war daran schuld, daß sie nicht mit ihm brechen konnte. Sie konnte ihre Mutter nicht bitten, ihn nicht mehr zu empfangen. Sonst wäre ja alles ans Licht des Tages gekommen! ›Was wäre schon dabei‹, dachte Lara, ›was gibt es da noch zu befürchten?‹ In Gottes Namen sollte alles zugrunde gehen, wenn es nur ein Ende mit ihm nähme. O Gott! Sogleich würde sie hier besinnungslos niederfallen vor Ekel, hier auf der Straße. Woher kam ihr in diesem Augenblick diese schreckliche Erinnerung an das Bild mit dem feisten Römer aus dem ersten Chambre séparée, in dem alles angefangen hatte. Wie hatte das Bild geheißen, diese Kopie nach einem berühmten Gemälde: Weib oder Vase, das war es. Der fette Römer schwankte, für welche der beiden Kostbarkeiten er sich entscheiden sollte. Als sie das Bild zum ersten Mal sah, hatte sie den Wert des Kunstwerks noch nicht begriffen. Das kam erst später. Die Tafel war so üppig gedeckt gewesen!

»Weshalb rennst du denn so wie eine Besessene. Ich komme nicht nach«, jammerte Amalja Karlowna, die immer mehr ins Keuchen geriet. Lara schritt schnell aus. Eine unbekannte Macht, die sie in stolze Begeisterung versetzte, schien sie durch die Lüfte zu tragen. ›Wie aufregend diese Schüsse klingen‹, dachte sie. ›Selig sind die Unterdrückten und Schwachen, selig die Betrogenen. Gott segne euch, ihr Schüsse, ihr habt das gleiche Ziel wie ich.‹

XX

Das Haus der Brüder Gromeko lag an der Ecke der Ssiwzev-Vrazek-Straße und einer Nebengasse. Alexander und Nikolai Gromeko waren als Chemieprofessoren an der Petrowschen Akademie und an der Universität tätig. Nikolai Alexandritsch war Junggeselle, während Alexander Alexandritsch mit Anna Iwanowna verheiratet war, der Tochter des Hüttenbesitzers Krüger, der im Ural, in der Nähe von Jurjatino, einige unproduktive Minen in einem großen Waldgebiet besaß.

In der oberen Etage des riesigen Landhauses lagen die Wohn- und Schlafräume der Familie, das Schulzimmer, die Bibliothek und das Arbeitszimmer Alexander Alexandritschs, Anna Iwanownas Boudoir und die Kinderzimmer, in denen Jura und Tonja wohnten. Im Erdgeschoß befanden sich die Empfangsräume. Mit seinen pistaziengrünen Vorhängen, dem spiegelblanken Flügel, dem Aquarium, den Zimmerpflanzen und dem olivfarbenen Mobiliar erinnerte dies Erdgeschoß an einen grünen, mit Algen bewachsenen Meeresgrund, der versunken und entrückt wie ein Traumland zu sein schien.

Die Gromekos waren gebildete Leute, bedeutende Musikkenner, die häufig Empfänge und Kammermusikkonzerte veranstalteten, in denen man Klaviertrios, Violinsonaten und Streichquartette spielte.

Im Januar des Jahres 1906, kurz nach der Abreise Nikolai Nikoláitsch Wedenjapins ins Ausland, sollte in Ssiwzewo eines dieser Kammerkonzerte stattfinden. Im Programm vorgesehen waren eine neue Violinsonate eines jungen Komponisten aus der Schule Tanejews und ein Trio Tschaikowskis.

Schon am Vorabend hatte man mit den Vorbereitungen begonnen. Man rückte die Möbel hin und her, um den Saal frei zu machen. In einer Ecke saß der Klavierstimmer vor dem Flügel und schlug unzählige Male die gleiche Note an oder fuhr mit ein paar perlenden Läufen über die Tasten. In der Küche war man beim Geflügelrupfen und Gemüseputzen, und man machte mit Senf und Öl Salatsaucen an. Schon seit dem Morgen war Schura Schlesinger, Anna Iwanownas Freundin und Vertraute, im Haus, wo sie alle bei der Arbeit aufhielt. Schura Schlesinger war eine große hagere Frau mit regelmäßigen, etwas maskulinen Gesichtszügen. Sie hatte eine leichte Ähnlichkeit mit dem Zaren, besonders wenn sie bei Besuchen ihre schräg aufgesetzte Astrachankappe trug, deren Schleier sie nur ein wenig aufzuheben pflegte.

In sorgenvollen Zeiten brachten die zahlreichen Unterhaltungen beiden Freundinnen Trost und Erleichterung, obgleich sie sich gegenseitig mit spitzen Bemerkungen nicht verschonten. Doch jedes Ungewitter endete mit Tränen und Versöhnung. Die regelmäßigen Streitgespräche und Zankereien wirkten auf beide beruhigend wie Blutegel auf den Kreislauf.

Schura Schlesinger war mehrere Male verheiratet gewesen, doch sie pflegte ihre Männer gleich nach der Scheidung zu vergessen und maß ihnen so wenig Bedeutung bei, daß sie in ihrer Haltung die Unabhängigkeit der alleinstehenden Frau beibehielt. Sie war Theosophin, doch zur gleichen Zeit kannte sie sich so gut in der orthodoxen Liturgie aus, daß sie während der Gottesdienste, im Zustand frommer Ekstase, den Priestern soufflierte, was sie zu sagen oder zu singen hatten: ›Erhöre mich, o Herr‹ oder ›Der du zu allen Zeiten warst‹ und ›Erhabener als die Cherubim‹. Während des ganzen Gottesdienstes hörte man ihr heiseres, hastiges Geflüster.

Schura Schlesinger kannte sich in der Mathematik ebensogut wie in den indischen Geheimlehren aus. Das Privatleben der berühmten Professoren des Moskauer Konservatoriums war ihr geläufig. Die ›chronique scandaleuse‹ sämtlicher Intellektuellen war ihr vertraut. Aus diesem Grund zog man sie als Beraterin und Schiedsrichterin in ernsten Fällen hinzu.

Zur festgesetzten Stunde begann die Auffahrt der Gäste. Eingeladen waren Adelaide Filipowna, Hinz, die Fukows, Herr und Frau Basurman, die Wershizkis, Oberst Kawkaszew. Draußen schneite es, und jedesmal, wenn man die Tür des Haupteingangs öffnete, drang ein Windstoß mit einem Wirbel zusammengeballter Schneeflocken ins Haus. Die Männer kamen wegen der Kälte in weiten Galoschen, sie schlurften daher und spielten die plumpen und zerstreuten Provinzler, während ihre durch die Kälte belebten Frauen mit ihren aufgeknöpften Pelzmänteln und den verrutschten Tüchlein über dem bereiften Haar sich als blasierte und raffinierte Abenteuerinnen gaben. »Cäsars Neffe«*, flüsterte man sich zu, als der Pianist eintrat, den man zum erstenmal in diesem Hause sah.

Durch die weit geöffneten Seitentüren des Salons sah man die gedeckte Tafel im Speisezimmer, die nicht zu enden schien. Die Lichtreflexe auf den in Facetten geschnittenen Glasflaschen mit dem Wodka zogen den Blick auf sich. Die kleinen Karaffen mit

* Gemeint ist der russische Komponist Cäsar Cui

Essig und Öl auf ihren silbernen Untersätzen regten die Phantasie ebenso an wie die Stilleben von Wild und Geflügel, die Platten mit den hors d'œuvres und die pyramidenförmig gefalteten Servietten, die vor jedem Gedeck aufgebaut waren. Die Körbe mit den blauvioletten Zinnerarien, die einen Mandelduft ausströmten, wirkten appetitanregend. Man beeilte sich, die geistigen Genüsse hinter sich zu bringen, damit sich der Augenblick, in dem man sich mit gutem Gewissen den Speisen dieser Erde zuwenden konnte, nicht allzu lange hinauszögerte. Man nahm auf den im Saal bereitgestellten Stühlen Platz. »Cäsars Neffe«, flüsterte man sich noch einmal zu, als der Pianist sich vor seinem Instrument niederließ. Das Konzert begann.

Man wußte schon im voraus, daß die Sonate langweilig, erklügelt, kurz eine Kopfarbeit sein würde. Sie entsprach diesen Erwartungen und zog sich zu allem anderen noch schrecklich in die Länge.

Der Kritiker Kerimbekov und Alexander Alexandritsch diskutierten hierüber während der Pause. Der Kritiker tadelte die Sonate, während Alexander Alexandritsch sich bemühte, etwas zu ihrer Verteidigung zu sagen. Die Gäste rauchten, unterhielten sich und rutschten auf ihren Stühlen hin und her.

Wieder fielen verstohlene Blicke auf die frisch gebügelte Damasttischdecke im benachbarten Speisezimmer. Man schlug vor, das Konzert ohne weitere Verzögerung fortzusetzen.

Der Pianist warf einen Blick auf das Publikum und nickte seinen Partnern zu. Der Geiger und Tischkewitsch setzten ihre Bögen an: das Trio schluchzte auf.

Jura, Tonja und Mischa Gordon, der seine Tage jetzt häufig bei den Gromekos verbrachte, saßen in der dritten Reihe.

»Jegorowna macht Ihnen Zeichen«, flüsterte Jura dem Hausherrn Alexander Alexandritsch zu, der in der Reihe vor ihm saß.

Agrafena Jegorowna, die bei den Gromekos als Zimmermädchen im Dienste ergraut war, stand am Eingang zum Saal und gab Jura durch verzweifelte Blicke und Winke zu verstehen, daß sie unbedingt den Herrn des Hauses sprechen müsse.

Alexander Alexandritsch wandte den Kopf zurück, sah Jegorowna vorwurfsvoll an und zuckte mit den Schultern. Aber Jegorowna gab nicht nach, und so entspann sich von einem Saalende zum anderen ein lautloses Zwiegespräch wie zwischen Taubstummen. Die Sache fing an, die allgemeine Aufmerksamkeit zu erregen. Auch Anna Iwanowna warf ihrem Mann vorwurfsvolle Blicke zu. Alexander Alexandritsch erhob sich. So konnte es nicht länger weitergehen, er mußte etwas unternehmen. Er wurde rot, durchquerte leise den Saal und ging auf Jegorowna zu.

»Schämen Sie sich nicht, Jegorowna. Was fällt Ihnen ein! Was gibt es denn?«

Jegorowna flüsterte ihm etwas zu.

»Aus welchem ›Montenegro‹?«

»Aus dem Hotel.«

»Und was will man?«

»Es ist sehr eilig. Jemand liegt dort im Sterben.«

»Ausgerechnet jetzt. Liegt im Sterben. Was für eine Idee. Es ist unmöglich, Jegorowna. Erst muß das Konzertstück beendet sein, dann werde ich es ihm sagen.«

»Der Hausdiener wartet unten mit einer Droschke. Ich sage Ihnen doch, daß jemand im Sterben liegt. Eine Dame der Gesellschaft.«

»Es geht wirklich nicht. Fünf Minuten müssen wir warten.«

Alexander Alexandritsch ging ebenso leise, wie er gekommen, an seinen Platz zurück, setzte sich, zog die Augenbrauen zusammen und rieb sich den Nasenrücken.

Nach dem Ende des ersten Satzes ging er auf die Musiker zu und sagte, noch während man Beifall klatschte, zu Fadej Kasimirowitsch Tischkewitsch, daß man nach ihm verlange. Es habe, wie es scheine, einen Unfall gegeben, und man müsse das Konzert unterbrechen. Hierauf forderte er das Publikum mit erhobenen Händen auf, den Beifall einzustellen, und erklärte mit lauter Stimme:

»Meine Damen und Herren! Leider müssen wir das Konzert unterbrechen. Wir müssen Fadej Kasimirowitsch unsere Anteilnahme zum Ausdruck bringen. Ich habe eine traurige Nachricht für ihn. Er muß uns sogleich verlassen. Ich möchte ihn nicht allein lassen in solch einem Augenblick. Deshalb werde ich ihn begleiten. – Jura, sei doch bitte so gut und sage dem Kutscher, er soll vorfahren. Ich verabschiede mich nicht von Ihnen, meine Damen und Herren. Bitte bleiben Sie, bis ich zurückkomme. Ich werde nur kurze Zeit abwesend sein.«

Die beiden Knaben erhielten die Erlaubnis, Alexander Alexandritsch bei der nächtlichen Fahrt durch den Schnee zu begleiten.

XXI

Nach den Dezember-Unruhen hatte das Leben wieder normale Formen angenommen, doch hier und da fielen noch Schüsse, und die Feuersbrünste vergangener Tage flackerten als letzte Spuren des Aufstandes noch einmal auf.

Noch nie waren sie so lange wie jetzt durch die Stadt gefahren. Der Smolensker und Nowinsker Prospekt, die Sadowaja, das war jetzt zum Greifen nah! Aber der mörderische Frost, der sich mit dem Nebel vermischte, schien den Raum in Stücke zu schneiden. Die zerfetzten Rauchwolken der im Winde knatternden Straßenfeuer, das Knirschen der Schritte im Schnee und das Quietschen der Schlittenkufen riefen in ihnen den Eindruck hervor, als wären sie Gott weiß wie lange schon unterwegs und als befänden sie sich Tagereisen weit von zu Hause in einer unbekannten, furchterregenden Ferne.

Vor dem Hotel hielt ein Pferd mit einer Decke und bandagierten Knöcheln vor einem eleganten schmalen Schlitten. Der Kutscher saß im Fond des Schlittens auf dem Platz der Herrschaft und hielt seine Fausthandschuhe an den umwickelten Kopf gepreßt, um seine Ohren zu wärmen.

Im Vestibül des Hotels schlief hinter dem Geländer, das die Garderobe vom Eingang trennte, der Portier, der beim Summen des Ventilators, beim Knistern des Ofens und beim Blubbern des kochenden Wassers im Samowar eingenickt war. Ab und zu wachte er vom Geräusch seines eigenen Schnarchens auf, um sogleich erneut in Schlummer zu versinken.

Vor dem Spiegel des Vestibüls stand eine geschminkte Frau mit einem gedunsenen, mehligweiß gepuderten Gesicht. Sie trug eine Pelzjacke, die viel zu leicht für die Jahreszeit war. Offenbar wartete sie auf jemanden, der von oben, aus dem Hotel, kommen sollte. Jetzt drehte sie dem Spiegel den Rücken und betrachtete sich von hinten, indem sie bald über die rechte, bald über die linke Schulter zurückblickte.

Der halberfrorene Kutscher zwängte sich zur Tür hinein. Die Form seines kaftanähnlichen Mantels erinnerte an die Brezel auf gewissen Bäckerschildern, und die Dampfwolken, die von ihm aufstiegen, verstärkten noch diese Ähnlichkeit.

»Dauert es noch lange?« fragte er die Dame vor dem Spiegel, »ist es endlich soweit? Läßt man sich mit euresgleichen ein, hat man das Nachsehen. Meine Pferde frieren sich tot.«

Der Unfall auf Nummer vierundzwanzig bedeutete für das überlastete Hotelpersonal nichts weiter als einen Ärger mehr in der Kette der alltäglichen Mühen und Plagen. Ständig schrillten die Glocken, und die Nummernschilder im großen Glaskasten im Parterre leuchteten auf, um anzuzeigen, wo ein Hotelgast wieder einmal den Verstand verloren hatte und ohne Grund den Zimmerkellner herbeizitierte.

Im Augenblick war es diese dumme Alte von Nummer vierundzwanzig, diese Madame Guichard, der man den Magen ausspülte. Glascha, das Zimmermädchen, war halbtot vom ständigen Hin- und Herlaufen mit Eimern und vom Bodenaufwischen. Aber der eigentliche Krach unter dem Personal hatte schon vorher begonnen. Zu diesem Zeitpunkt war noch keine Rede davon gewesen, eine Droschke herbeizuholen und zum Doktor und zu diesem unglückseligen Geigenspieler zu schicken. Komarovskij war noch nicht dagewesen, und im Korridor hatten sich noch nicht all diese überflüssigen Leute zusammengedrängt, die den Durchgang versperrten.

Der Streit in der Gesindestube hatte einen ganz anderen Grund: am vorangegangenen Nachmittag hatte jemand in dem engen Büfettraum aus Versehen den Kellner Zysoj angestoßen, gerade in dem Augenblick, als er mit vollbeladenem Tablett aus der Tür in den Korridor eilte. Zysoj hatte das Tablett fallen lassen, wobei das Geschirr, drei Teller und eine Schüssel, mit großem Krach in Scherben gegangen war und die Suppe sich über den Fußboden ergoß. Zysoj behauptete, die Geschirrwäscherin sei schuld an dem Unglück gewesen, sie müsse zur Verantwortung gezogen werden und habe das zerbrochene Geschirr zu bezahlen. Es war schon elf Uhr abends, die Hälfte des Personals hatte die Arbeit beendet und wollte das Hotel verlassen, aber der Zank ging immer noch weiter.

»Der zittert ja an Händen und Füßen. Alles, was er kann, ist, mit einer Schnapsflasche herumsitzen. Und dann kommt er her und behauptet, man hätte ihn angestoßen. Wer hat denn das Geschirr zerschlagen und die Fischsuppe verschüttet? Wer hat dich gestoßen, du krummer Satan, du Hundesohn, du ewiger Nörgler, du!«

»Ich habe es Ihnen schon einmal gesagt, Matrjona Stepanowna, seien Sie vorsichtig in der Wahl Ihrer Ausdrücke.«

»Und wozu der ganze Aufstand! Nur weil Madame Sowieso, so ein Blümchen-rühr-mich-nicht-an von der Straße, so eine Unschuld im Ruhestand, deren Geschäft nicht mehr blüht, Arsen genommen hat. Als ob man nicht lange genug im ›Montenegro‹ gearbeitet hätte, um diese Damen zu kennen . . .«

Mischa und Jura gingen vor der Tür des Zimmers Nummer vierundzwanzig auf und ab. Es war ganz anders gekommen, als Alexander Alexandritsch es sich vorgestellt hatte. Er hatte geglaubt, es handle sich um eine würdige und edle Tragödie, in deren Mittelpunkt der Cellospieler stand. Und nun war er in diese schmutzige, skandalöse Affäre hineingeraten und hatte auch noch die Kinder mitgenommen.

Die beiden Jungen vertraten sich die Füße im Gang, als der Etagenkellner zum zweitenmal vorbeikam und sie mit leiser, etwas gezierter Stimme aufforderte: »Treten Sie doch ein, meine jungen Herren. Genieren Sie sich nicht, beunruhigen Sie sich nicht! Mit der Dame ist alles in Ordnung. Sie ist vollkommen wiederhergestellt. Hier können Sie nicht stehenbleiben. Es ist zu eng. Erst vorhin hat es ein Unglück gegeben, teures Geschirr wurde zerbrochen. Sie verstehen doch, wir müssen die Gäste bedienen, es eilt. Bitte, gehen Sie aus dem Weg. Treten Sie ein!«

Die Knaben gehorchten.

Drinnen hatte man die brennende Petroleumlampe von ihrem gewöhnlichen Platz über dem Eßtisch abgehängt und sie in die Ecke des Zimmers getragen, die durch einen Holzverschlag abgetrennt war und als Schlafnische diente. Dieser Schlafraum war vor neugierigen Blicken durch einen staubigen Vorhang geschützt. In der Eile hatte man jedoch vergessen, diesen Vorhang zuzuziehen. Ein Zipfel von ihm war über die Gardinenstange hochgerafft. Die Lampe stand auf einer niedrigen Bank im Alkoven. Auf diese Weise wurde der Raum von unten her, wie von einer Bühnenrampe, grell beleuchtet.

Madame Guichard hatte sich nicht mit Arsen vergiftet, wie die Geschirrwäscherin behauptete, sondern mit Jod. Das Zimmer war von einem bitteren Geruch erfüllt, der an unreife Walnüsse in ihrer noch grünen und weichen Haut erinnerte.

Auf der anderen Seite des Schlafraumes wischte das Zimmermädchen den Boden auf. Im Bett lag eine halbnackte, von Tränen und Schweiß durchnäßte Frau, die den Kopf stöhnend über eine Schüssel gebeugt hielt, so daß die verklebten Strähnen des aufgelösten Haares ihr in die Stirn fielen. Die Jungen wandten den Blick ab, weil ihnen die Unordnung peinlich und anstößig vorkam. Doch Jura hatte Zeit genug gehabt, staunend zu bemerken, wie wenig eine Frau in diesem Zustand, in der unnatürlichen Anspannung ihrer Haltung und ihrer Bewegungen, jenem Idealbild des Weiblichen entspricht, das die Bildhauer uns in ihren Plastiken vor Augen führen. Madame Guichard glich in diesem Augenblick eher einem muskulösen Faustkämpfer, der sich zum Wettstreit rüstet.

Endlich kam irgend jemand in der Schlafnische auf den Gedanken, den Vorhang zuzuziehen.

»Fadej Kasimirowitsch, mein Lieber, wo ist Ihre Hand? Geben Sie mir Ihre Hand«, jammerte die Frau mit tränenerstickter Stimme. »Ich habe furchtbar gelitten. Ich hatte einen schrecklichen Verdacht. Ich glaubte schon . . . Aber zum Glück waren das Dummheiten, ich weiß es jetzt. Ich habe eben zuviel Phantasie. Fadej Kasimirowitsch, stellen Sie sich meine Erleichterung vor! Immerhin, ich bin am Leben geblieben.«

»Beruhigen Sie sich, Amalja Karlowna, ich bitte Sie, geben Sie Ruhe! Das alles ist so peinlich, so unangenehm.«

»Wir fahren gleich nach Hause zurück«, sagte Alexander Alexandritsch und wandte sich den Kindern zu. Mischa und Jura standen im halbdunklen Vorraum und fühlten sich fehl am Platze. Da sie nicht wußten, wo sie hinschauen sollten, richteten sie ihren Blick in das vordere Zimmer, wo man die Lampe abgehängt hatte. Die Wände waren dort mit Fotografien tapeziert. Neben einem Notenschrank stand ein Sekretär, der mit Papieren, Akten und Alben überlastet war. An der anderen Seite des Eßtisches, über dem eine bestickte Decke lag, saß ein schlafendes Mädchen in einem Sessel, die Wange gegen die Rückenlehne gepreßt. Sie mußte todmüde sein, sonst hätte sie nicht in dem Lärm und der Unordnung, die im Zimmer herrschten, schlafen können.

Jura und Mischa hatten wieder das Gefühl, daß ihre Gegenwart in diesem Zimmer unsinnig, ja ungehörig sei. »Wir fahren gleich heim«, wiederholte Alexander Alexandritsch, »sobald Fadej Kasimirowitsch herauskommt, werde ich mich von ihm verabschieden.«

Aber anstelle von Fadej Kasimirowitsch trat ein anderer Mann hinter dem Vorhang hervor. Er war etwas gedrungen und glatt rasiert und machte einen würdigen und selbstbewußten Eindruck. Über seinem Kopf erhoben hielt er die Lampe, die man in den Alkoven getragen hatte. Er näherte sich dem Eßtisch, an dem das junge Mädchen schlief, und hängte die Lampe an ihren alten Platz zurück. Durch den Lichtschein erwachte das Mädchen. Sie lächelte dem Mann zu, reckte sich und rieb sich die Augen.

Beim Anblick des Unbekannten fuhr Mischa zusammen. Er zupfte Jura am Ärmel und flüsterte ihm etwas zu.

»In Gegenwart Fremder flüstert man nicht. Was wird man von dir denken«, unterbrach Jura, der ihn nicht anhören wollte.

Inzwischen schien sich zwischen dem Mann und dem jungen Mädchen eine stumme Szene abzuspielen. Sie hatten kein einziges Wort gewechselt, nur ihre Blicke trafen sich. Ihr stummes Einverständnis hatte etwas Magisches und Erschreckendes. Es war, als sei er ein Marionettenspieler und sie die Puppe, die den Bewegungen seiner Hand gehorchte.

Das matte Lächeln auf dem Gesicht des jungen Mädchens zwang sie, die Lippen ein wenig zu öffnen und die Augen halb zu schließen. Die spöttischen Blicke des Mannes beantwortete sie durch einen kaum sichtbaren Wink mit den Augenbrauen wie eine Komplizin. Beide schienen glücklich zu sein, daß alles noch einmal gut abgelaufen war, daß man ihr Geheimnis nicht aufgedeckt hatte und daß die Frau im Alkoven hinter dem Vorhang mit dem Leben davongekommen war.

Jura verschlang die beiden mit den Augen. Aus dem halbdunklen Vorraum, wo niemand ihn bemerkte, starrte er wie gebannt in den Lichtkreis der Lampe. Die Szene zwischen dem gefangenen Mädchen und seinem Meister war unsagbar geheimnisvoll und furchtbar entlarvend. Neue und widersprechende Empfindungen drängten sich schmerzhaft in Juras Brust zusammen.

Diese geheimnisvolle und furchtbare Macht also war es, die Mischa, Tonja und er bei ihren heftigen Diskussionen mit der nichtssagenden Vokabel ›Vulgarität‹ zu bezeichnen pflegten und mit der sie aus gefahrlosem Abstand in ihren Gesprächen so schnell fertig geworden waren. Jetzt sah Jura diese Macht mit seinen eigenen Augen: sie war greifbar wie ein wirklicher Gegenstand und wie ein Traum entrückt, sie wirkte zugleich zerstörerisch und mitleiderregend, ihr Opfer schien stumm um Hilfe zu flehen. Was war in diesem Augenblick von ihrer kindlichen Philosophie übriggeblieben?

»Weißt du, wer dieser Mann ist?« fragte Mischa, als sie draußen auf der Straße standen. Jura war mit seinen eignen Gedanken beschäftigt und antwortete nicht.

»Es ist derselbe, der deinen Vater während seiner letzten Bahnfahrt zum Trinken verführte und der ihn auf dem Gewissen hat. Du erinnerst dich doch, damals in dem Waggon, ich habe dir davon erzählt!«

Juras Gedanken waren bei dem jungen Mädchen und ihrer Zukunft. Sein Vater und die Vergangenheit waren ihm ferngerückt. Im ersten Augenblick verstand er nicht einmal, was Mischa sagen wollte. Die große Kälte machte die Verständigung schwierig.

»Du bist gewiß halb erfroren, Ssemjon«, sagte Alexander Alexandritsch zum Kutscher. Dann fuhren sie durch die Winternacht nach Hause zurück.

Weihnachten bei Swentizkijs

I

Eines Tages, im Winter, schenkte Alexander Alexandritsch Anna Iwanowna einen altertümlichen Kleiderschrank. Es war ein Gelegenheitskauf. Dieser Schrank war aus schwarzem Holz und von so gewaltigen Ausmaßen, daß man ihn durch keine Tür hereinschaffen konnte. Man hatte ihn deshalb auseinander genommen und in einzelnen Teilen ins Haus gebracht, und nun überlegte man, wohin man ihn stellen sollte. In die unteren Zimmer, die groß genug waren, paßte er wegen seiner Bestimmung als Kleiderschrank nicht hinein. Oben aber konnte man ihn wegen der Enge schwer unterbringen. Man hatte für den Schrank einen Teil der oberen Diele in der Nähe des Eingangs zum Schlafzimmer des Ehepaars frei gemacht.

Der Hausdiener Markel erschien, um das Möbel wieder zusammenzusetzen. Er hatte Marinka, sein sechsjähriges Töchterchen, mitgebracht, dem man eine Stange Gerstenzucker zum Lutschen gegeben hatte. Marinka schnaufte durch die Nase und schaute der Arbeit des Vaters verdrießlich zu, nachdem sie die Süßigkeit von ihren klebrigen Fingerchen abgeleckt hatte.

Eine Zeitlang ging alles glatt. Der Schrank wuchs vor den Augen von Anna Iwanowna allmählich in die Höhe. Plötzlich, als es nur noch darum ging, den oberen Teil aufzusetzen, kam sie auf den Gedanken, Markel zu helfen. Sie stellte sich innen auf den hohen Sockel, verlor das Gleichgewicht und stieß an die eine Seitenwand, die nur lose eingesetzt war. Eine Schnur, die Markel in aller Eile um den Schrank geschlungen hatte, gab nach. Die Bretter krachten zusammen. Anna Iwanowna fiel auf den Rücken und verletzte sich empfindlich.

Markel eilte gleich herbei und suchte sie zu trösten: »Ach Mütterchen, warum hat das gerade Euch treffen müssen. Ist auch nichts

gebrochen? Sind die Knochen heil? Hauptsache sind die Knochen;
was das weiche Fleisch betrifft, so kann man darauf spucken; das
Fleisch wächst wieder und wird heil und dient euch Frauen, wie
man sagt, um eine gute Figur zu machen.« Dann wandte er sich
an Marinka, die daneben stand und weinte: »Hör auf zu heulen
und geh zu deiner Mama. Ach, gnädige Herrin, hätte ich denn
ohne Sie dieses Ungetüm von einem Kleiderschrank nicht zusam-
mengekriegt?! Ihr glaubt gewiß, so auf den ersten Blick, ich sei
nur Euer Hausknecht; und so ist es auch. Aber Ihr müßt wissen,
daß unser eigentlicher Beruf der eines Tischlers ist. Wir haben
immer getischlert. Ihr werdet nicht glauben, was alles an Möbeln
und solchen Büfettschränken durch unsere Hände gegangen ist –
im Sinne der Politur, oder was für Hölzer, ob Mahagoni oder
Nußbaum. Oder, beispielsweise, was es für Aufträge für Braut-
ausstattungen gab. Aber – verzeiht den Ausdruck – wir sahen sie
immer wieder an unserer Nase vorbeischwimmen. Was war der
Grund? Der Suff – das Saufen scharfer Getränke.«
Mit Hilfe Markels gelangte Anna Iwanowna bis zum Sessel, den
er ihr hinschob. Sie nahm stöhnend Platz und rieb sich die verletzte Stelle. Markel machte sich daran, den zusammengefallenen
Schrank in Ordnung zu bringen. Nachdem er Gesims und Aufsatz
aufgelegt hatte, sagte er: »Nun fehlt nur noch die Tür, dann ist
das Ausstellungsstück fertig.«
Anna Iwanowna liebte diesen Kleiderschrank nicht. Er erinnerte
sie an einen Katafalk oder an kaiserliche Paradebetten. Sie empfand eine abergläubische Furcht vor dem Monstrum. Sie hatte
dem Schrank einen besonderen Namen gegeben: ›Askolds Fürsten-
gruft‹. Dabei dachte sie an das Streitroß des Fürsten Oleg, das be-
kanntlich den Tod seines Herrn verschuldete. Als Frau, deren Lektüre ungeordnet war, pflegte Anna Iwanowna ähnliche legendäre
Vorstellungen durcheinanderzubringen.
Von diesem Sturz her rührte Anna Iwanownas Anfälligkeit für
Lungenerkrankungen.

II

Den ganzen November des Jahres 1911 hatte Anna Iwanowna
wegen einer Lungenentzündung im Bett liegen müssen.
Jura und Mischa Gordon sollten im kommenden Frühjahr ihr

Universitätsstudium beenden, Tonja die Hochschulkurse für junge Mädchen absolvieren. Jura machte sein Schlußexamen als Mediziner, Tonja als Juristin, Mischa in Philologie und Philosophie.

In Juras Geist herrschte ein großes Durcheinander. Seine Ansichten und seine Gewohnheiten zeichneten sich durch ihre Originalität und Ursprünglichkeit aus. Er war außergewöhnlich beeindruckbar, und die Neuartigkeit seiner Empfindungen und Eindrücke entzieht sich jeder Beschreibung.

Aber wie groß seine Neigung für Kunst und Geschichte auch sein mochte, Jura war keinen Augenblick in der Wahl seines Berufes unsicher. Er war der Meinung, die Kunst eigne sich nicht für einen Beruf, wie es ja auch keine professionelle Heiterkeit oder Melancholie gibt. Er interessierte sich für Physik und Naturwissenschaften und war der Ansicht, man müsse sich im praktischen Leben mit einem praktischen und nützlichen Beruf befassen. So war er denn Mediziner geworden.

Als er vor vier Jahren die ersten Vorlesungen an der Universität besuchte, hatte er sich ein ganzes Semester hindurch in den Kellerräumen der Universität mit anatomischen Studien an Leichen abgegeben. Er mußte auf einer unbequemen Leiter in den Keller hinabsteigen. Unten befand sich der Anatomiesaal. In Gruppen und einzeln arbeiteten hier ärmlich gekleidete Studenten. Die einen hatten allerlei Knochen vor ihrem Platz ausgebreitet, sie blätterten in stark abgenutzten Lehrbüchern. Andere waren in ihren Ecken schweigend am Sezieren und Präparieren, wieder andere machten Dummheiten, rissen Witze und jagten die Ratten, die in großer Zahl über den Steinboden huschten. Die Leichen jugendlicher Selbstmörder und ertrunkener Frauen, deren Personalien nicht feststellbar waren, schimmerten im Halddunkel wie mit Phosphor bestrichen. Infolge der Alauninjektionen sahen sie verjüngt aus, und die Körper hatten eine trügerische Fülle angenommen. Die Toten wurden aufgeschnitten und präpariert. Aber die Schönheit des Menschenleibes blieb sich selber immer treu, trotz aller noch so weit getriebenen Teilung. Das Staunen, das einen beim Anblick des Körpers irgendeiner Nixe ergriff, die roh auf den mit Zinkblech überzogenen Präpariertisch hingeworfen war, wurde nicht geringer vor einer sezierten, abgeschnittenen Hand oder vor einer bloßgelegten Handwurzel. Im Keller roch es nach Formalin und Karbol, und man spürte die Gegenwart eines Mysteriums im unbekannten

Schicksal aller dieser dort hingestreckten Leiber. Es war das Geheimnis von Leben und Tod, das hier im Kellerraum seine Heimstätte oder sein Hauptquartier gefunden zu haben schien.

Die Stimme dieses Mysteriums übertönte alles andere; sie verfolgte Jura und hinderte ihn am Sezieren. Aber sie war nicht das einzige, was ihn im Leben störte. Er hatte sich an sie gewöhnt und ließ sich durch sie nicht weiter irremachen.

Jura war ein guter Denker, und er schrieb ausgezeichnet. Bereits als Gymnasiast hatte er davon geträumt, ein Prosawerk zu schreiben, ein ›Buch des Lebens‹, in dem sich die Bilder und Gedanken, die den stärksten Eindruck auf ihn gemacht hatten, mit der elementaren Gewalt geballter Explosionen ablösen sollten. Doch für ein solches Buch war er noch zu jung, und er schrieb statt dessen Gedichte, so wie ein Kunstmaler sein Leben lang Skizzen als Vorstudien zu einem geplanten Gemälde zeichnet oder malt.

Wegen der Energie und Originalität dieser Gedichte sah Jura ihnen die Sünde ihrer Entstehung nach. In diesen beiden Eigenschaften, Energie und Originalität, sah Jura die eigentliche Repräsentation der Wirklichkeit in den Künsten, die er im übrigen für gegenstandslos und müßig, für einen unnützen Zeitvertreib hielt.

Jura begriff, wie sehr er seinem Onkel wegen der wesentlichen gemeinsamen Charaktereigenschaften zu Dank verpflichtet war.

Nikolai Nikoláitsch lebte in Lausanne. In den Werken, die er dort in russischer Sprache und in Übersetzungen veröffentlichte, entwickelte er seine Grundgedanken über die Geschichte als ein zweites Universum, das der Mensch mit Hilfe der Phänomene der Zeit und des Gedächtnisses als eine Antwort auf die Realität des Todes geschaffen habe. Die Seele dieser Bücher war ein auf neue Weise verstandenes Christentum und ihre unmittelbare Folge eine neue Vorstellung von der Kunst.

Noch mehr als auf Jura wirkten diese Gedanken auf seinen Freund Mischa Gordon, der sich Philosophie als Spezialfach gewählt hatte. Er hörte theologische Vorlesungen, und er ging sogar mit dem Gedanken um, später zur geistlichen Akademie, also auf die orthodoxe Hochschule, überzugehen.

Der Einfluß seines Onkels förderte Juras Entwicklung und gab ihm das Gefühl der Freiheit, während Mischa sich durch denselben Einfluß Nikolai Nikoláitschs eher eingeengt fühlte. Jura verstand, welch eine Rolle bei den extremen Neigungen Mischas dessen Abstammung spielte. Aus umsichtigem Taktgefühl riet er Mischa von seinen merkwürdigen Plänen nicht ab. Aber oft hätte er in Mischa lieber einen Empiriker gesehen, der dem Leben näherstand.

III

An einem Abend, gegen Ende November, war Jura spät aus der Universität heimgekehrt; er war sehr müde und hatte den ganzen Tag nichts gegessen. Man sagte ihm, es herrsche im ganzen Hause große Aufregung. Anna Iwanowna habe Krämpfe bekommen. Einige Ärzte waren erschienen und hatten zunächst geraten, einen Priester zu holen; aber später ließ man diesen Gedanken fallen. Jetzt ging es ihr besser; sie war bei Bewußtsein und hatte angeordnet, man solle Jura sofort nach seiner Rückkehr zu ihr schicken. Jura tat, wie sie wünschte, und begab sich, ohne sich umzukleiden, in das Schlafzimmer.

Das Zimmer trug noch die Spuren der ganzen Unordnung, wie sie die Aufregung des Tages mit sich gebracht hatte. Eine Pflegerin ordnete mit lautlosen Bewegungen die Gegenstände auf einem kleinen Tisch. Überall lagen zerschnittene Servietten und feuchte Handtücher, die für Umschläge gebraucht wurden. Das Wasser in der Spülschüssel war leicht rosa verfärbt, weil die Kranke Blut gespuckt hatte. In dieser Schüssel konnte man auch kleine Scherben von Ampullen mit abgekniffenen Spitzen und vom Wasser aufgeschwemmte Wattebäusche entdecken. Die Kranke, die furchtbar geschwitzt hatte, beleckte mit der Zungenspitze ihre trockenen Lippen. Seit dem Morgen, an dem sie Jura zuletzt gesehen hatte, war sie förmlich zusammengefallen.

›Sollte es eine Fehldiagnose sein‹, dachte Jura. ›Lauter Anzeichen von kruppöser Lungenentzündung. Dies scheint die Krisis zu sein.‹ Nachdem er Anna Iwanowna begrüßt und ein paar aufmunternde, gleichgültige Dinge gesagt hatte, wie man es in solchen Fällen zu tun pflegt, schickte er die Pflegerin fort. Er nahm Anna Iwanownas Hand, um den Puls zu fühlen; mit der anderen Hand suchte er in seinem Kittel nach dem Stethoskop. Mit einer Kopfbewegung gab Anna Iwanowna zu verstehen, daß es überflüssig sei. Jura verstand, sie wollte etwas anderes von ihm. Anna Iwanowna raffte ihre Kräfte zusammen und sagte:

»Man wollte, daß ich beichte . . . Der Tod steht sehr nahe bevor . . .
Jeden Augenblick kann es sein . . . Wenn du zum Arzt gehst, um dir
einen Zahn ziehen zu lassen, so hast du Angst, weil es weh tut; du
bereitest dich darauf vor . . . Aber hier geht es nicht um einen
Zahn: man will dich ganz, ganz wie du bist, dein ganzes Leben . . .
Ein Knacks, und weg ist es, wie mit der Zange . . . Aber was ist
das eigentlich? . . . Keiner weiß es, und mir ist so weh und unheimlich zumute.« Anna Iwanowna verstummte. Tränen strömten
ihr über die Wangen. Jura sagte nichts. Nach einer Minute fuhr
Anna Iwanowna fort:
»Du bist so begabt . . . Dein Talent ist . . . nicht alltäglich . . .
Du mußt doch irgend etwas wissen . . . Sag mir irgendwas . . .
Beruhige mich.«
»Ja, was soll ich schon sagen«, erwiderte Jura, rückte unruhig auf
seinem Stuhl hin und her, ging im Zimmer ein wenig auf und ab
und setzte sich wieder. »Erstens wird es Ihnen morgen besser gehen,
es gibt sichere Anzeichen, dafür stehe ich mit meinem Kopf ein!
Dann aber – Tod, Bewußtsein, Glaube an die Auferstehung . . . Sie
wollen meine Meinung als Naturwissenschaftler hören? Vielleicht
ein andermal? Nein? Jetzt gleich? Nun, wie Sie wollen. Das ist
aber schwierig, so auf Anhieb.« Und nun hielt er ihr aus dem Steg-
reif eine regelrechte Vorlesung und staunte selber, wie glatt es ging.
»Auferstehung: in der volkstümlichen Form, wie man zur Trö-
stung der Schwächsten davon spricht, ist sie mir fremd.
Und ich habe Christi Worte von dem Lebendigen und Toten immer ganz anders verstanden. Wo wollte man diese Millionenheere,
die drüben im Laufe von Jahrtausenden zusammengekommen sind,
unterbringen? Das ganze Weltall wäre da auch für Gott zu klein,
das Gute und Wahre müßte aus der Welt verschwinden, es würde
in diesem gierigen, animalischen Gedränge erstickt werden.
Aber das ganze Leben ist erfüllt vom selben, unermeßlich gleich-
bleibenden Leben des Alls, und es erneuert sich in jedem Augenblick
in unzähligen Verbindungen und Wandlungen. Sie fürchten die
Frage, ob Sie auferstehen werden oder nicht? Aber Sie *sind* schon
auferstanden, als Sie geboren wurden; nur haben Sie es nicht
gemerkt.
Ob es weh tun wird, ob das Gewebe seinen Zerfall empfindet?
Oder mit anderen Worten, was wird aus Ihrem Bewußtsein? Aber
was ist Bewußtsein? Überlegen wir einmal. Wenn man *bewußt*

einschlafen wollte, so wäre Schlaflosigkeit die Folge. Der bewußte Versuch, sich in den Vorgang der eigenen Verdauung einzufühlen, würde zu sicheren Störungen des Organismus führen. Das Bewußtsein ist Gift, ein Mittel der Selbstvergiftung für das Subjekt, das es an sich selber zur Anwendung bringt. Das Bewußtsein ist es, das nach außen dringt, es leuchtet uns voran auf unserem Weg, damit wir nicht stolpern. Das Bewußtsein gleicht den Scheinwerfern einer fahrenden Lokomotive. Sowie sich dieses Licht nach innen wendet, wird eine Katastrophe die unweigerliche Folge sein. Was wird also aus Ihrem Bewußtsein? Dem Ihren? Dem Ihren. Was sind *Sie* eigentlich? Schwer zu lösende Frage. Versuchen wir, uns darüber klarzuwerden. In welcher Weise haben Sie eine Erinnerung an sich selber, welchen Teil Ihres Organismus haben Sie bewußt erkannt? Ihre Nieren, Ihre Leber, die Gefäße? Nein, wie sehr Sie sich auch erinnern wollen, Sie haben sich immer nur im Äußeren erkannt, in einem tätigen In-Erscheinung-Treten, in den Werken Ihrer Hände, in der Familie, in der Gemeinschaft. Jetzt bitte ich aufzumerken: der Mensch in den anderen Menschen, das ist die eigentliche Seele des Menschen. Das ist es, was Sie sind. Das ist es, was Ihr Bewußtsein geatmet hat, wovon es sich ernährte, was das ganze Leben erfüllte. Ihre Seele, Ihre Unsterblichkeit, Ihr Leben in den anderen – und nun? In den anderen haben Sie gelebt, in den anderen werden Sie auch bleiben. Und was wäre es für ein Unterschied, wenn das später Erinnerung genannt wird? *Sie* wären es, die eingetreten ist in den Zusammenhang, in den Zustand des Künftigen.

Nun endlich noch das Letzte. Da ist nichts, das einen beunruhigen könnte. Es gibt keinen Tod. Der Tod ist nicht unser Teil. Da sagten Sie nun: ›Begabung‹. Das ist freilich eine andere Sache, das gehört zu uns, das steht uns offen. Begabung im höchsten, weitesten Sinne des Wortes ist eine Gabe des Lebens.

Es wird keinen Tod geben, sagt der Evangelist Johannes, und nun hören Sie, wie einfach er argumentiert: ›Es wird keinen Tod geben, weil das Vergangene vergangen ist.‹ Das ist fast so, als hätte man gesagt, es gibt keinen Tod, weil wir das alles schon gesehen haben, es ist veraltet, und es langweilt uns.

Uns verlangt nach Neuem, das Neue aber ist das ewige Leben.«

Während er sprach, war er im Zimmer auf und ab gegangen.

»Schlafen Sie«, sagte er, an das Bett herantretend, und legte seine

Hände auf Anna Iwanownas Kopf. Einige Minuten vergingen. Anna Iwanowna begann einzuschlafen.

Jura ging leise aus dem Zimmer und trug Jegorowna auf, die Pflegerin ins Krankenzimmer zu schicken. ›Der Teufel soll wissen‹, sagte er bei sich, ›ich werde zu einem richtigen Scharlatan, ich bespreche die Menschen; ich heile durch Handauflegen!‹

Am folgenden Tage ging es Anna Iwanowna besser.

IV

Anna Iwanowna ging es von Tag zu Tag besser. Mitte Dezember machte sie den Versuch aufzustehen, fühlte sich aber noch sehr schwach. Man riet ihr, sich zu schonen.

Oft schickte sie nach Jura und Tonja und erzählte ihnen stundenlang von ihrer Kindheit, die sie bei ihrem Großvater auf dessen Gut Warykino, am Flusse Rynew im Ural, verbracht hatte. Jura und Tonja waren nie dort gewesen, aber Jura konnte sich mit Hilfe der Schilderungen Anna Iwanownas sehr gut diese fünftausend Desjatinen eines uralten, undurchdringlichen Waldes vorstellen – schwarz wie die Nacht –, in dem an zwei oder drei Stellen, wie mit dem Messer hereingeschnitten, der Fluß in raschen Windungen in seinem steinernen Bett dahinströmte, umgeben von den hohen, schroffen Felsen des Krügerschen Ufers.

Jura und Tonja bekamen in diesen Tagen ihre ersten Gesellschaftskleider. Jura erhielt einen schwarzen Anzug und Tonja ein Abendkleid aus hellem Atlas, ganz leicht dekolletiert. Sie sollten diese Festtagskleider am 27. Dezember, zur traditionellen Weihnachtsfeier bei Swentizkijs, anziehen.

Der Schneider und die Schneiderin lieferten die Kleider am gleichen Tage. Jura und Tonja probierten an. Sie waren zufrieden und hatten die Kleider noch nicht wieder gewechselt, als Jegorowna im Auftrag Anna Iwanownas erschien und ausrichtete, sie möchten jetzt zu ihr kommen. So wie sie waren, in ihren neuen Kleidern, begaben sich die beiden zu Anna Iwanowna.

Bei ihrem Eintreten stützte sie sich ein wenig auf die Ellbogen auf, blickte sie von der Seite an, veranlaßte sie, sich umzudrehen, weil sie die Kleider von allen Seiten sehen wollte, und sagte: »Sehr gut. Wirklich entzückend. Ich wußte gar nicht, daß alles schon fertig ist; und nun, Tonja, bitte noch einmal. Nein, es ist nichts! Mir schien, daß in der Taille ein paar Falten sind. Und wißt ihr, warum ich euch gerufen habe? Aber zunächst wollen wir einen Augenblick über dich sprechen, Jura.«

»Ich weiß, Anna Iwanowna, ich ordnete selber an, Ihnen diesen Brief zu zeigen. Sie sind, genau wie Nikolai Nikoláitsch, der Meinung, daß ich nicht hätte verzichten dürfen. Gedulden Sie sich einen Augenblick. Für Sie ist es schädlich, viel zu sprechen. Ich werde Ihnen gleich alles erklären, obwohl Sie ja auch darüber unterrichtet sind.

Also erstens wäre da die Sache mit der Erbschaft Schiwago, an der die Rechtsanwälte durch die Eintreibung der Gerichtskosten verdienen. In Wirklichkeit kann von einer Erbschaft überhaupt keine Rede sein. Es sind nur Schulden da und ein großes Durcheinander, dazu wird noch allerlei Schmutz bei der Gelegenheit aufgerührt. Und wenn sich etwas zu Geld machen ließe, glaubt ihr etwa, ich würde das dem Gericht schenken und es nicht für mich beanspruchen? Aber das ist es ja gerade, der Prozeß ist eine aufgeblasene Sache, und statt darin herumzuwühlen, wäre es besser, auf sein Anrecht auf einen gar nicht existierenden Besitz zu verzichten und diesen einigen Strohmännern der Gegenpartei und neidischen Nutznießern zu überlassen. Was nun die Bemühungen einer gewissen Madame Alice betrifft, die mit Kindern unter dem Namen Schiwago in Paris lebt, so habe ich schon längst davon gehört. Aber es liegen auch neue Forderungen vor, ich weiß nicht, ob Ihnen das bekannt ist, ich jedenfalls hörte erst vor ganz kurzem davon.

Es scheint sich herauszustellen, daß mein Vater sich noch zu Lebzeiten der Mutter für eine Träumerin und Phantastin – eine Fürstin Stolbunowna-Enrici – lebhaft interessierte. Diese Person hat einen Knaben von ihm, zur Zeit zehn Jahre alt, Jewgraf mit Namen. Die Fürstin lebt in großer Einsamkeit. Sie bewohnt mit ihrem Sohn ein Einfamilienhaus an der Peripherie von Omsk, und man weiß nicht, woher ihre Mittel stammen. Man hat mir ein Foto des Einfamilienhauses gezeigt. Ein schönes Haus mit fünf Fenstern und mit Medaillonreliefs in den Fensterfriesen. In letzter Zeit habe ich oft das seltsame Gefühl, daß mich dieses Haus mit seinen fünf Fenstern wie aus unguten Augen über tausend Werst hinweg, die das europäische Rußland von Sibirien trennen, anstarrt, so daß mich später oder früher irgendwann der böse Blick treffen wird. Was geht mich das alles an – die imaginären Kapitalien, diese künstlich erschaffenen Gegner, ihr Neid und ihre Mißgunst? Von den Rechtsanwälten ganz zu schweigen.«

»Dennoch wäre es nicht gut, zu verzichten«, entgegnete Anna Iwanowna. »Wißt ihr, warum ich euch habe rufen lassen?« wiederholte sie noch einmal und fuhr fort: »Sein Name ist mir eingefallen. Ihr erinnert euch doch, daß ich gestern vom Förster gesprochen habe. Er hieß Vacksh, das bedeutet Bacchus. Nicht wahr – unvergleichlich! Ein schwarzer Waldschrat, ein Bart bis zu den Brauen, und das soll Bacchus sein! Er hatte ein durch Narben entstelltes Gesicht; ein Bär hatte ihn so zugerichtet, aber er hatte sich tapfer verteidigt. Und alle von dort sind so. Mit solchen Namen. Einsilbig. Es sollte voll und rund klingen: Vacksh! Oder Dup, oder – sagen wir mal – Favst. Hört euch das nur an! Da wird irgendwer gemeldet, irgendein ›Awkt‹ oder ein ›Frol‹, das klang wie eine Salve aus Großvaters beiden Jagdflinten. Im gleichen Augenblick stürzt die ganze Kinderschar aus dem Kinderzimmer in die Küche. Und da – stellt euch vor – steht ein Köhler und Waldarbeiter mit einem lebendigen Bärenjungen, oder ein Waldläufer, der aus einem fernen Bezirk kommt und eine Gesteinsprobe mitbringt. Großvater aber gibt jedem einen Zettel mit und schickt sie ins Kontor. Der eine bekommt Geld, der andere Gerste, der dritte Munition für seine Gewehre. Vor unserem Fenster – nichts als Wald. Und der Schnee, der Schnee! Er lag höher als das Haus!« Anna Iwanowna mußte husten.

»Hör auf, Mama, das viele Sprechen schadet dir«, warnte Tonja. Jura pflichtete ihr bei.

»Ach, das macht nichts. Alles Unsinn. Übrigens behauptet Jegorowna, ihr hättet euch noch nicht entschieden, ob ihr übermorgen zur Weihnachtsfeier fahren sollt oder nicht. Ich will diese Dummheiten nicht mehr hören. Schämt ihr euch nicht? Und was bist du, Jura, nach alledem für ein Arzt? Also es ist beschlossen. Ihr fahrt, ohne Widerrede. Kehren wir aber zu Vacksh zurück. Dieser Mensch war in seiner Jugend Schmied. Bei einer Prügelei trug er innere Verletzungen davon; seine Gedärme wurden ihm herausgerissen. Da hat er sich andere angefertigt – aus Eisen. Sei nicht töricht, Jura! Glaubst du wirklich, daß ich nicht Bescheid weiß? Natürlich ist es nicht buchstäblich zu nehmen; aber im Volk ging eben das Gerede.« Anna Iwanowna mußte husten, aber diesmal dauerte der Anfall länger und wollte nicht aufhören. Sie geriet in

Atemnot. Jura und Tonja liefen beide gleichzeitig zu ihr und standen dicht nebeneinander vor ihrem Bett. Immer wieder vom Husten geschüttelt, ergriff Anna Iwanowna ihrer beider Hände und hielt sie in ihrer Hand eine Zeitlang verbunden. Dann konnte sie wieder atmen und sprechen. Sie sagte:

»Wenn ich sterbe, so trennt euch nicht! Ihr seid füreinander geschaffen. Heiratet. Da habe ich euch einander versprochen«, fügte sie hinzu und weinte.

V

Bereits im Frühjahr 1906 – ein halbes Jahr vor der Versetzung in die letzte Klasse des Gymnasiums – konnte Lara die Beziehungen zu Komarovskij kaum mehr ertragen. Sehr geschickt wußte er ihre Niedergeschlagenheit auszunutzen, und wenn es nötig war, so erinnerte er sie, ohne es geradezu auszusprechen, auf eine feine und kaum merkliche Art an ihre Schande. Diese Erinnerungen waren dazu angetan, Lara in jenen Zustand der Verwirrung zu versetzen, der die Sinnlichkeit des Mannes reizt. Lara wurde immer mehr zur Beute eines triebhaften Rausches, der sie wie ein Alptraum bedrückte und aus dem sie jedesmal mit Entsetzen erwachte. Die widersprechenden Gefühle bei ihren nächtlichen Exzessen blieben ihr ebenso unerklärlich wie die Gesetze der Schwarzen Magie. Alles war wirr und wüst und entsprach keiner Logik. Der verzweifelte Schmerz äußerte sich als ein kleines, silbernes Lachen; Kampf und Weigerung bedeuteten soviel wie Einverständnis. Lara bedeckte die Hand ihres Peinigers mit Küssen der Dankbarkeit.

Es schien keinen Ausweg zu geben. Im Frühling, in einer der letzten Unterrichtsstunden des Schuljahres, dachte Lara darüber nach, wie sie sich der Zudringlichkeit Komarovskijs im Sommer erwehren sollte, wenn sie nicht mehr im Gymnasium sein würde, das für sie eine letzte Zuflucht vor den Begegnungen mit ihm gewesen war. Da faßte sie unvermittelt einen Entschluß, der ihr Leben für lange Zeit ändern sollte.

Es war ein heißer Morgen; ein Gewitter war im Anzug. In der Klasse wurde bei offenem Fenster gearbeitet. Weit in der Ferne hörte man das Brausen der Stadt, unentwegt – ein einziger Ton, wie das Summen von Bienen, die an einem Bienenkorb hängen. Vom

Hof her drang das Geschrei spielender Kinder. Der frische Erd-
geruch und der Duft nach jungem Grün verursachten Kopfschmerzen wie der Geruch von Schnaps und Pfannkuchen in der letzten
Woche vor der Fastenzeit.
Der Geschichtslehrer hatte über Napoleons Zug nach Ägypten gesprochen. Als er bis zur Ausschiffung in Fréjus gekommen war, ver-
finsterte sich der Himmel, ein Blitz zuckte auf, ein donnerndes
Krachen folgte, und in das Klassenzimmer wehten mit der frischen
Luft Sand- und Staubwolken herein. Zwei übereifrige Schülerin-
nen, die sich nützlich machen wollten, liefen in den Korridor, um
dem Schuldiener zu sagen, er möge die Fenster schließen. Als sie
die Tür öffneten, erhob sich scharfer Luftzug und ließ die Lösch-
blätter aus den Heften und durch das Klassenzimmer fliegen. Die
Fenster wurden geschlossen. Ein mit Staubwolken untermischter
Großstadt-Platzregen trommelte gegen die Fenster. Lara hatte ein
Blatt aus ihrem Heft gerissen. Sie schrieb flüchtig ein paar Zeilen
an Nadja Kologriwowa, ihre Nachbarin auf der Schulbank. ›Nadja,
ich muß unbedingt mein Leben so einrichten, daß ich von Mama
getrennt lebe. Verhilf mir bitte zu ein paar gutbezahlten Privat-
stunden. Ihr habt unter den reichen Leuten so viele Bekannte.‹
Nadja antwortete auf demselben Wege: ›Für Lipa wird eine Erzieherin gesucht. Übernimm diese Stelle bei uns. Das wäre wunderbar. Du weißt, wie sehr Papa und Mama dich lieben.‹

VI

Über drei Jahre wohnte Lara nun bei Kologriwovs wie hinter
einer steinernen Mauer. Niemand kümmerte sich um sie. Nicht
einmal ihr Bruder und ihre Mutter, denen sie sich sehr entfremdet
fühlte, brachten sich ihr in Erinnerung.
Lawrentij Michailytsch Kologriwov war ein Großunternehmer
modernster Art, begabt und klug. Er verabscheute das alte Regime,
in dem er aufgewachsen war, mit dem zwiefachen Haß des Neu-
reichen, der imstande gewesen wäre, den Schatz des Zaren zu kaufen, und des Mannes aus dem Volke, der ein Emporkömmling war.
Er pflegte ›illegale Elemente‹ bei sich verborgen zu halten. Bei politischen Prozessen bezahlte er die Verteidiger für die Angeklagten.
Er unterstützte, wie scherzhaft gesagt wurde, die Revolution und

schädigte sich zugleich als Mitglied der besitzenden Klasse, indem er Streiks in seiner eigenen Fabrik organisierte. Lawrentij Michailytsch war ein vortrefflicher Schütze und leidenschaftlicher Jäger. Im Winter 1905 pflegte er sonntags nach Sserebrjanyi Bor zu fahren, um auf dem Lossinyj Ostrov die Partisanen im Schießen einzuüben. Er war ein außergewöhnlicher Mensch. Seine Frau, Serafina Filipowna, war ihm eine würdige Lebensgefährtin. Lara empfand für beide eine leidenschaftliche Verehrung. Alle im Hause liebten sie wie eine Verwandte.

Im vierten Jahre dieses sorglosen Lebens erschien ihr Bruder Rodja bei ihr. Geckenhaft stelzte er auf seinen langen Beinen einher. Um sich wichtig zu machen, sprach er in näselndem Ton und zog die Worte in die Länge. Er erzählte, die Offiziersschüler seines Jahrgangs hätten Geld für ein Abschiedsgeschenk an den Direktor der Anstalt gesammelt. Das Geld habe man Rodja gegeben mit dem Auftrag, ein passendes Geschenk auszusuchen und zu kaufen. Dieses Geld nun habe er vor drei Tagen bis zum letzten Groschen verspielt. Nachdem Rodja das gesagt hatte, ließ er sich in seiner ganzen Länge in einen Sessel fallen und begann zu schluchzen. Lara lief es kalt über den Rücken, als sie das hörte. Schluchzend fuhr Rodja fort: »Ich war gestern bei Victor Ippolitowitsch. Er weigerte sich, mit mir über das Thema zu sprechen, sagte aber, wenn *du* wolltest . . . Er sagte, wenn du auch deine Liebe zu uns dreien verloren hättest, so wäre deine Macht über ihn noch so groß . . . Larotschka . . . ein Wort von dir genügt . . . Verstehst du nicht, was das für eine Schmach wäre und wie diese Affäre an die Offiziersehre rührt?! Geh zu ihm, was kann es dich kosten! Bitte ihn . . . Du wirst nicht zulassen, daß ich diese Schuld mit meinem Blut bezahle!«

»Mit deinem Blut bezahlen . . . Die Ehre der Uniform . . .«, wiederholte Lara aufs tiefste empört und ging in höchster Erregung im Zimmer auf und ab. »*Ich* bin keine Uniform, *ich* habe keine Ehre, und mit mir kann man tun, was man will. Machst du dir auch klar, worum du bittest? Hast du begriffen, was er dir für einen Vorschlag macht?! Da baut man Jahr um Jahr, unter Sisyphusqualen, etwas auf, ohne einen Augenblick auszuruhen. Und dann kommt dieser da, als ob nichts gewesen sei. Er pustet, spuckt aus, und alles geht in Scherben. Geh zum Teufel! Erschieß dich doch! Was geht's mich an? Wieviel brauchst du?«

»Sechshundertneunzig Rubel und etwas darüber; sagen wir rund siebenhundert«, stotterte Rodja ziemlich verlegen.

»Rodja, du bist wahnsinnig! Überlegst du denn, was du da sagst? Du hast siebenhundert verspielt? Rodja! Weißt du denn nicht, wie lange ein gewöhnlicher Mensch wie ich braucht, um durch ehrliche Arbeit eine solche Summe zu verdienen?« Nach einer Pause fügt sie kalt und fremd hinzu.

»Gut. Ich will es versuchen. Komm morgen. Bring mir den Revolver, mit dem du dich hast erschießen wollen. Du überläßt ihn mir als *mein* Eigentum. Mit einem tüchtigen Vorrat an Patronen, denke daran!«

Lara erhielt das Geld von Kologriwov.

VII

Ihre Arbeit bei Kologriwov hatte Lara nicht daran gehindert, das Abitur zu machen und sich bei den Hochschulkursen einschreiben zu lassen. Sie hatte diese Kurse mit Erfolg besucht und war fast zu deren Abschluß gekommen, der für das Jahr 1912 vorgesehen war.

Im Frühjahr 1911 war Laras Schutzbefohlene Lipotschka mit dem Gymnasium fertig. Sie hatte sich verlobt mit dem jungen Diplom-Ingenieur Friesendank, der aus einer guten und vermögenden Familie stammte. Die Eltern billigten Lipotschkas Wahl, waren aber dagegen, daß sie so früh heiratete, und rieten ihr, noch eine Weile zu warten. Das gab Anlaß zu Familiendramen. Die sehr verwöhnte und launenhafte Lipotschka, der Liebling der Familie, schrie Vater und Mutter an, schluchzte und stampfte mit den Füßen.

In dem reichen Hause, in dem Lara als Anverwandte betrachtet wurde, erinnerte man sich nicht an die Schuld, die sie für Rodja auf sich genommen hatte, und mahnte sie deshalb nicht.

Lara hätte diese Schuld längst abgezahlt, wenn sie nicht dauernd Ausgaben gehabt hätte, deren Bestimmung sie geheimhielt.

Ohne Paschas Wissen sandte sie dessen Vater, dem zwangsverschickten Antipov, Geldbeträge. Sie unterstützte auch seine kränkelnde, zänkische Mutter. In noch größerer Heimlichkeit half sie Pascha selbst, indem sie, ohne daß er es wußte, seinen Vermietern für Kost und Logis Beträge anwies.

Pascha, der ein wenig jünger war als Lara, liebte sie grenzenlos und gehorchte ihr in allem. Sie hatte darauf bestanden, daß er –

nach dem Abitur an der Realschule – zusätzlich auch die Examen in Latein und Griechisch ablegte, um Philologie studieren zu können. Lara wünschte sehr, in einem Jahr, wenn sie beide das Staatsexamen abgelegt hätten, Pascha zu heiraten und mit ihm in eine Gouvernementsstadt irgendwo im Ural zu ziehen, um dort eine Anstellung als Lehrerin zu erhalten.

Pascha bewohnte ein Zimmer, das Lara für ihn gesucht und gemietet hatte, in einem Neubau an der Kammerherrnstraße, nahe beim Künstlertheater.

Im Sommer 1911 war Lara zum letztenmal mit Kologriwovs in Dupljanka zusammen. Diesen Ort liebte sie grenzenlos, mehr sogar als die Hausbesitzer selbst. Das war allen bekannt, und so hielt man sich Lara gegenüber für die Sommerferien an eine ungeschriebene Abmachung. Wenn der schmutzige und überheizte Zug, mit dem sie gereist waren, wieder abfuhr und Lara inmitten der wogenden, grenzenlos berauschenden und duftenden Stille so sehr in Erregung geriet, daß sie der Sprache nicht mehr Herr war, ließ man sie allein zu Fuß nach dem Gut wandern. An der kleinen Station wurde ihr Gepäck abgeholt und auf einen Bauernwagen geladen. Der Kutscher, im ärmellosen Kosakenhalbrock, aus dessen Armloch ein rotes Russenhemd hervorschaute, brachte das Gepäck nach Dupljanka, wobei er den Herrschaften im Wagen die Ortsneuigkeiten der verflossenen Saison berichtete.

Lara ging auf einem Pfade, der an den Gleisen entlangführte und von Pilgern und Wallfahrern benutzt wurde. Dann bog sie in eine Wiese ein, die am Waldrand lag. Hier pflegte sie haltzumachen und die Augen halb zu schließen, um die berauschend duftende Luft der unendlichen Waldweite in sich einzusaugen. Diese Luft war ihr mehr verwandt als Vater und Mutter, sie war ihr vertrauter als ihr Geliebter, sie lehrte sie eine tiefere Weisheit als jedes Buch. Für einen Augenblick erschloß sich ihr aufs neue des Lebens Sinn. Sie erkannte, daß sie hier war, um sich in der fast unfaßbaren Schönheit und Herrlichkeit der Erde zurechtzufinden und um allen Dingen einen Namen zu geben. Wenn dies jedoch ihre Kraft überstieg, so wollte sie, aus Liebe zum Leben, Nachkommen gebären, die an ihre Stelle treten würden.

In diesem Sommer war Lara übermüdet und überarbeitet von den Strapazen, die sie sich zugemutet hatte, aufs Land gekommen. Sie unterlag leicht Verstimmungen und Anwandlungen von Mißtrauen, die ihr bisher vollkommen unbekannt waren. Hierdurch kam eine gewisse Enge in ihr Wesen, das früher so offen, weit und großzügig gewesen war.

Die Kologriwovs wollten sie nicht gehen lassen und umgaben sie wie immer mit zärtlicher Liebe. Aber seitdem Lipa auf eigenen Füßen stand, hielt Lara sich in diesem Hause für überflüssig. Sie weigerte sich, ein Gehalt anzunehmen! Man zwang es ihr auf. Im übrigen brauchte sie Geld und befand sich ihren Gastgebern gegenüber in einer peinlichen Lage, zumal es sich als undurchführbar herausstellte, außerhalb des Hauses eine Verdienstmöglichkeit zu finden.

Lara hielt ihre Stellung in diesem Haus für verlogen und unerträglich. Ihr schien, daß alle genug von ihr hatten und es nur nach außen nicht zeigen wollten. Sie selber fiel sich zur Last. Sie wünschte sehnsüchtig, vor sich selber und vor Kologriwovs zu fliehen, ›so weit die Augen reichen‹; aber sie fühlte sich verpflichtet, Kologriwovs zunächst ihre Schuld zurückzuzahlen, wozu sie jetzt gar nicht imstande war. Sie fühlte sich als Geisel, woran der Leichtsinn dieses dummen Rodja schuld war. Ihre Machtlosigkeit und ihre Empörung über ihre Lage ließen sie nicht zur Ruhe kommen. Überall witterte sie Anzeichen von Mißachtung. Wenn ihr Kologriwovs Freunde mit vermehrter Aufmerksamkeit begegneten, so bedeutete das in ihren Augen, daß man sie gleichsam als unmündigen Zögling betrachtete. Ließ man sie aber in Ruhe, so war das für sie ein Beweis, daß man sie nicht genügend achtete und niemand sich um sie kümmerte.

Diese Anfälle von Hypochondrie hinderten Lara aber nicht daran, sich an den Vergnügungen der zahlreichen Freunde des Hauses zu beteiligen, die hier in Dupljanka zu Gast waren.

Wie alle anderen badete sie viel, schwamm, ruderte und beteiligte sich an nächtlichen Picknicks am anderen Ufer des Flusses, bei denen man Feuerwerk abbrannte und tanzte. Sie machte bei Liebhaberaufführungen mit und zeigte sich besonders eifrig beim Scheibenschießen aus kurzen Mausergewehren, denen sie jedoch Rodjas leichten Revolver vorzog. Sie hatte sich mit dieser Pistole gut eingeschossen. Mit erstaunlicher Sicherheit traf sie ins Ziel, und sie beklagte sich im Scherz, daß sie als Frau sich nicht duellieren könne. Aber je mehr Lara sich zu vergnügen suchte, desto schlechter fühlte sie sich. Sie wußte selber nicht, was sie wollte.

Dieser Zustand nahm nach ihrer Rückkehr in die Stadt bedenkliche Formen an. Zu allem übrigen kamen noch leichte Verstimmungen mit Pascha. (Sie hütete sich wohl, einen ernsthaften Streit heraufzubeschwören, den sie sich als letztes Schutzmittel aufsparte.) In der letzten Zeit hatte sie an Pascha eine gewisse Selbstsicherheit beobachtet. Der professorale Ton, den er in manchen Unterhaltungen annahm, schien ihr lächerlich und erbitterte sie.

Pascha, Lipa, die Kologriwovs, das Geld – all das wirbelte in ihrem Kopf herum. Lara wurde das Leben zur Last. Sie war nahe daran, den Verstand zu verlieren. Am liebsten hätte sie alles hinter sich gelassen, was sie erfahren und erkannt hatte, um etwas völlig Neues zu beginnen. In dieser Stimmung befand sie sich, als sie um Weihnachten 1911 zu einem schicksalhaften Entschluß kam. Sie beschloß nämlich, sich unverzüglich von Kologriwovs zu trennen und ihr eigenes Leben irgendwo unabhängig aufzubauen. Das Geld für dieses Vorhaben wollte sie von Komarovskij erbitten. Lara glaubte, daß er ihr nach allem, was geschehen war, und nach den Jahren, in denen sie sich ihre Freiheit zurückerobert hatte, ritterlich beistehen und völlig uneigennützig handeln würde, ohne Erklärungen zu verlangen.

Am Abend des 27. Dezember machte sie sich auf den Weg nach der Petrowskijstraße. Als sie aus dem Haus ging, steckte sie Rodjas geladenen und entsicherten Revolver in ihren Muff, in der Absicht, auf Victor Ippolitowitsch zu schießen, wenn er ihrer Bitte nicht entsprechen, sie mißverstehen oder sie in irgendeiner Weise beleidigen würde.

In furchtbarer Erregung ging sie durch die feiertäglichen Straßen, ohne auf irgend etwas zu achten. In ihrem Innern löste sich schon der geplante Pistolenschuß, es war gleichgültig, wen er treffen würde. Dieser Schuß war das einzige, was wirklich in ihr Bewußtsein drang. Sie glaubte, ihn den ganzen Weg über zu hören. Er war gegen Komarovskij, gegen sie selber und ihr eigenes Schicksal gerichtet, zur gleichen Zeit jedoch auch gegen jene Eiche auf der Waldwiese in Dupljanka mit der in den Stamm gekerbten Zielscheibe.

»Rühren Sie den Muff nicht an!« sagte sie zu Emma Ernestowna, als diese ihr unter Ahs und Ohs die Hände entgegenstreckte, um ihr beim Ablegen behilflich zu sein. Es stellte sich heraus, daß Victor Ippolitowitsch nicht zu Hause war. Emma Ernestowna bestand darauf, sie solle hereinkommen und ihren Pelz ablegen.

»Ich kann nicht. Ich hab's eilig. Wo ist er?«

Emma Ernestowna sagte, er sei auf einer Weihnachtsfeier.

Lara ließ sich die Adresse geben und lief die finstere Treppe mit den farbigen Wappen in den Fensterscheiben, die sich so fest in ihre Erinnerung eingeprägt hatte, wieder hinunter, um sich ins ›Mehlstädtchen‹ zu Swentizkijs zu begeben.

Erst jetzt, da sie zum zweitenmal auf die Straße kam, blickte Lara sich aufmerksam um. Es war Winter, sie befand sich in der Stadt, es war Abend, eisige Kälte. Die Straßen waren von einer schwarzen, dicken Eisschicht bedeckt, die den Glasböden zerbrochener Bierflaschen glich. Es war so kalt, daß einen das Atmen schmerzte. Die Luft war erfüllt von rauhem Reif, der Lara mit seinen zottigen Borsten zu stechen und am Munde zu kitzeln schien wie der graue Pelzbesatz ihres vereisten Mantels. Sie eilte durch die menschenleeren Straßen, ihr Herz klopfte hart. Wolken von Dampf drangen aus den Türen der Teestuben und Schenken. Aus dem Nebel tauchten frierende Gesichter von Passanten auf, rot wie Würste. Die bärtigen Mäuler der Hunde und Pferde waren mit Eiszapfen behangen. Die Fenster der Häuser mit ihren dicken Eis- und Schneeschichten schienen aus Kreide zu bestehen. Hinter den undurchsichtigen Scheiben bewegten sich die farbigen Reflexe brennender Weihnachtsbäume und die Schatten der drinnen versammelten Menschen. Es war, als wollten die Bewohner der Häuser den Passanten auf der Straße die Abbilder einer Laterna magica – auf weiße Leinentücher projiziert – vorführen.

In der Kammerherrnstraße blieb Lara stehen. »Ich kann nicht mehr! Ich halte es nicht aus«, sagte sie halblaut vor sich hin. »Ich gehe hinauf. Ich will ihm alles sagen.« Als sie sich wieder in der Gewalt hatte, öffnete sie die schwere Tür der herrschaftlichen Auffahrt.

Rot vor Anstrengung bemühte sich Pascha, indem er die Zunge gegen die Wange drückte, krampfhaft vor dem Spiegel, den Kragenknopf in das gestärkte Hemd zu bekommen. Er wollte einen Besuch machen. Und er war noch so unschuldig und unverdorben, daß er verlegen wurde, als Lara, ohne zu klopfen, eintrat und ihn in diesem Zustand antraf. Natürlich hatte er ihre Erregung gleich bemerkt. Ihre Knie wankten, sie trat ins Zimmer ein, indem sie die Füße mühsam voreinandersetzte, als durchwate sie eine Furt.

»Was hast du? Was ist geschehen?« fragte er, ihr aufgeregt entgegeneilend.

»Setz dich neben mich. Setz dich, so wie du bist. Mach dich nicht erst zurecht; ich hab's eilig! Ich muß gleich wieder gehen! Rühr den Muff nicht an. Halt! Wende dich ab – nur für einen Augenblick.«

Er gehorchte. Lara trug ein englisches Kostüm. Sie nahm ihre Jacke ab, hängte sie an einen Nagel und schob Rodjas Revolver aus dem Muff in die Jackettasche. Dann kehrte sie zum Diwan zurück und sagte: »Jetzt darfst du wieder herschauen. Zünde die Kerze an und drehe das Licht ab.«

Lara liebte es, im Halbdunkel, bei Kerzenschein, Gespräche zu führen. Pascha hatte immer für sie einen kleinen Vorrat eingepackter Kerzen. Er nahm den Kerzenstummel aus dem Leuchter und setzte eine neue Kerze ein. Er stellte den Leuchter auf das Fensterbrett und zündete die Kerze an. Die Flamme erstickte beinahe im Stearin, schoß nach allen Seiten knatternde Sternchen und wurde zu einem spitzen Pfeil. Das Zimmer war nun von Licht erfüllt. In der Eisschicht auf dem Fensterglas bildete sich, in Höhe der Kerze, durch die Erwärmung ein schwarzes, kleines Auge.

»Hör mal, Paschenjka«, sagte Lara. »Ich habe Schwierigkeiten. Man muß mir heraushelfen! Erschrick nicht und frage nicht, aber versuche zu verstehen, daß wir nicht so sind wie alle anderen. Du darfst aber auch nicht zu ruhig sein, denn ich bin immer gefährdet. Wenn du mich liebst und mich vor dem Untergang retten willst, so dürfen wir nicht länger zögern. Wir wollen so bald wie möglich heiraten!«

»Aber das ist ja mein sehnlichster Wunsch«, unterbrach er sie.
»Bestimme das Datum, so schnell wie möglich! Mir ist jeder Tag

recht, den du wählst. Doch sage klar und einfach, was ist dir widerfahren? Quäle mich nicht mit Rätseln.«

Lara aber lenkte ab, indem sie unauffällig einer direkten Antwort auswich. Noch lange sprachen sie von Dingen, die in keiner Beziehung zu Laras Kummer standen.

X

In diesem Winter schrieb Jura an seiner wissenschaftlichen Arbeit über das Nervensystem der Netzhaut. Diese Arbeit – ein Preisausschreiben – wurde von der Universität mit einer goldenen Medaille ausgezeichnet. Obwohl Jura gerade sein Schlußexamen in allgemeiner Therapie machte, kannte er sich doch im Auge mit der Exaktheit eines künftigen Ophthalmologen aus.

Dieses Interesse für die Physiologie des Sehens offenbarte eine andere Seite seiner Natur – seine schöpferischen Anlagen und seine Gedanken über das Wesen des Kunstwerkes und über den Aufbau einer logischen Idee.

Tonja und Jura fuhren in einem Mietschlitten zur Weihnachtsfeier bei Swentizkijs. Beide waren sechs Jahre lang miteinander aufgewachsen bis zum Ende der Kindheit. Sie kannten einander bis ins kleinste. Sie hatten gemeinsame Gewohnheiten – ihre eigene Manier, kurze, witzige Bemerkungen zu machen und abrupt in Gelächter auszubrechen, statt Antwort zu geben. So fuhren sie auch jetzt wieder, Seite an Seite, schwiegen, hielten die Lippen wegen der Kälte aufeinandergepreßt oder tauschten ganz kurze Bemerkungen aus. Jeder hing seinen eigenen Gedanken nach.

Jura dachte daran, daß die Termine der Schlußprüfung näherrückten und er sich mit der Arbeit beeilen müsse; er dachte auch an das feiertägliche Getriebe des seinem Ende entgegengehenden Jahres, das sich schon auf der Straße bemerkbar machte.

In Gordons Fakultät wurde eine hektographierte Studentenzeitung herausgegeben, deren Schriftleiter eben Gordon war. Jura hatte ihm schon längst einen Aufsatz über Block versprochen. Die ganze Jugend beider Hauptstädte träumte nur noch von Block, und Jura und Mischa mehr als die andern.

Aber auch diese Gedanken hafteten nicht lange in seinem Bewußtsein. Die jungen Leute hatten beim Schlittenfahren das Kinn tief in die Mantelkragen geschoben, sie rieben die frierenden Ohren. Ihre Gedanken gingen verschiedene Wege, aber in einem Punkt trafen sie zusammen.

Der letzte Besuch bei Anna Iwanowna hatte beide gleichsam neu geboren. Sie waren sehend geworden und blickten einander mit anderen Augen an.

Tonja, die alte Studiengenossin, die bisher eine so selbstverständliche, keiner Erklärung bedürfende Tatsache gewesen war, erschien nun mit einem Male als das Komplizierteste und Unerreichbarste von allem, was sich Jura denken konnte. Bei einiger Anstrengung der Phantasie konnte sich Jura vorstellen, daß er auf dem Gipfel des Ararat stehe, ein Held, ein Prophet, ein Sieger sei, alles, was man wollte – nur nicht eine Frau. Und diese schwierigste, kaum zu bewältigende Aufgabe hatte Tonja auf ihre schmächtigen Schultern genommen. (Von diesem Augenblick an schien sie Jura schmächtig und schwach zu sein, obwohl sie ein kerngesundes Mädchen war.) Plötzlich fühlte sich Jura von jenem warmen Mitgefühl und schüchternen Staunen ergriffen, das am Anfang jeder Liebesleidenschaft steht.

Ähnliche Gefühle, in entsprechender Abwandlung, bewegten auch Tonja, wenn sie Jura ansah.

Jura hielt es für falsch, daß sie von zu Hause fortgefahren waren. In ihrer Abwesenheit konnte sich irgend etwas ereignen. Und da fiel es ihm wieder ein: nachdem sie erfahren hatten, daß es Anna Iwanowna schlechter ging, waren sie, die sich schon zum Ausgehen fertiggemacht hatten, bei ihr erschienen und hatten den Vorschlag gemacht, bei ihr zu bleiben. Sie hatte sich mit der gleichen Schärfe wie früher widersetzt und verlangt, sie sollten zur Weihnachtsfeier fahren. Jura und Tonja hatten dann in einer tiefen Fensternische hinter einer Gardine gestanden, um zu sehen, wie das Wetter war. Als sie wieder aus der Nische hervortraten, waren beide Tüllgardinen an dem Stoff ihres neuen Kleides hängengeblieben. Tonja zog das leichte, sich anschmiegende Gewebe einige Schritte hinter sich her wie eine Braut ihren Schleier. Alle mußten lachen, so auffällig war die Ähnlichkeit, ohne daß jemand durch ein Wort darauf hinwies.

Jura schaute nach allen Seiten und sah die gleichen Straßen, die vor kurzem auch Lara aufgefallen waren. Der Schlitten verursachte ein dumpfes, merkwürdiges Geräusch, das ein langes, nicht minder merkwürdiges Echo unter den vereisten Bäumen in den Gärten und auf den Boulevards weckte. Die von innen erleuchteten, mit Eis bedeckten Fenster der Häuser glichen kostbaren Schreinen aus Rauchtopas. Hinter ihnen glühte Moskaus weihnachtliches Leben, brannten die Weihnachtsbäume, drängten sich die Gäste; kostümierte junge Leute spielten unter Gelächter Verstecken oder ein Ringspiel. Plötzlich kam Jura der Gedanke, daß Alexander Block den Geist des Weihnachtsfestes auf allen Gebieten des russischen Lebens beschworen habe, in der nordischen Stadt und in der neuesten Dichtung, unter dem Sternhimmel der Straßen und im Umkreis des brennenden Baumes. Es war überflüssig, einen Aufsatz über Block zu schreiben: man brauchte nur eine russische Anbetung der drei Könige zu schildern, wie es die Holländer getan hatten – mit krachendem Frost, Wölfen und einem dunklen Tannenwald.

Nun fuhren sie durch die Kammerherrnstraße. Jura fiel ein dunkler Streifen an einem eisbedeckten Fenster auf. Durch diesen Spalt schimmerte das Licht einer Kerze, das wie ein weit geöffnetes Auge auf die Straße blickte. Die Kerzenflamme schien unruhig nach den Fahrenden Ausschau zu halten, als erwarte sie jemanden. »Die Kerze brannte auf dem Tisch. Die Kerze brannte . . .«, flüsterte Jura vor sich hin. Es war der Anfang von etwas noch Formlosem, Unbestimmtem. Er hoffte, die Fortsetzung würde von selber kommen, ohne jeden Zwang; sie kam aber nicht.

XI

Seit unvordenklichen Zeiten wurde Weihnachten bei Swentizkijs in folgender Weise gefeiert: um zehn Uhr, wenn die Kinder schon weggefahren waren, wurde der Baum für die reifere Jugend und für die Erwachsenen ein zweites Mal angezündet, und man vergnügte sich bis in die Morgenstunden. Die älteren unter den Gästen saßen die ganze Nacht hindurch an den Kartentischen in einem pompejanischen Salon. Dieser Salon bildete eine Art Fortsetzung des Saales und war von ihm durch einen schweren, dichten, an großen Bronzeringen befestigten Vorhang getrennt. In den frühen Morgenstunden soupierte dann die ganze Gesellschaft gemeinsam. »Warum so spät?« erkundigte sich George, ein Neffe der Swentizkijs, der vom Vorzimmer aus in die Wohnung des Onkels und

der Tante gekommen war. Auch Jura und Tonja beschlossen, zunächst die Gastgeber zu begrüßen und, nachdem sie abgelegt hatten, einen flüchtigen Blick in den Saal zu werfen.

An dem heiß atmenden Weihnachtsbaum vorbei, der von einigen
schimmernden Lichtreihen umgürtet war, drängte sich, mit den
Kleidern rauschend und einander auf die Füße tretend, eine große
Menge von Menschen, die sich hier ergingen und unterhielten.

Inmitten des Kreises drehten sich die Tanzenden wie toll. Sie wurden umeinandergedreht, zu Paaren verbunden und zu einer langen
Kette auseinandergezogen. Der Sohn des stellvertretenden Staats-
anwalts, der Lyzeist Koka Kornakov, führte den Tanz an und
brüllte aus vollem Halse, vom einen Ende des Saales zum andern:
»Grand rond! Chaîne chinoise!« Und alles geschah nach seinen
Worten. »Une valse, s'il vous plaît«, brüllte er dem Klavierspieler
zu und führte bei der ersten Tour seine Dame â trois temps, â deux
temps, so daß der Rhythmus immer langsamer und die Kreise immer enger wurden, bis die Tänzer kaum merkbar auf einem Fleck
hin und her traten – es war nun kein Walzer mehr, sondern nur
dessen ersterbender Widerhall. Und alle klatschten Beifall. Dieser
sich bewegenden, laut sprechenden Menge wurden dann Eis und er-
frischende Getränke angeboten. Die Jünglinge und die jungen Damen, die sich heiß getanzt hatten, hörten für einige Augenblicke
auf zu lärmen und zu lachen; sie hatten es eilig, die kalte Limonade
begierig zu schlürfen. Aber kaum hatte man die Gläser aufs Tablett
gesetzt, so erneuerte sich das Geschrei, und das Lachen verzehn-
fachte sich, als habe man etwas sehr Animierendes genossen.

Tonja und Jura gingen jedoch nicht in den Saal, sondern zu den
Gastgebern in die hinteren Wohnräume.

XII

Die Privaträume der Swentizkijs waren mit unnützen Sachen überfüllt, die man aus dem Salon und Saal hierhergebracht hatte, um
Raum zu gewinnen. Hier befand sich die Zauberküche der Gastgeber, hier lagerten auch alle Weihnachtssachen. Es roch nach
Farbe und Kleister. In buntes Papier gewickelte Pakete und ganze
Haufen von Schachteln mit Kotillon-Orden lagen zwischen Vorräten an Weihnachtskerzen.

Die alten Swentizkijs beschrieben Kärtchen mit Nummern für die einzelnen Geschenke, Tischkarten für das Souper und kleine Billette für eine geplante Lotterie. George half ihnen dabei, irrte sich aber immer wieder in der Numerierung, so daß sie ärgerlich brummten. Die beiden Swentizkijs freuten sich ungemein über Jura und Tonja. Sie hatten sie schon als Kinder gekannt, und so machten sie gar keine Umstände mit ihnen. Ohne weitere Worte zu verlieren, ließ man die beiden mitarbeiten.

»Felizata Ssemjonowna versteht nicht, daß man das hätte früher überlegen sollen und nicht im Hochbetrieb, wenn die Gäste schon da sind. Ach du, was machst du denn, George! Wieder hast du die Nummern durcheinandergebracht! Es war ausgemacht, die Bonbonnieren mit den Dragées auf den Tisch zu setzen, die leeren aber auf den Diwan zu legen. Aber bei euch ist nun alles wieder durcheinandergeraten.«

»Ich freue mich sehr, daß es Anette jetzt besser geht. Wir haben uns mit Pierre solche Sorgen um sie gemacht.«

Jura und Tonja brachten den halben Abend mit George und mit den Alten hinter den Kulissen des Weihnachtsfestes zu.

XIII

Während sie bei Swentizkijs waren, hielt sich Lara im Saal auf. Sie war nicht für den Ball angezogen; und hier in dieser Gesellschaft kannte sie niemand. Willenlos, wie im Traum, ließ sie sich von Koka Kornakov im Tanze drehen. Sie trieb wie in einem Strom, ohne etwas zu tun. Hie und da tauchte sie im Saal auf.

Schon ein- oder zweimal hatte Lara unentschlossen an der Schwelle des Salons gestanden in der Hoffnung, Komarovskij, dessen Gesicht dem Saale zugewandt war, würde sie bemerken. Aber er blickte in seine Karten, die er in der linken Hand wie einen Schild vor sich hielt. Entweder sah er sie tatsächlich nicht, oder er stellte sich so, als hätte er sie nicht bemerkt. Lara stockte der Atem, so sehr empfand sie das als Kränkung. In dem Augenblick trat ein junges Mädchen, das Lara nicht kannte, aus dem Saal in den Salon. Komarovskij warf auf die Eintretende jenen Blick, den Lara so gut an ihm kannte. Das Mädchen fühlte sich geschmeichelt und lächelte Komarovskij zu. Blut war ihr in die Wangen gestiegen, sie strahlte.

Als Lara diesen Blick bemerkte, war sie nahe daran aufzuschreien. Schamröte bedeckte ihr Gesicht. ›Ein neues Opfer‹, dachte sie. Wie in einem Spiegel glaubte Lara sich selber und ihre eigene Geschichte zu sehen. Aber sie hatte noch nicht den Gedanken aufgegeben, mit Komarovskij zu sprechen. Sie beschloß, diese Aussprache auf einen geeigneteren Zeitpunkt zu verlegen, zwang sich zur Ruhe und kehrte in den Saal zurück.

Zusammen mit Komarovskij saßen noch drei andere Herren am Kartentisch. Einer dieser Spieler, der neben ihm saß, war der Vater des eleganten Lyzeisten, der Lara zum Walzer aufgefordert hatte. Lara schloß dieses aus ein paar Worten, die sie mit ihrem Tänzer wechselte. Die tief brünette, stattliche Dame im schwarzen Kleide, mit den koketten, flammenden Augen und dem unangenehm schlangenhaft geblähten Halse, die unentwegt aus dem Salon in den Saal eilte, wo ihr Sohn Triumphe feierte, und wieder zurück in den Salon an den Kartentisch, war niemand anderes als die Mutter Koka Kornakovs. Endlich stellte sich heraus, daß das Mädchen, das Anlaß zu Laras Erregung gegeben hatte, eine Schwester Kokas war; Laras Vermutungen erwiesen sich also als unrichtig.

»Kornakov«, so hatte sich Koka gleich zu Beginn Lara vorgestellt. Aber sie hatte es noch nicht richtig erfaßt.

»Kornakov«, wiederholte er beim letzten Tanz, indem er sie zu ihrem Sessel führte und sich mit einer Verbeugung verabschiedete. Diesmal hatte Lara deutlich gehört. ›Kornakov, Kornakov‹, überlegte sie. ›Das klingt mir so bekannt. So unsympathisch.‹ Dann fiel es ihr ein: Kornakov war der stellvertretende Staatsanwalt am Moskauer Gerichtshof. Er hatte die Anklage gegen eine Gruppe von Eisenbahnern, zu der auch Tiversín gehörte, vertreten. Lawrentij Michailowitsch hatte sich auf Laras Bitte zu ihm begeben, um ihn milder zu stimmen und um seine Wut bei diesem Prozeß zu dämpfen. Doch es war ihm nicht gelungen, ihn umzustimmen. ›Das war es also! So, so, so! Merkwürdig. Kornakov!‹

XIV

Es war gegen eins oder zwei nach Mitternacht. Jura hatte noch den Rhythmus des Balles im Blut. Nach einer Pause, in der im Speisesaal Tee und Gebäck gereicht wurde, begann der Tanz aufs neue. Als die Kerzen am Weihnachtsbaum am Erlöschen waren, dachte keiner mehr daran, neue anzustecken.

Jura stand zerstreut mitten im Saal und sah Tonja zu, die mit einem Unbekannten tanzte. Als sie an Jura vorbeikam, schleuderte Tonja mit einer Bewegung des Fußes die Schleppe ihres Atlaskleides, die etwas zu lang war, zur Seite. Darauf verschwand sie wie ein plätscherndes Fischlein in der Menge der Tanzenden.

Sie war sehr angeregt. Während der Pause, als sie im Speiseraum saßen, hatte Tonja auf den Tee verzichtet. Sie stillte ihren Durst an Mandarinen, von denen sie eine große Menge aus der duftenden Schale löste. Jeden Augenblick griff sie nach ihrem Batisttüchlein im Gürtel oder Ärmel, das so winzig war wie die Blüten eines Obstbaumes, und wischte sich damit die Tropfen von den Lippen und von den klebrigen Fingern. Immer weiter lachend und redend, steckte sie das Tüchlein mechanisch hinter den Gürtel oder in den Ärmel.

Jetzt tanzte sie mit einem unbekannten Kavalier. Bei einer Drehung des Walzers stieß sie Jura an, der etwas finster blickend zur Seite trat. Tonja drückte ihm schelmisch die Hand und lächelte vielsagend. Bei einem solchen Händedruck blieb das Tüchlein, das sie bei sich hatte, in Juras Hand zurück. Er preßte es an die Lippen und schloß die Augen. Dem Tüchlein entströmte ein Duft nach Mandarinenschalen und Tonjas heißen Handflächen – beides fand er gleich zauberhaft. Dieser Duft atmete kindliche Naivität. Er hatte einen Hauch von intimer Seelenverwandtschaft, er war wie ein Wort, das im Dunkeln geflüstert wird . . . Plötzlich krachte ein Schuß durch das Haus.

Alle Köpfe wandten sich dem Vorhang zu, durch den der Salon vom Saal getrennt war. Einige Augenblicke herrschte Totenstille; dann begann der Tumult. Alles drängte vor und schrie. Ein Teil der Anwesenden stürzte dorthin, wo der Schuß gefallen war, zu Koka Kornakov. Von dort kamen schon andere, die drohten, weinten, stritten und einander ins Wort fielen.

»Was hat sie angerichtet, was hat sie angerichtet!« wiederholte Komarovskij verzweifelt.

»Borja, lebst du noch? Borja, lebst du noch?« rief Madame Kornakov hysterisch. Es hieß, daß sich ein Doktor Drokov unter den Gästen befinde. Aber wo war er, wo war er nur?

»Ach bitte, lassen Sie doch! Für Sie ist es nur ein Kratzer, aber für

mich bedeutet es ein ganzes Leben. Oh, mein armer Märtyrer, Ankläger all dieser Verbrecher! Da ist sie, da ist sie, dieses Luder! Ich
kratze ihr die Augen aus! Verbrecherin! Sie wird nicht entkommen!
Was haben Sie gesagt, Herr Komarovskij? Besinnen Sie sich doch,
mir ist nicht nach Späßen zumute! Koko, Kokotschka, sag doch
ein Wort! Auf deinen Vater ... ja ... Aber Gottes Hand ...
Koko! Koko!«
Der Schwarm der Gäste wogte nun wieder aus dem Salon in den
Saal hinüber. Mitten unter ihnen schritt Kornakov. Er scherzte
laut und beteuerte jedem, der es hören wollte, es sei ihm nicht das
mindeste passiert. Zugleich drückte er eine saubere Serviette auf
die leicht blutende Fleischwunde an seiner linken, aufgeschürften
Hand. In einer anderen Gruppe, ein wenig abseits, im Hintergrund, führte man Lara am Arm herbei.
Als er sie sah, war Jura nahe daran, die Besinnung zu verlieren.
›Sie also ist es! Und wieder unter außergewöhnlichen Umständen!
Und auch dieser graumelierte Mensch ist wieder dabei!‹ Aber Jura
kannte ihn jetzt. Es war der angesehene Rechtsanwalt Komarovskij. Er hatte mit ihm wegen des väterlichen Erbes verhandelt.
Er brauchte ihn nicht zu grüßen. Jura und er gaben sich den Anschein, als kennten sie einander nicht. ›Aber sie ... sie war es also,
die geschossen hatte? Auf den Staatsanwalt! Bestimmt gehörte sie
irgendwie zu den ‚Politischen‘. Die Arme! Diese Sache wird ihr
nicht gut bekommen. Wie stolz und wie schön sie ist! Diese Teufel
aber ziehen sie an den Händen; sie verdrehen ihr die Arme wie
einer überführten Diebin.‹
Doch hierin täuschte er sich. Lara konnte sich kaum auf den Beinen
halten. Man führte sie am Arm, damit sie nicht hinfiel. Nur mit
Mühe schleppte man sie bis zum nächsten Sessel, in dem sie zusammenbrach.
Jura lief hin, um sie wieder zur Besinnung zu bringen, aber er
beschloß zunächst, seine Anteilnahme dem vermutlichen Opfer des
Attentats zuzuwenden. Er trat auf Kornakov zu und sagte:
»Man verlangte einen Arzt. Ich kann ärztlichen Beistand leisten.
Zeigen Sie mir Ihre Hand. Nun, Sie haben Glück gehabt. Das ist
eine Lappalie, nicht einmal ein Verband wird nötig sein. Immer-
hin könnten ein paar Tropfen Jod nicht schaden. Da ist ja Felizata
Ssemjonowna! Wir wollen sie darum bitten.«
Frau Swentizkij und Tonja kamen schnellen Schrittes, in äußerster

Erregung, auf Jura zu. Sie sagten, er möge alles stehen und liegen lassen und sich sofort zum Weggehen fertig machen; man habe nach ihm geschickt, zu Hause gehe es nicht gut. Jura erschrak, er fürchtete das Schlimmste. Er vergaß alles ringsum und lief hinaus, um sich für den Heimweg anzuziehen.

XV

Anna Iwanowna war nicht mehr am Leben, als sie außer Atem zu Hause ankamen. Sie war zehn Minuten vor ihrer Ankunft gestorben. Ursache des Todes war ein Erstickungsanfall, der sich mehrfach wiederholte – die Folge einer nicht rechtzeitig erkannten Lungengeschwulst.

In den ersten Stunden schrie Tonja wie besessen; sie wand sich in Krämpfen und erkannte niemanden. Am Tag darauf hatte sie sich beruhigt und hörte geduldig zu, was ihr der Vater und Jura erzählten, konnte aber nur mit einem Kopfnicken antworten, denn kaum öffnete sie den Mund, da überfiel sie der Schmerz von neuem, und sie brach in Schreie aus, die so furchtbar klangen, als wäre sie von Sinnen.

In den Pausen zwischen den kirchlichen Totengebeten lag sie stundenlang auf den Knien neben der Toten und umklammerte mit ihren schönen, großen Händen eine Ecke des Sarges und die Kante des Gestells, auf dem die Kränze lagen.

Sie beachtete keinen der Umstehenden. Wenn sie jedoch jemanden unter ihren Freunden erkannte, so erhob sie sich schnell und entfernte sich mit raschen Schritten, von Weinkrämpfen geschüttelt. Über eine kleine Treppe lief sie in ihr Zimmer, warf sich auf ihr Bett und erstickte die Ausbrüche grenzenloser Verzweiflung in den Kissen.

In Juras Seele hatten der Kummer, das lange Stehen, der Schlafmangel, die ermüdenden Trauergesänge, das blendende Kerzenlicht, das Tag und Nacht brannte, und die Erkältung, an der er in diesen Tagen litt, einen traumhaften Zustand zwischen Trauer und süßer Beseligung ausgelöst.

Als man vor zehn Jahren seine Mutter begraben hatte, war Jura noch ein kleiner Junge gewesen. Er erinnerte sich jetzt noch an seine verzweifelten Tränen und an die tiefe Niedergeschlagenheit, in die ihn Kummer und Entsetzen versetzt hatten. Damals war das Wesentliche nicht seine Person gewesen. Er war sich zu jener Zeit kaum bewußt, daß es einen gewissen ›Jura‹ gab, der für sich existierte und einen eigenen Wert haben könnte. Das Wesentliche bestand damals nur aus dem, was um ihn herum war. Die Außenwelt umlagerte Jura von allen Seiten, greifbar, undurchdringlich, unüberwindlich wie ein Wald. Und Jura war so erschüttert über den Tod der Mutter, weil er sich mit ihr in diesem Walde verirrt hatte und nun plötzlich allein darin zurückgeblieben war. Zu diesem Walde gehörten alle Dinge der Welt: Wolken und Ladenschilder, die Feuerbälle auf den Türmen der Feuerwehr und die galoppierenden Reiter vor der Karosse der Muttergottes, die statt der Mützen Ohrenschützer trugen, weil sie im Angesicht des großen Heiligtums barhäuptig sein mußten. Zu diesem Walde gehörten die Auslagen der Geschäfte in den Passagen, der nächtliche Sternenhimmel in seiner unerreichbaren Höhe, der liebe Gott und die Heiligen.

Dieser unerreichbar hohe Himmel hatte sich zu ihnen ins Kinderzimmer niedergesenkt, er war versteckt in den Schürzenfalten der Kinderfrau, wenn sie irgend etwas vom lieben Gott und von den Heiligen erzählte. Er war einem dann so nah und fast mit Händen zu greifen wie der Wipfel des Nußbaumes, der seine Zweige in der Schlucht ausbreitete und dessen Nüsse man abpflückte. Er war bei ihnen im Kinderzimmer in der vergoldeten Tasse, er badete sich in Feuer und Gold, um sich dann in die Frühmesse oder in das Hochamt in der winzig kleinen Kirche der Seitengasse zu verwandeln, in die sie die Kinderfrau mitzunehmen pflegte.

Dort wurden die Himmelssterne zu Ampeln, und der liebe Gott zum ›Batjuschka‹, zum Priester, und so hatte alles seine Bestimmung und seine Ordnung. Die Hauptsache war die wirkliche Welt der Erwachsenen und die Stadt, die sie wie ein dunkler Wald umgab. Mit der ganzen Kraft seines halb animalischen Glaubens verehrte Jura den Gott des Waldes, an den er wie an den Förster glaubte. Inzwischen war alles anders geworden. In den zwölf Jahren der mittleren und höheren Schule hatte sich Jura mit dem Altertum und mit der Religion, mit Sagen und Dichtern, mit der Wissenschaft, der Geschichte und der Natur beschäftigt, so, wie man die Familienchronik des väterlichen Hauses und seinen Stammbaum studiert. Jetzt fürchtete er sich vor nichts mehr, weder vor dem Leben noch vor dem Tode. Alle Dinge dieser Welt waren zu

Vokabeln in seinem Wörterbuch geworden. Er glaubte auf gleichem Fuß mit dem Weltall zu stehen. Er durchlebte die Totenämter für Anna Iwanowna auf eine ganz andere Art, wie die für seine Mutter. Damals hatte er sich in seinem Schmerz ganz verloren, er hatte sich gefürchtet und gebetet. Jetzt aber nahm er das Totenamt gleichsam als eine Mitteilung entgegen, die unmittelbar auf ihn bezogen war und ihn ganz persönlich anging. Er hörte den Worten aufmerksam zu und suchte in ihnen einen klar verständlichen Sinn, wie man ihn bei jedem Werk fordern muß. In seinem Zugehörigkeitsgefühl zu den höheren Mächten von Himmel und Erde lag nun keine Spur von Frömmigkeit mehr. Er verneigte sich vor ihnen wie vor seinen großen Vorläufern.

XVI

›Heiliger Gott, Heiliger Starker, Heiliger Unsterblicher, erbarme Dich unser.‹ Was war das, wo befindet er sich? Der Sarg wird hinausgetragen. Man muß erwachen! Jura war am Morgen in der sechsten Stunde, vollständig angekleidet, auf den Diwan gefallen und sofort eingeschlafen. Sicher hatte er Fieber. Jetzt wird man ihn gleich im ganzen Hause suchen; aber niemand wird auf den Gedanken kommen, daß er hier in der Bibliothek schläft, in einer dunklen Ecke hinter den hohen Bücherregalen, die bis an die Zimmerdecke reichen.

»Jura, Jura!« hörte er den Hausdiener Markel irgendwo ganz nahe rufen. Man ist dabei, den Sarg hinauszutragen. Markel muß die Kränze auf die Straße schleppen. Aber er kann Jura nicht finden. Außerdem ist er im Schlafzimmer, wo die Kränze sich zu einem Berg türmen, eingesperrt, weil die Tür nach außen nicht aufgeht, da sie durch die Garderobentür eingeklemmt ist.

»Markel, Markel! Jura!« ruft man von unten. Mit einem Faustschlag beseitigt Markel das Hindernis, das sich gebildet hat, und läuft mit einigen Kränzen die Treppe hinunter.

›Heiliger Gott, Heiliger Starker, Heiliger Unsterblicher.‹ Der Gesang durchweht wie ein sanfter Windhauch die Gasse und bleibt zwischen den Dächern hängen, so als habe man die Luft mit einer weichen Straußenfeder gestreichelt. Alles gerät ins Schwanken – die Kränze und die Köpfe der Passanten, denen man begegnet, die

Köpfe der Pferde mit den Federbüschen, das an der Kette hin und her schwingende Rauchfaß in des Priesters Hand und die weiße Erde unter seinen Füßen.

»Jura! Mein Gott, endlich! So wach doch auf, bitte!«

Schura Schlesinger, die ihn endlich gefunden hat, schüttelt ihn an der Schulter. »Was fehlt dir? Man trägt gerade den Sarg hinaus. Du kommst doch mit?«

»Aber natürlich.«

XVII

Die Begräbnisfeier war zu Ende. Die völlig durchgefrorenen Bettler traten von einem Bein aufs andere, drängten zusammen und bildeten zwei Reihen. Der Leichenwagen schwankte ein wenig, auch der Beiwagen mit den Kränzen und Krügers Kalesche wurden verschoben. Die Mietwagen waren näher an die Kirche herangefahren. Ganz verweint kam Schura Schlesinger aus der Kirche, hob den von ihren Tränen feucht gewordenen Schleier und warf einen prüfenden Blick auf die Wagenreihe. Nachdem sie die Sargträger vom Begräbnisbüro entdeckt hatte, winkte sie diese heran und verschwand mit ihnen in der Kirche. Immer mehr Volk strömte aus der Kirche heraus.

»Nun ist die Reihe also an Anna Iwanowna! Sie hat sich empfohlen! Die Ärmste hat eine Fahrkarte für eine weite Reise gelöst.«

»Ja, freilich, die Arme! Jetzt hat es mit ihrem Gehüpfe ein Ende. Der Grashüpfer kann sich erholen.«

»Haben Sie eine Droschke oder reiten Sie auf Schusters Rappen?«

»Vom langen Stehen bin ich lahm. Machen wir einen kleinen Gang, und dann können wir ja fahren.«

»Haben Sie bemerkt, wie es Fukov mitgenommen hat? Und wie er die Entschlafene angesehen hat! Die Tränen stürzten ihm aus den Augen, er schneuzte sich, hätte sie am liebsten aufgefressen. Und der Gatte stand dicht dabei!«

»Sein Lebtag hat er sie mit den Augen verschlungen.«

Mit solchen und ähnlichen Gesprächen schleppte man sich bis zum Friedhof am anderen Ende der Stadt. An diesem Tage hatte der starke Frost nachgelassen. Die Luft war von regungsloser Schwere. Es war ein Tag, an dem die Kälte aufgehört hatte und ein Leben

dahingegangen war, ein Tag, der von der Natur selber für Begräb-
nisse wie geschaffen schien. Der schmutzig gewordene Schnee
schien wie durch einen Trauerflor zu schimmern. Von jenseits der
Friedhofsmauer schauten feuchte Tannen, schwarz wie angelau-
fenes Silber, mittrauernd zu.
Es war derselbe denkwürdige Friedhof, wo Marja Nikolajewna zur
letzten Ruhe gebettet worden war. In den letzten Jahren war Jura
nicht mehr am Grabe seiner Mutter gewesen. ›Mamilein.‹ Er
blickte aus der Ferne nach jener Stelle und flüsterte fast mit demselben Ausdruck wie vor Jahren:
»Mammi.«
Feierlich, fast wie auf einem Gemälde, bewegte sich der Trauerzug
auf den gefegten Fußwegen, deren verschlungene Windungen
schlecht mit der zeremoniellen Gemessenheit der Schritte zusammenpaßten. Alexander Alexandritsch führte Tonja am Arm. Die
Krügers folgten. Tonja stand die Trauerkleidung sehr gut zu
Gesicht.
An den goldenen Ketten der Kuppelkreuze und an den rosafarbenen Klostermauern bärtiger Reif, zottelig wie Schimmel. In einer
abgelegenen Ecke des Klosterhofes waren, von einer Mauer zur
anderen, Seile gezogen, an denen Wäsche zum Trocknen hing:
Hemden mit herunterhängenden, feuchtschweren Ärmeln, pfirsich-
farbene Tischtücher, zerknitterte, schlecht ausgewrungene Laken.
Juras Blick fiel auf diese Stelle des Klosterbezirks, und er erinnerte
sich, daß gerade hier damals der Sturm gewütet hatte. Inzwischen
hatte sich der Ort durch Neubauten verändert.
Jura ging allein. Mit seinen raschen Schritten hatte er die anderen
bald überholt; mitunter blieb er stehen und wartete auf sie. Als
Reaktion auf die Öde und Leere, die der Tod in dieser langsam
dahinziehenden Gesellschaft zurückgelassen hatte, erfaßte ihn mit
unwiderstehlicher Gewalt – wie der Sog im Wasser, wenn es
trichterförmig zu einem Strudel zusammenschießt – das Bedürfnis,
etwas zu formen und Schönes zu schaffen. Es war ihm so klar wie
nie zuvor, daß die Kunst sich unaufhörlich mit zwei Dingen befaßt: unweigerlich bleibt sie des Todes eingedenk, und unabänderlich erschafft sie eben hierdurch das Leben – die große, wahre
Kunst, die man als Offenbarung, als apokalyptisch bezeichnen
muß, und jene, die sie ergänzt.
Jura sehnte sich danach, für ein oder zwei Tage aus dem Gesichts-

kreis der Familie und der Universität zu verschwinden und etwas zum Gedächtnis der verstorbenen Anna Iwanowna zu schreiben. In seinen Versen wollte er alles ausdrücken, was ihn im Augenblick bewegte. Zufällige Impressionen, wie sie das Leben bot; einige besonders schöne Wesenszüge der Verstorbenen; die Gestalt Tonjas im Trauerkleid; ein paar Beobachtungen auf der Straße beim Rückweg vom Friedhof; die zum Trocknen aufgehängte Wäsche an der Stelle, wo vor langer Zeit irgendwann einmal in der Nacht der Sturm geheult hatte, und wie er damals als kleiner Junge hatte weinen müssen.

Herangereifte Unvermeidlichkeiten

Lara lag halb im Fieberwahn im Schlafzimmer von Felizata Ssemjonowna. Das Ehepaar Swentizkij, Dr. Drokov und Dienstboten
bemühten sich flüsternd um sie.

Das leere Haus der Swentizkijs war ganz in Dunkel gehüllt. Nur
in der Mitte der langen Zimmerflucht, im kleinen Salon, brannte
an der Wand eine matte Lampe, die ihr Licht nach beiden Seiten
in die benachbarten Räume aussandte.

Nicht wie ein Gast, sondern als wäre er hier zu Hause, wanderte
Victor Ippolotowitsch mit wütenden und entschlossenen Schritten
vom einen Ende der Zimmerflucht zum anderen. Bald warf er einen
Blick ins Schlafzimmer und erkundigte sich, was da vorging, bald
begab er sich an das entgegengesetzte Ende des Hauses, vorbei am
Weihnachtsbaum mit den silbernen Ketten, ging bis zum Eßzimmer, wo der Tisch unter den nicht angerührten Speisen fast
zusammenbrach. Die grünen Weingläser klirrten, wenn auf der
Straße hinter dem Fenster ein Wagen vorüberrollte oder ein Mäus-
lein zwischen den Gedecken über das Tischtuch huschte.

Komarovskij kannte sich nicht mehr vor Wut. Die mannigfachsten
Empfindungen drängten sich in seiner Brust. Welch ein Skandal!
Was für ein Unfug! Er war außer sich vor Wut. Seine Stellung war
gefährdet. Sein guter Ruf, sein Ansehen standen auf dem Spiel.
Man mußte, koste es, was es wolle, noch ehe es zu spät war, allen
Klatschereien zuvorkommen, und falls sich das Gerede schon
herumgesprochen haben sollte, die Gerüchte gleich im Entstehen
ersticken. Zur gleichen Zeit empfand er aufs neue die unwiderstehe-
liche Macht dieses verzweifelten, rasenden Mädchens. Es lag auf
der Hand, sie war nicht wie alle anderen. Immer umgab sie etwas
Ungewöhnliches. Aber wie gründlich und heillos hatte er ihr Leben
verdorben! ›Wie sie sich windet!‹ dachte er. ›Wie sie sich die ganze

Zeit über empört und auflehnt im Bestreben, ihr Schicksal auf ihre Weise umzugestalten und es von neuem zu beginnen!‹

Auf jeden Fall mußte man ihr beistehen. Vielleicht könnte man ihr ein Zimmer mieten. Aber unter keinen Umständen durfte er sich ihr wieder nähern – im Gegenteil, er mußte sich ganz von ihr entfernen und zurücktreten, so daß kein Schatten auf ihn fiel, sonst könnte sie nämlich, so wie sie war, noch irgend etwas anstellen!

Und wieviel Mühen standen da noch bevor! Für Dinge dieser Art wird man nicht gerade gelobt. Das Gesetz schläft nicht. Es war noch Nacht, und keine zwei Stunden waren vergangen, seit diese Geschichte passiert war. Doch schon zweimal waren Anfragen von der Polizei gekommen, und Komarovskij hatte sich in die Küche begeben, um mit dem Polizisten vom Revier zu sprechen und alles ins Lot zu bringen.

Je länger es dauerte, desto verwickelter würde alles werden! Beweise müßten beigebracht werden, daß Lara auf ihn und nicht auf Kornakov gezielt hatte. Und damit wäre die Sache immer noch nicht erledigt. Ein Teil der Verantwortung wäre von Lara genommen. Sie würde aber trotzdem einer gerichtlichen Untersuchung nicht ausweichen können.

Natürlich würde er dem mit aller ihm verfügbaren Kraft entgegentreten. Und wenn es zu einem Prozeß käme, würde er ein Gutachten von Psychiatern über Laras Unzurechnungsfähigkeit im Augenblick des Attentats beibringen und erreichen, daß die Sache niedergeschlagen würde.

Komarovskij begann, sich bei diesem Gedanken zu beruhigen. Die Nacht war vorbei. Lichtstrahlen huschten von Zimmer zu Zimmer, sie schienen unter die Tische und Sofas zu blicken wie Diebe oder Schätzungsbeamte von Pfandhäusern.

Nachdem Komarovskij sich im Schlafzimmer vergewissert hatte, daß es Lara nicht besser ging, fuhr er von Swentizkijs zu einer ihm bekannten Juristin, Rufina Onissimowna Woit-Woitkowskij, der Frau eines politischen Emigranten. Sie hatte eine Achtzimmerwohnung, die zu groß für sie war und ihre Mittel überstieg. Sie vermietete zwei Zimmer. Eines davon, das vor kurzem frei geworden war, mietete Komarovskij für Lara. Nach ein paar Stunden brachte man Lara, halb ohnmächtig und im Fieber, in diese Wohnung. Sie hatte einen schweren Nervenzusammenbruch.

II

Rufina Onissimowna war eine fortschrittliche Frau, die allen Vorurteilen feindlich gesinnt war und es nach ihren eigenen Worten mit aller Welt gut meinte, kurz, eine Frau, die auf der Seite der positiven und aufbauenden Kräfte des Lebens stand.

Auf ihrer Kommode lag ein Exemplar des Erfurter Programms mit einer Widmung des Verfassers. Auf einem Foto, das an der Wand hing, war ihr Gatte – ›Mein guter Woit‹ – zu sehen, und zwar bei einer öffentlichen Feier in der Schweiz zusammen mit Plechanov. Die beiden waren sommerlich gekleidet, in Lüsterjacken und mit Panamas.

Rufina Onissimowna empfand auf den ersten Blick eine Abneigung gegen ihre neue Mieterin. Sie hielt Lara für eine böswillige Simulantin. Laras Anfälle schienen ihr geheuchelt zu sein. Rufina Onissimowna war bereit zu beschwören, daß Lara die Rolle des wahnsinnigen Gretchens im Kerker spielte.

Sie brachte ihre Verachtung für Lara durch ein Übermaß an Lebhaftigkeit zum Ausdruck. Sie knallte mit den Türen, sang laut, fegte wie ein Sturmwind durch ihre eigenen Räume und lüftete tagelang ihre Zimmer.

Ihre Wohnung befand sich im oberen Stockwerk eines großen Hauses auf dem Arbat. Die Fenster dieser Etage waren von der Wintersonnenwende an überschwemmt von blauem Himmel, der wie ein breiter Strom über die Ufer getreten zu sein schien. Während der ganzen zweiten Hälfte des Winters war die Wohnung von Vorzeichen des nahenden Frühlings erfüllt.

Durch die Klappfenster wehte ein warmer Südwind, man hörte die Lokomotiven auf den Bahnhöfen kreischen, und die kranke Lara in ihrem Bett gab sich weit zurückliegenden Erinnerungen hin.

Sehr oft mußte sie an den ersten Abend in Moskau denken, als sie vor etwa sieben oder acht Jahren in den unvergeßlichen Tagen ihrer Kindheit aus dem Ural gekommen war.

Sie waren in einem leichten Wagen durch halbdunkle Gassen quer durch Moskau vom Bahnhof ins Hotel gefahren. Die nahenden und sich wieder entfernenden Laternen warfen den gekrümmten Schatten ihres Kutschers an die Mauern. Der Schatten wuchs und wuchs, wurde riesengroß und bedeckte Fahrdamm und Dächer, um sich dann plötzlich aufzulösen. Hierauf begann alles von neuem.

In der Dunkelheit zu ihren Häupten dröhnten die vierzigmal vierzig Kirchenglocken. Die Pferdebahnen fuhren mit Geklingel durch die Stadt, aber auch die marktschreierischen Auslagen und die Lichter versetzten Lara in einen Zustand der Betäubung. Es war, als gäben sie einen Ton von sich, ähnlich wie die Glocken oder die rüttelnden Räder.

Sie war erstaunt über eine Wassermelone von unwahrscheinlichen Ausmaßen, die auf dem Tisch im Gasthof lag, ein Willkommensgruß Komarovskijs. In dieser Wassermelone sah Lara ein Symbol der Macht und des Reichtums Komarovskijs. Als Victor Ippolitowitsch mit einem knirschenden Messerhieb das üppige flaschengrüne Wunder mit dem eiskalten zuckersüßen Herzstück spaltete, verschlug es Lara den Atem vor Angst, aber sie wagte nicht, abzulehnen. Sie schluckte die rosigduftenden Stücke hinunter, obgleich es fast über ihre Kraft ging, denn in der Erregung wären ihr diese Stücke beinahe im Halse steckengeblieben.

Diese Furcht beim Anblick des kostspieligen Leckerbissens und der nächtlichen Stadt übertrug sich auf Komarovskij – dies war der eigentliche Schlüssel für alles, was sich später ereignen sollte!

Aber Komarovskij war jetzt nicht wiederzuerkennen. Er forderte nichts, er brachte sich selber nicht in Erinnerung, ja, er zeigte sich nicht einmal. Und immer wieder bot er ihr, die Distanz wahrend, in der nobelsten Weise seine Hilfe an.

Ganz anders stand es um den Besuch Kologriwovs. Lara war hoch erfreut, Lawrentij Michailytsch wiederzusehen. Mit seiner großen stattlichen Figur und seiner überschäumenden Lebhaftigkeit, mit seinen blitzenden Augen und mit seinen klugen Späßen füllte er das halbe Zimmer aus, so daß es darin zu eng wurde.

Händereibend saß er an Laras Bett. Wenn er nach Petersburg in den Ministerrat geladen wurde, so sprach er mit den alten, hohen Würdenträgern, als wären sie Erstkläßler. An Laras Krankenlager fand er ein Stück seines eigenen Heimes wieder. Sie war ja so gut wie seine Tochter, mit der er wie mit seinen Angehörigen kurze Blicke und flüchtige Bemerkungen auszutauschen pflegte. Das war das Wesentliche seiner einsilbigen Ausdrucksweise, und beide Teile wußten dies wohl. Er konnte sich Lara gegenüber nicht ernsthaft und distanziert verhalten, sie schien ihm immer noch nicht ganz erwachsen zu sein. Da er nicht wußte, wie er mit ihr sprechen sollte, um sie nicht zu verletzen, sagte er lachend und wie zu einem Kinde:

»Was haben Sie da angestellt, mein liebes Kind! Was sind das für Melodramen und wozu das Ganze?« Er schwieg und blickte auf die feuchten Flecken an der Zimmerdecke und auf den Tapeten. Dann schüttelte er vorwurfsvoll den Kopf und fuhr fort: »In Düsseldorf wird jetzt eine internationale Kunstausstellung für Malerei, Plastik und Gartenbau eröffnet. Ich habe vor, hinzufahren. Es ist feucht bei Ihnen. Und wollen Sie wirklich noch so lange zwischen Himmel und Erde schweben? Hier haben Sie, weiß Gott, keine bequeme Unterkunft. Diese Woit ist, unter uns gesagt, eine nichtswürdige Person. Ich kenne sie. Ziehen Sie um! Sie haben hier lange genug gelegen. Sie waren krank, nun aber Schluß damit! Es ist an der Zeit, daß Sie aufstehen! Mieten Sie ein anderes Zimmer. Beschäftigen Sie sich mit vernünftigen Dingen, beenden Sie Ihr Studium! Ich habe einen Freund, einen bekannten Künstler, der für zwei Jahre nach Turkestan reisen will. Sein Atelier ist durch Zwischenwände unterteilt, und Sie würden da sozusagen eine kleine Wohnung für sich allein haben. Ich glaube, er wäre bereit, diese mitsamt den Möbeln in gute Hände zu geben. Soll ich das für Sie arrangieren? Und dann noch eins: ich darf doch wohl einen Augenblick von geschäftlichen Dingen reden. Ich wollte es schon längst. Ich halte es für meine heilige Pflicht . . . seit Lipa . . . hier ist eine kleine Summe, eine Art Gratifikation für das Schlußexamen. Nein, Sie müssen schon erlauben, Sie gestatten schon . . . Nein, ich bitte Sie, weigern Sie sich nicht . . . Nein, verzeihen Sie bitte.« Und im Fortgehen nötigte er sie, trotz ihres Widerspruchs, ihrer Tränen und ihrer heftigen Ablehnung, einen Bankscheck über zehntausend Rubel anzunehmen.

Nachdem Lara genesen war, zog sie in die neue Wohnung, die ihr Kologriwov empfohlen hatte. Diese lag in nächster Nähe vom Smolensker Markt, im oberen Stock eines kleinen, zweistöckigen Steinhauses alter Bauart. Im Erdgeschoß waren Lagerräume. Im Hause wohnten Fuhrleute. Der Hof mit dem Kopfsteinpflaster war immer mit Haferkörnern oder Heuresten bestreut. In diesem Hof stolzierten gurrende Tauben einher. Mit lautem Flügelschlag stiegen sie auf, jedoch nie höher als bis zu Laras Fenster. An einem steinernen Abflußrohr im Hof rannten bisweilen Scharen von Ratten vorbei.

III

Um Pascha machte man sich viele Sorgen. Solange Lara ernstlich krank war, hatte man ihn zu ihr gelassen. Was mußte er empfinden? Lara hatte, so glaubte Pascha, einen Menschen umbringen wollen, der ihr gleichgültig war; dann aber hatte sie unter dem Schutz eben dieses Menschen gestanden – unter dem Schutz des Opfers ihrer mißlungenen Tat. Und dieses alles nach ihrer denkwürdigen Unterredung in der Weihnachtsnacht, angesichts der brennenden Kerzen! Wäre dieser Mensch nicht gewesen, so hätte man Lara verhaftet und verurteilt. Er war es, der sie vor der drohenden Bestrafung bewahrt hatte. Dank ihm konnte sie weiterstudieren, und es war ihr nichts widerfahren. Pascha war aufs höchste verwirrt, er kannte sich nicht mehr aus.

Als es ihr wieder besser ging, ließ Lara Pascha kommen. Sie sagte: »Ich bin schlecht. Du kennst mich nicht. Irgendwann werde ich es dir erzählen. Das Sprechen fällt mir schwer; du siehst es doch; ich ersticke in Tränen. Vergiß mich, gib mich auf, ich bin deiner nicht würdig.«

Herzzerreißende Szenen folgten, eine unerträglicher als die andere. Die Woitkowskaja – dies alles spielte sich nämlich noch zur Zeit von Laras Aufenthalt auf dem Arbat ab – stürzte, als sie des verweinten Pascha ansichtig wurde, aus dem Korridor in ihre Zimmer, warf sich dort auf den Diwan und schüttelte sich vor Lachen, wobei sie rief: »Ach, ich kann nicht mehr, ach, ich kann nicht mehr! Wirklich, da kann man nur sagen, wahrhaftig . . . Hahaha! Wahrhaftig – ein Ritter, ein Recke! Hahaha!«

Um Pascha von der ihn erniedrigenden Bindung zu befreien, um das Übel mit der Wurzel auszureißen und allen Qualen ein Ende zu bereiten, erklärte Lara, daß sie ein für allemal auf ihn verzichte, weil sie ihn nicht liebte; dabei schluchzte sie aber so, daß man ihr unmöglich glauben konnte. Pascha traute ihr sämtliche Todsünden zu, glaubte ihr kein einziges Wort, war bereit, sie zu verfluchen und seinen Haß auf sie zu werfen; und doch liebte er sie wahnsinnig und war eifersüchtig auf ihre eigenen Gedanken, auf die Tasse, aus der sie trank, auf das Kissen, auf dem sie lag. Wollte man nicht den Verstand verlieren, so mußte entschlossen und rasch gehandelt werden. Sie beschlossen zu heiraten, und zwar unverzüglich, noch vor den Prüfungen. Man hatte vor, die Hochzeitsfeier auf dem

›Roten Berg‹ zu begehen. Aber auf Laras Bitte wurde die Hochzeit wieder verschoben. Sie wurden am Heilig-Geist-Tage, das ist der zweite Tag der Dreifaltigkeit, getraut, nachdem unzweifelhaft feststand, daß sie beide ihr Examen bestanden hatten. Die Hochzeit wurde durch Ludmilla Kapitonowna Tschepurko, die Mutter einer Kommilitonin, ausgerichtet, die gleichzeitig mit Lara Examen gemacht hatte. Ludmilla Kapitonowna war ein schönes Weib, hochbusig, mit einer tiefen Altstimme, eine vortreffliche Sängerin und eine entsetzliche Schwätzerin, die es mit der Wahrheit nicht genau nahm. Zu den umlaufenden Gerüchten und Vermutungen erfand sie eine Unmenge hinzu.

In der Stadt war es entsetzlich heiß, als Lara ›unter die goldene Krone‹ gebracht wurde, wie Ludmilla Kapitonowna mit ihrem Zigeuneralt vor sich hin murmelte, während sie Lara vor der Abfahrt schön schmückte. Die goldenen Kuppeln der Kirchen und der frische Sand auf den Gehwegen waren von einem grellen Gelb. Die Birken mit ihrem staubigen Grün, die man für das Dreifaltigkeitsfest geschlagen hatte, ließen traurig ihr Laub hängen; die Blätter hatten sich aufgerollt und sahen so aus, als wären sie verbrannt. Es hielt schwer zu atmen, und die Sonne brannte so, daß einem die Augen weh taten. Und wahrhaftig, es war, als würden ringsum tausend Hochzeiten gefeiert, weil alle Mädchen Lockenfrisuren hatten und gekleidet waren wie Bräute und alle jungen Männer aus Anlaß des Feiertags sich mit Pomade das Haar gestriegelt hatten und lange schwarze Hosen trugen. Und alle Welt war aufgeregt, und alle litten unter der glühenden Hitze.

Frau Lagodina, die Mutter einer anderen Freundin, hatte Lara eine Handvoll Silbermünzen als Omen künftigen Reichtums vor die Füße geworfen, als sie den kleinen Teppich vor dem Altar betrat; Ludmilla Kapitonowna gab Lara zu demselben Zweck den Rat, wenn sie unter der Brautkrone stünde, sich nicht mit der bloßen Hand zu bekreuzigen, vielmehr müsse sie mit einem Stückchen Tüll oder mit einer Spitze halb verdeckt sein. Dann sagte sie noch: Lara solle die Kerze hochhalten, dann würde sie im Hause die Herrschaft haben. Doch opferte sie ihre Zukunft zugunsten Paschas auf, indem sie die Kerze so niedrig wie möglich hielt. Und doch war alles umsonst; denn sosehr sie sich auch bemühte, immer kam es so, daß Laras Kerze höher als die Paschas war.

Gleich nach der Kirche begab man sich zu einem kleinen Festessen in das Atelier des Künstlers, das von Antipov ausgerichtet wurde. Die Gäste schrien nach altem Volksbrauch: »Bitter, bitter, man kann's nicht trinken«; von der anderen Seite des Tisches wurde die Antwort gebrüllt: »Dann muß man es süßen«, und das junge Paar lächelte verschämt, und sie küßten sich. Ludmilla Kapitonowna begrüßte sie mit dem Gesang des Preisliedes ›Traube‹ mit dem doppelten Refrain: ›Gott gebe euch Liebe und guten Rat‹, worauf das Lied folgte: ›Lös dich auf, du dicker, starker Zopf, breite dich aus, du blondes Haar.‹

Als alle gegangen waren und sie allein blieben, wurde Pascha in der plötzlichen Stille ganz unheimlich zumute. Im Hof brannte, gegenüber von Laras Fenster, eine Laterne auf hohem Pfahl. Lara konnte so viele Vorhänge anbringen, wie sie wollte, ein schmaler Schlitz, wie in einem zersägten Brett, ließ das Licht ins Zimmer dringen. Dieser schmale Streifen ließ Pascha keine Ruhe, er glaubte, sie würden beobachtet. Er bemerkte zu seinem Schrecken, daß er mit dieser Laterne mehr beschäftigt war als mit sich selber, als mit Lara und mit seiner Liebe zu ihr.

In dieser Nacht, die eine Ewigkeit währte, lernten der ehemalige Student Antipov, ›Stepanida‹ und das ›Rosenschöne Mädchen‹, wie sie die Studiengefährten nannten, den Gipfel der Seligkeit, aber auch die Abgründe der Verzweiflung kennen. Seine Verdächtigungen wechselten mit Laras Geständnissen. Er fragte, und nach jeder ihrer Antworten sank ihm das Herz tiefer, als stürze er in einen Abgrund. Mit jeder neuen Entdeckung, die er machte, wurde das Bild Laras in seiner Vorstellung immer mehr vernichtet. Sie redeten miteinander bis zum Morgen. Im Leben Antipovs hatte es keine Wandlung gegeben, die niederschmetternder und plötzlicher gekommen wäre als diese Nacht. Am Morgen stand er als ein anderer Mensch auf, fast erstaunt darüber, daß er immer noch denselben Namen trug wie ehedem.

IV

Zehn Tage später veranstalteten die Freunde für sie eine Abschiedsfeier im selben Zimmer. Pascha und Lara hatten beide ihr Examen mit Auszeichnung bestanden; beide bekamen die Aufforderung, in derselben Stadt im Ural eine Stellung anzutreten. Schon am nächsten Morgen wollten sie abfahren. Und wieder wurde getrunken, gesungen und gelärmt, aber diesmal nur von der Jugend. Hinter der Scheidewand, die den Wohnraum von dem großen Atelier trennte, wo sich die Gäste versammelt hatten, standen die Reisekörbe Laras, ein Handkoffer, eine Kiste mit Geschirr und einige Säcke. Sie hatten viel Gepäck. Ein Teil davon sollte am Morgen des folgenden Tages mit dem Güterzug befördert werden. Es war schon fast alles gepackt, aber es gab noch einiges zu tun. In der Kiste und den Körben war noch Platz. Von Zeit zu Zeit fiel Lara etwas ein, was sie vergessen hatte. Sie ging hinter die Scheidewand und stopfte einen Gegenstand in den Korb, wobei sie darauf achtete, die entstandenen Lücken wieder auszufüllen.

Pascha war schon mit den Gästen zu Hause, als Lara, die wegen ihres Taufscheines und sonstiger Papiere in die Universitätskanzlei gefahren war, in Begleitung des Hausdieners mit einer Bastmatte und einem großen Bündel dicker Schnüre für das Gepäck zurückkehrte. Sie entließ den Hausdiener, machte die Runde bei den Gästen, die sie mit Händedruck, durch Umarmungen und Küsse begrüßte. Dann begab sie sich hinter die Scheidewand, um sich umzukleiden. Als sie umgezogen wieder erschien, klatschten alle in die Hände, sie wurde laut begrüßt. Man setzte sich nieder, und nun begann ein fröhliches Treiben wie vor ein paar Tagen bei der Hochzeit. Die Unternehmungslustigeren schenkten ihren Nachbarn Wodka ein, viele mit Gabeln bewaffnete Hände langten nach dem Brot und sonstigen eßbaren Dingen auf dem Tisch, Reden wurden gehalten, und wenn der Wodka durch die Kehle rann, räusperte man sich, und ein Witz jagte den anderen. Einige der Anwesenden waren bald betrunken.

»Ich bin todmüde«, sagte jetzt Lara, die neben ihrem Mann saß. »Und du – bist du mit allem fertig geworden, was du machen wolltest?« – »Ja.« – »Trotz allem fühle ich mich ausgezeichnet! Ich bin glücklich und du?« – »Ich auch! Es geht mir gut. Aber wir müssen noch darüber reden.«

Zum fröhlichen Abend im Kreise der jungen Gesellschaft war ausnahmsweise auch Komarovskij eingeladen worden. Gegen Schluß des Abends wollte er in einer Rede ausführen, daß er sich nach der Abreise seiner jungen Freunde vereinsamt fühlen und daß Moskau für ihn zur Sahara werden würde. Aber er geriet so sehr in Rührseligkeit, daß er aufschluchzte und den vor Erregung unterbrochenen Satz wiederholen mußte. Er bat Antipovs um Erlaubnis, mit ihnen zu korrespondieren und sie in Jurjatino, dem Ort ihrer Bestimmung im Ural, besuchen zu dürfen, wenn er die Trennung nicht würde ertragen können.

»Aber das ist vollkommen unnötig!« rief Lara laut und nicht gerade liebenswürdig. »Das geht entschieden zu weit, die Korrespondenz, das mit der Sahara und so weiter. Und was Ihr Kommen betrifft, so lassen Sie sich das nicht einfallen! Gott gebe, daß Sie auch ohne uns heil und gesund bleiben, denn wir stellen ja gar nicht so eine Seltenheit dar, nicht wahr, Pascha? Sie werden doch bestimmt unter Ihren jungen Freunden einen Ersatz für uns finden.« Sie hatte ganz vergessen, mit wem und worüber sie sprach. Jetzt fiel es ihr wieder ein, sie erhob sich hastig und ging in die Küche. Dort schraubte sie ihren Fleischwolf auseinander und packte die einzelnen Teile in die Geschirrkiste, wobei sie Heu nachstopfte. Bei dieser Gelegenheit hätte sie sich fast einen spitzen Holzsplitter, der sich vom Kistenrande gelöst hatte, in die Hand getrieben.

Über der Packerei hatte sie die Gäste völlig vergessen. Sie hatte eine Weile nichts von ihnen gehört, als sie sich plötzlich durch lautes Geschrei und hitzige Reden und Widerreden bemerkbar machten. Lara mußte daran denken, daß Betrunkene immer bemüht sind, ihre Trunkenheit auch zum Ausdruck zu bringen, und zwar um so ungeschickter und übertriebener, je betrunkener sie sind.

In diesem Augenblick erregte ein seltsames Geräusch, das vom Hofe her durch das offene Fenster hereindrang, ihre Aufmerksamkeit. Lara schob den Vorhang zurück und beugte sich hinaus. Im Hofe humpelte in lahmen Sprüngen ein an den Füßen gefesseltes Pferd herum. Wem es gehörte, wußte man nicht, es hatte sich wohl durch Zufall in den Hof verirrt. Draußen wurde es schon hell, es war aber noch lange vor Sonnenaufgang. Die schlafende und ausgestorbene Stadt ertrank in der blaßvioletten Kühle der frühen Morgenstunde. Lara schloß die Augen. Gott weiß, in welch wunderbare ländliche Einsamkeit sie das Geräusch der klappernden Hufe, das mit nichts zu vergleichen ist, versetzt hatte! Von der Treppe her wurde geschellt. Lara horchte auf, jemand von der Tischgesellschaft ging hinaus, um zu öffnen; es war Nadja. Lara stürzte der Eintretenden entgegen. Sie kam direkt vom Bahnhof – frisch und bezaubernd wie immer. Sie duftete nach Maiglöckchen aus Dupljanka. Die Freundinnen waren außerstande, auch nur ein Wort zu sagen. Sie standen da, und wirklich – sie weinten! Sie umarmten sich, und sie hätten sich bald erdrückt. Nadja überbrachte mit der Gratulation des ganzen Hauses und den Wünschen für eine gute Fahrt ein kostbares Geschenk von den Eltern. Sie entnahm ihrem Reisebeutel eine in Papier gehüllte Schatulle. Sie wickelte sie aus, der Deckel sprang auf, und sie überreichte Lara ein Geschmeide von seltener Schönheit.

An staunenden Ahs und Ohs fehlte es nicht. Einer der Betrunkenen, der inzwischen nüchterner geworden war, sagte: »Rosenfarbener Hyazinth! Jaja – rosenfarben, was denken Sie eigentlich! Ja, dieser Stein ist soviel wert wie ein Diamant.«

Aber Nadja bestritt es und sagte, es wären gelbe Saphire. Lara setzte sich neben sie und bot ihr etwas zu essen an. Sie hatte das Geschmeide neben ihr Besteck gelegt und blickte es wie gebannt an. Diese zu einem Häufchen zusammengerafften Steine lagen auf einem violetten Kissen, sie schienen zu glühen und zu brennen; bald glaubte man, Wassertropfen vor sich zu haben, bald schienen sie sich in kleine Weintrauben zu verwandeln.

Inzwischen waren einige Gäste wieder nüchtern geworden. Sie tranken jedoch noch ein Gläschen, weil jetzt Nadja dabei war. Bald war auch Nadja nicht mehr nüchtern.

Im Handumdrehen hatte sich das Haus in ein Traumland verwandelt. Die meisten Gäste, die die Antipovs zum Bahnhof begleiten wollten, blieben über Nacht bei ihnen. Die Hälfte der Anwesenden schnarchte schon längst in verschiedenen Ecken. Lara konnte sich nicht mehr daran erinnern, wie es kam, daß sie angezogen auf dem Diwan neben der schon schlafenden Ira Lagodina lag.

Sie erwachte von einem lauten Gespräch, das dicht neben ihr geführt wurde. Es waren fremde Stimmen von Männern, die von der Straße auf den Hof gekommen waren, um nach dem verschwundenen Pferd zu suchen. Lara öffnete die Augen und staunte. ›Dieser Pascha ist tatsächlich unermüdlich! Da steht er nun wie ein Pfahl mitten im Zimmer. Was tut er da?‹ In diesem Augenblick wandte der Mann, den sie für Pascha hielt, ihr sein Gesicht zu, und sie sah, daß es keineswegs Pascha war, sondern irgendein fürchterlich aussehender, pockennarbiger Kerl, über dessen Gesicht sich von der Schläfe bis zum Kinn eine Narbe hinzog. Da verstand sie erst, daß sich hier ein Dieb eingeschlichen hatte. Sie wollte schreien, aber sie war außerstande, auch nur einen Ton herauszubringen. Plötzlich mußte sie an das Geschmeide denken; sie stützte sich unauffällig auf den Ellenbogen auf und blickte schräg über den Tisch.

Das Geschmeide lag noch auf seinem Platz zwischen Brotkrumen und angebissenen Bonbons. Der nicht gerade findige Bösewicht hatte es in dem Haufen von Speiseresten nicht bemerkt. Er kramte nur in der eingepackten Wäsche herum und brachte Laras Gepäck in Unordnung. Lara, die noch betrunken und schläfrig war, so daß sie die Lage nicht recht überblickte, tat es besonders leid um ihre vergebliche Arbeit. Voll Zorn wollte sie abermals aufschreien, aber wieder vermochte sie den Mund nicht aufzutun und die Lippen zu bewegen. Dann stieß sie die an ihrer Seite liegende Ira Lagodina mit dem Knie in die Magengrube, und als jene vor Schmerz laut aufschrie, schrie Lara mit ihr. Der Dieb ließ den Packen zusammengeraffter Sachen fallen und stürzte zum Zimmer hinaus.

Einige Gäste hatten inzwischen die Situation erfaßt und rannten dem Flüchtenden nach, der natürlich längst über alle Berge war.

Das Durcheinander und die erregten Gespräche über den Zwischenfall gaben das Signal zum allgemeinen Aufbruch. Wie durch Zauberei war jede Spur von Trunkenheit bei Lara verschwunden. Sie weckte alle Schlafenden unerbittlich, auch wenn sie flehten, noch weiter liegenbleiben zu dürfen, gab ihnen in aller Eile Kaffee zu trinken und schickte sie nach Hause bis zum Wiedersehen bei der Abfahrt des Zuges.

Als alle fort waren, ging die Arbeit rasch von der Hand. Mit der ihr eigentümlichen Eile flog Lara von einem Gepäckstück zum andern, packte die Kissen ein, schnallte die Riemen fester und bat Pascha und die Frau des Hausdieners immer wieder, sie möchten ja nicht helfen und sie nicht stören.

So lief alles programmgemäß ab. Die jungen Antipovs kamen nicht zu spät zum Bahnhof. Der Zug setzte sich langsam und feierlich in Bewegung, er schien die Hutbewegungen der Abschiednehmenden nachzuahmen. Als dann das Hüteschwenken aufhörte und irgendwer, schon aus der Ferne, einen dreifachen Hochruf und ein ›Hurra‹ erklingen ließ, beschleunigte der Zug seine Fahrt.

Schon seit drei Tagen herrschte fürchterliches Wetter. Es war im
zweiten Kriegsherbst. Die Erfolge der ersten Jahre wurden jetzt
durch Mißerfolge abgelöst. Die achte Armee unter Brussilov, die in
den Karpaten zusammengezogen war, bereitete sich vor, von den
Pässen hinabzuziehen, um in Ungarn einzufallen; statt dessen
mußte Brussilov unter dem Druck des allgemeinen Rückzuges
abziehen. Die Russen räumten Galizien, das in den ersten Monaten
der Kriegshandlung besetzt worden war.

Doktor Schiwago, den man früher Jura genannt hatte, der aber
jetzt immer häufiger mit seinem Vor- und Vaternamen angeredet
wurde, hielt sich im Korridor des Entbindungsheimes der gynä-
kologischen Klinik auf. Er stand vor der Tür des Zimmers, in dem
man eben erst Antonina Alexándrowna, seine Frau, untergebracht
hatte. Er nahm Abschied von ihr und wartete auf die Hebamme,
um zu verabreden, wo sie ihn gegebenenfalls erreichen konnte,
um Nachricht über Tonja zu geben.

Er hatte keine Zeit zu verlieren, denn er mußte in sein Krankenhaus zurück. Zuvor aber hatte er noch zwei Hausbesuche zu
machen. Er verlor jedoch kostbare Zeit, während er durch das
Fenster die schräg einfallenden Regenböen betrachtete, deren
Wassermassen von den Stößen des Herbstwindes gebrochen oder
seitwärts abgetrieben wurden – so wie der Sturm im Kornfeld die
Ähren durcheinanderwirft.

Es war noch nicht ganz dunkel. Jurij Andréitsch konnte die Hinterhöfe der Klinik, die glasgedeckten Veranden der Einfamilienhäuser
auf dem Dewitschje-Felde und die Abzweigung der Straßenbahn
vor dem rückwärtigen Eingang des Krankenhauses noch erkennen.
Es goß in Strömen, ohne Unterlaß, trotz des Wütens des Sturmes,
der die unablässig niederströmenden Wasserfluten nur noch zu ver-
mehren schien. Die Windstöße rissen am wilden Wein, der sich
an einer Terrasse emporrankte. Es war, als wollte der Sturm die
Pflanzen mitsamt der Wurzel ausreißen, indem er sie in die Luft
hob, sie heftig schüttelte und dann wieder angewidert hinwarf wie
einen alten Lumpen.

Ein Triebwagen mit zwei Anhängern fuhr an der Terrasse vorüber und hielt vor der Klinik. Verwundete wurden in das Hospital
hineingetragen.

In den vollkommen überfüllten Moskauer Krankenhäusern mußten – besonders nach den Kämpfen bei Luzk – die Verwundeten auf die Treppenabsätze und in die Korridore gelegt werden. Der allgemeine Platzmangel in den städtischen Krankenhäusern hatte sich auch auf die Zustände in der Frauenklinik ausgewirkt.

Jurij Andréitsch stand mit dem Rücken zum Fenster und gähnte vor Müdigkeit. Da war nichts, worüber er hätte nachdenken wollen. Plötzlich fiel es ihm wieder ein: in der chirurgischen Abteilung des Kreuzerhöhungs-Hospitals, wo er Dienst tat, war in diesen Tagen eine Kranke gestorben. Jurij Andréitsch behauptete, sie habe Echinokokken in der Leber. Alle widersprachen. Heute sollte die Sektion sein. Bei der Öffnung der Leiche würde sich der wahre Tatbestand herausstellen. Aber der Prosektor des Hospitals war ein chronischer Alkoholiker. Gott weiß, wann er sich an diese Arbeit begeben würde.

Es wurde schnell dunkel. Man konnte draußen nichts mehr erkennen. Wie durch die Berührung eines Zauberstabes flammten plötzlich in allen Fenstern die elektrischen Birnen auf.

Durch den kleinen Rundbau, der den Teil des Krankenhauses, in dem Tonja lag, vom Korridor trennte, kam in diesem Augenblick der Oberarzt der Abteilung, ein Mastodon von einem Gynäkologen, der auf alle an ihn gerichteten Fragen stets mit einem Augenaufschlag und durch Achselzucken mit Hamlet antwortete:

There are more things in heaven and earth, Horatio,
than are dreamt of in your philosophy.

Er ging an Jurij Andréitsch vorbei, grüßte ihn mit einem Lächeln und machte ein paar schwimmende Bewegungen mit seinen fetten Flossen, womit er ausdrücken wollte, daß man warten und sich gedulden müßte. Darauf begab er sich in den Korridor, um ins Empfangszimmer zu rauschen.

Ein wenig später kam zu Jurij Andréitsch die Assistentin des wenig gesprächigen Gynäkologen, die im Gegensatz zu ihm äußerst mitteilsam war:

»An Ihrer Stelle würde ich nach Hause fahren. Ich werde morgen bei Ihnen im Krankenhaus anrufen. Früher werden die Wehen nicht einsetzen. Ich glaube, mit Sicherheit sagen zu können, daß es eine normale Geburt geben wird, ohne alle Komplikationen. Andererseits liegt eine gewisse Enge des Beckens vor – die unglückliche Hinterhauptslage, die geringen Schmerzen und die schwachen

Wehen könnten gewisse Befürchtungen hervorrufen. Übrigens ist
es noch verfrüht, etwas Bestimmtes zu sagen. Alles hängt davon ab,
wie sich die Wehen gestalten und wann der Geburtsakt beginnt.
Man wird sehen.«

Am nächsten Tag rief Jurij Andréitsch selbst in der Frauenklinik
an. Der Wärter bat ihn, den Hörer nicht einzuhängen, da er sich
gleich erkundigen wolle. Er ließ ihn zehn Minuten warten und
teilte ihm in grober, wenig schicklicher Form folgendes mit: »Befohlen zu sagen: sag ihm, er hat seine Frau zu früh hergebracht.
Er mag sie aufpacken und wieder nach Hause nehmen.« Jurij
Andréitsch packte die Wut. Er verlangte, man möge ihm eine
besser unterrichtete Persönlichkeit ans Telefon rufen. Es meldete
sich eine Schwester: »Die Symptome sind trügerisch. Der Herr
Doktor mögen sich nicht aufregen. Sie werden vielleicht noch zwei
– drei Tage zu warten haben.«

Am dritten Tage erfuhr er dann, daß die Wehen in der Nacht
begonnen hätten und gegen Morgen stärker geworden seien, auch
das Fruchtwasser sei abgegangen.

Er stürzte Hals über Kopf in die Klinik. Als er durch den Korridor
ging, hörte er durch die zufällig halboffenstehende Tür Tonjas
herzzerreißendes Jammern, das ähnlich klang wie das Schreien
auf der Eisenbahn Verunglückter, die mit abgequetschten oder
abgeschnittenen Gliedmaßen unter den Rädern der Wagen her-
ausgeholt werden.

Er durfte nicht zu ihr hinein. In der Aufregung biß er sich in den
gekrümmten Finger, bis er blutete. Dann ging er zum Fenster, wo
immer noch wie gestern und vorgestern der schräg fallende Regen
gegen die Scheiben schlug.

Eine Pflegerin kam aus dem Entbindungsraum, von wo man das
erste Schreien des Neugeborenen hörte.

»Gerettet, gerettet«, wiederholte Jurij Andréitsch erleichtert.

»Ein Knabe, ein kleiner Sohn. Wir gratulieren zur glücklichen
Geburt«, sagte die Pflegerin in singendem Tonfall. »Jetzt können
Sie nicht herein. In einiger Zeit werden wir Ihnen das Kind zeigen.
Dann werden Sie der Mutter ein schönes Geschenk machen
müssen! Sie hat schreckliche Qualen ausgestanden. Beim ersten,
beim ersten ist es immer eine Qual!«

»Sie ist gerettet! Sie ist gerettet!« frohlockte Jurij Andréitsch, ohne
recht zu begreifen, was die Pflegerin sagte und wie sie ihn mit dem

Ereignis in Zusammenhang brachte. Was hatte er eigentlich mit der Sache zu tun?! Vater, Sohn – er sah keinen Grund zum Stolz auf dieses Geschenk, das ihm da in den Schoß gefallen war. Er empfand nicht das geringste bei dem Gedanken, daß er auf einmal einen Sohn bekommen hatte. Das alles lag außerhalb seiner Bewußtseinssphäre. Die Hauptsache blieb Tonja. Tonja, die sich in Lebensgefahr befunden hatte und nun glücklich dem Tode entronnen war.

Nicht weit von der Klinik hatte er einen Patienten. Er fuhr zu ihm und kehrte nach einer halben Stunde zurück. Beide Türen, die vom Korridor in den Rundbau und in die Klinik führten, waren geöffnet. Ohne darauf zu achten, was er tat, schlüpfte Jurij Andréitsch in den Rundbau.

Wie aus dem Boden gestampft stand plötzlich der Mastodon-Gynäkologe im weißen Arztkittel und mit ausgebreiteten Armen vor ihm und versperrte ihm den Weg. »Wohin?« fragte er mit gedämpfter Stimme, damit die Wöchnerin ihn nicht hörte.

»Sind Sie von Sinnen? Wunden, Blut, Antisepsis, ist das nichts? Von der seelischen Erschütterung ganz zu schweigen! Und so was nennt sich Arzt!«

»Aber ich habe doch . . . Ich wollte nur einen Blick . . . von hier . . . durch den Türspalt . . .«

»Na, das wäre etwas anderes. Meinetwegen . . . Daß Sie mir aber nicht . . . Wenn sie es merkt, schlage ich Sie tot! Da bleibt kein heiler Fleck an Ihnen!«

Im Entbindungszimmer standen zwei Frauen in Berufskleidung mit dem Rücken zur Tür: die Hebamme und eine Kinderfrau. In den Armen der Kinderschwester bewegte sich ein menschliches Etwas, ein wimmerndes, zartes Gebilde, das sich wie ein Stück dunkelroten Gummis dehnte und zusammenzog. Die Hebamme war dabei, eine Nabelbinde anzulegen. Tonja lag in der Mitte des Zimmers auf einem Entbindungsstuhl mit beweglichem Liegebrett. Sie lag ziemlich hoch. Jurij Andréitsch, der in der Aufregung alles übersteigert empfand, hätte fast einen Schrei ausgestoßen. Er hatte den Eindruck, daß sie in der Höhe eines Schreibpultes, an dem man im Stehen arbeitet, lag.

Man hatte sie höher gebettet als gewöhnlich. Sie schwamm gleichsam im Nebel der durchlittenen Qualen, die Erschöpfung umgab sie wie mit einem Schleier. Sie lag erhöht im Raum wie ein Schiff in der Mitte einer Bucht, das Anker wirft, nachdem es sich von der Last der Seelen befreit hat, die es von weit her über den Ozean des Todes zum Festland des Lebens übergesetzt hat. Sie hatte soeben selbst eine solche Seele übergesetzt. Jetzt lag sie vor Anker und ruhte aus, entspannt durch die Leere ihres Leibes.

Weil aber niemand in der Geographie jenes Landes bewandert war, unter dessen Flagge das Schiff am Ufer festgemacht wurde, wußte man auch nicht, in welcher Sprache man zu ihr reden sollte.

Im Dienst wurde Jurij von allen Seiten beglückwünscht. Er war erstaunt, wie schnell sich die Neuigkeit herumgesprochen hatte.

Er ging in das Ärztezimmer, das unter Kollegen wegen der drangvollen Enge, die dort immer herrschte, ›Kneipe‹ und ›Müllgrube‹ hieß. Infolge der Überlastung des Krankenhauses diente der Raum jetzt auch als Garderobe. Man betrat ihn mit Galoschen an den Füßen; Gegenstände, die man aus anderen Räumen angeschleppt hatte, ließ man einfach in diesem Zimmer liegen, wo sie nicht hingehörten. Der Fußboden war mit Papierschnitzeln, Zigarettenstummeln und Asche übersät.

Am Fenster des Sprechzimmers stand der aufgeschwemmte kleine Prosektor. Er betrachtete über seine Brillengläser hinweg eine trübe Flüssigkeit in einem Glase, das er in den emporgehobenen Händen hielt.

»Ich gratuliere«, sagte er, indem er fortfuhr, die Flüssigkeit im Glas zu betrachten, ohne Jurij Andréitsch auch nur eines Blickes zu würdigen.

»Danke. Ich bin gerührt.«

»Es gibt nichts zu danken. Ich bin unbeteiligt. Pitschushkin hat sie seziert. Aber alle sind überrascht . . . Echinokokken! Das ist ein Diagnostiker, heißt es allgemein. Man spricht über nichts anderes mehr.«

In diesem Augenblick kam der Chefarzt ins Zimmer, begrüßte beide und sagte: »Weiß der Teufel, was das hier ist: ein Durchgangshof, kein Arbeitszimmer! Welch ein Unfug! Ja, Schiwago, stellen Sie sich vor – der Echinokokkus! Wir hatten unrecht – ich gratuliere! Und dann noch etwas Unangenehmeres: man hat nochmals eine Überprüfung Ihrer Kategorie vorgenommen. Diesmal wird es nicht gelingen, Sie hierzubehalten. Der Mangel an militärmedizinischem Personal ist unvorstellbar. Sie werden Pulver zu riechen bekommen.«

VI

Das Ehepaar Antipov hatte sich über Erwarten gut in Jurjatino eingelebt. Die Guichards waren überall in bester Erinnerung. Das verringerte ihre Schwierigkeiten, die mit der Umsiedlung an einen neuen Ort immer verbunden sind.

Lara war über und über beschäftigt. Sie hatte für das Haus zu sorgen und für ihre Tochter Katjenka, die jetzt drei Jahre alt war. Sosehr sich auch die rothaarige Marfutka, die bei Antipovs Bedienerin war, bemühte, ihre Hilfe reichte nicht aus. Larissa Fjodorowna nahm an allen Anliegen Pawel Pawlowitschs Anteil. Sie selber unterrichtete am Mädchengymnasium. Sie arbeitete unermüdlich und war glücklich. Eben das war das Leben, das sie sich erträumt hatte.

Es gefiel ihr in Jurjatino. Es war ihre Heimat. Die Stadt lag am Ufer der Rynjwa, die bis zum Oberlauf schiffbar war. Eine Ural-Bahnlinie durchquerte die Stadt.

In Jurjatino kündigte sich das Nahen des Winters dadurch an, daß die Kähne in Bauernwagen in die Stadt hinaufgefahren wurden, wo man sie auf den Höfen ihrer Besitzer ablud. Hier überwinterten sie unter freiem Himmel. Die umgekippten Kähne, die sich im Innern der Höfe als weiße Flecke vom Boden abhoben, bedeuteten für Jurjatino das gleiche wie anderswo der herbstliche Flug der Kraniche oder der erste Schnee.

Katjenka spielte in solch einem umgekippten Boot wie unter dem bauchigen Dach eines Gartenpavillons. Der weißgestrichene Kahn lag im Hof des Hauses, das vom Ehepaar Antipov bewohnt wurde. Das Leben in diesem weltfernen Winkel entsprach vollkommen der Seelenhaltung Larissa Fjodorownas. Die Intellektuellen dieser Stadt – man sprach von der ›Ortsintelligenz‹ – sprachen das ›O‹ wie die Nordrussen aus. Alle trugen Filzstiefel und pelzverbrämte Jacken aus grauem Flanell. Die Vertrauensseligkeit der Bewohner war rührend naiv. Lara fühlte sich zur Erde und zum einfachen Volk hingezogen.

Dagegen entdeckte Pawel Pawlowitsch, obgleich er der Sohn eines Eisenbahners war, seine Liebe zum Leben in den Hauptstädten. Er beurteilte die Bewohner von Jurjatino, deren Wildheit und Kulturlosigkeit ihn immer wieder reizten, viel strenger und unnachsichtiger als seine Frau.

Jetzt stellte es sich heraus, daß er eine außerordentliche Fähigkeit hatte, sich Wissensstoff, den er aus flüchtiger Lektüre gesammelt hatte, anzueignen und zu bewahren. Auf Laras Anregung hatte er schon früher viel gelesen. Doch während der Jahre der Zurückgezogenheit in der Provinz war seine Belesenheit so groß geworden, daß sogar Lara ihm nicht als hinreichend gebildet erschien. Er überragte alle seine pädagogischen Kollegen um Haupteslänge und klagte, er müsse in ihrer Gesellschaft ersticken. Der banale, offizielle und ziemlich chauvinistische Patriotismus, den sie in den Kriegszeiten zeigten, entsprach nicht Antipovs komplizierten Empfindungen.

Pawel Pawlowitsch unterrichtete, seinem klassischen Studium gemäß, Latein und alte Geschichte am Gymnasium. Doch in dem früheren Realschüler erwachte plötzlich eine Leidenschaft für Mathematik, Physik und für die exakten Wissenschaften. Durch Selbststudium hatte er sich in diesen Wissensgebieten zur Universitätsreife herangebildet. Er träumte davon, bei der ersten sich bietenden Gelegenheit die entsprechenden Examen am wissenschaftlichen Prüfungsamt des Lehrbezirks abzulegen. Dann wollte er seine Laufbahn noch einmal als Mathematiklehrer beginnen und sich mit seiner Familie nach Petersburg versetzen lassen. Die angespannte nächtliche Arbeit untergrub seine Gesundheit. Er begann, an Schlaflosigkeit zu leiden. Er verstand sich gut mit seiner Frau, jedoch waren ihre Beziehungen komplizierter Art. Sie erdrückte ihn fast durch ihre Güte und Anteilnahme. Er dagegen duldete nicht, daß sie ihn kritisierte. Er war äußerst hellhörig und witterte in der harmlosesten Bemerkung einen heimlichen Vorwurf. So schien sie ihm auf die Tatsache anzuspielen, daß sie adliges, er aber Bauernblut habe, oder darauf, daß sie vorher einem andern angehört hatte. Die Furcht, sie könnte ihn auf irgendeine Weise ungerechtfertigt kränken, brachte in Laras Leben etwas Krampfhaftes und Unnatürliches. Sie überboten einander an Edelmut und machten dadurch alles nur noch schwieriger.

Eines Tages kam zu Antipovs Besuch: einige Kollegen Pawel Pawlowitschs, die Leiterin der Schule, an der Lara unterrichtete, ein Schiedsrichter, bei dem Pawel Pawlowitsch einst als Schlichter aufgetreten war, und einige andere. Sie alle waren in Pawel Pawlowitschs Augen ausgemachte Dummköpfe. Er war erstaunt über Lara, die zu allen gleich liebenswürdig war, und wollte nicht glauben, daß ihr auch nur einer der Anwesenden wirklich gefallen konnte.

Als die Gäste gegangen waren, lüftete Lara die Zimmer, kehrte den Boden und wusch zusammen mit Marfutka in der Küche das Geschirr. Nachdem sie sich davon überzeugt hatte, daß Katjenka gut zugedeckt war und Pawel schlief, kleidete sie sich rasch aus, löschte die Lampe und legte sich mit der Selbstverständlichkeit eines Kindes neben ihren Mann ins Bett.

Aber Antipov hatte nur so getan, als ob er schliefe. Wie so häufig in der letzten Zeit litt er auch heute an einem Anfall von Schlaflosigkeit. Er wußte, daß er sich noch drei oder vier Stunden im Bett herumquälen würde, ohne einschlafen zu können. Deshalb wollte er sich draußen müde laufen und nach dem vielen Rauchen seiner Gäste frische Luft schöpfen. Leise erhob er sich, und nachdem er den Pelz angezogen und sich die Mütze aufgesetzt hatte, ging er auf die Straße hinaus.

Es war eine klare und kalte Herbstnacht. Unter den Schritten Antipovs krachten die zerbrechlichen kleinen Eisschollen auf den Pfützen. Der Sternenhimmel sandte ein bläuliches Licht aus, das wie eine Spiritusflamme flackerte und die schwarze Erde mit den gefrorenen Schmutzklumpen der Dunkelheit entriß.

Das Haus, in dem Antipov wohnte, befand sich in einem dem Hafen entgegengesetzten Stadtteil. Es war das letzte der Straße. Hinter ihm begannen die Felder, die von der Bahnlinie überquert wurden. In der Nähe der Bahn befand sich ein Wärterhäuschen. Über die Schienen führte ein Fahrweg.

Antipov setzte sich auf ein umgestürztes Boot und schaute zu den Sternen auf. Die Gedanken, die ihn in den letzten Jahren beschäftigt hatten, ergriffen ihn gewaltiger denn je. Früher oder später würde er sie zu Ende denken und die Folgerungen aus ihnen ziehen müssen. Es schien ihm das beste, dies gleich heute zu tun.

›So kann es nicht weitergehn‹, dachte er. ›Aber man hätte das alles voraussehen können.‹ Er merkte es etwas zu spät. Warum hatte sie ihm erlaubt, daß er sich so kindisch in sie verliebte? Weshalb hatte sie es geduldet, was sie wollte? Warum hatte er nicht rechtzeitig so viel Vernunft aufgebracht, um auf sie zu verzichten, als sie selber es noch vor der Hochzeit heftig forderte? Er begriff, daß sie nicht ihn liebte, sondern die edle Aufgabe, die sie ihm gegenüber fühlte, also ihr personifiziertes Heldentum. Was hatte

diese würdige und erlauchte Mission mit dem wirklichen Familien-
leben zu tun, wie es sich täglich abspielte? Das schlimmste war,
daß er sie immer noch genauso liebte wie früher. Sie war betörend
schön. Aber vielleicht war das auch seinerseits keine Liebe, sondern eine dankbare Fassungslosigkeit angesichts ihrer Schönheit
und Großmut? Daraus sollte einer klug werden! Selbst der Teufel
wäre da mit seinem Latein am Ende.

Was war in einem solchen Falle zu tun? Sollte er Lara und Katjenka von dieser Lüge befreien? Das wäre noch wichtiger, als
sich selber daraus zu lösen! Aber wie? Sollte er sich scheiden
lassen? Sich ertränken? ›Oh, wie scheußlich‹, empörte er sich, ›niemals würde ich das tun.‹ Also wozu sollte er diese verrückten und
falschen Vorstellungen überhaupt in sich aufkommen lassen?

Er blickte zu den Sternen auf, als wollte er sich bei ihnen Rat
holen. Sie flimmerten vereinzelt oder in Haufen, groß oder klein,
bläulich oder regenbogenfarben. Plötzlich verdunkelte etwas ihren
Glanz. Der Hof, das Haus und der Kahn, auf dem Antipov saß,
wurden von einem auflodernden Licht erhellt, so als liefe jemand
vom Feld zur Pforte und schwenkte eine flammende Fackel.
Bündel gelben Feuers, von Rauch durchsetzt, wurden gegen die
Wolken geschleudert. Es war einer der Truppentransportzüge auf
dem Weg nach dem Westen, wie sie hier seit dem vorigen Jahr
durchzufahren pflegten.

VII

Larissa Fjodorowna war starr vor Schrecken und traute ihren
Ohren nicht, als sie Paschas Entschluß erfuhr. ›Welch ein Wahnsinn‹, dachte sie, ›einer seiner immer wiederkehrenden, tollen Einfälle! Gar nicht beachten, dann wird er von selbst alles vergessen!‹
Es zeigte sich jedoch, daß die Vorbereitungen ihres Mannes schon
zwei Wochen währten. Er hatte seine Papiere an die Militär-
behörde geschickt und eine Vertretung für das Gymnasium gefunden. Aus Omsk kam die Nachricht, daß er zur dortigen Kriegs-
schule zugelassen war. Der Augenblick der Abreise stand dicht
bevor.

Lara heulte wie eine einfache Frau aus dem Volk, sie faßte Antipov
an den Händen, sie warf sich vor ihm auf den Boden. »Pascha,

Paschenjka«, schrie sie, »warum willst du mich und Katjenka mutterseelenallein lassen? Tu es nicht, tu es nicht! Noch ist es nicht zu spät! Ich werde alles in Ordnung bringen! Du bist auch gar nicht richtig vom Arzt untersucht worden. Du – mit deinem Herzen! Schämst du dich nicht? Deine Familie irgendeinem Wahnsinn hinzuopfern, ja, da schämst du dich nicht! Als Freiwilliger! Dein Lebtag hast du über meinen Bruder Rodja, den dummen Kerl, gespottet, und plötzlich wirst du neidisch auf ihn! Da willst du selber mit dem Säbel klirren, den Offizier spielen! Pascha, was hast du nur – ich erkenne dich nicht wieder! Du bist wie verwandelt, oder hast du Bilsenkraut gegessen? Sage mir doch, um Himmels willen, sage mir ganz ehrlich, um Christi willen, ohne die Phrasen, die du dir eingelernt hast: ist das wirklich für Rußland notwendig?«

Plötzlich verstand sie, daß es Antipov gar nicht darum ging. Sie war nicht fähig, die Einzelheiten richtig einzuordnen, aber sie hatte das Wesentliche erfaßt. Sie hatte erraten, daß Patulja sich über ihre Beziehung zu ihm täuschte. Er hatte das mütterliche Gefühl nicht richtig eingeschätzt, das ihrer Zärtlichkeit zu ihm beigemischt war. Er verstand nicht, daß eine solche Liebe mehr ist als die gewöhnliche Liebe einer Frau.

Sie biß sich auf die Lippen. Sie trotzte wie ein Kind, das Prügel bekommen hat. Sie sagte kein Wort, schluckte stumm ihre Tränen hinunter und begann, die Abreise ihres Mannes vorzubereiten.

Als er fort war, war ihr zumute, als liege eine große Stille über der ganzen Stadt. Selbst die Krähen schienen nicht mehr in so großen Scharen am Himmel herumzufliegen. »Herrin, Herrin!« rief Marfutka vergeblich. »Mama, Mama, Mamichen«, flüsterte Katjenka immer wieder und zupfte sie am Ärmel. Das war die schwerste Niederlage ihres Lebens; ihre besten und schönsten Hoffnungen waren zusammengebrochen.

Durch seine Briefe aus Sibirien hatte Lara alles von ihrem Mann erfahren. Bald sah er wieder klarer. Er hatte große Sehnsucht nach seiner Frau und nach dem Töchterchen. Nach einigen Monaten wurde er, noch vor dem Termin der Beförderung, zum Fähnrich ernannt und ebenso unerwartet in die aktive Armee versetzt. Er kam nicht mehr nach Jurjatino vor seiner Abreise nach Moskau, und auch dort hatte er keine Zeit, mit irgend jemandem zu sprechen. Bald trafen Briefe von der Front von ihm ein. Sie waren lebhafter und nicht so traurig wie die aus der Offiziersschule in Omsk. Antipov wollte sich auszeichnen. Als Belohnung für im Kriege geleistete Dienste oder etwa wegen einer leichten Verwundung hoffte er, dann einen Urlaub zu bekommen und seine Familie wiederzusehen. Die Möglichkeit, sich hervorzutun, bot sich bald. Nach dem letzten Durchbruch, der später unter dem Namen Brussilov-Offensive in die Kriegsgeschichte einging, war die Armee zum Angriff übergegangen. Von Antipov trafen keine Briefe mehr ein. Zunächst machte sich Lara keine Sorgen. Sie erklärte sich Paschas Schweigen mit der weiteren Entwicklung der Kriegshandlungen und der Unmöglichkeit, beim Vormarsch zu schreiben.

Im Herbst war der Angriff der Armee zum Stillstand gekommen. Die Truppen hatten sich in Gräben verschanzt. Noch immer gab Antipov kein Lebenszeichen. Larissa Fjodorowna wurde unruhig; sie zog Erkundigungen ein, erst in Jurjatino, dann schrieb sie nach Moskau und an die Front, an die letzte Adresse von Paschas Einheit. Nirgends war etwas bekannt. Sie bekam keine Antwort.

Wie viele andere Damen der Gesellschaft hatte Larissa Fjodorowna bei Kriegsbeginn nach Kräften im Lazarett gearbeitet, das als Abteilung des Provinzkrankenhauses in Jurjatino eingerichtet worden war.

Nun begann sie ernsthaft, sich mit den Anfangsgründen der Medizin zu befassen, und legte die vorschriftsmäßigen Prüfungen als Krankenschwester ab. Sie ließ sich für ein halbes Jahr vom Gymnasium beurlauben, übergab die Wohnung in Jurjatino zur Betreuung an Marfutka und reiste mit Katjenka nach Moskau. Hier übergab sie ihre Tochter Lipotschka, deren Gatte, ein deutscher Reichsangehöriger namens Friesendank, zusammen mit anderen Zivilgefangenen in Ufa interniert worden war.

Nachdem sie sich von der Zwecklosigkeit des Suchens auf große Entfernung hin überzeugt hatte, beschloß Larissa Fjodorowna, ihre Bemühungen in der Nähe des Operationsgebietes der letzten Kriegsereignisse fortzusetzen. Zu diesem Zweck ließ sie sich als Schwester an einem Sanitätszug einstellen, der über die Stadt Liski nach Mesö-Laborce an der ungarischen Grenze fuhr. So hieß nämlich die Ortschaft, von der aus ihr Pascha den letzten Brief geschrieben hatte.

VIII

Ein Sanitätszug mit Badeeinrichtungen, der aus Mitteln des Tatjana-Komitees zur Hilfeleistung für Verwundete ausgestattet war, fuhr an die Front. In einem Sonderwagen dieses langen Zuges, der aus kurzen, häßlichen, heizbaren Viehwagen zusammengesetzt war, befanden sich Frontbesucher. Es handelte sich um Moskauer Sozialabgeordnete, die den Soldaten und Offizieren Geschenke bringen wollten. Zu ihnen gehörte auch Gordon. Er hatte erfahren, daß das Divisionslazarett, in dem nach seinen Informationen der Freund seiner Kindheit, Schiwago, arbeitete, in einem in der Nähe gelegenen Dorf untergebracht war.

Gordon erhielt die Genehmigung für Fahrten im Bereich der Frontzone. Er fuhr mit seinem Passierschein in einem kleinen Militärwagen dorthin, um seinen Freund zu besuchen.

Der Kutscher, ein Weißrusse oder Litauer, sprach schlecht Russisch. Die Angst vor Spionen hatte das Vokabular auf ein offizielles, im voraus bekanntes Minimum beschränkt. Man mußte zu jener Zeit seiner zuverlässigen Gesinnung ständig Ausdruck geben, was nicht gerade zu Gesprächen anregte. Den größten Teil des Weges legten sowohl der Fahrgast wie der Kutscher schweigend zurück.

Im Stabe, wo man gewohnt war, mit ganzen Armeen zu operieren und die Entfernungen mit mindestens hundert Kilometer Tagesmärschen zu bemessen, wurde versichert, das Dorf liege irgendwo in der Nähe, vielleicht zwanzig oder fünfundzwanzig Werst weit. In Wirklichkeit stellte sich heraus, daß die Entfernung mehr als achtzig Werst betrug.

Während der ganzen Fahrt dröhnte der Horizont zu seiner Linken von dumpfem Getöse. Gordon war sein Leben lang nie Zeuge eines Erdbebens gewesen. Aber er hatte recht, die wegen der Entfernung kaum wahrnehmbaren Detonationen der feindlichen Artillerie mit Erdstößen und mit dem unterirdischen Dröhnen vulkanischen Ursprungs zu vergleichen. Als es Abend wurde, flammte der Horizont in einem rosafarbenen, flackernden Widerschein, der bis zum Morgen nicht erlosch.

Der Kutscher führte Gordon an zerstörten Dörfern vorbei, die zum größten Teil von den Bewohnern geräumt waren. In anderen Ortschaften hatten sich die Leute in Kellern, tief unter der Erde, eingegraben. In diesen Dörfern sah man aufgehäufte Reihen von

Splittern und Schutt an der Stelle, wo früher die Häuser gestanden hatten. Man konnte die niedergebrannten Ortschaften von einem Ende bis zum anderen überschauen, sie glichen Ödland ohne Wachstum. Zwischen den Trümmern machten sich alte Weiber an den Brandstätten ihrer Häuser zu schaffen. Sie stocherten und suchten in der Asche herum, sie versteckten, was sie ausgegraben hatten, als müßten sie es vor fremden Blicken verborgen halten. Sie benahmen sich, als seien sie wie früher von Mauern umgeben. Sie begleiteten Gordon mit ihren Blicken, als wollten sie ihn fragen, ob man sich in der Welt bald eines Besseren besinnen und zu einem geordneten und ruhigen Leben zurückkehren würde.

In der Nacht kam den Reisenden eine Patrouille entgegen. Man befahl ihnen, die Landstraße zu räumen und die Ortschaften auf Feldwegen zu umfahren. Der Kutscher kannte den neuen Weg nicht. Fast zwei Stunden gingen auf diese Weise verloren. Vor Morgengrauen kamen sie in das Kirchdorf, das sie suchten. Von einem Lazarett wußte man dort nichts. Bald stellte sich heraus, daß es im Landkreis zwei gleichnamige Dörfer gab und das von ihnen gesuchte gerade das andere war. Am Morgen hatten sie endlich ihr Ziel erreicht. Gordon fuhr an einem Zaun vorbei, der nach Kamille und Jodoform roch. Er wollte nicht bei Schiwago übernachten, sondern, nachdem er den Tag in seiner Gesellschaft verbracht hatte, am Abend an die Bahnstation zu den dort verbliebenen Kameraden zurückkehren. Die Umstände hielten ihn für eine Woche zurück.

IX

In diesen Tagen geriet die Frontlinie in Bewegung. Unerwartete Veränderungen traten ein. Südlich von der Ortschaft, in der sich Gordon befand, hatte eine unserer Einheiten durch eine erfolgreiche Attacke die befestigten Stellungen des Gegners durchbrochen. Die Angreifenden konnten ihren Vorstoß weiter vortragen, und so drangen sie tief in das feindliche Verteidigungssystem ein. Hilfstruppen folgten, die den Durchstoß erweiterten. Die Spitzengruppe verlor die Verbindung mit ihnen, wurde abgeschnitten und gefangengenommen. Bei dieser Gelegenheit war der Fähnrich Antipov in Gefangenschaft geraten. Er war dazu durch Verlust mehr als der Hälfte seiner Kompanie gezwungen worden.

Über ihn kursierten die verschiedensten Gerüchte. Man hielt ihn für gefallen oder in einem Granattrichter verschüttet. Das behauptete ein Bekannter, Fähnrich desselben Regiments, namens Galiullin, der von einem Beobachtungsposten aus seinen Untergang im Fernglas mit angesehen haben wollte, als Antipov mit seinen Soldaten zur Attacke vorging.

Für Galiullin war der Anblick eines Angriffs ein gewohntes Schauspiel. Die angreifende Abteilung mußte raschen Schrittes, fast im Laufschritt, das herbstliche Gelände durchqueren, das die beiden Armeen voneinander trennte und das mit ausgedörrten Wermutstauden und mit stacheligem Beifuß bewachsen war. Durch ihre Tollkühnheit sollten die Angreifenden einen Bajonettangriff provozieren oder die in den feindlichen Schützengräben verschanzten Österreicher mit Handgranaten vernichten. Der Lauf über das Feld schien für die Soldaten kein Ende zu nehmen. Die Erde glitt unter ihren Füßen weg wie schwankendes Moorland. Zunächst lief an der Spitze der Truppe, dann inmitten seiner Soldaten, der Fähnrich, der seinen Revolver über dem Kopf schwang und mit weit aufgerissenem Munde ›Hurra‹ rief, was weder er noch die laufenden Soldaten hören konnten. In regelmäßigen Abständen warfen sich die Laufenden platt auf den Boden, sprangen ruckweise auf und liefen mit erneutem Geschrei weiter. Zugleich mit ihnen, aber auf eine andere Weise, stürzten der Länge nach, wie hohe Bäume beim Fällen, Verwundete hin, um nicht wieder aufzustehen.

»Das Feuer liegt zu weit. Telefonieren Sie an die Batterie«, sagte der aufgeregte Galiullin zu dem neben ihm stehenden Artillerieoffizier. »Aber nein, sie haben recht, das Feuer tiefer anzusetzen.« Zu dieser Zeit rückten die Angreifenden näher an den Feind heran. Das Feuer wurde eingestellt. In der nun eintretenden Stille schlug den auf dem Beobachtungsposten stehenden Offizieren das Herz so heftig, als ob sie an der Stelle Antipovs stünden, als ob sie selbst die Leute an den Rand des österreichischen Grabens geführt hätten und im nächsten Augenblick Wunder an Tapferkeit und Geistesgegenwart zu vollbringen hätten. In dieser Sekunde explodierten dicht hintereinander zwei sechzehnzöllige deutsche Granaten. Schwarze Säulen von Erde und Rauch verbargen ihnen alles, was dann folgte. »Fertig! Schluß mit der Vorstellung!« flüsterte Galiullin erblassend. Er hielt den Fähnrich und seine Soldaten für tot. Eine dritte Granate schlug dicht neben dem Beobachter ein. Alle duckten sich und brachten sich so schnell wie möglich in Sicherheit.

Galiullin schlief im gleichen Unterstand wie Antipov. Nachdem man sich im Regiment mit dem Gedanken abgefunden hatte, daß Antipov gefallen sei und nicht mehr wiederkäme, gab man Galiullin, der ihn gut kannte, den Auftrag, seinen persönlichen Besitz in Verwahrung zu nehmen und ihn seiner Frau zu übergeben, von der man eine große Anzahl von Fotografien in seinem Gepäck gefunden hatte.

Der Freiwillige Mechaniker Galiullin, erst vor kurzem zum Fähnrich befördert, war der Sohn des Hausknechts Gimazetdin bei den Tiversíns. Einst war er jener Schlosserlehrling gewesen, den der Meister Chudolejew zu prügeln pflegte, so daß er seinen militärischen Aufstieg sozusagen seinem ehemaligen Peiniger verdankte.

Der gerade beförderte Fähnrich Galiullin war gegen seinen Willen auf irgendeine Weise in einen ruhigen und bequemen Winkel bei einer weltfernen Etappengarnison verschlagen worden. Dort befehligte er eine Genesenenkompanie, mit der altersschwache Veteranen und Instruktoren morgens das längst vergessene Exerzierreglement wieder durchgingen. Außerdem prüfte Galiullin, ob die Wachtposten ordnungsgemäß vor den Depots der Intendantur aufgezogen waren. Das war ein sorgloses Leben; man verlangte nicht mehr. Plötzlich jedoch traf mit einer Ersatzeinheit, die sich aus alten Landwehrjahrgängen zusammensetzte und von Moskau kam, ein Soldat ein, den er nur allzugut kannte: Pjotr Chudolejew.

»Aha, alte Bekannte!« sprach Galiullin grimmig lächelnd.

»Zu Befehl, Euer Wohlgeboren«, erwiderte Chudolejew, stand stramm und grüßte.

Aber so einfach konnte die Sache nicht enden. Gleich beim ersten Versäumnis brüllte der Fähnrich den ihm unterstellten Soldaten an, und als ihm schien, daß dieser ihn nicht wie vorgeschrieben ansah, das heißt, ihm fest ins Auge blickte, sondern irgendwie unbestimmt zur Seite sah, gab er ihm einen Faustschlag ins Gesicht und brummte ihm zwei Tage Arrest bei Wasser und Brot auf.

Von nun an zeigte sich in jeder Bewegung Galiullins der Wunsch nach Vergeltung für seine Vergangenheit. Aber diese Methode der Abrechnung durch Ausnutzung der Stellung des Vorgesetzten war ein allzu risikoloses und wenig edles Spiel. Was war da zu machen?

Daß beide am selben Platz verblieben, war ein Ding der Unmöglichkeit. Aber unter welchem Vorwand konnte ein Offizier einen Soldaten aus der ihm zugewiesenen Einheit irgendwohin anders versetzen als in ein Strafbataillon? Was hätte andererseits Galiullin zur Begründung seiner eigenen Versetzung angeben können? Als Grund führte er Langeweile und Nutzlosigkeit des Garnisondienstes an und bat um Versetzung an die Front. Hierdurch empfahl er sich auf die beste Weise. Als er bei der nächsten Aktion seine Fähigkeiten zeigte, stellte sich heraus, daß er ein vortrefflicher Offizier war. So stieg er bald vom Fähnrich zum Unterleutnant auf.

Galiullin kannte Antipov noch aus der Tiversínschen Zeit. 1905, als Pascha Antipov ein halbes Jahr bei Tiversíns gelebt hatte, pflegte ihn Jussupka öfter zu besuchen und mit ihm an den Feiertagen zu spielen. Eben damals hatte er ein- oder zweimal Lara bei ihnen gesehen. Seither hatte er aber nichts mehr von ihnen gehört. Als Pawel Pawlowitsch aus Jurjatino zum Regiment kam, staunte Galiullin über die Wandlung, die mit seinem alten Kameraden vorgegangen war. Aus dem schüchternen, lachenden, schelmischen Jungen, der fast ein Mädchen zu sein schien, war ein mißtrauischer, nervöser, grundgelehrter Mann geworden. Er war klug, sehr tapfer, schweigsam und höhnisch. Manchmal, wenn Galiullin ihn erblickte, glaubte er im schwermütigen Blick Antipovs, wie in der Tiefe eines Fensters, etwas Fremdartiges, einen ihn verfolgenden Gedanken zu erblicken: vielleicht Sehnsucht nach der Tochter oder nach dem Antlitz seiner Frau. Antipov schien verzaubert zu sein wie im Märchen.

Und nun waren von ihm nur noch seine Papiere und Fotografien in Galiullins Händen übriggeblieben, die einzigen Zeugnisse des Geheimnisses seiner Verwandlung.

Früher oder später mußten Laras Nachforschungen Galiullin erreichen. Er nahm sich vor, ihr zu antworten. Doch stand man damals in den heftigsten Kämpfen. Er hatte nicht den Mut, ihr die Wahrheit zu sagen. Er wollte sie auf den Schlag vorbereiten, der sie erwartete. So kam es, daß er den umfangreichen ausführlichen Brief an sie immer wieder hinausschob, bis er schließlich erfuhr, daß sie selber irgendwo an der Front als Schwester tätig sei. Und er wußte nicht, wohin er jetzt seinen Brief adressieren sollte.

»Nun, wie steht's? Haben wir heute Pferde?« erkundigte sich Gordon bei Doktor Schiwago, als dieser um die Mittagszeit in die galizische Hütte kam, in die man sie einquartiert hatte.

»Was heißt schon Pferde! Und wohin willst du fahren, wenn man weder nach vorn noch nach hinten durchkommt. Ringsum ist ein fürchterlicher Hexenkessel. Keiner findet sich mehr zurecht. Im Süden haben wir die Deutschen an einigen Stellen umgangen oder sind durchgestoßen; wie es heißt sind dadurch einige unserer verstreuten Einheiten eingeschlossen, während die Deutschen im Norden die Swenta überschritten haben, die an dieser Stelle für unpassierbar galt. Es handelt sich um eine Einheit etwa in der Größe eines Kavalleriekorps. Sie zerstören die Bahnlinien, vernichten die Depots und wollen uns offensichtlich einkreisen. Siehst du nun, wie die Lage ist? Und da sprichst du noch von Pferden! Na, vorwärts, Karpenko, deck den Tisch, mach voran! Was gibt es heute? Ah, Kalbshaxen – ganz ausgezeichnet!« Die Sanitätsabteilung samt dem Lazarett und allen ihr unterstellten Unterabteilungen war im ganzen Dorf verstreut, das wie durch ein Wunder unzerstört geblieben war. Die sauberen Häuser, die nach westeuropäischer Art glänzten und Fenster hatten, die über die ganze Wand reichten, waren vollkommen erhalten.

Der Altweibersommer hielt Einzug. Es waren die letzten klaren Tage eines heißen, goldenen Herbstes. Tagsüber öffneten die Ärzte und Offiziere die Fenster, machten Jagd auf Fliegen, die in schwarzen Schwärmen die Fensterbänke entlangkrochen und auf dem weißen Deckenputz wimmelten. Man machte sich's bequem, hatte die Sommerröcke und die Sporthemden aufgeknöpft. Der Schweiß lief in Strömen. Sie verbrannten sich die Zunge an heißer Kohlsuppe oder an Tee; nachts hockten sie vor den geöffneten Öfen und versuchten, die erlöschenden Kohlen unter dem feuchten Holz, das nicht brennen wollte, zu entfachen. Vom beizenden Rauch tränten die Augen, und sie schimpften über die Offiziersburschen, die keine Ahnung davon hatten, wie vernünftige Menschen einen Ofen anheizen.

Es war eine stille Nacht. Gordon und Schiwago lagen auf Pritschen an einander gegenüberliegenden Wänden. Zwischen ihnen war der Eßtisch und ein tiefliegendes, von Wand zu Wand reichendes

Fenster. Das Zimmer war überheizt und voller Rauch. Sie hatten die Luftklappen geöffnet und atmeten die Frische der Herbstnacht, in der die Scheiben anliefen.

Sie plauderten, wie sie es die ganzen Tage und Nächte über getan hatten. Wie immer war der Horizont nach der Front zu gerötet. Als man zwischen dem gleichmäßigen und niemals aussetzenden Grollen des Geschützdonners einzelne dumpfere Einschläge unterschied, so als würde die Erde umgepflügt oder als rückte man eine schwere eisenbeschlagene Kiste über einen lackierten Fußboden – unterbrach Schiwago das Gespräch voller Achtung vor diesem Ton, machte eine gemessene Pause und sagte: »Das war die Berta, das sechzehnzöllige deutsche Geschütz, das Dingchen mag so an die sechzig Pud wiegen.« Hierauf nahmen sie ihr Gespräch wieder auf, als wäre nichts gewesen.

»Was ist das eigentlich für ein Geruch im Dorf? Er ist mir schon die ganze Zeit aufgefallen«, fragte Gordon. »Ich habe es gleich am ersten Tage bemerkt. So süßlich, widerlich. Wie nach Mäusen.«

»Ah, ich weiß, was du meinst. Das ist Hanf! Hier gibt es viele Hanffelder. Der Hanf strömt einen einschläfernden, widerlichen und quälenden Geruch nach Aas aus. Außerdem bleiben im Kampfgebiet natürlich auch in den Hanffeldern Tote liegen, die lange nicht entdeckt werden und verwesen. Der Leichengeruch liegt hier über allem – das ist ganz natürlich . . . Horch! . . . Wieder die Berta! Hast du gehört?«

Im Verlauf dieser Tage hatten sie über alles nur Erdenkliche gesprochen. Gordon kannte die Gedanken seines Freundes über den Krieg und den Zeitgeist. Jurij Andréitsch hatte ihm gesagt, mit welcher Mühe er sich an die blutige Logik gegenseitiger Vernichtung gewöhnt hatte, an den Anblick der Verletzten, besonders an einige entsetzenerregende Verwundungen, die ihre Opfer verkrüppelt und zu schrecklichen Fleischklumpen verunstaltet weitervegetieren ließen – eine Folge der modernen Kriegstechnik.

An jedem Tag sah Gordon in Begleitung Schiwagos einen neuen Teil des Kriegsschauplatzes. Natürlich war er sich darüber klar, wie unmoralisch die müßige Betrachtung der Tapferkeit anderer ist, die nach unmenschlicher Willensanstrengung die Angst vor dem Tode überwinden, wobei sie die größten Opfer bringen und jedes Risiko auf sich nehmen. Aber es erschien ihm kaum moralischer, bei einer solchen Gelegenheit nutzlose Seufzer auszustoßen. Er war der Meinung, daß man die Rolle, die einem die Lage aufgezwungen hatte, mit Anstand und Unbefangenheit durchhalten müsse.

Daß man beim Anblick von Verwundeten in Ohnmacht fallen kann, hatte er an sich selbst bei einer Fahrt zu einer beweglichen Abteilung des Roten Kreuzes erfahren, die westlich von ihnen auf einem Verbandsplatz dicht hinter den Stellungen eingesetzt war.

Sie hatten den Rand eines großen Waldes erreicht, der zur Hälfte durch Artilleriebeschuß zerstört war. In einem Gebüsch mit geknickten und niedergetrampelten Ästen lagen in wildem Durcheinander zertrümmerte und auseinandergebrochene Geschützteile. Ein Reitpferd war an einem Baum angebunden. Das Forsthaus, das man in der Tiefe des Waldes ausmachen konnte, hatte die Hälfte des Daches verloren. Die Verbandsstelle befand sich im Büro des Forsthauses und in zwei großen grauen Zelten, die auf der anderen Seite des Weges aufgeschlagen waren.

»Ich hätte dich nicht herbringen sollen«, sagte Schiwago. »Die Schützengräben liegen nur eineinhalb oder zwei Werst von hier entfernt: unsere Batterien sind dort hinter dem Walde. Hörst du, was hier geschieht? Bitte, spiele nicht den Helden, ich würde es dir nicht glauben. Dein Herz ist dir in die Hosen gesunken; das ist nur natürlich. Jeden Augenblick kann sich die Lage ändern. Hier werden Granaten einschlagen.«

Auf der Erde, dicht am Waldwege, lagen, mit gespreizten Beinen in schweren Stiefeln, auf dem Bauch oder auf dem Rücken, verstaubte, müde Soldaten in durchschwitzten Uniformen: der traurige Überrest einer zusammengeschmolzenen Abteilung. Sie waren aus einer Kampfhandlung, die schon vier Tage dauerte, herausgezogen und zu einer kurzen Erholung in eine Ruhestellung gebracht worden. Die Soldaten lagen wie versteinert da. Sie waren außerstande zu lachen oder zu fluchen, und keiner von ihnen wandte den Kopf um, als sich auf dem Waldweg einige knarrende zweirädrige Wagen in vollem Trabe näherten. Diese Behelfswagen waren ungefedert; bei jeder Unebenheit des Weges wurden die unglücklichen Verwundeten hochgeschleudert, wobei sie ihre Knochen endgültig brachen und die Eingeweide sich ihnen im Leibe umkehrten. Sie wurden zu der Verbandsstelle gefahren, wo sie die erste ärztliche Hilfe erhalten sollten. Man verband sie in aller Eile, und in einigen schweren Fällen operierte man im Schnellverfahren. Man hatte diese zahllosen Verwundeten vor einer halben Stunde, in einer kurzen Feuerpause, von dem Felde vor den Schützengräben aufgelesen. Über die Hälfte von ihnen war bewußtlos.

Nachdem man sie zum Verbandsplatz gebracht hatte, kamen Sanitäter mit Tragbahren aus dem Büro und luden sie aus. Aus einem Zelt, dessen Plane sie mit der Hand hochhob, schaute eine Rote-Kreuz-Schwester heraus. Sie war nicht im Dienst. Hinter den Zelten hörte man lautes Geschimpfe. Der hohe Wald warf das Echo der Stimmen zurück, aber man konnte die Worte nicht verstehen. Bei der Ankunft der Verwundeten kamen die Streitenden aus dem Wald und gingen zum Büro. Ein junger Offizier schrie den Arzt der Abteilung an. Er wollte erfahren, wohin man den Artilleriepark, der vorher in diesem Wald stationiert war, verlegt habe. Der Arzt wußte von nichts, es ging ihn nichts an. Er forderte den Offizier auf, Ruhe zu geben und nicht so zu schreien, weil ein Transport Verwundeter angekommen sei und er jetzt zu tun habe. Aber der junge Offizier ließ sich nicht beruhigen, sondern beschimpfte das Rote Kreuz und die Artillerie-Intendantur und überhaupt alles. Schiwago trat auf den Arzt zu. Sie begrüßten sich und gingen ins Forsthaus. Der Offizier, der mit tatarischem Akzent sprach, fuhr fort zu schimpfen. Er band das Pferd vom Baume los, schwang sich in den Sattel und galoppierte in den Wald. Die Krankenschwester schaute noch immer aus dem Zelt.

Plötzlich verzerrte sich ihr Gesicht vor Entsetzen.

»Was tun Sie da? Sind Sie wahnsinnig?« schrie sie zwei Leichtverwundeten zu, die ohne fremde Hilfe zwischen den Tragbahren zum Verbandsplatz gingen. Sie stürzte ihnen nach.

Auf der Tragbahre wurde ein Unglücklicher getragen, der besonders grauenvoll und fürchterlich entstellt war. Ein Granatsplitter hatte ihm das Gesicht zerfetzt und Zunge und Zähne in einen einzigen blutigen Brei verwandelt. Der Splitter war zwischen den Kieferknochen steckengeblieben. Mit dünner Stimme, die nichts Menschliches mehr an sich hatte, stieß der Schwerverwundete kurze und abgerissene Laute aus, die man als die Bitte verstehen konnte, ihm möglichst bald ein Ende zu bereiten und seine unvorstellbaren Qualen nicht noch zu verlängern.

Die Schwester hatte den Eindruck, daß die neben ihm gehenden Leichtverwundeten aus Erbarmen mit dem Stöhnenden diesen fürchterlichen Eisensplitter mit den bloßen Händen aus der Wunde herausziehen wollten.

»Was tut ihr da! Das geht so nicht! Das macht der Chirurg mit besonderen Instrumenten. Wenn es überhaupt noch Sinn hat.« (›O Gott, o Gott, nimm ihn hinweg, laß mich nicht zweifeln an Deinem Dasein!‹) Einen Augenblick später, als man ihn die Treppe hinauftrug, schrie der Verwundete auf, sein ganzer Körper krampfte sich zusammen, und er gab den Geist auf.

Der so furchtbar Entstellte war der Landwehrmann Gimazetdin, der Offizier, der im Walde so gebrüllt hatte, sein Sohn, Unterleutnant Galiullin. Die Schwester war Lara, die Zeugen Gordon und Schiwago. Sie waren hier alle zusammen – sie standen nebeneinander, aber die einen erkannten sich nicht wieder, die anderen aber hatten sie nie gekannt. Gewisse Zusammenhänge würden für immer verborgen bleiben; andere harrten noch der Enthüllung bis zu einer nächsten Gelegenheit, einer nächsten Begegnung.

XI

In diesem Frontabschnitt waren die Dörfer wie durch ein Wunder erhalten geblieben. Sie bildeten eine winzige, auf unerklärliche Weise heilgebliebene Insel in einem Ozean von Zerstörung. Gordon und Schiwago kehrten am Abend nach Hause zurück. Die Sonne ging unter. In einem der Dörfer, das sie durchquerten, warf ein junger Kosak, unter dröhnendem Gelächter der Umstehenden, ein kupfernes Fünfkopekenstück in die Höhe und zwang einen alten graubärtigen Juden in langem Kaftan, dieses Geldstück aufzufangen. Immer wieder griff der Alte daneben. Das Geldstück flog jedesmal durch seine erbärmlich gespreizten Finger hindurch in den Dreck. Der Alte bückte sich nach der Münze, und der Kosak schlug ihm dabei auf den Hintern. Die Zuschauer hielten sich die Seiten vor Lachen, die Tränen liefen ihnen über die Backen. Noch war es harmlos, aber niemand hätte dafür garantieren können, daß es nicht eine ernste Wendung nehmen würde. Aus der gegenüberliegenden Hütte kam immer von neuem die Frau des Alten gelaufen und streckte schreiend die Arme nach ihm aus, um sich dann jedesmal wieder ängstlich zu verkriechen. Zwei Mädchen blickten aus dem Fenster der Hütte auf ihren Großvater und weinten.

Der Kutscher, dem das alles furchtbar komisch schien, ließ die Pferde im Schritt gehen, um den Herren Zeit zu geben, sich auch ein wenig zu unterhalten. Aber Schiwago stellte den Kosaken zur Rede und befahl ihm, den Alten sogleich in Ruhe zu lassen. »Zu Befehl, Euer Wohlgeboren«, erwiderte der Kosak dienstbeflissen. »Wir taten es nur so, ohne uns dabei etwas zu denken, um was zum Lachen zu haben.«

Gordon und Schiwago legten den Rest des Weges schweigend zurück.

»Das ist furchtbar«, begann Jurij Andréitsch, als sie ihr Dorf erblickten. »Du kannst dir kaum vorstellen, was für einen Leidenskelch die unglückliche jüdische Bevölkerung in diesem Kriege hat leeren müssen, gerade hier in der Zone der Zwangsansiedlung. Und um sie für diese Prüfung, für ihre Aufgaben und ihren Ruin zu entschädigen, findet man nichts Besseres als Pogrome und die Beschuldigung, sie wären nicht patriotisch genug. Woher sollte ihr Patriotismus auch kommen, wenn sie beim Feinde alle Rechte genießen, aber von uns nichts als Verfolgung zu erwarten haben. Unser Haß gegen sie ist voller Widersprüche. Gerade das, was uns rühren und für sie einnehmen sollte, wirkt für uns aufreizend: ihre Armut, ihr gedrängtes Zusammenwohnen, ihre Schwäche, ihre Unfähigkeit, sich der Schläge zu erwehren. Unbegreiflich! Welch tragisches Schicksal!«

Gordon antwortete nicht.

XII

Und wieder lagen sie zu beiden Seiten des langen, schmalen Fensters in der Nacht und redeten miteinander.

Schiwago erzählte Gordon, wie er an der Front den Zaren gesehen habe, und er erzählte gut.

Es war in seinem ersten Frühjahr an der Front gewesen. Der Stab der Abteilung, zu der er kommandiert war, befand sich in den Karpaten – in einem Talkessel, zu dem der Zugang von der ungarischen Ebene aus durch diese Abteilung abgeriegelt war.

Auf dem Grunde des Talkessels befand sich eine Bahnstation. Schiwago schilderte Gordon die Landschaft und die ganze Gegend, – Berge, bewachsen mit Riesentannen und Föhren, in deren Wipfeln weiße Wolkenfetzen hingen, steile Felswände aus grauem Schiefer und Granit, die aus den Wäldern hervorragten wie kahle

144

Stellen aus dem dichten Fell eines sagenhaften Ungeheuers. Es war ein feuchter und dunkler Aprilmorgen, so grau wie dieser Schiefer. Ringsum drängten sich die Berge zusammen, regungslos und bedrückend. Alles dampfte; Nebel lagerte über dem Talkessel, Rauchsäulen stiegen von den Lokomotiven der Bahnstation auf, Schwaden von Dunst aus den nassen Wiesen. Grau waren die Berge, dunkel die Wälder, finster die Wolken.

In jenen Tagen machte der Zar eine Inspektionsfahrt durch Galizien. Plötzlich erfuhr man, er würde die hier gelegene Einheit, deren Chef er war, besuchen.

Er konnte jeden Augenblick eintreffen. Man hatte auf dem Bahnsteig eine Ehrenwache aufziehen lassen. So vergingen ein oder zwei Stunden quälender Erwartung. Dann fuhren in schneller Folge die beiden Züge der kaiserlichen Suite durch. Kurz darauf nahte der kaiserliche Zug.

In Begleitung des Großfürsten Nikolai Nikoláitsch schritt der Zar die Front der Grenadiere ab. Jedes seiner leise gesprochenen Begrüßungsworte hatte ein donnerndes Hurrageschrei zur Folge, wie Wasser, das gegen einen schwankenden Eimer klatscht. Der Zar, der verlegen lächelte, erschien wesentlich älter und müder als sein Bild auf den Medaillen und Rubeln. Er hatte ein schlaffes, etwas gedunsenes Gesicht. Immer wieder schien er schuldbewußt auf Nikolai Nikoláitsch zu blicken, als wisse er nicht, was man von ihm unter den gegenwärtigen Umständen erwartete.

Der Großfürst neigte sich ehrerbietig zu seinem Ohr und half ihm aus der Verlegenheit, ohne etwas zu sagen, indem er ihm einen Wink mit der Augenbraue oder mit den Schultern gab.

Man konnte mit dem Zaren an diesem grauen, föhnigen Gebirgsmorgen nur Mitleid haben. Das Herz zog sich einem zusammen bei dem Gedanken, daß eine so ängstliche Zurückhaltung und Schüchternheit wesentliche Charakterzüge eines Tyrannen sein sollten und daß dieser schwache Mensch richten oder begnadigen, binden oder lösen konnte.

»Er hätte noch sagen müssen: ›Ich . . . das Schwert . . . Mein Volk‹, so wie Wilhelm II. das tat, oder irgend etwas in dieser Art; unbedingt aber hätte vom *Volk* geredet werden müssen, das war eben unerläßlich. Aber verstehst du, er war von einer echt russischen Natürlichkeit und stand in tragischer Weise über diesen Gemeinplätzen. In Rußland ist dieser theatralische Ton völlig undenkbar.

Denn es ist doch nur Theater, nicht wahr? Ich kann noch verstehen, was das Wort ›Volk‹ unter Cäsar bedeutete – man konnte von Galliern, Sueven oder Illyrern sprechen. Aber seit jener Zeit ist es doch nur noch eine Konstruktion, die Kaisern, Königen und Politikern dazu dient, in ihren Reden ›das Volk, mein Volk‹ zu sagen. Die ganze Front ist überschwemmt von Korrespondenten und Journalisten. Sie notieren ›Beobachtungen‹ und Aussprüche der Volksweisheit, sie besuchen die Verwundeten und bauen an einer neuen Theorie der Volksseele. Daraus entsteht so etwas wie ein neuer ›Dahl‹* – ein Ausdruck linguistischer Manie, eine sprachliche Diarrhöe. Das wäre der eine Typ. Es gibt aber noch einen zweiten: abgehackte Sätze, ›kleine Szenen und Skizzen nach dem Leben‹, Skeptizismus, Misanthropie. Nur ein Beispiel, wie ich es selbst gelesen habe – Sätze etwa dieser Art: ›Grauer Tag wie gestern. Seit dem frühen Morgen Regen, Dreck, Schmutz. Ich blicke zum Fenster hinaus auf die Straße. Ein unendlicher Strom von Gefangenen zieht vorbei. Verwundete werden transportiert. Eine Kanone ballert. Und wieder dasselbe heute wie gestern, morgen wie heute und so weiter jeden Tag und zu jeder Stunde . . .‹ Überleg nur, wie geistreich und scharfsinnig das ist. Was will er nur mit der Kanone? Welch seltsame Anmaßung, von einer Kanone Abwechslung zu verlangen! Sollte er sich nicht besser über sich selber statt über die Kanone aufregen, er, der uns Tag für Tag mit Aufzählungen, Kommas und Phrasen wie mit Maschinengewehren beschießt! Warum hört er denn nicht endlich auf, Salven journalistischer Menschenfreundlichkeit auf uns abzuschießen; dieses hastige Geschmier, diese Flohsprünge! Begreift er denn nicht, daß er selber es ist, nicht die Kanone, die sich ändern muß und daß aus einer solchen Ansammlung von aufnotierten Tintenspritzern niemals etwas Gescheites herauskommen kann! Es gibt keine Tatsachen, ohne daß der Mensch etwas von sich aus hinzutut, ein winziges Bruchstück des eigengesetzlichen menschlichen Genies, der freien schöpferischen Phantasie.«

»Das ist verblüffend wahr«, unterbrach ihn Gordon. »Jetzt möchte ich dir noch sagen, was ich von der Szene denke, die wir heute miterlebt haben. Dieser Kosak, der sich über den armseligen Patriarchen lustig machte, ist nur ein Beispiel unter Tausenden für die

* Erklärendes Wörterbuch der russischen Sprache. Verfasser Wladimir Dahl. Lexikograph des 19. Jahrhunderts

simpelste Niedertracht. Philosophie hat da nichts zu suchen, das einzige, was da hilft, ist ein Schlag in die Schnauze. Die Sache ist so klar! Was aber die Judenfrage als Ganzes betrifft, so ließe sich schon darüber philosophieren. Diese Philosophie wird dann aber überraschenderweise ganz andere Aspekte zeigen. Aber hierüber kann ich dir gewiß nichts Neues sagen. Alle diese Gedanken, sowohl die meinen wie die deinen, stammen von deinem Onkel.

Was ist Volk?, so fragst du. Muß man es denn so verhätscheln? Tut der nicht mehr für das Volk, der es, ohne daran zu denken, durch die sieghafte Schönheit seiner Werke für universelle Gedanken begeistert und ihm auf diese Weise ewigen Ruhm verleiht? Ja, natürlich, natürlich! Und von welchen Völkern könnte schon in der Ära des Christentums die Rede sein? Das sind ja nicht mehr einfache Völker, sondern bekehrte, gewandelte Völker, und diese Bekehrung ist das Wesentliche, nicht die Treue zu den alten Grundfundamenten. Denken wir an das Evangelium. Was hat es zu diesem Thema zu sagen? Erstens war es nicht eine Behauptung: es ist so und nicht anders. Es war vielmehr ein naives und schüchternes Anerbieten: wollt ihr auf eine vollkommen neue Weise leben, wollt ihr Beseligung des Geistes? Und alle nahmen das Anerbieten an und waren für Jahrtausende überwältigt.

Wenn es nach dem Evangelium im Reiche Gottes weder Griechen noch Hebräer gibt, soll das nun heißen, daß vor Gott alle gleich sind? Das wäre nichts Neues gewesen, das wußten schon vorher die griechischen Philosophen, die römischen Moralisten und die Propheten des Alten Bundes. Das Evangelium verkündete jedoch, daß es in dieser neuen, vom Herzen inspirierten Gemeinschaft, die das Reich Gottes genannt wird, keine Völker mehr gibt, sondern nur Personen.

Da sagst du nun, die Tatsachen an sich seien sinnlos, wenn man sie nicht in einen höheren Zusammenhang einfügt. Gerade das Christentum, das Mysterium der Persönlichkeit ist es aber, das dem Faktum beigefügt werden muß, um ihm seine Bedeutung für den Menschen zu geben.

Wir sprachen auch von jenen zweitrangigen Politikern, die nichts zu sagen haben zum Phänomen des Lebens und der Welt als Ganzem, von den obskuren historischen Mächten, die an der Mittelmäßigkeit interessiert sind und wünschen, daß immer nur von einem Volk geredet wird, von einem ausnehmend kleinen und verfolgten Volk, das da leiden muß, damit man darüber zu Gericht sitzen und aus dem eigenen Mitleid Kapital schlagen kann. Ihr vorausbestimmtes Opfer ist das gesamte jüdische Volk. Das nationale Denken zwingt die Juden mit tödlicher Folgerichtigkeit, so zu bleiben, wie sie waren, ein Volk zu bleiben, nur ein Volk, und das gerade in jenen Jahrhunderten, in denen durch eine Macht, die aus ihrer eigenen Mitte hervorgegangen ist, die Welt von diesem erniedrigenden Joch befreit worden war. Wie erstaunlich das doch ist! Wie konnte das geschehen? Dies freudige Ereignis, diese Befreiung von der teuflischen Mittelmäßigkeit, dieser Triumph über den täglichen Stumpfsinn, das alles wurde auf ihrer Erde geboren, redete in ihrer Sprache und gehörte ihrem Stamme an. Und sie sahen und hörten das und ließen es sich entgehen! Wie konnten sie eine Seele von einer so überwältigenden Schönheit und Kraft vorübergehen lassen!? Wie glaubten sie, die doch so eng verbunden waren mit seinem Triumph und mit seinem Herrschaftsanspruch, weiterbestehen zu können als eine leere Hülle des Wunders, das sie einst achtlos weggeworfen hatten!? Wem nützte dies freiwillige Martyrium? Für wen mußten sie alle Jahrhunderte hindurch Spott und Hohn ertragen? Für wen wurde das Blut so vieler unschuldiger Greise, Frauen und Kinder vergossen, die so begabt waren zur Güte und zu inniger Gemeinschaft? Weshalb sind die patriotischen Schreiberlinge aller Völker so unfähig und minderwertig? Warum sind die großen Geister des jüdischen Volkes niemals über den allzu leichten Ausdruck des Weltschmerzes und über eine ironische Weisheit hinausgekommen? Warum hat sich diese kleine Schar, die doch immer in Gefahr war, unter der Gewalt ihres unabwendbaren Schicksals zerrissen zu werden wie ein Dampfkessel vom Überdruck, nicht in alle Winde zerstreut, statt zu kämpfen und sich sinnlos zu opfern? Warum haben sie nicht gesagt: ›Besinnt euch! Es ist genug. Nennt euch nicht mehr wie früher. Tut euch nicht zu einem Haufen zusammen! Geht auseinander. Seid wie alle. *Ihr seid die ersten und besten Christen der Welt.* Ihr verkörpert gerade das, wogegen sich die Schlechtesten und Schwächsten unter euch immer gewehrt haben!‹ «

XIII

Tags darauf sagte Schiwago beim Mittagessen: »Da hast du es, du wolltest ja immer wegfahren: nun, jetzt hast du es! Ich kann nicht sagen ›zu deinem Glück‹, denn was ist das für ein Glück, daß wir wieder bedrängt und geschlagen werden. Der Weg nach Osten ist frei; aber vom Westen her werden wir hart verfolgt. Alle Sanitätsdienststellen haben Befehl, sich abzusetzen. Morgen oder übermorgen geht es los. Wohin? Unbekannt! Und die Wäsche Michail Grigorjewitschs ist natürlich nicht gewaschen, Karpenko. Die alte Geschichte. Die Base, ja, die Base – fragt man ihn aber etwas genauer, was das für eine Base ist, dann weiß er es selber nicht, der Idiot.«

Er hörte nicht hin, was der als Offiziersbursche eingeteilte Sanitäter zu seiner Rechtfertigung stammelte, und achtete auch nicht auf Gordon, dem es unangenehm war, daß er Schiwagos Wäsche getragen hatte und in dessen Hemd abreiste. Dieser aber fuhr fort: »Jaja, unser Leben im Felde! Hin und her geworfenes Zigeunerpack! . . . Als wir hier eintrafen, hat es mir nie behagt – kein Ofen, niedrige Zimmerdecke, Schmutz, stinkende Luft. Ich wüßte aber nicht zu sagen – schlag mich tot, ich weiß es nicht! –, wo wir vorher gelegen haben. Mir ist, als hätte ich eine Ewigkeit hier gelebt – auf diese Ofenecke gestarrt mit der Sonne auf den Kacheln und dem darüber gleitenden Schatten eines am Wege stehenden Baumes.«

Ohne sich zu beeilen, fingen sie an, ihre Sachen zu packen.

In der Nacht erwachten sie von Lärm und Geschrei, von Schüssen und Gerenne. Ein unheilvolles Leuchten lag über dem Dorf. Am Fenster huschten Schatten vorüber. Im Nebenzimmer waren der Bauer und die Bäuerin wachgeworden. »Lauf mal 'raus, Karpenko, und frage, was da eigentlich los ist«, sagte Jurij Andréitsch.

Bald erfuhr man alles. Schiwago hatte sich rasch angekleidet und war ins Lazarett geeilt, um die Gerüchte nachzuprüfen, die sich als richtig erwiesen. Die Deutschen hatten diesen Frontabschnitt durchbrochen. Die Verteidigungslinie war dadurch immer näher ans Dorf gerückt. Das Dorf lag unter Beschuß. Das Lazarett mit allen Dienststellen wurde eilig, ohne erst den Befehl abzuwarten, geräumt. Alle waren der Meinung, man würde bis zum frühen Morgen fertig sein.

»Du fährst mit der ersten Staffel; der Wagen geht gleich von hier

149

ab. Ich habe angeordnet, man solle warten, bis du kommst. Also leb wohl! Ich werde dich begleiten und sehen, wie man dich unterbringt.« Sie liefen an das andere Ende des Dorfes, wo die Abteilung marschbereit formiert wurde. Sie liefen an den Häusern vorüber, bückten sich tief und nahmen Deckung hinter den Vorbauten. Die Straße entlang surrten und sirrten Kugeln. Von den Kreuzungen aus, die von Feldwegen überquert wurden, konnte man sehen, wie sich die Flammen bei den Schrapnellexplosionen schirmartig ausbreiteten.

»Und wann rückst du ab?« fragte Gordon im Laufen.

»Ich komme nach, ich muß noch nach Hause, um meine Sachen zu holen. Ich bin beim zweiten Trupp.«

Sie nahmen am Zaun Abschied. Einige Bauernkarren und die Wagen, die zu der Transportkolonne gehörten, setzten sich in Bewegung. Ein Wagen fuhr in den andern hinein, aber man brachte das bald wieder in Ordnung. Jurij Andréitsch winkte dem abfahrenden Freunde nach. Die Szene wurde von den Flammen einer brennenden Scheune beleuchtet.

Wie auf dem Hinwege bemühte sich Jurij Andréitsch, immer im Schutze der Hütten und ihrer Vorbauten zu bleiben und schnell in sein Quartier zu kommen. Zwei Häuser vor seinem Ziel wurde er vom Luftdruck einer Explosion zu Boden geworfen und von einer Schrapnellkugel verwundet. Blutüberströmt brach er mitten auf der Straße zusammen und verlor das Bewußtsein.

XIV

Das Lazarett lag weltverloren in einem kleinen Städtchen des westlichen Bezirks an der Bahnlinie in der Nähe des Hauptquartiers. Es war Ende Februar, das Wetter war warm. Im Offiziersraum für Genesende, wo Jurij Andréitsch untergebracht war, hatte man auf seine Bitte ein Fenster bei seinem Bett geöffnet.

Die Mittagsstunde näherte sich. Die Kranken vertrieben sich, jeder auf seine Weise, bis zum Essen die Zeit. Sie hatten gehört, eine neue Schwester sei angekommen; sie würde heute zum ersten Male Dienst machen. Galiullin, der Jurij Andréitsch gegenüberlag, las in der soeben eingetroffenen ›Rjetsch‹ und im ›Russkoje Slowo‹ und war empört über die durch die Zensur verursachten Lücken.

Jurij Andréitsch las in Tonjas letzten Briefen, die ihm die Feldpost alle zur gleichen Zeit zugestellt hatte. Der Wind bewegte die Briefseiten und die Zeitungsblätter. Da hörte man leichte Schritte. Jurij Andréitsch hob die Augen. Es war Lara, die den Krankensaal soeben betreten hatte.

Jurij Andréitsch und der Unterleutnant erkannten sie beide im gleichen Augenblick, ohne daß es der eine vom andern wußte. Sie aber erkannte keinen von beiden. Sie sagte:

»Guten Tag. Warum ist das Fenster geöffnet? Zieht es nicht?« und sie trat an das Bett Galiullins.

»Was fehlt Ihnen?« fragte sie und ergriff seine Hand, um den Puls zu fühlen; aber im gleichen Augenblick ließ sie die Hand sinken und setzte sich betroffen auf den Stuhl vor der Pritsche.

»Welche Überraschung, Larissa Fjodorowna!« rief Galiullin aus. »Ich war im selben Regiment wie Ihr Mann und kannte Pawel Pawlowitsch. Ich habe seine Sachen für Sie aufbewahrt.«

»Das kann nicht sein, das kann nicht sein!« wiederholte Lara. »Welch außergewöhnlicher Zufall! Sie haben ihn also gekannt? Erzählen Sie bitte schnell, wie alles kam! Ist es wahr, daß er verschüttet wurde? Verbergen Sie mir nichts, fürchten Sie nicht, mich zu erschrecken. Ich weiß alles.«

Galiullin wagte nicht, ihre Nachrichten, die aus Gerüchten stammten, zu bestätigen. Er beschloß, die Unwahrheit zu sagen, um sie zu beruhigen.

»Antipov ist in Gefangenschaft«, sagte er. »Er hatte sich mit einer Abteilung während des Angriffs zu weit vorgewagt und wurde abgeschnitten. Da er von allen Seiten umzingelt war, mußte er sich ergeben.«

Aber Lara glaubte Galiullin nicht. Die bestürzende Plötzlichkeit der Unterredung hatte sie in Erregung versetzt: sie wurde der aufsteigenden Tränen nicht Herr, doch sie wollte vor Fremden nicht weinen. Sie erhob sich schnell und ging aus dem Krankensaal auf den Korridor, um sich zu fassen.

Ein wenig später kehrte sie äußerlich ruhig zurück. Sie vermied es, Galiullin anzusehen, um nicht wieder in Tränen auszubrechen. Sie trat sogleich an das Bett Jurij Andréitschs und sagte zerstreut und mechanisch:

»Guten Tag! Was fehlt Ihnen?« Jurij Andréitsch, der ihre Erregung und ihre Tränen bemerkte, wollte fragen, was sie hätte, wollte ihr erzählen, daß er sie schon zweimal in seinem Leben gesehen habe, als Gymnasiast und als Student. Dann hielt er das aber für indiskret und fürchtete, sie könne seine Absichten mißdeuten. Auf einmal fiel ihm die tote Anna Iwanowna im Sarge ein und Tonjas Schreie damals in Siwzewo; er hielt sich zurück und sagte statt dessen nur: »Ich danke Ihnen. Ich bin Arzt und behandle mich selbst. Ich brauche nichts.«

›Warum fühlt er sich nur gekränkt?‹ dachte Lara und blickte erstaunt auf den Unbekannten mit der Stupsnase, an dem nichts bemerkenswert war.

Ein paar Tage lang war das Wetter wechselhaft und unbeständig. Ein warmer, verheißungsvoller Wind wehte in den Nächten, die nach feuchter Erde rochen.

Zu dieser Zeit trafen aus dem Hauptquartier merkwürdige Nachrichten ein. Von zu Hause und aus dem Landesinneren drangen alarmierende Gerüchte an die Front. Die telegrafische Verbindung mit Petersburg war gestört. Überall führte man politische Gespräche.

Schwester Antipowa besuchte, wenn sie Dienst hatte, die Kranken zweimal am Tage, morgens und abends; sie wechselte jedesmal ein paar belanglose Worte mit den Verwundeten der andern Räume, mit Galiullin und mit Jurij Andréitsch. ›Was für ein seltsamer und interessanter Mensch‹, dachte sie, ›jung und ziemlich unliebenswürdig. Man kann nicht gerade sagen, daß er mit seiner Stupsnase hübsch wäre. Aber klug im besten Sinne des Wortes scheint er zu sein; er hat einen lebhaften, bestechenden Geist. Doch es handelt sich nicht um ihn. Die Sache ist die, daß ich mich möglichst bald aus meinen Verpflichtungen hier lösen muß, um mich wieder nach Moskau versetzen zu lassen, näher zu Katjenka. In Moskau muß ich erreichen, daß ich entlassen werde und wieder nach Jurjatino an meine Stelle am Gymnasium zurückkehren kann. Was den armen Pascha betrifft, so muß man die Hoffnung wohl aufgeben. Es hat also keinen Sinn mehr, weiterhin im Felde die Heldin zu spielen. Ich habe mich ja nur zum Dienst als Krankenschwester gemeldet, um ihn zu suchen. – Wie mag es meiner kleinen Katjenka gehen? Das arme, verwaiste Kind!‹ (Bei dem Gedanken an sie mußte sie weinen.) ›Was für jähe Veränderungen in dieser letzten Zeit! Noch vor kurzem galten die Pflichten gegenüber dem Vaterland, kriegerischer Mut und hochgestimmte staatsbürgerliche Gesinnung für heilig. Aber der Krieg ist verloren, daher kommt das ganze Unglück! Nichts ist mehr heilig, alles ist entwürdigt.

Mit einem Schlag hat sich alles verwandelt, der Ton und die Luft, man weiß nicht mehr, was man denken und auf wen man hören soll. Es ist, als wärst du dein Lebtag wie ein kleines Kind an der Hand geführt worden, und plötzlich läßt man dich los und sagt: Lerne allein gehen! Und es gibt niemanden mehr in deiner näheren und ferneren Umgebung, keine Familie, keine Autorität. Jetzt, da die menschlichen Einrichtungen zusammengebrochen sind, müßte man sich auf das Wesentliche stützen, auf die Lebenskraft, die Schönheit oder auf die Wahrheit. Ihnen müßte man sich in einer vollkommeneren und rücksichtsloseren Weise anvertrauen als in Friedenszeiten und im Alltagsleben, das es nicht mehr gibt. ›In meinem Fall‹, so sagte sich Lara, ›ist dies absolute Ziel Katjenka.‹ Jetzt, ohne Paschenjka, war sie nur noch Mutter, die ihre ganze Kraft Katjenka, dem armen, verwaisten Kinde, widmen würde.

Jurij Andréitsch erfuhr eines Tages, daß Gordon und Dudurov ohne sein Wissen sein Buch herausgebracht hatten: es wurde allgemein günstig beurteilt, und man prophezeite ihm eine große literarische Zukunft. In Moskau war die Situation zur Zeit, wie es hieß, in gleicher Weise aufregend und alarmierend. Die dumpfe Unruhe der Masse wuchs mit jedem Tag. Man stand am Vorabend wichtiger Änderungen. Ernste politische Ereignisse kündigten sich an. Es war spät in der Nacht. Jurij Andréitsch fand sich von einer merkwürdigen Schläfrigkeit befallen. Ab und zu nickte er ein, aber er glaubte nach all den Aufregungen des Tages nicht einschlafen zu können und meinte, die ganze Zeit über wach zu sein. Draußen wehte und blähte sich ein schlaffer, schläfrig atmender Wind. Dieser Wind weinte und flüsterte: ›Tonja, Ssaschjenka, wie sehr sehne ich mich nach euch. Wie gern möchte ich wieder zu Hause sein und mich an meine Arbeit machen!‹ Über dem Murmeln des Windes schlief Jurij Andréitsch ein, wachte wieder auf, schlief von neuem in einem raschen Wechsel von Glück und Leid, erregt und ungeduldig wie dieses unbeständige Wetter, wie diese wechselvolle Nacht.

Lara dachte: ›Er hat sich soviel Mühe gegeben, um Paschas Gedächtnis zu ehren und seine armseligen Sachen aufzubewahren.

Aber ich – was bin ich doch für ein Scheusal! –, ich habe nicht einmal gefragt, wer er ist und woher er kommt.‹

Bei ihrem Besuch am nächsten Morgen holte sie ihr Versäumnis nach und suchte ihre Undankbarkeit wiedergutzumachen, indem sie viele Fragen an Galiullin richtete und ihrer Überraschung lebhaft Ausdruck verlieh.

»Herr Jesus, was für ein Zusammentreffen! Brester Straße 28, die Tiversins, der Revolutionswinter 1905! Jussupka? Nein. Jussupka habe ich nicht gekannt, oder ich kann mich nicht erinnern. Sie müssen schon verzeihen! Aber das Jahr und der Hof! Das ist also alles wahr, es hat wirklich solch einen Hof gegeben und ein solches Jahr!« Wie lebhaft sie sich an das alles jetzt wieder erinnerte! Auch an die Schießereien von damals. Wie war das noch gleich gewesen, Gott gebe ihr ihr Gedächtnis zurück! Jetzt wußte sie es wieder: die ›Meinung Christi‹! Wie stark man in der ersten Kindheit fühlt und empfindet! »Verzeihen Sie, verzeihen Sie bitte, wie heißen Sie, Herr Unterleutnant? Natürlich, Sie sagten es mir schon, ich danke Ihnen! Wie sehr muß ich Ihnen danken, Ossip Gimazetdinowitsch! Welche Erinnerungen und Gedanken haben Sie in mir geweckt!«

Den ganzen Tag dachte sie an nichts anderes als an jenen Hof, und fast hätte sie laut vor sich hin gesprochen.

›Wenn man bedenkt, Brester Straße 28! Und jetzt wieder die Schießerei, aber um wieviel schrecklicher! Jetzt sind es nicht mehr Knaben, die schießen. Diese Knaben sind inzwischen herangewachsen, und alle sind sie hier, sind Soldaten, das ganze einfache Volk von diesen Höfen und Dörfern!‹

An ihren Stöcken und Krücken kamen die Krüppel und die Kranken, die gehen konnten, aus den Nachbarräumen angehumpelt und riefen um die Wette:

»Große Neuigkeiten! Straßenkämpfe in Petersburg. Die Garnison ist auf die Seite der Rebellen übergegangen. Das st die Revolution!«

Abschied von der Vergangenheit

I

Das Städtchen hieß Meljusejewo, es lag im Schwarzerde-Land. Wie ein Heuschreckenschwarm hing über den Dächern der schwarze Staub, der von den durchziehenden Truppen und Wagenkolonnen aufgewirbelt wurde. Vom frühen Morgen bis zum Abend bewegte sich der Zug in beiden Richtungen – zur Front und weg von der Front, so daß es unmöglich war, mit Sicherheit zu sagen, ob der Krieg fortgesetzt wurde oder ob er beendet war.

Mit jedem Tage schossen neue Ämter wie Pilze aus der Erde. Man übertrug sie abwechselnd dem Doktor Schiwago, dem Leutnant Galiullin, der Schwester Antipova und einigen anderen aus ihrem Kreise – lauter Großstädtern, die ihre Erfahrungen hatten und im Leben weit herumgekommen waren.

Sie ersetzten die fehlenden Kräfte in der städtischen Selbstverwaltung, sie machten Dienst als Kommissare auf unbedeutenden Posten in der Armee und im Sanitätskorps. Sie nahmen die Abwechslung dieser Beschäftigung wie eine Unterhaltung im Freien hin, etwa wie das bekannte Spiel ›Husch, husch, das letzte Paar heraus‹. Doch, immer häufiger wünschten sie, aus diesem Spiel auszuscheiden und zu ihrer gewohnten Arbeit zurückzukehren.

Die Arbeit führte Schiwago immer häufiger und näher mit Frau Antipov zusammen.

II

Wenn es regnete, verwandelte sich der schwarze Staub in der Stadt in dunkelbraunen, kaffeefarbenen, zähen Schlamm, der die meist ungepflasterten Straßen bedeckte.

Das Städtchen war nicht groß. Von überallher konnte man hinter der nächsten Straßenbiegung die finstere Steppe mit dem dunklen Horizont erkennen und etwas ahnen von der Grenzenlosigkeit des Krieges und der Revolution.

Jurij Andréitsch schrieb an seine Frau:

»Verfall und Anarchie in der Armee schreiten fort. Man trifft Maßnahmen, um die Disziplin und den Kampfgeist der Soldaten zu heben. Ich habe die in der Nähe gelegenen Einheiten besucht.

Endlich an Stelle einer Nachschrift (ich hätte Dir viel früher davon schreiben sollen!): ich arbeite hier mit einer gewissen Antipova zusammen, einer Krankenschwester aus Moskau, die aus dem Ural stammt.

Erinnerst Du Dich noch, wie am Weihnachtsfest in jener furchtbaren Nacht, da Deine Mutter starb, ein Mädchen auf den Staatsanwalt geschossen hatte? Ich glaube, der Fall kam später vors Gericht. Ich meine, mich zu erinnern, daß ich Dir damals sagte, daß Mischa und ich diese Studentin, noch als Gymnasiastin, einmal in einem schäbigen Gasthof gesehen haben, wo wir mit Deinem Vater aus irgendeinem Grunde in einer Nacht abgestiegen waren, in der es Stein und Bein fror. Das war, soweit ich mich jetzt erinnere, zur Zeit des Aufstandes an der Presna. Dies Mädchen nun ist sie! Die Antipova!

Mehrfach habe ich alles unternommen, um nach Hause zu kommen. Aber das geht nicht so einfach. Was uns hier hält, ist weniger die Arbeit, die andere ohne weiteres an unserer Stelle übernehmen könnten. Die Hauptschwierigkeit ist die Reise selbst. Züge verkehren entweder gar nicht, oder sie sind derart überfüllt, daß es unmöglich ist, einen Platz zu bekommen.

Aber schließlich kann das alles nicht ewig so weitergehen, und aus diesem Grund haben einige von uns, die inzwischen genesen sind, beschlossen, den Dienst zu quittieren (darunter auch ich, Galiullin und die Antipova). Wir wollen auf jeden Fall von nächster Woche ab reisen. Aber wir wollen einzeln an verschiedenen Tagen fahren, um eher einen Platz im Zug zu bekommen.

Ich kann also, wie ein Schneesturm im Winter irgendwann, ohne Benachrichtigung, plötzlich bei euch sein. Ich will jedoch auf alle Fälle versuchen, zu telegrafieren.«

Noch vor seiner Abreise erhielt Jurij Andréitsch eine Antwort von Antonina Alexándrowna. In diesem Brief, in dem die Seufzer die Harmonie der Sätze zerstörten und Tränenspuren und Kleckse die Interpunktion ersetzten, suchte Antonina Alexándrowna ihren Mann davon zu überzeugen, daß er nicht nach Moskau zurückkehren, sondern seinen Weg in den Ural an der Seite dieser wunderbaren Schwester fortsetzen solle, deren Dasein durch so erstaunliche Vorzeichen und schicksalhafte Begegnungen gekennzeichnet sei; sie, Tonja, mit ihrem bescheidenen Leben, könne keinem Vergleich mit ihr standhalten.

»Um Ssaschjenka und seine Zukunft brauchst Du Dir keine Sorgen zu machen«, so schrieb sie. »Du wirst Dich seiner nicht schämen müssen. Ich verspreche Dir, ihn nach den Grundsätzen zu erziehen, wie Du sie als Kind in unserem Hause gesehen hast.«

»Du bist von Sinnen, Tonja«, beeilte sich Jurij Andréitsch zu antworten. »Welche Verdächtigungen! Weißt Du denn nicht oder nicht genügend, daß der Gedanke an Dich, die Treue zu Dir und zu unserer Familie mich vor dem Tode und vor allen möglichen Arten des Untergangs im Laufe dieser beiden schrecklichen und vernichtenden Kriegsjahre bewahrt haben? Übrigens, wozu die Worte! Wir werden uns bald wiedersehen, unser früheres Leben wird von neuem beginnen; alles wird sich aufklären.

Daß Du mir in diesem Ton hast antworten können, erschreckt mich aus einem andern Grunde. Wenn ich eine derartige Antwort verdient habe, so muß mein Verhalten tatsächlich zweideutig sein. In diesem Falle wäre ich genauso schuldig gegenüber dieser Frau, die ich in die Irre führe, und ich werde sie um Verzeihung bitten müssen. Ich werde das tun, sobald sie von ihrer Dienstreise durch einige Dörfer der Umgebung zurückgekehrt ist. Neuerdings führt man die Landschaftsorganisationen, die es früher nur in den Gouvernements und Bezirken gab, auch in den kleinen Verwaltungsbezirken, in den Kreisen, ein. Die Antipova ist zu einer Freundin gefahren, die als Instruktorin an dieser Neuorganisation arbeitet, um ihr zu helfen.

Übrigens ist es auffallend, daß ich, der ich unter demselben Dach wie die Antipova wohne, noch immer nicht weiß, wo ihr Zimmer liegt, und daß ich mich nie dafür interessiert habe.«

III

Von Meljusejewo gingen zwei große Straßen aus, die eine in öst-
licher, die andere in westlicher Richtung. Der eine Weg, eine Landstraße, führte durch den Wald nach Sybuschino, einem kleinen
Ort, in dem Getreidehandel getrieben wurde. Sybuschino unterstand verwaltungsmäßig Meljusejewo, hatte die kleine Stadt aber
in jeder Hinsicht überholt. Der andere Weg, eine Schotterstraße,
durchquerte sumpfiges Wiesengelände, das im Sommer austrock-
nete, und führte nach Birjutschi, dem Knotenpunkt zweier Bahnlinien, die sich unweit von Meljusejewo kreuzten.

Zwei Wochen lang hielt sich in Sybuschino eine unabhängige Republik, die der Müller Blashejko ausgerufen hatte. Fahnenflüchtige
des zweihundertzwölften Infanterieregiments, die mit der Waffe
in der Hand ihre Fronststellungen verlassen hatten und über Birjutschi im Augenblick des Umsturzes nach Sybuschino gekommen
waren, bildeten die Stütze der Republik.

Diese kleine Republik erkannte die Provisorische Regierung nicht
an und trennte sich vom übrigen Rußland. Blashejko, der Mitglied
einer Sekte war und in seiner Jugend mit Tolstoi korrespondiert
hatte, verlieh Sybuschino die Verfassung eines ›Neuen Jerusalem‹
mit Gemeinsamkeit der Arbeit und des Besitzes. Die Regierung
dieses winzigen Staatsgebildes wurde in ›Apostolat‹ umbenannt.

Sybuschino war schon immer ein Gegenstand für Legenden und
unwahrscheinliche Geschichten gewesen. Es lag in uralten, finsteren Wäldern und wurde bereits in Urkunden der sogenannten
›wirren Zeit‹* erwähnt. In späterer Zeit wimmelte es dort von
Räuberbanden. Sprichwörtlich waren der Reichtum seiner Kaufleute und die phantastische Fruchtbarkeit des Bodens. Gewisse
Sitten und Bräuche des Volksglaubens und sprachliche Eigentüm-
lichkeiten, die für den westlichen Teil der Front charakteristisch
waren, nahmen ihren Ausgang von Sybuschino.

Über den Leutnant Blashejko erzählte man wunderbare, unglaub-
liche Geschichten. Es hieß, er sei von Geburt taubstumm, habe aber
– durch Eingebung – die Gabe der Sprache erhalten, die er wieder
verlor, nachdem der Zustand der Erleuchtung vorüber war.

Im Juli brach die Sybuschino-Republik zusammen. Der Flecken

---

* Periode des Bürgerkrieges im 17. Jahrhundert

wurde von einer Truppe besetzt, die der Provisorischen Regierung ergeben war. Man verjagte die Deserteure, die nach Birjutschi flohen. In Birjutschi waren die Wälder zu beiden Seiten der Wege mehrere Werst weit abgeholzt. Erdbeerpflanzen überwucherten die Baumstümpfe. Man fand dort Stapel liegengebliebenen Brennholzes und halbverfallene Erdhütten von Saison-Waldarbeitern, die hier früher gearbeitet hatten. In dieser Gegend siedelten sich die Fahnenflüchtigen an.

IV

Das Lazarett, in dem der Doktor als Patient gelegen und später als Arzt gearbeitet hatte, war in einer großen Villa der Gräfin Shabrinskaja untergebracht, die ihr Haus seit Kriegsbeginn für Verwundete zur Verfügung gestellt hatte.

Das zweistöckige Gebäude stand an einer der schönsten Stellen von Meljusejewo, an der Ecke der Hauptstraße und des großen Platzes der Stadt, eines ehemaligen Exerzierplatzes. Jetzt wurden dort Versammlungen abgehalten.

Durch die zentrale Lage hatte man von einigen Stellen aus schöne Ausblicke. Außer der Hauptstraße und dem Platz war der Nachbarhof zu sehen, der unmittelbar an das Haus grenzte – eine ärmlich Provinzwirtschaft, die sich in nichts von anderen bäuerlichen Höfen unterschied. Außerdem erblickte man von der Rückseite des Hauses aus den alten gräflichen Garten. Für die Gräfin hatte die Villa niemals einen besonderen Wert besessen. Ihr gehörten im gleichen Bezirk das große Gut ›Rasdoljnoje‹, und das Haus in der Stadt war nicht mehr als ein Sammelpunkt, wo sich die Gäste trafen, die von überallher kamen, um den Sommer auf ihrem Landgut zu verbringen.

Jetzt diente die Villa als Lazarett. Ihre Besitzerin aber war in Petersburg, ihrem ständigen Wohnsitz, verhaftet worden.

Vom früheren Personal waren in der Villa nur zwei merkwürdige Frauen übriggeblieben – die alte Gouvernante der inzwischen verheirateten gräflichen Töchter, eine gewisse Mademoiselle Fleury, und die ehemalige Köchin Ustinja.

Grauhaarig, mit geröteten Wangen schlurfte die alte Mademoiselle Fleury in Pantoffeln und in einer weiten, abgetragenen Jacke, unordentlich und zerzaust, im ganzen Lazarett herum, wo sie sich jetzt ebenso wohl fühlte wie dereinst bei der Familie Shabrinskij. In gebrochenem Russisch erzählte sie allerlei Geschichten, wobei sie die Endungen der Wörter nach französischer Art verschluckte. Sie stellte sich in Positur, fuchtelte mit den Armen und brach am Ende ihres Geredes gewöhnlich in ein heiseres Gelächter aus, das mit einem anhaltenden Hustenanfall endete.

Mademoiselle wußte alle Einzelheiten aus dem Privatleben der Antipova. Sie glaubte zu merken, daß der Doktor und die Schwester aneinander Gefallen gefunden hatten. Ihrem kupplerischen Instinkt getreu (einem Instinkt, der tief in der Wesensart der romanischen Völker verwurzelt ist), freute sie sich jedesmal, wenn sie die beiden zusammen sah, drohte scherzhaft mit dem Finger und zwinkerte ihnen schelmisch mit den Augen zu. Lara war verlegen, der Doktor ärgerte sich; Mademoiselle aber liebte, wie alle Sonderlinge, ihre eigenen Torheiten über alles und hätte um nichts in der Welt von ihnen abgelassen.

Noch bemerkenswerter als Charakter war Ustinja. Ihre Figur verjüngte sich einigermaßen unproportioniert nach oben, wodurch sie einige Ähnlichkeit mit einer Bruthenne bekam. Diese Frau war trocken und nüchtern bis zur Boshaftigkeit. Doch ihr kalter Verstand verband sich mit einer ungezügelten Phantasie, wenn es um den Aberglauben ging.

Ustinja kannte eine Unzahl von volkstümlichen Beschwörungsformeln. Sie tat keinen Schritt, ohne das Feuer im Herd zu beschwören, sie verließ das Haus nicht, ohne einen Zauberspruch ins Schlüsselloch gegen den bösen Blick zu flüstern. Sie stammte aus Sybuschinskoje. Wie man sagt, war sie die Tochter eines Dorfhexers.

Ustinja konnte jahrelang schweigen, bis es plötzlich zu einem Ausbruch kam. Dann aber gab es kein Halten mehr. Ihre Leidenschaft war, sich für Wahrheit und Gerechtigkeit einzusetzen.

Nach dem Zusammenbruch der Sybuschinsker Republik unternahm das Exekutivkomitee von Meljusejewo eine Kampagne gegen anarchistische Strömungen, die sich in dem kleinen Ort bemerkbar machten. Abend für Abend fanden auf dem ehemaligen Exerzierplatz zwanglose, friedliche und nur wenig besuchte Treffen statt, zu denen die müßigen Meljusejewoer, genauso wie ehedem im Sommer, unter offenem Himmel am Tor der Feuerwache zusammenkamen. Der Sowjet für kulturelle Aufklärung förderte diese Zusammenkünfte und schickte seine aktiven Mitglieder oder von auswärts kommende Agitatoren als Leiter der Diskussionen. Diese Männer hielten die Gerüchte, die in Sybuschino über den redenden Taubstummen umliefen, für absurden Unsinn, und sie brachten das Gespräch oft auf diesen Gegenstand. Aber die kleinen Handwerker, die Frauen der Soldaten und das ehemalige herrschaftliche Gesinde waren anderer Meinung. Der redende Taubstumme erschien ihnen keineswegs als der Gipfel des Absurden. Sie setzten sich für ihn ein.

Unter den sich widersprechenden Äußerungen, die in der Menge zu seiner Verteidigung laut wurden, hörte man oft Ustinjas Stimme. Zuerst konnte sie sich nicht dazu entschließen, öffentlich aufzutreten, ihr Schamgefühl hielt sie davon ab; aber allmählich schöpfte sie Mut und begann, immer kühner gegen die Redner vorzugehen, deren Meinungen in Meljusejewo unwillkommen waren. So wurde sie unvermerkt zu einer waschechten Tribünenrednerin.

In der Villa konnte man besonders an stillen Abenden bei offenen Fenstern das dumpfe Stimmengewirr auf dem Platz und sogar abgerissene Sätze aus den Ansprachen einzelner Redner hören. Oft, wenn Ustinja sprach, kam Mademoiselle ins Zimmer gelaufen und riet den Anwesenden hinzuhören; in gebrochenem Russisch wiederholte sie spöttisch: »Rsput... Raspu... die Brillanten des Zaren... Sybusch ... Der Taubstumme! Verrat! Verrat!« Im stillen war Mademoiselle stolz auf dieses kämpferische Weib mit der scharfen Zunge. Die Frauen hingen zärtlich aneinander, dennoch knurrten sie sich unaufhörlich an.

V

Jurij Andréitsch bereitete allmählich seine Abreise vor. Er machte die Runde bei seinen Bekannten und in den Dienststellen, um sich zu verabschieden, und füllte die notwendigen Dokumente aus.

Um diese Zeit kam ein neuer Kommissar dieses Frontabschnittes, der zur Armee unterwegs war, um dort seinen Posten zu übernehmen, durch die Stadt, wo er sich einige Tage aufhielt. Es hieß, der junge Mann sei noch nicht aus den Kinderschuhen heraus.

Damals war man dabei, Vorbereitungen für eine neue große Offensive zu treffen. Man bemühte sich, eine Umstimmung bei dem Gros der Soldaten zu erreichen, und verschärfte die Disziplin. Man richtete Revolutions-Kriegsgerichte ein, und die Todesstrafe, die erst vor kurzem abgeschafft worden war, wurde wieder eingeführt.

Vor seiner Abreise mußte sich der Doktor beim Distriktkommandanten melden, dessen Amt in Meljusejewo von einem Offizier wahrgenommen wurde, den man der Kürze halber einfach den ›Distrikt‹ nannte.

Gewöhnlich herrschte in seinem Amt ein fürchterliches Gedränge, das sich schon im Hausflur, auf dem Hof und auf der Straße vor den Fenstern der Amtsräume bemerkbar machte. Es war unmöglich, sich bis an die Bürotische vorzudrängen. Durch das Stimmengewirr konnte man kaum sein eigenes Wort verstehen. Aber an diesem Tag war das Amt für das Publikum geschlossen. In der leeren und stillen Kanzlei arbeiteten die Schreiber, unzufrieden über den immer mehr anwachsenden Papierkrieg, an ihren Akten, wobei sie sich ab und zu ironische Blicke zuwarfen. Aus dem Arbeitszimmer des Chefs tönten fröhliche Stimmen, als säße man dort mit aufgeknöpften Uniformjacken und erfrischte sich an einem kühlenden Getränk.

Galiullin kam aus dem Arbeitsraum des Chefs, erblickte Schiwago in dem großen Vorzimmer und gab mit einer Bewegung des ganzen Körpers – etwa, als wollte er einen Anlauf nehmen – dem Doktor zu verstehen, er solle die drüben herrschende Fröhlichkeit mitmachen. Der Doktor mußte ohnehin in das Arbeitszimmer des Chefs, um sich dessen Unterschrift zu holen. Dort fand er nun alles in einer höchst malerischen Unordnung vor.

Die Sensation des Städtchens und der Held des Tages, der neue Kommissar, stand im Arbeitszimmer, das überhaupt in keiner Beziehung zum eigentlichen Leben des Stabes und den operativen Fragen stand, vor den Beherrschern dieses papierenen Königreichs und schwang Reden, statt sich auf seinen Posten zu begeben.

»Ha, da haben wir noch einen Stern«, sagte der ›Distrikt‹ und stellte den Doktor dem Kommissar vor, der ihn, ganz von sich durchdrungen, keines Blickes würdigte, während der Kommandant seine Pose nur wechselte, um ein Dokument, das der Doktor ihm vorlegte, zu unterschreiben. Er nahm dieses Papier rasch zur Hand und lud den Doktor mit liebenswürdiger Handbewegung ein, auf einem niedrigen, weichen Polstersitz in der Mitte des Zimmers Platz zu nehmen.

Von den Anwesenden saß nur der Doktor in diesem Arbeitsraum einigermaßen bequem. Die übrigen hockten, der eine merkwürdiger als der andere, in mehr oder weniger ungezwungener Haltung im Zimmer herum. Der ›Distrikt‹ stützte seinen Kopf in die Hand und lümmelte sich ›à la Petchorin‹* auf seinem Schreibtisch; sein Adjutant hatte sich ihm gegenüber großartig auf einer Diwanrolle niedergelassen, wobei er die Beine anzog wie im Damensattel. Galiullin saß rittlings auf einem umgedrehten Stuhl, hielt die Rückenlehne umarmt und legte den Kopf darauf, während der junge Kommissar sich bald auf die Fensterbank schwang, bald wieder von ihr heruntersprang und wie ein aufgezogener Kreisel keinen Augenblick Ruhe gab. Die ganze Zeit lief er mit kleinen, hastigen Schritten im Arbeitsraum auf und ab. Unaufhörlich schwatzte und redete er von den Deserteuren von Birjutschi.

Die Gerüchte, die über den Kommissar in Umlauf waren, bewahrheiteten sich. Es handelte sich um einen schmächtigen, hochaufgeschossenen Jüngling, der noch gar nicht recht flügge war und sich in brennender Begeisterung für die höchsten Ideale verzehrte. Wie es hieß, stammte er aus einer guten Familie. Manche sagten, er sei der Sohn eines Senators, und im Februar habe er, als einer der ersten, seine Kompanie in die Reichsduma geführt. Er hieß Hinze oder Hinz; bei der Vorstellung war der Name nicht genau zu verstehen gewesen. Er hatte eine deutliche, korrekte Petersburger Aussprache mit einem leichten baltischen Akzent.

Der junge Kommissar trug eine straffsitzende Uniform. Offenbar fühlte er sich gehemmt, weil er noch so jung war; um etwas älter zu wirken, setzte er eine arrogante Miene auf, steckte die Hände tief in die Hosentaschen und hob seine Schultern mit den neuen, steifen Achselstücken, so daß seine Figur irgendwie kavalleristisch wirkte. Man hätte sie von den Schultern bis zu den Füßen mit Hilfe zweier nach unten zusammenlaufender Linien nachzeichnen können.

»Ein paar Stationen von hier an der Bahnlinie ist ein Kosakenregiment stationiert. Es ist rot und zuverlässig! Man braucht es nur zu rufen, um die Rebellen zu umzingeln, und damit ist die Sache erledigt. Der Korpskommandeur besteht darauf, sie so schnell wie möglich zu entwaffnen«, sagte der ›Distrikt‹ zum Kommissar.

* Hauptfigur im Roman ›Ein Held unserer Zeit‹ von Lermontov

»Kosaken? Auf gar keinen Fall«, fuhr der Kommissar auf. »Man würde sich an 1905 erinnert fühlen, vorrevolutionäre Reminiszenzen! Unsere Ansichten gehen hier auseinander. Eure Generäle gehen zu weit.«

»Noch ist nichts geschehen. Es handelt sich nur um einen Vorschlag.«

»Man hat mit den militärischen Kommandostellen ein Übereinkommen getroffen, sich nicht in die Operationen einzumischen. Nichts gegen die Kosaken! Meinerseits werde ich aber die Schritte tun, die der gesunde Menschenverstand fordert. Haben die Rebellen dort ein Biwak?«

»Wie soll man es nennen? Sie haben ein Lager. Ein befestigtes Lager.«

»Gut! Ich habe die Absicht hinzufahren. Zeigen Sie mir diese ›drohenden Ungewitter‹, diese Waldräuber. Mögen sie auch Aufrührer sein, ja sogar Deserteure – aber sie gehören zum Volk, meine Herren, *das* ist es, was Sie vergessen. Das Volk ist wie ein Kind, man muß es kennen, seine Psyche kennen, man muß es zu nehmen wissen. Man muß verstehen, an seine besten, empfindsamsten Saiten zu rühren und sie zum Schwingen zu bringen.

Ich werde also zu ihnen fahren in den abgeholzten Wald, um mit ihnen von Mann zu Mann zu sprechen. Sie werden schon sehen, in welch musterhafter Ordnung sie dann wieder in die verlassenen Stellungen zurückkehren werden. Wollen Sie wetten? Sie glauben mir nicht?«

»Es ist zweifelhaft. Geb's Gott.«

»Ich will ihnen sagen: Brüder, schaut auf mich. Seht, ich bin der einzige Sohn, die Hoffnung der Familie. Ich habe nicht gezögert und habe meinen Namen, meine Stellung, die Liebe meiner Eltern geopfert, um euch eine Freiheit zu erobern, wie sie kein anderes Volk der Welt kennt! Das habe ich getan, und mit mir eine Unzahl von ebenso jungen Leuten – um von der alten Garde unserer ruhmreichen Vorgänger, den ins Zuchthaus geworfenen ›Narodniki‹, und den Angehörigen der ›Narodnaja Wolja‹, die in Schlüsselburg schmachteten, ganz zu schweigen. Haben wir das etwa für uns selber getan? Hatten wir das nötig? Ihr seid nun keine einfachen Frontsoldaten wie früher mehr, sondern Krieger der ersten Revolutionsarmee der Welt! Fragt euch einmal ganz ehrlich, ob ihr diesen Ehrentitel verdient habt? Während die verblutende Heimat die äußersten Anstrengungen macht, um die Hydra des Feindes, die sie zu erdrücken droht, abzuschütteln, habt ihr euch von einer Bande unbekannter Abenteurer beschwatzen lassen und seid zu einem Haufen von nichtsnutzigem Gesindel geworden, das die neue Freiheit nicht verdauen kann und dennoch unersättlich ist in seinen Forderungen. Auf euch trifft das Sprichwort wahrhaftig zu: ›Lädst du die Sau ein, so liegt sie dir bald mit den Beinen auf dem Eßtisch!‹ Aber ich werde sie schon kriegen. Ich werde sie beschämen!«

»Nein, nein, das ist zu riskant«, versuchte der ›Distrikt‹ zu bremsen, der mit seinem Adjutanten heimlich vielsagende Blicke tauschte. Galiullin riet dem Kommissar, von seinem verrückten Plan Abstand zu nehmen. Er kannte die tollen Kerle des 212. Regiments, die einer Division angehörten, in der er selbst früher einmal gedient hatte. Aber der Kommissar hörte nicht auf ihn.

Immer wieder wollte Jurij Andréitsch aufstehen und gehen. Die Naivität des Kommissars war ihm peinlich. Aber nicht viel höher stand die perfide Gerissenheit des Kommandanten und seines Adjutanten, zweier spöttischer und tückischer Schleicher. Diese Dummheit und diese Schläue gaben einander nichts nach. Und das alles ergoß sich in einem Wortschwall jener verlogenen, überflüssigen und hohlen Beredsamkeit, von der sich das wahre Leben so gern befreien möchte.

Wie sehr verlangte es ihn zuweilen, aus dem Dickicht der eitlen und lügenhaften menschlichen Geschwätzigkeit in die erhabene Stille der Natur oder in die stumme Gefangenschaft einer langen, zähen Arbeit zu flüchten! Wie sehnte er sich nach der Selbstvergessenheit eines tiefen Schlafes, nach Entrückung durch die Musik, nach dem schweigenden Einverständnis in sich erfüllter Herzen und Seelen!

VI

Sie war schon zu Hause. Der Doktor erfuhr es durch Mademoiselle, die erklärte, Larissa sei müde heimgekommen, habe in Eile zu Abend gegessen und sei auf ihr Zimmer gegangen mit der Bitte, sie nicht mehr zu stören. »Aber klopfen Sie nur an«, riet Mademoiselle, »sie schläft bestimmt noch nicht.«—»Wo ist ihr Zimmer?« fragte der Doktor zu Mademoiselles fassungslosem Erstaunen. Sie erklärte, das Zimmer der Antipova sei im oberen Stockwerk am Ende des Korridors gelegen, neben den verschlossenen Räumen, in denen man die Möbel der Gräfin zusammengestellt hatte. Der Doktor hatte diesen Teil des Hauses niemals betreten.

Die Dunkelheit nahm rasch zu. Die Straßen schienen enger zu werden. Häuser und Zäune bildeten in der Dämmerung eine ungegliederte Masse. Die Bäume rückten aus der Tiefe der Höfe dichter an die Fenster heran, in den Lichtkreis der brennenden Lampen. Es war eine heiße, schwüle Nacht. Bei jeder Bewegung brach einem der Schweiß aus. Das Licht der Petroleumlampe rann in trüben Rinnsalen an den Baumstämmen hinunter in den Hof.

Auf der letzten Stufe machte der Doktor halt. Es kam ihm ungehörig und peinlich vor, durch ein Klopfen an der Tür eine Frau in ihrer Ruhe zu stören, die eben erst müde von der Reise heimgekehrt war. Es würde besser sein, die Aussprache auf den kommenden Tag zu verschieben. In jener Zerstreutheit, die eine Folge der Unentschlossenheit zu sein pflegt, ging er den Korridor entlang bis zum anderen Ende. Dort war ein Fenster, das auf den Nachbarhof hinausging. Der Doktor beugte sich hinaus.

Die Nacht war erfüllt von leisen, geheimnisvollen Geräuschen. Nebenan im Korridor tropfte das Wasser in gleichmäßigen Abständen aus einem Behälter. Hinter einem Fenster hörte man Flüstern. Weiter draußen, wo die Gemüseäcker begannen, goß man die Gurkenbeete. Man hörte, wie das Wasser aus einem Eimer in den anderen geschüttet wurde. Ab und zu rasselte die Zugkette am Brunnen.

Alle Blumen der Welt erfüllten zu gleicher Zeit die Luft mit ihrem Duft. Es war, als erwache die Erde nach der dumpfen Besinnungslosigkeit des Tages durch die Wohlgerüche zum Bewußtsein. Aus den Baumkronen des alten gräflichen Gartens, der durch das überall aufgehäufte Reisig undurchdringlich geworden war, drang eine staubige Wolke von Blütenduft, dicht wie eine Mauer – der Duft einer uralten, blühenden Linde.

Rechts hinter dem Zaun hörte man Geschrei, das von der Straße her kam. Ein heimkehrender Urlauber randalierte und warf die Türen zu. Der Flügelschlag eines halben Liedes streifte die Luft vor dem Fenster.

Hinter den Krähennestern, im gräflichen Garten, stieg der Mond auf, unförmig, groß, glühendrot gegen die Schwärze des Nachthimmels. Im ersten Augenblick erinnerte er an die rote Ziegelmauer der Dampfmühlen von Sybuschino, dann aber wurde er gelb wie die Pumpstation an der Bahn von Birjutschi.

Unter dem Fenster, im Hof, mischte sich in den Duft der schönen Sommernacht ein starker Geruch nach aromatischem Tee und nach frischem Heu. Dort hatte man gerade eine Kuh untergebracht, die man in einem entfernten Dorf gekauft hatte. Sie war den ganzen Tag unterwegs gewesen, war müde, sehnte sich nach dem heimatlichen Stall und nahm aus der Hand der neuen Herrin, an die sie noch nicht gewöhnt war, keine Nahrung an.

»Na, na, hab dich nicht so, meine Liebe! Ich will es dir schon austreiben, mit den Hörnern zu stoßen, du Satan!« sagte die Frau, die das Tier beruhigen und seinen Widerstand brechen wollte. Aber die Kuh warf den Kopf ungeduldig von einer Seite zur andern, dann brach sie in ein klagendes, herzzerreißendes Muhen aus. Über den schwarzen Scheunen von Meljusejewo flimmerten die Sterne. Zwischen ihnen und der Kuh schienen sich unsichtbare Strahlen von Mitgefühl auszuspannen, so als blinkten sie hinunter von den Ställen anderer Welten, wo man der armen Kreatur Sympathie und Mitleid entgegenbrachte.

Alles befand sich im Zustand der Gärung, ringsum trieb wucherndes Wachstum hervor und schoß in die Höhe. Überall spürte man den magischen Sauerteig, aus dem das Leben erblühte. Beseligung wehte wie ein leiser Wind, wie eine sanfte Welle über die Stadt und über die Felder, über die Mauern und durch die Leiber der Bäume und Menschen, die erbebten, wenn der belebende Hauch sie traf. Um den ans Fenster brandenden Wogen zu entrinnen, begab sich der Doktor auf den ›Platz‹ hinunter. Er wollte sich anhören, was die Leute bei der Versammlung zu sagen hatten.

VII

Der Mond stand schon hoch am Himmel. Alles war übergossen von seinem Licht, wie von einer bleiweißen Schminkeschicht. Vor den Säulenarkaden der Regierungsgebäude, die den Platz umgaben, breiteten sich lange, tiefe Schatten wie Teppiche über den Boden aus.

Die Versammlung fand auf der gegenüberliegenden Seite des

Platzes statt. Wenn man aufmerksam hinhörte, konnte man, über den Platz hinweg, verstehen, was dort geredet wurde. Aber der Glanz des Schauspiels nahm die Aufmerksamkeit des Doktors vollkommen gefangen. Er ließ sich auf einer kleinen Bank vor dem Tor der Feuerwache nieder. Ohne auf die Stimmen zu achten, die von der andern Straßenseite hinüberdrangen, blickte er um sich. Von allen Seiten mündeten tote Gassen auf den Platz, in deren Tiefe man windschiefe Häuschen erkennen konnte. Wie auf den Dörfern waren diese Straßen von Schmutz überschwemmt. Aus dem Schlamm ragten einzelne, aus Weidengeäst geflochtene Zäune wie Reusen aus einem Teich empor oder wie Körbe für den Krebsfang. Die Glasscheiben der geöffneten Fenster blinkten trübe. In den Vorgärten hatte man feuchten, blonden Mais angepflanzt, der bis zur Höhe der Zäune emporgewachsen war. Diese Maispflanzen glichen Besen, die von Öl glänzten. Hinter den schiefen Zäunen blickten vereinzelt bleiche, schmächtige Malven hervor. Sie erinnerten an die Bewohnerinnen der Hütten, die, von der Hitze aus den dumpfen Katen getrieben, draußen, im bloßen Hemd, frische Luft schöpfen wollten.

Die mondbeschienene Nacht wirkte ebenso wunderbar und bestürzend wie die menschliche Barmherzigkeit oder wie die Gabe des Hellsehens. Plötzlich, in der verzauberten Stille dieser feenhaften Szenerie, ertönten die wohlakzentuierten Laute einer Stimme, die dem Doktor vertraut vorkam. Die Stimme war schön, warm und atmete Überzeugung. Schiwago erkannte sie sogleich wieder. Es war die Stimme des Kommissars Hinz, der auf dem Platz eine Rede hielt.

Offenbar hatten ihn die lokalen Behörden gebeten, sie durch seine Autorität zu unterstützen. Mit flammendem Pathos warf er den Bürgern von Meljusejewo vor, sie wären nicht organisiert und hätten sich zu leicht dem zersetzenden Einfluß der Bolschewiki überlassen, die, wie er versicherte, die wahren Schuldigen an den Ereignissen in Sybuschino seien. Im Geiste seiner vorhin beim Kommandanten gehaltenen Reden erinnerte er an die Existenz des mächtigen und grausamen Feindes. Er sagte, daß jetzt die Stunde der Prüfung für Rußland gekommen sei. Als er etwa in der Mitte seiner Rede angelangt war, begannen die Zwischenrufe. Einzelne Bitten, den Redner nicht zu unterbrechen, wechselten ab mit den Zurufen der Unzufriedenen. Immer häufiger und lauter

wurden die Proteste. Ein Begleiter des Kommissars Hinz, der den
Vorsitz führte, erinnerte daran, daß Zwischenrufe aus dem Publikum verboten seien, und rief zur Ordnung. Die einen verlangten,
man solle einer Bürgerin aus der Menge das Wort geben, andere
zischten und forderten den Redner auf, mit seiner Ansprache fort-
zufahren.

Auf einmal bahnte sich eine Frau ihren Weg durch die Menge zu
der umgekippten Kiste, die als Podium diente. Sie hatte nicht die
Absicht, auf die Kiste zu steigen, sondern stellte sich daneben auf.
Sie war im Ort wohlbekannt. Sogleich setzte Stille ein. Die Frau,
der es gelungen war, die Aufmerksamkeit der Menge auf sich zu
lenken, war Ustinja.

»Da sagen Sie Sybuschino, Genosse Kommissar, und dann reden
Sie von den Augen, die man haben muß, um sich nicht täuschen
zu lassen. Aber unter anderem – Sie selber, ich habe Sie gehört, Sie
wissen nur etwas von ›Bolschewiki‹ und ›Menschewiki‹ zu faseln!
Bolschewiki und Menschewiki – viel anderes bekommt man von
Ihnen nicht zu hören. Was aber das betrifft, daß man nicht kämpfen soll und alles wie unter Brüdern zugeht, das ist, um es beim
Namen zu nennen, von Gott gewollt; das hat nichts mit Menschewiki zu tun; und daß Fabriken und Werke den Armen gehören,
das kommt wiederum nicht von den Bolschewiki, sondern aus
menschlichem Erbarmen. Die Sache mit dem Taubstummen aber
hat man uns schon vor Ihnen an den Kopf geworfen! Mich langweilt es, da zuzuhören! Was haben Sie nur alle gegen ihn, he?
Was hat er euch denn nicht recht gemacht? Daß er als Stummer
seinen Weg ging . . . und ging . . . und plötzlich, ohne um Erlaubnis zu fragen, zu reden begann?! So etwas gibt's nicht zum ersten
Mal. Da kommen ganz andere Dinge vor. Da ist zum Beispiel die
bekannte Eselin. ›Bileam‹, sagt sie, ›in Ehren bitte ich, gehe nicht
da hin, du wirst es selbst als erster bereuen!‹ Na, und das weiß man
ja, er hat nicht gehorcht, er ist eben gegangen. Es ist ihm ähnlich
ergangen wie Ihnen mit dem ›Taubstummen‹. Er hat gedacht,
weshalb soll ich auf sie hören? Es ist ja nur eine Eselin. Das liebe
Vieh war ihm zuwider. Wie hat er es hernach bereut! Ihr wißt es
selber, worauf es hinauslief und wie es endete.«

»Wie denn?« fragten neugierige Stimmen aus dem Publikum.

»Schon gut«, knurrte Ustinja. »Willst du viel wissen, so wirst du
früh alt.«

»Ne, ne, darauf lassen wir uns nicht ein. Erzähl das Ende der Geschichte«, beharrte dieselbe Stimme.

»Das Ende, das Ende – so eine elende Klette! Also gut: er hat sich
in eine Salzsäule verwandelt.«

»Das stimmt nicht, Gevatterin! Das war Lot. Lots Weib«, hörte
man rufen. Alle lachten. Der Vorsitzende ermahnte die Anwesenden zur Ruhe. Der Doktor ging schlafen.

VIII

Am nächsten Abend hatte er eine Unterredung mit Frau Antipova.
Er traf sie bei der Arbeit in der Anrichte. Vor Larissa Fjodorowna
lag ein Haufen gemangelter Wäsche; sie bügelte.

Das Büfettzimmer lag im oberen Stockwerk des Hauses und ging
auf den Garten hinaus. Hier wurden die Samoware vorbereitet,
hier richtete man das Essen an, das durch einen mit der Hand be-
triebenen Aufzug aus der Küche heraufgeschafft wurde, und beförderte das gebrauchte Geschirr nach unten. Im Büfettraum wurden auch die Wirtschaftsrechnungen des Lazaretts aufbewahrt.
Man kontrollierte das Geschirr und die Wäsche. Man erholte sich
an diesem Ort in den Freistunden und traf sich zu Rendezvous.

Die Gartenfenster standen offen. Das Zimmer duftete nach Lin-
denblüten. In diesen Duft mischte sich das bittere Aroma von
dürrem Reisig, das sich in dem alten Park anhäufte, und der Geruch glühender Kohlen der beiden Bügeleisen im Ofenrohr, die
von Lara abwechselnd heiß gemacht und benutzt wurden.

»Warum haben Sie gestern nicht geklopft? Die Mamsell hat es mir
erzählt. Übrigens haben Sie recht gehabt. Ich hatte mich nämlich
schon hingelegt und hätte Sie nicht hereinlassen können. Also –
seien Sie gegrüßt! Vorsicht, machen Sie sich nicht schmutzig!
Hier ist überall Kohlenstaub.«

»Sie bügeln wohl die Wäsche fürs ganze Lazarett?«

»Nein, es ist viel von meiner eigenen Wäsche dabei. Sehen Sie,
Sie haben mich immer damit aufgezogen, ich würde nie von hier
wegkommen. Diesmal wird es aber Ernst! Sie sehen, ich treffe
meine Vorbereitungen, ich bin schon beim Packen. Sowie ich damit fertig bin, geht es los! Ich fahre in den Ural zurück und Sie
nach Moskau. Später, wenn man Jurij Andréitsch irgendwann ein-

mal fragen wird: ›Sie haben wohl nie von dem kleinen Städtchen Meljusejewo gehört?‹ wird er antworten: ›Ich kann mich nicht erinnern.‹ – ›Und wer ist eigentlich die Antipova?‹ – ›Keine Ahnung!‹«

»Na gut, reden wir von etwas anderem . . . Wie war denn Ihre Fahrt durch den Amtsbezirk? War es schön auf dem Lande?«

»Das läßt sich in zwei Worten nicht sagen. – Wie rasch die Bügeleisen kalt werden! Würden Sie mir das heiße Eisen aus dem Ofenrohr reichen, wenn es Ihnen nichts ausmacht – und das andere dafür in das Rohr zurücksetzen? So ist's gut. Danke. In jedem Dorf ist es anders. Alles hängt von den Bewohnern ab. In den einen ist die Bevölkerung arbeitsam und fleißig. Da geht es auch ganz gut. In anderen sieht man nichts als Betrunkene. Da ist alles vernachlässigt. Die Leute dort zu sehen, ist fürchterlich.«

»Unsinn. Was für Betrunkene? Sie wissen es so gut wie ich, da ist ja kein Mensch mehr! Alle Männer sind weg. Na, gut. Und wie geht es mit der neuen Landschaftsorganisation?«

»Was die Betrunkenen betrifft, so haben Sie unrecht; da weiß ich besser Bescheid. Mit den Landschaftsorganisationen wird man noch längere Zeit viel Sorgen haben. Instruktionen nützen da wenig. Im Amtsbezirk ist niemand, mit dem man arbeiten könnte. Die Bauern interessieren sich im Augenblick nur für die Frage der Landaufteilung. – Ich war auch in Rasdoljnoje. Ist das aber schön! Sie sollten mal hinfahren! Im Frühjahr waren da einige Brandstiftungen und Plünderungen. Eine Scheune ist abgebrannt; die Obstbäume sind halb verkohlt, ein Teil der Hausfassade wurde durch Ruß verdorben. Nach Sybuchino bin ich nicht gekommen; es ergab sich keine Gelegenheit dazu. Aber es heißt überall, der Taubstumme sei keine Ausgeburt der Phantasie. Man schildert genau, wie er aussieht. Man sagt, er sei jung und gebildet.«

»Gestern ging Ustinja für ihn durchs Feuer.«

»Bei meiner Rückkehr habe ich einen Haufen von altem Plunder aus Rasdoljnoje vorgefunden. Wie oft habe ich schon gebeten, man solle mich damit in Ruhe lassen. Als ob wir nicht selbst genug davon hätten! Heute morgen kam ein Bote von der Kommandantur mit einer Anweisung vom Chef. Sie brauchen dringend das Teesilber und die Kristallgläser der Gräfin. Nur für einen Abend! Alles soll zurückgegeben werden. Wir wissen schon, wie es zurückgebracht wird. Die Hälfte dieser Sachen bekommt man nicht wie-

der, und das nennt sich dann: leihweise mit Rückerstattung. Es ist
von einer Abendgesellschaft die Rede. Irgendein Durchreisender.«
»Ah, ich kann mir schon denken – ein neuer Frontkommissar ist
eingetroffen. Ich habe ihn zufällig gesehen. Man will mit den Deserteuren aufräumen, man will sie einkreisen und entwaffnen. Der
Kommissar ist ein grüner Junge ohne jede Erfahrung. Hier hat
man ihm Kosaken vorgeschlagen; aber er glaubt, es sei durch
Rührseligkeit zu schaffen. Das Volk, sagt er, ist ein Kind, und so
weiter. Und er glaubt, das alles sei nur eine Kleinigkeit. Da kann
Galiullin lange bitten: ›Wecken Sie die schlafende Bestie nicht!
Überlassen Sie uns die Sache!‹ Aber so einem ist mit Worten nicht
beizukommen, wenn er sich was in den Kopf gesetzt hat. Hören Sie,
lassen Sie jetzt für eine Minute Ihr Bügeleisen stehen, und hören
Sie zu! Bald wird es hier zu einem unvorstellbaren Schlamassel
kommen. Es steht nicht in unserer Macht, das abzuwenden. Wie
sehr wünsche ich, daß Sie noch vor dem Ausbruch abreisen!«
»Nichts wird geschehen. Sie übertreiben. Im übrigen gehe ich ja
auch. Nur läßt sich das nicht im Handumdrehen machen: ›Guten
Tag und auf Wiedersehen‹! – so nicht! Ich muß die Inventarlisten
auf den gegenwärtigen Stand bringen und übergeben, sonst sieht
es so aus, als hätte ich etwas gestohlen. Aber wem kann ich sie
übergeben? Das ist die Frage. Was habe ich mit diesem Inventar
schon für Mühe gehabt, und als Lohn – nichts als Vorhaltungen!
Ich habe den ganzen Besitz der Gräfin auf das Lazarett überschreiben lassen, das war wohl der Sinn des Dekrets. Und jetzt sieht
es so aus, als hätte ich das nur zum Schein getan, um auf diese
Weise die Habe der Besitzerin zu erhalten. Wie widerlich das ist!«
»Ach was, lassen Sie doch den Dreck – alle diese Teppiche, das
Porzellan und den ganzen Plunder –, soll er doch zum Teufel
gehen! Über so etwas regen Sie sich entsetzlich auf! Ja, es ist
wirklich ärgerlich, daß wir uns gestern abend nicht gesehen haben.
Ich war so in Stimmung! Ich hätte Ihnen die ganze Himmels-
mechanik erklären und die vertracktesten Fragen beantworten
können! Aber nein, Spaß beiseite, ich hatte solch ein Bedürfnis,
mich auszusprechen. Ich wollte von meiner Frau, von meinem
Sohn, von meinem Leben sprechen. Ist es denn wirklich unmöglich,
daß eine erwachsene Mannsperson mit einer erwachsenen Frau ein
Gespräch hat, ohne daß man dabei sofort glaubt, daß etwas anderes
dahintersteckt? Brrrr! Der Teufel soll das alles holen! Bügeln Sie

nur, bügeln Sie bitte, bügeln Sie Ihre Wäsche und beachten Sie mich nicht, und ich werde sprechen. Ich werde lange sprechen. – Überlegen Sie einmal, was für eine Zeit das ist, in der Sie und ich leben. Nur einmal in der ganzen Ewigkeit kann sich etwas so Unerhörtes ereignen. Bedenken Sie nur: ganz Rußland hat wie durch einen gewaltigen Sturm das Dach überm Kopf verloren, und wir stehen nun mit dem ganzen Volke unter dem offenen Himmel im Freien. Niemand überwacht uns mehr. Freiheit! Die echte Freiheit, nicht die der Worte und Forderungen, sondern eine, die gegen alle Erwartungen vom Himmel gefallen ist. Eine Freiheit, die man uns gleichsam aus Versehen, aus einem Mißverständnis gegeben hat! – Wie gigantisch sie sich alle fühlen in ihrer Verwirrung! Haben Sie es bemerkt? Es ist, als würden sie von ihrem neuentdeckten Heldentum geradezu erdrückt! – Aber bügeln Sie weiter, sage ich. – Sie schweigen? Langweilt es Sie nicht? . . . Ich wechsle Ihnen das Eisen aus. Gestern habe ich an einer nächtlichen Versammlung teilgenommen. Ein tolles Schauspiel! Mütterchen Rußland ist in Bewegung geraten, es kann nicht mehr auf seinem Platz bleiben, ruhelos geht es hin und her, es redet und redet und wird nicht müde. Es sind nicht die Menschen allein, die miteinander reden. Die Sterne und die Bäume haben sich zum Gespräch versammelt; die Blumen der Nacht philosophieren, und die Steinhäuser halten ›Meeting‹ ab. Das hat etwas vom Evangelium – nicht wahr? Das ist wie in der Apostelzeit. Sie erinnern sich – bei Paulus? ›Redet in Zungen und weissagt. Bittet um die Gabe der Deutung.‹ «

»Das von den Bäumen und Sternen, die Versammlung abhalten, begreife ich. Ich weiß, was Sie damit sagen wollen. Ich habe selbst das gleiche empfunden.«

»Den größten Teil davon hat der Krieg bewirkt, den Rest schuf die Revolution. Der Krieg war eine künstliche Unterbrechung des Lebens. Als könnte man die Existenz eine Zeitlang hinausschieben – welch ein fabelhafter Unsinn! Die Revolution hat sich gegen unseren Willen durchgerungen, wie ein Atemzug, der zu lange zurückgehalten wurde. Jedermann lebte auf, wurde wiedergeboren! Überall Verwandlungen, Umwälzungen! Man könnte sagen, daß jeder zwei Revolutionen mitgemacht hat – eine persönliche und die allen gemeinsame. Der Sozialismus kommt mir vor wie ein Meer, in das sich all die individuellen Revolutionen gleich Sturzbächen ergießen, ein Ozean des Lebens, der Freiheit, ein

Meer jenes schöpferisch bereicherten, vom Genie inspirierten Lebens, das sich uns in Bildern offenbart. Jetzt haben die Menschen beschlossen, dies Leben nicht mehr aus den Büchern zu erfahren, sondern aus sich selber, nicht in der Abstraktion, sondern in der Wirklichkeit.«

An einem unerwarteten Erbeben seiner Stimme verriet sich die innere Erregung des Doktors. Larissa Fjodorowna unterbrach das Bügeln und blickte ihn ernst und erstaunt an. Ihr Blick verwirrte ihn, und er vergaß, was er eben noch sagen wollte. Nach einer kurzen, qualvollen Pause begann er aufs neue. Mit einem Kopfsprung stürzte er sich ins Reden. Weiß der Himmel, was er alles sagte:

»Wie groß ist die Sehnsucht dieser Zeit, ein wahrhaftiges und produktives Leben zu führen! Wie gern möchte man nichts als ein Teil der allgemeinen Begeisterung sein! Doch inmitten der allgemeinen Freude begegnete ich Ihrem rätselhaften, traurigen Blick, der irgendwo im Märchenland hinter den sieben Bergen und den sieben Tälern herumirrt. Was würde ich darum geben, daß es anders wäre, daß Zufriedenheit mit Ihrem Schicksal in Ihrem Gesicht geschrieben stünde und daß Sie nichts und niemanden brauchen. Ich wünschte, ein Mensch, der Ihnen nahesteht, ein Freund oder Ihr Mann (am liebsten ein Soldat), nähme mich an der Hand und bäte mich, um Ihr Schicksal keine Sorge zu haben und Sie mit meiner Aufmerksamkeit nicht zu belästigen. Ich aber würde meine Hand wegreißen, würde sie wieder ausstrecken und . . . Ach, ich habe mich vergessen! Verzeihen Sie bitte!«

Wieder verriet ihn seine Stimme. Er machte eine wegwerfende Handbewegung, erhob sich mit dem Gefühl, eine nicht gutzumachende Ungeschicklichkeit begangen zu haben, und ging ans Fenster. Er stand nun mit dem Rücken zum Zimmer, schmiegte seine Wange in die Hand, indem er sich mit dem Ellbogen auf die Fensterbank stützte, und richtete seinen zerstreuten Blick in die Tiefe des dunklen Gartens, um seine Ruhe wiederzufinden.

Larissa Fjodorowna ging um das Bügelbrett herum, das zwischen dem Tisch und dem Fensterbrett lag. Sie blieb einige Schritt vor dem Doktor stehen.

»Ach, das ist es, was ich immer gefürchtet habe!« sagte sie leise, als spräche sie zu sich selber. »Welch schicksalhafte Verirrung! Lassen wir das, Jurij Andréitsch! Es hat keinen Sinn! – Ach, sehen

Sie nur, was ich hier Ihretwegen angerichtet habe!« rief sie laut und eilte ans Bügelbrett, wo unter dem vergessenen Eisen ein dünner, beißender Rauchfaden von einer angebrannten Bluse aufstieg.

»Jurij Andréitsch«, fuhr sie fort und setzte das Eisen ärgerlich auf den Untersatz, »seien Sie doch vernünftig, gehen Sie für einen Augenblick zu Mademoiselle; trinken Sie ein Glas Wasser, mein Lieber, und kommen Sie dann wieder so zurück, wie ich Sie kenne und wie ich Sie gerne sehe – hören Sie, Jurij Andréitsch! Ich weiß, Sie haben die Kraft dazu. Tun Sie es, ich bitte Sie!«

Unterredungen dieser Art wiederholten sich nicht zwischen ihnen. Nach einer Woche reiste Larissa Fjodorowna ab.

IX

Nach einiger Zeit machte sich auch Schiwago zur Abreise bereit. In der Nacht vor seiner Abreise tobte in Meljusejewo ein Gewittersturm.

Das Brausen des Orkans mischte sich mit dem Rauschen eines Platzregens, der senkrecht auf die Dächer prasselte, um im nächsten Augenblick unter den Stößen des umspringenden Windes die Straße entlangzujagen, als wolle er sie mit seinen niederpeitschenden Fluten Schritt um Schritt erobern.

Die Donnerschläge, die einander ohne Unterbrechung folgten, gingen in ein gleichmäßiges Dröhnen und Grollen über. Beim Aufleuchten der Blitze konnte man ein Stück der Straße entdecken, die mit den sich neigenden Bäumen in die Tiefe zu enteilen schien.

In der Nacht wurde Mademoiselle Fleury von einem aufgeregten Klopfen an der Haustür geweckt. Erschrocken setzte sie sich im Bett auf und horchte. Das Klopfen hörte nicht auf.

›Sollte sich im Lazarett wirklich keine Menschenseele finden, um aufzuschließen‹, dachte sie, ›muß ausgerechnet die arme Alte für die anderen handeln, nur weil sie weiß, was ihre Pflicht ist?‹

Zugegeben, die Grafen Shabrinskij waren reiche Leute, Aristokraten. Aber das Lazarett ist Volkseigentum, es gehört ihm . . . In wessen Händen hatte man es zurückgelassen? Es wäre nicht uninteressant, zu erfahren, wohin sich die Sanitäter verzogen haben. Alle sind geflohen; es gibt weder einen Chefarzt noch Krankenschwestern, noch Ärzte mehr in diesem Haus. Dabei sind noch Verwundete hier, darunter oben in der chirurgischen Klinik, wo früher der Salon war, zwei Amputierte – ohne Beine. Unten im Keller, neben der Waschküche, ist ein Lagerraum bis auf den letzten Platz mit Ruhrkranken besetzt. Und Ustinja, diese Teufelin, ist irgendwo zu Besuch. Hat die dumme Person denn nicht gemerkt, daß ein Gewitter im Anzug war – nein, sie mußte aus dem Haus, wie von bösen Mächten getrieben. Ein guter Vorwand, um bei Fremden über Nacht zu bleiben! – Gott sei Dank, endlich hat das Klopfen aufgehört, endlich haben wir Ruhe! Wenn man sieht, daß nicht geöffnet wird, so geht man eben wieder. Nicht einmal der Teufel mag einen bei einem solchen Wetter auf die Straße jagen! Vielleicht war es aber Ustinja. Aber nein, sie hat ja ihren Schlüssel! O Gott, wie furchtbar, schon wieder dieses Klopfen! Wie abscheulich! Zugegeben, von Schiwago kann man nichts erwarten; er reist morgen und ist mit seinen Gedanken schon in Moskau oder unterwegs. Aber Galiullin! Wie kann er schlafen und ruhig im Bett liegen bleiben bei einem solchen Geklopfe, in der Annahme, daß sie zu guter Letzt – sie, die schwache alte Frau – sich erheben und öffnen wird, ohne zu wissen, wer an der Haustür steht, in dieser Schreckensnacht, in diesem furchtbaren Lande.

›Galiullin!‹ besann sie sich plötzlich. ›Wieso denn Galiullin?‹ So ein Unsinn konnte ihr ja nur im Halbschlaf in den Kopf kommen! Was heißt da Galiullin, wenn er doch längst das Weite gesucht hat! Dabei hatte sie ihn selber, zusammen mit Schiwago, versteckt gehalten, ihm Zivilkleider besorgt und erklärt, auf welchen Wegen und durch welche Dörfer er fliehen könne, nach dem schrecklichen Massaker am Bahnhof. Kommissar Hinz war ermordet worden, und hinter Galiullin war man von Birjutschi bis nach Meljusejewo her, man suchte ihn in der ganzen Stadt und schoß, wenn man vermutete, ihn vor sich zu haben. Galiullin!

Wenn diese motorisierten Einheiten nicht gewesen wären, so würde in Meljusejewo kein Stein auf dem anderen geblieben sein. Zufällig war eine Abteilung von Panzerautomobilen durch die Stadt gekommen. Sie hatte die Verteidigung der Bewohner übernommen und das Pack zum Schweigen gebracht.

Das Gewitter wurde schwächer und schien sich zu entfernen. Nur noch ab und zu fielen einzelne dumpfe Donnerschläge. Der Regen ließ für kurze Zeit nach; aber das Wasser floß noch immer leise rauschend vom Laub und den Dachrinnen. Der Widerschein des Wetterleuchtens drang in Mademoiselles Zimmer und verweilte dort einige Augenblicke, als suchte er jemanden.

Plötzlich wiederholte sich das Klopfen an der Tür, das lange Zeit ausgesetzt hatte. Jemand, der Hilfe brauchte, klopfte verzweifelt und mit großer Heftigkeit. Wieder erhob sich der Wind, wieder peitschte ein Regenschauer herunter.

»Ich komme!« rief Mademoiselle dem Unbekannten zu, und sie erschrak vor dem Laut ihrer eigenen Stimme.

Eine plötzliche Erleuchtung kam über sie. Sie ließ die Beine aus dem Bett herunter, schlüpfte in ihre Pantoffeln, warf ihren Morgenrock über und eilte, Schiwago zu wecken, denn es war ihr zu schrecklich, allein zu sein. Aber auch er hatte das Klopfen gehört und kam ihr mit einer brennenden Kerze entgegen. Sie vermuteten beide das gleiche.

»Schiwago! Schiwago! Jemand klopft an der Haustür. Ich bin allein, und ich fürchte mich zu öffnen«, rief sie auf französisch und fügte auf russisch hinzu: »Sie werden sehen, es ist Lara oder Leutnant Galiullin.« Auch Jurij Andréitsch war vom Klopfen aufgewacht und dachte, es sei jemand aus dem Hause, entweder Galiullin, der irgendwo aufgehalten worden war und nun dorthin zurückkehrte, wo man ihn versteckt gehalten hatte, oder Schwester Antipova, die wegen irgendwelcher Schwierigkeiten von der Reise zurückgekehrt war.

Im Flur bat der Doktor die Mamsell, das Licht zu halten, während er selber den Schlüssel herumdrehte und den Türriegel zurückschob. Ein Windstoß riß ihm die Tür aus der Hand, löschte die Kerze und überfiel beide von der Straße her mit eisigen Regenspritzern.

»Wer da?! Wer da?! Ist da wer?« schrien der Doktor und Mademoiselle abwechselnd in die Dunkelheit. Aber niemand gab Antwort. Plötzlich vernahmen sie dasselbe Klopfen von einer anderen Stelle her, vom Hintereingang, oder, wie ihnen jetzt schien, an einem Fenster, das zum Garten hinausging.

»Offenbar ist es der Wind«, sagte der Doktor. »Aber gehen Sie doch, um Ihr Gewissen zu beruhigen, an den hinteren Eingang, um es genau festzustellen. Ich warte inzwischen hier, damit wir uns nicht verfehlen, wenn es wirklich jemand sein sollte.« Mademoiselle ging ins Innere des Hauses zurück, während der Doktor draußen unter dem Vordach stehenblieb. Seine Augen hatten sich an die Dunkelheit gewöhnt, und er bemerkte die ersten Anzeichen der Morgendämmerung.

Über die Stadt fegten die Wolken wie rasend dahin, sie schienen auf der Flucht zu sein. Wolkenfetzen flogen so tief, daß sie fast die Bäume streiften, die sich nach der gleichen Richtung neigten, so daß es den Anschein hatte, als würde der Himmel mit Besen gefegt. Der Regen schlug an die graue Holzwand des Hauses, die sich allmählich schwarz verfärbte.

»Nun, und?« fragte der Doktor die zurückkehrende Mamsell. »Sie hatten recht. Es war niemand.« Und sie erzählte, wie sie durch das ganze Haus gegangen war. Im Büfettzimmer hatte ein abgebrochener Lindenast ein Fenster eingeschlagen; auf dem Fußboden breiteten sich große Wasserlachen aus, in Laras Zimmer – ein ganzes Meer. Buchstäblich – ein Meer! Ein großer Ozean!

»Sehen Sie: Hier hat sich ein Fensterladen losgerissen und schlägt an den Fensterrahmen. Da haben wir des Rätsels Lösung.«

Sie wechselten noch ein paar Worte, schlossen die Tür und gingen schlafen; beide bedauerten, daß die ganze Aufregung umsonst gewesen war.

Beim Öffnen der Haustür hatten sie erwartet, die Frau, die sie beide so gut kannten, ins Haus treten zu sehen, durchnäßt bis auf die Knochen und durchfroren: sie würden sie mit Fragen überschütten, während sie die Nässe abschüttelte. Dann aber würde sie umgekleidet wieder erscheinen, um sich an der Wärme der noch von gestern vorhandenen Ofenglut in der Küche zu trocknen. Dabei würde sie ihnen von ihren zahllosen schlimmen Abenteuern erzählen, würde ihr Haar trocknen und lachen.

X

Den Telegrafisten von Birjutschi, Kolja Frolenko, hielt man für den indirekt Schuldigen an den Soldatenunruhen an der Bahnstation.

Kolja war der Sohn eines bekannten Uhrmachers in Meljusejewo. Dort kannte ihn jeder von Kind auf. Als Knabe hielt er sich eine Zeitlang bei einem der Leute vom Hofgesinde in Rasdoljnoje auf. Dort spielte er unter Aufsicht von Mademoiselle mit zweien ihrer

Schutzbefohlenen, den Töchtern der Gräfin. Mademoiselle kannte Kolja gut. Damals lernte er auch ein wenig Französisch.

In Meljusejewo war man daran gewöhnt, Kolja bei jedem Wetter leicht angezogen zu sehen – ohne Mütze, in Sommerschuhen aus Segeltuch, immer auf dem Rad. Ohne die Lenkstange zu halten, sauste er, etwas zurückgebeugt, mit über der Brust gekreuzten Armen die Chaussee entlang durch die Stadt und sah die Pfähle und Leitungen nach, um den Zustand des Netzes zu prüfen.

Durch eine Zweigleitung des Bahntelefons waren einige Häuser in der Stadt mit der Station verbunden. Diese Leitung unterstand Kolja. Die Zentrale war im Stellwerkraum des Bahnhofs.

Dort hatte er alle Hände voll zu tun, er mußte den Eisenbahn-telegrafen, den Fernsprecher und zuweilen, während einer kurzen Abwesenheit des Stationsvorstehers Powarichin, auch die Block-signale bedienen. Alle diese Apparaturen waren in dem einen Raum vereinigt.

Durch die Notwendigkeit, mehrere Apparate gleichzeitig zu be-dienen, hatte sich Kolja eine ganz besondere Manier zu sprechen angewöhnt – undeutlich, abgerissen und unverständlich. Er hielt sich an diese wortkarge Redeweise, wenn er jemandem nicht zu ant-worten wünschte oder kein Gespräch mit ihm anknüpfen wollte. Es hieß, er habe am Tage der Unruhen von dieser schlechten An-gewohnheit zu weitgehend Gebrauch gemacht.

Durch seine mangelhafte Vermittlung brachte er tatsächlich alle guten Absichten Galiullins um ihre Wirkung, als dieser aus der Stadt anrief. Vielleicht hatte Kolja dadurch wider Willen den fol-genden Ereignissen ihre verhängnisvolle Richtung gegeben.

Galiullin hatte den Kommissar sprechen wollen, der sich irgend-wo auf dem Bahnhofsgelände befand. Man sollte ihm mitteilen, Galiullin würde sofort zu ihm in den Wald hinauskommen, er möchte auf ihn warten und nichts ohne ihn unternehmen. Kolja weigerte sich, Hinz an den Apparat zu rufen, unter dem Vorwand, die Leitung sei durch Signalmeldungen für einen Zug besetzt, der sich Birjutschi näherte. Gleichzeitig ließ er jedoch diesen Zug, der die angeforderten Kosaken nach Birjutschi bringen sollte, an der benachbarten nächsten Ausweichstelle zurückhalten.

Als der Transport dann doch eintraf, konnte Kolja seine Unzu-friedenheit nicht verbergen.

Die Lokomotive fuhr langsam den dunkel überdachten Bahnsteig entlang und machte vor dem großen Fenster des Telegrafenraumes halt. Kolja zog den schweren Vorhang aus dunkelblauem Marinetuch mit den eingewebten Initialen des Eisenbahnministeriums auf. Auf der steinernen Fensterbank stand neben einer unförmig großen Wasserkaraffe ein grob granuliertes Trinkglas auf einem Tablett. Kolja goß Wasser in das Glas, trank ein paar Schluck und blickte durchs Fenster.

Der Maschinist, der Kolja bemerkt hatte, winkte ihm aus seinem Führerstand freundschaftlich zu. ›Oh, du stinkendes Aas, du Blattwanze!‹ dachte Kolja voller Haß, streckte dem Maschinisten die Zunge heraus und drohte ihm mit der Faust. Der Maschinist hatte Koljas Mienenspiel mißdeutet; durch Schulterzucken und eine Drehung des Kopfes in der Richtung nach den Waggons gab er zu verstehen: ›Was soll man da machen? Versuch es doch selber. Sie haben die Macht!‹ – ›Ist doch egal, Dreck du, Ekel‹, mimte Kolja zurück.

Man lud die Pferde aus den Wagen. Sie leisteten Widerstand und wollten sich nicht in Bewegung setzen. Das dumpfe Klopfen der Hufe auf dem hölzernen Laufsteg wurde abgelöst durch einen harten hellen Ton der Eisen auf dem Steinbelag des Bahnsteigs. Die Pferde bäumten sich, als man sie über die Gleise führte.

Am Ende der Gleise standen zwei Reihen von schrottreifen Waggons, auf verrosteten, mit Gras überwachsenen Schienen. Der Regen hatte ihre Farbe abblättern und das Holz vermodern lassen. Die Feuchtigkeit und der Zustand der Auflösung verlieh den Viehwagen eine gewisse Ähnlichkeit mit dem großen Walde, der gleich jenseits der Bahn begann, mit den Holzschwämmen, die sich an den elenden Birken festgesetzt hatten, und der niedrig hängenden Wolkendecke. Vom Rande des Waldes her ertönte ein Kommando: die Kosaken saßen auf und galoppierten auf dem Weg durch das Unterholz davon.

Die Aufständischen des 212. Regiments wurden umzingelt. Reiter erscheinen in der Umgebung des Waldes stets eindrucksvoller als auf freiem Felde. Die Kosaken wirkten einschüchternd auf die Soldaten, obwohl auch sie Gewehre in den Erdhütten hatten. Die Kosaken zogen ihre Säbel aus der Scheide.

Inmitten der Reiter entdeckte man Hinz, der auf einen Haufen Brennholz stieg, um sich mit einer Rede an die umzingelten Rebellen zu wenden.

Wie gewöhnlich sprach er von der Pflicht des Soldaten, von Vaterlandsliebe und von vielen anderen erhabenen Dingen. Doch diese Ideen fanden hier kein Echo. Die bunt zusammengewürfelte Masse von Soldaten setzte sich aus Männern zusammen, die den Krieg mit all seinen Leiden bis zum Überdruß kannten, sie waren verroht und verwildert. Die Worte, die Hinz sprach, hingen ihnen längst zum Halse heraus. Das schon vier Monate während Hin- und Hergezerrtwerden zwischen den Parteien von rechts und links hatte die Menge verdorben. Das einfache Volk, aus dem sie sich zusammensetzte, war zudem befremdet durch den ausländischen Familiennamen des Redners und durch seine baltische Aussprache.

Hinz fühlte, daß er zu lange gesprochen hatte, und ärgerte sich über sich selber. Doch glaubte er, auf diese Weise einen besseren Zugang zu seinen Hörern zu finden, die ihm zum Dank ihre Gleichgültigkeit und unverhohlene Langeweile entgegenbrachten. Allmählich wurde er immer gereizter und beschloß, gegenüber diesem Publikum eine deutliche Sprache zu reden und mit Drohungen zu kommen, die er sich für den Schluß aufgespart hatte. Ohne auf das Murren zu achten, das allmählich bedrohlich anschwoll, erinnerte er die Soldaten daran, daß die Revolutions-Kriegsgerichte eingeführt seien und bereits ihre Arbeit begonnen hätten. Unter Androhung der Todesstrafe forderte er sie auf, die Waffen niederzulegen und die Rädelsführer auszuliefern. Wenn sie das nicht täten, so sagte Hinz, würden sie damit den Beweis liefern, daß sie nichts als gemeine Verräter seien, gewissenlose Schurken, ein frech gewordenes Halunkenpack. An den Ton waren die Leute nicht mehr gewöhnt.

Ein Gebrüll aus einigen Hundert Kehlen erhob sich. »Schluß mit dem Gerede! Genug. Uns reicht es«, schrien die einen in tiefem Baß; es war nicht eigentlich bösartig gemeint. Doch man hörte auch hysterische Schreie in hohem Diskant, heiser von Haß. Diese setzten sich durch. Sie schrien:

»Habt ihr gehört, Genossen, wie der uns kommt?! Die alte Leier der Offiziere! Wir sollen Verräter sein?! Du selbst aber – wo kommst denn du her, mein Prinz! Mit einem wie du einer bist sollte man kurzen Prozeß machen. Seht ihr denn nicht, daß er ein Deutscher ist, ein Spion. Zeig deine Papiere, du blaues Blut! Und ihr, was sperrt ihr das Maul auf, ihr Friedensstifter? Da, nehmt uns, bindet uns, freßt uns auf!«

Auch den Kosaken gefiel Hinzes mißglückte Rede immer weniger. »Immer nur Schurken und Schweine! Und das will ein Herr sein!?« so flüsterten sie untereinander. Zunächst steckten nur einzelne ihre Säbel wieder in die Scheide, andere folgten ihrem Beispiel. Immer mehr Kosaken saßen ab. Als eine genügende Anzahl auf dem Boden stand, setzten sie sich ungeordnet in Bewegung, auf die Mitte der Waldlichtung zu, den Rebellen des 212. Regiments entgegen. Alles geriet durcheinander. Es kam zu einer allgemeinen Verbrüderung.

»Sie müssen jetzt unbedingt unbemerkt verschwinden!« sagten die beunruhigten Kosakenoffiziere zu Hinz. »Ihr Wagen steht an der Kreuzung. Wir geben Weisung, ihn näher heranzufahren. Gehen Sie möglichst gleich.«

Hinz tat, was ihm geraten wurde. Doch, da es ihm unwürdig erschien, sich heimlich davonzumachen, ging er ohne die notwendigen Vorsichtsmaßnahmen, fast allen sichtbar, zur Station zurück. Er befand sich in furchtbarer Erregung. Sein Stolz zwang ihn jedoch dazu, ruhig und ohne Eile zu gehen.

Die Station, die am Waldrand lag, war schon ganz nahe. Auf einer Lichtung, von der aus man die Gleise sah, blickte Hinz sich zum erstenmal um. Bewaffnete Soldaten folgten ihm. ›Was wollen sie nur?‹ dachte Hinz und beschleunigte seinen Schritt.

Die Verfolger gingen gleichfalls schneller. Der Abstand zwischen ihnen hatte sich nicht geändert. Hinz sah die Doppelreihe der abgenutzten Wagen vor sich. Er überquerte die Gleise und begann zu laufen. Der Zug, mit dem die Kosaken gekommen waren, stand auf einem Abstellgleis. Die Schienen waren frei. Hinz überquerte sie im Laufschritt.

Mit einem Satz sprang er auf den Bahnsteig. In diesem Augenblick kamen seine Verfolger hinter den zertrümmerten Wagen hervor. Powarichin und Kolja schrien Hinz etwas zu und forderten ihn durch Zeichen auf, ins Bahnhofsgebäude zu kommen, wo er in Sicherheit gewesen wäre.

Aber wieder versperrten ihm sein durch Generationen anerzogenes Ehrgefühl und ein Opfermut, der unter diesen Umständen nicht mehr am Platze war, den Weg zu seiner Rettung. Mit übermenschlicher Anspannung des Willens bemühte er sich, das Flattern seines erregten Herzens zu bändigen. Er dachte: ›Man muß ihnen zurufen: Brüder besinnt euch! Was bin ich denn für ein Spion? Man muß ihnen etwas Ernüchterndes, etwas menschlich Schlichtes und Herzliches zurufen, ein Wort, das ihnen Halt gebietet!‹

In den letzten Monaten hatte sich für Hinz die Vorstellung von Heldentum und Gefühlspathos unbewußt mit den Brettern des Rednerpodiums und der Tribünen verbunden, mit Stühlen, auf die man steigen kann, um der Menge zündende Reden zu halten.

Vor der Tür des Bahnhofs, unter der Stationsglocke, stand ein ziemlich großes Wasserfaß zum Feuerlöschen. Dieses Faß war sorgfältig zugedeckt. Hinz sprang auf den Deckel und wandte sich an die näher kommenden Soldaten mit ein paar jener unsinnigen Worte, die von Herzen kommen. Die Tollkühnheit seiner Haltung, zwei Schritt entfernt von der geöffneten Bahnhofstür, durch die er so leicht hätte fliehen können, bannte seine Verfolger an die Stelle. Sie hielten an und senkten ihre Gewehre.

Hinz jedoch setzte einen Fuß auf den Deckelrand, der umkippte. Eines seiner Beine tauchte ins Wasser, während das andere am Faßrand hängenblieb. So saß er rittlings auf dem Faßrand.

Diese Ungeschicklichkeit quittierten die Soldaten mit einem höhnischen Gelächter. Der Nächststehende von ihnen erledigte den Unglücklichen mit einem Schuß durch den Hals, die anderen stürzten sich mit den Seitengewehren auf ihn, um ihm den Rest zu geben. Er war jedoch schon tot.

XI

Mademoiselle rief Kolja an, um ihn zu bitten, den Doktor im Zuge möglichst bequem unterzubringen; andernfalls drohte sie mit unangenehmen Enthüllungen.

Während Kolja ihr antwortete, führte er, wie es seine Gewohnheit war, noch ein anderes Telefongespräch. Nach den vielen Zahlen zu urteilen, mit denen seine Rede gespickt war, handelte es sich um eine chiffrierte Depesche, die er an eine dritte Stelle telegrafierte.

»Pskov, Komossew, hörst du mich? Was für Rebellen? Welche Hand? Aber was sagen Sie da, Mamsell? Lüge, Aberglauben. Stören Sie nicht, hängen Sie den Hörer ein, Sie stören mich. Pskov, Komossew, Pskov. 36 Komma 00 15. Ach, daß Sie doch den Hunden zum Fraß fielen: das Band gerissen. Ah? Ah? Ich verstehe nicht. Sind Sie es wieder, Mamsell? Ich habe Ihnen doch gesagt, es geht nicht, ich kann nicht. Wenden Sie sich an Powarichin. –

Lüge, Chiromantik, Sechsunddreißig . . . Zum Teufel . . . lassen
Sie mich in Ruh; stören Sie mich nicht, Mamsell!«
Mademoiselle aber sprach in ihrem gebrochenen Russisch: »Mach
mir nichts vor mit deiner Chiromantik, Pskov; ich kenne dich
durch und durch! Du wirst morgen den Doktor in den Waggon
setzen. Und jetzt spreche ich nicht länger mit einer gewissen Art
von Mördern und Verrätern!«

XII

Es war wieder sehr schwül, als Jurij Andréitsch abreiste. Wie vor
drei Tagen zog ein Gewitter auf.
In der Bahnhofsgegend, die von ausgespuckten Sonnenblumen-
schalen übersät war, duckten sich weißgraue Lehmhütten und
Gänse ängstlich unter dem reglosen Blick des schwarzen Gewitter-
himmels.
Das Bahnhofsgebäude stand auf einem Platz, der nach beiden Seiten hin in offenes Feld überging. Das Gras auf diesem Platz war
von einer unübersehbaren Volksmenge zertrampelt, die schon seit
Wochen auf die Abfahrt von Zügen in den verschiedensten Richtungen wartete.
In der Menge gab es Greise in grauen, groben Bauernröcken. Sie
gingen durch die glühende Sonne von einer Gruppe zur anderen,
um Gerüchte und Nachrichten zu hören. Halbwüchsige, schweig-
same Jungen lagen, auf die Ellenbogen gestützt, auf der Seite; in
der Hand hielten sie von Blättern gesäuberte Zweige, als hätten sie
eine Viehherde zu weiden. Ihre jüngeren Brüderchen und Schwe-
sterchen, deren Hemden sich über den rosafarbenen Hinterteilen
aufschürzten, liefen überall zwischen den Erwachsenen herum. Ihre
Mütter saßen mit ausgestreckten Beinen auf der Erde; sie hatten
ihre Säuglinge in ihre braunen Röcke gewickelt und hielten sie fest
an den Busen gepreßt.
»Wie Hammel sind sie nach allen Seiten auseinandergerannt, als
die Schießerei losging. Das hat ihnen wenig gefallen«, meinte der
Stationschef Powarichin in feindseligem Ton, als er sich zusammen
mit dem Doktor im Zickzack einen Weg durch die Reihen der
Menschen bahnte, die draußen vor den Türen und auf dem Fußboden des Bahnhofs in wildem Durcheinander umherlagen.

»Auf einmal war der Rasen wie leergefegt, man sah wieder die bloße Erde. Was für eine Freude! Vier Monate lang war sie unter diesem Zigeunerlager verschwunden. Man hatte schon fast vergessen, wie sie aussieht. Hier – gerade an dieser Stelle ist der Kommissar gefallen. Sonderbar, ich habe doch im Kriege so manches Schreckliche gesehen, und man könnte glauben, man hätte sich daran gewöhnt. Aber mit ihm hatte ich Mitleid! Und dann die entsetzliche Sinnlosigkeit! Wofür eigentlich? Was hat er ihnen Böses getan? Sind das noch Menschen? Wie es heißt, war er der Liebling seiner Familie. So, und jetzt nach rechts; bitte hierher, in mein Büro. Glauben Sie nicht, daß Sie in diesen Zug da hineinkönnten; man würde Sie totquetschen. Ich lasse Sie in einem Lokalzug mitfahren. Den setzen wir selber zusammen; wir fangen gleich damit an. Aber sagen Sie keinem ein Wort, bevor Sie eingestiegen sind, keinem einzigen Menschen, sonst reißt man Sie, bevor die Wagen zusammengekoppelt sind, in Stücke. Heute nacht müssen Sie dann in Suchinitschi umsteigen.«

XIII

Als der ›geheime‹ Zug zusammengestellt war und man ihn hinter dem Stationsgebäude am Bahnhof vorfahren ließ, stürzten die auf dem Rasen Liegenden wie eine wilde Meute auf den langsam rückwärts fahrenden Zug. Jeder war nur darauf bedacht, als erster das Ziel zu erreichen. Wie Erbsen kullerten die Menschen von den kleinen Anhöhen herunter. Sie kletterten auf den Bahndamm. Einer verdrängte den anderen; manche kletterten auf die Puffer und auf die Trittbretter des sich langsam bewegenden Zuges, andre kletterten durch die Fenster und auf die Wagendächer. Noch bevor er anhielt, war der Zug bis auf den letzten Platz besetzt. Als er schließlich am Bahnsteig ankam, hingen an den Wagen von oben bis unten Trauben von Menschen.
Wie durch ein Wunder gelang es dem Doktor, sich auf eine Plattform durchzudrängen, und auf eine noch unerklärlichere Weise gelangte er in den Gang des Waggons.
Im Gang blieb er dann auch während der ganzen Fahrt bis nach Suchinitschi auf seinem Gepäck am Boden sitzen. Die Gewitterwolken hatten sich längst verzogen. Die von der glühenden Sonne

überschwemmten Felder waren erfüllt von unablässigem Grillen-
zirpen, das selbst das Geratter des Zuges übertönte.

Die Passagiere, die an den Fenstern standen, nahmen den anderen
Mitreisenden das Licht weg. Ihre langen, zwei- und dreifach über-
einanderliegenden Schatten fielen auf die Bänke und die Zwischenwände der Abteile. Diese Schatten hatten im Wagen nicht genug
Platz. Sie wurden von den gegenüberliegenden Fenstern zurückgeworfen, sie liefen hüpfend auf der andern Seite des Fahrdamms mit,
neben dem großen Schatten des dahinrollenden Zuges. Überall ertönte Geschrei, man sang mit brüllender Stimme Lieder, schimpfte
und spielte mit Leidenschaft Karten. An den Haltestellen vermehrte
sich der Lärm im Innern noch durch das Geschrei der von draußen
Nachdrängenden, die den Zug belagerten. Das Getöse der Stimmen
glich dem betäubenden Brausen eines Sturmes auf offener See. Und
wie auf dem Meer, so entstand auch hier, während eines Aufent-
haltes, urplötzlich eine unbegreifliche Stille. Dann hörte man eilige
Schritte auf dem Bahnsteig, die den ganzen Zug entlangliefen, die
Streitereien beim Gepäckwagen, einzelne Abschiedsworte, Hühner-
gackern und das Rauschen der Bäume im Bahnhofsgarten.

Wie ein unterwegs aufgegebenes Telegramm mit einem Gruß aus
Meljusejewo drang da auf einmal durch das Fenster ein wohlbekannter Duft, der einzig und allein an Jurij Andréitsch adressiert
zu sein schien. Mit stolzer Gelassenheit offenbarte er, daß er aus
einer Höhe niederschwebte, in der es weder Feldblumen noch
Gartenbeete gab.

Der Doktor konnte wegen des Gedränges nicht bis zum Fenster
vordringen. Aber, auch ohne hinzuschauen, konnte er sich die
Bäume vorstellen. Sie mußten ganz nahe an der Bahnlinie stehen.
Ihre ausgebreiteten, dichtbelaubten Zweige, von Blütendolden
übersät und weiß gepudert vom Staub der Strecke, streiften fast
die Wagendächer des Zuges.

Auf der ganzen Fahrt wiederholte sich immer das gleiche: überall
der Lärm der Menge, überall dieselben blühenden Linden. Der all-
gegenwärtige Duft schien dem Zug auf seiner Fahrt nach Norden
voranzueilen wie ein Gerücht, das alle Bahnhöfe, Haltestellen und
Bahnwärterhäuschen erreichte, so daß die Reisenden es bei ihrer
Ankunft schon vorfanden und hochgemut wiedererkannten.

XIV

In der Nacht in Suchinitschi fand Schiwago einen gefälligen Gepäckträger aus der guten alten Zeit, der ihn auf unbeleuchteten
Wegen rückwärts zum Zweiter-Klasse-Wagen eines gerade ange-
kommenen Zuges führte, der im Fahrplan nicht angezeigt war.
Kaum hatte der Gepäckträger mit einem Nachschlüssel die hintere Wagentür geöffnet und das Gepäck des Doktors auf die Plattform gesetzt, als es einen kurzen Kampf mit dem Zugführer zu
bestehen galt, der sie sofort wieder heraussetzen wollte, sich aber
von Jurij Andréitsch besänftigen ließ und verschwand, als hätte
ihn der Erdboden verschluckt.
Der geheimnisvolle Zug hatte eine besondere Bestimmung. Er fuhr
ziemlich schnell, hielt selten an und stand, wie es schien, unter militärischer Bewachung. Der Waggon schien völlig leer zu sein.
Das Abteil, in dem Schiwago Platz genommen hatte, wurde von
einer niedergebrannten Kerze auf dem Tisch erhellt. Die Flamme
flackerte im Luftzug, der durch das halbgeöffnete Fenster eindrang.
Die Kerze war von dem einzigen Reisenden in diesem Abteil angezündet worden, einem hellblonden Jüngling, der sehr groß sein
mußte, nach der Länge seiner Arme und Beine zu schließen. Seine
schlaksigen Glieder glichen schlecht miteinander verbundenen Ein-
zelteilen eines zusammengesetzten Apparates. Der junge Mann
saß nachlässig zurückgelehnt auf seinem Fensterplatz. Beim Erscheinen Schiwagos erhob er sich ein wenig aus Höflichkeit und
nahm eine korrektere Haltung an.
Unter seinem Sitz lag etwas, das einem Putzlumpen ähnlich sah.
Plötzlich regte sich ein Zipfel dieses Lappens, und unter dem Sitz
kam, munter herumspringend, ein Hühnerhund hervor. Er be-
schnupperte und betrachtete Jurij Andréitsch, dann begann er im
Abteil aus einer Ecke in die andere zu laufen, wobei er die Pfoten
ebenso elastisch bewegte wie sein Herr, wenn er die Beine übereinander schlug. Auf einen Wink seines Herrn kroch er wieder
eiligst unter den Sitz; nun sah er wieder wie ein zusammengeknüll-
ter Putzlumpen aus.
Jetzt erst bemerkte Jurij Andréitsch eine doppelläufige Flinte in
einem Überzug, eine lederne Patronentasche und eine prall mit
erlegtem Geflügel gefüllte Jagdtasche, die an einem Haken im
Abteil hing.

Sein Mitreisender zeichnete sich durch ungemeine Gesprächigkeit aus. Liebenswürdig lächelnd fing er sogleich eine Unterhaltung an. Dabei blickte er dem Doktor die ganze Zeit auf den Mund.

Der junge Mann hatte eine unsympathisch scharfe Stimme, die in höheren Lagen in ein metallisches Falsett überging. Eine andere Merkwürdigkeit war seine Aussprache. Obgleich er seinem ganzen Aussehen nach Russe war, brachte er einen Vokal, nämlich das ›u‹, auf seltsame Weise hervor. Er sprach es so weich aus wie das französische ›u‹ oder das deutsche ›ü‹. Dies entstellte ›u‹ schien ihm große Mühe zu machen. Er betonte diesen Vokal viel stärker als die übrigen, wobei er etwas winselte. Gleich zu Beginn befremdete es Jurij Andréitsch, einen solchen Satz zu hören: »Gestern abend machte ich Jagd auf S-u-umpfhühner.«

Für Augenblicke hatte er sich mehr unter Kontrolle und überwand diesen Sprachfehler, der jedoch wieder auftrat, sowie er sich etwas gehen ließ.

›Was ist denn das für eine Geschichte?‹ dachte Schiwago. ›Ich habe doch schon etwas darüber gelesen, ich kenne das. Als Arzt müßte ich es doch wissen, aber es ist mir vollkommen entfallen. Es muß eine funktionelle Störung des Gehirns sein, die den Sprachfehler hervorruft. Aber dieses ›Winseln‹ ist so furchtbar komisch, daß man Mühe hat, ernst zu bleiben. Man kann mit ihm kein Gespräch führen. Ich will lieber oben auf dem Liegeplatz schlafen.‹

Als der Doktor es sich oben bequem machen wollte, erkundigte sich der junge Mann, ob er die Kerze löschen solle, die Jurij Andréitsch doch gewiß störe. Der Doktor nahm diesen Vorschlag dankbar an. Sein Reisegenosse löschte das Licht, es wurde dunkel. Das Coupéfenster war halb geöffnet.

»Vielleicht könnte man das Fenster schließen?« fragte Jurij Andréitsch. »Fürchten Sie nicht, daß Diebe kommen könnten?«

Der andere antwortete nicht. Jurij Andréitsch wiederholte seine Frage sehr laut; aber der junge Mann rührte sich nicht.

Jurij Andréitsch zündete ein Streichholz an, um zu sehen, ob sein Nachbar inzwischen das Abteil verlassen hätte oder eingeschlafen sei, was allerdings noch unwahrscheinlicher gewesen wäre. Doch der junge Mann saß immer noch mit weit geöffneten Augen auf seinem Platz und lächelte den Doktor an, der sich von oben herabbeugte. Das Streichholz erlosch; Jurij Andréitsch zündete ein zweites an und wiederholte seine Frage zum drittenmal.

»Wie Sie wollen«, antwortete der Jäger sogleich. »Ich habe nichts, was man stehlen könnte. Übrigens wäre es besser, das Fenster nicht zu schließen. Hier erstickt man vor Hitze.«

›Komischer Kerl‹, dachte Schiwago. ›Der Sonderling scheint die Gewohnheit zu haben, nur bei voller Beleuchtung zu sprechen. Eben hat er alles auf Anhieb vollkommen richtig ausgesprochen, ohne den Sprachfehler! Das soll einer verstehen!‹

XV

Nach den Ereignissen der vergangenen Wochen, den Aufregungen vor seiner Abfahrt, dem Menschengewühl auf dem Bahnhof und nach den Schwierigkeiten beim Einsteigen in den Zug fühlte sich der Doktor wie zerschlagen, als er sich nun einigermaßen bequem ausstrecken konnte. Er kam aber nicht zum Schlafen. Infolge der Übermüdung lag er noch lange wach. Erst gegen Morgen schlief er ein. Die Gedanken, die ihm in diesen langen Stunden durch den Kopf gingen, waren chaotisch wirr. Sie schienen sich in zwei Kreisen oder besser in zwei Spiralen zu bewegen, die sich bald zusammenzogen, bald wieder ausdehnten.

Der erste Kreis seiner Gedanken bewegte sich um Tonja, sein Haus und sein früheres geordnetes Leben, in dem alles bis in die kleinste Einzelheit von Poesie, Zärtlichkeit und Reinheit erfüllt war. Der Doktor zitterte um dieses Leben, er wünschte, daß es so heil und unberührt bliebe, wie es gewesen war. Während der Schnellzug ihn durch die Nacht trug, sehnte er sich voller Ungeduld nach diesem Leben, nachdem die Trennung schon über zwei Jahre gedauert hatte.

In diesen Gedankenkreis waren seine Treue und seine Begeisterung für die Revolution mit einbezogen. Es war die Revolution, wie sie sich die bürgerlichen Schichten und die auf Alexander Block eingeschworenen Studenten von 1905 vorgestellt hatten.

Mit diesen Erinnerungen verknüpften sich jedoch auch die Gedanken an die Vorzeichen eines neuen Lebens, jene Verheißungen und Versprechungen, die sich vor dem Kriege, von 1912 bis 1914, im Denken, in der Kunst, im Schicksal aller Russen und in seinem eigenen Dasein angekündigt hatten.

Nach dem Kriege verlangte es ihn, jenes geistige Klima wiederzufinden, ebenso, wie er sich danach sehnte, nach der langen Trennung nach Hause zurückzukehren.

Um das zweite Zentrum kreisten Gedanken, die den jüngsten Ereignissen und Eindrücken zugewandt waren. Wie verschieden waren die Gedanken von den vorhergehenden! Keiner von ihnen war ihm vertraut oder durch das Vergangene vorbereitet. Alles war zu gleicher Zeit willkürlich und doch unabwendbar, von der Wirklichkeit auferlegt, eine jähe, tiefe Erschütterung.

Eine dieser neuen Erfahrungen war der Krieg mit seinem Blut und seinem Grauen, seiner Heimatlosigkeit und der Verwilderung. Auch die Prüfungen und die Kenntnis vom wirklichen Leben, die der Krieg ihnen gebracht hatte, gehörten hierher: die abgelegenen Provinzstädte, in die er vom Krieg verschlagen worden war, die Menschen, die er dort getroffen hatte, die Revolution – nicht die idealisierte der Studenten des Jahres 1905, sondern die jetzige, blutige, vom Kriege geborene, die auf nichts Rücksicht nahm! Sie wurde von den Bolschewiki gelenkt, die allein fähig waren, den Sinn dieses Sturmes zu begreifen.

Da war die Schwester Antipova, die der Krieg irgendwohin in ein unbekanntes Leben verschlagen hatte, diese geheimnisvolle, wortkarge Frau, die sich niemals beklagte und die niemandem je Vorwürfe machte: gerade ihr Schweigen machte sie stark. Da waren die aufrichtigen, übermenschlichen Anstrengungen Jurij Andréitschs, diese Frau nicht zu lieben, so wie er auf der anderen Seite sein ganzes Leben bemüht war, nicht nur seiner Familie und den ihm Nahestehenden Liebe zu erweisen, sondern allen Menschen.

Der Zug fuhr jetzt mit voller Geschwindigkeit. Der durch das geöffnete Fenster eindringende Gegenwind zerzauste Jurij Andréitschs Haar und durchsetzte es mit Staub. Bei den Aufenthalten in der Nacht ereignete sich das gleiche wie am Tage: die Menge brauste heran wie ein Sturm, die Linden rauschten.

Zuweilen hörte man aus der Tiefe der Nacht Bauernwagen und zweirädrige Karren an den Stationsgebäuden vorfahren. Das Stimmengewirr und Räderrasseln vermischte sich mit dem Rauschen der Bäume.

In solchen Augenblicken glaubte man zu begreifen, was diese nächtlichen Schatten flüsterten und murmelten, wenn sie sich einander zuneigten. Ihre schlaftrunkenen Blätter regten sich, als sprächen sie in einer verworrenen, stotternden Sprache. Es war genau dasselbe, woran Jurij Andréitsch dachte, wenn er sich oben auf der Pritsche umdrehte: Rußland würde von immer heftigeren Erschütterungen geschüttelt werden; bald würden die schrecklichen schicksalhaften Stunden der Revolution kommen; doch diese Revolution würde zweifellos am Ende ihre wahre Größe zeigen.

XVI

Am folgenden Tag erwachte der Doktor erst spät. Es war schon fast Mittag. »Marquis, Marquis!« ließ sich die gedämpfte Stimme des Nachbarn vernehmen, der seinen knurrenden Hund besänftigen wollte. Zur großen Verwunderung Jurij Andréitschs befand er sich immer noch allein mit dem Jäger. Niemand war unterwegs zugestiegen. Die Namen der Stationen, durch die sie jetzt kamen, waren ihm seit seiner Kindheit vertraut. Der Zug, der das Gouvernement Kaluga verließ, drang wie ein sausender Pfeil in das Moskauer Land ein.

Nachdem er seine Morgentoilette mit der Sorgfalt und Bequemlichkeit der Vorkriegszeit beendet hatte, kehrte der Doktor in sein Abteil zum Frühstück zurück, das ihm sein seltsamer Gefährte anbot. Jurij Andréitsch hatte nun Gelegenheit, ihn gründlicher zu beobachten.

Die besonderen Merkmale des jungen Mannes waren sein ungemeines Mitteilungsbedürfnis und seine Lebhaftigkeit. Dem Unbekannten schien es weniger auf den Austausch von Gedanken anzukommen, er liebte das Reden als solches, das Aussprechen der Worte und die Artikulation der Laute. Während er sprach, schnellte er immer wieder von der Bank hoch, als säße er auf Federn, brach ohne Grund in dröhnendes Gelächter aus, rieb sich die Hände vor Vergnügen und – als ob dies alles noch nicht genug sei, um seiner Begeisterung Ausdruck zu geben – schlug sich mit den Handflächen klatschend auf die Schenkel und lachte und lachte, bis ihm die Tränen kamen.

Das Gespräch nahm bald ebenso seltsame Formen an wie am Abend vorher. Der Unbekannte zeigte sich erstaunlich inkonsequent und sprunghaft in seinem Verhalten. Bald machte er Geständnisse, zu denen ihn keiner gedrängt hatte, dann wieder vergaß er, selbst auf die harmlosesten Fragen Antwort zu geben.

Über die eigene Person machte er eine Fülle phantastischer und unzusammenhängender Mitteilungen. Zweifellos übertrieb er und kam auch ein wenig ins Schwindeln. Offenbar versuchte er, Eindruck zu machen durch die Extravaganz seiner Auffassungen und durch die Verneinung alles Gewohnten.

Das alles kam Schiwago nicht unbekannt vor. Im Geiste dieses unduldsamen Radikalismus pflegten die Nihilisten des vorigen Jahrhunderts und die Helden Dostojewskijs zu reden und in deren direkter Nachfolge die gebildeten Leute aus der heutigen Provinz. Diese russische Provinz war oft fortschrittlicher als Moskau und Petersburg, weil sich in den verlorenen Winkeln des Landes ein Geist der Gründlichkeit und Ernsthaftigkeit hielt, der in den Hauptstädten aus der Mode gekommen war.

Der junge Mann erzählte, er sei der Neffe eines bekannten Revolutionärs, seine Eltern zeichneten sich dagegen durch unverbesserliche Rückständigkeit aus; sie waren ›Auerochsen‹, wie er sich auszudrücken beliebte. Sie besaßen ein ansehnliches, abgelegenes Gut irgendwo in der Nähe der Front, wo der junge Mann aufgewachsen war. Mit dem Onkel hatten sie immer auf Kriegsfuß gestanden, was dieser ihnen jedoch nicht nachtrug. Jetzt bewahrte er sie durch seinen Einfluß vor vielen Unannehmlichkeiten. Was seine Ansichten angehe, so erklärte der redselige junge Mann weiter, so sei er vollkommen dem Onkel nachgeschlagen. Er sei in allem – in den Fragen des Lebens, in der Politik, in der Kunst – extremer Maximalist. Schiwago fühlte sich wieder an Petinjka Werchowenskij* erinnert, nicht etwa, weil der junge Mann zur ›Linken‹ gehörte, sondern weil der gleiche Geist der leeren und falschen Renommiererei aus ihm sprach. ›Gleich wird er sich als Futurist bekennen‹, dachte Jurij Andréitsch, und tatsächlich kam das Gespräch auf den Futurismus. ›Jetzt wird er gleich vom Sport anfangen‹, schätzte der Doktor, ›von Trabrennen, von Rollschuhbahnen oder vom französischen Ringkampf‹. Und schon wandte sich das Gespräch der Jagd zu.

Der junge Mann sagte, er komme von der Jagd auf dem Gut seiner Eltern; er prahlte, er sei ein vortrefflicher Schütze, und wenn sein angeborenes Gebrechen ihn nicht daran gehindert hätte, Soldat zu werden, so hätte er sich im Kriege auf jede Weise ausgezeichnet.

---

* Einer der Helden aus Dostojewskijs ›Dämonen‹.

Als er Schiwagos fragenden Blick bemerkte, rief er aus: »Wie! Haben Sie etwa nichts bemerkt?! Ich dachte, Sie hätten erraten, was ich für ein Gebrechen habe.«

Er zog aus seiner Tasche zwei Karten, die er Jurij Andréitsch überreichte. Das eine war seine Visitenkarte. Er führte einen Doppelnamen. Er hieß Maxim Aristarchowitsch Klinzov-Pogoréwschich oder einfach ›Pogoréwschich‹, wie er zu Ehren seines Onkels genannt sein wollte, der ebenso hieß.

Auf der anderen Karte war ein Tabellenvordruck mit Zeichnungen von Händen und Fingern, die sich in der verschiedensten Weise kreuzten und zusammenlegten. Es war ein Fingeralphabet für Taubstumme. Plötzlich klärte sich alles auf.

Pogoréwschich war ein außergewöhnlich begabter Zögling der Schule Hartmanns oder Ostrogradskijs, ein Tauber, der das Sprechen mit einer unwahrscheinlichen Vollkommenheit erlernt hatte ohne Hilfe des Gehörs, nur durch genaue Beobachtung der Bewegung der Halsmuskulatur seines Lehrers, wodurch er auch verstehen konnte, was sein Gesprächspartner sagte.

Der Doktor, dem wieder eingefallen war, aus welcher Gegend der junge Mann stammte und wo er gejagt hatte, sagte:

»Verzeihen Sie meine Indiskretion – übrigens brauchen Sie meine Frage nicht zu beantworten. Sagen Sie mir: haben Sie nichts zu tun mit der Republik Sybuschino und ihrer Gründung?«

»Aber wieso ... erlauben Sie! ... Sie kennen also Blashejko ... Gewiß habe ich etwas mit der Sache zu tun, natürlich«, rief Pogoréwschich sehr erfreut, brach in lautes Lachen aus, wiegte sich mit dem ganzen Körper hin und her und schlug sich wie wild auf die Knie. Hiermit begann ein neuer Wortschwall:

Sybuschino, so erklärte Pogoréwschich, sei für ihn nur ein Vorwand gewesen, ein an sich gleichgültiger und beliebig gewählter Ort zur Erprobung seiner Ideen. Jurij Andréitsch hatte Mühe, seine Theorien zu begreifen. Pogoréwschichs Philosophie bestand zur Hälfte aus Ideen des Anarchismus, zur Hälfte aus Jägerlatein. Im Ton der unerschütterlichen Sicherheit eines Orakels verkündete Pogoréwschich für die nächste Zeit vernichtende Erschütterungen. Jurij Andréitsch war innerlich davon überzeugt, daß diese Erschütterungen sich nicht vermeiden ließen. Was ihn aufbrachte, war die feierliche Ruhe, mit der dieser unsympathische Grünschnabel seine Prophezeiungen vorbrachte.

»Warten Sie einen Augenblick«, wandte er schüchtern ein. »Das alles mag wahr sein; es kann so kommen, wie Sie glauben. Aber meiner Meinung nach ist die Zeit für so gewagte Experimente schlecht gewählt in dem Chaos und in der Anarchie, in der wir uns befinden, dazu noch angesichts der feindlichen Übermacht. Man muß dem Land die Möglichkeit zur Besinnung, zum Atemholen geben nach dem ersten Schock, man muß abwarten, ehe man sich in ein neues Abenteuer stürzt. Eine gewisse Ruhe und Ordnung müßten erst wiederhergestellt werden.«

»Wie naiv«, sagte Pogoréwschich. »Das, was Sie Anarchie nennen, ist eine ebenso normale Erscheinung wie Ihre gepriesene und geliebte Ordnung. Diese Zerstörungen dienen auf natürliche Weise zur Vorbereitung eines konstruktiven, groß angelegten Planes. Die Gesellschaft ist noch nicht genügend zerstört worden. Sie muß vollkommen aufgelöst werden, damit eine neue revolutionäre Gewalt sie Stück für Stück auf neuer Grundlage wiederaufbauen kann.«

Jurij Andréitsch wurde es unbehaglich zumute. Er ging auf den Gang hinaus.

Der Zug, der nun mit größter Geschwindigkeit fuhr, durchquerte die Vorstädte von Moskau. Birkengehölze zogen dicht an den Zugfenstern vorbei, um im nächsten Augenblick wieder zu verschwinden. Sommerhäuser folgten dicht aufeinander. Auf schmalen Bahnsteigen ohne Überdachung drängten sich Menschen, die sich in der vom Zug aufgewirbelten Staubwolke um sich selbst zu drehen schienen. Die Lokomotive pfiff fast ohne Unterbrechung, das Echo des Waldes gab den Laut dieser Pfiffe vervielfacht und langgezogen zurück, als habe er sich an ihnen verschluckt.

Auf einmal begriff Jurij Andréitsch zum erstenmal in all diesen Tagen mit vollkommener Klarheit, wo er sich befand und was ihn in ein oder zwei Stunden erwartete.

Drei Jahre der Wandlungen, der Ungewißheit, der Wanderschaft; Krieg, Revolution, Umwälzungen, Erschießungen, Szenen von Tod und Untergang, Zerstörung und Feuersbrünste, das alles verwandelte sich nun für ihn in eine gewaltige, inhaltslose Leere. Das erste wesentliche Ereignis nach der langen Unterbrechung war diese atemberaubende Fahrt des Zuges auf ein Haus zu, das heilgeblieben war und von dem jedes Steinchen ihm kostbar erschien. *Das* allein war das wahre Leben, das Ziel aller Prüfungen und Abenteuer, das war es, was die Kunst in ihren Werken darstellen sollte:

Heimkehr zu den Seinen, nach Hause, zu sich selbst – um ein neues Dasein zu beginnen.

Die Wälder blieben immer weiter zurück. Der Zug war der Gefangenschaft des dichten Laubes entronnen. Aus einem Talkessel stieg ein sanfter Hügelhang auf und verschwand zwischen fernen Höhenzügen. Die Erde war bedeckt mit dunkelgrünen Kartoffelkrautreihen. Auf der Anhöhe, am Ende des Kartoffelfeldes, sah man die Glasscheiben von Treibhäusern neben den Beeten auf dem Boden liegen. Am Ende des Zuges zeigte sich eine gewaltige, schwarzviolette Wolke, die den halben Himmel bedeckte. Aus dieser Wolke brachen einzelne Sonnenstrahlen hervor, die sich fächerartig ausbreiteten; die Scheiben der Glashäuser flammten in ihrem Widerschein in einem fast unerträglich blendenden Lichte auf.

Plötzlich entließ die Wolke einen schrägen, in der Sonne aufblinkenden Sommerregen. Die Tropfen schienen im gleichen Rhythmus niederzufallen, in dem die Räder des Zuges auf den Schienenachsen aufstießen; es war, als wolle der Regen den immer schneller dahinbrausenden Zug einholen, als fürchte er, hinter ihm zurückzubleiben.

Der Doktor hatte kaum Zeit gefunden, hierauf zu achten, als schon hinter einem Berge die Erlöserkathedrale auftauchte. Einen Augenblick später sah er die Kuppeln, Dächer, Häuser und Schornsteine der ganzen Stadt.

»Moskau!« sagte er, in das Abteil zurückkehrend. »Wir sind gleich da.«

Pogoréwschich sprang auf und begann in seiner Jagdtasche zu kramen, aus der er eine große Ente hervorzog.

»Da – nehmen Sie!« sagte er. »Zur Erinnerung. Ich habe einen ganzen Tag in besonders angenehmer Gesellschaft verbracht.«

Der Doktor versuchte abzulehnen. »Nun gut«, sagte er endlich, »ich nehme die Ente als ein Geschenk für meine Frau!«

»Für Ihre Gattin! Ein Geschenk für Ihre Gattin«, wiederholte Pogoréwschich hocherfreut, als habe er dieses Wort zum erstenmal gehört. Es zuckte ihm in allen Gliedern, und er lachte so laut, daß Marquis unter seiner Bank hervorkroch, um an seiner Freude teilzunehmen. Der Zug fuhr in die Halle ein. Im Wagen wurde es dunkel wie bei Nacht. Der Taube reichte dem Doktor die Wildente, die in den Fetzen einer politischen Proklamation eingewickelt war.

Das Moskauer Heerlager

I

Solange die Reise dauerte und man sich im engen Abteil bewegungslos gegenübersaß, kam es dem Doktor so vor, als rase nur der Zug dahin, während die Zeit inzwischen stillstand, so daß jetzt immer noch Mittag war.

Indessen senkte sich schon der Abend nieder, als sich die Droschke mit dem Doktor und seinem Gepäck in mühsamem Trott aus der unübersehbaren Menschenmenge auf dem Smolensker Platz herausarbeitete.

Vielleicht war es wirklich so, aber vielleicht wurden seine Eindrücke auch überlagert von den Erfahrungen einer späteren Zeit. In der Erinnerung kam es ihm vor, als hätten sich damals, im Herbst 1917, die Menschen nur aus Gewohnheit auf dem Smolensker Markt zusammengedrängt. Es gab nämlich nicht den geringsten Grund, sich dort aufzuhalten: die Läden waren geschlossen, die Schaufensterauslagen leer, und auf dem schmutzigen Platz, wo die Abfälle sich häuften, gab es nichts, was man hätte kaufen können.

Dennoch hatte er – so schien es ihm später – zum erstenmal auf den Trottoirs jene sauber gekleideten alten Frauen und Männer bemerkt, die den Vorübergehenden mit einem stummen Vorwurf im Blick wortlos etwas zum Verkauf anboten, das niemand brauchen konnte und haben wollte: künstliche Blumen, runde Spirituskocher zum Kaffeekochen mit Glasdeckeln und kleinen Dampfpfeifen, Abendkleider aus schwarzer Gaze, Uniformen ehemaliger Behörden und Ministerien.

Das einfachere Publikum handelte mit Dingen, die man nötiger brauchte: mit harten Schwarzbrotrinden, mit schmutzigen, feuchten Zuckerstücken und mit kleinen Tabakpäckchen, die man in Hälften aufteilte, dem sogenannten Machorka.

Auf dem ganzen Markt verkaufte man einen unsagbaren Plunder, dessen Preis immer mehr anstieg, da die Ware von Hand zu Hand ging.

Der Droschkenkutscher bog in eine der Seitengassen ein, die in den Platz einmündeten. Hinter ihnen ging die Sonne gerade unter und warf ihre letzten Strahlen auf ihre Rücken. Vor ihnen ratterte ein leerer Lastwagen, der bei jedem Stein einen Sprung machte. Er wirbelte Staubwolken auf, die in den Strahlen der untergehenden Sonne wie Bronze aufglühten.

Endlich gelang es ihnen, den leeren Wagen, der ihnen den Weg versperrte, zu überholen. Nun kamen sie rascher voran. Der Doktor war überrascht, überall auf den Fahrdämmen und Bürgersteigen Zeitungen und Plakate, die man von Häusern und Zäunen abgerissen hatte, herumliegen zu sehen. Der Wind fegte sie nach der einen Seite; Hufe, Räder und die Füße der Passanten trieben sie in die entgegengesetzte Richtung.

Nach einigen Kreuzungen tauchte an der Straßenecke das Haus des Doktors auf. Der Kutscher hielt an.

Jurij Andréitsch spürte, wie sein Atem stockte; sein Herz begann heftig zu klopfen, als er aus der Droschke stieg und an der Haustür klingelte. Alles blieb still. Jurij Andréitsch läutete zum zweiten Male. Als auch dieser Versuch ergebnislos blieb, fing er an, in steigender Unruhe mit kurzen Unterbrechungen mehrmals hintereinander zu klingeln. Erst nach dem vierten Läuten hörte er, wie man drinnen die Kette zurückschob. Antonina Alexándrowna stand in der geöffneten Haustür. Im ersten Augenblick waren beide wie erstarrt vor Überraschung und hörten nicht einmal ihren eigenen Freudenschrei. Antonina Alexándrowna hielt die Tür mit der einen Hand weit geöffnet. Ihre Arme waren schon ausgebreitet. Endlich wachten sie aus ihrer Erstarrung auf und stürzten sich besinnungslos in die Arme. Dann aber begannen sie beide gleichzeitig zu sprechen, wobei jeder dem anderen ins Wort fiel:

»Sage mir zuerst: sind alle gesund?«

»Jaja, beruhige dich, es ist alles in Ordnung. Was ich dir geschrieben habe, war dumm, verzeih mir, wir werden darüber sprechen müssen. Warum hast du kein Telegramm geschickt? Gleich wird Markel deine Sachen bringen. Ah, ich verstehe, du bist in Unruhe, weil nicht Jegorowna die Tür öffnete? Sie ist aufs Land gefahren.«

»Du bist magerer geworden. Aber wie jung du aussiehst, und so schlank! Ich werde gleich den Droschkenkutscher bezahlen.«

»Jegorowna ist weggefahren, um Mehl zu holen. Alle anderen habe ich entlassen. Im Augenblick ist nur ein neues Mädchen da, Njuscha. Sie sorgt für Ssaschjenka. Sonst haben wir kein Personal. Ich habe allen deine bevorstehende Ankunft mitgeteilt. Sie brennen vor Ungeduld, dich zu sehen. Gordon, Dudurov, alle.«

»Wie geht es Ssaschjenka?«

»Gut! Gott sei Dank! Er ist eben aufgewacht. Kämest du nicht direkt von der Bahn, so könnten wir gleich zu ihm gehen.«

»Ist dein Vater zu Hause?«

»Habe ich dir nichts davon geschrieben? Er ist vom Morgen bis in die späte Nacht in der Bezirks-Stadtverwaltung. Er ist Vorsitzender – ja, stell dir das nur vor! Ist der Droschkenkutscher bezahlt? Markel, Markel!«

Sie standen mit Reisekorb und Handkoffer mitten auf dem Bürgersteig und versperrten den Passanten den Weg. Die Vorübergehenden betrachteten sie von Kopf bis zu Fuß, sahen lange der Droschke nach, die sich entfernte, blickten auf die weit geöffnete Haustür und harrten der Dinge, die da kommen sollten.

Inzwischen kam Markel, der über seinem Russenhemd eine Weste trug und die Portiersmütze in der Hand hielt, auf seine junge Herrschaft zugelaufen.

»Herr des Himmels, ist das wirklich Jurotschka? Ja, freilich, wer denn sonst! Er ist es; er selber! Der Falke! Jurij Andréitsch! Unser Licht, du hast uns, deine dir treu Ergebenen, nicht vergessen; du bist zurückgekommen an den heimischen Herd! Und ihr, was habt ihr denn hier verloren? Was gibt's da noch zu glotzen?« fuhr er die Neugierigen an. »Geht eures Weges, Herrschaften! Was reißt ihr die Augen auf?« – »Guten Tag, Markel! Komm, laß dich umarmen! Setz deine Mütze auf, du sonderbarer Kauz! Was gibt's denn Neues, was gibt's Gutes, was machen deine Frau, die Töchter?«

»Wie wird's schon gehen. Sie wachsen heran. Danke für die Nachfrage. Was es Neues gibt? – Solange du da draußen den Helden spieltest, haben auch wir nicht hinterm Ofen gesessen. Hier wird ein solcher Höllenlärm gemacht, daß selbst der Teufel das Weite sucht. Wer sollte daraus klug werden! Die Straßen sind nicht gekehrt, Hausdächer werden weder geflickt noch gestrichen, die Bäuche sind hohl und leer wie in der Fastenzeit.«

»Ich werde mich über dich bei Jurij Andréitsch beschweren, Markel! Ich kann das dumme Gejammer nicht ertragen. Dir zu Ehren tut er ein übriges, er bildet sich ein, daß dir das gefällt. Dabei hat er aber seine Hintergedanken. Laß nur, laß nur, Markel. Du brauchst dich nicht zu rechtfertigen! Du hast eine schwarze Seele, Markel. Es ist an der Zeit, daß du klüger wirst. Du lebst hier nicht bei Getreidespekulanten.«

Nachdem Markel das Gepäck in den Flur gebracht und die Haustür zugemacht hatte, fuhr er fort, leise, im Ton des Vertrauens, zu sprechen.

»Antonina Alexándrowna ärgert sich, habe ich sagen hören. Und so ist es immer. Sie sagt: du, sagt sie, Markel, bist pechrabenschwarz von innen, also genauso wie der Ruß im Ofenrohr. Jetzt, sagt sie, bist du kein kleines Kind mehr. Heutzutage haben nicht nur die kleinen Kinder, sondern sogar die Möpse und die Schoßhunde Verstand. Wer wollte das bestreiten! Nur das eine, Jurotschka, einerlei, ob du es glaubst oder nicht, die Wissenden haben das Buch vom kommenden Freimaurer gelesen, ein Buch, das hundertvierzig Jahre unter einem Stein lag. Und nun ist meine Meinung, man hat uns verraten, Jurotschka, verstehst du, verraten und verkauft, nicht um einen Groschen, nicht um eine Viertel Kopeke, nicht um eine Prise Tabak. Antonina Alexándrowna erlaubt mir kein Wort zu sagen, und schon wieder, schau nur hin, winkt sie mit ihren Händen ab.«

»Und wie sollte ich nicht winken. Schon recht, Markel! Setz das Gepäck hierher. Ich danke dir, du kannst gehen, Markel! Wenn Jurij Andréitsch dich braucht, wird er dich rufen.«

II

»Endlich sind wir ihn los! Weg ist er! Du mußt nicht auf ihn hören! Das alles ist Humbug! Vor anderen spielt er immer den Clown, aber ganz im geheimen schleift er für alle Fälle sein Messer! Nur weiß er bis jetzt noch nicht, wen er damit erledigen will! Der Ärmste!«

»Geht das nicht etwas zuweit? Meiner Meinung nach ist er einfach betrunken und spielt den Hanswurst, das ist alles.«

»Sage mir gefälligst, wann ist der Kerl überhaupt nüchtern! Aber lassen wir ihn; mag er zum Teufel gehen! Ich fürchte nur, Ssaschjenka könnte inzwischen wieder eingeschlafen sein. Wenn es nur nicht diesen Typhus gäbe, den man sich auf der Bahn holt . . . Hast du keine Läuse?«

»Ich glaube, nein! Ich reiste mit allem Komfort, wie vor dem Kriege. Vielleicht könnte ich mich waschen? Nur in aller Eile! Später hole ich es gründlicher nach. Aber wohin willst du? Warum gehst du nicht durch den Salon? Benutzt ihr jetzt eine andere Treppe?«

»Ach ja! Richtig! Du weißt von nichts. Papa und ich haben hin und her überlegt und haben dann einen Teil des Parterres der Landwirtschaftlichen Akademie abgetreten. Sonst hätten wir im Winter das Haus nicht ganz heizen können. Auch ist die obere Etage zu geräumig. Wir boten ihnen Räume an. Im Augenblick wollen sie noch nicht. Sie haben hier Arbeitsräume, Herbarien und Sämereien eingerichtet. Hoffentlich zieht uns das Korn nicht die Ratten ins Haus. Vorläufig halten sie die Zimmer sauber und ordentlich. Man nennt das jetzt ›Wohnfläche‹. Hierher, hierher! Wir müssen über die Küchentreppe gehen. Hast du verstanden? Folge mir, ich zeige dir den Weg.«

»Wie gut, daß ihr Zimmer abgegeben habt! Ich habe auch in einem Lazarett gearbeitet, das in einem herrschaftlichen Haus untergebracht war. Unendliche Zimmerfluchten, hier und da war das Parkett noch ganz. Es gab Palmen in Kübeln, die in der Nacht ihre Blattfächer wie gespreizte Finger von Gespenstern über den Krankenbetten ausstreckten. Verwundete, die von der Front kamen, fürchteten sich und schrien im Schlaf. Übrigens waren sie nicht ganz normal, viele litten unter Nervenschocks. Man mußte die Palmen hinausschaffen. Das Leben der vermögenden Leute war gewiß irgendwie ungesund. So viel überflüssiges Zeug. Unnützes Mobiliar, überzählige Räume im Hause, zu verfeinerte Gefühle, zu viele Arten des Ausdrucks! Ihr habt es schon recht gemacht, daß ihr zusammengerückt seid. Aber wir wollen noch mehr abgeben.«

»Was schaut denn da aus dem Paket? Ein Vogelschnabel? Ein Entenkopf? Wie schön! Eine Wildente? Woher hast du die? Ich traue meinen Augen nicht. Unter den heutigen Umständen ist das ein Vermögen!«

»Die hat man mir im Zug geschenkt. Aber die Geschichte wäre zu lang; ich erzähle sie dir ein andermal. Was meinst du, soll ich das Paket auswickeln und die Ente hier in der Küche lassen?«

»Natürlich! Ich schicke gleich Njuscha her. Sie soll den Vogel rupfen und ausnehmen. – Für den Winter prophezeit man allerhand schreckliche Dinge, Hunger und Kälte.«

»Ja, davon wird überall geredet. Aber als ich im Zuge vorhin zum Fenster hinausblickte, dachte ich, daß doch nichts über den häuslichen Frieden und die Arbeit geht! Alles andere liegt nicht in unserer Gewalt. Es wird wohl stimmen, sehr vielen droht Unheil. Einige gehen mit dem Gedanken um, in den Süden zu flüchten, in den Kaukasus; sie wollen versuchen, möglichst weit fortzukommen. Ich möchte das nicht, ein erwachsener Mann muß eben die Zähne zusammenbeißen und das Schicksal seines Heimatlandes teilen. Mir ist das ganz klar. Ganz anders steht es um euch. Wie gerne möchte ich euch vor allem Unheil bewahren, euch irgendwohin schicken, wo es ruhig ist – etwa nach Finnland. Wenn wir aber auf jeder Treppenstufe eine halbe Stunde stehenbleiben, kommen wir nie bis nach oben.«

»Halt! Hör mal zu! Eine Neuigkeit! Und dazu was für eine! Ich hatte es völlig vergessen. Nikolai Nikoláitsch ist hier!«

»Was für ein Nikolai Nikoláitsch?«

»Onkel Kolja.«

»Tonja! Das kann ja nicht sein! Wie ist das möglich!«

»Nun ja, du hörst es ja. Er kommt aus der Schweiz. Er kam auf einem Umweg über London und Finnland.«

»Tonja! Ist das ein Scherz? Habt ihr ihn gesehn? Wo ist er? Ist es möglich, ihn gleich zu sehn?«

»Welche Ungeduld! Er ist zu Besuch, irgendwo auf dem Lande. Er hat versprochen, übermorgen wieder hier zu sein. Er hat sich sehr verändert, du wirst enttäuscht sein! Auf der Rückreise ist er in Petersburg steckengeblieben; er ist Bolschewik geworden. Papa und er haben so miteinander gestritten, bis sie heiser wurden. Aber wirklich, warum bleiben wir immer wieder bei jedem Schritt stehen? Komm! Du hast also auch gehört, daß uns nichts Gutes bevorsteht, nichts als Schwierigkeiten, Gefahren, Ungewißheit?«

»Es ist auch meine Ansicht, aber was soll man tun? Wir werden kämpfen. Es wird nicht alles zugrunde gehen! Wir wollen sehen, was die andern machen.«

»Es heißt, wir werden ohne Brennholz, ohne Wasser, ohne Licht sein. Man will das Geld abschaffen. Es wird keine Lebensmittel geben. Nun stehen wir schon wieder da. Komm, wir wollen weitergehen. Hör mal, man lobt die kleinen, flachen Eisenöfen sehr, die hier in einer Werkstatt auf dem Arbat hergestellt werden. Man kann darauf mit einem Feuer aus Zeitungspapier ein Mittagessen kochen. Ich habe die Adresse. So einen Ofen müssen wir kaufen, solange noch einer zu haben ist.«

»Da hast du recht. Wir werden einen kaufen. Du bist wirklich findig, Tonja! Aber Onkel Kolja! Ich kann es immer noch nicht fassen!«

»Ich habe einen Plan: wir werden uns oben einen Winkel im Haus abteilen und werden uns dort mit Papa, Ssaschjenka und Njuscha einrichten, sagen wir mal – in zwei oder drei Zimmern, die unbedingt ineinander übergehen müssen. Auf die übrigen Räume im Haus werden wir ganz verzichten. Wir müssen uns dort so abgrenzen, wie man sich von der Straße abgrenzt. Ein kleiner Eisenofen wird im Mittelzimmer untergebracht, das Ofenrohr geht durch die Luftklappe. Die Wäsche, die ganze Kocherei, das Mittagessen, der Empfang der Gäste, alles ist dann dort konzentriert, und wer weiß, vielleicht kommen wir so mit Gottes Hilfe über den Winter.«

»Sicher, gewiß kommen wir über den Winter! Das hast du dir wunderbar ausgedacht, du bist ein Prachtkerl! Und weißt du was? Wir wollen deinen Plan gebührend feiern. Wir braten meine Ente und laden Onkel Kolja zur Einweihung ein.«

»Vortrefflich, und Gordon will ich bitten, Alkohol mitzubringen. Er bekommt ihn aus einem Laboratorium. Und nun schau einmal. Hier ist das Zimmer, von dem ich sprach. Dieses hier habe ich ausgewählt. Bist du einverstanden? Setz deinen Koffer ab und hole den Reisekorb. Außer dem Onkel und Gordon wollen wir auch Innokentij und Schura Schlesinger einladen. Du bist doch einverstanden? Du hast doch nicht vergessen, wo unser Waschraum war? Nimm etwas von dem Desinfektionsmittel, das dort steht. Ich laufe inzwischen zu Ssaschjenka und schicke Njuscha nach unten, und wenn es soweit ist, werde ich dich rufen.«

III

Die große Neuigkeit in Moskau war für ihn dies Kind. Kaum war Ssaschjenka geboren, da hatte man Jurij Andréitsch einberufen. Was wußte er schon von seinem Sohn?

Eines Tages, vor seiner Abreise an die Front, war Jurij Andréitsch in die Klinik gekommen, um Tonja zu besuchen. Er kam gerade in dem Augenblick, als die Kinder gestillt wurden. Er durfte nicht zu ihr hinein.

Er hatte sich im Wartezimmer hingesetzt. Während dieser Zeit war der lange, gewundene Korridor, der zu den Zimmern der Mütter und zur Entbindungsstation führte, von einem wimmernden Chor von zehn oder fünfzehn Säuglingsstimmen erfüllt. Die Kinderfrauen trugen die frisch gewickelten Neugeborenen eilig, damit sie sich nicht erkälteten, zum Stillen zu ihren Müttern, wobei jede von ihnen zwei Babies unter die Arme nahm wie große Pakete mit eingekauften Sachen.

»Ua, ua«, piepten die winzigen Lebewesen immer auf einem Ton, fast unbewußt, als erfüllten sie damit eine Pflicht. Nur eine Stimme löste sich aus diesem Unisonochor. Auch dieses Kind schrie »Ua, ua«, ohne den geringsten Unterton von Schmerz, aber mit seinem Geschrei schien es keiner Pflicht zu genügen, sondern einer eigensinnigen Mißstimmung Ausdruck zu geben.

Jurij Andréitsch hatte schon damals beschlossen, seinen Sohn zu Ehren seines Schwiegervaters Alexander zu nennen. Er wußte nicht, warum er den Eindruck hatte, daß es sein Kind war, das auf diese Weise schrie. Es war, so schien es ihm, ein Weinen mit ›eigenem Gesicht‹, das schon den künftigen Charakter ankündigte, das Schicksal eines Menschen. Das Weinen hatte eine gewisse dunkle Klangfarbe, die mit dem Namen, den das Kind haben sollte, dem Namen Alexander, in irgendeinem geheimen Zusammenhang stand. Jurij Andréitsch hatte sich nicht getäuscht. Wie er später erfuhr, war es tatsächlich Ssaschjenka gewesen, der auf diese Weise geweint hatte. Das war das erste, was er von seinem Sohn erfuhr.

Er machte dann etwas nähere Bekanntschaft mit ihm durch die Fotografien, die Tonja ihm mit den Briefen an die Front schickte. Auf diesen Bildern sah man ein vergnügtes, nettes, pausbackiges Kind mit dickem Kopf und schmalen Lippen. Es stand breitbeinig auf einer ausgebreiteten Decke und hielt beide Ärmchen emporgehoben, so als wollte es den russischen Hocketanz ausprobieren. Damals war er ein Jahr alt und lernte gerade das Laufen. Jetzt würde er bald seinen zweiten Geburtstag feiern, und er fing schon zu sprechen an.

Jurij Andréitsch hob den Koffer auf, stellte ihn auf einen Spieltisch am Fenster und löste die Riemen. Was war das doch früher für ein Zimmer gewesen? Der Doktor konnte es nicht wiedererkennen. Offenbar hatte Tonja den Raum anders eingerichtet.

Der Doktor öffnete den Koffer und suchte sein Rasierzeug hervor. Zwischen den Säulen des Glockenturmes einer Kirche, gerade gegenüber dem Fenster, sah er den Vollmond in seinem hellen Glanz aufgehen. Als sein Licht in das Innere des Koffers mit der Wäsche, den Büchern und den Toilettengegenständen drang, zeigte das Zimmer sich in veränderter Beleuchtung und Gestalt. Erst in diesem Augenblick erkannte der Doktor es wieder.

Es war der freigewordene Speicherraum der verstorbenen Anna Iwanowna. In guten alten Zeiten pflegten sie dort alte zerbrochene Tische und Stühle und unnötige Akten abzustellen. Hier befanden sich auch das Familienarchiv und die Koffer, in denen man die Wintersachen im Sommer einmottete. Zu Lebzeiten der Verstorbenen waren alle Ecken des Zimmers bis an die Decke vollgestopft gewesen, und für gewöhnlich durfte hier niemand herein. Aber an den hohen Festtagen, wenn man den zahlreichen Kindern, die zu Besuch gekommen waren, das obere Stockwerk zum Herumtollen freigab, öffnete man ihnen auch dieses Zimmer. Sie spielten darin Räuber und Gendarm, versteckten sich unter den Tischen, beschmierten sich die Gesichter mit angebrannten Korken und verkleideten sich zu allerlei Maskeraden.

Der Doktor stand eine Weile untätig da, um diesen Erinnerungen nachzuhängen. Dann stieg er die Treppe hinunter, um den Reisekorb heraufzuholen.

Unten in der Küche traf er Njuscha, ein schüchternes und verlegenes Mädchen, beim Rupfen der Ente über einem ausgebreiteten Zeitungsblatt an. Als sie Jurij Andréitsch mit der schweren Last erblickte, wurde sie rot wie Klatschmohn, sprang auf, schüttelte die Federn von der Schürze, begrüßte ihren Herrn und bot ihm ihre Hilfe an. Aber der Doktor dankte und sagte, er wolle den Korb allein tragen.

Kaum war er in den früheren Abstellraum Anna Iwanownas gekommen, als er aus dem Hintergrund eines benachbarten Zimmers seine Frau rufen hörte:

»Du kannst kommen, Jura!«

Er ging zu Ssaschjenka.

Das jetzige Kinderzimmer befand sich in dem Raum, wo Tonja

und er früher einmal ihre Schularbeiten gemacht hatten. In seinem Bettchen wirkte das Kind nicht so reizend wie auf den Fotografien! Dafür sah es der Mutter Jurij Andréitschs außerordentlich ähnlich. Sascha schien geradezu eine Kopie der verstorbenen Marja Nikolajewna Schiwago zu sein, getreuer als alle Porträts, die von ihr erhalten geblieben waren.

»Das ist Papa, das ist dein Papa, gib ihm die Hand«, wiederholte Antonina Alexándrowna und ließ das Gitter des Bettes herunter, damit der Vater den kleinen Jungen besser umarmen und auf seine Arme nehmen konnte.

Ssaschjenka ließ den schlecht rasierten Unbekannten, dessen Anblick ihn vielleicht erschreckte und abstieß, nahe herankommen, und als dieser sich zu ihm niederbeugte, stand er mit einem Ruck auf, hielt sich an Tonjas Bluse fest und schlug seinem Vater ins Gesicht. Er war über seine eigne Kühnheit so erschrocken, daß er gleich in die Arme seiner Mutter flüchtete, sein Gesicht in den Falten ihres Kleides verbarg und in ein bitteres, untröstliches Schluchzen ausbrach.

»Schämst du dich denn gar nicht!« schalt ihn Antonina Alexándrowna. »Das darfst du nicht tun, Ssaschjenka! Der Papa wird denken, der Sascha ist kein guter Junge, Sascha ist ein Böser! Zeige doch, wie du küssen kannst, küsse den Papa! Weine nicht, du sollst nicht weinen, warum weinst du denn?«

»Laß ihn doch, Tonja«, bat der Doktor. »Quäl ihn nicht und laß dich selber nicht verstimmen. Ich weiß schon, was für dumme Dinge dir jetzt durch den Kopf gehen: daß Saschas Verhalten nicht normal und kein gutes Vorzeichen ist! Wie töricht, so etwas zu denken. Sieh mal, es ist ja so natürlich. Der Junge hat mich niemals gesehen. Morgen wird er sich an mich gewöhnt haben, und bald werden wir unzertrennlich sein.«

Und doch verließ er das Zimmer mit dem Gefühl eines schlechten Vorzeichens.

IV

Während der folgenden Tage entdeckte Jurij Andréitsch, wie sehr er alleinstand. Er machte niemandem einen Vorwurf daraus. Offenbar hatte er die Einsamkeit selber gewollt und herbeigeführt.

Die Freunde von ehedem kamen ihm seltsam blaß und farblos vor. Keiner von ihnen hatte seine eigene Welt, seine eigenen Ansichten behalten. In seiner Erinnerung waren diese Freunde viel lebendiger und kraftvoller gewesen. Offenbar hatte er sie damals überschätzt.

Solange es die Ordnung der Dinge den Privilegierten gestattete, sich auf Kosten der Nichtprivilegierten ein extravagantes Leben mit allerlei Launen zu leisten, war es leicht gewesen, diese falsche Originalität und dies Recht auf Müßiggang, das eine Minderheit für sich in Anspruch nahm, für einen echten Ausdruck der Persönlichkeit zu halten.

Aber seitdem die unteren Schichten sich erhoben und man die Privilegierten der Gesellschaft abgeschafft hatte, verblaßte das alles sehr schnell. Ohne Bedauern schien man auf die Selbständigkeit des Denkens zu verzichten, die offenbar nie wirklich echt gewesen war. Jurij Andréitsch fühlte sich jetzt zu den Menschen hingezogen, die ohne Phrasen und Deklamationen leben konnten: zu seiner Frau und zu seinem Schwiegervater, und vielleicht noch zu zwei oder drei seiner Arztkollegen, die bescheiden ihrer Arbeit nachgingen.

Der Abend mit dem Entenfestessen und dem Alkohol fand wie geplant zwei oder drei Tage nach der Rückkehr des Doktors statt. Vorher hatte er schon Gelegenheit gehabt, die Freunde, die man eingeladen hatte, zu sehen und zu sprechen.

Der fette Erpel stellte einen unerhörten Luxus in dieser Hungerzeit dar. Aber das Brot fehlte dazu, so daß der Luxus irgendwie sinnlos erschien und sogar ein Gefühl der Verstimmung hervorrief.

Gordon hatte den Alkohol in einem Apothekerfläschchen mit abgenutztem Korken mitgebracht. Alkohol war damals das bevorzugte Tauschobjekt. Antonina Alexándrowna gab die Flasche nicht aus der Hand, sie verteilte den Alkohol in kleinen Mengen, zu denen sie mehr oder weniger großzügig nach eigenem Ermessen Wasser hinzufügte. Der ungleiche Grad von Trunkenheit, den der Genuß von Alkohol verschiedener Stärke hervorzurufen pflegt, war jedoch schwerer zu ertragen als die Wirkung eines echten Schnapses. Auch dieser Umstand wirkte verstimmend. Besonders betrüblich erschien es den Gästen, daß das kleine Festessen so wenig mit den Zeitumständen in Einklang zu bringen war. Man konnte nicht annehmen, daß die Bewohner der gegenüberliegenden Häuser der Straße in diesem Augenblick ebensogut speisten und tranken, wie man es hier tat. Vor den Fenstern lag das stumme, dunkle und hungernde Moskau. Seine Lebensmittelgeschäfte waren leer. Und von solchen Dingen wie Wildbret oder Wodka kannte man kaum mehr den Namen.

Sie spürten, daß nur ein Leben, das dem der Umwelt gleicht und spurlos in ihm aufgeht, wirkliches Leben ist, daß ein abgesondertes, isoliertes Glück kein wirkliches Glück sein kann: Ente und Alkohol, die es nur ein einziges Mal in der Stadt gibt, hören plötzlich auf, Ente und Alkohol zu sein. Das war es, was sie am meisten verstimmte.

Auch die Gäste konnten einen auf traurige Gedanken bringen. Gordon war gut gewesen, solange sein Denken schwerfällig war und er sich nur verworren und ungeschickt ausdrücken konnte. Er war Jurij Andréitschs bester Freund gewesen. Unter seinen Klassenkameraden war er sehr beliebt.

Nun aber hatte sich seine Persönlichkeit auf eine nicht gerade glückliche Weise verändert. Er trat großspurig auf, rieb sich die Hände, spielte den Witzbold und erzählte ständig Geschichten, die komisch sein sollten, wobei er immer wieder ausrief ›interessant‹ und ›wie amüsant‹, Ausdrücke, die ihm früher fremd gewesen waren, denn Gordon hatte das Leben niemals als Spiel betrachtet.

Bevor Dudurov erschien, hatte er eine Geschichte über dessen Heirat zum besten gegeben, die damals unter Freunden kursierte und die ihm äußerst spaßhaft erschien. Jurij Andréitsch kannte diese Geschichte nicht.

Dudurov war etwa ein Jahr lang verheiratet gewesen und hatte sich dann wieder von seiner Frau getrennt. Der Kern seines wenig glaubwürdigen Abenteuers bestand in folgendem: Dudurov war aus Versehen zum Militär eingezogen worden. Während er Dienst tat und man sich bemühte, das Mißverständnis aufzuklären, dessen Opfer er war, bekam er ständig Verweise, weil er seine Vorgesetzten nicht vorschriftsmäßig grüßte. Noch lange nach seiner Entlassung hob er den Arm, wenn er einen Offizier nur von weitem sah. Überall witterte er Epauletten.

Alles machte er falsch in dieser Zeit, Versehen und Fahrlässigkeiten häuften sich. Damals lernte er an einem Landeplatz an der Wolga zwei junge Mädchen, zwei Schwestern, kennen, die auf denselben Dampfer warteten wie er. Weil er sich jedoch von Soldaten umgeben sah, deren Nähe ihn in Erinnerung an seinen Militärdienst beunruhigte, war er so zerstreut, daß er sich Hals über Kopf in die jüngere Schwester verliebte und ihr einen Heiratsantrag machte. »Das ist doch amüsant, nicht wahr?« fragte Gordon. Aber er mußte seine Geschichte mitten im Satz abbrechen, weil man hinter der Tür die Stimme des Helden dieses Abenteuers hörte. Dudurov betrat das Zimmer.

Auch er hatte sich verändert, in einem anderen Sinne. Aus dem launenhaften und leichtsinnigen Windbeutel war ein gesammelter und ernster Gelehrter geworden.

Nachdem er wegen Beteiligung an einem Fluchtplan politischer Gefangener vom Gymnasium relegiert worden war, hatte er verschiedene Kunstschulen besucht, war aber schließlich im Hafen des klassischen Studiums gelandet. Während des Krieges besuchte er, etwas später als seine Kommilitonen, die Universität. Er hatte sich sowohl in russischer Geschichte wie in allgemeiner Geschichte habilitiert. Er schrieb eine Arbeit über die Agrarpolitik Iwans des Schrecklichen und, auf dem Gebiet der allgemeinen Geschichte, eine Untersuchung über Saint-Just.

Er berichtete das alles liebenswürdig, mit leiser Stimme, die erkältet klang, wobei er den Blick träumerisch auf einen bestimmten Punkt gerichtet hielt. Er hob die Augen nicht und senkte sie nicht, genau wie er es bei seinen Vorlesungen zu tun pflegte.

Gegen Ende des Abends, als Schura Schlesinger ihre scharfen Angriffe vorbrachte und die schon vorher aufgeregten Gäste um die Wette schrien, fragte Innokentij Jurij Andréitsch, mit dem er schon in der Schule auf ›Sie‹ gestanden hatte, mehrere Male hintereinander:

»Haben Sie Majakowskijs ›Krieg und Frieden‹ und die ›Wirbelflöte‹ gelesen?« Jurij Andréitsch hatte ihm schon längst gesagt, was er hierüber dachte, aber Dudurov, der wegen des allgemeinen Stimmengewirrs nichts davon gehört hatte, fragte ihn noch einmal: »Haben Sie die ›Wirbelflöte‹ und den ›Menschen‹ gelesen?«

»Ich habe Ihnen doch schon geantwortet, Innokentij. Es ist Ihre Schuld, wenn Sie nicht zugehört haben. Ich will es noch einmal wiederholen. Majakowskij hat mir immer gut gefallen. Das ist eine Art Fortsetzung von Dostojewskij oder richtiger gesagt – es ist Lyrik, die von irgendeinem seiner jungen revoltierenden Helden wie Ippolit oder Raskolnikov oder vom Helden im ›Jüngling‹ geschrieben sein könnte. Welch eine Fülle von Begabung! Wie gut gelingt es ihm, das, was er ausdrücken will, ein für allemal zu sagen, unumstößlich, kraftvoll und geradlinig! Mit welcher Kühnheit schleudert er seine Argumente der Gesellschaft ins Gesicht und weiter in den Raum hinaus!«

Der Held des Abends war natürlich der Onkel. Antonina Alexándrowna hatte sich getäuscht, als sie behauptete, Nikolai Nikoláitsch sei auf dem Lande. Er war am Tage der Ankunft seines Neffen zurückgekehrt und befand sich in der Stadt. Jurij Andréitsch hatte ihn schon zwei- oder dreimal gesehen und Gelegenheit gefunden, sich mit ihm nach Herzenslust auszusprechen, wobei er immer von neuem in Gelächter und in Ah- und Oh-Rufe ausbrach.

Ihre Begegnung fand am Abend eines grauen, trüben Tages statt. Ein feiner Staubregen erfüllte die Luft. Jurij Andréitsch hatte Nikolai Nikoláitsch in seinem Hotelzimmer besucht. Damals konnte man in Gasthöfen nur mit einer Anweisung der zuständigen Behörden unterkommen. Aber Nikolai Nikoláitsch war überall bekannt, er hatte seine alten Beziehungen behalten. Das Hotel machte den Eindruck eines Irrenhauses, das von den Angestellten der Verwaltung fluchtartig verlassen worden war. Auf den Treppen und Korridoren herrschten die Leere, das Chaos und der allmächtige Zufall.

Das große Fenster des unaufgeräumten Hotelzimmers ging auf einen gewaltigen leeren Platz hinaus, wie man das in diesen Wahnsinnstagen häufig sah. Der Platz vor dem Fenster wirkte aus irgendeinem Grund grauenhaft, er schien einem Traum zu entstammen und keinerlei Wirklichkeit zu besitzen.

Es war ein erschütterndes, unvergeßliches, denkwürdiges Wiedersehen! Das Idol seiner Kindheit, der Beherrscher seiner jugendlichen Gedanken stand wieder leibhaftig vor ihm.

Die weißen Haare standen Nikolai Nikoláitsch gut zu Gesicht. Sein ausländischer bequemer Anzug kleidete ihn. Für sein Alter sah er immer noch sehr jugendlich aus, ja, er wirkte sehr imponierend und geradezu schön.

Gewiß, seine Persönlichkeit trat hinter der Ungeheuerlichkeit des Geschehens zurück, die Ereignisse ließen ihn kleiner erscheinen. Aber Jurij Andréitsch dachte keinen Augenblick daran, ihn mit diesem Maße zu messen.

Er wunderte sich über Nikolai Nikoláitschs Gelassenheit, über den kühl ironischen Ton, in dem er politische Themen behandelte. Die Art, wie er Haltung bewahrte in einem solchen Augenblick, war ungewöhnlich für einen Russen dieser Tage. Hieran merkte man, daß er gerade aus dem Ausland gekommen war. Der Unterschied fiel zu sehr ins Auge, er rief eine gewisse Verlegenheit wach.

Aber nichts von alledem erfüllte die ersten Stunden ihres Wiedersehens, in denen sie sich in die Arme sanken, weinten und vor Erregung nach Atem rangen, so daß sie immer wieder gezwungen waren, ihr begeistertes und beflügeltes Gespräch zu unterbrechen.

Zwei schöpferische Naturen, die durch Familienbande einander vertraut waren, hatten sich wiedergefunden. Die Vergangenheit erstand vor ihren Augen noch einmal, gewann neues Leben durch die Überfülle der allgemeinen und persönlichen Erinnerungen. Sobald sie jedoch von Dingen sprachen, die für wirklich produktive Menschen die wesentlichen sind, verschwanden alle Bindungen, die sie einten, bis auf eine einzige: es gab weder Onkel noch Neffe mehr und keinen Altersunterschied. Was blieb, war die Verwandtschaft zweier Elemente, zweier Energien und zweier Prinzipien.

Seit zehn Jahren hatte Nikolai Nikoláitsch keine Gelegenheit gehabt, von der Faszination des Schöpferischen und der künstlerischen Bestimmung in einer so folgerichtigen und gültigen Weise zu sprechen wie in diesem Augenblick. Aber auch Jurij Andréitsch hatte lange keine so richtigen, scharfsinnigen und hinreißenden Analysen gehört wie die seines Onkels. Zwischendurch brachen beide immer von neuem in Ausrufe des Staunens und der Bewunderung aus, liefen im Zimmer hin und her, begeistert von der Treffsicherheit ihrer Einfälle und Gedanken, und trommelten mit den Fingern gegen die Fensterscheiben, erschüttert durch die schlagenden Beweise gegenseitigen Verstehens.

Auf diese Weise spielte sich ihre erste Begegnung ab. Nachher hatte der Doktor Nikolai Nikoláitsch noch ein paarmal in Gesellschaft gesehen. Unter anderen Menschen war er ganz anders, kaum wiederzuerkennen.

Er fühlte sich fremd in Moskau, und er fand sich mit dieser Tatsache ab. Niemand wußte, ob er sich in Petersburg oder anderswo mehr zu Hause fühlte als hier. Er gefiel sich in der Rolle eines politischen Schönredners und eines bezaubernden Gesellschafters. Vielleicht hatte er geglaubt, in Moskau politische Salons vorzufinden, wie den der Madame Roland in Paris vor dem Konvent.

Er besuchte seine Freundinnen, die gastfreien Bewohnerinnen stiller moskowitischer Straßen. Er mokierte sich auf eine sehr geistvolle

Art über sie und ihre Gatten, über ihre Halbheiten und Rück-
ständigkeiten und ihre Gewohnheit, alles nur vom eigenen Standpunkt aus zu beurteilen. Er glänzte mit seiner journalistischen
Belesenheit, so wie er früher aus unverständlichen Büchern und
orphischen Texten zitiert hatte.

Es hieß, er habe in der Schweiz eine junge Geliebte zurückgelassen,
allerlei laufende Geschäfte und ein nicht zu Ende geschriebenes
Buch warteten dort auf ihn. Er sei nur gekommen, um sich hier
für kurze Zeit in den russischen Wirbelsturm zu stürzen. Wenn
er daraus wieder heil und ganz hervorgehe, wolle er in seine
geliebten Alpen zurückkehren, ebenso schnell, wie er von dort
gekommen sei.

Er stand auf der Seite der Bolschewiki, und er nannte häufig die
Namen zweier Sozialrevolutionäre der Linken, deren Meinungen
er teilte: einen Journalisten mit dem Pseudonym ›Miroschka
Pomor‹ und die Publizistin Sylvia Coteri.

Alexander Alexandritsch machte ihm deshalb auf seine polternde
Art Vorwürfe:

»Es ist einfach erschreckend, auf welchen Weg Sie da geraten sind,
Nikolai Nikoláitsch! All diese Miroschki! Nette Leute! Und dann
ihre Lydia Pokori.«

»Coteri«, verbesserte Nikoláitsch. »Und – Sylvia.«

»Es ist ja egal, ob Pokori oder Potpourri, der Name spielt hier
keine Rolle.«

»Dennoch, ich bitte um Entschuldigung, Coteri«, sagte Nikolai
Nikoláitsch mit geduldiger Beharrlichkeit. Er und Alexander
Alexandritsch hielten sich gegenseitig Reden dieser Art:

»Worüber streiten wir eigentlich?! Es ist einfach schmachvoll, derartige Wahrheiten auch noch beweisen zu wollen. Das ist einfach
das Abc: die große Masse des Volkes hat Jahrhunderte hindurch
eine unausdenkbare Existenz geführt. Nehmen Sie ein beliebiges
Handbuch der Geschichte. Ob man es nun europäischen Feudalis-
mus und russische Leibeigenschaft nennt, Kapitalismus oder Indu-
strialismus – die Widernatürlichkeit und Ungerechtigkeit dieser
Systeme ist längst erkannt worden. Seit ebenso langer Zeit hat man
die Revolution vorbereitet, die das Volk befreien und allen Dingen
den rechten Platz zuweisen wird.

Eine stellenweise Ausbesserung und Teilreform der alten Ordnung
ist, wie Sie wissen, unmöglich. Man muß sie vollkommen zerstören.

Vielleicht wird hierdurch das ganze Gebäude einstürzen. Was ist dabei zu machen? Die Tatsache, daß es schrecklich sein wird, ändert nichts daran, daß es sich jeden Tag ereignen kann. Es ist nur eine Frage der Zeit. Wie könnte man das bestreiten!«

»Aber davon ist ja gar nicht die Rede. Habe ich denn davon gesprochen? Was habe ich gesagt?« rief Alexander Alexandritsch wütend aus, und der Streit entbrannte aufs neue:

»Ihre Potpourri und Miroschki sind gewissenlose Leute. Sie sagen das eine, tun aber das andere. Und dann, was für eine Logik! Nicht der geringste Zusammenhang. Gedulden Sie sich einen Augenblick, ich will es Ihnen beweisen.«

Und er fing an, nach einer Zeitschrift zu suchen, in der er einen Aufsatz voller Widersprüche gelesen hatte. Dabei öffnete und schloß er lärmend die Schubladen des Schreibtisches, und das laute Durcheinander steigerte seine Beredsamkeit.

Alexander Alexandritsch liebte es, wenn er beim Reden unterbrochen und gestört wurde. Diese Hindernisse schienen seine Pausen mit den ›hmms‹ und ›ehhhs‹ zu rechtfertigen. Die eigentliche Gesprächigkeit überkam ihn, wenn er nach irgendeinem verlorenen Gegenstand suchte, beispielsweise nach seiner zweiten Galosche im dunklen Vorzimmer, oder wenn er mit dem Handtuch über der Schulter in der Tür des Badezimmers stand, beim Essen eine schwere Schüssel weiterreichte oder den Gästen Wein einschenkte.

Jurij Andréitsch hörte seinem Schwiegervater mit besonderem Genuß zu. Er liebte die leicht singende Redeweise der alten Moskowiter mit dem weichen kehligen Ton, der an das Schnurren eines Katers erinnert. Die Oberlippe Alexander Alexandritschs mit dem gestutzten, kleinen Schnurrbart stand ein wenig vor. Seine quergebundene Krawatte blähte sich etwas am Halse. Es gab etwas Gemeinsames zwischen dieser Lippe und der Krawatte, das Alexander Alexandritsch einen rührenden, kindlich knabenhaften Zug verlieh.

Spät in der Nacht, als die Gäste sich verabschieden wollten, erschien noch Schura Schlesinger. Sie kam gerade von irgendeiner Versammlung in Jackett und Arbeitsbluse. Entschlossenen Schrittes betrat sie das Zimmer, begrüßte alle der Reihe nach durch Handschlag und fing sogleich an, Vorwürfe und Anschuldigungen zu verteilen.

»Guten Abend, Tonja. Guten Abend, Ssanitschka. Es ist wirklich unerhört, das müßt ihr zugeben. Von allen Seiten höre ich, daß er angekommen ist. Ganz Moskau redet davon – und ich bin die letzte, der ihr es mitteilt. Der Teufel soll euch holen. Hab' ich das verdient? Wo ist er, der verlorene Sohn? Lassen Sie mich doch vorbei. Da steht ihr wie eine Mauer herum. Also guten Tag! Du bist ein Prachtkerl – ich habe dein Buch schon gelesen. Ich habe nichts verstanden, aber es ist genial. Das sieht man auf den ersten Blick. Guten Tag, Nikolai Nikoláitsch. Ich komme gleich wieder zu dir, Jurotschka. Ich muß mit dir allein noch ein wichtiges Gespräch führen. Guten Tag, ihr jungen Leute. Ah! und du bist auch hier, Gogolein? Gänse rufen: ga-ga-ga! Fressen wollt ihr: ja-ja-ja!«

Der letzte Ausruf bezog sich auf einen entfernten Verwandten der Gromekos, Gogotschka, einen überzeugten Parteigänger der starken Persönlichkeiten. Man nannte ihn wegen seiner Dummheit und seiner Gewohnheit, bei jeder Gelegenheit zu lachen, ›Gänserich‹ oder ›Bandwurm‹ wegen seiner Länge und Magerkeit.

»Ah, ihr pokuliert hier und eßt! Ich werde euch bald eingeholt haben. Herrschaften, Herrschaften. Ihr wißt überhaupt nichts, ihr habt keine Ahnung, was in der Welt geschieht. Unerhörte Ereignisse! Geht doch nur auf eine beliebige Volksversammlung mit wirklichen Arbeitern und Soldaten, die nicht aus dem Bilderbuch geschnitten sind. Versucht es nur einmal, in dieser Umgebung zu sagen, der Krieg müsse bis zum siegreichen Ende weitergeführt werden. Man wird euch zeigen, was man von diesem siegreichen Ende hält! Ich habe eben einen Matrosen reden hören! Jurotschka, du hättest einfach den Verstand verloren! Welche Leidenschaft! Und diese Geschlossenheit und Reinheit der Gedanken!« Schura Schlesinger wurde unterbrochen. Jeder vertrat laut seine Meinung. Sie setzte sich neben Jurij Andréitsch, ergriff seine Hand, näherte sich ihm und schrie, um den Lärm zu übertönen, ohne die Stimme zu heben oder zu senken, wie durch ein Sprachrohr:

»Komm doch mit mir, Jurotschka, ich zeige dir, was wirkliche Menschen sind. Du mußt wieder mit der Erde in Berührung kommen wie Antäus. Was starrst du mich so an? Du wunderst dich über mich? Weißt du denn nicht, daß ich ein altes Streitroß bin, Jurotschka! Ich war in Untersuchungshaft und habe auf den Barrikaden gekämpft. Verdammt! Und was dachtest du? Oh, wir kennen das Volk nicht! Ich komme von dorther aus der Tiefe der Masse. Ich bin dabei, ihnen eine Bibliothek aufzubauen.«

Sie hatte getrunken und war etwas berauscht. Aber auch Jurij Andréitsch drehte sich alles im Kopf. Er verstand nicht, wieso Schura Schlesinger sich in der einen Zimmerecke, er aber in der anderen, am Ende des Tisches befand. Er stand da und fing wider Willen zu reden an. Es gelang ihm nicht gleich, sich Gehör zu verschaffen.

»Meine Lieben . . . ich will . . . Mischa! Gogotschka . . . Was kann man da machen, Tonja, wenn sie nicht zuhören wollen?! Laßt mich nur einen Augenblick sprechen. Unerhörte, nie dagewesene Dinge bereiten sich vor. Ehe es über uns hereinbricht, möchte ich euch und mir etwas wünschen. Wenn es soweit ist, gebe Gott, daß wir einander nicht aus den Augen verlieren und daß wir uns selbst nicht verlieren. Gogotschka, Sie werden gleich ›Hurra!‹ brüllen. Ich bin noch nicht fertig. Laßt jetzt das Geflüster in den Ecken und hört aufmerksam zu!

Im dritten Kriegsjahr hat sich im Volke die Überzeugung gebildet, daß früher oder später die Grenze zwischen Front und Etappe weggewischt sein wird; ein Meer von Blut wird über diejenigen hinwegströmen, die sich im Hinterland verschanzt und festgesetzt haben. Diese Sintflut ist die Revolution. Wenn sie über euch hinwegrollt, werdet ihr glauben, wie wir im Kriege, daß das Leben zu Ende sei, daß alles Persönliche seine Bedeutung verloren habe, daß es überhaupt nichts mehr gibt in der Welt als Töten und Getötetwerden. Wenn wir aber lange genug leben, um die Aufzeichnungen und Memoiren dieser Zeit zu lesen, werden wir davon überzeugt sein, daß wir im Laufe von fünf oder zehn Jahren mehr erlebt haben als manche andere Menschen in einem ganzen Jahrhundert.

Ich weiß nicht, ob das Volk selber sich erheben und in Bewegung setzen wird oder ob man in seinem Namen handeln wird. Bei Ereignissen von solcher Bedeutung darf man keine dramatische Logik erwarten. Ich habe trotzdem Vertrauen. Es ist müßig, bei Ereignissen von zyklopischem Ausmaß nach Ursache und Wirkung zu fragen. Man wird keine finden. Es ist wie bei häuslichen Streitigkeiten: wenn man sich gegenseitig an den Haaren gerissen und das ganze Geschirr zerschlagen hat, müht man sich vergeblich ab, herauszufinden, wer als erster angefangen hat. Das wahrhaft Große ist ohne Anfang wie das Weltall. Es ist plötzlich da, ohne daß jemand sein Kommen bemerkte, es ist, als sei es immer dagewesen oder als sei es vom Himmel heruntergefallen. Auch ich glaube, daß es Rußland bestimmt ist, das erste sozialistische Reich seit dem Bestehen der Welt zu werden. Wenn das geschieht, werden wir lange Zeit wie betäubt sein, und wenn wir wieder zu uns kommen, werden wir unser Gedächtnis verloren haben. Wir werden einen Teil der Vergangenheit vergessen haben und nicht nach Erklärungen für das Unerklärbare suchen. Die neue Ordnung wird uns so vertraut und gewohnt sein wie der Wald am Horizont, wie die Wolken über uns. Sie wird uns von allen Seiten umgeben. Es wird nichts anderes mehr geben als sie.«

Er sprach noch weiter, wobei er allmählich wieder vollkommen nüchtern wurde. Aber auch jetzt hörte er nur schlecht, was in seiner Umgebung geredet wurde, und er gab falsche Antworten. Er sah, daß alle ihm in Freundschaft und Liebe zugetan waren, aber er konnte sich nicht von der schweren Traurigkeit befreien, die ihn fast zur Verzweiflung trieb. Er sagte:

»Ich danke euch. Aber ich verdiene eure Freundschaft nicht. Man sollte nicht so übereilt, gleichsam auf Vorrat, lieben, so als fürchte man sich vor einem späteren Tag, an dem neue Liebe von uns gefordert wird.« Alle Anwesenden brachen in Lachen aus und klatschten in die Hände, da sie seine Worte für einen bewußten Scherz hielten; er aber wußte nicht, wohin fliehen vor diesem Vorgefühl des maßlosen Unglücks, vor dem Bewußtsein der Ohnmacht angesichts der Zukunft, vor dieser Traurigkeit, die sich nicht lösen wollte, trotz seinem angeborenen Gerechtigkeitssinn und seiner Fähigkeit zum Glücklichsein.

Die Gäste verabschiedeten sich. Alle hatten vor Müdigkeit langgezogene Gesichter. Das Gähnen zog ihnen die Kinnbacken auseinander, so daß sie Pferden glichen.

Bevor sie gingen, zogen sie die Vorhänge auf und öffneten das Fenster. Ein gelbliches Morgenrot stieg am Horizont auf, der feuchte Himmel war von erdfarbenen und graugrünen Wolken bedeckt. »Es muß ein Gewitter gegeben haben, während wir Reden hielten«, sagte jemand. »Auf dem Wege zu euch hat mich der Regen überrascht. Ich kam gerade noch rechtzeitig her«, bestätigte Schura Schlesinger.

In der leeren, noch dunklen Gasse hörte man Wassertropfen von den Bäumen fallen, dazwischen erklang das eintönige, hartnäckige Schilpen der durchnäßten Spatzen.

Donnergrollen breitete sich aus, zog eine Furche über den ganzen

Himmel, dann war alles still. Nach einer Weile fielen vier dumpfe, verspätete Donnerschläge, wie dicke Kartoffeln, die im Herbst aus der gelockerten, vom Spaten ausgestochenen Erde herunterkollern. Der Donner reinigte die Luft im Zimmer von Staub und Rauch. Auf einmal waren – wie nach einer Elektrolyse – die Elemente, aus denen sich das Leben zusammensetzt, frei geworden: Wasser und Luft, das Verlangen nach Glück, Erde und Himmel.

Die Straße hallte wider von den Stimmen der Gäste, die sich voneinander verabschiedeten. Sie setzten ihre Diskussionen mit lauter Stimme im Freien fort, als befänden sie sich noch im Hause. Allmählich entfernten sich die Stimmen, wurden leiser und verstummten.

»Wie spät ist es«, sagte Jurij Andréitsch. »Komm laß uns schlafen gehen. Wirklich, von allen Menschen auf der Welt liebe ich nur dich und deinen Vater.«

V

Der August war vorüber, und der September ging seinem Ende entgegen. Das unentrinnbare Schicksal stand dicht bevor. Der Winter rückte näher. In der Welt der Menschen fühlte man, daß sich etwas Unheilvolles vorbereitete. Es lag in der Luft wie der Hauch der winterlichen Erstarrung, den alle in diesen Tagen spürten.

Man mußte sich auf die große Kälte vorbereiten und Vorräte von Lebensmitteln und Brennholz beschaffen. Allein in den Tagen des triumphierenden Materialismus hatte sich die Materie selbst in einen abstrakten Begriff verwandelt. Anstatt von Lebensmitteln und Brennholz sprach man von der ›Versorgungsfrage‹ und vom ›Heizungsproblem‹.

Die Menschen in den Städten waren so hilflos wie Kinder gegenüber einer dunklen Zukunft, die alle gewohnten Zustände umzustürzen drohte. Dabei war diese Zukunft selber ein Kind der Städte und eine Schöpfung der Großstadtbewohner.

Schwindel und Betrügereien beherrschten das Feld. Das bürgerliche Alltagsleben hinkte einher, schleppte sich weiter und holperte in den gewohnten Gleisen. Aber der Doktor machte sich keine Illusionen. Er wußte zu gut, daß das Leben von einst dem Untergang geweiht war. Er hielt sich selbst und seine Umgebung für verloren. Es galt, sich auf schwere Prüfungen, ja vielleicht auf den Tod vorzubereiten. Er sah die letzten Tage des ihm vertrauten Lebens vor seinen Augen dahinschwinden.

Wären nicht die kleinen Gewohnheiten, Mühen und Sorgen gewesen, so hätte er wohl den Verstand verloren. Frau und Kind und die Notwendigkeit, Geld zu verdienen, waren seine Rettung: der bescheidene Alltag, die vertraute Arbeit, der Dienst und die Krankenbesuche.

Er begriff, daß er nichts galt vor der ungeheuerlichen Maschinerie des Zukünftigen: er fürchtete und liebte diese Zukunft, und heimlich war er stolz auf sie. Zum letztenmal, als gelte es, Abschied zu nehmen, betrachtete er sehnsüchtig Wolken und Bäume und die Menschen, die durch die Straßen eilten, er blickte auf die große Stadt hinunter, die stumm ihr Unglück durchlitt. Er war bereit, sich selber dem allgemeinen Wohl zum Opfer zu bringen, und konnte doch nichts tun.

Am liebsten betrachtete er den Himmel und die Passanten von der Straßenmitte aus beim Überschreiten des Arbat, dort, wo sich die Apotheke der russischen Ärztevereinigung befand.

Er hatte seine Arbeit in seinem alten Krankenhaus wieder aufgenommen, das noch immer ›Kreuzerhöhung‹ hieß, obgleich die Gesellschaft, die diesen Namen geführt hatte, aufgelöst worden war. Man hatte noch keinen anderen passenden Namen gefunden.

Im Krankenhaus wirkten sich bereits die politischen Meinungsverschiedenheiten aus. Den gemäßigten Elementen, deren Stumpfsinn Schiwago ärgerlich machte, schien der Doktor gefährlich zu sein; den politisch Engagierten war er nicht rot genug. Er gehörte weder der einen noch der anderen Gruppe an. Er hatte das eine Ufer verlassen und war am andern noch nicht gelandet.

Der Direktor des Krankenhauses hatte ihn neben dem gewöhnlichen Dienst auf der Station noch mit der Zusammenstellung des statistischen Rechenschaftsberichtes beauftragt. Was gab es da alles an Fragebogen, Formularen und an Bestellisten zu prüfen und auszufüllen! Die Sterblichkeit, die Zunahme der Erkrankungen, die Einkünfte der Angestellten, deren politische Gesinnung und der Prozentsatz der Wahlbeteiligung, der unumgängliche Bedarf an Heizmaterial, Lebensmitteln, Medikamenten – für alles hatte das statistische Zentralbüro Interesse, über alles wurde Auskunft verlangt.

Der Doktor arbeitete an seinem alten Schreibtisch am Fenster des

Ärztezimmers. Er mußte sich Platz schaffen zwischen den Bergen von Papier und Formularen verschiedenster Größe, die sich vor ihm auftürmten. Ab und zu, in Augenblicken jäher Inspiration, schrieb er zwischen seinen täglichen medizinischen Notizen an seinem ›Spiel mit den Menschen‹, einer Art düsteren Tagebuchs der Epoche, das teils aus Prosa, teils aus Versen bestand. Die Grundidee dieses ›Journals‹ war, daß die Hälfte der Menschheit aufgehört hatte, sie selber zu sein, und nicht mehr wußte, was für eine Rolle sie spielte.

Das helle sonnige Ärztezimmer mit den weißgetünchten Wänden war erfüllt von jenem goldenen Herbstlicht, das in den Tagen nach Mariä Himmelfahrt so häufig ist, wenn die ersten Morgenfröste sich ankündigen und Wintermeisen und Elstern sich in den bunten Herbstwäldern niederlassen, deren Laub sich schon zu lichten beginnt. An solchen Tagen scheint der Himmel unermeßlich hoch zu sein. In dem durchsichtigen Luftraum, der ihn von der Erde trennt, spürt man vom Norden her eine klare Kälteschicht von dunkelblauer Färbung einströmen. Farbtöne, die aus großer Entfernung kommen, strahlen überklar, durchdringend hell. Der Horizont leuchtet in einem überirdisch reinen Licht, er scheint dem Auge die Fernen langer Jahre eines ganzen Lebens zu erschließen. Man könnte die dünne Luft kaum ertragen, wären diese Augenblicke am Ende der kurzen Herbsttage vor dem Einfall der rasch niedersinkenden Dämmerung nicht von so kurzer Dauer.

Das Licht der früh untergehenden Herbstsonne erfüllte das Ärztezimmer, ein gläsernes und wäßriges Licht von der Farbe eines saftigen Apfels.

Der Doktor saß an seinem Tisch, tauchte die Feder ins Tintenfaß, geriet ins Träumen und schrieb, während vor den großen Fenstern des Ärztezimmers lautlos Vögel vorüberflogen, die ihre Schatten ins Zimmer warfen. Diese Schatten bedeckten die schreibenden Hände des Doktors, den Tisch mit den Fragebogen, den Fußboden und die Wände, und sie verschwanden ebenso lautlos, wie sie gekommen waren.

»Der Ahorn verliert sein Laub«, sagte der Prosektor, der ins Zimmer eingetreten war. Der einst so kräftige Mann war so abgemagert, daß seine Haut in Falten herabhing. »Regen und Wind haben ihm nichts ausgemacht. Doch ein einziger Frost hat genügt, um seine Kraft zu brechen.«

Der Doktor hob den Kopf. Die geheimnisvollen Vögel, die vor dem Fenster vorüberflatterten, waren in Wirklichkeit weinfarbene Ahornblätter, die, vom Winde getrieben, durch die Luft schwebten, um sich abseits von den Bäumen auf den Rasen vor dem Krankenhaus wie orangefarbene Sterne niederzulassen.

»Hat man die Fenster verkittet?« fragte der Prosektor.

»Nein«, sagte Jurij Andréitsch und fuhr im Schreiben fort.

»Warum nicht? Es wäre an der Zeit.«

Jurij Andréitsch antwortete nicht; er war in seine Arbeit vertieft.

»Wie schade, daß Tarasjuk nicht mehr da ist«, fuhr der Prosektor fort. »Der war wahrhaftig Gold wert! Er konnte Schuhe flicken, Uhren reparieren, er machte einfach alles. Was man haben wollte, beschaffte er. Auf jeden Fall ist es höchste Zeit, die Fenster abzudichten. Wir werden uns selber damit befassen müssen.«

»Es fehlt an Glaserkitt.«

»Wir müssen ihn selbst herstellen, das Rezept ist einfach.« Der Prosektor erklärte, wie man aus Ölfirnis und Kreide Kitt bereitet. »Übrigens störe ich Sie ja nur!«

Er ging zum Fenster und machte sich mit Gläsern und Präparaten zu schaffen. Es begann zu dämmern. Nach wenigen Augenblicken sagte er:

»Sie werden sich die Augen verderben. Es ist dunkel, und es wird kein Licht geben. Gehen wir nach Hause.«

»Ich will noch etwas arbeiten, etwa zwanzig Minuten.«

»Seine Frau arbeitet hier als Kinderfrau.«

»Wessen Frau?«

»Tarasjuks.«

»Ich weiß.«

»Er selber ist weiß Gott wo. Er treibt sich überall in der Welt herum. Zweimal hat er uns im Sommer besucht. Er kam ins Krankenhaus. Jetzt ist er irgendwo auf dem Lande. Er will ein neues Leben beginnen. Er gleicht den bolschewistischen Soldaten, die man auf den Boulevards und in den Zügen findet. Und das Ende der Geschichte? Was wird aus diesem Tarasjuk? Nichts mißlingt! Wo er die Hand anlegt, da klappt es. Ebenso ist es ihm im Kriege ergangen. Er hat den Krieg wie ein beliebiges Handwerk erlernt. Er ist ein vortrefflicher Schütze geworden. Im Schützengraben war er ebensogut wie beim Spähtrupp zu gebrauchen. Hand und Auge – allererste Klasse! Seine Orden und Auszeichnungen hat er nicht wegen seiner Tapferkeit, sondern wegen seiner Treffsicherheit bekommen. Er verfehlte niemals sein Ziel. Was er anfängt, das tut er mit Leidenschaft, auch das Kriegshandwerk hat ihn begeistert. Er fand heraus, daß die Waffen eine Kraft sind, daß sie ihn vorwärtsbringen. Er will selbst eine solche Kraft sein. Ein bewaffneter Mensch ist mehr als ein gewöhnlicher Mensch. Früher sind solche Schützen wie er unter die Räuber gegangen. Versuchen Sie jetzt einmal, ihm sein Gewehr abzunehmen! Plötzlich schreit einer: Seitengewehr pflanzt auf! Schon hat er's getan und geht damit los. Das ist seine ganze Geschichte. Darin besteht sein ganzer Marxismus.«

»Ein echter Marxismus, wie ihn das Leben selbst erzeugt. Was halten Sie davon?«

Der Prosektor stand wieder an seinem Fensterplatz und kramte in seinen Reagenzgläsern. Dann fragte er:

»Und was ist mit dem Ofensetzer?«

»Danke, daß Sie ihn mir geschickt haben. Ein interessanter Mensch! Wir haben uns etwa eine Stunde über Hegel und Benedetto Croce unterhalten.«

»Das glaube ich! Er ist Doktor der Philosophie der Heidelberger Universität. Und der Ofen?«

»Reden wir nicht davon.«

»Raucht er?«

»Ein Jammer!«

»Er wird das Rohr falsch eingesetzt haben. Es muß durch den Ofen gehen; er hat es wohl durch die Fensterklappe geführt.«

»Es ist ein holländischer Kachelofen. Aber was das Rauchen betrifft...«

»Dann hat er nicht den richtigen Rauchfang gefunden, ist in den Ventilationsschacht oder ins Zugloch geraten. Wie uns dieser Tarasjuk fehlt! Haben Sie Geduld: Moskau wurde nicht an einem Tage erbaut. Einen Ofen heizen ist nicht dasselbe wie Klavierspielen. Man muß es lernen. Haben Sie einen Brennholz-Vorrat?«

»Woher nehmen?«

»Ich werde Ihnen einen Kirchendiener schicken, der sich als Holzdieb betätigt. Er nimmt Zäune auseinander und verkauft sie als Brennholz. Aber ich warne Sie: man muß mit ihm handeln. Er verlangt hohe Preise. Vielleicht schicke ich Ihnen lieber die Kammerjägerin.«

Sie stiegen in die Garderobe hinunter, zogen ihre Mäntel an und gingen auf die Straße hinaus.

»Weshalb die Kammerjägerin?« fragte der Doktor. »Wir haben keine Wanzen im Hause.«

»Was hat das mit Wanzen zu tun? Wir reden von verschiedenen Dingen. Es geht nicht um Wanzen, sondern um Brennholz. Sie hat ein gutgehendes Geschäft. Sie kauft Häuser auf Abbruch und altes Gebälk, um Brennholz daraus zu machen. Eine seriöse Lieferantin! Sehen Sie zu, daß Sie nicht stolpern bei der Dunkelheit. Früher konnte ich mich hier auch mit verbundenen Augen zurechtfinden – ich kannte jeden Stein am Wege! Ich stamme aus dem Pretschistenka-Bezirk. Seitdem man hier aber die Zäune niedergelegt hat, erkenne ich auch mit offenen Augen nichts mehr wieder und fühle mich wie in einer fremden Stadt. Was für Entdeckungen man hier jetzt in allen Ecken und Winkeln machen kann! Empirehäuser mitten im Gebüsch, runde Gartentische, halbvermoderte Bänke. Vor einigen Tagen ging ich an einem verlassenen Platz vorbei, an der Kreuzung von drei Gassen. Da sehe ich, wie ein Weiblein – an hundert Jahre mochte sie zählen – mit einem Stochereisen in der Erde wühlt. ›Gott behüte dich‹, sagte ich, ›du suchst wohl nach Würmern zum Fischen, Mütterchen.‹ Ich sagte das im Scherz, aber sie antwortete ganz ernsthaft: ›Nein, das nicht. Ich suche nach Champignons.‹ Tatsächlich riecht es in der ganzen Stadt wie im Walde nach vermoderten Blättern und nach Pilzen.«

»Ich kenne diesen Platz, er liegt bei der Moltschanowskaja, nicht wahr? Wenn ich da vorbeikomme, finde ich jedesmal eine Überraschung. Entweder treffe ich jemanden, den ich seit zwanzig Jahren nicht gesehen habe, oder ich mache irgendeine Entdeckung. Wie ich höre, hat man an dieser Straßenecke schon Passanten beraubt. Das ist nicht weiter erstaunlich: der Ort ist wie geschaffen hierfür. Von hier aus kann man auf den verschiedensten Wegen die Schlupfwinkel am Smolensker Boulevard erreichen. Man wird bestohlen und bis aufs Hemd ausgeplündert. Nach dem Dieb kann man dann lange suchen.«

»Wie schlecht die Laternen hier brennen! Nicht umsonst nennt man Beulen am Kopf ›Laternen‹. Hier kann man sich leicht den Schädel einrennen.«

VI

Tatsächlich hatte der Doktor in dieser Gegend der Stadt die merk-
würdigsten Begegnungen. An einem dunklen, kalten Abend im
Spätherbst, kurz vor den Oktoberkämpfen, stieß er an dieser Ecke
auf einen quer über die Straße liegenden Menschen, der offenbar
besinnungslos war. Der Mensch hatte die Arme ausgestreckt, sein
Kopf lehnte gegen einen Mauervorsprung, seine Beine lagen in
der Gosse. Ab und zu stieß er schwache Seufzer aus. Auf die Frage
des Doktors, der ihn zur Besinnung zu bringen versuchte, murmelte
er unzusammenhängende Worte und verlor von neuem das Bewußtsein. Am Kopf hatte er eine blutende Wunde, doch der
Schädelknochen war heilgeblieben, wie eine flüchtige Untersuchung ergab. Der Verletzte war ohne Zweifel einem bewaffneten
Überfall zum Opfer gefallen. ›Meine Aktentasche, die Aktentasche!‹ flüsterte er zwei- oder dreimal.

Von einer nah gelegenen Apotheke aus telefonierte der Doktor mit
dem Krankenhaus, ließ einen Wagen kommen und brachte den
Unbekannten auf die Unfallstation.

Der Verwundete war, wie sich bald herausstellte, ein bekannter
Politiker. Der Doktor behandelte ihn weiter und fand in ihm für
lange Jahre einen Protektor, der ihm viele jener Unannehmlichkeiten ersparte, an denen diese Zeit des allgemeinen Mißtrauens
so reich war.

VII

Es war an einem Sonntag, als der Doktor keinen Dienst im Krankenhaus machte. In Siwzewo hatte man sich schon für den Winter nach
Antonina Alexándrownas Plan in drei Zimmern eingerichtet. Ein kalter Wind wehte, der Himmel war mit dunklen Schneewolken bedeckt.
Schon vom frühen Morgen an hatte man versucht, den Ofen an-
zuheizen, der wieder einmal rauchte. Tonja, die nichts vom Feuer-
machen verstand, gab Njuscha, die sich mit dem feuchten Brennholz abmühte, unvernünftige und unsinnige Ratschläge. Der Doktor dagegen wußte wohl, wie man es machen mußte. Er versuchte,
sich der Sache anzunehmen, aber seine Frau schob ihn sanft an
den Schultern zum Zimmer hinaus und sagte:

»Geh du nur in dein Zimmer! Mir dreht sich ohnedies alles im Kopf, alles geht schief, und nun mußt du dich auch noch einmischen. Begreifst du denn nicht, daß deine Bemerkungen nur dazu angetan sind, Öl ins Feuer zu gießen.«

»Öl, Tonitschka, das wäre ja herrlich! Der kleine Ofen würde im Nu in Flammen stehen. Das ist ja gerade das Unglück, daß wir weder Öl noch Feuer haben.«

»Für Scherze ist der Augenblick schlecht gewählt. Ich habe zur Zeit andere Sorgen.«

Die Tücke des Ofens hatte alle Sonntagspläne über den Haufen geworfen. Die Familie hoffte vor Einbruch der Dämmerung alle notwendigen Arbeiten erledigt zu haben, so daß man am Abend frei sein würde – nun war davon keine Rede mehr. Das Mittagessen mußte hinausgeschoben werden, und zu anderen kleinen Mißgeschicken kam auch noch hinzu, daß man sich nun nicht den Kopf mit heißem Wasser waschen konnte, wie es beabsichtigt war.

Bald fing der Ofen so stark zu rauchen an, daß man im Zimmer kaum mehr atmen konnte. Ein heftiger Wind trieb den Rauch ins Zimmer zurück. Eine schwarze Rußwolke hing drohend über ihren Köpfen, wie ein Ungeheuer aus einem Märchen im finsteren Walde.

Jurij Andréitsch trieb alle in die Nebenzimmer und öffnete das Klappfenster. Er nahm die Hälfte des Holzes aus dem Ofen und legte Späne und Birkenrinde zwischen die restlichen Scheite. Durch das Klappfenster drang frische Luft ins Zimmer; der Vorhang, der sich bisher nur ein wenig bewegt hatte, blähte sich im Luftzug, einige Papiere wehten vom Schreibtisch herunter, irgendwo schlug eine Tür. Der Wind jagte durch alle Winkel und Ecken wie die Katze hinter der Maus her und verscheuchte die letzten Reste von Rauch.

Die Scheite flammten knatternd auf, der kleine Ofen fing in der Hitze bald zu glühen an, an seiner eisernen Wand bildeten sich rötliche Flecken, die den Flecken auf den Wangen von Schwindsüchtigen glichen. Der Rauch im Zimmer verminderte sich, schließlich verschwand er ganz.

Im Zimmer war es heller geworden. Die Fenster, die Jurij Andréitsch vor kurzem nach den Ratschlägen des Prosektors verkittet hatte, fingen zu schwitzen an. Der feuchte fettige Geruch des Kitts breitete sich wie eine Welle im Zimmer aus. Auch von den vor dem Öfchen aufgeschichteten Holzscheiten ging ein bitterer, zum Husten reizender Geruch aus – nach Fichtenrinde und feuchten, nach Toilettenwasser duftenden Espenzweigen.

In diesem Augenblick stürzte Nikolai Nikoláitsch – ebenso stürmisch wie der Wind durchs Fenster – ins Zimmer hinein.

»In den Straßen wird gekämpft. Offiziersjunker, die auf seiten der Provisorischen Regierung stehen, schlagen sich mit den Soldaten der Garnison, die zu den Bolschewiki übergegangen sind. An allen Ecken und Enden flammen Einzelgefechte auf, man kann die Herde des Aufruhrs nicht mehr zählen. Auf dem Wege zu euch kam ich zwei- oder dreimal ins Gedränge, einmal an der Ecke der Großen Dimitrowka, dann am Nikita-Tor. Einen geraden Weg gibt es nicht mehr, man muß einen großen Umweg machen. Los, Jura, zieh dich an! Das muß man gesehen haben. Das ist Geschichte. So etwas kommt nur einmal im Leben vor!«

Dennoch verbrachte er fast zwei Stunden im lebhaften Gespräch. Dann setzte man sich zu Tisch. Und als er den Doktor zu sich nach Hause mitnehmen wollte, kam Gordons Besuch dazwischen. Dieser stürzte genauso stürmisch wie Nikolai Nikoláitsch ins Zimmer und brachte die gleichen Nachrichten.

Aber während dieser Zeit hatten sich die Ereignisse weiterentwickelt. Man wußte neue Einzelheiten: Gordon berichtete von starken Schießereien und von getöteten Passanten, die durch verirrte Kugeln getroffen worden waren. Nach allem, was er sagte, war jeder Verkehr in der Stadt unterbrochen. Wie durch ein Wunder war er zu ihnen durchgekommen, doch hinter ihm war die Straße abgeriegelt worden.

Nikolai Nikoláitsch, der auf die Warnungen nicht hören wollte, versuchte, einen Blick aus der Haustür zu werfen, aber schon nach Minutenfrist kehrte er zurück mit der Nachricht, man könne nicht hinaus, da die Kugeln die Straßen entlangpfiffen und von den Häuserwänden kleine Stücke von Ziegelsteinen und Stuckornamenten wegrissen. Auf der Straße sei keine Menschenseele zu sehen und jeder Verkehr stillgelegt.

In diesen Tagen erkältete sich Ssaschenjka.

»Ich habe es hundertmal gesagt, man soll das Kind nicht zu nah an den heißen Ofen bringen«, sagte Jurij Andréitsch ärgerlich, »Überhitzung ist hundertmal schlimmer als Kälte.«

Ssaschenjka hatte Halsschmerzen und hohes Fieber. Er litt unter einer geradezu unnatürlichen Angst vor Übelkeit und vor dem Erbrechen, das ihn jeden Augenblick befallen konnte.

Er stieß Jurij Andréitschs Hand mit dem Laryngoskop zur Seite und ließ sich den Spiegel nicht in den Hals einführen. Er schloß den Mund, schrie und würgte. Gutes Zureden und Drohungen waren vergeblich. Plötzlich beging Ssaschenjka die Unvorsichtigkeit, den Mund zu einem weiten und süßen Gähnen aufzusperren; der Doktor benutzte diesen Augenblick, um seinem Sohn blitzartig das Löffelchen in den Mund zu schieben. Er drückte die Zunge herunter und besichtigte den himbeerroten Kehlkopf Ssaschenjkas und seine geschwollenen Mandeln, deren Belag Jurij Andréitsch in Aufregung versetzte. Nach einer Weile gelang es dem Doktor durch ähnliche Manipulationen, einen Abstrich zu machen. Alexander Alexandritsch besaß ein Mikroskop. Jurij Andréitsch lieh es sich aus und untersuchte selbst, so gut es ging, den Abstrich. Diphtherie war es glücklicherweise nicht.

In der dritten Nacht aber hatte Ssaschenjka einen Anfall von Bräune. Er glühte im Fieber und bekam keine Luft. Jurij Andréitsch konnte es kaum über sich bringen, das arme Kind anzusehen, dessen Leiden er nicht lindern konnte. Antonina Alexándrowna glaubte, der Kleine liege im Sterben. Sie nahm ihn in die Arme und trug ihn im Zimmer auf und ab, worauf es ihm etwas besser ging.

Man hätte Milch, Mineralwasser oder Soda haben müssen, um seinen Durst zu stillen. Aber die Straßenkämpfe draußen waren in vollem Gange. Das Schießen und das Feuer der schweren Artillerie setzte keinen Augenblick aus. Selbst wenn es Jurij Andréitsch unter Lebensgefahr gelungen wäre, aus dem Kampfgebiet herauszukommen, so hätte er doch in den ruhigeren Stadtvierteln keine Spur von Leben vorgefunden. Das Leben der Stadt stand still, während man überall ängstlich auf eine Klärung der Lage wartete.

Allmählich stellte sich glücklicherweise heraus, daß die Arbeiter das Übergewicht hatten. Einzelne Gruppen von Offiziersschülern kämpften allerdings noch weiter; aber diese Gruppen waren voneinander abgeschnitten und hatten den Kontakt mit ihren Befehlsstellen verloren.

Der Bezirk Siwzewo gehörte in den Aktionsradius der Soldateneinheiten, die von Dorogomilowo kamen und auf das Zentrum der Stadt vorstießen. Die Soldaten von der Westfront und die jugendlichen Arbeiter, die sich in Straßengräben verschanzt hatten, schlossen Bekanntschaft mit den Bewohnern der benachbarten Häuser und tauschten scherzhafte Bemerkungen mit den Bürgern aus, die zu den Haustüren hinausschauten oder sich auf die Straßen hinauswagten. In diesem Stadtteil kehrten allmählich Leben und Bewegung zurück.

Nach dreitägiger ›Haft‹ bei Schiwagos verließen Gordon und Nikolai Nikoláitsch Juras Haus. Dieser war glücklich über ihre Anwesenheit in den schweren Tagen der Krankheit des Kindes. Antonina Alexándrowna verzieh ihnen, daß sie die ohnedies schwierige Situation durch die Unordnung, die ihre Gegenwart mit sich brachte, noch komplizierter gemacht hatten. Beide jedoch fühlten sich verpflichtet, zum Dank für die erwiesene Gastfreundschaft, ihre Gastgeber zu unterhalten, so daß Jurij Andréitsch, ermüdet von dem dreitägigen leeren Gerede, glücklich war, sich von ihnen zu trennen.

VIII

Sie gelangten wohlbehalten nach Hause, hatten jedoch unterwegs festgestellt, daß die Gerüchte von einer allgemeinen Beruhigung der Lage verfrüht waren. An verschiedenen Stellen der Stadt wurde noch immer gekämpft, einige Stadtviertel waren unpassierbar, und der Doktor konnte immer noch nicht in sein Krankenhaus kommen, das ihm allmählich fehlte, zumal da er in einer Tischschublade des Ärztezimmers sein ›Spiel‹ und ärztliche Aufzeichnungen zurückgelassen hatte.

Nur in einigen Stadtvierteln konnten die Menschen frühmorgens in der Nähe ihrer Wohnungen Brot holen gehen; Passanten mit Milchflaschen wurden von Fragenden umlagert, die sich erkundigten, wo sie die Milch bekommen hatten.

Ab und zu flammten die Schießereien in der ganzen Stadt wieder auf, und die Bevölkerung flüchtete von neuem in ihre Behausungen. Offenbar wurden zwischen den Kämpfenden Unterhandlungen geführt, deren jeweiliger Stand sich an der Verschärfung oder Abschwächung des Schrapnellfeuers widerspiegelte.

Ende Oktober, etwa gegen zehn Uhr abends, ging Jurij Andréitsch eilig durch die Straße; er hatte die Absicht, ohne besonderen Grund einen in der Nähe wohnenden Kollegen aufzusuchen. Die Gegend, die für gewöhnlich recht belebt zu sein pflegte, war ausgestorben; man traf kaum einen Passanten. Jurij Andréitsch beschleunigte seinen Schritt. Die dünnen Flocken des ersten Schnees wirbelten im Wind, der von Minute zu Minute heftiger wurde und schließlich zu einem Schneesturm anzuwachsen drohte.

Jurij Andréitsch wand sich durch das Labyrinth der Gassen, er hatte vergessen, wie oft er von einer Straße in die andere eingebogen war, als plötzlich ein Schneetreiben einsetzte, verbunden mit einem jener Stürme, die sich im offenen Felde in ihrer ganzen Gewalt ausbreiten und austoben können, während sie sich in der Stadt und in den engen Sackgassen verirren und verfangen.

Die Geschehnisse in der moralischen und physischen Welt, in der Nähe und Ferne, auf der Erde und in der Luft, schienen einander auf eine geheimnisvolle Art zu entsprechen. Von irgendwoher ertönten die letzten Salven eines ersterbenden Widerstandes. Am Horizont leuchtete der schwache Widerschein verlöschender Feuersbrünste auf. Sturm und Schnee wühlten den nassen Boden unter Jurij Andréitschs Füßen zu Ringen und Trichtern auf, aus denen das Wasser hochspritzte.

In einer der Kreuzungen rannte ein kleiner Junge mit einem großen Packen frisch gedruckter Zeitungen unter dem Arm an ihm vorbei und rief: »Neueste Nachrichten!«

»Der Rest ist für dich«, sagte der Doktor, als er ihm ein Geldstück gab. Der Junge hatte Mühe, das feuchte Zeitungsblatt vom Packen abzulösen, er übergab es dem Doktor. Dann verschwand er ebenso schnell im Schneesturm, wie er aufgetaucht war.

Der Doktor trat unter eine Straßenlaterne, die zwei Schritt von ihm entfernt brannte, um die Schlagzeilen zu überfliegen.

Das einseitig bedruckte Extrablatt enthielt ein Regierungs-Kommuniqué aus Petersburg, das die Bildung eines Sowjets der Volkskommissare, die Einführung der Sowjetregierung und der Diktatur des Proletariats in Rußland bekanntgab. Es folgten die ersten Dekrete der neuen Regierung und verschiedene Nachrichten, die telegrafisch oder telefonisch übermittelt worden waren.

Der Sturm trieb dem Doktor den Schnee in die Augen und bedeckte die Seiten der Zeitung mit einer grauweißen Flockenschicht. Aber das war es nicht, was den Doktor am Lesen hinderte. Er fühlte sich im Innersten aufgewühlt durch die historische Größe dieses Augenblicks, und es gelang ihm nicht, seine Ruhe wiederzufinden.

Er wollte seine Lektüre trotzdem fortsetzen und blickte sich nach einer beleuchteten Stelle um, die vor Schnee geschützt war. Auf diese Weise gelangte er wieder zu jener schicksalhaften Straßenkreuzung zwischen der Sserebrjanaja und der Moltschanowskaja, an der er schon einmal gestanden hatte. Ganz in der Nähe war der Eingang zu einem fünfstöckigen Haus, das elektrisch beleuchtet war. Der Doktor trat ins Vestibül und vertiefte sich von neuem im Schein einer elektrischen Lampe in die Lektüre der Meldungen. Über seinem Kopf hörte er Schritte. Jemand ging die Treppe herunter, blieb mehrfach stehen, als zögere er weiterzugehen. Tatsächlich schien der Betreffende es sich plötzlich anders überlegt zu haben; er kehrte um und lief die Treppen wieder hinauf. Eine Tür wurde geöffnet, man hörte zwei Stimmen, die durch den Widerhall des Treppenhauses jedoch derartig entstellt klangen, daß man nicht unterscheiden konnte, ob es sich um Männer- oder Frauenstimmen handelte. Hierauf schlug die Tür zu, und die gleiche Person, die eben erst die Stufen hinaufgestiegen war, ging die Treppe zum zweitenmal herunter, in einem entschlosseneren Schritt.

Jurij Andréitsch war in seine Lektüre vertieft, sein Blick war auf die Zeitung gerichtet. Er hatte nicht die Absicht, aufzuschauen, um den Unbekannten zu betrachten. Als dieser jedoch am Ende der Treppe angelangt war, blieb er plötzlich stehen. Jurij Andréitsch hob den Kopf und warf ihm einen flüchtigen Blick zu.

Vor ihm stand ein junger Mann von etwa achtzehn Jahren, in einem Doppelpelz, wie er in Sibirien getragen wird, und einer ebensolchen Mütze. Das Gesicht des jungen Mannes war gebräunt, er hatte schmale Kirgisenaugen. Irgend etwas Aristokratisches lag in seinen Gesichtszügen, ein flüchtiger Glanz, eine diskrete Feinheit, die von weit her zu kommen schien und die man häufig bei Menschen mit vielfach zusammengesetzter Blutmischung findet.

Der junge Mann verwechselte Jurij Andréitsch offenbar mit jemand anderem. Er blickte verlegen, als wisse er, wer er sei, und wage nicht, ihn anzureden. Um dem Mißverständnis ein Ende zu machen, maß ihn Jurij Andréitsch mit einem kalten Blick, der jede Annäherung unmöglich machte.

Der junge Mann wandte sich verwirrt und ohne ein Wort zu

sagen dem Ausgang zu. Von dort aus blickte er noch einmal zurück, öffnete die schwere, knarrende Tür, schlug sie hinter sich zu und trat auf die Straße hinaus. Etwa nach zehn Minuten verließ auch Jurij Andréitsch das Vestibül des Hauses. Er hatte sowohl den jungen Mann wie den Kollegen, den er hatte besuchen wollen, vollkommen vergessen. Er war ganz erfüllt von dem, was er gelesen hatte, und machte sich auf den Heimweg. Unterwegs wurde seine Aufmerksamkeit abgelenkt durch eine jener Nichtigkeiten, die in jenen Tagen von so lebenswichtiger Bedeutung waren.

In der Nähe seiner Wohnung stolperte er in der Dunkelheit über einen Riesenhaufen von Brettern und Holzklötzen, die quer über dem Gehweg und in der Gosse aufgetürmt lagen. In dieser Straße befand sich irgendeine Dienststelle, für die das Holz bestimmt zu sein schien. Die Bretter hatten im Hof keinen Platz und versperrten einen Teil der Straße. Ein bewaffneter Posten, der im Hof auf und ab patrouillierte, um ab und zu einen Blick auf die Straße zu werfen, bewachte den Bretterberg.

Jurij Andréitsch wartete einen günstigen Augenblick ab, in dem der Wachtposten in den Hof zurückkehrte, während der Sturm eine besonders dichte Schneewolke aufwirbelte. Er näherte sich dem Holzhaufen von der Seite, die im Schatten lag, weil das Licht der Laterne nicht bis dorthin dringen konnte, lockerte einen zuunterst liegenden schweren Balken, den er vorsichtig aus dem Haufen löste und sich auf die Schulter lud. Bald spürte er sein Gewicht nicht mehr. Er schlich sich dicht an Häusermauern entlang, die im Schatten lagen, nach Hause, nach Siwzewo.

Er kam gerade zur rechten Zeit, denn zu Hause war das Brennholz ausgegangen. Der Klotz wurde zersägt und gespalten, bis ein Berg von kleinen Scheiten entstanden war. Jurij Andréitsch hockte vor dem Ofen nieder, um ihn anzuzünden. Schweigend blieb er vor der klappernden Ofentür sitzen. Alexander Alexandritsch schob seinen Sessel heran, um sich besser wärmen zu können. Nach einer Weile zog Jurij Andréitsch die Zeitung aus seiner Tasche und überreichte sie seinem Schwiegervater.

»Haben Sie das schon gesehen? Nun, lesen Sie nur.«

Jurij Andréitsch, der mit dem Schürhaken im Ofen herumstocherte, sagte halblaut, wie im Selbstgespräch: »Was für eine wunderbare Chirurgie! Man nimmt einfach ein Messer und schneidet kurz entschlossen kunstvoll die alten stinkenden Geschwüre heraus!

Man räumt in aller Öffentlichkeit mit einer jahrhundertealten Ungerechtigkeit auf, vor der sich jedermann ehrfürchtig dienernd bis zur Erde hinabbeugte.

In dieser Art, die Dinge rücksichtslos bis zum Ende voranzutreiben, liegt etwas Ur-Russisches, das unserem Wesen von jeher vertraut ist – etwas von Puschkins unerbittlicher Klarheit, von der unverbrüchlichen Treue zur Realität, wie man sie bei Tolstoi findet.«

»Wieso Puschkin? Was hast du gesagt? Warte, ich bin gleich mit dem Lesen fertig. Ich kann doch nicht zugleich lesen und zuhören«, unterbrach Alexander Alexandritsch seinen Schwiegersohn. Er glaubte, Jurij Andréitschs gemurmeltes Selbstgespräch sei für ihn bestimmt.

»Was ist das eigentlich Geniale an der Sache? Wenn man jemandem die Aufgabe stellte, eine neue Welt zu erschaffen, eine neue Zeitrechnung zu beginnen, so würde er unbedingt zunächst verlangen, daß ihm das Terrain geebnet wird. Er würde das Ende der alten Ära abwarten, ehe er sich an den Aufbau des Neuen machte. Denn man braucht eine runde Zahl, ein unbeschriebenes Blatt, eine Tabula rasa, um neu zu beginnen.

Hier dagegen keinerlei Umstände und Zeremonien! Dieses Wunder der Geschichte, diese Offenbarung bricht ohne weiteres in die dichteste Alltäglichkeit ein, ohne Rücksicht auf deren Ablauf! Das Unerhörte beginnt nicht mit dem Anfang, sondern gleich in der Mitte, ohne im voraus festgelegte Termine – an einem beliebigen Alltag, während die Straßenbahnen durch den Verkehr fahren. Das ist das Genialste. Nur das wahrhaft Große kann sich so unerwartet und so scheinbar zufällig und zur falschen Stunde offenbaren.«

IX

Der Winter begann so, wie man es vorausgesehen hatte. Er wurde nicht so schrecklich wie die beiden nächsten, die auf ihn folgen sollten, und war doch von der gleichen Art – ein Hungerwinter, düster und kalt. Er brach mit allen Gewohnheiten und gestaltete das Leben nach seinem Belieben um. Er zwang die Menschen, sich mit übermenschlichen Anstrengungen an das Dasein zu klammern, das ihnen unter den Händen wegzueilen drohte.

Drei solcher schrecklicher Winter folgten aufeinander. Und vielleicht ist nicht alles, was sich scheinbar gegen Ende des Jahres 1917 ereignet hat, wirklich zu jener Zeit geschehen, es könnte sich ebensogut später ereignet haben. Diese drei Winter verschmolzen miteinander, und es fällt schwer, sie zu unterscheiden.

Das alte Leben und die junge Ordnung fielen noch nicht zusammen. Zwischen ihnen herrschte auch noch nicht jene Feindschaft wie im Jahre darauf, zur Zeit des Bürgerkrieges; aber es gab auch keine Verbindung. Es waren zwei verschiedene Pläne, die unabhängig voneinander aufgestellt worden waren und nichts miteinander gemeinsam hatten.

Überall gab es Neuwahlen: in der Verwaltung der Häuser, in den Organisationen, in den Büros, im öffentlichen Dienst. Das leitende Personal wurde ausgewechselt, und an seiner Stelle wurden Kommissare mit unbegrenzten Vollmachten ernannt. Menschen mit eisernem Willen, in schwarzen Lederjoppen, mit Pistolen bewaffnet, die vor keinen Einschüchterungsmethoden zurückschreckten. Sie rasierten sich selten und schliefen noch seltener.

Sie kannten sich aus mit der Wesensart der Kleinbürger und der Besitzer kleiner Staatspapiere. Sie behandelten diese braven servilen Leute mit teuflischer Ironie und ohne Mitleid, als handle es sich um Diebe, die sie bei frischer Tat ertappt hätten.

Diese Menschen bemächtigten sich aller Positionen, so wie es ihnen ihr Programm vorschrieb. Alle Unternehmen und Vereinigungen wurden auf diese Weise in kurzer Zeit bolschewisiert.

Auch im ›Kreuzerhöhungs-Hospital‹, das sich jetzt ›Zweites Reformkrankenhaus‹ nannte, hatte sich manches verändert. Man hatte einen Teil des Personals entlassen; viele hatten selber gekündigt, weil sie der Meinung waren, eine weitere Arbeit im Krankenhaus sei ohne Interesse für sie. Es waren gut verdienende Ärzte, die eine Modepraxis mit gut zahlenden Privatpatienten hatten, liebenswürdige Unterhalter, Charmeure und Schaumschläger, wie die gute Gesellschaft sie liebt. Sie verfehlten nicht, ihrem Weggang, der aus eigennützigen Erwägungen erfolgte, politische Motive unterzuschieben. Sie sprachen von patriotischen Gründen und behandelten diejenigen, die auf ihrem Posten blieben, von oben herab und boykottierten sie fast. Zu den Ärzten, die im Krankenhaus weiter Dienst tun wollten, gehörte auch Schiwago.

Zwischen dem Doktor und seiner Frau fanden jetzt fast allabendlich Gespräche dieser Art statt:

»Vergiß nicht, am Mittwoch in den Keller der Ärztegesellschaft zu kommen, um zwei Säcke mit gefrorenen Kartoffeln zu holen. Ich werde dir noch genau sagen, um welche Zeit ich frei sein werde, um dir zu helfen. Wir müssen zu zweit sein, um den Schlitten zu ziehen.«

»Es ist gut, Jurotschka. Es wird schon gehen. Du solltest jetzt schlafen gehen. Es ist schon spät. Man kann nicht alles an einem Tag erledigen. Du mußt dich erholen.«

»Die Epidemie breitet sich überall aus. Die allgemeine Entkräftung schwächt die Widerstandskraft. Es macht mir Angst, dich und Papa anzusehen! Es muß etwas geschehen! Aber was?! Wir schonen uns nicht genug; wir müssen vorsichtiger sein. Hör zu, Tonja! Schläfst du?«

»Nein.«

»Für mich habe ich keine Angst, ich bin kerngesund. Sollte ich aber wider Erwarten krank werden, so mache bitte keine Dummheiten. Lasse mich nicht im Haus, bringe mich sofort ins Krankenhaus.«

»Wie kommst du darauf, Jurotschka! Gott behüte uns. Willst du das Unglück vor der Zeit heraufbeschwören?«

»Denke daran, es gibt keine anständigen Leute mehr, auf die man sich verlassen kann, und erst recht keine Menschen, die wirklich etwas verstehen. Sollte irgend etwas sein, so vertraue nur Pitschushkin. Natürlich nur, wenn er selbst gesund bleibt. Du schläfst doch nicht etwa?«

»Nein.«

»Diese Schweinehunde sind aus Profitsucht weggeblieben und schützen jetzt Gefühle und Prinzipien vor. Sie geben dir kaum noch die Hand, wenn du ihnen irgendwo begegnest. ›Sie arbeiten für diese Leute‹, und sie ziehen die Augenbrauen hoch. ›Ja‹, sage ich, ›ich arbeite für sie, und – ob Sie es hören wollen oder nicht – ich bin stolz auf unsere Entbehrungen, ich habe Achtung vor den Menschen, die sie uns auferlegen.‹ «

Lange Zeit hindurch bestand die Hauptnahrung der Mehrzahl der Bevölkerung aus Gerstengrütze, die mit Wasser gekocht war, und einer Fischsuppe aus Heringsköpfen. Was von den Heringen übriggeblieben war, wurde als zweiter Gang gebraten serviert. Außerdem aß man Roggen- und Gerstenkörner, aus denen man einen Brei zubereitete.

Eine befreundete Professorin zeigte Antonina Alexándrowna, wie man Brot im Kachelofen backen könne. Dies selbstgebackene Brot sollte dann verkauft werden. Auf diese Weise wäre auch die Wiederbenutzung des Kachelofens gerechtfertigt worden. Man brauchte sich nicht länger mit dem Eisenöfchen herumzuärgern, das rauchte, schlecht heizte und zudem die Wärme nicht hielt.

Antonina Alexándrowna gelang es gut, das Brot nach diesem Verfahren zu backen; aber der Verkaufsplan hatte keinen Erfolg. Es blieb nichts anderes übrig, als auf das unausführbare Projekt zu verzichten und das ausrangierte Eisenöfchen wieder in Gebrauch zu nehmen. Das Leben der Schiwagos war elend.

Eines Morgens war Jurij Andréitsch wie gewöhnlich zu seiner Arbeit gegangen. Zum Heizen gab es in der Wohnung nur noch zwei Holzscheite. Antonina Alexándrowna zog sich ihren Pelzmantel an, in dem sie bei ihrem geschwächten Gesundheitszustand sogar bei warmem Wetter fror, und begab sich ›auf einen Beutezug‹.

Eine halbe Stunde lang lief sie in den benachbarten Gassen herum, wo man manchmal Bauern begegnen konnte, die Gemüse und Kartoffeln von den Dörfern der Umgebung in die Stadt brachten. Sie waren jedoch nicht leicht zu finden. Denn es gab immer wieder Kontrollen, bei denen die Waren, welche die Bauern ohne Genehmigung verkauften, beschlagnahmt wurden.

Endlich hatte sie gefunden, was sie suchte. Ein kräftiger junger Bursche in ärmellosem Rock folgte Antonina Alexándrowna mit einem Schlitten, der leicht wie ein Spielzeug zu sein schien, bis in den Hof der Gromekos.

In einem Bastkorb lag unter einer Matte versteckt ein Häufchen Birkenzweige, die nicht viel dicker waren als die altmodischen Geländer alter Gutshäuser, die man auf Fotografien aus dem vorigen Jahrhundert sieht. Antonina Alexándrowna kannte den Preis. Es war zwar Birke, aber von niedrigster Qualität, frisch vom

Stamm geschnitten, feucht, zum Heizen ungeeignet. Doch sie hatte keine Wahl und konnte sich weitere Verhandlungen sparen.

Der junge Bauer trug ihr das Holz in fünf oder sechs Partien in die Wohnung hinauf und tauschte dagegen einen Spiegelschrank Antonina Alexándrownas ein, den er hinunterschleppte und auf seinen Schlitten lud, um ihn seiner jungen Frau zu schenken. Bevor er ging, stellte er eine baldige Lieferung von Kartoffeln in Aussicht und erkundigte sich nebenbei nach dem Wert des an der Tür stehenden Klaviers.

Bei seiner Rückkehr äußerte sich Jurij Andréitsch nicht weiter über das Tauschgeschäft seiner Frau. Es wäre vernünftiger gewesen, den Schrank zu Kleinholz zu zerschlagen, aber das hatten sie nicht übers Herz gebracht.

»Hast du den Zettel auf dem Tisch gesehen?« fragte Tonja.

»Eine Mitteilung vom Chefarzt, ich weiß, man hat es mir gesagt. Ich soll einen Krankenbesuch machen. Ich will auf jeden Fall hingehen. Ich möchte mich nur einen Augenblick erholen und mache mich dann auf den Weg. Es ist aber ziemlich weit, irgendwo beim Triumphbogen. Ich muß die Adresse irgendwo aufgeschrieben haben.«

»Ein merkwürdiges Honorar bietet man dir an. Hast du's gelesen? Stell dir vor: eine Flasche Kognak oder ein Paar Damenstrümpfe für den Besuch. Das läßt sich hören. Was mögen das für Leute sein? Das Angebot zeugt nicht gerade von gutem Geschmack, man scheint keine Ahnung zu haben von der gegenwärtigen Lage. Zweifellos sind es Neureiche.«

»Ja, es handelt sich um einen ›zugelassenen Lieferanten‹.«

So bezeichnete man damals, außer den Konzessionären und Bevollmächtigten, auch kleine private Unternehmer, denen der Staat nach der Aufhebung des Privathandels für die Zeit der wirtschaftlichen Krise kleine Zugeständnisse machte und mit denen er ab und zu Verträge für die eine oder andere Lieferung abschloß.

Zu ihnen gehörten jedoch nicht die enteigneten Besitzer der alten Firmen oder die prominenteren Vertreter der ehemals besitzenden Klasse, die sich von dem Schlag, der ihnen versetzt worden war, nicht mehr erholen konnten. Vielmehr handelte es sich um Gelegenheitshändler, Geschäftemacher, die durch den Krieg und die Revolution aus dem Nichts aufgetaucht waren, um Neureiche, Ortsfremde und um allerlei wurzellose Existenzen.

234

Der Doktor schlang hastig eine wäßrige, mit Sacharin gesüßte Milchsuppe hinunter und machte sich auf den Weg zu seinem Krankenbesuch. Gehwege und Fahrstraßen lagen unter einer dichten Schneeschicht begraben, die sich auf den Straßen zwischen den Häuserreihen aufgetürmt hatte. Stellenweise reichte die Schneedecke bis an die Fenster des ersten Stockwerkes. Über die weite weiße Fläche bewegten sich stumme, schattenhafte Gestalten, die auf ihrem Rücken oder auf Schlitten irgendwelche kärglichen Lebensmittel nach Hause schleppten. Man sah kaum einen Wagen in den Straßen.

An manchen Fassaden konnte man noch die alten Ladenschilder finden. Unter diesen Schildern befanden sich die neuen ›Kooperative‹, die mit den früheren Läden in keinerlei Zusammenhang standen. Ihre Häuser waren durch Gitter verschlossen oder mit Brettern vernagelt. Alle Geschäfte waren leer.

Die ›Kooperative‹ blieben nicht nur wegen des Mangels an Ware geschlossen. Die Umgestaltung des gesamten Wirtschaftslebens war bisher nur in großen Zügen durchgeführt worden, und man hatte sich mit diesen durch Bretter vernagelten Buden im einzelnen noch nicht befassen können.

XI

Das Haus, in dem der Doktor seinen Krankenbesuch machen sollte, lag am Ende der Brester Straße, in der Nähe des Twerschen Tores. Es war ein vorsintflutlicher Bau, eine Art von Kaserne, mit einer dreistöckigen Holzgalerie an der hinteren Mauer des Innenhofes. Die Bewohner waren gerade zu einer allgemeinen Versammlung in Gegenwart einer Vertreterin des Bezirks-Sowjets zusammengekommen, als plötzlich eine militärische Kontrollkommission erschien, um die Waffengenehmigungen nachzuprüfen und nicht deklarierte Waffen zu beschlagnahmen. Der Führer der Kommission bat die Delegierte, sich nicht zu entfernen; er versicherte, die Haussuchung würde nicht viel Zeit in Anspruch nehmen, und die Bewohner könnten nach der Kontrolle wieder zusammenkommen, um die unterbrochene Sitzung fortzusetzen.

Die Untersuchung näherte sich ihrem Ende. Als Jurij Andréitsch vor der Haustür ankam, war gerade die Wohnung an der Reihe, in der man seinen Besuch erwartete. Ein Soldat, dessen Gewehr an einer Schnur hing, hielt vor der zur Holzgalerie hinaufführenden Treppe Wache. Er weigerte sich strikt, Jurij Andréitsch durchzulassen, bis der Führer der Kommission sich einmischte und befahl, dem Doktor keine Schwierigkeiten zu machen. Er erklärte sich bereit, mit der Durchsuchung der Wohnung zu warten, bis die ärztliche Untersuchung beendet sei.

Der Doktor wurde von dem Wohnungsinhaber, einem höflichen jungen Menschen mit bräunlicher Gesichtsfarbe und dunklen melancholischen Augen, empfangen, der aus verschiedenen Gründen äußerst erregt zu sein schien. Die Krankheit seiner Frau beunruhigte ihn ebensosehr wie die bevorstehende Haussuchung. Dazu kam die fast übernatürliche Wertschätzung, die er der medizinischen Wissenschaft und ihren Vertretern entgegenbrachte.

Um dem Doktor Zeit und Mühe zu sparen, versuchte er, sich so kurz wie möglich zu fassen, aber seine Hast und Unruhe bewirkten, daß seine Reden immer länger und wirrer wurden.

In der Wohnung konnte man Möbel von echtem Luxus und guter Qualität neben geschmacklosem Plunder finden. Die meisten Dinge schienen in aller Eile aufgekauft zu sein, um eine sichere Kapitalanlage zu haben. Neben Möbeln, die aus verschiedenen Garnituren stammten, gab es Kunstgegenstände jeglicher Art, die nicht zusammenpaßten. Der Hausherr erklärte, seine Frau leide an einer Nervenkrankheit, die durch Angstpsychose verursacht sei. Er erzählte umständlich mit vielen Einzelheiten, die nichts mit der Sache zu tun hatten, man habe ihnen für ein Butterbrot eine altertümliche, beschädigte Schlaguhr verkauft, die schon seit langer Zeit nicht mehr ging. Sie hatten sie als eine Rarität, als ein Meisterstück der Uhrmacherkunst, gekauft. (Der Gatte der Kranken führte den Doktor ins Nebenzimmer, um ihm die Uhr zu zeigen.) Man hielt es kaum für möglich, das Werk zu reparieren. Plötzlich begann die Uhr, die seit Jahren nicht mehr aufgezogen worden war, ganz von allein zu gehen, gleich darauf ertönte ihr Glockenspiel, ein kompliziertes Menuett, dann stand sie wieder still. Die Frau war vor Angst außer sich, erzählte der junge Mann, sie glaubte, daß ihr letztes Stündlein geschlagen habe. Jetzt lag sie zu Bett im Delirium; sie aß und trank nichts und erkannte nicht einmal ihren Mann wieder.

»Sie glauben also, es handle sich hier um einen Nervenschock«, sagte Jurij Andréitsch in zweifelndem Ton. »Führen Sie mich bitte zu ihr.« Sie betraten das Nachbarzimmer mit einem Kronleuchter aus Porzellan und einem Doppelbett, zu dessen beiden Seiten sich zwei Mahagoni-Nachttische befanden. Am Bettrand lag eine kleine Frau mit großen, schwarzen Augen, die ihre Decke bis über das Kinn hochgezogen hatte. Als sie die beiden Männer eintreten sah, zog sie ihre Arme unter der Bettdecke hervor und fuchtelte mit ihnen herum, um die Eintretenden zu verjagen, wobei der weite Ärmel ihres Morgenrocks bis zur Schulter hochglitt. Sie erkannte ihren Mann nicht und fing mit leiser Stimme, so als sei sie allein im Zimmer, ein trauriges kleines Lied zu singen an, das sie so sehr rührte, daß sie in Tränen ausbrach und unter kindlichem Schluchzen flehentlich bat, man möge sie doch nach Hause lassen. Von welcher Seite sich der Doktor auch näherte, sie widersetzte sich jedesmal der Untersuchung, indem sie ihm den Rücken zukehrte.

»Ich müßte sie gründlich untersuchen«, sagte Jurij Andréitsch. »Aber der Fall ist auch so klar. Sie hat Flecktyphus in einer ziemlich schweren Form. Ich rate, sie in einem Krankenhaus unterzubringen. Es handelt sich nicht um die Pflege, die Sie ihr ebensogut verschaffen könnten, sondern um die ständige ärztliche Überwachung, die in den ersten Wochen der Erkrankung unerläßlich ist. Können Sie irgendein Fahrzeug besorgen – eine Mietdroschke oder, wenn es nicht anders geht, einen Schlitten, um Ihre Frau ins Krankenhaus zu transportieren, nachdem Sie sie vorher gut eingehüllt haben? Ich schreibe Ihnen eine Einweisung.«

»Ich will es versuchen. Aber, sagen Sie, ist es wirklich Typhus?«

»Das steht leider fest.«

»Ich fürchte, sie zu verlieren, wenn sie aus dem Hause kommt. Könnten Sie sie nicht hier behandeln und möglichst häufig Besuche machen? Ich würde Ihnen jedes beliebige Honorar zahlen.«

»Ich habe Ihnen doch schon erklärt, daß ununterbrochene ärztliche Beobachtung unerläßlich ist. Hören Sie mal zu. Ich gebe Ihnen einen guten Rat. Schaffen Sie eine Droschke her, und wenn Sie sie unter der Erde hervorzaubern müßten. Ich schreibe inzwischen die Einweisung. Am besten, ich richte sie an das Hauskomitee. Für die Aufnahme braucht man den Stempel des Hauses und noch einige andere Formalitäten.«

XII

Die Hausbewohner, die das Verhör und die Durchsuchung hinter sich hatten, kehrten, einer nach dem andern, in warme Tücher und Pelze gehüllt, in das unheizbare Lokal – ein früheres Eierlager – zurück, in dem das Hauskomitee tagte.

Am einen Ende des Raumes standen ein Bürotisch und einige Stühle, die jedoch für die vielen Leute nicht ausreichten. Darum hatte man leere Eierkisten im Kreise aufgestellt, die als Bänke dienen sollten. Auf der anderen Seite des Lokals türmte sich ein Berg dieser Kisten bis zur Decke auf. In einer Ecke des Raumes hatte man gefrorene Holzwolle zusammengekehrt, in der noch die Reste zerschlagener Eier klebten. In diesem Haufen raschelten Ratten, die ab und zu über den steinernen Fußboden liefen, um sich gleich darauf wieder in der Holzwolle zu verstecken.

Jedesmal, wenn eine Ratte sichtbar wurde, schrie eine dicke Hausbewohnerin auf und stieg auf eine der Kisten. Sie hob mit kokett abgespreizten Fingern einen Zipfel vom Saum ihres Kleides hoch, stampfte mit ihren modischen Damenstiefelchen mit den hohen Schäften auf und rief mit heiserer, wie betrunkener Stimme:

»Olka, Olka, es ist alles voller Ratten bei dir. Mach, daß du fortkommst, du schmutziges Biest! Sie hat mich verstanden, das Luder, sie ist wütend geworden! Jetzt läuft sie den Kasten entlang! Wenn sie mir nur nicht unter den Rock kriecht! Oh, wie ich mich fürchte, wie ich mich fürchte! Meine Herren, bitte, drehen Sie sich um! Ich bitte um Entschuldigung, ich vergaß, daß es jetzt keine Männer, sondern nur noch Genossen Bürger gibt!«

Die krakeelende Frau trug eine aufgeknöpfte Karakuljacke, die ihr schwappendes Doppelkinn und den Ansatz ihres üppigen Busens erkennen ließ. Ihr Bauch zeichnete sich unter dem Seidenkleid ab. Sie hatte gewiß einmal unter den Kaufleuten dritten Ranges und ihren Angestellten als eine Schönheit gegolten. Die Spalten ihrer Schweinsäuglein öffneten sich kaum unter den geschwollenen Lidern. Vor langer Zeit mußte ihr eine Rivalin ein Fläschchen Säure ins Gesicht geworfen haben, doch die Säure hatte ihr Ziel verfehlt. Nur zwei, drei Spritzer an der linken Wange und an der linken Mundecke hatte sie hinterlassen, die so unauffällig waren, daß sie ihr einen gewissen Charme verliehen.

»Brülle nicht, Chrapugina. So ist es einfach unmöglich zu arbeiten«, sagte die Frau hinter dem Schreibtisch, die Präsidentin des Bezirks-Sowjets, die man gerade zur Vorsitzenden der Versammlung gewählt hatte.

Die älteren Bewohner des Hauses kannten sie schon seit langem, und auch sie kannte sie gut. Vor Beginn der Versammlung hatte sie sich inoffiziell halblaut mit Fatima, der Frau des Portiers, unterhalten, die mit Mann und Kindern in einem schmutzigen Keller gehaust hatte, vor kurzem jedoch, zusammen mit ihrer Tochter, in zwei helle Zimmer im zweiten Stock übergesiedelt war.

»Nun, wie geht es, Fatima?« fragte die Vorsitzende.

Fatima beklagte sich, daß sie allein mit einem so großen Hause mit so zahlreichen Bewohnern nicht fertig werden könne. Nirgends bekomme sie eine Hilfe, weil keiner der Hausbewohner die Fronarbeit des Kehrens von Straße und Hof mehr übernehmen wolle.

»Sei nicht traurig, Fatima, wir werden es ihnen schon beibringen, du kannst beruhigt sein! Ist es zu glauben? Hier verstecken sich zweifelhafte Elemente, unsittliche Subjekte, die nicht polizeilich gemeldet sind. Wir werden diesen Leuten schon kommen und jemand anders in das Komitee wählen. Ich werde dich in die Hausverwaltung bringen; nur darfst du nicht bockig sein.«

Die Frau des Portiers bat die Vorsitzende, nichts zu unternehmen, aber diese hörte nicht mehr zu. Sie sah sich im Raum um, fand, daß genügend Leute anwesend seien, bat um Ruhe und eröffnete die Versammlung mit ein paar kurzen einleitenden Worten. Nachdem sie das bisherige Hauskomitee wegen seiner Untätigkeit beschimpft hatte, schlug sie vor, eine neue Kandidatenliste aufzustellen, und ging zu anderen Fragen über. Nachdem sie diese erledigt hatte, sagte sie unter anderm:

»So stehen die Dinge also, Genossen! Wollen wir reinen Tisch machen! Das Gebäude ist geräumig und eignet sich für ein Gemeinschaftshaus. Es kommt vor, daß Delegierte zu einer Beratung eintreffen, und man weiß einfach nicht, wo man die Leute unterbringen soll. Man hat beschlossen, das Haus dem Bezirkssowjet für durchreisende Delegierte zur Verfügung zu stellen. Man will es nach dem Genossen Tiversin nennen, der vor seiner Verbannung hier gewohnt hat, wie jeder von Ihnen weiß. Keine Einwände? Nun zur Frage der Sauberhaltung des Hauses. Diese Maßnahme ist nicht dringlich. Ihr habt noch ein Jahr Zeit. Die werktätigen Hausbewohner werden wir bevorzugt anderweitig unterbringen.

Die Nichtwerktätigen machen wir schon heute darauf aufmerksam, daß sie sich selbst eine Wohnung suchen müssen, und wir geben ihnen dazu zwölf Monate Zeit.«

»Wer ist denn hier nicht werktätig? Wir haben keine Nichtwerktätigen! Alle arbeiten hier«, rief man von allen Seiten. Eine hysterische Stimme schrie: »Das ist russischer Chauvinismus! Aber jetzt sind alle Nationalitäten gleichgestellt. Ich weiß, woher der Wind weht!«

»Bitte, nicht alle auf einmal! Ich weiß nicht mehr, wem ich antworten soll. Was für Nationalitäten? Was hat hier die Nationalität zu suchen, Genosse Waldyrkin? Die Chrapugina gehört zum Beispiel nicht zu den nichtrussischen Minoritäten. Aber wir werden sie trotzdem heraussetzen.«

»Setzt mich nur heraus! Wir wollen mal sehen, wie du mich heraussetzt! Du Mannschaftsmatratze du! Du saudumme Funktionärin!« Die Chrapugina erging sich im Eifer des Gefechtes in unsinnigen Schimpfworten, die sie der Delegierten ins Gesicht schleuderte.

»So eine Schlange! Die Teufelin! Hast du keine Scham im Leibe!« empörte sich die Portiersfrau.

»Misch dich nicht ein, Fatima. Ich werde mich schon selbst verteidigen. Halt's Maul, Chrapugina! Gibt man dir den geringsten Vorwand, so machst du ein Riesengeschrei. Halt's Maul, sag' ich dir, sonst werd' ich dich sofort der Miliz übergeben, ohne lange zu fackeln, wegen Schwarzbrennerei und Unterhaltung einer Spelunke!«

Der Krach hatte seinen Höhepunkt erreicht, als der Doktor den Lagerraum betrat. Er bat jemanden, der an der Tür stand, ein Mitglied des Hauskomitees zu nennen. Der Mann legte die Hände zu einem Sprachrohr zusammen und brüllte, Lärm und Geschrei übertönend:

»Galiullina! Komm her! Man fragt nach dir.« Der Doktor glaubte seinen Ohren nicht zu trauen. Eine magere, ein wenig bucklige Frau, näherte sich, die Frau des Hauswarts. Den Doktor verblüffte die Ähnlichkeit zwischen Mutter und Sohn. Er begnügte sich damit zu sagen: »Eine Bewohnerin Ihres Hauses«, er nannte ihren Zunamen, »ist an Typhus erkrankt. Vorsichtsmaßnahmen sind wegen der Infektionsgefahr erforderlich. Außerdem wird man die Frau ins Krankenhaus schaffen müssen. Ich schreibe eine Bescheinigung, die das Hauskomitee bestätigen muß. Wie und wo kann ich das machen?«

Die Portiersfrau war der Meinung, daß vom Transport der Kranken die Rede sei, nicht von der Bescheinigung, die unterschrieben werden mußte. »Genossin Demina aus dem Bezirkssowjet hat einen Wagen«, sagte die Galiullina. »Genossin Demina ist ein guter Mensch; ich will es ihr sagen. Sie wird den Wagen schon abtreten, mache dir keine Sorgen, Genosse Doktor. Wir werden deine Kranken schon hinschaffen.«

»Aber darum handelt es sich nicht! Ich möchte hier eine ruhige Ecke finden, um die Bescheinigung zu schreiben. Wenn wir aber außerdem noch einen Wagen haben könnten –. Verzeihen Sie die Frage: Sind Sie nicht die Mutter des Leutnants Galiullin, Jossif Gimazetdinowitsch? Ich war mit ihm zusammen an der Front.«

Die Portiersfrau wurde blaß, sie zitterte am ganzen Leibe. Sie packte den Doktor am Arm und sagte:

»Komm, wir gehn hinaus! Wir wollen auf dem Hof miteinander sprechen.«

Kaum waren sie draußen, als sie in großer Hast zu reden begann.

»Nicht so laut! Gott verhüte, daß man uns hört. Bringe mich nicht ins Unglück. Jussupka ist auf schlimmem Wege. Überlege doch, wer ist schon Jussupka? Jussupka war ein Handwerkslehrling, ein Arbeiter! Er muß verstehen, daß es dem einfachen Volk jetzt viel besser geht. Das sieht auch ein Blinder, was lohnt es da, viel zu reden. Ich weiß nicht, wie du darüber denkst. Du kannst es halten, wie du willst, aber für Jussupka ist es eine Sünde, die Gott ihm nicht verzeihen wird. Jussups Vater ist als Soldat gefallen, der Arme, man hat ihm den Schädel, die Arme und Beine zerschmettert. Nicht einmal sein Gesicht ist übriggeblieben.«

Sie hatte nicht die Kraft, weiterzusprechen; sie winkte mit der Hand ab und wartete, bis ihre Erregung sich gelegt hatte. Dann fuhr sie fort: »Wir wollen gehen. Ich besorge dir gleich den Wagen. Ich weiß, wer du bist. Mein Sohn ist zwei Tage lang hier gewesen und hat mir von dir erzählt. Er sagte, du kennst Lara Guicharowa. Ein gutes Mädchen! Sie kam auch hierher zu uns, ich entsinne mich. Aber wer weiß, wie sie jetzt ist, wer kennt sich da aus! Man soll's nicht für möglich halten, daß die Herren gegen die Herren vorgehen. Aber für Jussupka ist es eine Sünde. Komm, wir wollen jetzt den Wagen anfordern. Genossin Demina wird ihn hergeben.

Weißt du, wer die Genossin Demina ist? Es ist Olja Demina, die bei Lara Guicharowas Mutter als Schneiderin gearbeitet hat. Das ist sie. Sie ist von hier. Aus diesem Haus. Komm jetzt, wir wollen gehen.«

XIII

Draußen war es schon dunkel, ringsum finstere Nacht. Nur der kleine Lichtkegel aus dem Taschenlämpchen der Demina hüpfte etwa fünf Schritte vor ihnen von einem Schneehaufen zum anderen, wodurch die Sicht eher erschwert als erleichtert wurde. Ringsum finstere Nacht, und hinter ihnen blieb das Haus zurück, in dem so viele Menschen sie kannten, wo sie als Mädchen so oft gewesen war, wo, wie es hieß, ihr künftiger Mann Antipov aufgewachsen war.

Die Demina sprach mit dem Doktor in einem belustigten, etwas gönnerhaften Ton:

»Werden Sie Ihren Weg ohne das Lämpchen finden? Sonst könnte ich es Ihnen überlassen, Genosse Doktor. Ja, ich war wirklich ihre Freundin, ich liebte sie wie eine Verrückte, als wir beide noch Mädchen waren. Sie hatten ein Schneideratelier, ich war bei ihnen als Lehrling angestellt. Erst in diesem Jahre habe ich sie wiedergesehen. Sie war auf der Durchreise in Moskau. Ich habe gesagt: Wohin willst du denn, du Dummkopf? Bleibe doch hier. Wir könnten zusammen leben, ich würde schon eine Arbeit für dich finden! Aber da war nichts zu machen. Sie wollte nicht. Es ist ihre Sache. Sie hat ihren Paschka geheiratet, aber sie hat ihn nicht mit ihrem Herzen, sondern mit dem Kopf geliebt. Seit der Zeit ist sie völlig verdreht. Sie ist wieder weggefahren, da kann man nichts machen.«

»Was halten Sie von ihr?«

»Vorsicht, hier ist es glatt! Wie oft hab'ich ihnen schon gesagt, sie sollen ihr Spülwasser nicht vor der Tür ausschütten. Da redet man gegen Wände an. Was ich von ihr denke? Was soll ich schon denken? Ich habe nicht viel Zeit zum Nachdenken. Hier wohne ich übrigens. Ich habe es ihr verheimlicht, daß man ihren Bruder, der Offizier war, wahrscheinlich erschossen hat. Ihre Mutter, meine frühere Chefin, werde ich bestimmt noch freibekommen. Ich tue was ich kann für sie. Ich muß jetzt gehen. Auf Wiedersehen.«

So trennten sie sich. Der Lichtschein der Taschenlampe fiel gegen eine schmale Steintreppe, dann lief er der Demina voraus, wobei er die schmutzigen Wände des Treppenaufgangs beleuchtete. Der Doktor blieb in der Dunkelheit zurück. Rechts von ihm mußte die Triumphalnaja, links die Karetnaja liegen. In der schwarzen Ferne mit dem schwarzen Schnee schienen sich die beiden Straßen in Waldschneisen zu verwandeln, die sich durch das Dickicht der Häusermassen hinzogen wie durch die undurchdringlichen Wälder des Urals oder Sibiriens.

Bei sich zu Hause fand Schiwago Licht und Wärme.

»Warum kommst du so spät?« fragte Antonina Alexándrowna und, ohne ihm Zeit zu einer Erwiderung zu lassen, fuhr sie fort:

»Während deiner Abwesenheit hat sich hier etwas Kurioses ereignet, etwas Merkwürdiges und Unerklärliches. Ich vergaß, dir zu sagen, daß Papa gestern seinen Wecker kaputt gemacht hat. Er war verzweifelt, denn es handelte sich um unsere letzte Uhr im Hause. Er hat versucht, sie zu reparieren, stundenlang hat er daran herumgebastelt, ohne jeden Erfolg. Der Uhrmacher an der Ecke verlangte drei Pfund Brot – ein unerhörter Preis! Was tun? Papa ließ den Kopf hängen. Plötzlich, stell dir das vor, vor etwa einer Stunde, ertönt ein durchdringendes, ohrenbetäubendes Gerassel! Der Wecker! Kannst du dir das denken! Er hat sich von selbst entschlossen, wieder zu gehen.«

»Die Stunde des Typhus hat für mich geschlagen«, meinte Jurij Andréitsch im Scherz und erzählte den Seinen die Geschichte von der Kranken und ihrer Uhr mit dem Glockenspiel.

XIV

Doch er sollte erst viel später an Typhus erkranken. Inzwischen verschlimmerte sich die Lage der Schiwagos von Tag zu Tag. Sie hatten den Tiefpunkt des Elends erreicht, sie waren am Verhungern. Jurij Andréitsch suchte jenen Parteiangehörigen auf, dem er nach einem Raubüberfall das Leben gerettet hatte. Der tat für den Doktor, was er nur konnte. Doch der Bürgerkrieg hatte bereits begonnen. Der Protektor des Doktors befand sich fast immer auf Reisen. Im übrigen hielt dieser Mann auf Grund seiner Überzeugung die Entbehrungen dieser Zeit für natürlich und verheimlichte, daß er selber Hunger litt.

Jurij Andréitsch hatte auch versucht, sich an den Schwarzhändler in der Nähe des Twerscher Tores zu wenden. Doch der junge Mann war schon seit Monaten spurlos verschwunden, und auch von seiner Frau, die inzwischen genesen war, wußte man nichts. Im ganzen Haus wohnten jetzt andere Leute. Die Demina befand sich an der Front; auch die Hausverwalterin Galiullina traf Jurij Andréitsch nicht zu Hause an.

Einmal erhielt er durch einen Bezugsschein eine Partie Brennholz zum offiziellen Preis, das vom Windauer Bahnhof abgeholt werden mußte. Er begleitete den Fuhrmann und die Schindmähre, die diesen unerwarteten Reichtum durch die endlose Mestschanskaja zog. Plötzlich bemerkte der Doktor, daß die Mestschanskaja nicht mehr die gleiche wie vorher war, daß er taumelte und die Beine ihn nicht mehr trugen. Er sagte sich: das ist der Typhus. Es steht schlecht um mich. Der Fuhrmann hob ihn von der Erde auf. Der Doktor konnte sich später nicht mehr erinnern, auf welche Weise man ihn, der zwischen den Holzscheiten auf dem Wagen lag, nach Hause gebracht hatte.

XV

Zwei Wochen lang lag er, mit einigen Unterbrechungen, in Fieberphantasien. Er glaubte zu sehen, daß Tonja auf seinem Schreibtisch zwei Straßen aufgestellt hatte, auf der linken Seite die Karetnaja, auf der rechten die Triumphalnaja. Die Tischlampe, die starke Hitze ausströmte und ein orangefarbenes Licht verbreitete, hatte Tonja an den Tisch herangerückt, so daß die Straßen hell erleuchtet waren. Man konnte arbeiten. Da saß er nun und schrieb.

Er schrieb mit Leidenschaft und mit ungewohnter Leichtigkeit, so wie er immer hatte schreiben wollen, und das, was er schon längst hätte schreiben müssen, wozu er aber nie fähig gewesen war. Nun aber gelang es! Nur störte ihn ab und zu ein junger Mann mit schmalen Kirgisenaugen, der einen Rentierpelz trug, wie man sie in Sibirien oder im Ural findet.

Es war ihm vollkommen klar, daß dieser Knabe der Geist seines Todes oder, einfacher gesagt, sein Tod war. Aber wie konnte er sein Tod sein, wenn er ihm half, sein Gedicht zu schreiben? Kann man aus dem Tode Nutzen ziehen? Kann der Tod uns ein Helfer sein?

Sein Gedicht hatte weder die Auferstehung noch die Grablegung zum Gegenstand, sondern die dazwischenliegenden Tage. Es sollte ›Verwirrung‹ heißen.

Schon immer hatte er schreiben wollen, wie im Laufe dieser drei Tage die schwarze, wurmzerfressene Erde selbst einen Angriff auf die unsterbliche Inkarnation der Liebe macht und sie mit Bergen von Erdklumpen und Schollen überschüttet, die sich wie die Brandung des Meeres heranwälzen und die Küste unter sich begraben. Während dieser drei Tage tobt der schwarze Erdensturm, braust heran, um wieder zurückzuweichen.

Zwei lose gereimte Verszeilen verfolgten ihn:

»Man muß entfachen«
und
»Man muß erwachen«

Hölle, Untergang und Tod sind glücklich, Ihn berühren zu dürfen. Aber auch der Frühling und das Leben sehnen sich danach, Ihn zu berühren. Die ganze Welt muß erwachen und sich erheben. Wir alle müssen auferstehen!

XVI

Sein Zustand besserte sich. In den ersten Tagen der Genesung war er in einem glückseligen Rauschzustand, er suchte keinen Zusammenhang zwischen den einzelnen Dingen, er ließ alles gelten, erinnerte sich an nichts und wunderte sich über nichts. Seine Frau fütterte ihn mit Weißbrot und Butter und gab ihm Tee mit Zucker und Kaffee zu trinken. Er hatte vergessen, daß man diese Dinge zur Zeit unmöglich bekommen konnte. Er freute sich über die Speisen, so wie man sich über ein Gedicht, über ein Märchen freut: für einen Rekonvaleszenten waren diese Dinge natürlich, und so dachte er sich nichts dabei. Aber nachdem er sich all das zum erstenmal ernsthaft überlegt hatte, fragte er seine Frau:
»Woher hast du das alles?«
»Das kommt von deinem Granja.«
»Was für ein Granja?«
»Granja Schiwago.« – »Granja Schiwago?«

»Aber ja, dein Bruder aus Omsk, dein Bruder Jewgraf, dein Stiefbruder. Als du bewußtlos warst, hat er uns immer besucht.«

»Trägt er einen Rentierpelz?«

»Du hast es also bemerkt? Obwohl du nicht bei Besinnung warst? Er ist dir schon einmal im Treppenaufgang begegnet; er hat mir davon erzählt. Er hat dich gleich erkannt; er wollte sich dir vorstellen; aber du hattest ihm solche Angst eingejagt! Er vergöttert dich. Er verschlingt deine Bücher und Schriften! Man fragt sich vergeblich, woher er diese herrlichen Dinge bekommt; er scheint sie aus der Erde zu zaubern! Reis, Rosinen, Zucker! Jetzt ist er nach Hause zurückgekehrt. Er hat uns eingeladen, zu ihm zu kommen. Er ist so seltsam, so rätselhaft. Meiner Meinung nach spielt sich zwischen dem herrschenden Regime und ihm ein ganzer Roman ab. Er sagt, man müsse für ein oder zwei Jahre die großen Städte verlassen, um ›zur Erde zurückzukehren‹. Ich habe ihn um Rat wegen der Krügerschen Besitzungen gebeten. Er empfiehlt sie sehr. Man müßte, so meint er, irgendwo einen Acker bestellen können, mit einem Wald in der Nähe. Man dürfe nicht so einfach zugrunde gehen, friedlich und demütig wie ein Lamm.«

Im April desselben Jahres reiste Schiwago mit seiner ganzen Familie in den fernen Ural auf das ehemalige Landgut Warykino, das in der Nähe der Stadt Jurjatino lag.

Unterwegs

I

Der März ging seinem Ende zu. Die ersten warmen Tage des Jahres waren gekommen, trügerische Frühlingsboten, auf die in jedem Jahr starke Abkühlung zu folgen pflegt. Im Hause Gromeko traf man eilige Reisevorbereitungen. Für die Mitbewohner des Hauses, die infolge der Einquartierungen so zahlreich geworden waren wie die Spatzen auf den Dächern, hatte man eine Erklärung für diese Vorbereitungen gefunden: das große Reinemachen vor dem Osterfest.

Jurij Andréitsch war ein Gegner dieser Reise. Aber er setzte den Vorbereitungen keinen Widerstand entgegen, weil er den Plan für nicht durchführbar hielt und hoffte, daß er sich im entscheidenden Augenblick zerschlüge. Aber die Arbeit schritt voran und näherte sich ihrem Ziel. Es kam der Tag, an dem man ernsthaft über den Termin der Abreise reden mußte.

Noch einmal begründete er seine Absicht seiner Frau und dem Schwiegervater gegenüber, die zu einem Familienrat zusammengekommen waren. »Ihr seid also der Meinung, daß ich unrecht habe und wir fahren werden?« sagte er, nachdem er noch einmal seinen Zweifeln Ausdruck gegeben hatte.

Nun ergriff seine Frau das Wort:

»Du sagst, man müsse sich ein Jahr oder zwei Jahre irgendwie durchschlagen. Inzwischen wäre das Agrarproblem geordnet; man würde ein Stückchen Land in der Nähe von Moskau bekommen und seinen Acker bestellen können. Wie man aber die Zwischenzeit durchhalten soll, darüber schweigst du dich aus und gibst auch keine Ratschläge. Dabei wäre es gerade besonders interessant, hierüber etwas zu hören.«

»Der reine Wahnsinn«, unterstützte Alexander Alexandritsch die Worte seiner Tochter. Jurij Andréitsch erklärte sein Einverständnis.

»Es ist gut, ich ergebe mich. Was mich zurückhält, ist die Angst vor dem Unbekannten. Wir stürzen uns mit verbundenen Augen ins Ungewisse, wir kennen nicht einmal den Ort, der unser Ziel sein soll. Von drei Menschen, die in Warykino gewohnt haben, leben zwei nicht mehr – Mama und die Großmutter –, während der dritte, Großvater Krüger, wenn er überhaupt noch lebt, als Geisel irgendwo hinter Schloß und Riegel sitzt.

Im letzten Kriegsjahr hat er offenbar gewisse fiktive Transaktionen mit den Wäldern und mit der Fabrik vorgenommen. Er hat sie zum Schein an einen Strohmann oder eine Bank verkauft oder auf den Namen eines Dritten unter bestimmten Bedingungen überschreiben lassen. Was wissen wir von diesen Abmachungen? Wem gehören jetzt die Ländereien? Ich meine nicht, wer jetzt Besitzer ist – das ist mir nicht so wichtig, aber wer ist der eigentlich Verantwortliche? Welcher Behörde sind sie unterstellt? Wird der Wald abgeholzt? Arbeiten die Fabriken? Und schließlich, wer hat die Macht dort und wer wird sie haben, wenn wir endlich angelangt sind?

Für euch ist Mikulízyn eine Art Rettungsanker, dessen Namen ihr gar zu oft wiederholt. Wer sagt euch denn, daß dieser alte Verwalter noch lebt und sich noch in Warykino aufhält? Was wissen wir von ihm, außer der Tatsache, daß Großvater seinen Namen nur schlecht aussprechen konnte, weshalb wir ihn um so besser behalten haben?

Aber wozu noch länger reden? Ihr habt beschlossen zu reisen. Ich erkläre mich einverstanden. Man muß herausfinden, wie die Reise in diesen Zeiten möglich gemacht werden kann. Es hat keinen Sinn, sie noch länger hinauszuschieben.«

II

Um sich nach den Reisemöglichkeiten zu erkundigen, ging Jurij Andréitsch zum Jaroslawschen Bahnhof.

Dort wurde der Strom der Reisenden mit Hilfe von kleinen Barrieren geregelt, die in den Wartesälen aufgestellt waren. Überall auf den Steinböden lagerten Menschen in grauen Mänteln, sie wälzten sich von einer Seite auf die andere, husteten und spuckten, ihre Stimmen klangen unnatürlich laut, da sie von den gewölbten Decken widerhallten.

Es handelte sich meist um Kranke, die gerade erst vom Flecktyphus genesen waren. Wegen der Überfüllung in den Krankenhäusern wurden sie am Tage nach der letzten Krisis auf die Straße gesetzt. Als Arzt sah sich Jurij Andréitsch oft genug vor die gleiche Notwendigkeit gestellt. Aber er hatte nie gewußt, daß diese Unglücklichen so zahlreich waren und daß ihnen die Bahnhöfe als Asyl dienten. »Besorgen Sie sich einen Dienstreiseausweis«, riet ihm ein Gepäckträger in einer weißen Schürze. »Man muß es täglich von neuem versuchen. Züge sind heute eine Seltenheit, ein Zufall. Und natürlich« – der Gepäckträger schnippte mit Daumen und Zeigefinger – »müßten Sie dann schon etwas anlegen: ein wenig Mehl oder sonst irgend etwas. Wenn Sie nicht schmieren, kommen Sie nicht weiter.«

III

Um diese Zeit erhielt Alexander Alexandritsch die Einladung, an Sitzungen des Obersten Volkswirtschafts-Sowjets teilzunehmen. Jurij Andréitsch mußte ein sehr schwer erkranktes Regierungsmitglied besuchen. Beide erhielten für ihre Dienste das beste Honorar, das man sich in diesen Zeiten wünschen konnte: Bezugscheine für Waren, die sie bei der einzigen zugelassenen Verteilungsstelle beziehen sollten. Diese Verteilungsstelle befand sich in den Garnisonsdepots in der Nähe des Simonow-Klosters. Der Doktor und sein Schwiegervater überquerten den Kreuzgang der Kirche und einen Kasernenhof und betraten dann unmittelbar ein Steingewölbe, das in einen tiefen Keller hinabführte. Am Ende des geräumigen Kellers war ein langer Ladentisch aufgestellt, hinter dem ein phlegmatischer Lagerverwalter stand. Ab und zu verschwand er im Lagerraum, um eine Ware zu suchen, bald darauf kehrte er zurück, um die Nahrungsmittel abzuwiegen und zu verteilen, wobei er jedesmal den Namen des gelieferten Produkts mit einem weit ausholenden Schwung seines Bleistifts von der Liste strich.
Es war nicht viel ›Kundschaft‹ da. »Ihr Verpackungsmaterial, bitte«, sagte der Lagerverwalter zum Professor und zum Doktor, wobei er einen flüchtigen Blick auf ihre Bezugscheine warf.
Beide trauten ihren Augen nicht, als er ihnen in die mitgebrachten Sofakissenbezüge, die man ›Dumka‹ zu nennen pflegte, und in Bettbezüge Mehl, Graupen, Makkaroni und Zucker schüttete und

Schmalz, Seife, Streichhölzer dazwischenstopfte. In einem Papierstückchen befand sich, wie sich zu Hause später herausstellte, ein Stück kaukasischer Käse. Schwiegervater und Schwiegersohn hatten es sehr eilig, die verschiedenen Beutel und Päckchen in zwei großen Schultersäcken unterzubringen. Sie befürchteten, durch ihre ungeschickten Manipulationen den Lagerverwalter zu reizen, der sie mit Wohltaten geradezu überschüttet hatte.

Als sie aus dem Kellerraum an die frische Luft hinauskamen, fühlten sie sich wie betrunken vor Glück. Es war keine animalische Freude, sondern das Bewußtsein, daß sie nicht überflüssig waren auf dieser Welt. Sie waren sicher, das Lob und die Anerkennung, die ihnen Tonja zollen würde, wirklich verdient zu haben.

IV

Während die Männer ihre Zeit damit zubrachten, Ämter und Dienststellen aufzusuchen, um sich Reisegenehmigungen und Bestätigungen zu beschaffen, daß sie das Recht auf ihre Wohnung behielten, suchte Antonina Alexándrowna die Sachen heraus, die eingepackt werden mußten.

Immer wieder ging sie mit beunruhigter Miene durch die drei Zimmer, die jetzt der Familie Schiwago zugeteilt waren. Sie wog jeden Gegenstand in der Hand ab, bevor sie ihn zum großen Haufen derjenigen Dinge legte, die mitgenommen werden sollten.

Frühlingslüfte drangen durch das offene Fenster; sie schmeckten schwach nach frisch angeschnittenem Weißbrot; Hähne krähten, Kinder spielten und tollten im Hof. Je mehr das Zimmer gelüftet wurde, um so stärker war der Geruch der Mottenkugeln aus den offenen Schränken und Laden, in denen die Winterkleider verpackt waren, zu bemerken. Die Entscheidung darüber, welche Dinge mitzunehmen oder dazulassen wären, ergab sich auf Grund einer Art ›Theorie‹ in Verbindung mit den Beobachtungen von Leuten, die schon früher verzogen waren und die ihre Erfahrungen ihren Freunden zu Hause mitgeteilt hatten. Diese Beobachtungen und Erfahrungen wurden zu Instruktionen, die Tonja wie von einer geheimen Stimme zugeflüstert erschienen. Sie standen mit dem Geschrei der Kinder auf dem Hof und dem Schilpen des Spatzenvolks in merkwürdiger Verbindung.

›Zugeschnittene Stoffe‹, so sagte die Stimme, ›jedoch – das Gepäck wird unterwegs kontrolliert; darum ist es nicht ungefährlich, es sei denn, daß die Stoffe wie Kleider gefaltet sind. Allerhand Stoffe, Kleider, vor allem Mäntel, wenn nicht zu stark abgetragen; keine Koffer oder Körbe (Gepäckträger – nicht vorhanden!). Ja nichts Unnötiges mitnehmen! Alles in Bündel schnüren, so klein, daß eine Frau oder ein Kind es ohne Mühe tragen kann. Salz und Tabak mitzunehmen dürfte zwar nützlich, aber doch riskant sein. Geld nur in ›Kerenski‹-Rubeln*. Am schwierigsten dürfte es sein, Dokumente sicher zu verstauen.‹

V

Nur ein unbeträchtlicher Teil der Habe kam zum persönlichen Gepäck.

Am Vorabend der Reise erhob sich ein Schneesturm. Der Wind trieb graue Wolken tanzender Schneeflocken in die Höhe und ließ sie in einem weißen Wirbel wieder auf die Erde niederfallen; sie sanken in die finsteren Straßen hinab und bedeckten sie mit einem weißen Mantel aus Schnee.

Im Hause war schon alles für die Reise gepackt. Die Aufsicht über die Zimmer und alles, was man dort zurückließ, hatte man einem älteren Ehepaar anvertraut, Moskauer Verwandten der Jegorowna, die Antonina Alexándrowna im vergangenen Winter kennengelernt hatte und durch deren Vermittlung es ihr damals gelungen war, allerlei alte Haushaltsgegenstände, Vorhänge und unnützes Mobiliar gegen Brennholz und Kartoffeln einzutauschen.

Auf Markel war kein Verlaß. In der Miliz, die er als politischen Klub gewählt hatte, führte er keine Klage darüber, daß die Gromekos, die ehemaligen Hausbesitzer, Blutsauger gewesen wären. Aber er warf ihnen vor, daß sie ihn all die Jahre hindurch absichtlich in Unwissenheit gehalten und ihm nicht ohne Grund verheimlicht hatten, daß der Mensch vom Affen abstammte.

Antonina Alexándrowna führte die Verwandten der Jegorowna – einen ehemaligen kaufmännischen Angestellten und dessen Frau – zum letztenmal durch die Räume. Sie zeigte ihnen, welche Schlüssel zu welchen Schlössern gehörten und wo alles untergebracht war,

---

* Russisches Notgeld aus den Tagen der Interimsregierung zur Zeit Kerenskis.

öffnete und schloß mit ihnen die Türen der Schränke, zog die Schubladen auf, kurz, sie zeigte und erklärte ihnen alles.

Man hatte die Tische und Stühle an die Zimmerwände gerückt, das Reisegepäck beiseite gestellt und die Gardinen abgenommen. Der Schneesturm blickte durch die unverhängten Fenster in die leeren Zimmer, unbehindert durch winterlichen Gardinenschmuck. Der Schneesturm rief in jedem von ihnen gewisse Erinnerungen wach. Jurij Andréitsch dachte an seine Kindheit und an den Tod der Mutter zurück. Antonina Alexándrowna und Alexander Alexandritsch an Anna Iwanownas Tod und an ihr Begräbnis. Allen dreien war zumute, als sei dies die letzte Nacht, die sie in diesem Hause verbrachten, das sie nie wieder sehen sollten. Darin täuschten sie sich nicht. Jeder von ihnen versank in eine dumpfe Traurigkeit, die sie voreinander zu verbergen suchten, um sich nicht gegenseitig zu quälen. Sie dachten nach über das Leben, das sie unter diesem Dach verbracht hatten, und kämpften gegen die Tränen an, die ihnen in die Augen traten.

Diese Tatsache hinderte Antonina Alexándrowna jedoch nicht, vor den Fremden alle Formen zu wahren. Sie unterhielt sich ohne Unterbrechung mit der Frau, der sie die Aufsicht über das ganze Haus anvertraut hatte. Sie übertrieb aus Höflichkeit die Bedeutung des Dienstes, den die Frau ihr erwies. Um ihre Dankbarkeit zu bezeugen, verließ sie mehrfach das Zimmer und brachte aus dem Nebenraum bald einen Schal, bald ein Stück Kattun oder Chiffon, die sie der Frau zum Geschenk machen wollte. Alle Stoffe waren dunkelgrundig und mit weißen Karos oder mit Punkten verziert; sie glichen der dunklen Straße mit den weißen Einsprengseln von Schnee, sie erinnerten an die schwarze Winternacht, die an diesem Abschiedsabend durch die nackten Fenster zu ihnen hereinblickte.

VI

Sehr früh, in der Morgendämmerung, brachen sie auf. Zu dieser Stunde waren die Bewohner des Hauses noch nicht aufgestanden. Die Seworotkina, die bei allen Kollektivaktionen des Hauses die Initiative zu ergreifen pflegte, machte die Runde in allen Wohnungen, klopfte an die Türen und rief: »Achtung Genossen, wacht auf! Immer munter! Die ehemaligen Garumekows reisen ab.«

Zum Abschied versammelten sich alle auf dem Flur und im Küchenaufgang, die Herrschaftstreppe wurde über ein Jahr nicht mehr benutzt, und drängten sich auf den Stufen und am Treppengeländer wie auf den Rängen eines Amphitheaters zusammen. Sie schienen sich für eine Gruppenaufnahme in Szene zu setzen.

Die gähnenden Hausbewohner zogen ihre dünnen elenden Mäntel enger um sich zusammen: man sah ihnen an, daß sie vor Kälte bebten, zumal sie in der Eile barfuß in die Filzstiefel geschlüpft waren und nun frierend von einem Bein aufs andere traten.

Markel hatte es fertiggebracht, sich in dieser Zeit ohne Alkohol mit irgendeinem mörderischen Gesöff zu betrinken. Er hing wie hingemäht über dem Treppengeländer. Es fehlte nicht viel, und er hätte es niedergerissen. Er bestand darauf, das Gepäck zum Bahnhof zu bringen, und war gekränkt, als man seine Dienste abwies. Mit Mühe und Not gelang es, von ihm loszukommen.

Draußen war es noch dunkel. Der Schnee fiel noch dichter als am Vorabend, da der Wind inzwischen nachgelassen hatte. Große zottige Flocken schwebten träge herab, nahe über dem Boden hielten sie an, als zögerten sie, sich auf die Erde niederzulegen.

Als sie auf den Arbat kamen, wurde es etwas heller. Bis zum Erdboden verhüllte der Schnee die Straße mit seinem weißen Schleier, dessen niederhängende Fransen sich in die Füße der Passanten zu verwickeln schienen, so daß man glaubte, nicht voranzukommen und auf der Stelle zu treten. Auf der Straße sah man keine lebende Seele. Die Reisenden, die von Siwzewo kamen, begegneten keinem Menschen. Einmal überholte sie eine verschneite Droschke, deren Kutscher aussah, als sei er aus dünnem Teig geknetet, das Pferd war weiß von Schnee. Zu einem Preis, der den Zeitverhältnissen entsprechend märchenhaft war, erbot er sich, alle mit dem Gepäck zum Bahnhof zu fahren. Nur Jurij Andréitsch ließ man auf seinen Wunsch ohne Gepäck zu Fuß gehen.

VII

Auf dem Bahnhof hatten sich Antonina Alexándrowna und ihr Vater bereits am Ende einer unabsehbaren Schlange von Menschen angestellt, die sich zwischen Holzbarrieren zusammendrängte. Man stieg jetzt nicht mehr vom Bahnsteig aus in die Züge, sondern einen halben Kilometer weiter im Freien, auf den offenen Gleisen, in der Nähe des Abfahrtssignals, weil es an Arbeitskräften fehlte, um die Bahnsteige und Plattformen zu säubern. Der Boden war überall mit Eis und Schmutz bedeckt, die Lokomotiven fuhren nicht mehr in die Bahnhöfe ein.

Njuscha und Schurotschka befanden sich nicht unter der wartenden Menge. Während Mutter und Großvater in der Menschenschlange standen, spazierten sie draußen herum, unter dem gewaltigen Vordach der Eingangshalle. Ab und zu sahen sie in der Halle nach, ob der Augenblick gekommen war, sich an die übrige Familie wieder anzuschließen. Beide rochen stark nach Petroleum, womit man sie an den Knöcheln, Handgelenken und am Halse zum Schutz gegen die Läuse, die den Typhus übertrugen, eingerieben hatte.

Als Antonina Alexándrowna ihren Mann kommen sah, machte sie ihm ein Zeichen, ließ ihn aber nicht nähertreten, sondern rief ihm von weitem zu, an welchem Schalter die Dienstreisegenehmigungen gelocht würden.

Dorthin begab er sich dann.

»Zeig einmal her, was für einen Stempel man dir gegeben hat«, rief sie ihm zu, als er wiederkam. Der Doktor reichte ihr einen Packen zusammengefalteter Papiere über die Barriere hinüber.

»Das ist eine Platzkarte für den Delegiertenwagen«, sagte ein Mann, der hinter Antonina Alexándrowna in der Schlange stand, und zeigte auf einen Stempel, der auf der Bescheinigung prangte. Der Nachbar von vorne, einer jener Amateurjuristen, die in allen Lebenslagen alle einschlägigen Gesetze der Welt kennen und billigen, erklärte ausführlich folgendes:

»Mit diesem Stempel haben Sie das Recht auf einen Platz in einem Klassenwagen. Mit andern Worten, Sie können in einem Passagierwagen fahren, wenn der Zug solche führt.«

Der Fall wurde von allen, die in der Reihe standen, besprochen. Einzelne Stimmen riefen:

»Geh nur hin und suche sie – die Klassenwagen! Da wirst du schön ankommen. Heute bist du dankbar, wenn du auf dem Puffer eines Güterwagens sitzen darfst.«

»Hören Sie nicht hin, was der da redet, Sie da mit ihrer Dienstreise-Order. Hören Sie bitte auf das, was ich Ihnen erklären will. Heutzutage gibt es keine normalen Züge mehr, es gibt nur eine einzige Sorte, in die man alles hineinstopft: Gefangene, Vieh und

Zivilreisende. Man kann allerdings manches daherreden, niemand kann einen daran hindern, man sollte einem Menschen keinen Unsinn erzählen, sondern ihm die Sache so erklären, daß sie ihm verständlich wird.«

»Das nennst du also Erklärung! Ein Kluger hat sich gefunden! Was bedeutet das schon, daß Sie eine Platzkarte für den Delegiertenzug haben. Sieh sie dir zuvor an, und dann rede erst. Als ob man mit solch einem Aussehen und Auftreten in den Delegiertenwagen käme! Im Delegiertenwagen ist alles voll von unsern Brüdern. Ein Seemann hat einen scharfen Blick. Er sieht gleich: das da gehört zur besitzenden Klasse, um so mehr, als der Doktor ist; demgemäß gehört er zur früheren Herrschaft. Da entsichert der Matrose einfach seinen Nagantrevolver und knallt ihn nieder wie eine Fliege.«

Wer weiß, bis zu welchem gefährlichen Punkt das Interesse für den Doktor und seine Familie geführt hätte, wenn nicht ein unvorhergesehener Umstand dazwischengekommen wäre.

Seit längerer Zeit blickten die Menschen aus der in der Halle zusammengedrängten Menge durch die großen dicken Scheiben der Bahnhofsfenster nach draußen. Die lang hingezogenen Vordächer über den Bahnsteigen schienen das Bild des auf die Gleise niederfallenden Schnees ins Endlose zu verlängern. Aus der Entfernung sah es so aus, als ob die Schneeflocken fast unbeweglich in der Luft ständen, langsam schienen sie sich aufzulösen, wie die im Wasser aufweichenden Brotkrumen, mit denen man Fische zu füttern pflegt.

In der Ferne sah man Menschen gehen, einzeln und gruppenweise. Solange sie nicht zahlreich waren, konnte man die undeutlichen Gestalten hinter dem vibrierenden Schneeschleier für Eisenbahner halten, die dort arbeiteten und die Gleise überschritten. Plötzlich aber sah man die Menge in hellen Haufen dorthin laufen. In der Ferne, an der Stelle, auf die sie zuliefen, stiegen Rauchwolken von einer Lokomotive auf.

»Türen auf, Halunken!« brüllte man in der Schlange. Die ganze Menge machte eine ruckartige Bewegung nach der Tür hin. Die Hintenstehenden drückten auf die Vorderen.

»Seht nur, was sich da draußen tut! Hier sind wir hinter einer Mauer abgesperrt; aber die draußen haben keine Schlange gestanden, die laufen einfach um die Sperre herum. Sie werden alle

Waggons bis an die Dächer vollpfropfen, während wir hier stehen wie die Hämmel! Aufgemacht, Teufelspack, sonst hauen wir alles kaputt! Los, Jungens, ran, hierher!«

»Diese Idioten, sie sind wütend und wissen nicht einmal auf wen«, meinte der Mann in der Schlange, der alle Gesetze auswendig kannte. »Das sind Mobilisierte, die zum Arbeitsdienst aus Petersburg aufgefordert wurden. Sie sollten nach Wologda in den Norden kommen, aber man schickt sie an die Ostfront. Sie reisen nicht zum Vergnügen. Sie fahren unter Bewachung. Zum Ausheben von Schützengräben.«

VIII

Bereits seit drei Tagen waren sie unterwegs, hatten sich jedoch noch nicht weit von Moskau entfernt. Die Landschaft war winterlich: Gleise, Felder, Wälder und die Dächer in den Dörfern – alles lag unter tiefem Schnee.

Die Familie Schiwago hatte das Glück, in der linken Ecke des Waggons in der Nähe eines länglichen Fensters, dicht unter der Decke, Pritschen zu finden. Dort konnten sie sich häuslich einrichten, ohne daß die Familie getrennt wurde.

Antonina Alexándrowna reiste zum erstenmal in ihrem Leben in einem Güterwagen. Bei der Verladung in Moskau hatte Jurij Andréitsch die Frauen in den Waggon gehoben, der durch eine schwere Schiebetür verschlossen werden konnte. Im Laufe der Reise lernten es die Frauen, allein, ohne Hilfe, in diese heizbaren Güterwagen einzusteigen.

Die Waggons waren Antonina Alexándrowna zunächst wie fahrbare Ställe vorgekommen. Ihrer Meinung nach mußten diese Wagenpferche beim ersten Druck oder bei der ersten Erschütterung auseinanderbrechen. Aber nun wurden sie schon drei Tage lang hin und her geschüttelt und bei jeder Beschleunigung oder Richtungsänderung des Zuges zur Seite geschleudert, drei Tage lang hörten sie die Achsen unter dem Boden des Waggons wie Schlegel eines aufziehbaren Spielzeugtrommlers klopfen. Doch ging die Fahrt ohne Zwischenfälle weiter, und Antonina Alexándrownas Befürchtungen stellten sich als unbegründet heraus.

Auf den kleineren Stationen konnte der lange Zug, der aus dreiundzwanzig Wagen bestand (die Schiwagos saßen im vierzehnten), an den zu kurzen Bahnsteigen jeweils nur mit den vorderen, den mittleren oder hinteren Waggons halten.

Die vorderen Wagen waren für das Militär bestimmt, die mittleren für den normalen Reiseverkehr, in den hinteren hatte man die für den Arbeitsdienst Ausgehobenen untergebracht: es waren etwa fünfhundert Mann, Menschen aller Altersgruppen, Stände und Berufe.

Die vollbesetzten Wagen boten ein buntes Bild. Neben gut gekleideten, wohlhabenden Leuten, Advokaten und Bürgern aus Petersburg, die der Klasse der Ausbeuter angehörten, sah man Droschkenkutscher, Parkettreiniger, Badewärter, tatarische Trödler, entlaufene Irrsinnige aus aufgelösten ›gelben Häusern‹, Kleinkrämer und Mönche.

Die wohlhabenden Bürger saßen hemdsärmelig auf dicken Holzklötzen um die rotglühenden Eisenöfchen herum. Sie schwatzten und lachten schallend. Es waren Leute mit Beziehungen, die den Kopf nicht hängenließen. Für sie bemühten sich zu Hause einflußreiche Verwandte. Schlimmstenfalls konnten sie sich, bei längerer Reisedauer, unterwegs immer noch loskaufen.

Die Leute aus dem Volk dagegen standen unrasiert in hohen Stiefeln, mit aufgeknöpften Kaftanen oder in Russenhemden, die sie ohne Gürtel über den Hosen trugen, barfuß an den zurückgeschobenen Türen der überheizten Güterwagen. Sie hielten sich an den Pfosten und Querstangen fest, blickten finster auf die an der Bahnstrecke liegenden Dörfer und deren Bewohner und knüpften mit niemandem Gespräche an. Sie verfügten über keinerlei Beziehungen, sie hatten nichts, worauf sie ihre Hoffnungen hätten setzen können.

Nicht alle zum Arbeitsdienst Ausgehobenen waren jedoch in den ihnen zugewiesenen Wagen untergekommen. Einen Teil von ihnen hatte man in die mittleren Waggons unter das Reisepublikum verfrachtet, unter anderem auch in den vierzehnten Wagen.

IX

Jedesmal, wenn sich der Zug einer Station näherte, richtete sich Tonja von ihrer Pritsche auf, in der unbequemen Haltung, zu der sie die niedrige Wagendecke zwang. Sie beugte sich herab und versuchte, durch einen Spalt der geöffneten Tür zu erkennen, ob der betreffende Ort irgendwelche Möglichkeiten zum Tauschhandel bot und ob es sich lohnte, von der Pritsche herunterzuklettern, um auszusteigen.

Durch das Bremsen des Zuges war sie aus ihrem Halbschlummer aufgefahren. Die große Anzahl von Weichen, über die der Wagen mit verstärktem Geratter holperte, schien anzuzeigen, daß es sich um eine größere Station und um einen längeren Aufenthalt handelte.

Antonina Alexándrowna richtete sich wieder auf, beugte den Kopf, rieb sich die Augen und brachte ihr Haar in Ordnung. Nachdem sie alles um und um gewühlt hatte, zog sie aus der Tiefe des Beutels, in dem sich ihre Sachen befanden, ein Handtuch hervor, das mit Hähnen, Burschen, Rädern und Bogen bestickt war.

Inzwischen war auch der Doktor erwacht und als erster von seiner Pritsche heruntergesprungen, um seiner Frau behilflich zu sein. Wärterhäuschen und Laternen waren schon vorübergeglitten. Durch die offene Wagentür sah man die Bäume des Bahnhofs näherkommen. Sie waren mit dicken Schneepolstern belastet, die sie den Reisenden auf ihren ausgebreiteten Zweigen darboten wie das russische Gastgeschenk ›Salz und Brot‹. Die ersten, die aus dem noch fahrenden Zug in den unberührten Schnee des Bahnsteigs sprangen, waren die Matrosen. Sie überholten alle anderen bei dem Wettlauf zu der Ecke des Stationsgebäudes, wo im Schutze der Seitenwand der Schwarzhandel mit Lebensmitteln betrieben wurde. Ihre schwarzen Uniformen, die flatternden Mützenbänder und die weiten Hosen gaben der Erscheinung und dem Gang der Matrosen ein Gewicht und eine Zielstrebigkeit, die bewirkten, daß jedermann ihnen auswich, wie Skiläufern in voller Fahrt oder Schlittschuhläufern bei einem Rennen.

Hinter der Ecke des Bahnhofsgebäudes standen die Bäuerinnen aus den Nachbardörfern, eine hinter der anderen, aufgereiht. Sie waren aufgeregt, als ob es zur Wahrsagerin ginge. Sie standen da mit Gurken, Quark, gekochtem Fleisch und Quarkkuchen, die trotz des Frostes ihre Wärme und ihren Duft bewahrt hatten, weil man sie in Deckelgefäßen aufbewahrt hielt. Die Frauen und Mädchen, die unter ihren Halbpelzen Tücher trugen, erröteten wie Klatschmohn, wenn derbe Matrosenscherze fielen. Dennoch fürchteten sie die Matrosen wie die Pest, weil sich die Kontrollgruppen, die gegen den verbotenen freien Handel und die Spekulationen eingesetzt wurden, hauptsächlich aus Matrosen zusammensetzten. Aber die Verwirrung der Bäuerinnen dauerte nicht lange. Der Zug hielt an, andere Passagiere kamen hinzu und mischten sich unter die ›Matrosen‹; der Handel blühte.

Antonina Alexándrowna drängte sich zwischen den Bäuerinnen hindurch, mit dem Handtuch über der Schulter, so als wolle sie sich auf dem Hinterhof des Stationsgebäudes im Schnee waschen. Man hatte ihr schon einige Male zugerufen: »He, Bürgerin! Was willst du für das Leinentuch?«

Aber Tonja und ihr Mann blieben nicht stehen, sondern gingen einfach weiter.

Am Ende der Reihe stand eine Frau mit schwarzem, rotgeblümtem Kopftuch. Sie hatte das bestickte Handtuch sofort bemerkt, ihre frechen Augen blitzten auf. Sie blickte sich nach allen Seiten um, und nachdem sie sich davon überzeugt hatte, daß ihr keinerlei Gefahr drohte, trat sie dicht an Antonina Alexándrowna heran, zog mit einem Ruck die Decke von ihren Waren und flüsterte hastig und erregt:

»Schau einmal her! So etwas hast du noch nicht gesehen! Hättest du nicht Lust! Hör mal, denk nicht lange nach, man würde es dir nur fortnehmen. Gib mir dein Handtuch für den ›Halben‹.« Antonina Alexándrowna hatte das letzte Wort nicht verstanden. Sie fragte:

»Was meinst du, meine Liebe?«

Unter dem ›Halben‹ verstand die Bäuerin einen halben Hasen, den sie, vom Kopf bis zum Schwanz fertig gebraten und der Länge nach durchschnitten, in ihren Händen hielt. Sie wiederholte:

»Gib mir, sage ich, gib mir doch das Handtuch für den Halben. Was schaust du! Das ist doch kein Hundebraten. Mein Mann ist Jäger. Das ist ein Hase. Ein Hase ist es!«

Das Tauschgeschäft kam zustande. Jede der beiden Parteien glaubte auf Kosten der anderen ein ausgezeichnetes Geschäft gemacht zu haben. Antonina Alexándrowna schämte sich, eine arme Bäuerin so unanständig übers Ohr gehauen zu haben. Die Bauersfrau jedoch, die mit dem Geschäft wohl zufrieden sein konnte, hatte es eilig, den gefährlichen Ort zu verlassen. Sie rief ihre Nachbarin, die nichts mehr zu tauschen hatte, und ging mit ihr auf einem ausgetretenen Schneepfad, der sich in der Ferne verlor, zu ihrem Dorfe zurück. In diesem Augenblick entstand in der Menge ein Tumult. Ein altes Weib zeterte:

»Wohin, schöner Herr? Und das Geld? Wann hast du es mir gegeben, du gewissenloser Schuft. Ach, dieses Schwein! Man ruft ihm nach, und er geht einfach weiter, ohne sich umzudrehen. Halt, sage ich, halt, Herr Genosse! Zu Hilfe! Haltet den Dieb! Man hat mich bestohlen. Da geht er, da geht er! Haltet ihn!«

»Welcher ist es denn?«

»Der da, ohne Bart, da geht er und lacht sich ins Fäustchen.«

»Der mit den zerrissenen Ärmeln?«

»Na ja! Haltet ihn fest, den Lumpen!«

»Der mit dem Flicken auf den Ärmeln?«

»Ja, du guter Gott! Er hat mich bestohlen!«

»Was ist hier denn los?«

»Da hat einer bei der Alten Pastete und Milch eingehandelt, ihr einfach einen Stoß in den Bauch versetzt und sich davongemacht. Darum heult und lamentiert sie jetzt.«

»Das kann man nicht durchgehen lassen. Man muß ihn festhalten!«

»Versuche es nur! Der starrt ja vor Patronengurten. Du wirst es sein, der festgenommen wird.«

X

Im vierzehnten Güterwagen fuhren einige der zum Arbeitsdienst Ausgehobenen, die von einem gewissen Woronjuk bewacht wurden. Drei aus dieser Gruppe fielen aus verschiedenen Gründen auf: der ehemalige Kassierer eines Petersburger staatlich monopolisierten Branntweinausschankes, namens Prochor Charitonowitsch Prituljew, den man allgemein im Wagen ›die Kasse‹ nannte, ferner der sechzehnjährige Wassja Brykin, ein Verkäufer aus einem Eisenwarengeschäft, und ein grauhaariger Revolutionär, ein Genossenschaftler namens Kostojed-Amurskij, der in sämtlichen Zwangslagern des alten Regimes gesessen hatte, um nun die Reihe der Zwangslager des neuen Regimes zu eröffnen.

Alle diese Leute, die man wahllos irgendwo aufgegriffen hatte, waren einander fremd und hatten sich erst unterwegs kennengelernt. Aus einigen Gesprächen erfuhren alle, daß der Kassierer

Prituljew und der kaufmännische Lehrling Wassja Brykin Landsleute waren. Sie stammten beide aus dem Gouvernement Wjatka, und zwar aus Ortschaften, an denen der Zug vorbeikommen mußte. Prituljew, der aus kleinen Handwerkerkreisen stammte, war ein untersetzter, pockennarbiger, garstiger Kerl mit einer Borstenfrisur. Sein grauer Kittel, der unter den Achselhöhlen durchgeschwitzt war, saß so stramm wie ein Sarafan, der die Brust einer Bäuerin einschnürt. Er saß da wie ein Götze, sprach kein Wort und schien stundenlang über etwas nachzudenken, wobei er die Warzen an seinen sommersprossigen Händen aufkratzte, bis sie bluteten und sich entzündeten.

Im Herbst des vergangenen Jahres war er über den Newski-Prospekt gegangen und an der Ecke der Litejnaja einer Polizeistreife in die Hände gefallen. Man verlangte seine Papiere. Es stellte sich heraus, daß er eine Lebensmittelkarte vierter Kategorie hatte, die für Nicht-Arbeiter bestimmt war und zu nichts berechtigte. Daraufhin wurde er festgenommen und mit vielen andern, die aus demselben Grunde auf der Straße gestellt worden waren, unter Bewachung in eine Kaserne gebracht. Das auf diese Weise zusammengestellte Kontingent wollte man, wie eine frühere Arbeitsgruppe, die an der Archangelsker Front Schützengräben aushob, ursprünglich nach Wologda schicken, hatte sie dann aber unterwegs umgeleitet und über Moskau an die Ostfront verfrachtet.

Prituljew war verheiratet, und seine Frau lebte in Luga, wo er in der Vorkriegszeit gearbeitet hatte, bevor er nach Petersburg kam. Auf Umwegen hatte sie von seinem Unglück gehört und war sofort nach Wologda gefahren, um dort nach ihm zu suchen und ihn aus der Arbeitsverpflichtung zu lösen. Aber der Transport war inzwischen umgeleitet worden, so daß die Spuren sich verwischt hatten und ihre Bemühungen erfolglos blieben.

In Petersburg lebte Prituljew mit einer gewissen Pelagéja Nilowna Tjagunóva zusammen. Man hatte ihn an einer Kreuzung des Newski-Prospektes gerade in dem Augenblick festgenommen, als er sich von ihr verabschiedete, weil sie in einer anderen Straße Besorgungen machen wollte. Unter den Passanten der Litejnaja sah er noch eine Weile ihren Rücken und blickte ihr nach, bis sie verschwunden war.

Diese Tjagunóva war eine üppige, repräsentable Bürgerin mit hübschen Händen und einem dicken Zopf, den sie unter tiefen Seufzern bald über die eine, bald über die andere Schulter auf ihren Busen fallen ließ. Sie begleitete Prituljew freiwillig auf seiner Reise.

Man fragte sich vergeblich, was die Frauen an einem so wenig anziehenden Mann wie Prituljew finden konnten. Außer der Tjagunóva befand sich in einem anderen Güterwagen, dicht hinter der Lokomotive, eine andere Freundin Prituljews, von der man nicht wußte, wie sie in den Zug gekommen war. Es war ein strohblondes mageres Mädchen namens Ogryskowa, die von der Tjagunóva nur mit beleidigenden Namen wie ›Nasenloch‹ oder ›Spritze‹ benannt wurde.

Die Rivalinnen waren einander spinnefeind und hüteten sich wohl, sich vor die Augen zu kommen. Die Ogryskowa zeigte sich niemals in dem Waggon. Es war ein Rätsel, wie sie es fertigbrachte, mit ihrem Angebeteten zusammenzukommen. Möglich, daß sie sich damit zufrieden gab, ihn von ferne beim Aufladen von Brennholz und Kohlen zu sehen, einer Arbeit, an der sich alle Reisenden beteiligen mußten.

XI

Die Geschichte Wassjas war anderer Art. Sein Vater war im Kriege gefallen, die Mutter hatte ihn von seinem Dorfe zu einem Onkel nach Petersburg in die Lehre gegeben.

An einem Wintertag erhielt der Onkel, der auf dem Apraksin-Hof eine Eisenwarenhandlung besaß, eine Aufforderung, sich im Bezirks-Sowjet wegen einiger Auskünfte zu melden. Er irrte sich jedoch in der Tür und trat nicht in das in der Vorladung genannte Zimmer, sondern in den Nachbarraum ein. Der Zufall wollte, daß es der Aufnahmeraum der Kommission für den Arbeitsdienst war. Der Raum war überfüllt. Als sich genug Leute angesammelt hatten, erschienen plötzlich Rotarmisten, umzingelten das Büro und führten die Anwesenden in die Ssemjonow-Kasernen ›zum Übernachten‹ ab. Am nächsten Morgen brachte man sie auf den Bahnhof, um sie mit dem für Wologda bestimmten Zug abzutransportieren.

Die Nachricht von der Festnahme einer so großen Anzahl von Stadtbewohnern hatte sich bald in der Stadt herumgesprochen. Am Tag darauf sammelte sich eine Menge von Menschen auf dem

Bahnhof an, um von ihren Angehörigen Abschied zu nehmen. Unter diesen befand sich auch Wassja mit seiner Tante, die dem Onkel Lebewohl sagen wollte.

Auf dem Bahnhof bat der Onkel den Wachtposten, ihm für einen Augenblick das Gitter zu öffnen, damit er sich von seiner Frau verabschieden könne. Dieser Wachthabende war Woronjuk, der Begleitmann der Arbeitsgruppe im vierzehnten Waggon. Woronjuk wollte den Onkel ohne eine zuverlässige Garantie für seine Rückkehr nicht gehen lassen. Onkel und Tante schlugen ihm deshalb vor, den Neffen als ›Geisel‹ dazubehalten. Hiermit erklärte sich Woronjuk einverstanden. Wassja wurde hinter die Absperrung geführt, und der Onkel durfte hinausgehen. Weder Onkel noch Tante kehrten jedoch zurück.

Als die Täuschung an den Tag kam, fing Wassja, der einen solchen Betrug nie vermutet hätte, zu weinen an. Er warf sich Woronjuk zu Füßen, er küßte seine Hände, er flehte ihn an, ihn freizugeben – aber alles war vergeblich. Woronjuk zeigte sich unerbittlich. Er war keineswegs von Natur hartherzig, aber die Lage war gefährlich, die Befehle waren hart und streng. Der Führer des Arbeitskommandos haftete mit seinem Kopf für die volle Zahl der ihm anvertrauten Mannschaft, die durch Appell festgestellt wurde. Auf diese Weise war Wassja in die ›Arbeitsarmee‹ gekommen.

Der Genossenschaftler Kostojed-Amurskij, der bei allen Gefängniswärtern der zaristischen Zeit und der Interimsregierung in hohem Ansehen stand, hatte die Aufmerksamkeit des Chefs der Begleitmannschaft mehrfach auf den skandalösen Fall Wassjas hingelenkt. Der gab zu, daß es sich in der Tat um ein unglückseliges Mißverständnis handle, sagte aber, daß formale Schwierigkeiten ihn hinderten, dies verwickelte Problem während der Fahrt zu lösen, er hoffe, die Sache nach der Ankunft an Ort und Stelle ordnen zu können.

Wassja war ein hübscher Junge mit regelmäßigen Gesichtszügen, er glich den Schildknappen mittelalterlicher Zaren oder gewissen Engelsfiguren, wie sie auf den Bildern und Ikonen der alten Meister dargestellt sind. Sein Wesen war von einer ungewöhnlichen Reinheit und Leuchtkraft. Am liebsten saß er zu Füßen der Erwachsenen auf dem Boden, hielt die Arme um die Knie geschlungen und legte den Kopf in den Nacken zurück, um bei ihren Gesprächen zuzuhören. Aus seinem Mienenspiel, aus der Art, wie er versuchte, die Tränen oder das Lachen zurückzuhalten, an dem er fast zu ersticken drohte, konnte man den Inhalt dieser Gespräche erraten. In dem Gesicht des übersensiblen Knaben spiegelte sich alles, was in seiner Umgebung geschah.

XII

Der ›Genossenschaftler‹ Kostojed war bei Schiwagos zu Gast, wo er den Ehrenplatz auf der Pritsche unter der Wagendecke einnahm. Schmatzend nagte er an einer Hasenkeule, die man ihm angeboten hatte. Kostojed fürchtete nichts so sehr wie Zugwind und Erkältung. »Oh, wie es zieht! Woher kommt das?« fragte er und wechselte den Platz. Nach einigem Hin und Her hatte er eine geschützte Stelle gefunden, an der er den Luftzug nicht mehr spürte, und sagte: »Jetzt ist es gut.« Er schluckte den letzten Bissen der Hasenkeule hinunter, leckte an seinen Fingern, wischte sie an seinem Taschentuch ab und bemerkte:

»Es zieht bei euch vom Fenster her. Es muß unbedingt abgedichtet werden. Aber kehren wir zum Gegenstand unseres Gesprächs zurück. Sie hatten unrecht, Doktor. Ein gebratener Hase ist eine prächtige Sache. Aber hieraus den Schluß zu ziehen, daß in den Dörfern kein Mangel herrsche, dürfte doch, Sie verzeihen, eine kühne Behauptung, eine gewagte Unterstellung sein.«

»Sehen Sie sich nur diese Bahnhöfe an!« sagte Jurij Andréitsch. »Die Bäume sind nicht abgesägt, die Zäune heil und ganz. Und diese Märkte! Diese Bäuerinnen! Es tut wohl, so etwas zu sehen. Es gibt also noch Orte, an denen wirkliches Leben ist! Es gibt glückliche Menschen. Nicht alle ächzen und stöhnen. Damit ist alles gerechtfertigt.«

»Wenn es nur so wäre! Aber es stimmt nicht. Wer hat Ihnen das gesagt? Fahren Sie einmal hundert Werst vom Schienenstrang weg ins Land hinein. Überall, wo Sie hinkommen, sind Bauernaufstände. Gegen wen, werden Sie fragen. Gegen die Weißen oder gegen die Roten, je nachdem, welche Macht gerade dort herrscht. Sie werden sagen: ›Der Muschik ist eben ein Feind jeder Ordnung, er weiß selber nicht, was er will.‹ Triumphieren Sie nicht zu früh: er weiß besser als Sie, was er will. Aber er will ganz und gar nicht dasselbe wie Sie und ich.

Als die Revolution ihn aus seinem dumpfen Dahindämmern weckte, glaubte er, daß sein jahrhundertealter Traum von einem eigen-
ständigen Leben und einem freien Dasein als kleiner Landbesitzer,
der von seiner Hände Arbeit lebt und von niemandem abhängt und
keinem verpflichtet ist, endlich in Erfüllung ginge. Aber kaum
fühlte er sich aus der eisernen Umklammerung der alten, gestürzten Staatsgewalt befreit, da geriet er schon unter die unvergleichlich viel härtere Macht des neuen, revolutionären Überstaates. Aus
diesem Grunde kann sich das Dorf weder zu der einen noch zur
anderen Seite entschließen, es schwankt hin und her und findet
nirgends Ruhe. Und Sie behaupten, daß es dem Bauerntum an
nichts fehle! Sie verstehen nichts davon, mein Lieber, und, soweit
ich sehe, wollen Sie auch nichts davon wissen.«
»Sie haben recht, ich will wirklich nicht alles wissen. Weshalb ist
es nötig, daß ich mich abmühe, alles zu wissen, und mich mit
allen Problemen herumquäle. Die Zeit rechnet nicht mit meiner
Person, aber sie bürdet mir alles auf, was sie mir aufbürden will.
So erlauben Sie gefälligst auch mir, gewisse Tatsachen zu ignorieren. Sie sagen, meine Worte entsprächen nicht der Wirklichkeit.
Aber gibt es denn in diesem Augenblick in Rußland überhaupt
eine Wirklichkeit? Ich glaube, man hat diese Wirklichkeit derartig
erschreckt und verängstigt, daß sie sich vor unseren Augen verborgen hält. Ich, für meine Person, will eben glauben, daß das
Dorf triumphiert hat und daß das Leben in ihm blüht und gedeiht.
Wenn auch dies ein Irrtum ist, was soll ich dann machen? Aus
welchem Grund sollte ich weiterleben? Welcher Autorität soll ich
mich beugen. – Aber ich muß weiterleben, ich habe eine Familie.«
Jurij Andréitsch machte eine matt abwehrende Handbewegung
und überließ es Alexander Alexandritsch, den Streit mit Kostojed
zu Ende zu führen. Er rückte an den Rand der Pritsche und beugte
den Kopf vor, um zu sehen, was es unten im Wagen Neues gab.
Prituljew, Woronjuk, die Tjagunóva und Wassja befanden sich in
einem lebhaften Gespräch. Prituljew, der die Gegend seiner Heimat näherkommen sah, rief sich die Verbindungsmöglichkeiten zu
den einzelnen Orten in die Erinnerung zurück und erzählte den
anderen, bis zu welcher Station man fahren, wo man aussteigen
und zu Fuß oder zu Pferd weiterkommen müsse. Jedesmal, wenn
ein ihm wohlbekannter Orts- oder Dorfname genannt wurde,
sprang Wassja auf, seine Augen leuchteten, und er wiederholte ek-

statisch diese vertrauten Namen, deren bloße Aufzählung für ihn wie ein Märchen zu klingen schien.

»Sie steigen am Suchoj brod aus?« fragte er, sich überstürzend.

»Aber das ist ja unsere Haltestelle, unsere Station! Dann wählen Sie gewiß den Weg nach Buiskoje?«

»Ja, dann geht es über den Feldweg nach Buiskoje.«

»Das sage ich ja gerade, Buiskoje, das Kirchdorf Buiskoje. Wie sollte ich es nicht kennen! Da müssen wir absteigen. Von da führt der Weg zu uns immer nach rechts, immer muß man nur rechts fahren. Zu Weretennikovs. Aber um zu Ihnen zu kommen, Onkel Charytonitsch, muß man sich wohl links halten. Kennen Sie die Pelga? Bestimmt kennen Sie die, das ist unser Fluß und unser Ufer; man muß immer stromaufwärts am Ufer entlanggehen. Dann kommt man zu unserem Dorf Weretenniki! Es liegt oben am Steilhang. Das Ufer ist ganz steil. Steht man oben, so bekommt man Angst, hinunterzuschauen, so steil ist es! Man könnte abstürzen! Bei Gott, es ist wirklich so. Wir haben auch einen Steinbruch. Dort werden Mühlsteine aus den Felsen geschlagen. Meine Mama lebt in Weretenniki mit zwei Schwestern. Die eine Schwester heißt Aljonka, die andere Arischka. Meine Mama Palaschka, Pelagéja Nilowna, ist – wie soll ich es Ihnen nur sagen – sie ist jung und hat ein weißes Gesicht. Onkel Woronjuk, Onkel Woronjuk! Um Christi willen flehe ich Sie an, Onkel Woronjuk!«

»Nu, nu! Weshalb wiederholst du immer wie ein Kuckuck die alte Leier. ›Onkel Woronjuk, Onkel Woronjuk!‹ Ich weiß ja selbst, daß ich nicht die Tante bin. Was willst du eigentlich, was willst du von mir! Daß ich dich laufen lasse? Was willst du, sag es schon! Wenn du dich dünn machst, sitze ich in der Klemme. Und was bekomme ich dafür? ›Das Amen!‹ Das Gefängnis!«

Pelagéja Tjagunóva blickte zerstreut in die Ferne und schwieg. Mit einem verträumten Ausdruck in den Augen streichelte sie Wassjas Kopf und ließ seine blonden Haare durch ihre Finger gleiten. Zuweilen gab sie dem Kind durch ein Neigen des Kopfes einen Wink mit den Augen oder durch ein Lächeln zu verstehen, er solle keine Dummheiten machen und nicht vor allen anderen mit Woronjuk von diesen Dingen reden. Es war, als wolle sie sagen: Warte ein wenig, alles wird sich regeln, du kannst ganz ruhig sein.

Als der Zug Zentralrußland verließ und weiter nach Osten vorstieß, gab es immer häufiger allerlei Zwischenfälle. Man kam durch Dörfer, in denen es unruhig war, durch Gegenden, in denen bewaffnete Banden regierten, und durch Orte, in denen erst vor kurzem Aufstände niedergeschlagen worden waren.

Immer häufiger hielt der Zug auf freiem Feld, die Waggons wurden kontrolliert, das Gepäck untersucht und die Personalien nachgeprüft.

Einmal blieb der Zug mitten in der Nacht auf freier Strecke stehen. Aber niemand erschien in den Waggons, um die Reisenden aufzuwecken. Jurij Andréitsch, der wissen wollte, ob sich ein Unfall ereignet hatte, sprang aus dem Wagen ins Freie.

Draußen war es dunkel. Der Zug hatte ohne ersichtlichen Grund vor einem Werstpfosten angehalten, der in einer Tannenschonung stand. Wagennachbarn, die noch vor Jurij Andréitsch ausgestiegen waren, um sich die Füße zu vertreten, erklärten, daß sich ihres Wissens kein Unfall ereignet habe. Vielmehr habe der Lokomotivführer den Zug unter dem Vorwand angehalten, daß die Gegend, in der man sich befand, unsicher sei und daß er sich weigere, den Zug weiterzufahren, solange die Sicherheit der Strecke nicht durch eine Draisine nachgeprüft werde. Einige Vertreter der Reisenden waren zu ihm gegangen, um ihn zu bitten, die Fahrt fortzusetzen, und um ihm gegebenenfalls Schmiergeld zu geben. Es hieß, die Matrosen hätten sich eingemischt, und diese würden es schon schaffen. Während man Jurij Andréitsch dies alles mitteilte, sah er, wie der Widerschein der Flammen aus dem Kessel und dem Schlot der Lokomotive die Schneefläche vor den Gleisen gleich einem flackernden Herdfeuer erhellte. Plötzlich erleuchtete eine Flammenzunge weithin das Schneefeld, und man konnte die Umrisse einiger Gestalten erkennen, die an die Lokomotive heranschlichen.

Als ersten sah man den Lokomotivführer selbst, der bis zum Ende der Windführung lief, mit einem Sprung über den Puffer hinwegsetzte und plötzlich verschwunden war. Die Matrosen, die hinter ihm herliefen, taten das gleiche. Auch sie sah man bis ans Ende des Feuergitters laufen und in die Luft springen. Sie verschwanden, als hätte sie die Erde verschluckt.

Dieses seltsame Schauspiel veranlaßte Jurij Andréitsch und einige Neugierige, nach vorn zur Lokomotive zu gehen.

Auf dem freien Bahndamm vor dem Zug fanden sie, in einer gewissen Entfernung von den Gleisen, den Lokomotivführer, der halb im unberührten Schnee versunken war. Die Matrosen, die gleichfalls tief im Schnee steckten, umgaben ihn in einem Halbkreis wie die Treiber das Wild.

Der Lokomotivführer schrie: »Ich danke euch, ihr Sturmvögel der Revolution! Daß ich dies noch erleben muß! Mit der Pistole geht ihr gegen einen Bruder, einen Arbeiter vor! Und nur weil ich gesagt habe, daß der Zug nicht weiterfahren würde? Genossen Passagiere, ihr könnt bezeugen, was hier vorgefallen ist. In dieser Gegend gibt es Leute, die sich an die Schienen heranschleichen und heimlich die Schraubenmuttern anbohren. Mir könnte das gleichgültig sein. Ich denke nicht an mich, sondern an euch, damit euch nichts zustößt. Für euch habe ich es getan, und das ist nun der Dank für meine Fürsorge! Nur zu, erschießt mich, ihr Dummköpfe! Genossen Passagiere, seid meine Zeugen. Schaut sie euch an! Ich brauche mich nicht zu verstecken.«

Aus der Gruppe der Reisenden auf dem Bahndamm wurden verschiedene Stimmen laut. Die einen riefen verwirrt:

»Was fällt dir denn ein? . . . Besinne dich . . . Wegen einer solchen Kleinigkeit . . . Weshalb sollten sie das tun? . . . Sie haben es nur gesagt, um dich einzuschüchtern . . .«

Andere wieder suchten ihn aufzustacheln. »Laß dir nichts gefallen, Gawrilka! Gib nicht nach, Lokomotivführer!«

Der Matrose, der sich als erster aus dem Schnee herausgearbeitet hatte, war ein rothaariger Riese mit einem mächtigen Schädel und einem flachen Gesicht. Er wandte sich ruhig der Menge zu und sprach mit tiefer Stimme ein paar Worte, wobei er die gleichen ukrainischen Ausdrücke wie Woronjuk gebrauchte. Seine Kaltblütigkeit wirkte komisch vor dem Hintergrund dieser unheimlichen nächtlichen Szenerie.

»Paßt auf, Genossen, ihr seid hier nicht im geheizten Salon. Ihr könntet euch im Freien erkälten. Geht gefälligst in die Waggons zurück.«

Als sich die Anwesenden wieder auf die Wagen verteilt hatten, näherte sich der rothaarige Matrose dem Lokomotivführer, der seine Fassung noch nicht wiedergewonnen hatte, und sagte:

»Genug mit dem Gejammer und Gezeter, Genosse Maschinist. Beruhige dich. Komm aus dem Schnee heraus. Und dann geht es los. Wir fahren ab, es ist an der Zeit.«

XIV

Am nächsten Morgen fuhren sie mit stark herabgesetzter Geschwindigkeit und immer neuen Unterbrechungen weiter. Man befürchtete eine Entgleisung wegen der Schneeverwehungen auf der nicht gesäuberten Strecke. Nach einer Weile hielt der Zug in einer öden unbewohnten Gegend, in der man erst bei näherem Zusehen die Trümmer eines ausgebrannten Stationsgebäudes erkennen konnte. An der rußgeschwärzten Fassade konnte man den Namen ›Nishnij Keljmes‹ entziffern.

Nicht nur das Bahngebäude zeigte die Spuren einer Feuersbrunst. Hinter der Station lag ein vom Schnee verschüttetes Dorf, das offenbar das tragische Schicksal des Bahnhofs geteilt hatte.

Das letzte Haus der Siedlung war zu Asche verbrannt, im Nachbargehöft waren die Balken verbogen. Überall auf der Straße lagen Trümmer von Schlitten und von niedergelegten Zäunen, Eisenstücke und zerschlagenes Hausgerät herum. Der vom Ruß geschwärzte Schnee war bis auf den Grund weggetaut und mit vereisten Pfützen durchsetzt, in denen eingefrorene, verkohlte Holzstückchen steckten. Überall fand man Spuren des Feuers und der vergeblichen Löschversuche.

Dorf und Station waren jedoch, wie sich zeigte, nicht ganz verlassen. Hier und da zeigten sich einzelne lebende Wesen.

»Ist das ganze Dorf verbrannt?« fragte der Zugführer, der auf den Bahnsteig hinuntersprang, als er den Bahnhofsvorsteher entdeckt hatte.

»Guten Tag, habt ihr eine gute Fahrt gehabt? Um so besser. Wir haben Feuer gehabt; aber es gibt Ärgeres als Feuer.«

»Das verstehe ich nicht.«

»Besser, man denkt darüber nicht nach.«

»Es war doch nicht etwa Strelnikov?«

»Strelnikov in eigener Person.«

»Was habt ihr denn verbrochen.«

»Wir? Nicht das geringste. Es waren unsere Nachbarn. Wir haben für sie büßen müssen. Seht ihr das Dorf dort hinten! Da sind die

Schuldigen. Das Dorf Nishnij Keljmes gehört zum Ustj-Nemdinsker Kreis. Dort sitzen die Verantwortlichen.«

»Was haben sie denn getan?«

»Na ja, bei Licht besehen ist es wohl aller sieben Todsünden wegen. Zunächst haben sie das Armenkomitee verjagt. Dann haben sie das Dekret über die Stellung von Pferden an die Rote Armee nicht befolgt. Es sind eben Tataren, die sich nicht von ihren Pferden trennen können. Das wäre Nummer zwei. Und zum dritten haben sie sich dem Mobilisierungsbefehl widersetzt.«

»Dann ist ja alles klar. Aus diesem Grund hat man sie mit Artillerie zusammengeschossen?«

»So ist es.«

»Von einem Panzerzug aus?«

»Vom Panzerzug aus.«

»Traurig, wirklich bedauernswert. Aber am besten hält man sich da heraus. Wir haben kein Urteil über die Sache.«

»Ja, das wäre erledigt. Übrigens haben wir keine guten Neuigkeiten für euch. Ihr müßt euch auf zwei bis drei Tage Aufenthalt einrichten.«

»Macht keine Scherze! Ich transportiere Verstärkungstruppen zur Front. Ich mache keine unnötigen Aufenthalte.«

»Das sind keine Scherze! Ihr seht es selber, Schneeverwehungen. Eine Woche lang hat hier ein Orkan gewütet. Es ist niemand da, der die zugeschneite Strecke freischaufeln könnte! Das halbe Dorf ist geflohen. Die andere Hälfte habe ich zum Dienst herangezogen, aber sie werden es nicht schaffen.«

»Das hat nun gerade noch gefehlt. Ich bin erledigt. Es ist alles aus! Was soll ich bloß machen?«

»Irgendwie schaufeln wir die Strecke frei; dann könnt ihr weiterfahren.«

»Sind die Schneewehen sehr hoch?«

»Nicht gerade sehr hoch . . . Strichweise hat der Schneesturm die Bahnstrecke schräg von der Seite erreicht und zugeweht. Der schwierigste Abschnitt ist in der Mitte. Drei Kilometer müssen freigeschaufelt werden. Eine Hundearbeit! Die ganze Gegend hier ist eingeschneit. Nachher wird es besser. Da ist die Taiga. Der Wald dort hat die Bahnstrecke vorm Schnee geschützt. Mit den Schneeverwehungen ist's nicht so schlimm. Das Land ist dort flach, der Wind hat es freigelegt.«

»Verdammt, da sitzen wir ganz schön in der Patsche. Was für eine Teufelei! Ich werde den ganzen Zug auf die Beine bringen. Die sollen uns helfen.«

»Das finde ich auch.«

»Nur an die Matrosen dürft ihr nicht rühren, auch nicht an die Rotarmisten. Im Zug ist ein geschlossener Transport von Arbeitsdienstpflichtigen und Freiwilligen, etwa siebenhundert Mann.«

»Mehr als genug. Sobald wir Schaufeln haben, machen wir uns an die Arbeit. Es fehlt an Schaufeln. Man holt sie aus den Nachbardörfern. Wir werden so viele finden, wie wir brauchen.«

»Glaubt ihr, daß wir es schaffen?«

»Auf jeden Fall. Einigkeit macht stark. Im Sturm, sagt man, werden Städte erobert. Die Eisenbahn ist eine Lebensader! Da geht es ums Ganze!«

XV

Die Säuberung der Strecke dauerte drei Tage. Die ganze Familie Schiwago einschließlich Njuscha beteiligte sich eifrig an den Arbeiten. Es war die beste Zeit ihrer Reise.

Über der ganzen Gegend lag etwas Geheimnisvolles, eine unausgesprochene Drohung oder Gefahr. Man mußte hier an den Aufstand Pugatschovs denken, wie ihn Puschkin geschildert hat, und an die asiatischen Schilderungen von Aksakow. Noch unheimlicher wurde der zerstörte Ort durch die ängstliche Zurückhaltung der terrorisierten Dorfbewohner, die den Umgang mit den Reisenden vermieden und aus Angst vor Denunziation sogar untereinander kaum sprachen.

Die verschiedenen Kategorien der Reisenden arbeiteten getrennt voneinander. Der Arbeitsplatz stand unter militärischer Bewachung.

Man legte die Strecke auf ihrer ganzen Länge frei durch Arbeitsbrigaden, die an verschiedenen Punkten gleichzeitig eingesetzt wurden. Zwischen den freigeschaufelten Stellen türmten sich bis zum Schluß noch Berge unberührten Schnees auf, so daß die benachbarten Arbeitsgruppen voneinander getrennt blieben. Diese Berge sollten erst im letzten Augenblick freigeschaufelt werden, nachdem die den einzelnen Arbeitskommandos zugeteilten Streckenstücke gesäubert waren.

Es herrschte klares Frostwetter. Man verbrachte die Tage an der frischen Luft und kehrte nur zum Übernachten in die Waggons zurück. Man arbeitete in Kurzschichten, was vor Übermüdung schützte. Die verfügbaren Schaufeln reichten nicht für alle Arbeitswilligen aus. Die wenig anstrengende Arbeit war eine reine Freude. Die Stelle, an der die Schiwagos zum Schaufeln eingesetzt waren, hatte eine freie Lage und bot eine malerische Aussicht. An diesem Punkt senkte sich das Land zunächst nach Osten und stieg in sanften Hügelwellen gegen den Horizont wieder an.

Auf einem Hügel stand ein einsames Haus, das den Winden schutzlos ausgeliefert war. Der Garten, der es umgab, hatte im Sommer wahrscheinlich eine Fülle von Laub. Aber die kahlen, bereiften Zweige der Bäume, die sich in phantastischen Umrissen vom Winterhimmel abhoben, konnten das Haus nicht vor dem Wetter schützen. Der Schnee hatte ringsum alles eingeebnet. Doch konnte man einige Bodenerhebungen feststellen, die nichts mit den Schneeverwehungen zu tun hatten. Es fiel nicht schwer, sich vorzustellen, wie sich von hier aus im Frühling ein Sturzbach in die Schlucht mit dem Viadukt unterhalb der Bahnstrecke ergießen würde, der sich jetzt noch unter dem tiefen Schnee wie ein schlafendes Kind unter seiner Daunendecke verbarg.

War das Haus bewohnt, oder stand es leer? War es von irgendeinem regionalen Agrarkomitee beschlagnahmt worden und verfiel nun, weil niemand sich darum kümmerte? Wo waren seine früheren Bewohner geblieben, was war aus ihnen geworden? Waren sie ins Ausland geflüchtet? Oder waren sie von den Bauern ermordet worden? Oder lebten sie jetzt in der Kreisstadt des Distrikts als hochgeschätzte, qualifizierte Spezialisten? Hatte Strelnikov sie geschont, falls sie bis zum letzten Augenblick hiergeblieben waren, oder waren sie seiner Blutjustiz zusammen mit den tatarischen ›Kulaken‹ zum Opfer gefallen.

Das Haus auf dem Berge reizte die Neugier, doch auf alle stummen Fragen hielt es nur ein trauriges Schweigen bereit. Im Sonnenlicht leuchtete der Schnee in einem so gleißenden Weiß, daß man durch die Blendung fast zu erblinden glaubte. Die Schaufel schnitt regelmäßige Stücke aus dem Schnee heraus. An ihren Kanten blitzten trockene diamantene Lichter auf. Dies alles erinnerte Schiwago an die Tage seiner fernen Kindheit. Dicht vermummt durch eine helle, mit Litzen gesäumte Schneekappe und in einem Kinderpelzchen, dessen Haken in den gelockten schwarzen Schafpelz des Innenfutters eingenäht waren, hatte er damals auf dem Hof aus dem blendenden Schnee Pyramiden und Kuben, Zwetschentorten, Festungen und Höhlenstädte errichtet. Ach, wie gut und schön war damals das Leben gewesen, die Welt von Wundern erfüllt!

Diese drei Arbeitstage an der frischen Luft hatten in ihnen ein Gefühl der Sättigung hinterlassen. Nicht ohne Grund, denn am Abend erhielten die Arbeitenden frisch gebackenes, noch warmes Brot, zu dem man von irgendwoher auf geheimnisvolle Weise Mehl herbeigeschafft hatte. Das Brot war außerordentlich schmackhaft mit einer dicken, vielfach aufgeplatzten Rinde und Zusätzen von Holzkohleteilchen.

XVI

Sie hatten die Ruinen des Bahnhofs liebgewonnen wie eine Hütte im verschneiten Gebirge, in der man während einer Wanderung übernachtet. Die Gegend, in welcher die Bahnstation lag, die Fassade des Gebäudes und die Trümmer des Bahnhofsgebäudes prägten sich tief in ihr Gedächtnis ein.

Am Abend, bei Sonnenuntergang, kehrten sie von der Arbeit zum Bahnhof zurück. Wie um der Vergangenheit die Treue zu halten, versank die Sonne immer an der gleichen Stelle hinter einer alten Birke, die vor dem Fenster des ehemaligen Telegrafenbüros stand.

An dieser Stelle war die Mauer ins Innere des Gebäudes gestürzt und hatte das Zimmer unter ihrem Schutt begraben. Nur eine Ecke des Raumes und die Vorderwand, an der man noch ein Fenster öffnen konnte, waren heilgeblieben. Hier war alles unberührt: die kaffeefarbene Tapete, der Kachelofen, die Öffnung der Lüftung, die mit einem Kupferdeckel an einem Kettchen versehen war. Auch ein schwarz umrahmtes Verzeichnis des Inventars hing unbeschädigt an der Wand.

Die untergehende Sonne sandte – wie vor dem Unglück – ihre Strahlen vom Horizont bis zu den Ofenkacheln des Bahnhofsbüros, sie ließ die kaffeefarbene Tapete aufleuchten und warf den Schatten der filigranhaft dünnen Birkenäste wie das Muster eines zarten Gewebes an die Wand.

In einem andern Teil des Gebäudes befand sich eine vernagelte

Tür zu einem Warteraum. Dort konnte man folgende Inschrift lesen, die offenbar aus den ersten Tagen der Februarrevolution stammte: Medikamente und Verbandzeug werden bis auf weiteres nicht ausgegeben. Mit Rücksicht auf gewisse Umstände habe ich die Tür versiegelt, was ich hiermit zur Kenntnis gebe. Der Hauptsanitäter von Ustj-Nemdej – es folgte die Unterschrift.

Als man die letzten Schneehaufen von der Strecke geschaufelt hatte, wurde der pfeilgerade Schienenstrang bis zum Horizont hin sichtbar. Zu beiden Seiten des Bahndamms türmten sich die weißen Berge des weggeschaufelten Schnees, hinter denen zwei schwarze Waldmauern aufragten. Zwischen den Schienen sah man, soweit das Auge reichte, die einzelnen Arbeitsgruppen mit ihren Schaufeln stehen. Zum erstenmal sahen sie sich hier alle zusammen und staunten über ihre große Zahl.

XVII

Der Zug sollte trotz der späten Stunde und der herannahenden Nacht in einigen Stunden abfahren. Vor der Abfahrt gingen Jurij Andréitsch und Antonina Alexándrowna zum letzten Mal hinaus, um das vollendete Werk in seiner Schönheit zu bewundern. Niemand war mehr auf den Schienen zu sehen. Der Doktor und seine Frau blieben für einen Augenblick stehen, schauten in die Ferne, wechselten einige Worte und kehrten in ihren Wagen zurück.

Auf dem Rückweg hörten sie das wütende Geschrei zweier keifender Frauen. Sie erkannten sofort die Stimmen der Ogryskowa und der Tjagunóva. Beide Frauen liefen in der gleichen Richtung wie der Doktor und seine Frau auf das Ende des Zuges zu, aber auf der anderen Seite der Bahnstrecke, wo das Stationsgebäude stand, während Jurij Andréitsch und Antonina Alexándrowna am Waldrand entlanggingen. Zwischen den Schiwagos und den streitenden Frauen zog sich die ununterbrochene Wagenreihe des Zuges hin, so daß man sich gegenseitig nicht sehen konnte. Die Frauen befanden sich niemals an der gleichen Stelle wie der Doktor und seine Frau; entweder sie waren ihnen um einiges voraus, oder sie blieben zurück.

Beide schienen sehr erregt zu sein. Offenbar versagten ihre Kräfte, und sie schleppten sich nur mühsam vorwärts durch den tiefen Schnee. Ihre Stimmen überschlugen sich schreiend und sanken im nächsten Augenblick zum undeutlichen Geflüster ab. Die Tjagunóva schien die Ogryskowa zu verfolgen und jedesmal, wenn sie die Rivalin erreichte, auf sie einzuschlagen. Sie überschüttete die Ogryskowa mit Schimpfworten, die aus dem Mund einer bürgerlichen Dame hundertmal gemeiner klangen als die gröbsten Männerflüche.

»Du Schlampe! Du Schmutzfink!« schrie die Tjagunóva. »Keinen Schritt kann man tun, und schon ist sie da, fegt mit ihrem Rock den Boden entlang und macht große Kulleraugen. Du schamlose Hündin, genügt es dir nicht, daß du mir meinen Alten abspenstig gemacht hast? Jetzt versündigt sie sich noch an diesem Kinde – deshalb das ganze Getue: den Minderjährigen will sie verderben!«

»Ah, du bist also auch Wassjenkas Braut?«

»Ich werde dir gleich zeigen, was ich bin, du Krakeelerin, du Pestbeule. Lebend wirst du mir nicht entkommen, an dir werde ich noch zur Mörderin!«

»Heh, langsam! Nimm die Pfoten weg, du bist ja tollwütig. Was willst du eigentlich von mir!«

»Daß du krepierst, du Hündin, räudige Katze, du Hure!«

»Wozu noch länger davon reden? Meinetwegen bin ich eine Hündin und eine Katze, alles was du willst. Aber weißt du, wie man dich nennt: in der Gosse geboren, unterm Hoftor getraut, von einer Ratte geschwängert, einen Igel wirst du gebären . . . Zu Hilfe, die Hexe, die Mörderin. Au, au! Rettet mich armes Mädchen, kommt eurer Waisen zu Hilfe!«

»Komm, wir wollen rascher gehen. Ich kann das nicht mit anhören. Es ist zu widerlich«, sagte Antonina Alexándrowna, »das kann nicht gut ausgehen!«

XVIII

Plötzlich veränderte sich alles – die Gegend und das Wetter. Die Ebene hörte auf, Berge und Anhöhen säumten die Strecke. Der Nordwind, der bisher geweht hatte, sprang um. Nun blies er von Süden, warm und feucht, wie die Luft aus einer offenen Ofentür. Dichter Wald bedeckte die Bergrücken. Jedesmal, wenn die Strecke durch eine Waldzone führte, mußte der Zug eine steile Anhöhe erklimmen, die dann durch eine sanfte Senke abgelöst wurde; schnaufend und mühsam arbeitete er sich durch die Wälder, wie ein alter Förster, der eine Reisegesellschaft durch sein Revier führt und nicht weiterkommt, weil die Fremden sich dauernd umdrehen und alles betrachten wollen.

Aber es gab nichts zu sehen. In den Tiefen des Waldes herrschten winterlicher Schlaf und Frieden. Nur ab und zu befreiten sich einige Büsche und Bäume raschelnd von den aufgehäuften Schneelasten auf ihren unteren Zweigen. Es war, als entledigten sie sich einer Halskette, die ihnen zu eng geworden war. Jurij Andréitsch versank immer von neuem in Schlaf. Er verbrachte die Tage auf seiner Pritsche, schlief ein, wachte wieder auf, dachte nach und horchte hinaus. Aber es gab nichts zu hören.

XIX

Während Jurij Andréitsch seine Tage verschlief, schmolz der Frühling die ungeheure Masse des Schnees, der in Moskau am Tage ihrer Abfahrt und während der ganzen langen Reise niedergefallen war, jene Berge von Schnee, die sie in Ustj-Nemdej umgewendet und abgetragen hatten, um die Strecke freizuschaufeln, und die unübersehbare dichte Schneedecke, die sich Tausende von Kilometern weit bis zum Horizont hin ausdehnte.

Zuerst begann der Schnee von innen her aufzutauen, lautlos und unsichtbar. Als die heroische Arbeit zur Hälfte im geheimen geleistet war, offenbarte sich das Wunder mit einemmal vor aller Augen. Unter der schmelzenden Oberfläche des Schnees fing das Wasser zu rinnen und zu singen an. Das undurchdringliche Dickicht der Wälder belebte und regte sich, als gehe ein Schauer darüber hin; alles in ihm erwachte.

Das Wasser hatte seine Freiheit wiedergewonnen. Von allen Hängen floß es herab, füllte Teiche und Seen und breitete sich über weite Flächen aus. Die Tiefen der Wälder hallten wider von seinem tausendstimmigen Rauschen und Murmeln, sie dampften von seinem feuchten Brodem, waren durchdrungen von seinem Geruch. Wie Schlangen wanden sich die Bäche durch den Wald, gruben sich in den Schnee, der ihren Lauf hemmte, strömten frei dahin über das ebene Gelände und stürzten zerstäubend über die Felsen zu Tale. Die Erde war von Feuchtigkeit übersättigt. Bis zu den Wolken war alles vom Wasser erfüllt; die jahrhundertealten Tannen sogen sich voll mit Nässe, um ihre Stämme herum bildeten sich schaumbedeckte Lachen, bräunlich und weiß, wie Bierschaum an den Lippen und Bärten der Trinker.

Der Frühling stieg dem Himmel zu Kopf, der sich in seinem Rausch eintrübte und mit Nebel und Wolken bedeckte. Über dem Walde zogen Schwaden niedrig hängender Wolken mit zerrissenen Rändern, aus denen unvermittelt warme Regenschauer hervorbrachen, die nach Schweiß und Erde rochen und den Boden von seiner geborstenen schwärzlichen Eiskruste reinigten.

Jurij Andréitsch erwachte. Er richtete sich auf, blickte aus dem Wagenfenster, dessen innere Scheibe man entfernt hatte, stützte die Ellbogen auf und lauschte.

XX

Je näher man dem eigentlichen Bergbaugebiet kam, desto dichter war die Gegend bevölkert. Die Entfernungen zwischen den einzelnen Stationen wurden kürzer, die Aufenthalte häufiger. An den kleinen Stationen stiegen jetzt immer mehr Leute aus und ein. Die Reisenden, die nur kurze Strecken vor sich hatten, richteten sich nicht häuslich in den Wagen ein. Die Nacht verbrachten sie schlecht und recht in der Nähe der Tür, in der Wagenmitte, wo sie sich leise über Neuigkeiten aus ihren Dörfern unterhielten, die nur sie angingen. An der nächsten Station stiegen sie dann wieder aus.

Aus den Gesprächen dieser Ortsansässigen, die in den letzten drei Tagen den Zug auf kurzen Strecken benutzt hatten, ging hervor, daß im Norden die ›Weißen‹ das Heft in der Hand hatten und daß Jurjatino von ihnen bereits erobert war. So jedenfalls hatte es Jurij Andréitsch verstanden. Die Streitkräfte der Weißen standen unter dem Befehl eines gewissen Galiullin, der Schiwago von seinem Aufenthalt im Lazarett in Meljusejewo gut bekannt war, falls es sich nicht um eine zufällige Namensgleichheit handelte. Jurij Andréitsch sagte den Seinen kein Wort von dem, was er gehört hatte, um sie nicht unnötig zu beunruhigen, ehe sich diese Gerüchte bestätigt hatten.

XXI

Mitten in der Nacht wachte der Doktor von einem unbestimmten
Glücksgefühl auf, das ihn so erfüllte, daß er nicht mehr einschlafen konnte. Der Zug hatte einen kurzen Aufenthalt an einer
Station, die im gläsernen Dämmerlicht der Weißen Nacht sichtbar war. Die lichte Dunkelheit rief die Vorstellung von besonderer
Größe und Erhabenheit wach. Schiwago mußte an eine freie und
nach allen Seiten hin offene Landschaft denken. Der Bahnhof schien
auf einer Anhöhe zu liegen, von der aus man das Land weithin
überblicken konnte. Auf dem Bahnsteig gingen einzelne schattenhafte Gestalten vorüber, die sich leise unterhielten. Auch sie riefen
Jurij Andréitschs Anteilnahme wach. In den gedämpften Stimmen und Schritten spürte er eine Ehrfurcht vor der nächtlichen
Stunde und eine Rücksichtnahme auf die im Zuge Schlafenden,
die man seit dem Krieg überall vergeblich suchte.

Aber der Doktor erlag einer Täuschung. Wie überall hallte auch
hier der Bahnsteig wider von lärmenden Stimmen und schlürfen-
den Schritten. Doch in der Nähe des Bahnhofs war ein Wasserfall.
Seine Gegenwart erweiterte die Grenzen der Weißen Nacht, er
verbreitete einen Hauch von Frische und Freiheit. Dieser Wasserfall hatte dem Doktor in seinem Schlaf dieses Gefühl grenzenlosen
Glückes eingegeben.

Das unablässige Rauschen der stürzenden Wassermassen trium-
phierte über alle Geräusche auf dem Bahnsteig und erweckte den
trügerischen Anschein der Stille. Ehe sich der Doktor über die Ursache seines Glücks klar wurde, versank er, berauscht von dem geheimnisvollen Fluidum der Luft, von neuem in tiefen Schlaf.

Unten im Wagen unterhielten sich zwei Männer miteinander.
Der eine fragte den andern:

»Wie steht's bei euch? Hat man sie zur Vernunft gebracht, oder
hat man ihnen die Knochen zerschlagen?«

»Meinst du die Händler?«

»Na ja doch, diese Mehlsäcke!«

»Die haben wir untergekriegt. Sie sind zahm wie Schoßhündchen.
Ein paar von ihnen haben wir zur Abschreckung hingemacht. Da
haben auch die andern Ruhe gegeben. Wir haben ihnen eine Kon-
tribution abverlangt.«

»Hat der Bezirk viel eingebracht?«

»Vierzigtausend.«

»So eine Aufschneiderei.«

»Warum sollte ich übertreiben?«

»Alles was recht ist – aber vierzigtausend! So etwas!«

»Vierzigtausend Pud.«

»Der Teufel soll euch holen. Das habt ihr gut gemacht. Brave Burschen!«

»Vierzigtausend – feingemahlen.«

»So unglaublich ist die Sache nicht. Es liegt an der Gegend. Das Mehl ist hier von erster Qualität. Für den Getreidehandel gibt es keine günstigere Lage. Von hier bis nach Jurjatino liegt an der Rynjwa ein Landungsplatz und ein Silo neben dem anderen. Da sind die Gebrüder Scherstovitov, Perekatschikov und Söhne, lauter Großhändler!«

»Du brauchst nicht so zu brüllen! Du weckst die Leute auf!«

»Meinetwegen.« Einer der beiden Männer gähnte. Der andere sagte:

»Sollte man nicht ein Schläfchen machen? Es sieht so aus, als ob wir bald losfahren.«

In diesem Augenblick brach in der Nähe der Station ein Donnergetöse los, das sogar das Rauschen des Wasserfalls übertönte: An der haltenden Wagenreihe fuhr mit voller Geschwindigkeit auf dem zweiten Gleis der Ausweichstelle ein Kurierzug älterer Bauart vorüber, dessen Dröhnen und Rattern bald leiser wurde. Noch einmal sah man seine Schlußlichter aufblitzen, dann war er verschwunden.

Auf dem Fußboden des Waggons nahmen die beiden Männer ihre Unterhaltung wieder auf.

»Na, jetzt können wir hier noch lange warten!«

»So schnell kommen wir nicht los!«

»Das muß Strelnikov gewesen sein. Ein gepanzerter Sonderzug.«

»Dann ist er es und kein anderer.«

»Er ist eine Bestie für alle Konterrevolutionäre.«

»Jetzt zieht er gegen Galejewo los.«

»Wer ist denn das nun wieder?«

»Gegen den Ataman Galejew. Er soll Jurjatino mit Hilfe eines tschechischen Generals verteidigen. Er hält die Docks und die Anlegeplätze besetzt, der Ataman Galejew.«

»Habe nie etwas von ihm gehört!«

»Es kann auch der Fürst Galilejew sein, ich entsinne mich nicht genau.«

»Solche Fürsten gibt es nicht. Es wird Ali Kurban sein. Du hast es durcheinander gebracht!«

»Vielleicht auch Kurban, meinetwegen.«

»Dann ist es ganz etwas anderes.«

XXII

Gegen Morgen erwachte Jurij Andréitsch zum zweiten Mal. Er hatte gerade einen schönen Traum gehabt. Noch immer war er erfüllt von einem Gefühl der Freiheit und des Wohlbefindens.

Der Zug hielt an einer anderen Station, vielleicht war es aber auch die gleiche. Ein Wasserfall rauschte, vielleicht derselbe wie vorhin, vielleicht ein anderer.

Jurij Andréitsch schlief sogleich wieder ein; im Halbschlaf glaubte er, das Geräusch eiliger Schritte und den Lärm von streitenden Stimmen zu vernehmen. Kostojed war mit dem Führer des Transports aneinandergeraten, und beide brüllten sich an. Draußen schien die Luft noch köstlicher zu sein. Ein neuer Zusatz war ihr beigemengt, irgendein leichter, zauberhafter Frühlingsduft, der eine schwarze Tönung und Färbung zu haben schien. Er erinnerte an einen jener Schneestürme im Mai, dessen feuchte Flocken nur flüchtig auf der Erde haften bleiben und den Boden nicht weiß, sondern nur noch schwärzer erscheinen lassen. Schwarz und weiß, durchdringend und klar: ›Faulbaumblüte!‹ fiel Jurij Andréitsch im Halbschlaf ein.

XXIII

Am Morgen sagte Antonina Alexándrowna:

»Du bist wirklich ein erstaunlicher Mensch, Jura! Du bist aus lauter Widersprüchen zusammengesetzt. Das Summen einer Fliege genügt, um dich aufzuwecken, und du kannst bis zum Morgen kein Auge mehr schließen. Heute nacht aber gab es einen Höllenlärm, Geschrei, Gebrüll, einen richtigen Tumult, und du warst nicht wachzukriegen. Der Kassierer Prituljew und Wassja Brykin

sind geflüchtet, stell dir das vor – die Tjagunóva und die Ogryskowa mit ihnen, und das ist noch nicht einmal alles! Woronjuk!
Woronjuk ist geflohen, geflohen, stell dir das nur vor! Wie sie
es fertiggebracht haben, ob sie zusammen oder einzeln geflohen
sind und in welcher Reihenfolge – das alles bleibt ein vollkom-
menes Rätsel. Woronjuk hat natürlich Angst gehabt, nach der
Flucht der anderen zur Verantwortung gezogen zu werden, und
ist deshalb auch geflohen. Aber die übrigen? Sind sie aus freien
Stücken verschwunden? Haben sie vorher jemanden beseitigt, der
ihnen im Wege stand? Man verdächtigt die beiden Frauen. Hat die
Tjagunóva ihre Rechnung mit der Ogryskowa beglichen oder die
Ogryskowa mit der Tjagunóva? Niemand weiß es. Der Transport-
führer rennt von einem Ende des Zuges zum andern und schreit:
›Wer hat sich erlaubt, das Abfahrtssignal zu geben? Im Namen des
Gesetzes befehle ich, den Zug bis zur Festnahme der Geflüchteten
anzuhalten.‹ Aber der Zugführer gibt nicht nach. ›Sie sind wohl
verrückt‹, sagte er. ›Ich habe eine Marschorder höchster Dringlich-
keitsstufe, um Verstärkungen zur Front zu bringen. Und da soll
ich auf euren lausigen Ausreißer warten. Das fehlt mir gerade
noch!‹ Beide jedoch überschütten sie Kostojed mit Vorwürfen. Wie
war es möglich, daß er, ein gebildeter Mensch, ein Syndikalist,
diesen armen unwissenden Soldaten nicht von seinem unüberlegten
Schritt zurückgehalten hatte! ›Und so etwas nennt sich Narodnik
und Volksfreund. Kostojed ist ihnen natürlich nichts schuldig geblieben. ›Interessant!‹ sagt er. ›Also Ihrer Meinung nach müßten die
Gefangenen auf ihren Wärter aufpassen. Das ist die verkehrte Welt:
das Huhn kräht wie ein Hahn!‹ Ich habe dich vergeblich in die
Seite gestoßen und an der Schulter gerüttelt. ›Jura‹, habe ich geschrien, ›steh auf, es sind welche geflohen!‹ Aber dich hätte nicht
einmal ein Kanonenschuß geweckt. Wir können später darüber
weiterreden. Jetzt kann ich nicht mehr... Papa, Jura, seht doch,
wie schön das ist!«
Vor dem kleinen Fenster, aus dem sie von ihren Pritschen aus hin-
ausblicken konnten, wenn sie die Hälse reckten, breitete sich eine
endlose, vom Hochwasser überschwemmte Ebene aus. Ein Fluß
war über die Ufer getreten, und das Wasser eines Seitenarmes
reichte bis an den Bahndamm heran. Von oben sah es durch eine
optische Täuschung so aus, als ob der Zug durch das Wasser führe
Die glatte Wasseroberfläche war hier und da stahlblau gefleckt.

Die blendende Morgensonne rief überall schillernde, ölige Reflexe hervor: so bestreicht eine Köchin die Kruste einer Pastete mit einer in Butter getauchten Feder, um sie glatt und glänzend zu machen.

In dieser endlosen Wasserfläche ertranken Wiesen und Gräben, Sträucher und Bäume und sogar die weißen Wolkensäulen, die sich wie Pfähle in die Tiefe der Flut zu senken schienen.

Irgendwo, in der Mitte dieses uferlosen Sees, sah man eine schmale, mit Bäumen bewachsene Landzunge, deren durch die Wasserspiegelung verdoppelte Silhouette im freien Himmel zu schweben schien.

»Enten! Junge Brut!« rief Alexander Alexandritsch, der aus dem Fenster blickte.

»Wo denn?«

»In der Nähe der Insel. Nicht da, mehr nach rechts! Verdammt noch einmal, jetzt streichen sie ab, man hat sie aufgeschreckt.«

»Ach, ja, jetzt sehe ich sie. – Alexander Alexandritsch, ich muß mit Ihnen sprechen. Verschieben wir es auf ein andermal, wenn sich die Gelegenheit ergibt. Unsere Freunde und ihre Damen haben ganz recht gehabt, zu fliehen. Sie haben wahrscheinlich niemandem dabei etwas zuleide getan. Sie sind einfach weggelaufen, wie Wasser, das sich verläuft.«

XXIV

Die Weiße Nacht ging ihrem Ende zu. Man konnte alles deutlich erkennen, und doch erschien es unwirklich, imaginär; die Berge, ein kleiner Wald, ein Abhang.

Das Unterholz fing gerade zu grünen an, einige Faulbeersträucher blühten, der Wald lag auf einer kleinen Erhöhung am Hügelrand. Ganz in der Nähe war ein Wasserfall, den man nur vom Ende des Gehölzes am Rande des Abhangs sehen konnte. Wassja war vom Gehen ermüdet. Vor dem Schauspiel der stürzenden Wassermassen ergriff ihn ein tiefes Grauen und ein ebenso tiefes Gefühl von Beseligung.

In der ganzen Gegend gab es nichts, was einem Vergleich mit diesem Wasserfall standgehalten hätte. Gerade diese Einmaligkeit war es, die ihn furchtbar machte. Er schien ein lebendiges Wesen zu sein und ein Bewußtsein zu haben; er wurde unter Wassjas Augen zum Märchendrachen, zum Lindwurm, der in der Gegend wütete und von den Bewohnern Lösegeld forderte.

Auf halber Höhe traf der Wasserfall auf einen vorspringenden Felszacken und teilte sich in zwei Hälften. Die obere Wassersäule wirkte fast unbeweglich, während die beiden unteren Kaskaden im Niederstürzen und Abwärtsgleiten keinen Augenblick innehielten, und doch schienen auch sie in ihrer schillernden, schwer zu durchdringenden Bewegung manchmal stillzustehen, so, als wollten sie sich aufrichten und wieder zurückströmen.

Wassja hatte einen Pelzmantel auf der Erde ausgebreitet und sich am Rande des Gehölzes niedergelegt. In der ersten Morgenfrühe senkte sich ein Vogel mit schweren Flügelschlägen von den Bergen, umkreiste ein paarmal den Wald und ließ sich auf dem Wipfel einer Edeltanne nieder, nahe der Stelle, wo Wassja lag. Der Knabe hob den Kopf und blickte auf den tiefblauen Hals und die graublaue Brust des Vogels und flüsterte den Namen, mit dem man im Ural den Häher bezeichnet: ›Ronscha!‹ Hierauf stand er auf, warf seinen Pelzmantel über die Schultern, überquerte die Waldwiese und ging auf seine Begleiterin zu:

»Kommen Sie, Tante, Sie sind ja ganz verfroren. Ihre Zähne klappern ja vor Kälte. Weshalb schauen Sie sich so ängstlich um? Ich sage Ihnen, wir müssen jetzt gehen! So begreifen Sie doch, in welcher Lage wir uns befinden. Wir müssen eines der Dörfer erreichen. Dort wird uns niemand Böses antun. Es sind unsere Brüder, sie werden uns verstecken. Wenn wir hierbleiben, werden wir vor Hunger sterben. Schon seit zwei Tagen haben wir nichts mehr gegessen. Väterchen Woronjuk wird schrecklich geflucht haben, sicher haben sie uns gesucht! Wir müssen fort. Tante Palascha, wir müssen weg von hier. Es ist wirklich ein Unglück mit Ihnen, Tante. Den ganzen Tag haben Sie wieder kein einziges Wort gesprochen! Der Kummer hat Euch stumm gemacht, bei Gott! Warum seid Ihr denn so traurig? Ihr habt Tante Katja Ogryskowa doch nur aus Versehen aus dem Wagen gestoßen, Ihr wolltet sie zur Seite schieben, ich habe es selber gesehen. Sie ist wieder heil aus dem Grase aufgestanden, nichts war gebrochen, sie lief einfach weiter. Ebenso Onkel Prochor, Prochor Charitonytsch. Sie werden uns einholen, dann werden wir alle beisammen sein – was denken Sie? Hauptsache, Sie grämen sich nicht mehr. Wenn Sie sich keinen

Kummer mehr machen, können Sie auch Ihre Zunge wieder bewegen.«

Die Tjagunóva erhob sich von der Erde, gab Wassja die Hand und sagte leise: »Komm, kleiner Liebling, laß uns gehen.«

XXV

In allen Fugen kreischend, erklomm der Zug einen Bergrücken, der zu beiden Seiten steil abfiel. Am Hügelabhang wuchsen junge Bäume verschiedener Art, deren Wipfel jedoch nicht bis zur Höhe des Schienenstranges reichten. Das Gras der Wiesen, von denen sich das Wasser erst vor kurzem zurückgezogen hatte, war mit Sand durchsetzt. Überall lagen Baumstämme herum. Offenbar waren sie irgendwo in der Nähe aufgestapelt gewesen und durch die Überschwemmung abgetrieben worden.

Der junge Wald unterhalb des Bahndamms war noch fast kahl wie im Winter. Nur in den Knospen, mit denen er übersät war wie mit Wachstropfen, vollzog sich etwas Ungewöhnliches, scheinbar Überflüssiges. Die Knospen sahen schmutzig und eitrig wie Geschwüre aus. Und eben aus diesem Schmutz, aus dieser Unordnung brach das Leben hervor in grünen Laubflammen, die schon einige Bäume des jungen Waldes entzündet hatten.

Hier und dort ragten Birken in die Höhe wie Märtyrer, die von den winzigen Pfeilen der spitzen Blättchen durchbohrt werden. Man konnte sich bei ihrem Anblick vorstellen, wie sie dufteten: Sie rochen wie ihre glänzende Rinde nach Harz, aus dem man Lack gewinnt.

Bald war die Stelle erreicht, wo die Baumstämme aufgestapelt gewesen sein mußten, ehe die Überschwemmung sie talwärts gespült hatte. An einer Wegbiegung wurde eine Lichtung sichtbar, die mit Holzspänen und Splittern übersät war. In ihrer Mitte lag ein Haufen von etwa drei Meter langen Baumstämmen. In der Nähe des Holzschlages bremste der Lokomotivführer. Der Zug schien zu erbeben, dann hielt er mitten in der Kurve an, die Wagen neigten sich ein wenig zur Seite, nach der Böschung des Bahndamms zu.

Die Lokomotive ließ einige kurze, gellende Pfiffe ertönen, jemand rief irgend etwas. Die Reisenden wußten auch ohne Signale, worum es sich handelte: der Lokomotivführer hatte den Zug zum

Halten gebracht, um einen Vorrat an Brennholz zu laden. Die Schiebetüren der Wagen wurden geöffnet. Auf dem Bahndamm versammelte sich eine Menschenmenge, die der Bevölkerung einer kleinen Stadt entsprach. Nur die Soldaten aus den ersten Wagen, die sich an Pflichtarbeiten niemals beteiligten, waren auch diesmal nicht zu sehen.

Die in der Lichtung umherliegenden Holzstücke genügten nicht, um den Tender vollzuladen. Man mußte einige Baumstämme zersägen.

Einige Sägen waren beim technischen Begleitpersonal des Zuges verfügbar. Man verteilte sie an die freiwilligen Arbeitskräfte, die sich paarweise zusammentaten. Auch der Doktor und sein Schwiegervater erhielten eine der Sägen.

In den aufgeschobenen Türen der Militärwagen sah man fröhlich grinsende Gesichter: junge Leute, die noch nie im Feuer gestanden hatten, und Schüler der Navigationsschulen waren hier, wie durch einen Irrtum, zusammengepfercht mit Arbeitern und Familienvätern, die gleichfalls zum erstenmal an die Front fuhren. Sie lärmten und alberten mit den älteren Matrosen herum. Sie vermieden es, nachzudenken. Alle fühlten, daß ihre Prüfungsstunde nahe bevorstand.

Die fröhlichen Burschen riefen den Holzsägern und Holzsägerinnen spöttische Bemerkungen zu:

»He, du da – Großvater! Sag ihnen doch einfach, daß du noch ein Säugling bist, den die Mama noch nicht entwöhnt hat. Sag, daß du für körperliche Arbeit nicht zu gebrauchen bist. – He, du da, Marfa! Paß auf, daß du dir mit der Säge nicht den Rock aufschlitzt, es könnte sonst ziehen. – He, du da, schönes Kind! Geh nicht in den Wald, komm lieber zu mir. Ich will dich heiraten.«

XXVI

Im Walde gab es einige Holzböcke aus gekreuzten Balken, deren Enden in der Erde staken. Einer davon war frei. Jurij Andréitsch und Alexander Alexandritsch machten sich daran, ihr Holz zu zersägen.

Es war an einem jener Frühlingstage, an denen die Erde gleichsam unberührt, so wie sie sechs Monate zuvor, vor den ersten

Frösten, gewesen war, unter dem tauenden Schnee hervortrat. Der Wald war von Feuchtigkeit durchtränkt und übersät mit Laub vom Vorjahr wie ein unaufgeräumtes Zimmer, wo man Quittungen, Briefe und Akten aus mehreren Jahren in Fetzen gerissen hat, ohne Zeit zu finden, sie aufzukehren.

»Nicht so schnell, Sie werden bald müde werden«, sagte der Doktor zu Alexander Alexandritsch, und er versuchte, die Säge langsamer und regelmäßiger hin- und herzubewegen. Dann schlug er vor, eine kleine Pause zu machen.

Der Wald hallte wider vom Kreischen der anderen Sägen, die manchmal alle im gleichen Takt hin- und herbewegt wurden, um dann wieder in ihren Einzelrhythmus zurückzufallen. Irgendwo in der Ferne versuchte sich eine Nachtigall an ihrem ersten Lied. In langen Zeitabständen, immer seltener, schien eine Schwarzdrossel auf einer verstaubten Flöte zu blasen. Der Dampf aus dem Ventil der Lokomotive stieg mit einem dumpfen Brodeln in den Himmel auf, das ähnlich klang wie das Geräusch überkochender Milch, die im Kinderzimmer auf einer Spiritusflamme steht.

»Du wolltest mit mir sprechen«, sagte Alexander Alexandritsch, »hast du es vergessen? Als wir durch das überschwemmte Land fuhren, von dem die Enten aufflogen, hast du plötzlich gesagt: ›Ich muß mit Ihnen sprechen.‹«

»Richtig. Aber ich weiß nicht, wie ich das in wenigen Worten sagen soll. Sehen Sie, wir nähern uns immer mehr dem Ural . . . Die ganze Gegend befindet sich hier in Aufruhr. Wir werden bald ankommen. Wir wissen nicht, was uns da unten erwartet. Auf jeden Fall müssen wir Klarheit über gewisse Dinge gewinnen. Ich rede hier nicht von unseren Überzeugungen. Es wäre töricht, sie hier in einem Fünfminuten-Gespräch im Frühlingswalde zu erörtern. Wir kennen uns gut genug. Wir drei, Sie, ich und Tonja, und viele andere Menschen unserer Zeit haben eine gemeinsame Welt, und wir unterscheiden uns nur durch die Art, wie wir diese Welt verstehen. Davon will ich nicht reden, das versteht sich von selbst. Ich wollte etwas anderes sagen. Wir müssen uns darüber klarwerden, wie wir uns unter gewissen Umständen verhalten wollen, damit wir uns später nicht voreinander zu schämen brauchen.«

»Das genügt, ich verstehe. Deine Fragestellung gefällt mir. Du hast die richtigen Worte gefunden. Ich habe dir darauf folgendes zu erwidern: du erinnerst dich an jenen Sturm im Winter, als du mit dem Extrablatt mit den ersten Regierungserlassen nach Hause kamst? Weißt du noch, wie endgültig und einmalig das alles war? Diese Gradlinigkeit hatte etwas Verführerisches. Aber diese ursprünglichen Dinge behalten ihre Reinheit nur in den Köpfen ihres Schöpfers bis zum Tage ihrer Proklamation. Das Jesuitische der Politik kehrt schon am nächsten Tag alles um, so wie man einen Handschuh umwendet. Was soll ich dir sagen? Ihre Philosophie ist mir fremd. Diese Macht ist gegen uns gerichtet. Man hat mich nicht nach meiner Meinung über diesen ganzen Umsturz gefragt. Aber man hat mir Vertrauen geschenkt. Was ich getan habe, verpflichtet mich, auch dann, wenn es gegen meinen Willen geschah.«

»Tonja fragt, ob wir noch rechtzeitig kommen, um die Gemüseäcker zu bestellen, und ob wir die Zeit zur Frühjahrssaat nicht verpaßt haben. Was soll ich ihr antworten?«

»Ich kenne die hiesigen Bodenverhältnisse und klimatischen Bedingungen nicht. Der Sommer ist zu kurz. Kann hier überhaupt etwas zur Reife gelangen? Aber sind wir wirklich in dieses ferne Land gereist, um Gemüsebau zu treiben? Schließlich sind wir nicht drei- oder viertausend Werst gefahren, um unser täglich Brot zu finden. Nein, um aufrichtig zu sein, wir sind mit einem anderen Ziel hierhergekommen. Wir wollen überleben und weitervegetieren, wie es alle in unserer Epoche tun, wir wollen unseren Teil von den enteigneten Maschinen, den Wäldern und den Überresten aus dem großväterlichen Besitz haben. Wir versuchen einigen Nutzen nicht aus der Wiederherstellung des Eigentums, sondern aus dessen Zerstörung zu ziehen, aus der kollektiven Verschleuderung von Rubeln, aus welcher jeder ein paar Kopeken gewinnt, um sein Leben zu fristen, um auf die gleiche chaotische, unsinnige Weise zu leben wie jedermann in unserer Zeit. Selbst wenn man mich dafür bezahlte, so wollte ich nicht eine so altmodische Fabrik leiten. Das wäre genauso ein Rückfall in die Barbarei früherer Zeiten, wie wenn man plötzlich wieder nackt herumlaufen oder das Alphabet vergessen würde. Nein, die Geschichte des Eigentums in Rußland ist zu Ende. Und wir Gromekos haben die Leidenschaft des Geldverdienens schon seit einer Generation verloren.«

XXVII

Wegen der Schwüle und der stickigen Luft im Waggon war es ganz unmöglich, zu schlafen. Das Kopfkissen des Doktors war feucht von Schweiß.

Vorsichtig ließ Schiwago sich von seiner Pritsche heruntergleiten. Dann schob er die Wagentür ein wenig auf, behutsam und leise, um niemanden zu wecken.

Ein feuchter, klebriger Hauch streifte sein Gesicht, es war ein Gefühl, wie wenn man im Keller in ein Spinnengewebe gerät. ›Das ist Nebel‹, sagte er sich. ›Der Tag wird schwül und glühend heiß werden. Darum fällt einem das Atmen so schwer, und auf der Seele lastet ein so erstickender Druck.‹

Ehe er auf die Gleise hinunterkletterte, blieb er eine Weile im Türrahmen stehen und lauschte in die Ferne hinaus.

Der Zug hielt in der Nähe einer größeren Station; es mußte ein Knotenpunkt sein. Die Wagen waren im Nebel und in der Stille versunken, sie erschienen unwirklich, verlassen, so als hätte man sie vergessen. Der Zug hielt auf einem Abstellgleis vor der Bahnhofseinfahrt. Zwischen der Station und dem Nebengleis breitete sich ein gewaltiges Schienennetz aus.

In der Ferne unterschied man zwei Arten von Geräuschen. Von dort, wo sie hergekommen waren, ertönte ein gleichmäßiges Klatschen, als würde dort Wäsche geschwenkt oder als schlüge der Wind ein nasses Fahnentuch gegen den Mast.

Aus der entgegengesetzten Richtung drang ein Dröhnen, das den Doktor erbeben ließ, weil er es vom Krieg her wiedererkannte.

»Ein weitreichendes Geschütz«, schloß er, nachdem er eine Weile aufmerksam auf das Grollen gehört hatte, das immer auf dem gleichen, tiefen Ton verharrte, »das also ist es. Wir nähern uns der Front.« Der Doktor schüttelte den Kopf und sprang vom Waggon auf die Erde hinunter.

Er ging einige Schritte auf dem Bahndamm entlang.

Hinter dem zweiten Wagen brach der Zug plötzlich ab.

Er hatte keine Lokomotive mehr; sie war mit den vorderen Waggons, die man vom Zug abgehängt hatte, irgendwohin gefahren.

›Also deshalb haben sie sich gestern so aufgespielt‹, dachte der Doktor. ›Sie wußten offenbar, daß man sie nach der Ankunft auf direktem Weg ins Feuer schicken würde.‹

Er ging um das Ende des Zuges herum, um die Schienen zu überqueren und einen Weg zum Bahnhof zu finden. Hinter einem Waggon tauchte plötzlich, wie aus der Erde emporgeschossen, ein bewaffneter Posten auf. Der Soldat fragte, ohne die Stimme zu heben:
»Wohin gehst du? Der Passierschein?!«
»Was ist das für eine Station?«
»Das geht dich nichts an. Wer bist du?«
»Ich bin Arzt aus Moskau. Ich reise mit meiner Familie in diesem Zug. Hier sind meine Papiere.«
»Ein Dreck sind deine Papiere. Ich werde ausgerechnet hier in der Dunkelheit deine Papierchen lesen und mir die Augen daran verderben! Siehst du den Nebel nicht? Auch ohne Dokument kann man auf eine Werst hin erkennen, was für eine Art Doktor du bist. Mit Doktoren von deiner Art macht man jetzt kurzen Prozeß, für sie sind die Kanonen zu schade. Aber die Zeit ist noch nicht gekommen. Marsch, zurück; solange du noch deine Knochen beisammen hast!«
›Für wen hält man mich hier?‹ dachte der Doktor. Ein Wortwechsel mit dem Wachtposten wäre sinnlos gewesen. Es war besser, sich zu entfernen, ehe es zu spät sein würde. Der Doktor ging auf der anderen Seite des Zuges zurück.
Der Kanonendonner verhallte in seinem Rücken. Im Osten war die Sonne aufgegangen, man konnte ihren Umriß undeutlich hinter den zerrissenen Nebelschwaden erkennen wie die Silhouetten nackter Gestalten in den Dampfwolken eines öffentlichen Bades.
Der Doktor ging an den Waggons entlang, ließ sie hinter sich und kam ins freie Feld. Bei jedem Schritt versanken seine Füße tiefer im lockeren Sand. Das Geräusch des gleichmäßigen Plätscherns und Klatschens, das er schon vorher gehört hatte, war nun ganz nahe. Er stand vor einem Abhang. Nach einigen Schritten blieb er stehen. Vor sich sah er undeutliche Umrisse, die durch den Nebel vergrößert erschienen. Nach einem weiteren Schritt tauchten vor Jurij Andréitschs Augen aus der Dunkelheit Kähne auf, die ans Land gezogen waren. Er befand sich am Ufer eines breiten Flusses, der seine kleinen, matten Wellen langsam und träge gegen die Wände der Fischerbarken und die Planken der Anlegebrücken schlagen ließ. »Wer hat dir erlaubt, dich hier herumzutreiben?« fragte ein anderer Posten, der vom Ufer heraufkam.
»Was ist das für ein Fluß?« fragte der Doktor wider Willen, denn

nach seinen letzten Erfahrungen hatte er sich fest vorgenommen, keine Fragen mehr zu stellen.

Statt zu antworten, setzte der Posten eine Trillerpfeife an seine Lippen, aber noch ehe er pfeifen konnte, war der erste Wachtposten, der Jurij Andréitsch unbemerkt gefolgt war, auf seinen Kameraden zugetreten.

»Paß auf ihn auf, Landsmann«, sagte der erste Wachtposten zu einem Mann, der unsichtbar blieb, und er ging mit seinem Kameraden auf die Station zu.

Auf einmal hörte der Doktor, wie sich dicht in seiner Nähe ein Mensch räkelte und bewegte. Es war ein Mann, der am Ufer des Flusses im Sand lag – allem Anschein nach ein Fischer.

»Dein Glück, daß sie dich zum Chef persönlich bringen wollen. Das kann deine Rettung sein. Du brauchst nicht böse auf sie zu sein. Sie tun nur ihre Pflicht. Das Volk regiert eben jetzt. Vielleicht ist es besser so. Da gibt's nichts zu spaßen. Die beiden, siehst du, haben sich getäuscht. Sie suchen irgendeinen Burschen. Sie glauben, du wärest es! Sie denken, das ist der Bösewicht, der Feind der Arbeitermacht – den hätten wir! Ein kleiner Irrtum. Sollte die Sache böse aussehen, verlange, daß man dich zum Chef führt. Mit denen da gib dich gar nicht erst ab, mit denen soll man sich nicht anlegen, sind wilde Revolutionäre. Denen kommt es gar nicht darauf an, dich zu erledigen. Wenn sie sagen ›Vorwärts Marsch‹, so sage einfach ›Nein‹. Sage ›Ich will zum Chef gebracht werden.‹«

Jurij Andréitsch erfuhr von dem Fischer, daß der schiffbare Fluß, an dem er jetzt stand, die berühmte Rynjwa war und daß die am Ufer gelegene Stadt Raswilje hieß und ein Fabrikvorort und der Hafen der Stadt Jurjatino war. Der Fischer sagte ihm, daß Jurjatino, das zwei oder drei Werst flußabwärts lag, in den Händen der Weißen gewesen war. Jetzt sei die Stadt wieder von den Roten besetzt worden. Auch in Raswilje hatte es Unruhen gegeben, die man jetzt offenbar niedergeschlagen hatte. Die Stille überall in der Gegend kam daher, daß man die ganze Zivilbevölkerung im Umkreis der Station evakuiert und das Gelände durch einen Truppenkordon abgesperrt hatte. Endlich erklärte der Fischer, daß unter den Zügen und Truppentransporten, die auf dem Bahnhof hielten, auch der gepanzerte Sonderzug des Kriegskommissars Strelnikov sei, in dessen Wagen man die Ausweispapiere des Doktors gebracht habe.

Nach einer Weile stieg ein Wachtposten aus diesem Wagen aus, um den Doktor zu holen. Dieser Soldat unterschied sich von den beiden ersten durch die Art, wie er sein Gewehr achtlos hinter sich her über den Boden schleifte und es dann wieder vor seinen Beinen aufpflanzte, so als schleppe er einen betrunkenen Kameraden mit, der ohne seine Hilfe umfallen würde. Der Soldat führte den Doktor in den Waggon des Kriegskommissars.

XXVIII

Nachdem er die Parole des Tages gesagt hatte, stieg der Posten mit dem Doktor in einen der beiden Salonwagen ein, die durch einen Lederbalg miteinander verbunden waren. Aus den Wagen drang Gelächter und Stimmengewirr, das beim Eintritt der beiden verstummte. Der Wachtposten führte den Doktor durch einen schmalen Korridor in ein geräumiges Abteil. Hier herrschten Ruhe und Ordnung. In dem sauberen, bequemen Raum arbeiteten gut angezogene, gepflegte Leute. Schiwago hatte sich das Hauptquartier des parteilosen Kriegskommissars, der in kurzer Zeit zum Ruhm und zum Schrecken des ganzen Gebietes geworden war, ganz anders vorgestellt.

Das Zentrum von Strelnikovs Tätigkeit lag jedoch wahrscheinlich nicht hier, sondern weiter vorne, im Stabsquartier der Front, in unmittelbarer Nähe des Kriegsschauplatzes. Hier befand sich nur sein persönlicher, nicht gerade großer Stab und sein Privatabteil mit einem Feldbett.

Die tiefe Stille, die in dem Wagen herrschte, erinnerte den Doktor an gewisse Kuranstalten, in denen man heiße Seebäder nehmen kann; dort ist der Boden mit Korkmatten und kleinen Teppichen bedeckt, und die Bedienung bewegt sich lautlos in weichen Pantoffeln über die Korridore.

Im mittleren Teil des Waggons, dem früheren Speiseraum, befand sich jetzt die Versandstelle. Der Raum war mit einem Teppich und einigen Tischen ausgestattet.

»Sofort«, sagte ein junger Offizier, der in der Nähe des Eingangs saß. Hierauf schienen alle, die an den Bürotischen arbeiteten, den Doktor zu vergessen; niemand kümmerte sich um ihn. Der junge Offizier entließ den Wachtposten mit einem zerstreuten Kopfnicken, und jener entfernte sich, wobei er mit dem Gewehrkolben gegen die Eisenplatten des Verbindungsganges zwischen den Wagen stieß.

Von der Türschwelle aus entdeckte der Doktor am anderen Ende des Abteils seine Ausweispapiere. Sie lagen am Rande des letzten Schreibtisches vor einem älteren Offizier, der wie ein Oberst der alten Armee wirkte. Er war mit statistischen Arbeiten beschäftigt. Er murmelte etwas vor sich hin, sah in Nachschlagebüchern nach, prüfte Generalstabskarten, verglich sie miteinander, machte Ausschnitte und heftete sie ein. Sein Blick wanderte von einem Fenster zum anderen, und er sagte: »Heute wird es aber heiß.«

Auf dem Fußboden zwischen den Tischen reparierte ein Techniker, auf allen vieren kriechend, eine Telefonleitung. Als er unter dem Tisch des jungen Offiziers arbeitete, erhob sich dieser, um ihn nicht zu stören. Nebenan quälte sich eine Sekretärin, die eine khakifarbene Uniformjacke trug, mit einer beschädigten Schreibmaschine herum. Der Wagen war zu weit nach einer Seite herausgerutscht und saß nun im Rahmen fest. Der junge Offizier stellte sich hinter den Stuhl der Sekretärin, um mit ihr zusammen die Ursache des Defekts zu suchen. Der Techniker, der inzwischen zum Tisch der Sekretärin gekommen war, untersuchte die Tastenhebel und den Wagen der Maschine von unten. Nun erhob sich auch der Kommandeur, der wie ein Oberst aussah, und trat auf die anderen zu. Alle waren mit der Maschine beschäftigt.

Der Doktor beruhigte sich. Es war schwer vorstellbar, daß Menschen, die über sein Schicksal besser Bescheid wußten als er, sich in Gegenwart eines zum Tode Verurteilten so sorglos mit lächerlichen Kleinigkeiten abgeben konnten.

›Aber wer kennt sich da aus?‹ dachte er. ›Woher kommt ihre Seelenruhe? Ganz in der Nähe dröhnen die Kanonen, Menschen gehen zugrunde. Sie aber machen eine Vorhersage über den kommenden heißen Tag, wobei sie nicht die harten Kämpfe, sondern einfach das Wetter meinen. Vielleicht haben sie so viel gesehen und erlebt, daß sie völlig abgestumpft sind.‹

Und da er nicht wußte, was er tun sollte, sah er aus dem gegenüberliegenden Fenster des Wagens ins Freie hinaus.

XXIX

Von hier aus konnte man die Gleise vor dem Zug, den Bahnhof und den Ort Raswilje, der auf einer Anhöhe lag, erkennen.

Eine Treppe aus rohem Holz führte in drei Absätzen von den Gleisen zum Bahnhof.

Hier befand sich ein wahrer Lokomotivenfriedhof: alte Maschinen ohne Tender, mit Schloten in der Form von Schalen und Stiefelschäften standen zwischen Trümmern zerstörter Eisenbahnwaggons.

Der Lokomotivenfriedhof im Vordergrund und der Friedhof des Ortes auf der Anhöhe, die Eisentrümmer auf der Bahnstrecke und die verrosteten Dächer und Ladenschilder der Häuser in der Nachbarschaft schlossen sich unter dem weißen Himmel, der trotz der frühen Morgenstunde schon vor Hitze glühte, zu einem Panorama von Verfall und Verlassenheit zusammen.

In Moskau hatte Jurij Andréitsch vergessen, wie viele Aushängeschilder es in einer Stadt geben konnte und einen wie großen Teil der Fassaden sie bedeckten. Die Schilder hier brachten es ihm wieder in Erinnerung. Die Hälfte von ihnen war mit so großen Buchstaben beschriftet, daß man sie vom Zuge aus lesen konnte. Sie hingen so tief über den windschiefen Fenstern der einstöckigen Bauten, daß die armen, niedrigen Häuschen unter ihnen verschwanden wie die Köpfe von Dorfkindern, die sich die Mütze des Vaters über den Kopf gestülpt haben.

Der Nebel hatte sich völlig aufgelöst. Nur noch geringe Spuren waren, weit im Osten, am Morgenhimmel zurückgeblieben. Aber auch dort gerieten die Wolken nun in Bewegung, lösten sich auf und gingen auseinander wie die Falten eines Theatervorhangs.

Im Osten, etwa drei Werst von Raswilje entfernt, wurde auf einem Berge eine große Stadt sichtbar. Sie sah wie eine Kreis- oder Gouvernementsstadt aus. Sie lag unter den gelben Strahlen der Morgensonne, und die Entfernung schien ihre Konturen zu vereinfachen. Die Stadt baute sich mit ihren Häusern und Straßen und der großen Kathedrale auf dem Gipfel des Hügels terrassenförmig auf wie der Berg Athos oder wie Eremitenklausen auf volkstümlichen Farbdrucken.

›Jurjatino‹, überlegte der Doktor bewegt. ›Wieviel hatte die verstorbene Anna Iwanowna ihnen von dieser Stadt erzählt, und wie oft hatte Schwester Antipova von ihr gesprochen! Wieviel habe ich von dieser Stadt gehört, und unter welchen Umständen sehe ich sie jetzt zum erstenmal in meinem Leben!‹

In diesem Augenblick wurde die Aufmerksamkeit der Offiziere, die sich über die Schreibmaschine beugten, durch einen Vorgang abgelenkt, der sich draußen, vor den Wagenfenstern, abspielte. Sie wandten die Köpfe herum, der Doktor folgte ihren Blicken. Auf der Treppe, die zur Station führte, wurden gefangene Soldaten und Zivilisten abgeführt, unter ihnen ein Gymnasiast, der offenbar eine Kopfverletzung hatte. Man hatte ihm einen Notverband angelegt, unter dem Blut hervordrang, das er mit der Hand von seinem gebräunten und schweißnassen Gesicht zu wischen versuchte.

Der Gymnasiast, der zwischen zwei Rotarmisten ging, fesselte die Aufmerksamkeit durch sein schönes und energisches Gesicht, er erregte Mitleid durch seine Jugend. Besonders auffallend war das ungeschickte und unzweckmäßige Verhalten des jungen Mannes und seiner beiden Begleiter: sie taten genau das, was man hätte vermeiden sollen.

Immer wieder rutschte die Schülermütze von dem verbundenen Kopf des Gymnasiasten herunter. Statt sie nun abzunehmen und in den Händen zu halten, setzte er sie trotz seiner Verwundung wieder zurecht und zog sie tiefer über den Kopf, wobei ihm die beiden Soldaten halfen.

In dem absurden Verhalten, das dem gesunden Menschenverstand widersprach, lag etwas Symbolisches. Unter diesem Eindruck wäre der Doktor am liebsten hinausgelaufen, um dem Jungen ein paar Worte zuzurufen, die ihm schon auf den Lippen lagen. Er wollte dem Jungen und allen Menschen im Wagen verkünden, das Heil liege nicht in der Treue zur Uniform, sondern in der Befreiung von ihr.

Schiwago wandte sich um: Mitten im Wagen stand Strelnikov, der soeben mit großen, entschiedenen Schritten eingetreten war. Wie war es möglich, daß der Doktor unter den zahllosen Menschen, die er kennengelernt hatte, bis zu diesem Tage niemals einer so ausgeprägten Persönlichkeit wie diesem Manne begegnet war? Wie kam es, daß das Leben sie noch nicht zusammengeführt hatte? Warum hatten sich ihre Wege nie gekreuzt?

Mit einemmal wurde ihm klar, daß dieser Strelnikov, der da vor ihm stand, die vollkommene Verkörperung der Willenskraft war.

Er war in einem solchen Maße der Mensch, der er sein wollte, daß alles an ihm exemplarisch erschien: sein schöner und gut geschnittener Kopf, sein energischer Schritt, seine langen Beine, seine hohen Stiefel, die, selbst wenn sie voller Schmutz waren, noch sauber wirkten, und sein graues Uniformhemd, das, auch wenn es zerknittert war, den Eindruck frisch gebügelten Leinens erweckte.

So überwältigend war der Eindruck seiner natürlichen Ausstrahlung und Haltung, die ihn befähigten, sich in jeder nur erdenklichen Lage der irdischen Existenz zurechtzufinden.

Dieser Mensch war im Besitz einer besonderen Gabe, die ihm vielleicht nicht einmal angeboren war. Es konnte auch nur eine Fähigkeit zur Nachahmung sein, die sich in jeder seiner Bewegungen offenbarte. Zu dieser Zeit stilisierte sich jeder nach irgendeinem Vorbild. Man ahmte die Heroen der Geschichte ebenso nach wie die Helden an der Front und in den Straßenkämpfen der Revolution, die der Phantasie immer neue Nahrung gaben. Man imitierte berühmte Volksvertreter und Genossen, die sich ausgezeichnet hatten, einer ahmte den andern nach.

Aus Höflichkeit zeigte Strelnikov nicht, daß ihn die Anwesenheit eines Fremden überraschte oder störte. Im Gegenteil, er wandte sich an alle Anwesenden, als gehörte auch der Doktor zu seinen Leuten. Er sagte:

»Ich gratuliere. Wir haben sie zurückgeschlagen. Das scheint ein Kriegsspiel zu sein, keine ernste Angelegenheit. Sie sind genauso Russen wie wir. Nur leiden sie unter einer fixen Idee, von der sie sich nicht trennen wollen und die wir ihnen mit Gewalt austreiben müssen. Ihr Befehlshaber war mein Freund. Von Haus aus ist er viel mehr Proletarier als ich selber. Wir sind auf einem Hofe groß geworden. Er hat für mich viel getan, ich bin ihm verpflichtet. Aber ich freue mich, daß ich ihn über den Fluß zurückgeworfen habe, vielleicht auch noch weiter. Stellen Sie möglichst schnell die Verbindung her, Gurian. Man darf sich nur auf Melder und auf den Telegrafen verlassen. Habt ihr schon gemerkt, wie heiß es heute ist? Dennoch habe ich anderthalb Stunden fest geschlafen! Ach ja ...« Plötzlich schien ihm etwas einzufallen und er wandte sich dem Doktor zu. Er erinnerte sich, aus welchem Grund man ihn aufgeweckt hatte. Man hielt diesen Unbekannten hier wegen einer völlig belanglosen Geschichte zurück.

›Das soll er sein‹, dachte Strelnikov und maß den Doktor mit prüfendem Blick. ›Keine Spur von Ähnlichkeit. Diese Dummköpfe!‹ Er lachte laut auf und wandte sich an Jurij Andréitsch: »Sie verzeihen, Genosse. Man hat Sie für einen andern gehalten. Meine Wachen haben sich geirrt. Sie sind frei. Wo ist das Arbeitsbuch des Genossen? Aha, da sind Ihre Dokumente. Verzeihen Sie die Indiskretion, aber ich erlaube mir, einen Blick hineinzuwerfen . . . Schiwago . . . Doktor Schiwago . . . Das ist ein Moskauer Name. Wissen Sie was, kommen Sie doch einen Augenblick zu mir. Das hier ist das Sekretariat. Mein Wagen ist nebenan. Treten Sie ein, ich werde Sie nicht lange aufhalten.«

XXX

Wer war dieser Mensch? Schien es nicht erstaunlich, daß ein Parteiloser bis zu einer solchen Stellung aufsteigen und sich in ihr hatte behaupten können? Ein Parteiloser, den niemand kannte, weil er als gebürtiger Moskauer nach dem Universitätsstudium als Lehrer in der Provinz tätig gewesen und im Kriege lange Zeit in Gefangenschaft war. Ehe er vor kurzem wiederaufgetaucht war, hatte man ihn für vermißt oder sogar für gefallen gehalten.

Der fortschrittliche Eisenbahner Tiversín, in dessen Familie Strelnikov als Knabe aufgewachsen war, hatte ihn empfohlen und für ihn gebürgt. Die Menschen, von denen in der damaligen Zeit die Ernennungen abhingen, vertrauten ihm. In den Tagen des maßlosen politischen Extremismus und des falschen Pathos zeichnete sich die revolutionäre Leidenschaft eines Strelnikov, der vor nichts zurückschreckte, durch ihre Reinheit und ihren echten Fanatismus aus, der im Laufe seines Lebens herangereift war und nichts dem Zufall verdankte. Strelnikov rechtfertigte das in ihn gesetzte Vertrauen.

Seine letzten Gefechtseintragungen galten den Kampfhandlungen bei Ustj-Nemdinsk und Nishne-Keljmess, seinen Maßnahmen gegen die Gubasowschen Bauern, die einer Versorgungsabteilung bewaffneten Widerstand geleistet hatten, und den Repressalien gegen das vierzehnte Infanterieregiment, das einen Versorgungszug auf der Station Medweshja-Poima ausgeplündert hatte. Ferner hatte er die Meuterei der Soldaten, die auf dem Bahnhof von Turkatua mit der Waffe in der Hand zu den Weißgardisten über-

gegangen waren, niedergeschlagen und die Militärrevolte am Fluß-
hafen Tschirkin-Uss unterdrückt, wo man den Kommandanten,
der den Sowjets die Treue hielt, getötet hatte.

Überall tauchte er wie ein Ungewitter auf. Er hielt Gericht, fällte
Urteile und führte seine Beschlüsse aus, schnell, hart und beden-
kenlos. Die Fahrten seines Zuges setzten dem allgemeinen Fieber
der Fahnenflucht, das in dem ganzen Gebiet wütete, ein Ende.
Seine Reform des Rekrutierungssystems hatte Entscheidendes geändert. Jetzt gingen die Aushebungen für die Rote Armee ohne
Zwischenfälle vor sich. Die Rekrutierungskommissare arbeiteten
fieberhaft.

In der letzten Zeit, als die Weißen vom Norden her vorstießen
und die Lage bedrohlich zu sein schien, hatte man Strelnikov vor
neue, rein militärische Aufgaben gestellt. Seine Aktivität erzielte
unmittelbare Erfolge.

Strelnikov wußte, daß ihm die Fama den Beinamen Rastrelnikov
(d. h. der Erschießer) gegeben hatte. Er ging ruhig darüber hinweg. Er fürchtete sich vor nichts.

Er war der Sohn eines Moskauer Arbeiters, der seine Teilnahme
an der Revolution des Jahres 1905 teuer bezahlt hatte. Er selber
hatte damals wegen seiner Jugend der revolutionären Bewegung
noch fern gestanden. Später war er völlig in Anspruch genommen
durch sein Universitätsstudium, das er – wie die meisten jungen
Leute aus unbemittelten Kreisen – ernster und eifriger betrieb als
die Kinder aus wohlhabenden Häusern. Der Zustand der Gärung,
in dem sich damals die materiell sichergestellte Studentenschaft befand, berührte ihn nicht. Er verließ die Universität mit außergewöhnlichen Kenntnissen. Seine historisch-philologische Ausbildung
hatte er durch Mathematikstudien ergänzt. Das Gesetz befreite
ihn vom Wehrdienst, aber er meldete sich freiwillig zur Front,
wurde im Range eines Unterleutnants gefangengenommen und
war am Ende des Jahres 1917 in die Heimat geflüchtet, als er erfuhr, daß in Rußland die Revolution ausgebrochen sei.

Zwei Charakterzüge und zwei Leidenschaften bestimmten sein
Wesen. Sein Denken war genau und von außergewöhnlicher Klar-
heit. Er hatte ein ausgesprochenes Gefühl für sittliche Reinheit und
Gerechtigkeit; seine Empfindungen waren edel und selbstlos.
Aber für einen Gelehrten, der neue Wege entdecken will, fehlte
es ihm an jener Intuition, deren überraschende Entdeckungen die

unfruchtbare Ordnung des Gewohnten und Vorausschaubaren immer von neuem durchbrechen.

Um aber wirklich Gutes zu wirken, mangelte es seinem rigorosen Geist an jener Großmut des Herzens, die den besonderen Fall höher als den allgemeinen achtet und gerade dadurch wirklich groß ist, daß sie das Kleine, das Geringe tut.

Seit seiner Kindheit hatte Strelnikov nach Größe und Reinheit gestrebt. Er hielt das Leben für eine gewaltige Arena, in der die Menschen sich unter Einhaltung strenger Regeln bekämpfen, um Vollkommenheit zu erreichen.

Als sich später herausstellte, daß dem nicht so war, wollte er nicht begreifen, daß er mit seiner Vereinfachung der Weltordnung unrecht hatte. Er verbarg seine Enttäuschung und begann mit dem Gedanken zu spielen, daß er einmal zum Schiedsrichter zwischen dem Leben und den negativen Kräften, die es verdarben, bestimmt sein würde. Er wollte dieses Leben gegen die Mächte der Finsternis verteidigen und als sein Rächer auftreten.

Die Enttäuschung hatte ihn zum Empörer gemacht. Die Revolution sollte ihm die Waffen in die Hand geben.

XXXI

»Schiwago, Schiwago«, wiederholte Strelnikov, als sie in seinen Wagen eintraten. »Das ist ein Name von Kaufleuten oder Aristokraten. Doktor aus Moskau, Reiseziel Warykino. Wie seltsam! Da verläßt einer Moskau und verkriecht sich in ein gottverlassenes Nest.«

»Genauso ist's. Ich bin auf der Suche nach Ruhe. Ich möchte irgendwo unbekannt in einem verborgenen Winkel leben.«

»Wie poetisch! Warykino? Ich kenne diese Gegend. Dort sind die ehemaligen Krügerschen Fabriken. Sollten Sie am Ende verwandt sein? Vielleicht die Erben?«

»Weshalb der spöttische Ton?! Was hat das mit den Erben zu tun? Aber tatsächlich ist meine Frau . . .«

»Sehen Sie! Ich habe es ja gewußt. Sie haben wohl Sehnsucht nach den Weißen? Da muß ich Sie enttäuschen. Sie sind zu spät gekommen. Das ganze Gebiet ist von ihnen gesäubert worden.«

»Sie machen sich über mich lustig.«

»Und dann sind Sie Doktor, Militärarzt. Wir befinden uns im Kriege. Ihr Fall geht mich unmittelbar an. Sie sind ein Deserteur. Auch die ›Grünen‹* suchen in den Wäldern Einsamkeit und Stille. Was haben Sie zu sagen zu Ihrer Rechtfertigung?«

»Ich war zweimal verwundet und bin untauglich.«

»Sie werden mir gleich eine Bescheinigung des Volkskommissariats für Bildungswesen oder des Volkskommissariats für Volksgesundheit vorlegen, worin Sie als ›wahrhaft sowjetischer Mensch‹ oder als ›mit der Revolution sympathisierend‹ und ›loyal‹ empfohlen werden. Wir erleben zur Zeit das Jüngste Gericht, verehrter Herr, das Schwert und das geflügelte Tier der Apokalypse beherrschen das Feld, ich will nichts wissen von halbsympathisierenden und halbloyalen Doktoren. Ich habe Ihnen gesagt, daß Sie frei sind, und ich stehe zu meinem Wort. Es gilt aber nur für dieses Mal. Ich habe so ein Vorgefühl, als sollten wir uns noch einmal begegnen. Dann wird unsere Unterhaltung von anderer Art sein. Ich möchte Sie heute schon warnen.«

Jurij Andréitsch ließ sich durch den drohenden und herausfordernden Ton nicht in Verwirrung bringen. Er sagte:

»Ich weiß, was Sie über mich denken. Und Sie haben von Ihrem Standpunkt aus vollkommen recht. Die Diskussion, in die Sie mich hineinziehen wollen, führe ich in Gedanken schon mein ganzes Leben lang mit einem imaginären Ankläger, und man sollte denken, daß ich Zeit genug gehabt habe, um zu gewissen Schlußfolgerungen zu gelangen. Mit zwei Worten ist es nicht getan. Gestatten Sie mir, mich ohne Erklärung zu entfernen, vorausgesetzt, daß ich wirklich frei bin. Wenn nicht, so verfügen Sie über mich. Ich brauche mich vor Ihnen nicht zu rechtfertigen.«

Das Gespräch wurde vom Summen des Telefons unterbrochen. Die Telefonverbindung war wiederhergestellt.

»Danke, Gurian«, sagte Strelnikov, den Hörer abnehmend, »schikken Sie bitte, mein Lieber, jemanden zur Begleitung für den Genossen Schiwago, um weitere Zwischenfälle zu vermeiden.«

Als Strelnikov allein geblieben war, telefonierte er mit dem Stationsvorsteher: »Man hat Ihnen soeben einen Knaben geschickt, der seine Zeit damit verbringt, seine Gymnasiastenmütze

---

* ›Grüne‹ nannte man irreguläre Truppen, Deserteure und geflüchtete Zivilisten, die weder den ›Roten‹ noch den ›Weißen‹ angehörten und sich in den Wäldern verborgenhielten.

zurechtzusetzen. Dabei hat er einen bandagierten Kopf – was für ein Unfug! Verschaffen Sie ihm einen Arzt, falls nötig. Hüten Sie ihn wie Ihren Augapfel. Sie sind mir persönlich verantwortlich. Geben Sie ihm eine Verpflegungsration – falls erforderlich. Das wäre dies. Nun zu ernsthafteren Angelegenheiten. Ich spreche noch, ich bin noch nicht fertig. Zum Teufel, wer ist in der Leitung, wer hat sich eingeschaltet? Gurian, Gurian! Man hat mich getrennt!«

›Vielleicht ist's einer meiner früheren Schüler‹, dachte er, nachdem der Versuch, das Gespräch mit dem Bahnhof zu Ende zu führen, gescheitert war. ›Inzwischen ist er erwachsen, und jetzt rebelliert er gegen uns!‹ Strelnikov rechnete sich in Gedanken aus, in welchem Jahr er Lehrer in Jurjatino gewesen war, bevor er in den Krieg und in Gefangenschaft gekommen war. Er überlegte, ob der Zeitpunkt mit dem Alter des Knaben übereinstimmte. Dann blickte er zum Wagenfenster hinaus und suchte am Horizont den Stadtbezirk von Jurjatino, in dem ihre Wohnung am Ufer des Flusses gelegen hatte. ›Was tun‹, dachte er, ›wenn meine Frau und meine Tochter noch hier sein sollten? Wenn ich zu ihnen ginge, auf der Stelle, gleich! Wäre das denkbar? Das alles gehört in ein anderes Leben! Zuerst muß ich mein neues Dasein zu Ende leben, ehe ich in jene Existenz zurückkehre, die so jäh unterbrochen wurde. Eines Tages wird es soweit sein. Aber wann, aber wann?‹

Die Ankunft

Der Zug, mit dem die Familie Schiwago gereist war, hielt noch auf
einem Rangiergleis des Bahnhofs, weil die Strecke gesperrt war;
doch man spürte schon deutlich, daß die Verbindung, die mit Moskau während der ganzen Fahrt fortbestanden hatte, von diesem
Morgen an abgerissen war.

Hier begann, gleichsam ein anderes Universum, die Welt der Provinz, die ihren eigenen Mittelpunkt hatte und um sich selber
kreiste.

Die Leute dieser Gegend waren näher miteinander bekannt als die
Bewohner der Hauptstädte. Obwohl der Bezirk Jurjatin-Raswilje
durch einen Truppenkordon der Roten abgesperrt war, gelang es
den ortsansässigen Vorstadtbewohnern, auf unbegreifliche Weise
bis an die Bahnstrecke heranzukommen; sie ›sickerten durch‹, wie
man das heute nennt. Schon hatten sie sich in die Waggons hinein-
gezwängt. Die einen gingen auf dem Gleise, am Zug entlang, andere
standen auf dem Bahndamm vor den Waggons.

Diese Menschen kannten sich alle gut, sie begrüßten sich schon von
weitem und kamen miteinander ins Gespräch, wenn sie sich begegneten. Ihre Gewohnheiten, ihre Kleidung, ihre Art zu sprechen
und ihre Nahrung unterschieden sich von den Sitten und Gewohnheiten in den Hauptstädten.

Der Doktor war neugierig zu erfahren, wovon sie lebten, von
welcher moralischen und materiellen Substanz sie zehrten und auf
welche Weise sie mit den Schwierigkeiten der Zeit und mit den
Forderungen des Tages fertig wurden.

Auf all diese Fragen sollte er gleich eine sehr konkrete und bei-
spielhafte Antwort erhalten.

II

In Begleitung eines Wachtpostens, der sein Gewehr hinter sich
herschleifte und sich gelegentlich wie auf einen Stock darauf stützte,
kehrte der Doktor zu seinem Zuge zurück. Die Hitze war drückend,
Gleise und Waggondächer glühten in der Sonne. Die Erde war
schwarz von Öl, hatte jedoch einen gelblichen Schimmer, wie ver-
goldetes Metall. Das Gewehr, das der Posten hinter sich herzog,
hinterließ eine Spur im Sand und holperte mit einem dumpfen
Geräusch über die Schienenschwellen. Der Wachtposten sagte:
»Das Wetter ist beständig. In diesen Tagen müßte man das Som-
merkorn, den Hafer und auch die Hirse säen; es ist jetzt dafür die
goldene Zeit. Für den Buchweizen wäre es noch zu früh. Den
Buchweizen sät man bei uns erst Mitte Juni, am Akulinatage. Ich
bin nicht von hier, ich bin aus Morschansk, Gouvernement Tam-
bov. Ach, Genosse Doktor! Wenn es jetzt nicht diese Hydra von
Bürgerkrieg und diese Pest der Gegenrevolution gäbe, würde ich
bestimmt nicht in dieser Frühlingszeit weit von zu Hause weg für
andere Leute meinen Kopf hinhalten. Dieser unglückselige Klassen-
kampf ist uns wie eine schwarze Katze über den Weg gelaufen.
Die Ergebnisse davon hast du gesehen.«

III

»Danke, ich komme schon allein hinein!« sagte Jurij Andréitsch,
als sich ihm hilfreiche Hände aus dem Waggon entgegenstreckten,
um ihm das Einsteigen zu erleichtern. Er zog sich aus eigener
Kraft hoch, sprang mit einem Satz in den Wagen und umarmte
seine Frau.
»Endlich bist du da! Gott sei Dank, daß alles glücklich abgelaufen
ist«, rief Antonina Alexándrowna. »Übrigens war dieser glückliche
Ausgang für uns keine Überraschung. Wir haben alles gewußt.«
»Wie ist das möglich?«
»Die Wachen hielten uns auf dem laufenden. Wir hätten sonst die
Ungewißheit nicht ertragen. Papa und ich waren ohnehin nahe
daran, den Verstand zu verlieren. Sieh ihn dir nur an: jetzt schläft
er wie ein Stein nach all den Aufregungen. Versuche nur, ihn zu
wecken! Weißt du übrigens, daß wir neue Reisegenossen haben?

Ich werde dir gleich einige davon vorstellen. Höre nur, überall redet man von dir! Der ganze Waggon beglückwünscht dich zur Befreiung. – Darf ich Ihnen meinen Mann vorstellen!« rief sie, unvermittelt das Thema wechselnd, und wandte den Kopf über die Schulter zurück zu einem neu hinzukommenden Mitreisenden, der im Hintergrund des Wagens stand und von seinen Nachbarn fast erdrückt wurde.

»Samdewjatov«, erwiderte der Angesprochene, und über den Köpfen der Unbekannten wurde ein weicher Hut sichtbar. Der Reisende, der sich soeben vorgestellt hatte, versuchte, sich einen Weg durch die Menge bis zum Doktor zu bahnen.

›Samdewjatov‹, sagte sich Jurij Andréitsch. Bei diesem Namen hätte ich mir etwas im altrussischen Genre vorgestellt. Etwas Legendäres, einen schaufelförmigen Bart, einen Kaftan, einen silberbeschlagenen Gürtel. Aber dies scheint eher das Genre einer ›Gesellschaft der Freunde der Kunst‹ zu sein: ergraute Locken, ein Schnurrbart, ein spanisches Kinnbärtchen.

»Nun, wie war's, hat Ihnen Strelnikov Angst gemacht? Gestehen Sie!«

»Nein, wieso denn? Wir hatten ein ernstes Gespräch. Jedenfalls ist er ein starker, bedeutender Mensch.«

»Und wie! Ich habe die rechte Vorstellung von dieser Persönlichkeit bekommen. Er ist nicht von hier; er ist einer der Euren. Aus Moskau, genau wie alle Neuigkeiten aus der letzten Zeit; die sind auch aus der Hauptstadt importiert. Man wäre nicht von selbst auf so etwas gekommen.«

»Das ist Anfím Jefímowitsch, Jurotschka! Er weiß alles, er ist ein wandelndes Wörterbuch. Er hat von dir und von deinem Vater gehört, er kennt meinen Großvater, er kennt jedermann!« Und Antonina Alexándrowna fragte beiläufig, in gleichgültigem Ton: »Zweifellos kennen Sie auch die Lehrerin Antipova, die hier unterrichtet?« Worauf Samdewjatov ebenso beiläufig erwiderte: »Weshalb interessieren Sie sich für die Antipova?« Jurij Andréitsch hörte seine Antwort und ging nicht weiter auf die Sache ein. Antonina Alexándrowna fuhr fort:

»Anfím Jefímowitsch ist Bolschewik! Nimm dich in acht, Jurotschka. Sei vorsichtig, wenn du mit ihm sprichst.«

»Tatsächlich? Das hätte ich nie geglaubt. Ihrer Erscheinung nach hätte ich Sie eher für einen Künstler gehalten.«

»Mein Vater hatte eine Herberge. Er hatte sieben Dreigespanne im Stall. Ich habe an der Universität studiert und bin tatsächlich Sozialdemokrat.«

»Höre, Jurotschka, was Anfím Jefímowitsch sagt. Übrigens, nebenbei gesagt, an Ihrem Vatersnamen könnte man sich die Zunge zerbrechen. Höre, Jurotschka, was ich dir sagen will. Wir haben unglaubliches Glück gehabt. Die Stadt Jurjatino will uns nicht aufnehmen. Die halbe Stadt brennt, man hat die Brücke gesprengt. Die Durchfahrt ist unmöglich. Man wird den Zug auf eine Nebenstrecke umleiten, und zwar gerade auf die, an der sich der Durchgangsbahnhof Torfjanája befindet. Denk doch! Es wird gar nicht nötig sein, umzusteigen und sich mit dem ganzen Gepäck durch die Stadt von einem Bahnhof zum anderen zu schleppen. Dafür werden wir aber auch gehörig durcheinander gerüttelt, ehe wir endlich losfahren. Wir werden lange rangieren müssen. Das alles hat mir Anfím Jefímowitsch erklärt.«

IV

Die Voraussagen Antonina Alexándrownas gingen in Erfüllung. Neue Wagen kamen hinzu, man stellte den Zug neu zusammen. Sie rangierten endlos auf Nebengleisen hin und her zugleich mit anderen Transporten, die lange Zeit die Ausfahrt versperrten.

Die Stadt in der Ferne verschwand zur Hälfte hinter Bodenerhebungen. Nur selten zeigten sich über dem Horizont Häuserdächer, Fabrikschornsteine und Kreuze von Kirchtürmen. Einer der Vororte brannte. Der Wind trieb den Rauch der Feuersbrunst in die Höhe, der Qualm breitete sich über dem Himmel aus wie eine Pferdemähne.

Der Doktor und Samdewjatow saßen an der geöffneten Wagentür auf dem Boden und ließen ihre Beine heraushängen. Samdewjatow war dabei, Jurij Andréitsch die Gegend zu erklären, indem er mit der Hand nach dem Horizont wies. Manchmal erstickte das Geratter des rüttelnden Wagens den Laut seiner Stimme, so daß man nichts hören konnte. Jurij Andréitsch bat ihn dann, seine Erklärungen zu wiederholen. Anfím Jefímowitsch näherte sein Gesicht dem des Doktors und mühte sich ab, das, was er eben gesagt hatte, ihm in die Ohren zu schreien.

»Sie haben das Kino ›Gigant‹ in Brand gesteckt. Die Offiziersschüler haben sich dort festgesetzt. Dabei hatten sie sich schon einmal ergeben. Die Kämpfe sind noch nicht zu Ende. Sehen Sie dort die schwarzen Punkte auf dem Kirchturm? Das sind unsere Leute, sie verjagen die Tschechen.« – »Ich sehe überhaupt nichts, wie können Sie das alles so genau unterscheiden?«

»Das, was da drüben brennt, ist Chochriki, ein Vorort, in dem Handwerker wohnen. Kolodejewo, wo sich die Markthallen befinden, liegt auf der anderen Seite. Warum mich das interessiert? Weil in dieser Gegend unser Haus liegt. Aber das Feuer hat sich nicht ausgedehnt. Bis jetzt ist das Stadtzentrum unberührt geblieben.«

»Sagen Sie das bitte noch einmal. Ich kann Sie nicht verstehen.«

»Ich sagte – das Zentrum, das Stadtzentrum, die Kathedrale, die Bibliothek. Übrigens kommt unser Familienname ›Samdewjatov‹ von ›San Donato‹, man hat es ins Russische übersetzt. Man sagt, wir stammen von den Demidovs ab.«

»Ich habe wieder nichts verstanden.«

»Ich sagte, Samdewjatov kommt von ›San Donato‹. Angeblich stammen wir von den Demidovs ab. Von den Fürsten Demidov-San Donato. Aber vielleicht ist es auch glatte Erfindung. Eine Familienlegende. Diese Gegend hier heißt Spirijkin; hier gibt es viele Landhäuser, es ist ein beliebter Ausflugsort an Feiertagen. Ein merkwürdiger Name, nicht wahr!«

Vor ihnen breitete sich eine Ebene aus, die von den Gleisen verschiedener Bahnstrecken durchschnitten wurde: Telegrafenmaste näherten sich dem Zug und entfernten sich wieder mit Siebenmeilenstiefeln auf den Horizont zu. Eine breite gepflasterte Straße schlängelte sich wie ein Band dahin. Bald verschwand sie am Horizont, kam dann für Augenblicke bei einer Kehre des welligen Geländes zum Vorschein und wurde gleich wieder unsichtbar.

»Das ist unsere berühmte ›Große Straße‹. Sie führt durch ganz Sibirien. Die sibirischen Strafgefangenen haben sie besungen. Jetzt haben die Partisanen sie zu ihrem Aktionsgebiet gemacht. Im allgemeinen läßt es sich nicht schlecht bei uns leben. Sie werden sich bald eingewöhnen. Sie werden Gefallen finden an den Sehenswürdigkeiten der Stadt, an den Wassertürmen, den Plätzen und Straßenkreuzungen. Im Winter tagen bei uns jetzt Frauenklubs unter freiem Himmel.«

»Wir werden nicht in der Stadt wohnen. Wir gehen nach Warykino.«

»Ich weiß. Ihre Frau hat es mir gesagt. Das spielt keine Rolle. Sie werden Besorgungen in der Stadt machen müssen. Ich habe gleich im ersten Augenblick erraten, wer sie ist. Augen, Nase, Stirn, das kann nur eine Krüger sein! Ganz wie der Großvater. In dieser Gegend erinnern sich alle noch an Krüger.«

Am Rande der Ebene ragten rote, große, zylindrische Erdölbehälter auf. Hier und da sah man Industriereklamen an hohen Pfosten. Eine von ihnen fiel dem Doktor zweimal hintereinander durch ihre Beschriftung auf: »Moro und Wetschinkin. Sämaschinen, Dreschmaschinen.«

»Eine solide Firma. Ausgezeichnete landwirtschaftliche Geräte wurden dort hergestellt.«

»Ich kann nicht verstehen: Was sagten Sie?«

»Die Firma, sagte ich. Verstehen Sie, die Firma, die landwirtschaftliche Maschinen und Werkzeuge herstellt. Gesellschaft mit beschränkter Haftung. Mein Vater war dort Teilhaber.«

»Sie sagten doch, er sei Gasthofbesitzer gewesen.«

»Gasthof hin, Gasthof her. Das eine braucht das andere nicht auszuschließen. Er wäre ja ein Narr gewesen, wenn er sein Geld nicht in die besten Unternehmungen hineingesteckt hätte. So zum Beispiel in das Kino ›Gigant‹.«

»Sie scheinen stolz darauf zu sein?«

»Auf seinen Spürsinn? Und wie!«

»Und wie steht es mit Ihrer Sozialdemokratie?«

»Was hat die damit zu schaffen! Wie kommen Sie darauf? Wo steht geschrieben, daß ein Mensch, der marxistisch denkt, ein Trottel sein muß, der sich von Sentiments leiten läßt? Der Marxismus ist eine positive Wissenschaft, eine Theorie der Wirklichkeit, eine Philosophie der historischen Gegebenheiten.«

»Marxismus und Wissenschaft? Hierüber mit einem Menschen zu diskutieren, den man wenig kennt, wäre zum mindesten unklug. Wie dem auch sei: der Marxismus zeigt zuwenig Selbstbeherrschung, um eine Wissenschaft zu sein. Die Wissenschaften sind für gewöhnlich ausgeglichener und gerechter. Marxismus und Objektivität? Ich kenne keine geistige Bewegung, die mehr auf sich selber bezogen und weiter entfernt von den Tatsachen wäre als der Marxismus. Jedermann bemüht sich, seine Ideen durch die praktische Erfahrung nachzuprüfen. Die Machtmenschen jedoch tun alles nur Erdenkliche, um der Wahrheit den Rücken zu kehren, weil sie an den Mythos von der eigenen Unfehlbarkeit glauben. Die Politik sagt mir nichts. Ich mag die Menschen nicht leiden, die sich der Wahrheit gegenüber gleichgültig verhalten.«

Samdewjatov hielt des Doktors Worte für die Spitzfindigkeiten eines Sonderlings. Er begnügte sich mit einem Lächeln.

Während dieser Zeit rangierte der Zug hin und her. Jedesmal, wenn er beim letzten Weichensignal angelangt war, legte die alte Weichenstellerin, an deren Gürtel eine Milchkanne hing, das Strickzeug, mit dem sie beschäftigt war, aus der Hand, bückte sich und legte den Weichenbock um, worauf der Zug wieder rückwärts fuhr. Während er sich langsam entfernte, richtete sie sich auf und drohte mit der Faust.

Samdewjatov bezog diese drohende Geste auf seine eigene Person. ›Wem mag das gelten‹, fragte er sich. ›Das erinnert mich an etwas. Sollte es am Ende die Tunzewa sein? Sie sieht ganz so aus. Aber nein, wie komme ich darauf? Das ist ganz unwahrscheinlich. Sie ist älter als die Glascha. Und was habe ich mit der Sache zu tun? Alles geht wild durcheinander in unserem guten alten Rußland, sogar auf der Eisenbahn. Die gute Frau hat es gewiß schwer. Sie glaubt, ich persönlich sei schuld daran, deshalb droht sie mir mit der Faust. Der Teufel soll sie holen, ich will mir nicht ihretwegen den Kopf zerbrechen!‹

Endlich winkte die Weichenstellerin mit der Fahne, rief dem Lokomotivführer etwas zu und ließ den Zug auf die freie Strecke fahren. Als der vierzehnte Güterwagen an ihr vorbeirollte, streckte sie den Schwätzern, die dort auf dem Boden saßen, die Zunge heraus, als habe sie endgültig genug von ihresgleichen. Und wieder machte sich Samdewjatov seine Gedanken.

V

Die Umgebung der brennenden Stadt, die zylinderförmigen Tanks, die Telegrafenmasten und die Reklameschilder rückten in die Ferne und verschwanden; die Landschaft veränderte sich – kleine Wälder und Hügel, zwischen denen man ab und zu die Schlangenlinie der ›Großen Straße‹ sah. Samdewjatov sagte:

»Wir müssen aufstehen und uns fertig machen. Ich steige bald aus,

Sie übrigens auch: an der übernächsten Haltestelle. Passen Sie auf, daß Sie sie nicht verfehlen.«

»Sie scheinen diese Gegend vorzüglich zu kennen?«

»Wie meine Westentasche! Auf hundert Werst im Umkreise. Ich bin Jurist – zwanzig Jahre Praxis. – Ja, die Geschäfte! Die ewige Fahrerei.«

»Und Sie üben auch jetzt noch Ihren Beruf aus?«

»Selbstverständlich.«

»Was kann es heute für Prozesse geben?«

»Alles, was Sie wollen. Alte, nicht zum Abschluß gebrachte Transaktionen, nicht eingehaltene Verpflichtungen und Verträge, sonstige Transaktionen – Arbeit bis an den Hals, es ist zum Davonlaufen!«

»Sind denn Verfahren dieser Art nicht annulliert worden?«

»Dem Namen nach, natürlich. De facto aber verlangt man gleichzeitig Dinge, die sich ausschließen: auf der einen Seite die Nationalisierung der Unternehmen, andererseits Brennstoff für den Stadt-Sowjet und Überlandtransporte des Gouvernements-Volkswirtschafts-Rats. Und unterdessen wollen ja alle leben! Das sind charakteristische Erscheinungen von Übergangsperioden, wenn Theorie und Praxis sich nicht decken. In solchen Zeiten werden findige, wendige Leute meines Schlages gebraucht. Glücklich der Mann, der nicht alles sieht, was um ihn vorgeht. Manchmal muß man allerdings auch einen Schlag in die Fresse einstecken, wie mein Vater zu sagen pflegte. Das halbe Gouvernement hängt von mir ab, ich ernähre sie alle. Ich werde Sie von Zeit zu Zeit in Warykino besuchen wegen der Holzbeschaffung. Ich werde kommen, wenn mein Pferd wieder auf den Beinen ist. Ich habe nur noch eins, und es lahmt. Wenn mein Pferd gesund wäre, ließe ich mich nicht in diesem Dreckkasten hin und her schütteln. Sehen Sie nur, wie er dahintrödelt, und so etwas nennt sich ›Maschine‹! Bei meinen Ausflügen nach Warykino werde ich Ihnen nützen können. Die Mikulízyns kenne ich ganz genau wie meine Westentasche.«

»Sie kennen das Ziel unserer Reise und unsere Absichten?«

»Ich kann sie ungefähr erraten. Der alte Traum der Menschheit: zurück zur Natur. Die Sehnsucht, im Schweiße seines Angesichts zu säen und zu ernten.«

»Sie scheinen nicht damit einverstanden zu sein. Was wollen Sie sagen?«

»Ein naiver Traum von idyllischem Glück. Und warum denn nicht! Gott möge Ihnen beistehen. Aber ich glaube nicht daran. Utopie, Kunstgewerbe.«

»Wie wird uns Mikulízyn wohl empfangen?«

»Er wird Sie nicht über die Schwelle lassen. Mit einem Besen wird er Sie aus seinem Hause jagen, und er wird recht damit haben. Auch ohne Sie ist bei ihm der Teufel los: die Fabriken arbeiten nicht, die Arbeiter sind auf und davon gegangen, es gibt keine Lebensmittel und keinen Halm Futter. Und plötzlich tauchen Sie auf der Bildfläche auf! Welch eine Freude! Der Satan selber hat Sie hergebracht. Wenn er Sie umbrächte, ich könnte es ihm nicht verdenken.«

»Sehen Sie, Sie sind Bolschewik, aber Sie müssen zugeben, daß dies kein Leben ist, sondern etwas Unglaubliches, ein Alptraum, etwas Absurdes.«

»Natürlich! Aber es ist eine historische Notwendigkeit! Man muß da hindurch!«

»Wieso eine Notwendigkeit?«

»Sind Sie ein Kind oder tun Sie nur so? Leben Sie eigentlich auf dem Monde? Nichtstuer und Parasiten haben es sich auf dem Rücken der hungernden Arbeiter wohl sein lassen, haben sie unterdrückt und ausgebeutet, und das hätte so bleiben sollen! Von allen anderen Formen der Erniedrigung und Tyrannei ganz zu schweigen. Ist der gerechte Zorn des Volks für Sie tatsächlich so unbegreiflich, der Wunsch, in Gerechtigkeit zu leben, die Suche nach der Wahrheit? Oder glauben Sie etwa, daß eine radikale Änderung der Dinge in der Duma auf parlamentarischem Weg erreichbar war, daß man auf die Diktatur verzichten könnte?«

»Wir reden von verschiedenen Dingen; wir könnten hundert Jahre lang diskutieren, ohne uns zu verstehen. Meine Haltung war durchaus revolutionär, aber heute denke ich, daß man mit Gewaltanwendung überhaupt nichts erreicht. Zum Guten muß man durch Gutes geführt werden. Aber lassen Sie uns das Thema wechseln. Kehren wir zu Mikulízyn zurück. Wenn uns ein derartiger Empfang erwartet, warum sollten wir dann überhaupt nach Warykino gehen. Wir müssen umkehren.«

»Was für ein Unsinn! Zunächst: als ob es auf der Welt nur Mikulízyns gäbe! Und dann: Mikulízyn ist unverantwortlich gut, gut bis zum Exzeß. Er wird darauflos poltern, er wird sich widersetzen und Einwände machen, dann aber wird er dahinschmelzen. Er wird sich das Hemd vom Leibe ziehen, er wird die letzte Brotkrume mit Ihnen teilen.«

Hierauf erzählte Samdewjatov dem Doktor Mikulízyns Geschichte:

VI

»Vor fünfundzwanzig Jahren, als Mikulízyn Student des Technologischen Instituts in Petersburg war, wurde er unter Polizeiaufsicht hierhergeschickt. Er fand eine Anstellung als Verwalter bei Krüger und heiratete. Damals lebten hier vier Schwestern Tunzew (also um eine mehr als bei Tschechov), denen sämtliche Studenten von Jurjatino den Hof machten: Agrippina, Jewdokja, Glafira und Serephima Ssewerinowna. Man nannte sie – indem man ein Wortspiel mit ihrem Vaternamen machte – einfach die ›Ssewerjanki‹, die Mädchen aus dem Norden. Die älteste Ssewerjanka hat Mikulízyn geheiratet.

Bald wurde dem Ehepaar ein Sohn geboren. Aus Liebe zur Idee der Freiheit ließ dieser Narr von einem Vater den Jungen auf den seltenen Namen Liberij (Liberius) taufen. Liberij, ›Liwka‹ genannt, wuchs als Wildfang heran, aber er zeigte bald ungewöhnliche Fähigkeiten. Der Krieg brach aus. Liwka fälschte seinen Geburtsschein und ging fünfzehnjährig als Freiwilliger an die Front. Agrafena Ssewerinowna, die von Natur kränklich war, ertrug diesen Schlag nicht: sie legte sich hin, um nicht wieder aufzustehen, und starb vor zwei Jahren im Winter, am Vorabend der Revolution.

Nach dem Ende des Krieges kehrte Liberij zurück. Was war aus ihm geworden? Ein Held! Er ist Unterleutnant mit drei Tapferkeitsauszeichnungen und wird natürlich bolschewistischer Frontdelegierter. Sie haben vielleicht von der ›Waldbrüderschaft‹ gehört?«

»Nein, leider nicht.«

»Dann hat es auch keinen Sinn, Ihnen das alles zu erzählen. Die Geschichte verliert die Hälfte ihres Reizes. Weshalb starren Sie eigentlich dauernd aus dem Wagenfenster auf die Landstraße, wenn Sie nicht Bescheid wissen? Was ist an ihr bemerkenswert? Im Augenblick – die Partisanen. Wer sind die Partisanen? Sie bilden die Kader im Bürgerkrieg. Zwei Elemente haben mitgewirkt bei der Schaffung dieser Macht: die politische Organisation, die die Führung der Revolution übernahm, und die niedere Soldateska, die sich nach dem verlorenen Kriege geweigert hatte, dem alten Regime länger zu gehorchen. Aus der Verbindung dieser beiden Elemente entstand das Partisanenheer. Es ist bunt zusammengewürfelt. Sein Stamm besteht aus mittleren Bauern. Aber daneben finden Sie alle möglichen Leute: arme Bauern, aus dem Kloster entlaufene Mönche, Kulakensöhne, die gegen ihre Väter kämpfen, überzeugte Anarchisten, Habenichtse ohne Paß, relegierte Mittelschüler, die Affären mit Frauen gehabt hatten, und österreichische und deutsche Kriegsgefangene, die durch Versprechungen von Freiheit und Heimkehr angelockt worden waren. Eine Division der Volksarmee, die aus mehreren Tausend Soldaten besteht, nennt sich die ›Waldbrüderschaft‹. Ihr Befehlshaber ist Liwka, Liberij Averkjewitsch, Sohn des Avertkij Stepanowitsch Mikulízyn.«

»Was Sie nicht sagen!«

»Sie haben ganz recht verstanden. Aber ich will fortfahren. Nach dem Tode seiner Frau heiratete Avertkij Stepanowitsch zum zweitenmal. Seine zweite Frau, Jeléna Proklowna, ist eine Gymnasiastin, die er von der Schulbank weg an den Traualtar geführt hat. Sie ist von Natur naiv, aber sie spielt auch oft die Naive aus Berechnung. Sie ist zwar jung, aber sie will noch jünger erscheinen. Sie schwätzt, tiriliert, spielt sich als Unschuld auf, als kleine Närrin oder als Lerche des Feldes. Sobald sie Sie kennengelernt hat, wird sie ein Examen mit Ihnen anstellen. ›In welchem Jahr wurde Suworov geboren? Zählen Sie die Fälle der gleichseitigen Dreiecke auf!‹ Sie wird triumphieren, wenn sie Sie hereingelegt hat. Aber in ein paar Stunden werden Sie sie selber sehen und meine Beschreibung nachprüfen können.

Der Hausherr hat andere Schwächen: seine Tabakspfeife und seine Manie des Slawismus der Seminaristen. Er sollte zur Marine gehen. Im Institut hatte er Schiffbau studiert. Aus dieser Zeit ist einiges an seiner Erscheinung und an seinen Gewohnheiten hängengeblieben. Er trägt keinen Bart, nimmt seine Pfeife tagelang nicht aus dem Mund, spricht undeutlich durch die Zähne, langsam, mit liebenswürdiger Miene. Er hat die etwas vortretende untere Kinnlade des Rauchers und kalte graue Augen. Aber ich hätte fast ein Detail vergessen. Er ist Sozialrevolutionär und wurde von der ›Landschaft‹ in die konstituierende Versammlung gewählt.«

»Aber das ist ja ungemein wichtig. Das heißt also, er und sein Sohn bekämpfen sich bis aufs Messer? Politische Gegner?«

»Theoretisch ja. Aber in Wirklichkeit kämpft die Taiga mit Warykino nicht. Doch ich fahre fort. Die übrigen Tunzews, die Schwägerinnen Avertkij Stepanowitschs, leben bis zur Stunde in Jurjatino. Die Mädchen sind nun alte Jungfern. Die Zeiten haben sich geändert und die Mädchen auch.

Die älteste, Awdotja Ssewerinowna, ist Bibliothekarin am städtischen Lesesaal. Ein liebes, schwarzhaariges Fräulein, überaus schüchtern. Ohne jeden ersichtlichen Grund errötet sie dauernd wie eine Pfingstrose. Im Lesesaal herrscht Totenstille. Sie jedoch leidet an einem chronischen Schnupfen und muß oft zwanzigmal hintereinander niesen. Aus Scham würde sie am liebsten in den Erdboden sinken. Was wollen Sie – es sind die Nerven!

Die mittlere, Glafira Ssewerinowna, ist der Segen der Schwestern. Eine großartige Frau, eine ausgezeichnete Arbeiterin. Vor nichts schreckt sie zurück. Man ist sich darüber einig, daß der Partisanenführer der ›Waldbrüder‹ dieser Tante nachgeschlagen ist. Man sieht sie in den Werkstätten der Näherinnen oder Strumpfwirkerinnen. Im Handumdrehen findet man sie irgendwo als Friseuse wieder. Ist Ihnen die Weichenstellerin auf der Jurjatino-Strecke aufgefallen, die uns mit der Faust drohte und uns die Zunge herausstreckte? Ich sagte mir: hat sich Glafira jetzt am Ende als Weichenstellerin einstellen lassen? Aber sie kann es eigentlich nicht gewesen sein, sie war ein wenig zu alt.

Die jüngste heißt Sima. Sie ist das Kreuz der Familie, eine wahre Plage. Ein gelehrtes Mädchen, sehr gebildet. Sie interessiert sich für Philosophie und liebt Gedichte.

In den Revolutionsjahren, unter dem Einfluß der allgemeinen Begeisterung der Straßenumzüge und der Reden auf Tribünen und Plätzen ist sie einem religiösen Wahn verfallen. Kaum sind ihre Schwestern zur Arbeit gegangen und haben die Haustür hinter sich abgeschlossen, da springt sie durchs Fenster auf die Straße, läuft aufgeregt gestikulierend herum, sammelt die Menge um sich und predigt die Wiederkunft Christi und das Ende der Welt. Aber ich bin ins Schwätzen geraten. Ich bin angekommen, und Sie müssen an der nächsten Station aussteigen. Machen Sie sich bereit!«

Als Anfím Jefímowitsch den Zug verlassen hatte, sagte Antonina Alexándrowna:

»Ich weiß nicht, wie du darüber denkst, aber meiner Meinung nach ist uns dieser Mensch von der Vorsehung geschickt worden. Mir ist zumute, als würde er eine wohltätige Rolle in unserem Leben spielen.«

»Das kann gut sein, Tonja. Aber weniger gefällt mir, daß man dich an deiner Ähnlichkeit mit deinem Großvater erkennt und daß man sich seiner hier so gut erinnert. Denke nur an Strelnikovs Reaktion. Kaum hatte ich das Wort Warykino ausgesprochen, da wiederholte er in spöttischem Ton: ›Warykino – Krügers Werke? Sollten Sie am Ende verwandt sein? Vielleicht die Erben?‹ Ich fürchte fast, es wird schwieriger sein, hier unbeachtet zu bleiben, als in Moskau, und deshalb sind wir doch hierhergekommen. Natürlich, jetzt kann man nichts mehr ändern. Wer A sagt muß auch B sagen.

Es wird besser sein, wenn wir uns möglichst wenig zeigen, sondern bescheiden im Hintergrund bleiben. Ich habe überhaupt kein gutes Vorgefühl. Wir müssen jetzt die anderen wecken. Ich werde das Gepäck fertig machen, damit wir ohne Verzögerung aussteigen können.«

VII

Antonina Alexándrowna stand auf dem Bahnsteig der Station Torfjanája und überzählte zum x-ten Male ihre Familienangehörigen und das Gepäck, um sich davon zu überzeugen, daß nichts im Waggon zurückgeblieben war. Unter ihren Füßen spürte sie den festgetrampelten Sand des Bahnsteigs, aber die Angst, sie könnte die Haltestelle verpassen, hielt sie noch immer in ihrem Bann, und das Geratter des fahrenden Zuges dröhnte weiter in ihren Ohren, obwohl sie sich mit eigenen Augen davon überzeugen konnte, daß dieser Zug vor ihr unbeweglich an der Station stand. Doch die Betäubung machte sie blind und taub und unfähig, nachzudenken. Die Reisegefährten, die noch weiter zu fahren hatten, verabschiedeten sich von der Schiebetür des Waggons aus. Sie nahm sie nicht wahr. Sie bemerkte nicht einmal, daß sich der Zug in Bewegung setzte. Erst als ihr Blick auf das grünende Feld und den blauen Himmel hinter dem zweiten Gleis fiel, der nun frei vor ihren Augen lag, wurde ihr klar, daß der Zug abgefahren war. Das

Bahnhofsgebäude war aus Stein. Zu beiden Seiten des Eingangs standen Bänke. Die Moskauer aus Siwzewo waren die einzigen Reisenden, die in Torfjanája ausgestiegen waren. Sie stellten ihr Gepäck ab und setzten sich auf eine der Bänke.

Der Anblick der kleinen, sauberen und stillen Station setzte sie in Erstaunen. Es kam ihnen ungewohnt vor, daß plötzlich kein Gedränge und kein Gefluche mehr um sie war. Hier, in der tiefen, abgelegenen Provinz, schien das Leben zurückgeblieben zu sein, der Fortgang der Geschichte hatte es überholt. Es hatte noch nicht jenen Zustand von Barbarei erreicht, der in der Hauptstadt herrschte.

Der Bahnhof lag halb in einem Birkengehölz verborgen. Im Zuge war es dunkel geworden, als man sich der Station näherte. Die Schatten der leise im Winde bewegten Baumwipfel glitten über Hände und Gesichter, über den sauberen, feuchtgelben Sand des Bahnsteigs, über Erde und Dächer. Das Vogelpfeifen im Gehölz klang rein und unschuldig in der frischen Luft. Die Töne erfüllten und durchdrangen den ganzen Wald. Über die Bahnlinie und die Landstraße, die sie überquerte, neigten sich die Zweige der Bäume, die an manchen Stellen die Erde berührten wie die Spitzen langer, bis zum Boden reichender Ärmel.

Plötzlich öffneten sich Antonina Alexándrownas Augen und Ohren wieder. Alles rückte mit einem Mal in ihr Bewußtsein: die Klarheit und Reinheit des Vogelgesangs, die Unberührtheit des einsamen Waldes, die sanfte Heiterkeit, die über dem stillen Lande zu liegen schien. Sie sagte in Gedanken: ›Ich hätte nie geglaubt, daß wir hier heil und sicher ankommen würden. Für deinen Strelnikov wäre es ein leichtes gewesen, vor dir den Großmütigen zu spielen und dich freizulassen, gleichzeitig jedoch telegrafisch anzuordnen, daß wir hier gleich nach der Ankunft verhaftet würden. Ich glaube nicht an diesen Edelmut, mein Lieber! Das ist alles Fassade.‹ Aber sie behielt diesen Gedanken für sich und sagte statt dessen beim Anblick der Schönheit, die sie umgab: »Wie wunderbar!« Mehr vermochte sie nicht zu sagen. Ihre Stimme erstickte in Tränen. Sie brach in Schluchzen aus.

In diesem Augenblick trat der Bahnhofsvorsteher, ein kleiner alter Mann, aus dem Gebäude. Er trippelte zur Bank, salutierte, indem er die Finger höflich an den Rand der roten Dienstmütze legte, und fragte:

»Darf ich Madame vielleicht Beruhigungstropfen aus unserer Bahnhofsapotheke geben?«

»Danke, es ist nichts. Es wird auch so vorübergehen.«

»Reisesorgen, Aufregungen. Man kennt das. Es kommt häufig vor. Dazu die afrikanische Hitze, in unseren Breitengraden eine Seltenheit! Und die Ereignisse in Jurjatino!«

»Wir haben bei der Durchfahrt die Feuersbrunst gesehen.«

»Also kommen Sie aus Rußland, wenn ich nicht irre.«

»Aus Moskau.«

»Aus Moskau! Dann braucht man sich nicht zu wundern, daß die Nerven der Dame nicht in Ordnung sind. Man sagt ja, in Moskau stünde kein Stein mehr auf dem andern.«

»Das wäre übertrieben«, erwiderte Alexander Alexandritsch. »Aber das ist wahr, wir haben allerlei dort erlebt. Übrigens, das hier ist meine Tochter, das ist mein Schwiegersohn. Das ist ihr Sohn mit unserm jungen Kindermädchen Njuscha.«

»Sehr erfreut. Seien Sie gegrüßt, alle miteinander. Übrigens bin ich schon informiert. Anfím Jefímowitsch Samdewjatov hat von der Station Sakma hier angerufen. Er sagte, der Doktor Schiwago kommt mit seiner Familie aus Moskau. Ich bitte, ihn nach Kräften zu unterstützen. – Sie sind also der Doktor?«

»Nein, Doktor Schiwago ist mein Schwiegersohn; ich selbst betätige mich auf einem anderen Gebiet, ich bin Agronom. Mein Name ist Professor Gromeko.«

»Ich bitte um Entschuldigung wegen des Irrtums. Verzeihen Sie! Sehr erfreut, Ihre Bekanntschaft zu machen!«

»Nach dem, was Sie sagen, kennen Sie also Samdewjatov?«

»Wie sollte ich ihn nicht kennen, diesen Hexenmeister! Er ist unsere Hoffnung, unser Nährvater. Ohne ihn wären wir längst hier zugrunde gegangen. Ja, sagte er, stehe ihnen in jeder Weise bei! Zu dienen, habe ich geantwortet. Ich habe versprochen, mich um Sie zu kümmern. Wenn Sie ein Pferd oder sonst etwas brauchen, werde ich das arrangieren. Wohin wollen Sie denn?«

»Nach Warykino. Wie weit ist das von hier?«

»Nach Warykino? Also deshalb – die ganze Zeit habe ich mich gefragt, an wen mich Ihre Tochter so sehr erinnert. Also nach Warykino! Warum haben Sie das nicht gleich gesagt? Dann ist ja alles klar. Ich habe mit Iwan Ernestowitsch gemeinsam diese Bahnlinie gebaut. Ich will gleich alles in die Wege leiten. Ich rufe jemanden, der Ihnen einen Wagen beschafft. Donat! Donat! Trage das Gepäck in den Warteraum. Wie komme ich nur zu einem Pferd? Lauf doch mal in die Teestube hinüber und frage an, ob etwas zu machen ist. Ich glaube, ich habe Vacksh heute morgen hier herumstreunen sehen. Frage, ob er noch hier ist. Sage ihm, es seien vier Reisende nach Warykino zu befördern, die gerade angekommen sind. Das Gepäck ist gar nicht der Rede wert. Beeile dich! Lassen Sie mich Ihnen einen väterlichen Rat geben, meine Dame! Ich habe Sie absichtlich nicht nach dem Grade Ihrer Verwandtschaft mit Iwan Ernestowitsch Krüger gefragt, aber seien Sie in dieser Hinsicht vorsichtig! Schütten Sie nicht gleich vor jedem Ihr Herz aus. In diesen Zeiten ist das nicht angebracht.«

Als der Name Vacksh fiel, blickten sich Jurij Andréitsch und Tonja überrascht an. Sie hatten die Erzählungen Anna Iwanownas über den märchenhaften Schmied, der sich Eingeweide aus Eisen geschmiedet hatte, noch nicht vergessen.

VIII

Das Pferd war eine weiße Stute, die gerade ein Fohlen geworfen hatte. Der Kutscher hatte auffallend große Ohren und zottiges Haar, das weiß schimmerte wie Schnee. Aus irgendeinem Grunde war alles, was er am Leibe hatte, weiß. Seine Bastschuhe waren noch nicht nachgedunkelt, seine Hosen und sein Hemd waren von der Zeit ausgeblichen. Hinter der Schimmelstute lief in ungeschickten Sprüngen ein pechrabenschwarzes Fohlen mit zottigem Kopf einher, das an ein holzgeschnitztes Spielzeug erinnerte.

Die Reisenden saßen am Wagenrand und hielten sich fest, um nicht hinunterzufallen, wenn es durch eine Pfütze ging und die Räder plötzlich einen Sprung taten. Ihr Herz war von Frieden erfüllt. Ihr Traum wurde Wirklichkeit, sie näherten sich dem Ziel ihrer Reise. Mit königlicher Gelassenheit ging der strahlende Tag seinem Ende entgegen. Der Einfall der Dämmerung schien sich immer wieder hinauszuzögern.

Der Weg führte bald durch Wald, bald durch freie Felder. Im Walde holperte der Wagen über die Wurzelgeflechte der Bäume, die Fahrenden wurden hin und her geworfen. Sie zogen die Augen-

brauen zusammen und saßen gebückt und dicht aneinander-
gedrängt an der Wagenkante. Auf dem offenen Felde, wo die Natur,
aus dem Überschwang des Herzens heraus, gleichsam ihren Hut
zu lüften schien, um die Ankommenden zu begrüßen, konnten die
Reisenden sich wieder freier bewegen, sie setzten sich aufrecht hin
und wandten die Köpfe hin und her.

Die Gegend war hügelig. Wie überall, so hatten auch hier die Berge
ihr eigenes Gesicht, ihren besonderen Charakter. Ihre mächtigen,
hochmütigen Schatten reckten sich dunkel in der Ferne auf und
schienen die Ankommenden schweigend zu betrachten. Doch über
das freie Feld folgte der Spur des Wagens ein sanfter, rosiger
Schimmer, der ihnen Ruhe, Hoffnung und Mut gab.

Alles gefiel ihnen, alles erfüllte sie mit Staunen, vor allem dieser
alte, etwas mürrische Fuhrmann mit seinem endlosen Geschwätz,
in dem sich ausgestorbene altrussische Wendungen mit tatarischen
Wörtern und regionalem Dialekt zu dunklen Worten und Satz-
gebilden eigener Erfindung vermischten.

Wenn das Fohlen zurückblieb, so machte auch die Stute halt und
wartete, bis es sie wieder eingeholt hatte. Es setzte ihnen in geschmeidigen, welligen Sprüngen nach und näherte sich schüchtern
von der Seite dem Wagen, wobei es seine langen, engstehenden
Beine mit ungeschickter Vorsicht aufsetzte. Hierauf streckte es
seinen langen Hals vor und bog den schmalen Kopf unter die
Wagendeichsel, um bei der Mutter zu trinken.

»Ich kann es noch immer nicht verstehen!« schrie Antonina Alexándrowna ihrem Manne zu. Sie konnte nur langsam sprechen, denn
wegen des Wagengerüttels stießen ihre Zähne aufeinander, und
sie mußte aufpassen, daß sie sich bei einer unvorhergesehenen
Erschütterung nicht auf die Zungenspitze biß: »Ist es wirklich möglich, daß dies derselbe Vacksh ist, von dem uns die Mutter erzählt
hat? Du erinnerst dich doch an das Märchen vom Schmied, dem
man bei einer Prügelei die Eingeweide herausgerissen hatte und
der sich selber neue geschmiedet haben soll. Das Märchen vom
Schmied Vacksh mit den eisernen Gedärmen. Sollte diese Legende
etwas mit ihm zu tun haben? Kann dieser Vacksh tatsächlich der
gleiche sein?«

»Offensichtlich nicht. Denn erstens sagst du ja selber, daß es sich
um eine Legende handelt, wie man sie im Volke erzählt. Zweitens
war die Geschichte zu Mamas Zeiten, wie sie selber sagte, schon

mehr als hundert Jahre alt. Aber rede nicht so laut! Der Alte
könnte es hören, und es würde ihn kränken.«
»Nichts wird er hören! Schwerhörig ist er. Und selbst, wenn er
hörte, würde er es doch nicht begreifen. Er ist nicht ganz richtig
im Kopf!«
»He, Fedor Nefedytsch!« rief der Greis und trieb das Pferd an. Aus
einem unbekannten Grunde gab er dem Tier diesen männlichen
Vornamen, obgleich er besser als irgendein anderer wußte, daß es
sich um eine Stute handelte. »Ist das aber eine Höllenglut! Wie bei
den drei Männern im Feuerofen! Vorwärts, du Teufelsfratze!«
Plötzlich fing er an, einzelne Fetzen von Volksliedern vor sich hin
zu singen, die von den Fabrikarbeitern der Gegend stammten:

Leb denn wohl, Fabrikverwaltung!
Lebe wohl, du Minenschacht!
Herrschaftsbrot will ich nicht essen;
Noch vom Weiherwasser trinken.
Schwimmt ein Schwan am Uferrande,
Rudernd regt er auf das Wasser.
Nicht der Wein macht mich nun wanken!
Zum Rekruten wird jetzt Wanja,
Bin ich, Mascha, denn ein Dummkopf,
Wär' ich, Mascha, denn ein Narr!
Gehen will ich nach Seljawa,
Sentortrjucha stellt mich an.

»He, du gottverlassenes Biest! Seht nur, ihr Leute, was für ein
Aas! Haust du ihr eins mit dem Stock, setzt sie dich ab vom Bock.
Hü hott, Fedja-Nefedja! Gleich zieh' ich vom Leder! Vorwärts,
Nefedja! Diesen Wald hier nennt man ›Taiga‹, er ist ohne Ende.
Dort ist die bäuerliche Volksarmee, die Waldbrüderschaft – he,
Fedja-Nefedja, stehst schon wieder da, du Satan Schilikum!«
Plötzlich drehte er sich um und blickte Antonina Alexándrowna
scharf an, er sagte:
»Was denkst du dir eigentlich, junge Frau? Als ob ich nicht gleich
gewußt hätte, wo du her bist! Du bist etwas einfältig, Mütterchen,
so kommt es mir vor. Die Erde soll mich verschlingen, wenn ich
dich nicht gleich erkannt habe. Ich traute meinen Augen nicht!
Grigow, wie er leibt und lebt! (Grigow bedeutete für ihn soviel wie
Krüger.) Du bist die Enkelin, hab' ich nicht recht? Wie sollte ich

nicht Grigow kennen? Ich habe für ihn mein Leben lang geschuftet, ich habe für ihn all meine Zähne verloren. Jede Arbeit habe ich bei ihm getan: in den Minen, an der Winde, im Pferdestall. – Hü, vorwärts! Schon wieder steht sie da, als ob sie keine Beine hätte. Engel von China! Du bist gemeint, wirst du endlich hören! Du fragst, was es mit diesem Vacksh auf sich hat, ob es derselbe Schmied ist? Ach, wie einfältig bist du, Mütterchen, mit deinen großen Augen, wie dumm! Dein Vacksh hat Postanogov geheißen, Postanogov war sein Name, der mit den eisernen Gedärmen! Seit einem Halbjahrhundert ist er in der Erde, ruht er aus zwischen seinen vier Brettern. Wir aber sind jemand ganz anders: Mechonoschin. Der Vorname ist zwar derselbe, aber der Familienname ist ein anderer.«

Nach und nach erzählte ihnen der Alte in seiner Sprache alles, was sie schon früher von Samdewjatov über die Mikulízyns gehört hatten. Er nannte sie Mikulitsch und Mikulitschna. Die jetzige Frau des Verwalters nannte er die ›Zweite‹. Was die ›Erste‹, die Verstorbene betraf, so sagte er, sie sei ein Honigweib gewesen, ein weißer Cherub. Als er auf den Partisanenführer Liberij zu sprechen kam und erfuhr, daß sein Ruhm noch nicht bis nach Moskau gedrungen war und man dort nichts von den Waldbrüdern wußte, wollte er es nicht glauben.

»Nie gehört? Ihr habt nie etwas von den Waldbrüdern gehört? Ihr Engel von China, wo hat denn Moskau seine Ohren?!«

Der Tag neigte sich seinem Ende zu. Den Fahrenden liefen ihre Schatten voraus, die länger und länger wurden. Sie durchquerten ein weites ödes Land. Hie und da wuchsen vereinzelte Sträucher mit blühenden Dolden, Gänsefuß, Disteln und Feuerkraut. Die Strahlen der untergehenden Sonne beleuchteten sie von unten her und ließen ihre Umrisse größer erscheinen. Sie glichen berittenen Posten, die – über das Feld verteilt – unbeweglich Wache hielten.

Vor ihnen, in der Ferne, ging die Ebene von neuem in eine Hügelkette über. Die Berge riegelten die Ebene quer zur Straße wie eine Mauer ab, hinter der man eine Schlucht oder einen Fluß vermuten konnte. Der Himmel schien dort am Horizont von einem Wall umgeben, zu dessen Tor die Straße hinführte.

Auf einer Anhöhe entdeckten sie ein weißes, einstöckiges Haus von länglicher Form.

»Siehst du dort den Turm auf dem Berge?« fragte Vacksh. »Da

wohnen dein Mikulitsch und die Mikulitschna. Die Schlucht darunter ist die Schutjma.«

In diesem Augenblick ertönten dicht hintereinander zwei Gewehrschüsse und weckten ein mehrfaches, widerhallendes Echo.

»Was ist das, Großväterchen? Sind es die Partisanen, Großväterchen? Sind es die Partisanen? Schießen sie auf uns?«

»Gott behüte! Partisanen! Es ist Mikulitsch, der die Wölfe aus der Schutjma verscheucht.«

IX

Die erste Begegnung zwischen den Reisenden und den Hausbewohnern fand im Hofe des Verwaltungshauses statt. Es war eine peinliche Szene, die mit Schweigen anfing und mit Lärm, Verwirrung und Unordnung endete.

Jeléna Proklowna kehrte gerade von einem Abendspaziergang im Walde zurück. Die letzten Strahlen der Abendsonne, die durch die Baumstämme des Waldes drangen, umsäumten ihre Gestalt, als sie in den Hof eintrat. Die Sonnenstrahlen hatten die gleiche Farbe wie ihr goldblondes Haar. Jeléna Proklowna trug ein Sommerkleid. Ihr Gesicht glühte vor Hitze, sie wischte mit einem Tuch über ihre Stirn. Auf ihrem Rücken hing ein Strohhut; er war an einem Gummiband, das sie um ihren bloßen Hals trug, befestigt.

Ihr Mann kam im gleichen Augenblick von der entgegengesetzten Seite mit seiner Flinte aus der Schlucht nach Hause zurück. Er wollte sich gleich an die Säuberung des Gewehrlaufes machen, der nicht in Ordnung zu sein schien.

Plötzlich ratterte höchst unerwartet ein Wagen über das Kopfsteinpflaster der Einfahrt in den Hof: es war Vacksh mit dem ›Präsent‹, das er brachte.

Man stieg rasch aus dem Wagen, und Alexander Alexandritsch gab mit unsicherer Stimme die ersten Erklärungen ab, wobei er seinen Hut bald abnahm, bald wieder aufsetzte.

Einige Augenblicke verharrten die verblüfften Hausbesitzer in stummer Bestürzung, während die unglücklichen Eindringlinge, nicht minder verwirrt und verlegen, vor Scham nicht wußten, wo sie sich verbergen sollten. Die Lage war für alle klar, Vacksh,

Njuscha und Jurotschka mit eingeschlossen. Die schwere und bedrückende Atmosphäre zog sogar die Stute und das Füllen in ihren Bann. Sie lastete auf den goldenen Strahlen der Abendsonne und beunruhigte die Mücken, die Jeléna Proklowna umschwärmten und sich auf ihrem Gesicht und auf ihrem Hals niederließen.

»Ich verstehe nicht«, unterbrach endlich Avertkij Stepanowitsch das Schweigen. »Ich verstehe nicht, ich verstehe gar nichts und werde es niemals verstehen. Sind wir hier etwa im Süden bei den Weißen in einem getreidereichen Gouvernement? Warum haben Sie ausgerechnet Warykino gewählt? Was hat Sie veranlaßt, hierher zu kommen?«

»Ich möchte gern wissen, ob Sie sich klargemacht haben, was für eine Verantwortung Sie Avertkij Stepanowitsch aufladen?«

»Lenotschka, bitte mische dich nicht ein. Aber das ist es ja gerade: sie hat vollkommen recht. Haben Sie darüber nachgedacht, was für eine Belastung das alles für mich bedeutet?«

»Mein Gott, wer sagt denn das? Sie haben uns nicht verstanden. Worum handelt es sich denn eigentlich? Um ein Nichts, eine Geringfügigkeit. Wir bedrohen weder Sie noch die Ruhe Ihres Hauses. Wir wollen nichts als irgendeinen Winkel in einem leerstehenden Gebäude. Ein Stückchen brachliegender Erde, das kein Mensch braucht, für einen Gemüseacker. Endlich etwas Brennholz, das wir im Walde sammeln werden, wenn niemand es sieht. Ist das wirklich zuviel verlangt? Ist das denn ein Verbrechen?«

»Nein, aber die Welt ist weit. Weshalb gerade wir? Warum werden gerade wir dieser Ehre gewürdigt und nicht irgendein anderer?«

»Wir wußten, wer Sie sind, und hatten gehofft, auch Sie könnten von uns gehört haben, so daß wir für Sie keine Fremden sind und auch nicht zu Fremden kommen.«

»Also handelt es sich um Krüger. Sie gehören zu seiner Verwandtschaft? Und Sie haben die Stirn, so etwas in unserer Zeit überhaupt zuzugeben!«

»Merken Sie nicht, daß Sie gerade wegen dieser Verwandtschaft gut daran täten, uns mit Ihrer Bekanntschaft zu verschonen.«

»Lenotschka, misch dich nicht ein. Meine Frau hat ohne Zweifel recht. Gerade wegen dieser Verwandtschaft.«

Jurij Andréitsch fand nicht die Zeit, Samdewjatovs Skizze mit dem Original zu vergleichen. Die allgemeine Verwirrung bewirkte, daß der Doktor die Schilderungen Samdewjatovs einfach vergessen hatte. Später jedoch, nachdem man sich einigermaßen beruhigt hatte, staunte er über die Genauigkeit seiner Schilderung. Allerdings war die Charakteristik, die Anfím Jefímowitsch vom Verwalter gegeben hatte, unvollständig. Jurij Andréitsch mußte sie in der Folgezeit durch einige Züge ergänzen.

Avertkij Stepanowitsch hatte die Eigenart, das ›L‹ auf polnische Art auszusprechen, er sagte beispielsweise: ›Gottesuiebe‹. Er trennte sich nie von seiner Tabakspfeife, die als ein fester Bestandteil zu seiner Physiognomie gehörte und auch an seinem Redestil teilhatte, weil er seine Worte aussprach, während er die Pfeife ansteckte, und die Pausen, in denen er eifrig paffte, zu tiefem Nachdenken benutzte.

Sein Gesicht hatte regelmäßige Züge. Er pflegte sein Haar mit einer Kopfbewegung zurückzuwerfen, machte lange Schritte, trat breitspurig mit der ganzen Sohle auf und trug im Sommer ein Russenhemd, das in der Taille mit einer Schnur und mit einer Troddel gegürtet war. Früher wurden Leute seines Schlages Piraten. In unserer Zeit entwickelt sich aus ihnen der Typus des ewigen Studenten, des Lehrers und idealistischen Träumers. Avertkij Stepanowitsch hatte seine Jugend der Freiheitsbewegung, der Revolution, gewidmet. Seine einzige Befürchtung war, daß er sie nicht mehr selber erleben würde oder daß sie, wenn sie auch zum Ausbruch käme, zu gemäßigt sein würde, um seine radikalen und blutgierigen Wünsche zu befriedigen. Jetzt aber war sie da und übertraf seine allerkühnsten Erwartungen.

Er jedoch, der immer ein Freund der Arbeiter gewesen war und als einer der ersten ein Fabrikkomitee begründet und der Kontrolle der Arbeiter unterstellt hatte, war leer ausgegangen. Er befand sich weit weg vom Aktionszentrum in der verlassenen Siedlung, deren Arbeiter sich zum Teil den Menschewiki angeschlossen und in alle vier Winde zerstreut hatten. Und nun auch noch diese absurde Geschichte mit den unerwünschten Krügerschen Verwandten – all das kam ihm wie ein böser Streich, eine Ironie des Schicksals vor, es brachte den Kelch zum Überlaufen.

»Nein, das ist eine Geschichte fürs Tollhaus. Mein Verstand faßt es einfach nicht. Sehen Sie denn nicht, in welche Gefahr Sie mich bringen? Ich glaube, ich werde wirklich verrückt. Ich verstehe es nicht und werde es niemals verstehen.«

»Ich möchte gern wissen, ob Sie sich klarmachen, daß wir auch ohne Sie auf einem Vulkan leben.«

»Warte, Lenotschka. Meine Frau hat vollkommen recht. Auch ohne Sie ist unser Leben alles andere als schön. Ein Hundeleben, das reine Irrenhaus! Immer zwischen zwei Feuern und kein Ausweg ist zu sehen. Die einen werfen einem vor, daß man einen Sohn bei den Roten hat, einen Bolschewiken und Liebling des Volkes. Den andern gefällt es nicht, daß man selbst in die konstituierende Versammlung gewählt worden ist. Keinem kann man es recht machen. Und jetzt tauchen auch Sie noch auf der Bildfläche auf. Es wird besonders lustig sein, Ihretwegen an die Wand gestellt zu werden.«

»Aber, was sagen Sie da. Besinnen Sie sich doch, was fällt Ihnen nur ein!«

Bald darauf legte sich Mikulízyns Zorn. Er sprach ruhiger:

»Also gut. Wir haben uns da draußen genug angebrüllt. Man könnte im Hause fortfahren. Freilich, ich sehe nichts Gutes voraus. Es ist viel Wasser im dunklen Gewölk ... Aber wir sind keine Janitscharen, keine Türken. Wir werden Sie nicht in den Wald hinausjagen, damit Sie dort von Michailo Potapytsch, dem Bären aus dem Märchen, gefressen werden. Ich meine, Lenotschka, es wird das beste sein, wenn wir sie in den Wintergarten neben dem Arbeitszimmer führen. Wir werden dann sehen, wo man sie unterbringen kann. Treten Sie ein, bitte, willkommen! Vacksh, bring das Gepäck und hilf uns ein wenig!«

Als Vacksh das Gepäck holte, seufzte er vernehmlich: »Heilige Mutter Gottes! Sie haben nicht mehr bei sich, die armen Pilger. Nur ein paar Bündel, keinen einzigen Koffer.«

X

Eine kalte Nacht brach an. Die Reisenden wuschen sich. Die Frauen bereiteten ein Nachtlager in dem ihnen zugewiesenen Zimmer. Jurotschka, der sich unbewußt daran gewöhnt hatte, daß die Erwachsenen seine kindlichen Äußerungen mit Begeisterung aufnahmen und der ihnen zu Gefallen täglich tausend alberne Dinge in Babysprache erzählte, fühlte sich in der neuen Umgebung nicht wohl. Sein Geplapper hatte heute keinen Erfolg, man schenkte ihm keinerlei Aufmerksamkeit. Er war unzufrieden, daß man das schwarze Füllen nicht in das Haus genommen hatte. Und als man ihn aufforderte, endlich Ruhe zu geben, fing er zu weinen an. Er hatte Angst, man würde ihn als einen bösen Jungen in das Kindermagazin zurückbefördern, wo ihn, wie er glaubte, seine Eltern gekauft hatten. Er teilte seiner Umgebung seine Befürchtungen laut schreiend mit. Aber seine reizenden Kindertorheiten machten diesmal nicht den gewohnten Eindruck. Die Erwachsenen fühlten sich gehemmt durch die Umgebung des fremden Hauses, sie bewegten sich hastiger als gewöhnlich und waren stumm und nachdenklich in ihre eigenen Sorgen vertieft. Jurotschka fühlte sich gekränkt und quengelte. Man gab ihm zu essen, und es gelang nur mit Mühe, ihn zu Bett zu bringen. Endlich schlief er ein. Ustinaja, das Mädchen der Mikulízyns, weihte Njuscha in die Geheimnisse des Hauses ein und bewirtete sie. Antonina Alexándrowna und die beiden Männer wurden gebeten, den Tee am Abend bei Mikulízyns einzunehmen.

Alexander Alexandritsch und Jurij Andréitsch baten um die Erlaubnis, sich für einen Augenblick zurückzuziehen. Sie gingen nach draußen, um frische Luft zu schöpfen.

»Wie viele Sterne!« sagte Alexander Alexandritsch.

Es war dunkel. Schwiegervater und Schwiegersohn standen zwei Schritt voneinander entfernt auf der Treppe und konnten sich kaum erkennen. Aus einem Eckfenster des Hauses fiel der Schein einer Lampe in die Schlucht. In der feuchten kalten Nacht entdeckte man im Lichtkegel die nebelhaften Umrisse von Sträuchern, Bäumen und einigen anderen Gegenständen. Die beiden Männer befanden sich außerhalb des Lichtkreises, die Finsternis um sie herum schien sich noch mehr zu verdichten.

»Morgen wollen wir gleich in der Frühe den Anbau besichtigen, von dem er gesprochen hat. Sollte er für Wohnzwecke geeignet sein, so machen wir uns gleich daran, alles in Ordnung zu bringen. Wenn wir soweit mit der Einrichtung sind, ist auch der Boden aufgetaut, die Erde wird sich erwärmt haben. Dann müssen wir gleich mit der Arbeit an den Beeten beginnen. Ich glaube, er hat uns Saatkartoffeln versprochen. Oder habe ich das falsch verstanden?«

»Er hat es versprochen, er wollte auch mit anderen Sämereien aushelfen. Ich hab's mit eigenen Ohren gehört. Den Anbau, den er uns vorschlägt, haben wir schon vom Wagen aus gesehen, als wir durch den Park fuhren. Wissen Sie, wo das war? Es sind die hinteren Teile des Herrenhauses, sie sind von Unkraut völlig überwuchert. Dieser Teil des Hauses ist aus Holz, aber der Unterbau ist aus Stein. Ich zeigte es Ihnen von unserem Wagen aus. Können Sie sich erinnern? Eben dort würde ich auch die Beete anlegen. Ich glaube, dort war einmal ein Blumengarten. Aber vielleicht täusche ich mich. Man muß die Wege auslassen. Aber die Erde der alten Beete ist lange Zeit sicherlich gedüngt worden, und es hat sich viel guter Humus angesammelt.«

»Wir werden es morgen sehen. Der Boden muß unter dem Unkraut schrecklich gelitten haben und ist gewiß hart wie Stein. In der Nähe des Gutshauses war sicher ein Gemüseacker. Vielleicht hat man ein Stück davon nicht bebaut. Das alles wird sich morgen zeigen. In der Frühe werden wir bestimmt noch Frost haben. Heute nacht friert es ganz gewiß. Welch ein Glück, daß wir schon an Ort und Stelle sind. Dazu können wir uns gratulieren. Hier ist es gut. Es gefällt mir.«

»Sehr angenehme Leute. Besonders er. Sie ist etwas affektiert. Sie scheint aus irgendeinem Grunde mit sich selber unzufrieden zu sein; etwas gefällt ihr nicht an der eigenen Person. Daher kommt diese unablässige oberflächliche Gesprächigkeit. Es ist, als wolle sie die Aufmerksamkeit von sich selber ablenken und dem ungünstigen Eindruck zuvorkommen. Daß sie vergißt, ihren Hut abzunehmen und ihn auf den Schultern hängen läßt, ist nicht einfach Zerstreutheit. Es paßt zu ihr, es entspricht ihrem Typ.«

»Gehen wir. Es ist nicht höflich, so lange draußenzubleiben.«

Auf dem Wege zum beleuchteten Speisezimmer, wo die Gastgeber mit Antonina Alexándrowna an einem runden Tisch Tee tranken, kamen die beiden Männer durch das dunkle Arbeitszimmer des Direktors.

Der Raum hatte ein breites Fenster, das mit seiner Glasfläche die ganze Wand ausfüllte und den Blick in die Schlucht freigab. Von diesem Fenster aus hatte man, wenn es hell war, einen weiten Ausblick über die Ebene vor der Schlucht, durch die sie mit Vacksh gefahren waren. In der Nähe des Fensters befand sich ein riesiger Zeichentisch. Auf diesem Tisch lag ein Jagdgewehr, das auf beiden Seiten noch Platz frei ließ, wodurch der Tisch noch länger erschien. Jurij Andréitsch bemerkte nicht ohne Neid das große Fenster mit der weiten Aussicht, den langen Arbeitstisch und die Geräumigkeit des gutmöblierten Zimmers. Als er mit Alexander Alexandritsch das Eßzimmer mit dem Teetisch betrat, rief er aus:

»Was für eine herrliche Gegend! Und dieses wundervolle Studierzimmer. Der Raum erweckt geradezu die Sehnsucht nach konzentrierter Arbeit.«

»Wünschen Sie den Tee in einer Tasse oder im Glas? Und wie mögen Sie ihn, schwach oder stark?«

»Schau doch, Jurotschka, was für ein Stereoskop der Sohn Avertkij Stepanowitschs zusammengebastelt hat, als er noch ein kleiner Junge war.«

»Er ist heute noch nicht ganz erwachsen, obwohl er ein Gebiet nach dem andern dem Komutsch für die Sowjetregierung abnimmt.«

»Wie sagten Sie eben?«

»Komutsch.«

»Was ist denn das?«

»Das sind die Truppen der sibirischen Regierung, die für eine Wiederherstellung der Macht der konstituierenden Versammlung kämpfen.«

»Wir haben den ganzen Tag über unaufhörlich das Lob Ihres Sohnes gehört. Sie können wirklich stolz auf ihn sein.«

»Diese Ansichten aus dem Ural unter dem Stereoskop stammen auch von ihm. Er hat sie mit einem Objektiv eigener Konstruktion aufgenommen.«

»Sind diese Plätzchen mit Sacharin gebacken? Ein vorzügliches Gebäck!«

»Aber nein. Wie sollten wir hier in unserem entlegenen Winkel zu Sacharin kommen. Es ist reiner Zucker. Haben Sie nicht bemerkt, daß ich ein Stück davon vorhin aus der Zuckerdose in den Tee getan habe?!«

»Ich habe nicht darauf geachtet, ich betrachtete die Fotografien. Dies scheint wirklich echter Tee zu sein.«

»Selbstverständlich.«

»Woher haben Sie den?«

»Das ist wie in dem Märchen mit dem Tischlein, deck dich. Wir verdanken das alles einem Freund, einem prominenten Politiker der Linken. Er ist der offizielle Vertreter des Gouvernements-Sowjets, Abteilung Volkswirtschaft. Er läßt Holz von hier in die Stadt schaffen, und wir erhalten dafür zu Freundschaftspreisen

Graupen, Butter, Mehl. Siwerka«, so pflegte sie ihren Avertkij zu nennen, »gib mir doch bitte die Zuckerdose. Und jetzt wäre es interessant zu wissen, ob Sie sagen können, in welchem Jahr der Lustspieldichter Gribojedov gestorben ist?«

»Ich glaube, er ist 1795 geboren. Aber wann er ermordet wurde, das kann ich nicht genau sagen.«

»Noch etwas Tee?«

»Nein, danke.«

»Jetzt aber eine andere Frage. Sagen Sie bitte, wann und zwischen welchen Staaten wurde der Friede von Nymwegen geschlossen?«

»Aber quäle sie doch nicht so, Lenotschka. Laß sie doch nach der langen Reise erst einmal zur Ruhe kommen.«

»Und jetzt möchte ich noch wissen, ob Sie mir sagen können, welche Arten von Vergrößerungslinsen es gibt und in welchen Fällen man reelle, umgekehrte und virtuelle Bilder erhält?«

»Woher haben Sie diese Kenntnisse in der Physik?«

»Wir hatten einen ganz vorzüglichen Mathematiklehrer in Jurjatino. Er unterrichtete in zwei Gymnasien. Bei den Jungen und bei uns. Wie ausgezeichnet verstand er es zu erklären, wirklich ausgezeichnet! Wie ein Gott! Er legte einem die richtigen Antworten geradezu in den Mund. Antipov hieß er. Er war mit einer hiesigen Lehrerin verheiratet. Die Mädchen schwärmten für ihn, alle waren verliebt in ihn. Er ist dann als Freiwilliger in den Krieg gegangen und nicht mehr zurückgekehrt, wahrscheinlich gefallen. Es wird behauptet, der Kommissar Strelnikov, unsere Gottesgeißel und unsere Strafe vom Himmel, sei niemand anderes als der wieder auferstandene Antipov. Natürlich eine Legende. Es läge auch gar nicht in seiner Art. Und doch, wer kann es wissen. Nichts ist unmöglich. Noch ein Täßchen?«

Warykino

I

Im Winter, als er mehr Zeit zur Verfügung hatte, machte Jurij Andréitsch Aufzeichnungen der verschiedensten Art in ein Tagebuch. Folgendes schrieb er in diesem Tagebuch auf:
»Wie oft habe ich in diesem Sommer mit Tjutschew* sagen wollen:

> Oh, welch ein Sommer, hier im Norden!
> Welch wunderbare Zauberei!
> Wie, frag' ich, ist das uns geworden –
> Ganz ohne Grund und nebenbei.

Was für ein Glück, von morgens bis abends für sich und die Seinen arbeiten zu können, sich ein Heim zu schaffen und die Erde zu bebauen, die uns das tägliche Brot gibt! Was für ein Segen, sich eine eigene Welt zu bauen – wie Robinson. Man glaubt den Schöpfergott nachzuahmen, der das Universum geschaffen hat. In jedem Augenblick glaubt man wiedergeboren und neu erschaffen zu werden, wie ein Kind, dem die Mutter das Leben schenkt.

Wie viele Gedanken und neue Überlegungen gehen einem durch den Sinn, solange die Hände mit körperlicher Arbeit beschäftigt sind: mit der Arbeit des Zimmermanns. Man stellt sich vernünftige physisch lösbare Aufgaben, deren Ausführung einem als ein Höhepunkt von Freude und Erfolg erscheint. Man schuftet sechs Stunden lang mit dem Beil und gräbt die Erde unter dem offenen Himmel um, der einen mit seinem heißen Atem versengt. Da kommen dann unversehens diese Gedanken, Vermutungen und Vergleiche, die man nicht zu Papier bringen kann, so daß sie in ihrer flüchtigen Zufälligkeit wieder vergessen werden. Und doch sind sie kein Verlust, sondern ein reiner Gewinn. Ein Gefangener der

---

* Fjodor Iwanowitsch Tjutschew, einer der großen russischen Lyriker des 19. Jahrhunderts

Großstadt, der seine zerrütteten Nerven und seine Einbildungskraft durch starken Kaffee oder durch Tabak aufpeitschen muß, kennt nicht das mächtigste Narkotikum: die wirkliche Not und eine starke Gesundheit.

Ich will nicht weitergehen und Tolstois Einfachheit predigen, sein ›Zurück zur Natur‹. Ich denke auch nicht daran, den Sozialismus durch eine Neuordnung der Agrarfrage zu korrigieren. Ich stelle nur eine Tatsache fest, ohne unser Einzelschicksal zur Regel erheben zu wollen. Unser Beispiel ist ein Einzelfall. Man kann keine allgemeinen Schlußfolgerungen daraus ziehen. Unser wirtschaftliches Leben setzt sich aus zu ungleichartigen Elementen zusammen. Nur zu einem geringen Teil leben wir dank unserem Gemüse und unseren Kartoffeln von unserer Hände Arbeit. Alles übrige kommt aus einer anderen Quelle.

Unsere Nutznießung der Erde ist ungesetzlich. Durch einen eigenmächtigen Eingriff haben wir sie der offiziellen Kontrolle des Staates entzogen. Unser Holzeinschlag ist Diebstahl. Die Tatsache, daß wir nur aus der Tasche des Staates stehlen, was früher einmal Krüger gehört hat, ist keine Entschuldigung. Wir werden durch die Toleranz Mikulízyns gedeckt, der sein Leben annähernd auf dieselbe Weise fristet; unsere Rettung sind die großen Distanzen, die Entfernung von der Stadt, wo man keine Ahnung von unserem Diebstahl hat.

Ich habe auf die ärztliche Tätigkeit verzichtet und verschweige meinen Beruf, um meine Freiheit nicht zu gefährden. Aber es kommt immer wieder vor, daß irgendeine gute Seele am Ende der Welt erfährt, ein Doktor habe sich in Warykino niedergelassen, und nun macht sie einen Weg von dreißig Werst, um sich einen Rat zu holen ... Die eine Bäuerin kommt mit einem Hühnchen, die andere mit Eiern, eine dritte mit Butter. Wie sehr ich mich auch gegen die Honorierung sträube, ich muß sie schließlich doch annehmen, weil die Menschen an die Wirksamkeit von Ratschlägen, die nichts kosten, nicht glauben. Und so kommt es, daß mir meine Arztpraxis doch eben das eine oder das andere einbringt. Aber meine und Mikulízyns Hauptstütze ist und bleibt Samdewjatov.

Es ist kaum zu glauben, welche Gegensätze dieser Mensch in sich vereinigt. Er ist ein aufrichtiger Parteigänger der Revolution und rechtfertigt das Vertrauen, das der Stadt-Sowjet von Jurjatino in ihn gesetzt hat. Mit Hilfe seiner Vollmachten könnte er den ganzen

Wald von Warykino beschlagnahmen und abholzen, wobei er uns nicht einmal etwas davon zu sagen brauchte. Und Mikulízyns und wir könnten nicht das geringste dagegen tun. Wenn er andererseits den Fiskus bestehlen wollte, so könnte er, soviel er wollte, in seine eigene Tasche wirtschaften, und keiner würde es wagen, etwas dagegen einzuwenden. Er braucht vor niemandem Rechenschaft abzulegen, er braucht keinem Geschenke zu machen. Was also veranlaßt ihn, sich um uns zu kümmern, Mikulízyns zu helfen und alle Leute in dieser Gegend zu unterstützen, wie zum Beispiel den Stationsvorsteher von Torfjanája? Immer ist er unterwegs, um irgendwo etwas zu suchen und herbeizuholen. Er analysiert und interpretiert Dostojewskijs ›Dämonen‹ mit der gleichen Leidenschaft wie das kommunistische Manifest.

Mir scheint, wenn er sein Leben nicht ohne Notwendigkeit durch unnötige Verzettelung und Verschwendung seiner Kräfte komplizieren wollte, müßte er vor lauter Langeweile sterben.«

II

Etwas später machte der Doktor folgende Eintragungen:
»Wir haben uns hinter dem alten Herrenhaus in zwei Zimmern eines Holzanbaues eingerichtet. Als Anna Iwanowna ihre Kindheit in Warykino verbrachte, hatte Krüger diese Räume für das höhere Personal bestimmt. Hier wohnten die Hausschneiderin, die Wirtschafterin und eine frühere Kinderfrau.
Der Holzbau war in einem schlechten Zustand. Wir brachten ihn bald wieder in Ordnung. Mit Hilfe von Leuten, die sich darin auskennen, haben wir den Ofen, der beide Zimmer beheizt, neu gesetzt, so daß er eine größere Heizfläche bietet.
In dieser Gegend des Parks sind während der Sommermonate die Spuren ehemaliger Alleen unter einer wuchernden Vegetation verschwunden. Jetzt im Winter treten die Konturen der alten Anlage klarer hervor, weil kein lebendiges Wachstum, sondern nur der Schnee die Erde bedeckt.
Wir haben Glück gehabt. Der Herbst war bemerkenswert trocken und warm. Wir haben die Kartoffeln noch vor den großen Regenfällen und den ersten Frösten geerntet. Rechnet man das, was wir Mikulízyn schuldeten und ihm zurückgegeben haben, ab, so bleiben

für uns noch etwa zwanzig Sack übrig. Wir haben alles im Hauptraum des Kellers untergebracht und durch Heu und alte Decken vor Kälte und Feuchtigkeit geschützt. Außerdem bewahren wir zwei Fässer mit Gurken, die Tonja eingesalzen hat, und zwei Fässer eingemachten Kohl im Keller auf. Den frischen Kohl haben wir an Schnüren paarweise zusammengebunden und aufgehängt. Unseren Vorrat an gelben Rüben haben wir zusammen mit roten Rüben und sonstigen Rüben in trockenen Sand eingegraben. Oben im Hause lagern reichliche Mengen von Erbsen und Bohnen. Unser Brennholz, das im Speicher aufgeschichtet ist, wird bis zum Frühjahr ausreichen. Ich liebe den warmen Geruch von Gewürzen, Erde und Schnee, jenen unterirdischen Atem, der einem entgegenschlägt, wenn man im Winter zu früher Morgenstunde die Falltüre aufhebt, um mit einer heruntergebrannten Kerze, die schon am Verlöschen ist, in den Keller hinunterzusteigen.

Tritt man zu dieser Stunde ins Freie, so merkt man noch nichts von der Morgendämmerung. Beim Knarren der Tür, beim Knirschen der Stiefel im Schnee springen von den Gemüsebeeten und von den verschneiten Kohlstrünken Hasen auf und suchen das Weite. Ihre Spuren laufen kreuz und quer über die weiße Fläche. In der Nachbarschaft beginnen die Hunde zu bellen, einer scheint dem anderen Antwort zu geben. Die letzten Hähne haben schon aufgehört mit Krähen, ihre Stunde ist vorbei. Der Tag bricht an.

Auf der gewaltigen Schneefläche zeichnen sich auch Luchsspuren ab, Grübchen an Grübchen, aneinandergereiht wie die Perlen einer Kette.

Der Luchs setzt die Pfoten dicht nebeneinander auf wie die Katze. Dennoch heißt es, daß er in einer Nacht beträchtliche Entfernungen zurücklegt. Man stellt hier besondere Luchsfallen auf. Aber statt der Luchse geraten oft arme Hasen in diese Fallen. Wenn man sie aus dem Fangeisen löst, sind sie erfroren, vor Kälte steif und fast ganz unterm Schnee begraben.

Als wir hier anfingen, im Frühjahr und in den ersten Sommermonaten, war das Leben schwierig. Wir arbeiteten bis zur völligen Erschöpfung. Jetzt, an den langen Winterabenden, ruhen wir uns aus. Wir sitzen um die Lampe herum, die Anfim, dem wir so viel zu verdanken haben, mit Petroleum versorgt. Die Frauen nähen oder stricken, Alexander Alexandritsch und ich lesen vor. Der Ofen brennt. Da ich anerkannter Heizer bin, habe ich die Aufgabe, nach ihm zu sehen und die Klappe rechtzeitig zu schließen, um nicht unnütz Wärme zu verschwenden. Wenn ein Holzscheit schlecht brennt und das Feuer zu ersticken droht, entferne ich es aus dem Ofen, trage es im Laufschritt zur Haustür und werfe es rauchend und brennend weit in den Schnee. Gleich einer brennenden Fackel, von der die Funken stieben, fliegt es durch die Luft und erleuchtet die schwarzen Konturen des schlafenden Parks und die weißen, rechteckigen Wiesen und verlischt gleich darauf zischend in einem Schneehaufen.

Immer wieder lesen wir ›Krieg und Frieden‹, ›Eugen Onegin‹ und alle Puschkinschen Gedichte, außerdem Stendhals ›Le rouge et le noir‹ in russischer Übersetzung, Dickens ›Geschichte zweier Städte‹ und Kleists Novellen.«

III

Als der Frühling näher kam, notierte der Doktor in seinem Tagebuch:

»Ich glaube, Tonja erwartet ein Kind. Ich habe es ihr gesagt, sie ist nicht sicher. Aber ich bin davon überzeugt. Ich erkenne es an gewissen, wenig auffälligen Anzeichen, die mir Gewißheit geben, noch ehe der Sachverhalt klar und erwiesen ist.

Das Gesicht der Frau verändert sich. Man kann nicht einmal sagen, daß sie häßlicher würde. Aber ihr Äußeres, das sie früher vollkommen beherrschte, entzieht sich auf einmal ihrer Kontrolle. Es wird durch das Zukünftige bestimmt, das aus ihr hervortreten wird, es gehört nicht mehr ganz ihr selbst. Die Züge ihres Gesichts machen sich selbständig. Dieser Vorgang hat den täuschenden Anschein einer physischen Verstörung: der Teint verliert seinen Schmelz, die Haut wird gröber, die Augen glänzen auf eine andere Weise, als sie es gewohnt ist. Die Frau ist dieser Veränderung ausgeliefert, sie hat keine Macht über die eigene Person.

Wir, Tonja und ich, haben uns nahegestanden, soweit ich zurückdenken kann. Aber dieses Jahr der Arbeit hat uns noch enger miteinander verbunden. Ich beobachte täglich mit Bewunderung, wie stark und unermüdlich Tonja ist, wie leicht ihr die Arbeit von der Hand geht und wie wenig Zeit sie infolge guter Organisation bei einem Wechsel der Beschäftigung verliert.

Auf jeder Gebärenden liegt der gleiche Abglanz der Einsamkeit, des Verlassenseins; sie ist der Macht ausgeliefert, die in ihr wirkt. Der Mann ist in diesem wichtigen Moment so völlig ausgeschaltet, als hätte er nichts damit zu tun, als sei alles vom Himmel gefallen. Die Frau bringt ihr Kind allein zur Welt. Sie allein zieht sich mit ihm auf jene zweite Ebene des Daseins zurück, wo tiefer Friede herrscht und wo man ohne Furcht eine Wiege aufstellen kann. Sie allein nimmt es in schweigender Demut auf sich, das Neugeborene zu nähren und aufzuziehen.

In den Gebeten fleht man die Gottesmutter um Fürbitte bei ihrem Sohn und bei Gottvater an. Man legt ihr die Worte des Psalmisten in den Mund: ›Und mein Geist frohlockt in Gott, meinem Herrn. Denn er hat sich der Niedrigkeit seiner Magd erbarmt. Und von nun an werden alle Geschlechter mich seligpreisen.‹ So spricht sie von ihrem Kinde, sie umgibt es mit einer Glorie. ›Denn Großes hat an mir getan, der allmächtig ist.‹ Es ist *ihre* Glorie. Jede Frau kann das gleiche sagen. Gott offenbart sich in ihrem Kinde. Den Müttern großer Menschen muß diese Empfindung vertraut sein. Doch in einem höheren Sein haben alle Mütter große Menschen zur Welt gebracht, und wenn das Leben sie später enttäuschte, ist es nicht ihre Schuld.«

IV

»Noch immer lesen wir Puschkins ›Eugen Onegin‹ und die Gedichte. Gestern kam Anfím und brachte uns Geschenke. Wir freuten uns an ihnen. Endlose Gespräche über die Kunst.

Schon seit langer Zeit glaube ich, daß die Kunst keine Kategorie und kein Gebiet ist, das unübersehbar viele und weitverzweigte Erscheinungen in sich vereinigt. Es handelt sich im Gegenteil um etwas sehr Begrenztes und Konzentriertes. Jedem Kunstwerk liegt ein Prinzip zugrunde, das sich aus eigener Kraft seine besondere Wahrheit schafft. Ich habe die Kunst niemals nur als Form angesehen, sondern als ein verborgenes und geheimnisvolles Element der Wirklichkeit, die ihren Inhalt ausmacht. Mir ist das alles so klar wie das Tageslicht. Ich empfinde es mit jeder Faser meines Wesens. Aber es ist furchtbar schwierig, diese Gedanken auszudrücken und zu definieren.

Ein Kunstwerk spricht uns auf verschiedene Weise an: durch sein Thema oder durch die in ihm geschilderten Situationen und Charaktere. Aber was uns am meisten anrührt, ist eben jenes geheimnisvolle Etwas, das wir Kunst nennen. ›Schuld und Sühne‹ erschüttert uns so sehr, weil es ein Kunstwerk ist und nicht wegen Raskolnikovs Verbrechen.

Kunst gibt es nur in der Einzahl. Die Primitiven, die Ägypter, die Griechen und wir haben durch die Jahrhunderte hindurch alle jene eine und unteilbare Kunst geschaffen. Man kann das Wesen der Kunst als Idee bezeichnen, als eine Anschauung vom Leben, die so allumfassend ist, daß man sie nicht in einzelne Worte zerlegen kann. Wenn nur ein winziger Bestandteil dieser Essenz in das Werk eingeht, so verliert alles andere seine Bedeutung vor diesem Element, das sich als die Seele, das Wesen und die Grundlage des Ganzen erweist.«

V

»Ich bin etwas erkältet. Ich huste und habe wahrscheinlich ein wenig Fieber. Den ganzen Tag über spüre ich so etwas wie einen Klumpen in meiner Kehle, der mir den Atem beengt. Es steht nicht gut um mich. Es ist die Aorta. Handelt es sich um die ersten Symptome der Herzkrankheit, die ich von meiner armen Mutter geerbt habe? Ist es möglich? So früh? In diesem Falle wäre ich nicht lange mehr Gast auf dieser Erde.

Über dem Zimmer liegt ein leichter Rauchgeruch. Es riecht nach Bügeleisen. Die Frauen bügeln, sie holen glühende Kohlen aus dem schlecht ziehenden Ofen und stecken sie in das Bügeleisen hinein. Das erinnert mich an irgend etwas. Aber woran? Ich weiß es nicht. Wenn ich mich nicht wohl fühle, läßt mich mein Gedächtnis im Stich.

Anfím hat uns Kernseife mitgebracht. Um dieses Ereignis zu feiern, wird große Wäsche veranstaltet. Schurotschka ist seit zwei Tagen ohne Aufsicht. Während ich schreibe, kriecht er unter dem Tisch herum. Er setzt sich auf eine Verbindungsleiste zwischen den Tischfüßen und macht Anfím nach, der bei jedem Besuch eine Schlittenfahrt mit ihm unternimmt. Er tut so, als fahre er mich mit dem Schlitten spazieren.

Wenn ich wieder gesund bin, muß ich in die Stadt, um dort einige ethnographische und historische Werke über die hiesige Gegend zu lesen. Die Stadtbibliothek, die ihre Entstehung einigen großzügigen Spenden verdankt, soll ganz hervorragend sein. Ich habe große Lust zum Schreiben. Ich muß mich beeilen. Im Handumdrehen ist der Frühling da. Dann habe ich anderes zu tun, als zu lesen und zu schreiben.

Meine Kopfschmerzen werden immer heftiger. Ich habe schlecht geschlafen. Ich hatte einen jener unsinnigen Träume, die man gleich nach dem Erwachen vergißt. Ich erinnere mich nicht mehr an den Inhalt des Traumes, nur die Ursache des Erwachens ist mir im Gedächtnis geblieben. Eine Frauenstimme, deren Widerhall im Traum die Luft erfüllte, hatte mich geweckt. Den Klang dieser Stimme behielt ich genau in der Erinnerung, und in Gedanken bin ich alle mir bekannten Frauen durchgegangen, um die Besitzerin der warmen, sanften und dunklen Stimme zu finden. Keiner einzigen von ihnen gehörte die Stimme. Ich dachte, durch meine starke Gewöhnung an Tonja könnte ich vielleicht ihre Stimme nicht wiedererkennen. Ich versuchte zu vergessen, daß sie meine Frau ist, und rückte ihr Bild in angemessene Entfernung, um die Wahrheit ergründen zu können. Doch es war eine ganz andere Stimme. Die Sache blieb unaufgeklärt.

Noch ein Wort zum Thema Traum: für gewöhnlich wird angenommen, daß man im Traum das wiedersieht, was einem tagsüber den stärksten Eindruck gemacht hat. Ich habe die gegenteilige Beobachtung gemacht.

Mehr als einmal habe ich beobachtet, daß gerade nur flüchtig wahrgenommene Dinge, unklare Vorstellungen und gedankenlos ausgesprochene Worte im Traum zurückkehrten, mit Fleisch und Blut angetan, so als wollten sie sich dafür rächen, daß man sie am Tage vernachlässigt hatte.«

VI

»Eine klare Frostnacht. Alles, was ich sehe, schließt sich zu einer Einheit zusammen: Erde, Luft, Mond, Sterne scheinen durch die Kälte aneinandergeschmiedet zu sein. Die scharf umrissenen Schatten der Bäume in den Alleen des Parkes wirken wie Scherenschnitte. Immer wieder hat man den Eindruck, daß schwarze

Gestalten über den Weg huschen. Große Sterne sind im Walde zwischen den Zweigen gleich bläulich schimmernden Lampen aufgehängt. Der Sternenhimmel gleicht einer Sommerwiese, die mit Gänseblümchen besät ist.

Abends setzen wir unsere Gespräche über Puschkin fort. Wir haben seine Gedichte als Gymnasiasten im ersten Bande der Gesamtausgabe gelesen. Wie entscheidend ist hier die Wahl des Versmaßes!

Zu der Zeit, als er langzeilige Gedichte schrieb, scheint der ›Arsamas‹* das Ziel seines jugendlichen Ehrgeizes gewesen zu sein. Er will nicht hinter den Älteren zurückstehen; er streut seinem Onkel Sand in die Augen durch mythologische Anspielungen, durch vorgetäuschtes Epikuräertum und frühreifes Wissen. Aber man kann kaum verstehen, daß derselbe junge Mann, der Ossian oder Parny nachahmte, auch die Kurzzeilen in der ›Kleinen Stadt‹, in dem ›Brief an die Schwester‹ oder ein wenig später in dem Gedicht ›An mein Tintenfaß‹ aus der Kischinjower Periode und in der ›Sendung an Judin‹ gedichtet hat. Hier erwacht in dem Jüngling bereits der ganze zukünftige Puschkin.

Wie durch ein geöffnetes Fenster dringen Licht und Luft, das Leben mit seinen tausend Stimmen, die Dinge und Substanzen durch seine Verse ins Bewußtsein ein. Die Gegenstände der Außenwelt und die Dinge und Namen des täglichen Gebrauchs drängen sich vor, bemächtigen sich in steigendem Maße der Verse und verdrängen die vageren und allgemeineren Wendungen. Immer gegenständlicher werden die Gedichte. Die gereimten Verszeilen sind ausgefüllt mit sinnlich greifbaren Dingen.

Puschkins vierfüßiger Jambus, der später so berühmt wurde, ist zu einer metrischen Einheit des gesamten russischen Lebens geworden, zu einem Maßstab, nach dem man sich ebenso richtet wie nach der Schuhgröße und nach der Handschuhnummer im täglichen Leben.

In späterer Zeit wurde der Rhythmus der russischen Rede und der Klang der Alltagssprache durch die daktylischen Reime und dreisilbigen Maße Nekrassovs** entscheidend beeinflußt.«

---

* Arsamas 1815-1818. Literarischer Zirkel, dem die Dichter Shukowski, Batjuschkov, Puschkin usw. angehörten. Man bemühte sich in diesem Kreis um eine reinere und schlichtere Sprache als die des 18. Jahrhunderts
**Nikolai Alexejewitsch Nekrassov, russischer Lyriker des 19. Jahrhunderts. Zahlreiche seiner Dichtungen sind der Not der russischen Bauern gewidmet

VII

»Wie gern würde ich neben meinen ländlichen Arbeiten und der ärztlichen Praxis ein wesentliches Werk schreiben, eine wissenschaftliche Arbeit oder eine Dichtung!

Jeder Mensch ist ein Faust, der alles erfassen, erfahren und zum Ausdruck bringen möchte. Nur die Irrtümer seiner Vorgänger und Zeitgenossen haben aus Faust einen Gelehrten gemacht. Der wissenschaftliche Fortschritt ist dem Gesetz der Abstoßung untertan. Um einen Schritt vorwärts zu machen, muß man sich zunächst gegen Irrtümer und falsche Theorien der Vorgänger auflehnen.

Zum Künstler dagegen wurde Faust durch das Beispiel seiner Lehrmeister. Der Fortschritt in der Kunst unterliegt dem Gesetz der Anziehung. Man entwickelt sich weiter durch die Nachahmung und Nachfolge von Vorbildern, die man verehrt.

Was hindert mich eigentlich daran, meine ärztliche Arbeit zu versehen und nebenher zu schreiben? Ich glaube, es sind weder die Entbehrungen noch das unruhige Wanderleben, noch das Gefühl der Unsicherheit, das mir der ständige Wechsel der Verhältnisse gibt. Es ist vielmehr der Zeitgeist – dieser Geist der pathetischen und hochtrabenden Reden, der jetzt so verbreitet ist, das Genre: ›Morgenröte der Zukunft‹, ›Aufbau einer neuen Welt‹, ›Leuchten der Menschheit‹. Wenn man diese Worte hört, sagt man sich im ersten Augenblick: welche breitwürfige, grandiose Phantasie, welcher Reichtum! Wenn man jedoch näher zusieht, stellt sich heraus, daß die hochtrabenden Worte nichts sind als ein Mangel an Begabung.

Gerade die alltäglichen und gewöhnlichen Dinge sind es, die magisch wirken, wenn die Hand des Genius sie berührt. In dieser Hinsicht ist Puschkin der beste Lehrmeister. Welche Mächtigkeit in dem Hymnus auf die Arbeit, auf die Pflichterfüllung und auf die Gewohnheiten des Alltags! Die Bezeichnungen ›Bourgeois‹ und ›der Mann von der Straße‹ klingen für uns heute ein wenig verächtlich. Puschkins Verse in seinem ›Stammbaum‹: ›Ich bin ein Bürger, ein Bürger bin ich . . .‹ kommen diesem Vorwurf zuvor, ebenso die ›Reise Onegins‹, in der es heißt:

Mein Ideal ist jetzt die Hausfrau.
Mein Wunsch – nur Ruhe. Nichts als sie.
Und dann ein großer Topf voll Stschi*.

Von allem, was russisch ist, liebe ich zur Zeit am meisten die russische Kindlichkeit eines Puschkin und eines Tschechov, ihre scheue
Zurückhaltung vor so hochtönenden Begriffen wie ›die letzten
Ziele der Menschheit‹ und ihre Unbesorgtheit um ihr eigenes
Wohlergehen. Natürlich hatten sie auch von diesen Dingen bestimmte Vorstellungen, aber sie hätten ihren Ideen nie auf so un-
bescheidene Weise Ausdruck verliehen – das entsprach nicht ihrem
Geschmack und ihrer Denkweise! Gogol, Tolstoi und Dostojewskij haben sich voller Unruhe auf den Tod vorbereitet. Sie
suchten nach dem Sinn des Lebens und kamen zu gewissen Schlußfolgerungen. Puschkin und Tschechow dagegen waren bis zuletzt
durch die täglichen Sorgen abgelenkt, die ihr Künstlerberuf mit
sich brachte. Ihr Leben war eine Kette von Einzelereignissen persönlicher oder beruflicher Art, die niemanden außer sie selbst etwas angingen. Aber gerade diese individuellen Zufälligkeiten ihres Daseins sind jetzt Allgemeingut geworden. Wie Äpfel, die noch grün
vom Baum gepflückt wurden, sind sie erst allmählich reif und süß
geworden und haben erst in der Nachwelt ihre wahre Bedeutung
erlangt.«

VIII

»Die ersten Vorboten des Frühlings! Es taut. In der Luft riecht es
nach Pfannkuchen und Wodka wie in der Woche vor dem großen
Fasten, der ›Butterwoche‹, wie der Kalender sie scherzhaft nennt.
Eine schläfrige Sonne blinzelt aus butterigen Äuglein, auch der
Wald scheint durch seine Nadelwimpern zu blinzeln. Die Pfützen
glänzen um die Mittagszeit wie mit Fett bestrichen. Die Natur
gähnt, reckt sich und streckt sich, wirft sich von der einen auf die
andere Seite und versinkt von neuem in Schlaf.
Im siebenten Kapitel des ›Eugen Onegin‹ wird der Frühling geschildert: Onegin ist fort gefahren, das Haus steht leer. Unten am

* Stschi ist d i e russische Kohlsuppe, ein Alltagsgericht, wie ›Kascha‹ (gleich Brei).
Ein russisches Sprichwort lautet: »Stschi da Kascha - pistscha nascha«, das heißt:
»Kohlsuppe und Brei ist unsere Nahrung«

Wasser, am Fuß des Hügels, liegt Lenskis Grab. ›Die Nachtigall, des Lenzes Freier, singt Nacht um Nacht. Windrosen blühen.‹ Wieso ›Freier‹? Ein gut gewählter natürlicher Vergleich. Ljubownik heißt auch Liebhaber. Oder hat Puschkin auch an den ›Räuber Nachtigall‹ aus der Volksballade gedacht?

In der Volksdichtung wird der Räuber Nachtigall auch der Sohn des Odikmantjew genannt. Von ihm heißt es:

> Beim Schlag der Nachtigall,
> Beim wilden Ruf der Wälder
> Erzittert jeder Grashalm.
> Die Blumen neigen ängstlich ihre Köpfe,
> Die dunklen Bäume neigen ihre Wipfel
> Der Erde zu. Die Menschen, die ihn hören,
> Fallen entseelt zu Boden.

Als wir in Warykino ankamen, begann der Frühling. Bald wurde alles grün, besonders in der Schutjma, wie die Schlucht unterhalb des Mikulízynschen Hauses genannt wird: Faulbäume, Erlen, Haselnußsträucher. Etwas später fingen die Nachtigallen zu singen an.

Und wieder bemerkte ich staunend, so als hörte ich sie zum erstenmal, wie sehr sich ihr Lied von allem anderen Vogelgesang unterscheidet. Um die verschwenderische Vielfalt und Schönheit dieser unvergleichlichen Läufe zu erreichen, mußte die Natur einen Sprung wagen. Welche wunderbaren Variationen der musikalischen Tonfolgen, was für eine Melodik der Triller! Wie rein und klar klingen die weithin dringenden Töne. Zwei Motive wiederholen sich immer von neuem: ein begieriges, schmachtendes und überstürztes ›tok - tok - tok‹, mitunter dreigeteilt, manchmal unzählige Male sich erneuernd, auf das aus dem taubenetzten Gebüsch ein zärtliches, zitterndes Echo zu antworten schien. Das zweite Motiv bestand aus zwei deutlich voneinander getrennten Silben; es klang durchdringend, flehend und bittend wie eine Beschwörungsformel: wach auf, wach auf!«

IX

»Es ist Frühling. Wir bereiten uns auf die Feldarbeit vor. Für das Tagebuch bleibt keine Zeit. Ich hätte trotzdem Lust, die Eintragungen fortzusetzen. Aber ich muß wohl bis zum nächsten Winter mit dem Schreiben aussetzen.

Vor einigen Tagen, in der Butterwoche, bei starkem Tauwetter, kam ein kranker Bauer mit dem Schlitten durch Schlamm und Schmutz zu uns gefahren. Zunächst lehnte ich es ab, ihn zu empfangen. ›Sei mir nicht böse, mein Lieber; ich habe aufgehört, mich damit zu befassen. Ich habe weder Medikamente noch die nötigen Instrumente.‹ Aber so leicht komme ich nicht davon: ›Hilf mir! Sieh nur meine Haut an! Erbarme dich! Ich bin krank.‹

Was tun? Das Herz ist nicht aus Stein. Ich entschließe mich, ihn zu untersuchen. ›Zieh dich aus.‹ Ich sehe ihn mir an. ›Du hast Lupus.‹ Ich beschäftige mich mit ihm und werfe dabei einen Blick nach dem Fenster, wo die Karbolflasche steht. (Lieber Himmel, fragt mich nicht, woher ich sie habe, diese und andere lebensnotwendigen Dinge verdanken wir Samdewjatov!) Ich blicke zum Fenster hinaus; da fährt ein anderer Schlitten in den Hof ein. Ich denke schon, es ist ein neuer Patient. Aber es ist mein Bruder Jewgraf. Er scheint plötzlich vom Himmel gefallen zu sein. Das ganze Haus eilt herbei und bemächtigt sich seiner: Tonja, Schurotschka, Alexander Alexandritsch. Sowie ich wieder frei bin, geselle ich mich zu ihnen. Wir überhäufen ihn mit Fragen: ›Woher kommst du? Wie kommst du hierher?‹ Er weicht wie gewöhnlich allen Fragen aus, gibt keine direkten Antworten, begnügt sich mit einem rätselhaften Lächeln.

Fast zwei Wochen lang war er unser Gast. Während dieser Zeit fuhr er oft nach Jurjatino. Eines Tages war er plötzlich verschwunden, als habe ihn der Erdboden verschluckt. Nach meinen Beobachtungen muß er noch einflußreicher als Samdewjatov sein, aber seine Geschäfte und Verbindungen sind noch weniger klar. Woher kommt er? Woher bezieht er seine Macht? Was tut er in Wirklichkeit? Vor seinem Verschwinden hat er uns versprochen, uns das Leben zu erleichtern, so daß Tonja mehr freie Zeit für Juras Erziehung bleibt und mir für meine medizinischen und litarerischen Arbeiten. Natürlich wollen wir gern wissen, was er unternehmen wird, um uns zu helfen. – Wieder statt einer Antwort dies rätselhafte Schweigen und Lächeln! Aber er hat uns nicht getäuscht. Es gibt gewisse Anzeichen dafür, daß unsere Lebensbedingungen sich tatsächlich ändern werden.

Wie merkwürdig ist das alles! Er ist mein Stiefbruder. Er trägt

342

denselben Familiennamen wie ich. Aber ich kenne kaum jemanden weniger als ihn.

Schon zum zweitenmal bricht er überraschend in mein Leben ein, als Retter in der Not, der meine Schwierigkeiten löst. Vielleicht wirkt im Leben jedes Menschen außer den bekannten Figuren, die den Schauplatz betreten, eine unbekannte Macht, ein Wesen von fast symbolischer Bedeutung, das ungerufen zu Hilfe kommt. Sollte die Rolle des verborgenen Wohltäters in meinem Leben etwa meinem Bruder Jewgraf zufallen?«

Hiermit endeten die Eintragungen Jurij Andréitschs. Er hat sie nicht mehr fortgesetzt.

X

Jurij Andréitsch blätterte im Lesesaal der Stadtbibliothek von Jurjatino in den angeforderten Büchern. Der vielfenstrige Saal konnte etwa hundert Personen aufnehmen. Er enthielt mehrere Reihen von langen, schmalen Tischen, die bis zu den Fenstern reichten. Man schloß mit Einbruch der Dunkelheit. In diesen Frühlingstagen war die Stadt abends ohne Beleuchtung. Aber Jurij Andréitsch blieb nie so lange in der Stadt. Er stellte sein Pferd, das ihm Mikulízyns zur Verfügung stellten, bei Samdewjatov in dessen Gasthof unter. Er arbeitete den Morgen über in der Bibliothek und ritt am Nachmittag nach Warykino zurück.

Vor dieser Zeit war Jurij Andréitsch nur selten in Jurjatino gewesen, wo er nichts zu tun hatte. Aus diesem Grund kannte der Doktor die Stadt auch schlecht. Wenn der Lesesaal sich vor seinen Augen allmählich mit den Bewohnern von Jurjatino füllte, hatte er das Gefühl, als befände er sich an einem verkehrsreichen Kreuzungspunkt der Stadt und schließe Bekanntschaft mit ihr. Er glaubte, statt der Leser von Jurjatino hätten sich die Häuser und Straßen der Stadt selbst in der Bibliothek versammelt, um ihn zu begrüßen.

Aber durch die Fenster des Lesesaals konnte er auch das wirkliche Jurjatino sehen. Vor dem mittleren Gangfenster befand sich ein Behälter mit abgekochtem Wasser. Die Lesenden, die rauchen wollten, gingen auf den Flur hinaus, tranken etwas Wasser, gossen den Rest in einen Ausguß und drängten sich um das Fenster zusammen, um die Aussicht auf die Stadt zu bewundern.

Es gab zwei Gruppen von Lesern: alteingesessene, die zur Orts-intelligenz gehörten – sie bildeten die Mehrzahl –, und die Leute aus dem einfachen Volk.

Die erste Gruppe bestand in der Hauptsache aus ärmlich geklei-deten und vernachlässigten Frauen mit mißmutigen, kränklichen, langgezogenen Gesichtern, die von Hungerödemen oder wegen eines Gallenleidens aufgedunsen waren. Sie zählten zu den stän-digen Besuchern, kannten das Bibliothekspersonal und fühlten sich hier wie zu Hause.

Die Leute aus dem Volke, deren frische Gesichter Gesundheit atmeten, betraten den Saal sonntäglich gekleidet. Sie benahmen sich schüchtern und verlegen wie in der Kirche. Sie traten immer etwas zu laut auf, nicht etwa weil sie die Bestimmungen nicht kannten, sondern weil sie im Gegenteil besonders leise sein wollten, wobei es ihnen aber nur schlecht gelang, ihre Schritte und Stim-men zu dämpfen.

Die Bibliotheksangestellten hatten die gleichen gedunsenen Ge-sichter wie viele der Lesenden und die gleiche welke, erdfarbene und faltige Haut. Sie widmeten sich abwechselnd den gleichen Auf-gaben. Sie setzten den neuen Lesern im Flüsterton die Bestim-mungen für die Benutzung der Bibliothek auseinander, sie ord-neten die Bestellzettel, gaben die entliehenen Bücher aus und be-arbeiteten zwischendurch die Jahresstatistiken.

Durch eine merkwürdige Gedankenverbindung mußte der Doktor beim Anblick der Stadt vor dem Fenster und bei der Betrachtung der gedunsenen blassen Gesichter der Leserinnen im Bibliotheks-saal an jene unzufriedene Weichenstellerin auf der Strecke nach Jurjatino zurückdenken. Er erinnerte sich an das Panorama der Stadt in der Ferne und an Samdewjatovs Erklärungen, die er ab-gegeben hatte, während sie Seite an Seite auf dem Fußboden des Waggons saßen. Diese Erklärungen, die sich auf die weitere Um-gebung der Stadt, auf ihre Felder und Gemarkungen bezogen, wollte er jetzt mit dem Bilde zusammenbringen, das sich ihm hier im Bibliothekssaal bot. Aber er wußte nicht mehr viel von dem, was Samdewjatov gesagt hatte, und sein Vorhaben mißlang.

XI

Jurij Andréitsch saß, von Büchern umgeben, am Ende des Saales. Vor ihm lagen statistische Übersichten aus der Gegend von Jurjatino und einige ethnographische Abhandlungen über die Landschaft der Provinz. Er hatte noch zwei Werke über die Geschichte Pugatschovs* angefordert. Aber eine der Bibliothekarinnen, die eine schwarze Seidenbluse trug und erkältet war, erklärte ihm durch ihr Taschentuch, das sie gegen die Lippen preßte, daß man nicht so viele Bücher auf einmal entleihen könne. Erst nach der Rückgabe eines Teils der bereits entliehenen Nachschlagewerke und Zeitschriften könne er die neu angeforderten Bücher bekommen. Jurij Andréitsch durchblätterte eilig die vor ihm liegenden Arbeiten, um auszusondern, was ihm wesentlich erschien, und nun den Rest gegen die historischen Abhandlungen, die ihn interessierten, einzutauschen. Er überflog die Inhaltsverzeichnisse, ohne sich durch die Menschen im Saal ablenken zu lassen. Er hatte seine Nachbarn nur flüchtig angeschaut, aber während er mit gesenkten Lidern dasaß, sah er sie in Gedanken rechts und links von sich sitzen und hatte das feste Gefühl, daß sie sich bis zu seinem Aufbruch ebensowenig von der Stelle bewegen würden wie die Kirchen und die Gebäude der Stadt, die er vor dem Fenster sah.

Die Sonne jedoch stand inzwischen nicht still. In den letzten Stunden war sie weitergewandert und hatte die Ostseite des Bibliothekssaales durchquert. Nun schien sie durch die Fenster der Südseite und blendete die dort sitzenden Leser, so daß sie in ihrer Lektüre gestört wurden.

Die erkältete Bibliothekarin entfernte sich von ihrem Platz hinter der Estrade und ging zu den Fenstern. Sie ließ die weißen gefältelten Gardinen herunter, die das Licht angenehm milderten. Nur das letzte Fenster, das im Schatten lag, blieb so, wie es war. Sie zog an einer Schnur und öffnete hierdurch ein Klappfenster. Darauf mußte sie niesen.

Als sie zum zehnten oder zwölften Mal geniest hatte, glaubte Jurij Andréitsch zu erraten, daß diese Bibliothekarin Mikulízyns Schwägerin war, eine der Tunzewschen Schwestern, von denen

---

* Der Don-Kosak Pugatschov war der Führer eines Aufstandes der Kosaken und Bauern aus dem Gebiet des Ural und der südöstlichen Provinzen des europäischen Rußlands. Er wurde 1775 in Moskau hingerichtet

Samdewjatov erzählt hatte. Wie die andern Lesenden, so hob auch Jurij Andréitsch den Kopf und schaute zu ihr hinüber. Da erst entdeckte er die Veränderung, die im Saal vorgegangen war. Auf der entgegengesetzten Seite hatte sich eine neue Leserin niedergelassen. Jurij Andréitsch erkannte sie sofort: es war die Antipova. Sie kehrte dem Doktor den Rücken und unterhielt sich halblaut mit der erkälteten Bibliothekarin, die sich zu ihr niederbeugte, um ihr etwas zuzuflüstern. Offenbar hatte diese Unterhaltung eine wohltuende Wirkung auf die Bibliothekarin. Im Handumdrehen war sie nicht nur von ihrem fatalen Schnupfen, sondern auch von ihrer nervösen Unruhe befreit. Sie warf der Antipova einen warmen und dankbaren Blick zu, nahm ihr Taschentuch von den Lippen, steckte es in die Tasche und kehrte, glücklich und selbstgewiß lächelnd, auf ihren Platz hinter der Estrade zurück.

Diese rührende kleine Szene war nicht unbemerkt geblieben. Zahlreiche Leser blickten die Antipova mit Sympathie an und lächelten ihr zu. An diesen geringfügigen Anzeichen merkte Jurij Andréitsch, wie beliebt und bekannt sie in der Stadt war.

XII

Jurij Andréitschs erster Gedanke war, aufzustehen und zu Larissa Fjodorowna hinüberzugehen, um sie zu begrüßen. Doch ein Gefühl der Verlegenheit und des Gehemmtseins, das er immer in ihrer Gegenwart empfand, obgleich es seiner Natur sonst vollkommen fremd war, hielt ihn an seinem Platz zurück. Er beschloß, sie nicht zu stören und seine eigene Arbeit nicht zu unterbrechen. Um der Versuchung, nach ihr zu blicken, zu entgehen, rückte er seinen Stuhl ein wenig vom Tisch ab und stellte ihn seitwärts, so daß er den Lesenden fast den Rücken zukehrte. Er vertiefte sich in seine Bücher, von denen er eines in der Hand hielt, während ein anderes aufgeschlagen auf seinen Knien lag.

Aber seine Gedanken schweiften immer wieder ab vom Gegenstand seiner Arbeit. Plötzlich wußte er, daß die Stimme, die er in einer Winternacht in Warykino im Traum gehört hatte, die Stimme der Antipova gewesen war. Diese Entdeckung bestürzte ihn, und auf die Gefahr hin, die Aufmerksamkeit der in der Nähe Sitzenden auf sich zu ziehen, rückte er den Stuhl wieder an den

Tisch heran, wo er früher gestanden hatte, so daß er die Antipova von seinem Platz aus sehen konnte. Er begann, sie zu betrachten.

Er sah sie fast ganz vom Rücken her. Sie trug eine helle, karierte Bluse mit einem Gürtel und war mit der gleichen Selbstvergessenheit und Leidenschaft in ihre Lektüre vertieft, die man zuweilen bei Kindern beobachten kann. Sie hielt den Kopf etwas seitwärts geneigt, nach der rechten Schulter hin. Ab und zu schien sie über etwas nachzudenken, dann hob sie die Augen zur Decke auf oder blickte starr vor sich hin. Hierauf stützte sie die Ellbogen auf, legte den Kopf in die Innenfläche der Hand und schrieb mit raschen, weiten Bleistiftzügen Notizen und Auszüge in ein Heft.

Jurij Andréitsch fand seine Beobachtungen bestätigt, die er schon in Meljusejewo gemacht hatte. ›Sie legt keinen Wert darauf, zu gefallen‹, dachte er, ›sie will nicht schön und verführerisch sein. Sie verachtet diese Seite des weiblichen Wesens, und sie scheint sich selber gleichsam dafür zu bestrafen, daß sie so schön ist. Diese stolze Feindseligkeit gegen ihre eigene Erscheinung macht sie nur um so unwiderstehlicher.

Wie schön ist alles, was sie tut! Sie liest so, als wäre es nicht die höchste Bestätigung des Menschen, sondern etwas ganz Einfaches, das auch den Tieren zugänglich ist. Sie liest so, als trüge sie Wasser, oder als schälte sie Kartoffeln.‹

Diese Überlegungen stimmten den Doktor um. Ein wunderbarer Friede senkte sich in seine Seele hernieder. Seine Gedanken hörten auf, herumzuirren und vom Gegenstand abzuspringen. Unwillkürlich mußte er lächeln. Die Anwesenheit der Antipova hatte auf ihn genau die gleiche Wirkung wie auf die nervöse Bibliothekarin.

Ohne sich weiter durch die Stellung des Stuhles oder andere Ablenkungen stören zu lassen, arbeitete er eine oder anderthalb Stunden lang mit mehr Eifer und Konzentration als vor dem Erscheinen der Antipova. Er räumte den Bücherberg an seinem Platz allmählich ab, legte das Wesentliche beiseite und überflog zur gleichen Zeit noch zwei wichtige Aufsätze. Dann beschloß er, für diesmal Schluß zu machen, und räumte seine Bücher zusammen, um sie zur Buchausgabe zurückzubringen. All die unwillkommenen Gedanken, die ihn beunruhigt hatten, waren wie fortgeblasen. Ohne Hintergedanken, mit gutem Gewissen, entschied er, daß er nun nach getaner Arbeit das Recht habe, sich die Freude zu gönnen, eine alte

Bekannte zu begrüßen. Aber als er sich erhob und den Lesesaal überblickte, konnte er die Antipova nicht mehr entdecken.

Auf dem Tisch der Bücherausgabe, wo der Doktor seine Bände und Broschüren hinstellte, lag noch die nicht wieder eingeordnete Literatur, welche die Antipova zurückgebracht hatte. Es waren Handbücher über den Marxismus. Zweifellos wollte sie ihre politische Bildung und Neuorientierung selbst in die Hand nehmen, um wieder als Lehrerin arbeiten zu können.

Zwischen die Bücher hatte Larissa Fjodorowna einige Bestellzettel für das Katalogzimmer gesteckt. Auf einem dieser Zettel stand ihre Adresse, die man mühelos lesen konnte. Jurij Andréitsch merkte sie sich, erstaunt über die merkwürdige Wohnungsangabe: ›Kaufmannstraße, gegenüber dem Haus mit den Standbildern‹.

Er erkundigte sich bei einem der Anwesenden und erfuhr, daß der Ausdruck ›Haus mit den Standbildern‹ in Jurjatino genauso gängig war wie die Benennung der Stadtviertel nach den verschiedenen Pfarrkirchen in Moskau oder wie die Bezeichnung ›An den fünf Ecken‹ in Petersburg.

Das ›Haus mit den Standbildern‹ war ein stahlgraues Gebäude mit Karyatiden und Statuen von Musen, die Leiern, Zymbeln und Masken in den Händen trugen. Das Haus war im vorigen Jahrhundert von einem Kaufmann erbaut worden, der es als Privattheater eingerichtet hatte. Die Erben des Kaufmanns hatten das Haus an die Handelskammer verkauft. ›Das Haus mit den Standbildern‹ diente als Orientierungspunkt für das ganze Stadtviertel. Jetzt hatte sich das Stadtkomitee der Partei dort eingerichtet, und an der Mauer, die wegen der leicht abfallenden Straße nach dem Fundament zu verlängert war, klebten statt der Theater- und Zirkusplakate der früheren Zeit die Dekrete und Verfügungen der neuen Regierung.

XIII

Es war an einem kalten und windigen Tag, Anfang Mai. Nachdem Jurij Andréitsch in der Stadt einige Besorgungen gemacht hatte, ging er zur Bibliothek. Plötzlich jedoch änderte er seinen Entschluß und machte sich auf die Suche nach der Antipova. Wolken von Sand und Staub, die der Wind von den Straßen auftrieb, versperrten den Weg und zwangen ihn, anzuhalten. Er drehte sich um, wandte den Kopf ab, senkte die Lider und wartete, bis die Staubwolke vorüber war, um gleich darauf seinen Weg fortzusetzen.

Die Antipova wohnte an der Ecke der Kaufmannstraße und der Nowoswalotschnaja, gegenüber dem dunklen Hause mit den Standbildern, das der Doktor jetzt zum erstenmal zu sehen bekam. Das Haus, das seinen Namen zu Recht trug, machte einen merkwürdigen Eindruck auf ihn.

Das obere Stockwerk war auf allen Seiten des Hauses mit überlebensgroßen Karyatiden umstellt. Zwei Windstöße entzogen die Fassade seinem Blick. Als sie wieder sichtbar wurde, schien es dem Doktor für einen Augenblick, als seien alle Hausbewohnerinnen inzwischen auf den Balkon hinausgetreten, um sich über das Geländer zu beugen und auf ihn hinunterzublicken.

Man konnte zur Wohnung der Antipova entweder von der Straße aus durch den Hauseingang oder über den Hof von der Nebengasse aus gelangen. Jurij Andréitsch wählte den Weg über den Hof.

Als er durch die Hoftür eintrat, wirbelte der Wind Erde, Staub und Schmutz zu einer Wolke auf, die den Hof einhüllte. Hühner, die ein Hahn verfolgte, liefen gackernd zwischen seinen Füßen herum und verschwanden hinter dem schwarzen Staubvorhang.

Als sich die Wolke auflöste, erblickte der Doktor die Antipova am Brunnen. In dem Augenblick, in dem der Wind die Wolke aufwirbelte, stand sie, das Tragejoch über den Schultern, mit zwei gefüllten Wassereimern da. Um ihr Haar vor dem Staub zu schützen, hatte sie in der Eile ein Tuch um den Kopf gebunden mit einem Knoten an der Stirn. Mit den Knien hielt sie den Saum ihres Rockes zusammen, der sich im Winde blähte. Sie wollte gerade mit ihren Wassereimern ins Haus gehen, als ein neuer heftiger Windstoß ihr das Tuch vom Kopf riß und ihr Haar aufwehen ließ. Das Tuch flog bis zum Ende des Zaunes zwischen die noch immer aufgeregt gackernden Hühner.

Jurij Andréitsch lief zum Zaun, hob das Tuch auf und brachte es zum Brunnen zurück, um es der verblüfften Antipova zu übergeben. Natürlich, wie sie immer war, verriet sie ihre Überraschung mit keinem Ausruf. Sie sagte nur:

»Schiwago!«

»Larissa Fjodorowna!«

»Welch ein Wunder! Wie kommen Sie hierher?«

»Setzen Sie die Eimer ab, ich trage sie Ihnen hinauf.«

»Nein, ich mache niemals auf halbem Wege kehrt; ich gebe nie etwas auf, was ich angefangen habe. Wenn Sie mich besuchen wollen, so kommen Sie mit.«

»Zu wem sollte ich sonst wollen?«

»Wer kennt sich mit Ihnen aus?«

»Bitte lassen Sie mich trotzdem das Tragholz auf meine Schultern nehmen. Ich kann nicht mit leeren Händen danebenstehen und Ihnen bei der schweren Arbeit zusehen.«

»Was Sie da sagen – Arbeit! Ich gebe es Ihnen nicht. Sie werden mir die ganze Treppe mit Wasser bespritzen. Sagen Sie mir lieber, welcher günstige Wind Sie hergetrieben hat? Jetzt sind Sie schon länger als ein Jahr hier und haben noch niemals Zeit gefunden, mich aufzusuchen.«

»Woher wissen Sie es?«

»Mit Gerüchten ist die Erde erfüllt. Außerdem habe ich Sie in der Bibliothek gesehen.«

»Und warum gaben Sie sich nicht zu erkennen?«

»Ich soll Ihnen doch wohl nicht glauben, daß *Sie* mich nicht gesehen haben!«

Der Doktor folgte Larissa Fjodorowna, die unter der Last der schaukelnden Eimer ein wenig schwankte, durch eine niedrige Tür. Es war der Eingang zur Hintertreppe. Hier beugte Larissa Fjodorowna die Knie, setzte die Eimer auf den Fußboden, ließ das Tragejoch von ihren Schultern gleiten, richtete sich wieder auf und trocknete ihre Hände mit einem winzigen Tüchlein ab.

»Kommen Sie, ich werde Sie über den Gang zur Vordertreppe führen, wo es heller ist. Dort werden Sie warten. Inzwischen werde ich das Wasser über die Hintertreppe hinauftragen und oben etwas Ordnung machen und mich ein wenig herrichten. Sehen Sie, was wir für eine Treppe haben! Gußeiserne Stufen, mit einem Muster darin. Von oben kann man hindurchsehen. Es ist ein altes Haus. Es wurde leicht beschädigt in den Tagen der Beschießung. Es wurde mit Kanonen beschossen. Schauen Sie her, einige Mauersteine haben sich gelöst. Zwischen den Ziegelsteinen sind Löcher entstanden. In eines dieser Löcher legen Katjenka und ich den Wohnungsschlüssel und schieben einen Ziegelstein davor, wenn wir fortgehen. Denken Sie daran, wenn Sie einmal hierherkommen und mich nicht zu Hause antreffen. Sie können jederzeit die Wohnung öffnen, eintreten und sich häuslich niederlassen bis zu meiner Rückkehr. Sehen Sie, hier ist der Schlüssel! Aber ich brauche ihn nicht, ich benutze die Hintertür. Unser größter Ärger hier sind die Ratten. Hier gibt es Tausende, man kann sich ihrer nicht erwehren, sie springen einem über die Köpfe. Es ist ein altes, baufälliges Gebäude; die Mauern haben überall Spalten und Risse. Ich verstopfe diese Risse, so gut es möglich ist. Ich kämpfe gegen die Bestien an, aber viel kommt dabei nicht heraus. Vielleicht könnten Sie mir eines Tages dabei helfen? Wir könnten zu zweit die Löcher im Fußboden mit Leisten vernageln. Was meinen Sie? Aber jetzt warten Sie bitte im Treppenhaus und denken Sie an irgend etwas, bis ich Sie rufe.«

Jurij Andréitsch betrachtete das schadhafte Mauerwerk und die gußeisernen Treppenstufen. ›Im Lesezimmer‹, dachte er, ›verglich ich ihre Selbstvergessenheit beim Lesen mit dem Schwung und Eifer einer physischen Arbeit. Jetzt ist es umgekehrt: sie schleppt das Wasser, als lese sie in einem Buch, mühelos, mit Leichtigkeit. Diese Leichtigkeit hat sie in allem, was sie tut. Als hätte sie ein für allemal in ihrer Kindheit einen Anlauf genommen und als gelänge ihr nun alles mit Selbstverständlichkeit, noch aus dem Schwung dieses Anlaufs heraus. Die gleiche mühelose Harmonie findet man in ihrer Rückenlinie, wenn sie sich niederbeugt, in ihrem Lächeln, das ihr die Lippen leicht öffnet und das Kinn runder erscheinen läßt, in ihren Worten und Gedanken.‹

»Schiwago«, hörte er sie rufen. Ihre Stimme kam von der Wohnungstür in der oberen Etage. Der Doktor stieg die Treppe hinauf.

XIV

»Geben Sie mir die Hand und folgen Sie mir gehorsam. Wir werden jetzt durch zwei dunkle Zimmer gehen, die bis zur Decke mit Möbeln vollgestopft sind. Sie könnten stolpern und sich weh tun.«

»Es kommt mir wahrhaftig vor wie ein Labyrinth. Ich hätte den Weg ohne Sie nicht gefunden. Wie kommt das? Wird Ihre Wohnung repariert?«

»O nein, keineswegs. Das ist nicht der Grund. Es ist nicht meine Wohnung. Ich weiß nicht einmal, wem sie gehört. Wir hatten im

Gebäude des Gymnasiums unsere Dienstwohnung. Als dann das Gymnasium vom Wohnungsamt des Stadt-Sowjets beschlagnahmt wurde, hat man mich mit meiner Tochter in einem Teil dieser verlassenen Wohnung untergebracht. Hier fanden wir die ganze Einrichtung der alten Wohnungsinhaber vor. Sehr viel Mobiliar. An fremdem Hausrat fehlt es mir nicht. Ich habe all ihre Sachen in diesen beiden Zimmern zusammengestellt und die Fenster weiß getüncht. Lassen Sie meine Hand nicht los, Sie finden sonst nicht den rechten Weg. Jetzt nach rechts! Nun haben wir den Irrgarten hinter uns. Hier ist meine Tür. Gleich wird es heller werden. Stolpern Sie nicht über die Schwelle!«

Jurij Andréitsch betrat unter Larissas Führung das Zimmer. Aus dem Fenster, das der Türe gegenüberlag, bot sich eine Aussicht, die den Doktor überraschte. Man sah den Hof des Hauses mit den Rückseiten der Nachbargebäude und das unbekannte Gelände am Flußufer, das der Stadt gehörte. Dort weideten Schafe und Ziegen, die mit ihrem bis zum Boden reichenden Fell den Staub aufwirbelten. Dem Fenster gegenüber entdeckte der Doktor auf zwei Pfosten ein Plakat, das er sogleich wiedererkannte: ›Moro und Wetschinkin. Sämaschinen und Dreschmaschinen‹.

Beim Anblick dieses Plakats dachte der Doktor an seine Ankunft mit seiner Familie im Ural zurück, und das war das erste, was er Lara erzählte. Er hatte die Gerüchte, die über Strelnikov und ihren Mann umliefen, vergessen, und so berichtete er auch, ohne sich die Sache weiter zu überlegen, von seiner Begegnung mit dem Kommissar im Eisenbahnwagen. Dieser Teil seines Berichts machte auf Larissa Fjodorowna einen tiefen Eindruck. Sie unterbrach ihn mit Lebhaftigkeit.

»Sie haben tatsächlich Strelnikov gesehen? Ich möchte mich hierzu vorläufig nicht äußern. Welch seltsames Zusammentreffen! Es ist wie eine Vorbestimmung, daß Sie ihm begegnet sind. Ich will Ihnen all das einmal später erklären. Wenn ich Sie richtig verstehe, hat er auf Sie eher einen günstigen Eindruck gemacht?«

»Wenn Sie so wollen, ja. Ich hätte ihn eigentlich abstoßend finden müssen. Wir waren durch Gegenden gekommen, in denen er mit seinen willkürlichen Erschießungen und Zerstörungen gewütet hatte. Ich erwartete, einen grausamen Krieger oder einen von der Revolution besessenen Würgengel zu sehen, fand aber weder das eine noch das andere. Es ist immer gut, wenn ein Mensch anders ist als die Vorstellung, die man sich von ihm gemacht hat. Ein Mensch, der nur noch als Vertreter eines bestimmten Typus angesehen werden kann, ist am Ende – verurteilt und verdammt! Gehört er dagegen keiner bestimmten Kategorie an, so daß man ihn nirgendwo einordnen kann, so hat er schon die Hälfte dessen geleistet, was man von einem Menschen erwarten kann: er hat sich von sich selber befreit und ein winziges Teil Unsterblichkeit gewonnen.« – »Er soll keiner Partei angehören.«

»Das habe ich auch gehört. Was für ihn einnimmt, ist sein tragisches Geschick. Ich glaube, er wird ein schlechtes Ende nehmen. Er wird das Böse, das er angerichtet hat, sühnen müssen. Die Tyrannen unter den Revolutionären sind nicht durch ihre Untaten so fürchterlich, sondern weil sie Mechanismen gleichen, die sich selber überlassen sind, Lokomotiven, die aus dem Gleis gesprungen sind. Strelnikov ist genauso besessen wie alle seinesgleichen, aber er ist nicht über der Lektüre von Büchern verrückt geworden, sondern durch Leiden und Prüfungen, die er durchgemacht hat. Ich kenne sein Geheimnis nicht, aber ich bin sicher, daß er eines hat. Sein Bündnis mit den Bolschewiki ist nichts als ein Zufall. Solange sie ihn brauchen können, werden sie ihn dulden. Aber sowie diese Notwendigkeit nicht mehr besteht, werden sie ihn ohne Erbarmen fallenlassen und vernichten, wie sie es schon mit vielen hohen Militärs gemacht haben.« – »Glauben Sie wirklich?«

»Unbedingt.«

»Aber gibt es für ihn keine Rettung? Könnte er nicht fliehen?«

»Wohin denn, Larissa Fjodorowna? Das war früher in der zaristischen Zeit möglich. Aber versuchen Sie es jetzt nur einmal!«

»Schade! Ihre Erzählung hat meine Anteilnahme für ihn erweckt. Wie Sie sich verändert haben, Schiwago! Früher haben Sie die Revolution weniger hart und gereizt beurteilt.«

»Sie haben recht, Larissa Fjodorowna, aber alles hat seine Grenzen. Man hätte in der Zwischenzeit zu einem Ergebnis kommen müssen. Es hat sich aber herausgestellt, daß die Führer der Revolution nichts auf der Welt so sehr lieben wie das Chaos und den dauernden gewaltsamen Wechsel. Sie fühlen sich da in ihrem Element. Sie wollen sich nicht von Brot ernähren wie jedermann. Sie wollen die Erdkugel umgestalten. Der Aufbau neuer Welten und die Perioden des Übergangs dienen ihnen als Selbstzweck. Sie haben nichts anderes gelernt und verstehen auch nichts anderes. Und

wissen Sie, weshalb sie sich mit diesen ewigen Vorbereitungen
vergeblich abmühen? Weil sie keine wirklichen Fähigkeiten besitzen, weil es ihnen an Begabung fehlt. Der Mensch wird geboren, um zu leben und nicht etwa, um sich auf das Leben vorzubereiten. Das Leben selber, das Phänomen des Lebens, das Geschenk des Lebens – gibt es etwas Ernsteres und Ergreifenderes?
Aus welchem Grund setzt man jetzt an seine Stelle diese knaben-
hafte Harlekinade von dürftigen Fiktionen, die der Flucht der
Tschechowschen Gymnasiasten nach Amerika gleicht? Aber genug
davon. Ich bin jetzt an der Reihe mit dem Fragen. Wir kamen hier
in Jurjatino am Morgen nach dem Tage an, an dem die Stadt von
den Roten besetzt wurde. Das war gewiß furchtbar für Sie alle hier?«
»Das kann man wohl sagen. Überall Feuersbrünste. Wir wären
selber fast bei lebendigem Leibe verbrannt. Das ganze Haus bebte
und schwankte. Auf dem Hof am Tor liegt bis heute noch ein
Blindgänger, der nicht explodierte. Plünderungen und Bombarde-
ments – alles, was zu einem Umsturz der Verhältnisse und Wechsel der Machthaber dazugehört! Aber diesmal wußten wir schon,
was uns bevorsteht, wir hatten uns daran gewöhnt. Es war ja
nicht das erstemal. Doch was geschah nicht alles, als die Weißen
am Ruder waren! Die Morde auf offener Straße aus persönlichen
Rachegefühlen, die Vergewaltigungen, die Orgien! Das Wichtigste habe ich Ihnen ja noch gar nicht gesagt! Unser Galiullin!
Er war zur Zeit der Tschechen-Herrschaft eine höchst bedeutende
Figur. So etwas wie ein Generalgouverneur.«
»Ich weiß. Ich habe davon gehört. Haben Sie ihn getroffen?«
»Sehr häufig. Ich habe durch seine Hilfe vielen Menschen das Leben retten können! Ich habe einige von ihnen hier versteckt gehalten. Man muß ihm Gerechtigkeit widerfahren lassen. Er hat
sich untadelig und ritterlich verhalten im Gegensatz zu den kleinen
Potentaten, den Kosakenoffizieren und den Polizeichargen aller
Art. Doch gerade diese Kreaturen gaben damals den Ton an, nicht
die ordentlichen Leute. Galiullin hat mir viel geholfen, und dafür
danke ich ihm. Wir sind ja alte Bekannte. Ich bin als kleines Mädchen oft in dem Haus gewesen, in dem er aufgewachsen ist. Dort
wohnten hauptsächlich Eisenbahner. Damals habe ich Armut und
Arbeit aus nächster Nähe gesehen. Daher kommt es, daß meine
Beziehungen zur Revolution andere sind als Ihre. Sie steht
mir näher. Vieles an ihr schätze ich hoch. Auf einmal ist er, dieser

kleine Junge, der Sohn eines Hausdieners, zu einem Obersten, ja sogar zu einem General der Weißen geworden! – Ich stamme nicht aus militärischen Kreisen, ich kenne mich nicht genau in der Rangordnung aus. Ich bin von Beruf Geschichtslehrerin. So liegen die Dinge, Schiwago. Ich habe vielen Menschen helfen können. Ich war bei ihm, und wir haben von Ihnen gesprochen. Weil ich auf beiden Seiten Freunde und Gönner habe, erleide ich bei jedem Wechsel des Regimes Verluste und Kummer. Nur in schlechten Büchern teilen sich die Menschen in zwei Lager, die in keiner Beziehung zueinander stehen. In Wirklichkeit ist alles miteinander verflochten! Nur ein vollkommen unbedeutender Mensch, eine unverbesserliche Null, wird sich damit begnügen, im Leben immer ein und dieselbe Rolle zu spielen, immer den gleichen Platz in der Gesellschaft einzunehmen und dieselben Dinge zu tun. – Ah, da bist du ja, schau mal an!«

Ein etwa achtjähriges Mädchen mit zwei fest geflochtenen Zöpfen war ins Zimmer getreten. Ihre schmalen, etwas schräg geschnittenen Augen verliehen ihr ein schelmisches, verschmitztes Aussehen. Beim Lachen verengten sich die Augenspalten noch mehr. Sie hatte schon vor ihrem Eintritt in das Zimmer gemerkt, daß die Mutter Besuch hatte, aber sie fand es besser, die Erstaunte zu spielen. Sie machte einen Knicks und richtete auf den Doktor jenen festen, furchtlosen Blick, wie ihn Kinder haben, die in der Einsamkeit aufgewachsen sind und es früh gelernt haben, zu überlegen und nachzudenken. – »Das ist meine Tochter Katjenka.«

»Sie hatten mir in Meljusejewo Fotografien von ihr gezeigt. Aber wie groß sie inzwischen geworden ist! Wie sie sich verändert hat!«

»Du bist also zurückgekommen? Ich dachte, du seist spazierengegangen. Ich habe gar nicht gehört, wie du hereinkamst.«

»Ich wollte den Schlüssel aus dem Loch nehmen, da ist mir eine fürchterlich große Ratte entgegengesprungen. Ich habe geschrien! Ich glaubte, ich müßte vor Angst sterben.«

Wenn Katjenka sprach, hatte sie ein reizendes Mienenspiel. Sie riß ihre spitzbübischen Augen auf und schob ihre gerundeten Lippen vor wie ein kleiner Fisch, den man gerade geangelt hat.

»Geh jetzt in dein Zimmer. Ich werde den Onkel bitten, bei uns zum Essen zu bleiben. Wenn ich den Brei aus dem Ofenrohr hole, werde ich dich rufen.«

»Ich bedanke mich für die Einladung, muß aber leider absagen.

Wenn ich in der Stadt Besorgungen habe, essen wir um sechs Uhr
am Abend. Ich komme nicht gern zu spät. Für den Ritt von hier
nach Warykino brauche ich drei bis vier Stunden. Deshalb bin ich
auch so früh zu Ihnen gekommen. Sie müssen mich entschuldigen.
Ich muß bald wieder gehen.«
»Aber ein halbes Stündchen bleiben Sie noch!« – »Mit Vergnügen.«

XV

»Und nun – Offenheit gegen Offenheit. Dieser Strelnikov, von
dem Sie erzählten, ist mein Mann Pascha, Pawel Pawlowitsch Antipov, nach dem ich an der Front gesucht habe und an dessen Tod
ich mit Recht nie habe glauben wollen.«
»Was Sie da sagen, überrascht mich sehr. Ich habe diese Legende
gehört, aber ich glaubte nicht daran. Nur aus diesem Grund habe
ich es auch gewagt, mit Ihnen über ihn in aller Freiheit und Unbekümmertheit zu sprechen, so als existierten diese Gerüchte nicht.
Das ist doch absurd! Ich habe diesen Menschen gesehen. Wie kann
man Sie mit ihm in Verbindung bringen? Was gibt es Gemeinsames zwischen Ihnen?«
»Aber es ist die Wahrheit, Jurij Andréitsch! Strelnikov *ist* Antipov,
mein Mann. Ich bin der gleichen Meinung wie alle anderen.
Auch Katjenka weiß Bescheid. Sie ist stolz auf ihren Vater. Strelnikov ist ja ein Deckname, ein Pseudonym, wie es viele Revolutionäre angenommen haben. Er hat seine Gründe, unter einem fremden Namen zu leben und zu wirken.
Er ist es, der Jurjatino erobert hat. Er hat die Stadt mit schweren
Geschützen bombardiert. Er wußte, daß wir hier sind. Aber er
hat sich kein einziges Mal erkundigt, ob wir noch am Leben sind.
Er durfte sein Geheimnis nicht preisgeben. Das war seine Pflicht.
Wenn er uns gefragt hätte, wie er sich verhalten solle, so würden
wir ihm dasselbe geraten haben. Sie müssen auch zugeben, daß
meine persönliche Sicherheit und die immerhin erträgliche Wohnung, die uns der Stadt-Sowjet eingeräumt hat, und alles übrige
indirekte Beweise seiner geheimen Fürsorge sind. Aber wie dem
auch sei, ich werde es nie begreifen, daß er hier war und der Versuchung nicht nachgegeben hat, uns wiederzusehen. Das ist un-
menschlich, das geht über meine Vernunft. Es ist eine Art von

römischer Bürgertugend, eines der Rätsel unserer Epoche. Aber ich bin schon dabei, unter Ihren Einfluß zu geraten. Das darf nicht sein. Wir beide sind keine Gesinnungsgenossen. Irgend etwas Ungreifbares, Undefinierbares verstehen wir zwar beide auf die gleiche Weise. Aber in den wirklich wichtigen Fragen der Philosophie und des Lebens wollen wir doch lieber unsere Positionen aufrechterhalten. Aber kehren wir zu Strelnikov zurück.

Augenblicklich ist er in Sibirien. Sie haben recht, auch ich habe davon gehört, daß man mit ihm unzufrieden ist. Solche Nachrichten lassen mein Herz erstarren. Er befindet sich zur Zeit an einem unserer stark vorgeschobenen Frontabschnitte und bringt seinem Jugendfreund und früheren Frontkameraden, dem armen Galiullin, eine Niederlage nach der anderen bei. Galiullin weiß sehr wohl, wer Strelnikov in Wirklichkeit ist, er kennt das Geheimnis meiner Ehe. Aber er war feinfühlig genug, mich dies niemals fühlen zu lassen, obgleich schon der Name Strelnikov ihn in Raserei versetzt. Jetzt ist er also in Sibirien.

Als er hier war – und er ist lange hiergeblieben, die ganze Zeit über wohnte er in dem Waggon seines Sonderzuges, wo Sie ihn getroffen haben –, wünschte ich sehr, ihm irgendwo zufällig zu begegnen. Manchmal fuhr er zu seinem Stabsquartier, das in dem Haus untergebracht war, wo der Befehlshaber der Armeen der konstituierenden Versammlung seinen Sitz gehabt hatte. Durch ein seltsames Spiel des Zufalls befand sich das Stabsquartier in demselben Flügel des Gebäudes, wo mich Galiullin zu empfangen pflegte, wenn ich ihn aufsuchte, um mich für andere bei ihm zu verwenden: da war beispielsweise die Sache mit dem Kadettenkorps, die seinerzeit viel Staub aufgewirbelt hat. Die Kadetten lauerten mißliebigen Lehrern auf und erschossen sie unter dem Vorwand, sie seien Anhänger der Bolschewiki. Dann kam es zu Judenverfolgungen und Metzeleien. Nebenbei bemerkt, unter den Leuten mit freien Berufen hier in der Stadt und unter den Intellektuellen meiner Bekanntschaft sind über die Hälfte Juden. Wenn Pogrome stattfinden und all diese grauenhaften und scheußlichen Dinge geschehen, dann fühlen wir nur Empörung, Scham und Mitleid. Aber wir leiden zur gleichen Zeit unter der zwiespältigen Empfindung, als komme unsere Sympathie mehr vom Kopf her als vom Herzen, und haben einen unangenehmen Beigeschmack von Unaufrichtigkeit.

Es ist seltsam, daß die gleichen Juden, die einst die Menschheit vom Joch der Götzenanbetung befreiten und von denen viele sich jetzt der Befreiung dieser Menschheit vom sozialen Übel weihen, so hilflos sind, wenn es darum geht, von sich selber freizukommen und von der Treue zu einer überlebten und vorsintflutlichen Vorstellung, die ihre Bedeutung längst verloren hat. Sie vermögen es nicht, sich über sich selber zu erheben und aufzugehen in den andern, deren Religion sie selber mitbegründet haben und mit denen sie viel Gemeinsames entdecken könnten, wenn sie sie besser kennen würden.

Sicherlich drängten die Verfolgungen sie in diese nutzlose und verhängnisvolle Haltung, in diese beschämende und unheilvolle selbstzerstörerische Isolierung. Aber hierin läßt sich auch eine innere Verkalkung erblicken, eine geschichtliche, jahrhundertealte Müdigkeit. Ich liebe nicht ihre ironische Art, sich immer wieder Mut zu machen, die Armseligkeit und Banalität ihrer Vorstellungen, die Kleinmütigkeit ihrer Phantasie. Das reizt mich wie Gespräche von Greisen über ihre Greisenhaftigkeit und Kranker über ihre Krankheit. Geben Sie mir recht?«

»Ich habe darüber nicht nachgedacht. Ich habe einen Freund, einen gewissen Gordon; er hat die gleichen Ansichten.«

»Ich bin also hergekommen, um Pascha aufzulauern, wenn er ankommt oder weggeht. Irgendwann einmal war in diesem Nebenhaus die Kanzlei des Generalgouverneurs gewesen. Jetzt hängt an der Tür ein Täfelchen mit der Aufschrift: ›Beschwerdestelle‹. Sie haben es vielleicht gesehen. Es ist die schönste Gegend in der Stadt. Der Platz vor dem Haus ist mit Holz gepflastert. Jenseits davon beginnt der Stadtgarten mit Schneeballen, Ahorn und Weißdorn. Ich stand auf dem Bürgersteig und wartete in der Schlange der Bittsteller. Selbstredend drängte ich mich nicht vor, um eingelassen zu werden, sagte nicht, daß ich seine Frau war. Die Familiennamen sind ja ohnehin verschieden. Und was sollte hier auch die Stimme des Herzens, wo ganz andere Regeln gelten! Da ist beispielsweise sein eigener Vater, Pawel Ferapontowitsch Antipov, der früher in politischer Verbannung lebte und seiner Herkunft nach Arbeiter ist; irgendwo, gar nicht weit von hier, ist er am Gericht angestellt. An demselben Ort, wo er früher in der Verbannung war. Er und sein Freund Tiversín sind Mitglieder des Revolutionstribunals. Und was denken Sie? Der Sohn gibt sich dem Vater auch nicht zu erkennen, und dieser findet das ganz natürlich und nimmt keinen Anstoß daran. Wenn der Sohn unter einem Decknamen lebt, ist es nun einmal nicht zu ändern. Diese Leute sind hart wie Granit, sie sind keine Menschen mit Ihren Prinzipien, Ihrer Disziplin.

Und schließlich, wenn ich auch beweisen könnte, daß ich seine Frau bin – was wäre schon damit gewonnen. Als käme es jetzt auf die Frauen an! Sind denn die Zeiten danach? Das Weltproletariat, die Weltrevolution – das ist natürlich etwas ganz anderes, ich weiß; aber ein zweibeiniges Individuum wie so eine Frau – pfui! Das ist nicht mehr wert als ein Floh oder eine Wanze.

Der Adjutant machte seine Runde und befragte jeden. Einige ließ er eintreten. Ich habe meinen Nachnamen nicht genannt. Und auf die Frage, was ich wollte, antwortete ich – ein persönliches Anliegen. Da war die Sache von vornherein verloren; eine Absage mußte kommen. Der Adjutant zuckte mit den Achseln und betrachtete mich mißtrauisch von oben bis unten. Und so habe ich ihn auch nicht ein einziges Mal zu Gesicht bekommen.

Sie glauben vielleicht, daß er uns verabscheut, daß er aufgehört hat, uns zu lieben, daß er sich nicht mehr an uns erinnert? Oh, ganz im Gegenteil! Ich kenne ihn! Wenn er sich das ausgedacht hat, so war es nur aus Gefühlsüberschwang! Er bedarf all dieser Kriegslorbeeren, um sie uns zu Füßen zu legen, um nicht mit leeren Händen dazustehen, sondern in seinem ganzen Ruhm! Er will uns unsterblich machen; er will uns blenden! Wie ein Kind!«

Nun kam Katjenka in das Zimmer. Larissa Fjodorowna hielt das Mädchen an den Händen fest, schaukelte es hin und her, küßte es und erstickte es fast in ihren Armen.

XVI

Jurij Andréitsch ritt aus der Stadt nach Warykino zurück. Hundertmal war er den Weg schon geritten. Er hatte sich so an die Strecke gewöhnt, daß er seine Umgebung gar nicht mehr bemerkte. Er näherte sich einer Kreuzung im Walde, wo von dem Weg nach Warykino ein Seitenweg in das Fischerdorf Wassiljewsk am Fluß Sakma abzweigte. An der Kreuzungsstelle befand sich der dritte Plakatpfosten mit der Reklame für landwirtschaftliche Maschinen. Gerade von hier aus war gewöhnlich der Sonnenuntergang zu sehen. Auch heute war es wieder so.

Mehr als zwei Monate waren darüber vergangen, seit er nach einem seiner Ritte in die Stadt am Abend nicht nach Hause gekommen, sondern bei Larissa Fjodorowna geblieben war. Zu Hause sagte er, Geschäfte hätten ihn in der Stadt aufgehalten, und er habe in Samdewjatovs Herberge übernachtet. Schon längst stand er mit der Antipova auf du. Er nannte sie Lara, während sie ihn Schiwago nannte. Jurij Andréitsch betrog Tonja, und er verbarg vor ihr Dinge, die immer ernster und unabsehbarer wurden. So etwas hatte es zwischen ihnen noch nie zuvor gegeben.

Er liebte Tonja abgöttisch. Der Friede ihrer Seele, ihre Ruhe waren ihm das kostbarste Gut auf der Welt. Er war bereit, für ihre Ehre mit allen seinen Kräften einzustehen, wie es ihr Vater und sie selber nicht getan hätten. Um ihren verletzten Stolz zu verteidigen, hätte er den Beleidiger mit seinen eigenen Händen in Stücke gerissen. Und nun war er selber dieser Beleidiger.

Im Kreise der Familie fühlte er sich wie ein geheimer Verbrecher. Die Ahnungslosigkeit der Hausgenossen, ihre gewohnte liebenswürdige Art brachten ihn um. Mitten im Gespräch erschauerte er plötzlich beim Gedanken an seine Schuld und vergaß, auf das zu achten, was um ihn her gesprochen wurde. Geschah das bei Tisch, so blieb ihm der Bissen im Halse stecken; er legte den Löffel beiseite und schob den Teller fort. Tränen erstickten ihn. »Was hast du denn?« fragte Tonja verständnislos. »Sicher hast du in der Stadt eine schlimme Neuigkeit vernommen. Eine Verhaftung oder Hinrichtung? Sag es mir doch! Fürchte nicht, mich zu verstimmen. Und mir wird leichter ums Herz.«

Hatte er Tonja verraten, hatte er ihr eine andere Frau vorgezogen? Nein, er hatte niemanden erwählt; er hatte keine Vergleiche gezogen. Die Ideen der ›Freien Liebe‹, Worte wie das von den ›Rechten und Forderungen des Gefühls‹ waren ihm fremd. Von diesen Dingen zu reden oder darüber nachzudenken, schien ihm niedrig. Er gehörte nicht zu jenen, die im Leben die ›Blüten der Lust‹ pflückten, auch hielt er sich nicht für einen Halbgott und Übermenschen, er verlangte nicht besondere Vorrechte und Privilegien für sich. Er glaubte zu erliegen unter der Last des schlechten Gewissens.

Was wird geschehen? so fragte er sich mitunter, und da er keine Antwort wußte, hoffte er auf irgend etwas Unmögliches, auf ein Zusammentreffen von unvorhersehbaren Umständen, die eine Lösung bringen würden.

Aber nichts dergleichen geschah. Er beschloß, den Knoten zu zerhauen. Als er nach Hause kam, war der Entschluß schon gefaßt. Er hatte sich vorgenommen, Tonja alles zu bekennen, sie um Verzeihung zu bitten und sich nie wieder mit Lara zu treffen.

Aber es ging nicht alles so glatt. Etwas war ihm noch dunkel: daß er sich für immer von Lara trennen sollte, für alle Zeiten. Heute hatte er ihr seine Absicht gestanden, Tonja alles zu gestehen. Er hatte ihr gesagt, daß sie sich nie wiedersehen könnten. Doch wollte ihm jetzt scheinen, als seien seine Worte zu zärtlich gewesen und nicht entschlossen genug. Larissa Fjodorowna wollte Jurij Andréitsch keine Szene machen. Sie wußte, wie sehr er ohnehin schon litt. Sie bemühte sich, ihre Ruhe zu bewahren. Ihre Auseinandersetzung fand in einem leeren Zimmer statt, das von Larissa Fjodorowna nicht bewohnt wurde und auf die Kaufmannstraße hinausging. Über Laras Wangen rollten Tränen, die sie nicht fühlte, nicht erkannte, wie das Wasser des um diese Zeit niedergehenden Regens, der über die Gesichter der Steinfiguren dort drüben an dem ›Hause mit den Standbildern‹ niederrann. Sie sagte aufrichtig, ohne geheuchelte Großmut, leise vor sich hin: »Tu das, was du für richtig hältst. Nimm keine Rücksicht auf mich. Ich werde schon durchkommen.« Und sie wußte nicht, daß sie weinte, und wischte ihre Tränen nicht ab. Bei dem Gedanken daran, daß Larissa Fjodorowna ihn falsch verstanden, daß er sie mit falschen Hoffnungen zurückgelassen haben könnte, war er drauf und dran, wieder umzukehren und in die Stadt zurückzujagen, um ihr all das zu sagen, was ungesagt geblieben war, und vor allen Dingen, um von ihr viel heißer und zärtlicher Abschied zu nehmen, so wie es dieser Trennung für das ganze Leben, für alle Ewigkeit angemessen war. Nur mit Mühe beherrschte er sich und setzte seinen Weg fort.

Mit sinkender Sonne wurde es kühler und dunkler im Wald. Es roch in ihm nach feuchtem Laub, wie in den Badestuben, wo man beim Betreten der Vorzelle einen Bund Birkenreisig zur Hand nimmt. Wie Korkschwimmer im Wasser hingen ganze Schwärme von Mücken unbeweglich in der Luft und summten in einem grellen Ton. Immer wieder zerdrückte Jurij Andréitsch Scharen davon auf Stirn und Nacken, und das Klatschen der Handfläche auf dem schweißnassen Leib stimmte in die anderen Geräusche ein, die beim Reiten entstanden: das Knirschen des Sattels, des Zaumzeugs, die schweren Hufschläge und der schnalzende und schmatzende Laut der Hufe im Schmutz der Straße und die trocknen, knallenden Salven, die den Pferdegedärmen entfuhren. Und plötzlich hörte man aus der Ferne, wo der Untergang der Sonne sich noch immer hinauszuzögern schien, den Schlag der Nachtigallen. ›Wach auf, wach auf!‹ riefen sie ihm zu, und das klang fast so wie in der Osterliturgie: ›Du meine Seele, du meine Seele, wach auf! Warum schläfst du?‹

Plötzlich durchfuhr Jurij Andréitsch blitzartig ein einfacher Gedanke. Warum die Eile? Er würde nicht von dem Worte abweichen, das er sich selber gegeben hatte; er würde sein Geständnis ablegen. Wer hatte denn gesagt, daß es noch heute dazu kommen sollte? Noch wußte Tonja nichts. Noch war es nicht zu spät, die Erklärung zu verschieben.

Er würde inzwischen noch einmal in die Stadt reiten und das Gespräch mit Lara zu einem Ende führen, nachdem alle Tiefen der Seele durchmessen und alle Leiden gesühnt waren. Oh, wie gut das war! Wie wundervoll! Wie merkwürdig, daß ihm das früher nicht in den Kopf gekommen war!

Schon der Gedanke, daß er die Antipova noch einmal sehen würde, machte Jurij Andréitsch vor Freude geradezu wahnsinnig. Sein Herz begann heftig zu schlagen. Er durchlebte alles aufs neue, er nahm alles vorweg.

Die Brettergassen und Gäßchen der Vorstadt, die hölzernen Bürgersteige: er auf dem Wege zu ihr. Gleich ist er in Nowoswalotschnoje, unbebaute Flächen, und bald liegt der hölzerne Teil der Stadt hinter ihm, dann beginnen die Steinbauten. Die kleinen Häuser der Vorstadt glitten im Fluge an ihm vorüber, wie die Seiten eines Buches, das man schnell durchblättert, aber nicht mit dem Zeigefinger Seite um Seite, sondern das man mit dem Daumen aufreißt und dabei einen raschelnden Ton erzeugt. Die Erregung nahm ihm den Atem! Dort, ja, dort wohnt sie, an jenem Stadtende, unter jenem weißen Himmel, der am Abend sich aufklärt.

Wie sehr liebte er diese ihm wohlbekannten kleinen Häuser auf dem Wege zu ihr! Oh, am liebsten hätte er sie von der Erde aufgehoben, sie in seinen Händen gehalten und abgeküßt! Diese den Dächern aufgesetzten, einäugigen Erker! Und dieses Funkeln der kleinen Lichter und Heiligenbildampeln, dieses Aufblitzen in den Pfützen! Unterhalb des weißen Streifens des regenschweren Straßenhimmels! Ebendort wird er wieder, als eine Gabe aus den

Händen des Schöpfers, diese von Gott erschaffene weiße Herrlichkeit empfangen. Die Tür wird von einer dunkelverhüllten Gestalt geöffnet werden. Er spürte die Verheißung ihrer Nähe, ihrer herben Kühle, die hell war wie die Nacht des Nordens und keinem zu eigen, wie die erste Welle der Meeresbrandung, der man im Dunkeln über den Sandstrand entgegenläuft.

Jurij Andréitsch ließ die Zügel fahren, er neigte sich vor im Sattel, umhalste das Pferd und verbarg sein Gesicht in der Mähne. Das Pferd, das diesen Zärtlichkeitserweis als eine Ermunterung auffaßte, alle Kräfte herzugeben, sprengte im vollen Galopp dahin. Während dieses Galopps, bei dem das Pferd kaum den Boden berührte, den die kaum wahrnehmbaren Hufschläge weit hinter sich schleuderten, hörte Jurij Andréitsch außer dem Klopfen des Herzens, das in stürmischer Freude wogte, irgendwo undeutliche Schreie oder Rufe, die er aber für eine Sinnestäuschung hielt.

Ein naher Schuß betäubte ihn. Der Doktor hob den Kopf, griff in die Zügel und zog sie an. Das Pferd, das in vollem Lauf jäh angehalten wurde, machte mit gespreizten Beinen einen Satz zur Seite und wollte sich aufbäumen.

Vorne gabelte sich der Weg. Im Scheine des lodernden Sonnenunterganges glühte das Plakat: ›Moro und Wetschinkin. Sämaschinen, Dreschmaschinen‹. Auf dem Wege hielten, den Durchgang versperrend, drei bewaffnete Reiter: ein Realschüler mit seiner Uniformmütze und im Wams, mit gekreuzten Patronengurten, ein Kavallerist im Offiziersmantel mit einer Lammfellmütze, wie sie von Kubankosaken getragen wird, und endlich ein seltsamer, wie zu einer Maskerade ausstaffierter, dickwanstiger Mann in geknöpften Hosen, einer wattierten Joppe und einem tief in die Stirn gedrückten, breitrandigen Popenhut.

»Keinen Schritt weiter, Genosse Doktor!« rief der älteste der drei, der Kubankavallerist, in ruhigem, befehlendem Ton. »Wenn Sie gehorchen, wird Ihnen nichts geschehen. Andernfalls wird scharf geschossen. Man hat einen Feldscher unserer Abteilung getötet. Wir sind gezwungen, Sie als Mediziner zu mobilisieren. Steigen Sie von Ihrem Pferd und geben Sie die Zügel unserem jüngsten Genossen! Ich erinnere Sie noch einmal: beim geringsten Fluchtversuch machen wir keine Umstände mit Ihnen!«

»Sind Sie Liberij, Mikulízyns Sohn, Genosse?«

»Nein, ich bin Kamennodworskij, sein Nachrichtenchef.«

Auf der Großen Straße

I

Da waren Städte, Marktflecken, Kirchspiele. Die Stadt Kresto-
wosdwishensk, die Stationen Omeljtschino, Páshinsk, Tysjazkoje,
die neue Ansiedlung Swonarskaja, der Marktflecken Woljnoje,
Gurtowstschiki, der Landsitz Koshemskaja, das Kosakendorf
Kasejew, die Ansiedlung Kutéinyj Possád und das Dorf Mályi
Jermoláj.

Die große Heerstraße führte durch all diese Niederlassungen, sie
war alt, seit jeher die einzige durch Sibirien führende Postroute.
Dieser Weg zerschnitt mit dem Messer der Hauptstraße die Städte
wie das Brot in zwei Hälften. Er flog über die Dörfer hin, ohne
sich umzusehen, und streute sie weit ins Land hinaus. Er ließ die
Hütten, die dicht beieinander standen, wie Spaliere liegen oder in
gewundener Linie, wenn er eine Biegung machte.

In früheren Zeiten, als die Eisenbahnlinie über Chodatskoje noch
nicht gebaut war, jagten die Postkutschen die Poststraße entlang.
Aus dem Osten schleppten sich die Transportzüge, Wagen oder
Schlitten, beladen mit Teesorten, mit Getreide oder Eisenwaren;
aus der Gegenrichtung kamen, von Wachmannschaften begleitet
oder vorangetrieben, in Etappen Kolonnen von Gefangenen. Sie
gingen im gleichen Schritt und Tritt, mit ihren Eisenketten klir-
rend, diese verlorenen, verzweifelten Menschen, furchtbare Existenzen, furchtbar wie die Blitze des Himmels, und ringsum rauschten die dunklen undurchdringlichen Wälder. Diese große Straße
lebte ihr eigenes Leben. Man kannte einander, und Stadt um
Stadt, Dorf um Dorf waren irgendwie miteinander verschwistert.
In Chodatskoje, wo die Bahnstrecke die Straße überquerte, waren
Eisenbahnwerkstätten. Da stöhnte und ächzte alles Leid des armen
Volkes, zusammengeballt in Kasernen, lag krank darnieder, starb
hin. Jene politischen Gefangenen mit technischer Ausbildung, die

ihre Strafe abgebüßt hatten, kamen dann als Meister hierher und
siedelten sich an.

Entlang der ganzen Linie waren die ersten Sowjets längst zu Fall
gebracht. Eine kurze Zeit hatte sich die Sibirische Interimsregierung gehalten, die jetzt im ganzen Gebiet von der Macht des
obersten Statthalters Koltschak abgelöst worden war.

II

Eine der Wegstrecken führte lange bergan. Die Aussicht, die sich
hier in die Fernen öffnete, wurde immer weiter. Es schien, als
gäbe es kein Ende dieser Steigung, dieses Anwachsens und sich
Erweiterns der Horizontlinie. Und als Pferde und Menschen ermattet haltmachten, um Atem zu schöpfen, ging der Anstieg seinem Ende entgegen. Weiter vorn führte eine Straßenbrücke über
die wild dahinstürmende Kechma. Jenseits des Flusses, auf noch
steilerer Höhe, tauchte die Ziegelwand des Wosdwishensker Klo-
sters auf. Der Weg schlug unten einen Bogen um den nach beiden
Seiten abschüssigen Klosterberg und schlängelte sich in einigen
Windungen zwischen den Hinterhöfen der Vorstadthäuser hindurch in die Stadt. Er führte weiter zum großen Platz, wo sich
zwischen den Klostermauern das eiserne, grün angestrichene Klo-
stertor auftat. Die Pfortenikone im Gewölbebogen war mit einer
Goldbeschriftung umrahmt: ›Freue dich, du lebenspendendes
Kreuz, unbezwingbarer Sieg der Gottesfurcht.‹

Der Winter ging seinem Ende entgegen; die Karwoche brach an,
und damit war das Ende der großen Fastenzeit nahe. Schwärzlich
schimmerte der Schnee auf den Wegen und kündigte das ein-
setzende Tauwetter an, während der Schnee auf den Dächern noch
weiß schimmerte und in festen hohen Hüten aufsaß und überhing.
Den Knaben, die zu den Glöcknern auf den Wosdwishensker Glok-
kenturm gestiegen waren, erschienen die Häuser unten verschach-
telt zu einem Haufen kleiner steinerner Kästen und Laden. In die
Häuser begaben sich kleine, schwarze Menschlein, nicht viel größer als Stecknadelköpfe. Einige von ihnen konnte man nach ihren
Bewegungen vom Glockenturm aus erkennen. Die Hinzutretenden
lasen den an die Mauer geklebten Ukas des Statthalters über die
Einberufung dreier fälliger Jahrgänge in die Armee.

III

Die Nacht brachte viel Unvorhergesehenes. Die Luft war linder, als es der Jahreszeit entsprach. Ein Sprühregen ging nieder, der so fein war, als verdampfe er zu Wasserstaub, noch ehe er die Erde erreichte. Die lauten Bäche waren nun stark genug, um die Masse des Schnees fortzuräumen, bis die Erde endlich schwarz dalag und glänzte wie ein schweißnasser Leib.

Die verkrüppelten Apfelbäume in den Gärten, die schon Knospen trugen, streckten ihre Zweige auf wunderbare Weise über die Zäune hinweg auf die Straße. Von ihnen fielen in ungleichmäßigen Abständen die Tropfen klopfend auf die hölzernen Bürgersteige, und ihr Getrommel war in der ganzen Stadt zu hören.

Im Hof des Fotografen bellte und jaulte bis in den frühen Morgen der angekettete, noch kleine Tomik. Vielleicht war die Krähe, die im Garten der Galusins über die ganze Stadt weg ihr Gekrächz ertönen ließ, durch das Gebell gereizt und aufgeregt worden.

In der unteren Stadt befand sich die Niederlassung des Kaufmanns Ljubesnov, bei dem man drei Wagen voll Waren abgeladen hatte. Er weigerte sich, diese Waren anzunehmen, und sagte, daß es ein Versehen sei, denn er habe solche Waren nie bestellt. Die dreisten Pferdekutscher baten wegen der späten Stunde um Nachtquartier. Der Kaufmann beschimpfte sie, jagte sie weg, wollte das Tor nicht öffnen. Auch dieses Gezänk war in der ganzen Stadt zu hören.

Zur siebenten Gebetsstunde, das heißt um ein Uhr, löste sich von der wuchtigsten Glocke, die nur kaum in Bewegung gebracht war, ein dunkler, dröhnender Ton, der sich in der regenfeuchten Luft wie eine sanfte Welle ausbreitete. Der Ton löste sich von der Glocke ab, wie eine vom Frühlingswasser losgerissene Erdscholle vom Ufer abstößt und im Wasser versinkt.

Es war die Nacht auf Gründonnerstag, den Tag der zwölf Evangelien. Weit in der Tiefe, jenseits des netzartigen Regenbehangs, bewegten sich kaum wahrnehmbare Lichtpünktchen über schwach erhellten Stirnen, Nasen, Gesichtern. Gläubige, die sich zum Empfang der heiligen Kommunion rüsteten, begaben sich zum Frühgottesdienst.

Nach einer Viertelstunde ließen sich vom Kloster herkommende Schritte auf dem Bürgersteig vernehmen. Es war die Ladeninhaberin Galusina, die vom Frühgottesdienst, der eben erst begonnen hatte, heimkehrte. Ihre Schritte waren unregelmäßig, bald schien sie einen Anlauf zu nehmen, bald hielt sie an und stand da mit ihrem Kopftuch und dem aufgeschlagenen Pelz. In der drangvollen Enge der Kirche war ihr schlecht geworden; und so war sie hinausgegangen in die frische Luft. Nun schämte sie sich, daß sie den Gottesdienst nicht durchgestanden und zudem schon das zweite Jahr weder gefastet noch kommuniziert hatte. Aber nicht das war die Ursache ihres Kummers. Am Tage zuvor hatte sie das an jeder Straßenecke angeschlagene Dekret über die Mobilmachung schwer mitgenommen, betraf es doch ihren ärmsten Sohn Terjóscha, der nicht normal war. Sie suchte ihre Unzufriedenheit zu bekämpfen, aber die in der Dunkelheit überall weiß aufschimmernden Plakate brachten ihr den Befehl immer aufs neue in Erinnerung.

Das Haus lag gleich um die Ecke. Aber in der frischen Luft fühlte sie sich gleich wohler. Sie wollte noch ein wenig draußen bleiben. Es zog sie nicht nach Hause, in die stickige Stubenluft. Traurige Gedanken fluteten über sie hin. Hätte sie versucht, laut zu denken, richtig der Reihe nach, so hätte es ihr an Worten gefehlt, die Nacht wäre zu kurz gewesen. Hier aber, auf der Straße, drangen diese schwarzen Gedanken dicht geballt auf sie ein, so daß man mit ihnen allen in wenigen Augenblicken fertig werden konnte, während man zwei- bis dreimal von der Klosterecke bis zur Ecke des Platzes ging. Das hohe Fest stand dicht bevor; im Hause aber war keine lebende Seele mehr. Alle waren ausgeflogen, man hatte sie allein zurückgelassen, wirklich ganz allein! Denn Ksjuscha, das Pflegekind, zählte nicht mit. Wer war sie überhaupt? Die Seele eines anderen Menschen bleibt immer ein Geheimnis; vielleicht war sie ein Freund, vielleicht aber auch ein Feind! Im geheimen vielleicht gar eine Rivalin! Sie stammte aus der ersten Ehe ihres Mannes, ein Adoptivkind Wlassuschkas. Aber möglicherweise war sie nicht Adoptivtochter, sondern einfach unehelich! Vielleicht war sie gar nicht seine Tochter, sondern stammte von ganz anderer Seite! Wer vermöchte in das Herz eines Mannes zu blicken! Übrigens, was das Mädchen betraf, so war nichts Schlechtes über sie zu sagen – sie war klug und hübsch, sie hielt sich vorbildlich. Und jedenfalls war sie viel klüger als Terjóscha, der Narr, und als der Pflegevater.

Da war sie nun mutterseelenallein an der Schwelle dieser hochheiligen Osternacht, allein und verlassen. Und die andern? Alle ausgeflogen, irgendwohin . . .

Wlassuschka, ihr Mann, befaßte sich auf der großen Straße damit, den Rekruten Reden zu halten, sie zu ermutigen für den Einsatz im Kampf. Dabei hätte der dumme Kerl viel besser daran getan, sich um seinen eigenen Sohn zu kümmern und ihn vor der drohenden Todesgefahr zu bewahren.

Aber auch Terjóscha, ihr Sohn, hatte es zu Hause nicht ausgehalten; er hatte einfach Reißaus genommen, jetzt, am Vorabend des hochheiligen Osterfestes! Er war zu den Verwandten in den Kutejnyi Possad gelaufen, um sich dort zu unterhalten, sich zu amüsieren, sich zu vergnügen, um sich zu trösten nach allem, was er hatte erdulden müssen. Der Junge war aus der Realschule geworfen worden. Die Hälfte der Klassen hatte er je zwei Jahre besucht, in der achten hatte man die Geduld verloren und ihn vor die Tür gesetzt. Ach, welch ein Jammer, Herr, du mein Gott! Warum ist mir so elend? Die Hände versagen den Dienst. Alles fällt mir aus den Händen; ich mag nicht mehr leben. Warum ist das so? Ist die Revolution daran schuld? Ach, nein, nein! Das alles ist durch den Krieg gekommen. Im Kriege wurde die Blüte der Männer dahingemäht, und was blieb, ist Moder und Fäulnis, zu nichts zu gebrauchen.

Wie anders war es doch im Hause des Vaters gewesen! Väterchen war Lieferant: er trank nicht, er konnte lesen und schreiben; nichts fehlte in seinem Haus. Auch zwei Schwestern waren da, Polja und Olja. Wie prachtvoll paßten doch die Namen zusammen, und genauso stimmten die beiden miteinander überein – eine war schöner als die andere. Und die Tischlermeister pflegten den Vater aufzusuchen, repräsentable, gutgewachsene, ansehnliche Leute, die eine gesicherte Zukunft vor sich hatten. Dann kam man eines Tags plötzlich auf den Gedanken, Schärpen aus sechserlei Wolle zu stricken, zum eignen Vergnügen, man konnte sich das erlauben. Und da stellte sich heraus, daß die Mädchen überall im Lande als Strickerinnen einen Namen hatten, und in der ganzen Provinz waren ihre Schärpen berühmt. Alles war damals reich und erfüllt und beglückte das Herz: die Liturgie in der Kirche, die Tänze, die Menschen, ihre Manieren – ja, da spielte es freilich keine Rolle, daß man einfacher Leute Kind war, daß man von Bauern oder Arbeitern abstammte. Und dieses Rußland – es war damals noch wie eine Jungfrau; es hatte wirkliche Verehrer, echte Verteidiger – gar nicht mit denen von heute zu vergleichen. Nun ist aber von allem der Glanz abgesprungen. Was geblieben ist, sind Zivilisten, Advokaten, und das Judenpack, das Tag und Nacht an den Worten kaut und an Worten erstickt. Wlassuschka nebst seinen Kumpanen ist auf den Gedanken gekommen, die goldene alte Zeit wieder heraufzuholen mit Champagner und allerhand guten Wünschen. Aber macht man es denn so, wenn man eine verlorene Liebe wiedergewinnen will? Hierfür muß man Steine wälzen, Berge bewegen, die Erde umwühlen!

IV

Mehr als einmal war die Galusina bis zum Marktplatz in der Krestowosdwíshenskaja gekommen. Ihr Haus lag von hier aus linker Hand. Aber jedesmal zauderte sie, kehrte um und tauchte wieder in den benachbarten Gassen und Gäßchen am Kloster unter. Dieser Platz, wo die Kaufleute ihre Waren abluden, hatte die Größe eines stattlichen Feldes. In früheren Zeiten kamen die Bauern an den Markttagen von ihren Gehöften herein, und dann standen ihre Wagen dichtgedrängt auf dem Platz. An dessen einem Ende mündete die Helenenstraße. Die andere Seite war in einem krummen Bogen mit kleinen, ein- oder höchstens zweistöckigen Häusern bebaut. Sie alle dienten als Speicher, als Büros, als Handelsräume oder als Werkstätten für Handwerker.
Hier hatte in geruhsamen Zeiten auf einem Stuhl an der Schwelle seiner breiten, vierflügeligen Tür Brjuchánow, der grobe Klotz, gesessen. Wie ein Bär sah er aus, mit einer Brille auf der Nase, in langem Rock, ein Weiberhasser, der jetzt die Zeitung ›Kopéjka‹ las. Er handelte mit Häuten, mit Teer, mit Wagenrädern, mit Pferdegeschirr, mit Hafer und Heu.
Hier, auf dem Vorsprung eines kleinen, trüben Fensterchens, lagen wie Staubfänger einige Kartons mit Hochzeitsbändern, Sträußen und Kerzen. Auf der anderen Seite des kleines Fensters, in einem winzigen leeren Zimmer, das kaum Möbel oder irgendwelche Waren enthielt, es sei denn einige aufgeschichtete Wachsräder, wurden Geschäfte über Tausende von Rubeln abgeschlossen, bei denen es um Bohnerwachs und Mastix, um Wachs und Kerzen ging. Die Partner waren völlig unbekannte Vertrauensleute und ein Kerzenfabrikant von ebenso unbekannter Herkunft.

Hier, in der Mitte der Straße, befand sich das Kolonialwarenge-schäft der Galusina, ein großes Geschäft mit drei Fenstern.

Hier wurden dreimal täglich von dem ungestrichenen, rissigen Fuß-boden die abgebrühten Teeblätter zusammengekehrt, denn Tee wurde vom Inhaber und seinem Angestellten unentwegt getrunken. Die junge Frau liebte es, hier an der Kasse zu sitzen. Ihre Lieb-lingsfarben waren Lila und Violett, die Farben der Meßgewänder bei besonders feierlichen Gelegenheiten, die Farbe von noch nicht erblühtem Flieder, die Farbe ihres allerbesten Samtkleides, die Farbe ihres Tischweines. Auch die Farbe des Glückes, die Farbe der Erinnerung, der untergegangenen, vorrevolutionären Jungfräu-lichkeit Rußlands erschien ihr wie die des Flieders. Und sie liebte es, im Geschäft an der Kasse zu sitzen, weil der Geruch von Stärke und Zucker und von dunkelvioletten Karamellen aus schwarzen Johannisbeeren in großen Bonbongläsern ein gewisses wohlriechen-des, violettes Halbdunkel im Raum erzeugte und eben ihrer Lieb-lingsfarbe entsprach.

Hier, an der Ecke neben dem Holzlagerplatz, stand ein altes, wind-schiefes zweistöckiges Haus, das mit seiner verwitterten Bretter-verkleidung an einen ausgedienten, großen Erntewagen erinnerte. Es enthielt vier Wohnungen und hatte zwei Eingänge an den beiden Seiten der Fassade. In der linken Hälfte des Parterres be-fand sich die Drogerie Salkins, während in der rechten ein Notar sein Büro hatte. Über der Drogerie wohnte der alte Damenschnei-der Schmulewitsch mit seiner kinderreichen Familie. Dem Schnei-der gegenüber, über dem Notariat, hausten viele Mieter, auf deren Gewerbe die zahlreichen Schilder und Zettel, die die ganze Tür bedeckten, hinwiesen. Hier wurden Uhren repariert, und hier nahm ein Schuhmacher Bestellungen entgegen. Hier unterhielten Shuk und Strohdach, die beiden Kompagnons, ein Fotoatelier; hier befand sich auch die Gravieranstalt Kaminskij.

Mit Rücksicht auf die drangvolle Enge in der überfüllten Woh-nung hatten sich die jungen Gehilfen der Fotografen, der Retu-scheur Senja Magidson und der Student Jelashéin, eine Art Labora-torium unten im Hof eingerichtet, in dem Durchgang zu einem Holzlager. Auch jetzt schienen sie dort beschäftigt zu sein, wie man aus dem roten Auge einer Entwicklungslampe urteilen konnte, das im Fenster des Schuppens blinzelnd flackerte. Unter diesem Fenster saß auch der Hund Tomka an seiner Kette, dessen Gewinsel und Gejaule in der ganzen Helenenstraße zu hören war. ›Da ist die ganze Bagage versammelt‹, dachte Galusina, als sie am grauen Hause vorbeiging. ›Eine Lasterhöhle des Bettels und Schmutzes.‹ Aber hier überlegte sie sogleich, daß Wlas Pachómytsch mit seinem Judenhaß im Unrecht war. Eine Radspeiche am Wagen bedeutet nicht gerade viel – so ist es auch mit diesen Leuten, ihrer sind so wenige, daß sie in den Geschicken einer Großmacht nichts zu bedeuten haben. Oder man frage doch den alten Schmulewitsch, woher die Unordnung und all die Wirren kämen, so wird er sich krümmen, eine Fratze schneiden und grinsend sagen: ›Das sind halt die Machenschaften der Leib-Söhne und der Gebrüder Leib!‹ Ach, woran dachte sie denn, woran eigentlich, was suchte sie eigentlich? Ging es denn darum? Lag hier die Wurzel des Übels? Alles Unglück kommt von den Städten. Rußland ist nicht mächtig durch seine Städte. Man ließ sich durch das, was man Bildung nennt, verleiten; man strömte in die Städte und zog den Karren nicht aus dem Dreck. Vom eigenen Ufer stieß man ab und langte am anderen Ufer nicht an.

Aber vielleicht liegen die Dinge gerade umgekehrt: das ganze Unglück liegt an der Unwissenheit. Ein Gelehrter, der kann durch die Erde hindurchblicken, er wird alles im voraus erraten. Wir aber, wenn man uns den Kopf abschlägt, greifen erst einmal nach der Mütze. Man lebt wie in einem finstren Walde. Man muß sagen, auch die Gebildeten haben es jetzt nicht leicht. Der Hunger hat sie in die Städte getrieben. Wie soll man sich da auskennen. Der Teufel selber würde sich da ein Bein stellen.

Dennoch – auf dem Lande ist alles anders. Da sind die Selítwins, die Schelabúrins, Pamfil Palých, Gebrüder Nestor und Pankraz Modych. Da ist man nicht auf andere angewiesen, man weiß, was man will. Sieht man die neuen Höfe, die an der großen Straße entstanden sind, so kann man nur staunen. Jeder Hof hat seine fünfzehn Desjatinen Ackerland, Pferde, Schafe, Kühe, Schweine. An Korn hat man Vorräte für drei Jahre. Das Inventar zu sehen, ist eine Freude. Dann – die Erntemaschinen. Ja, sie hatten auch Erntearbeiter! Koltschak schmeichelte ihnen und versuchte, sie auf seine Seite zu bringen, während die Kommissare sie für die Armee in den Wäldern gewinnen wollten. Sie sind mit Georgskreuzen geschmückt aus dem Kriege zurückgekommen, und sofort hat man sie zu Instruktoren gemacht. Gleichviel, ob du da Epauletten hast oder nicht; bist du ein Mensch, der sein Geschäft versteht, braucht man dich immer. Du gehst nicht unter.

Jetzt ist es Zeit, nach Hause zu gehn. Für eine Frau ist es einfach unschicklich, so lange auf der Straße zu bleiben. Wäre man wenigstens im eigenen Garten! Aber dort ertrinkt man im Schmutz! Vielleicht ist es jetzt ein wenig besser dort geworden.

So hatte sich nun die Galusina endgültig in einem Labyrinth von Gedanken und Erwägungen verirrt und einfach den Faden verloren. Sie stand vor ihrem Hause. Aber bevor sie die Schwelle überschritt und sich noch die Füße vor dem Flur abtrat, dachte sie noch an mancherlei.

Sie mußte an die jetzige Führerschaft in Chodátskoje denken, von der sie eine genaue Vorstellung hatte. Da waren die Verbannten aus der Residenz: Tiversín, Antipov, der Anarchist Wdowitschénko, genannt die ›Schwarze Fahne‹, der hiesige Schlosser Gorschenja, der Tolle. Alle diese Menschen standen für sich selber ein. So manches hatten sie zu ihrer Zeit in Gang gebracht, und jetzt schienen sie wieder etwas zu planen und vorzubereiten. Ohne das können sie einfach nicht leben. Ihr Leben haben sie mit den Maschinen verbracht, und sie selber sind erbarmungslos, kalt, wie Maschinen sind. Da gehen sie in kurzen Jacketts herum, die sie über der Wollweste tragen, rauchen Zigaretten aus beinernen Mundstücken und trinken, um sich ja nicht zu infizieren, nur gekochtes Wasser. Gar nichts wird bei Wlassuschka herauskommen; jene aber – die deichseln alles, was sie sich vornehmen, und setzen immer ihren Willen durch.

Sie mußte an sich selber denken. Sie wußte, daß sie ein Prachtweib war, eigenwillig, gut erhalten und klug, kein schlechter Mensch. Aber keine einzige dieser Eigenschaften wurde in diesem weltfernen Nest und auch anderswo richtig geschätzt! Wie anzüglich sind die Verse, die über die Närrin Sentetjurícha im ganzen Transuralgebiet umliefen, von denen man nur die beiden Anfangszeilen anzuführen braucht:

»Sentetjurícha verkaufte ihre Karre und kaufte für das Geld eine Gitarre«, dann folgten allerhand Fragwürdigkeiten, die in Krestowosdwíshensk gesungen wurden, wie sie vermutete, mit einer Anspielung auf sie selber.

Sie seufzte schwer auf und ging in das Haus.

Ohne sich im Vorzimmer aufzuhalten, begab sie sich im Pelz in ihr Schlafzimmer, dessen Fenster auf den Garten hinausgingen. Jetzt, in der Nacht, drängten sich die Schatten im Zimmer und draußen vor dem Fenster in fast derselben Dichte zusammen. Die schweren Vorhänge ähnelten den Laubgewinden der Bäume im Hof, die nackt und schwarz waren und wie unförmige Säcke herabhingen. Der Taft des nächtlichen Dunkels im Garten, wo der Winter fast schon vorüber war, entfachte die schwarzlilafarbene Glut des frühen Frühlings, die aus dem Boden drang. In dem Zimmer geschah etwas Ähnliches. Die schwere, vom Staub schlecht ausgeklopfter Portieren erfüllte Luft wurde geläutert durch die dunkelviolette Glut des bevorstehenden Festes.

Die Gottesmutter der Ikone hob aus der silbernen Verschalung ihres Gewandes die nach oben gewandten, dunklen Handflächen, in denen sie die ersten und letzten Buchstaben ihres byzantinischen Namens hielt: Matér Theú, ›Muttergottes‹. Die Ampel aus Granatglas in ihrem goldenen Gehäuse, die dunkel war wie ein Tintenfaß, streute über den Schlafzimmerteppich ihr sternengleiches Licht, das sich an dem gezackten Rand der Fassung flimmernd brach.

Die Galusina legte Kopftuch und Pelz ab und wandte sich ungeschickt um, und wieder empfand sie dabei einen Stich in der Seite unterhalb des Schulterblattes. Sie schrie auf, fuhr zusammen und begann zu murmeln: »Du große Fürsprecherin aller Trauernden, du reine Gottesmutter, die du den Beladenen Hilfe bringst, du Schutzmantel der Welt . . .«, und sie brach in Tränen aus. Dann wartete sie, bis der Schmerz nachzulassen begann, und kleidete sich aus. Die Häkchen am Halskragen und am Rücken des Mieders entglitten ihren Fingern und verfingen sich in den Falten des rauchgrauen Stoffes. Nur mit Mühe gelang es ihr, sie zu finden.

Ksjuscha, die erwacht war, als Galusina kam, trat zu ihr ins Zimmer.

»Warum sind Sie so im Dunkeln, Mamachen? Wollen Sie, daß ich Ihnen eine Lampe bringe?«

»Nicht nötig, ich kann auch so sehen.«

»Mamachen, Olga Nilowna, lassen Sie mich Ihnen beim Auskleiden helfen. Sie sollen sich nicht abquälen.«

»Die Finger wollen nicht recht; es ist einfach zum Heulen. Der verdammte Kerl hat nicht einmal Verstand genug gehabt, die Haken so anzunähen, daß ein Mensch damit fertig werden kann – der Tölpel! Man sollte die Hakenreihe von oben bis unten abtrennen und ihn damit ins Gesicht schlagen.«

»In der Kirche haben sie schön gesungen. Die Nacht ist so still. Und die Musik konnte man bis hierher hören.«

»Ja, der Gesang war schön. Aber mir ist nicht wohl, mein Kind. Ich habe wieder dieses Stechen – hier und hier. Überall. Es ist wirklich eine Qual. Ich weiß nicht, was ich machen soll.«

»Dr. Stydówskij, der Homöopath, hat Ihnen doch geholfen, denke ich.«

»Aber nein, seine Ratschläge waren nie zu befolgen. Er ist ein Kurpfuscher, dein Homöopath, und alles andere als ein Arzt. Außerdem ist er auf und davon. Weg ist er. Einfach weg. Und nicht nur er. Vor dem Fest sind alle aus der Stadt gerannt, als wenn sie Angst vor einem Erdbeben hätten.«

»Aber der ungarische Doktor, der Gefangene, hat Ihnen doch gut geholfen.«

»Was nützt das! Ich sage dir doch, keiner ist hier geblieben; alle sind auf und davon. Kerényi Lajos ist mit anderen Ungarn über die Demarkationslinie geflohen. Man hat ihn in den Dienst der Roten Armee gezwungen!«

»Das ist doch alles nur Einbildung, Sie sind überempfindlich und nervös. Suggestion, wie sie im Volk geübt wird, kann in Ihrem Falle Wunder wirken. Erinnern Sie sich noch, wie ein Soldatenweib Sie mit seinen Zaubersprüchen kuriert hat? Wie hieß sie doch? Ich habe ihren Namen vergessen.«

»Nein, du scheinst mich wirklich für vollkommen verrückt zu halten. Ich würde mich nicht wundern, wenn du hinter meinem Rükken die Sentetjurícha-Lieder über mich singst.«

»Aber so was dürfen Sie nicht sagen! Das ist Sünde, Mamachen! Sie sollten sich schämen. Verhelfen Sie mir lieber zu dem Namen dieser Frau. Er liegt mir auf der Zunge. Ich werde keine Ruhe finden, wenn er mir nicht einfällt.«

»Sie hat mehr Namen als Röcke. Weiß ich, welchen Namen du meinst? Kubarícha heißt sie, und Medwedícha und Slydarícha und so weiter – ein Dutzend Namen dieser Art. Auch sie ist nicht in der Nähe. Sie hat ihre Rolle ausgespielt und ist verschwunden. Man hat diese Dienerin Gottes in Keshma ins Gefängnis gesteckt. Wegen Abtreibung, und weil sie allerlei Pülverchen gemischt hatte.

Aber anstatt sich im Konzentrationslager zu langweilen, hat sie Fersengeld gegeben und ist irgendwo im Fernen Osten verschwunden. Ich sagte dir doch, alle sind auseinandergelaufen. Wlas Pachómytsch, Terjóscha und sogar Tante Polja – das gute Herz. Und wir beiden ehrsamen Frauen sind so dumm, in der Stadt zu bleiben; mir ist nicht nach Scherzen zumute! Und dabei keinerlei ärztliche Hilfe. Wenn etwas passiert, so kann man sich gleich aufgeben; du kannst lange rufen, niemand wird dich hören. In Jurjatino soll ein berühmter Professor aus Moskau, Sohn eines sibirischen Kaufmanns, Selbstmord begangen haben. Als ich mich an ihn wenden wollte, hatten die Roten gerade zwanzig Straßensperren auf dem Wege errichtet – keine Maus kann da durchschlüpfen. Jetzt aber genug davon! Geh bitte schlafen. Ich will versuchen, mich hinzulegen. Übrigens scheint der Student Blashéin dir den Kopf verdreht zu haben. Warum versuchst du zu leugnen? Du kannst es doch nicht verbergen; du bist rot geworden wie ein Krebs. Dein unglückseliger Student gibt sich viel Mühe mit den Fotos, die ich ihm zum Entwickeln und Kopieren gegeben habe. Er schläft nicht und läßt die anderen nicht schlafen. Tomik bellt und kläfft, daß die ganze Stadt davon widerhallt, und dann die Krähe, dieses Luder, mit ihrem Gekreisch in den Zweigen des Apfelbaumes. Ich werde wieder die ganze Nacht nicht schlafen können ... Nun, warum bist du schon wieder verstimmt? Du darfst wirklich nicht so mimosenhaft empfindlich sein. Studenten sind dazu da, den Mädchen zu gefallen.«

VI

»Warum sich wohl der Hund wie toll gebärdet! Man sollte nachsehen, was mit ihm los ist. Irgend etwas muß doch dahinterstekken. Warte einen Augenblick, Lídotschka! Schweig eine Minute still! Ich muß wissen, was es bedeutet, sonst haben wir unversehens die Polizei auf dem Hals. Ustin und Siwopljui, bleibt hier. Es wird auch ohne euch gehen.«

Der Redner, ein Delegierter der Zentralregierung, hatte die Bitte, daß er warten und seine Rede unterbrechen solle, überhört und fuhr fort, mit müdem Pathos zu sprechen: »Die Politik des Raubes, der Zwangseintreibungen, der Vergewaltigung, der Erschießungen und Folterungen, die das bürgerlich-militaristische Regime Sibiriens betreibt, muß auch denen die Augen öffnen, die die Wahrheit noch nicht sehen wollen. Dieses Regime ist nicht nur der Arbeiterklasse feindlich gesinnt, sondern – wie die Dinge wirklich liegen – auch der gesamten werktätigen Bauernschaft. Die Landbevölkerung Sibiriens und des Urals muß begreifen, daß man nur in Verbindung mit dem städtischen Proletariat und den Soldaten, besonders aber im Bunde mit den Bedürftigen, nämlich den Kirgisen und Burjaten . . .«

Jetzt endlich hatte er verstanden, daß man ihn unterbrechen wollte; er machte also halt, wischte sich mit seinem Taschentuch über das verschwitzte Gesicht, ließ ermattet die geschwollenen Lider sinken und schloß die Augen.

Die ihm zunächst standen, sagten leise: »Erhole dich ein wenig. Trink einen Schluck Wasser.« Dem beunruhigten Partisanenführer wurde mitgeteilt:

»Warum diese Aufregung? Es ist alles in Ordnung. Die Signallaterne steht im Fenster. Der Beobachtungsposten überwacht die ganze Gegend. Ich bin der Meinung, daß wir die Diskussion fortsetzen können. Sprechen Sie, Genosse Lídotschka!«

Im Innern einer großen Scheune hatte man das Brennholz weggeräumt und einen freien Platz geschaffen. Dort tagte eine illegale Versammlung. Ein Stapel Holz, der bis zum Dach reichte, deckte die Gesellschaft gegen die Eingangstür. Im Falle der Gefahr stand den Versammelten ein unterirdischer Fluchtweg zur Verfügung, der unmittelbar durch einen geheimen Gang auf den Hinterhof und in die Konstantingasse hinter der Klostermauer führte.

Der Redner, mit dem matten, blaß-olivfarbenen Gesicht und dem schwarzen Vollbart, der ein schwarzes Kalikokäppchen auf seinem kahlen Schädel trug, litt an nervösen Schweißausbrüchen. Gierig sog er an einem kümmerlichen Zigarettenstummel, den er an die Flamme einer Petroleumlampe hielt, und beugte sich tief über sein auf dem Tisch liegendes Manuskript, dessen Seiten in Unordnung geraten waren. Nervös und hastig liefen seine kurzsichtigen Äuglein über das Papier, als wollte er daran riechen; er fuhr dann mit belegter, müder Stimme fort:

»Den Zusammenschluß des Stadt- und Land-Proletariats können nur die Sowjets erreichen. Die Bauernschaft Sibiriens wird, ob sie es wünscht oder nicht, sich jetzt demselben Ziele zuwenden müssen, für das der sibirische Arbeiter schon längst begonnen hat zu kämpfen. Ihr gemeinsames Ziel ist es, die Herrschaft der dem Volke verhaßten Admirale und Atamane zu stürzen und durch einen bewaffneten Aufstand die Errichtung von Bauern- und Soldaten-Sowjets durchzusetzen. Dabei werden die Empörer gegen die bis an die Zähne bewaffneten Offiziere und Kosaken, diese Söldner der Bourgeoisie, einen richtigen Feldzug führen müssen, einen hartnäckigen und dauernden Krieg.«

Abermals machte er eine Pause, wischte sich den Schweiß ab und schloß die Augen. Wider alle Sitte erhob sich irgend jemand und streckte die Hand aus, weil er noch eine Bemerkung anfügen wollte.

Der Partisanenführer – genauer gesagt der militärische Führer des Keshensker Verbandes der Transural-Partisanen – saß dem Redner in herausfordernd-nachlässiger Haltung gegenüber und unterbrach ihn grob, ohne ihm die mindeste Achtung zu bezeigen. Es kostete Mühe zu glauben, daß ein Soldat, der über das Knabenalter kaum hinaus war, ganze Armeen und Verbände kommandierte, aber man gehorchte ihm und erwies ihm die schuldige Ehrerbietung. Er saß da und wickelte einen Kavalleristenmantel um Arme und Beine, dessen Ärmel und Oberteil über die Stuhllehne geworfen waren. An seinem Sporthemd waren noch die dunklen Spuren der ehemals dort aufgenähten Unterleutnantsepauletten zu erkennen. Ihm zur Seite standen zwei prächtige Burschen seiner Leibwache, ebenso alt wie er, in weißen, aber schon grau gewordenen Kurzröcken aus Schafsfell mit steifen Krägelchen. Ihre hübschen, steinernen Gesichter drückten blinde Ergebenheit ihrem Führer gegenüber aus und die Bereitschaft, für ihn durchs Feuer zu gehen. Die Versammlung indes nahm weder an den gestellten Fragen noch an der Diskussion den geringsten Anteil; sie verharrte schweigend und unbewegt.

Ungefähr ein Dutzend Menschen hielt sich in der Scheune auf. Die einen standen, die andern saßen auf dem Fußboden mit lang ausgestreckten Beinen oder mit hochgezogenen Knien und lehnten sich gegen die vortretenden Balken an der Wand.

Für die Ehrengäste waren einige Stühle hineingestellt worden, auf denen drei oder vier Arbeiter saßen, Teilnehmer der ersten Revolution, darunter der finster blickende Tiversín, der sich sehr verändert hatte, und sein guter Freund, der alte Antipov, der ihm in allem recht gab. Sie, die zu den Gottheiten gehörten, denen die Revolution alle ihre Gaben und Opfer zu Füßen legte, saßen schweigend da, wie streng blickende Götzen, denen der politische Hochmut alles Menschlich-Lebendige genommen hatte.

Noch einige andere Gestalten verdienten Beachtung. Unter ihnen Wdowitschénko ›Schwarze Fahne‹. Dieser Mann, von gewaltigen Körpermassen, mit seinem schweren Haupt, dem großen Mund und einer Löwenmähne, war der führende Kopf der russischen Anarchisten und hatte angeblich schon am Krieg gegen Japan als Offizier teilgenommen. Versunken in die Welt seiner Phantasien und Träume, ging er unruhig hin und her, setzte sich zu Boden, sprang auf und blieb endlich in der Mitte der Scheune stehen.

Seine grenzenlose Gutmütigkeit und sein riesiger Wuchs hinderten ihn daran, Erscheinungen ungleichen und geringen Ausmaßes richtig zu deuten. Und so war er unaufmerksam gegenüber allem, was um ihn vorging. Er mißverstand vieles, hielt die Meinung anderer für seine eigene und erklärte sich mit allem einverstanden.

Sein Freund, der Urwaldjäger und Tierfänger Swiríd, saß neben ihm auf dem Fußboden. Obwohl Swiríd selbst nicht das Land bestellte, war sein Leib, den sein dunkles Tuchhemd stellenweise freigab, grob, ungeschlacht und von rustikaler Schwere. Swiríd zog das Gewand samt dem Kreuzchen, das er um den Hals trug, über den Kopf, ballte es zusammen, rieb seinen Körper damit und kratzte sich die Brust. Er war Halbburjate, konnte weder lesen noch schreiben und war ein seelenguter Mensch; sein Haar hing zu kleinen Zöpfen geflochten herab. Er trug einen schütteren Bart um Kinn und Lippen. Der mongolische Schnitt seines Gesichtes ließ ihn älter erscheinen, als er war. Aber sein freundliches Lächeln ging unaufhörlich über seine Züge hin.

Der Vortragende, der Sibirien mit einer militärischen Instruktion des Zentralkomitees bereiste, verlor sich mit seinen Gedanken in den Weiten ungeheurer Räume, die zu erfassen ihm noch bevorstand. Den meisten der hier Versammelten gegenüber verhielt er sich gleichgültig. Doch als überzeugter Revolutionär und Freund des Volkes blickte er voller Verehrung auf den ihm gegenübersitzenden jungen Feldherrn. Er sah dem Burschen nicht nur alle Grobheiten nach, weil er in ihnen die Stimme ursprünglich revolutionärer, verborgener Leidenschaft zu vernehmen glaubte, sondern war auch sichtlich entzückt von seinen unwillkürlichen Ausbrüchen, wie etwa einem verliebten Weibe die dreiste Ungeniertheit ihres Gebieters gefallen mag.

Der Partisanenführer war Mikulízyns Sohn Liberij, der Redner des Abends Kostojéd-Amurskij, ehemals Genossenschaftler der ›Trudowikí‹, der in seinen frühen Jahren den Sozialrevolutionären nahestand. In der letzten Zeit hatte er seine Überzeugung revidiert, seine Irrtümer eingesehen und ein umständliches Schuldbekenntnis abgelegt. Er wurde nicht nur in die kommunistische Partei aufgenommen, sondern auch bald nach seinem Eintritt mit sehr verantwortungsvollen Arbeiten betraut.

Diese Aufgabe hatte man ihm übertragen wegen seiner Erfahrungen als Revolutionär und seiner langen qualvollen Kerkerhaft, obwohl er alles andere als ein Soldat war, sodann, weil man annahm, daß ihm als ehemaligem Genossenschaftler die Stimmung der großen Masse der Bauernschaft in dem von Aufständen erfaßten Westsibirien gut bekannt sein müßte. In diesem Falle war die Vertrautheit mit der Gesinnung der Landbevölkerung wichtiger als militärische Kenntnisse.

Seine politische Konversion hatte Kostojéd so verändert, daß er kaum wiederzuerkennen war. Schon an seinem Äußeren war es zu merken – an seinen Bewegungen und an der Art seines Verhaltens. Niemand konnte sich daran erinnern, ihn in früheren Jahren glatzköpfig und bärtig gesehen zu haben. Vielleicht aber war alles nur Maske. Er dürfe sich keinesfalls zu erkennen geben, hatte ihm die Partei befohlen. Seine Decknamen waren ›Berendéj‹ und ›Genosse Lídotschka‹.

Als sich der Lärm gelegt hatte, den Wdowitschénko mit seiner unpassenden Erklärung, daß er mit allen Punkten der Verordnung einverstanden sei, hervorgerufen hatte, fuhr Kostojéd fort:

»Um das Anwachsen der Bauernbewegung möglichst genau zu kontrollieren, ist es notwendig, unverzüglich mit den Partisanen in Verbindung zu treten, die dem Komitee des Gouvernements unterstellt sind.«

Danach sprach Kostojéd über die Organisation geheimer Zusammenkünfte, über die gemeinsamen Parolen und den verborgenen Nachrichtenaustausch. Dann wandte er sich wieder Einzelfragen zu.

»Den einzelnen Abteilungen ist anzugeben, wo sich Waffendepots, Ausrüstungs- und Verpflegungslager des Feindes befinden, wo die ›Weißen‹ ihre Subsidien in Verwahrung haben und welche Anstalten zu ihrer Sicherung getroffen sind.

Notwendig ist es, im Detail und in allen Einzelheiten die Fragen über die innere Organisation der Abteilung zu behandeln, über Führung, über kameradschaftliche Disziplin, über Konspiration, über die Verbindung der Abteilungen mit der Außenwelt, über das Verhältnis zur einheimischen Bevölkerung, über die revolutionäre Feldgerichtsordnung, über Bekämpfung des Gegners auf seinem eigenen Territorium durch folgende Aktionen: Zerstörung von Brücken und Eisenbahngleisen, Dampfern, Schleppkähnen, Bahnhöfen, von Werkstätten und ihren technischen Einrichtungen, von Telegrafenanlagen, Proviantdepots und Bergwerken.«

Liberij hatte lange genug Ruhe bewahrt; aber nun hielt er es nicht mehr aus. ›Welch ein leeres, dilettantisches Geschwätz!‹ dachte er, und er sagte:

»Eine vortreffliche Vorlesung. Ich werde mir jedes Wort hinter die Ohren schreiben. Offensichtlich müssen wir alles ohne Widerrede hinnehmen, damit wir nicht die Unterstützung der Roten Armee verlieren.«

»Das versteht sich.«

»Was soll ich mit deinen kindlichen Ratschlägen anfangen, mein lieber Lídotschka, wenn meine Truppen in Stärke von drei Regimentern, darunter Artillerie und Kavallerie, längst schon im Felde liegen und dem Feind kräftig zusetzen?«

›Prachtvoll! Welche Macht!‹ sagte sich Kostojéd. Tiversín unterbrach die Streitenden. Der trotzige Ton Liberijs behagte ihm nicht.

»Verzeihen Sie, Genosse Redner«, sagte er. »Ich bin meiner Sache nicht ganz sicher. Vielleicht habe ich einen Punkt der Verordnung falsch notiert. Ich möchte ihn sicherheitshalber vorlesen: ›Es wird gewünscht, in das Komitee vor allem Veteranen aufzunehmen, die zur Zeit der Revolution an der Front waren und nichtzaristischen Organisationen angehört haben. Das Komitee sollte über einen oder zwei Unteroffiziere und einen Militärtechniker verfügen.‹ Ist es so richtig, Genosse Kostojéd?« – »Richtig. Wort für Wort.«

»Dann erlaube ich mir zu bemerken, daß die Hinzuziehung von Militärspezialisten mich sehr beunruhigt. Wir Arbeiter, die wir an der Revolution von 1905 teilgenommen haben, sind nicht gewohnt, der Armee zu trauen, weil jede Konterrevolution sich auf die Armee stützt.« Ringsum wurden Stimmen laut.

»Genug! Die Resolution! Die Resolution! Es ist Zeit, die Versammlung aufzulösen; es wird sonst zu spät.«

»Ich schließe mich der Mehrheit an«, grollte der Baß Wdowitschénkos. »Um es poetisch zu sagen: die bürgerlichen Institutionen
müssen auf dem Boden der Demokratie sich allmählich entwickeln,
wie Pflanzen, die ihre Wurzeln tiefer und tiefer in das Erdreich
senken. Man kann nicht gewaltsam eine staatliche Ordnung gründen, wie man Zaunpfähle einrammt. Das eben war der Fehler,
den die Jakobiner mit ihrer Diktatur begingen und der zum Sturz
Robespierres führte.«

»Das ist klar wie der Gottestag«, pflichtete Swiríd seinem Freund
und Kampfgefährten bei, »das versteht ein kleines Kind. Man
hätte früher überlegen sollen. Jetzt ist es zu spät. Jetzt heißt es
für uns, zu kämpfen und, Kopf voran, durchzubrechen. Nicht nachgeben. Vorwärts! Was soll man sonst tun? Die Suppe, die man
sich eingebrockt hat, muß man auslöffeln. Wer ins Wasser steigt,
darf sich nicht beklagen, wenn er ertrinkt.«

»Die Resolution, die Resolution!« wurde von allen Seiten gerufen.
Die Diskussion zog sich noch eine Weile hin, aber die Zusammenhänge wurden immer undurchsichtiger. Bei anbrechender Morgendämmerung löste sich die Versammlung schließlich auf, und man
ging auseinander – vorsichtshalber jeder für sich.

VII

Nahe der großen sibirischen Landstraße lag an einem steilen
Hang der malerische Ort Kutéinyj Possád. Die Pashinka, ein rei-
ßendes Gebirgsflüßchen, trennte das Dorf von dem nur wenig tiefer gelegenen Kirchspiel Mályi Jermoláy, das sich mit den bunten
Tupfen seiner Gebäude bis zum Fuße des Berges hinzog. In Kutéinyj Possád feierte man den Auszug der jungen Rekruten, während in Mályi Jermoláy unter dem Vorsitz des Obersten Strese
die mit der Aushebung betraute Kommission ihre Tätigkeit fort-
setzte, die sie während der Ostertage hatte unterbrechen müssen,
und die dienstpflichtigen jungen Männer des Ortes und einiger
anliegender Distrikte einer Musterung unterzog. Aus Anlaß der
Einberufung stand in dem Dorf eine Abteilung berittener Miliz
und eine Hundertschaft Kosaken.

Es war der dritte Tag des Osterfestes, das in diesem Jahr auf ein
recht spätes Datum fiel. Der Frühling hatte zeitiger als gewöhnlich
stille und warme Tage gebracht. In Kutéinyj hatte man Tische,

auf denen sich die Speisen für die neu Einberufenen türmten, ins Freie gestellt, an den Rand der großen Straße, um die Durchfahrt nicht zu behindern. Sie standen nicht genau in einer Reihe, sondern zogen sich wie ein unregelmäßig gewundenes, buntes Band dahin. Die weißen Tischtücher reichten bis auf die Erde hinab.

Den Rekruten wurde auf Kosten der Gemeinde ein festliches Essen gegeben, das zur Hauptsache aus den üppigen Resten des Ostermahles bestand, aus geräuchertem Schinken, einigen ›Kulitschí‹ (Osterbroten) und zwei oder drei sogenannten Páski (Osterquarkkuchen). Überall standen Terrinen mit gesalzenen Pilzen, Gurken und Sauerkohl, außerdem Teller mit dick geschnittenem Bauernbrot und mächtige Platten voll bunter, zu Bergen aufgehäufter Ostereier. Rosa und Blau waren die vorherrschenden Farben. Im frischen Grase verstreut lagen Eierschalen umher; blaue und rosafarbene, innen weiß. Blau und rosa waren die Kleider der jungen Mädchen und die Kittel der Burschen, die unter den Jacken hervorlugten. Blau der Himmel. Rosa die Wolken, die so langsam und majestätisch dahinsegelten, daß der ganze Himmel ihnen das Geleit zu geben schien.

Rosenfarben war auch der Gürtel, der das rosa Hemd des Wlas Pachómytsch Galusin zusammenhielt. Regelmäßig mit den Absätzen seiner Stiefel klappernd und die Beine bald nach rechts, bald nach links werfend, kam er die steile Treppe des Pafnutkinschen Hauses, das auf einem Hügel stand, herabgesprungen und begann folgendermaßen zu sprechen:

»Dieses Glas selbstgebrannten Wodkas leere ich, statt Champagner, auf euer Wohl, Jungens! Viele Jahre des Glücks und der Gesundheit mögen euch, die ihr dem gebieterischen Ruf zu den Waffen folgt, noch beschieden sein. Rekruten! Ich bitte um eure Aufmerksamkeit. Die größten Hoffnungen knüpfen sich an euer Geschick, denn die schwere Aufgabe, die euch auf eurem gefährlichen Wege erwartet, ist die, das Vaterland gegen die Gewalthaber zu verteidigen, die den Boden unserer Heimat mit dem Blut des Bruderkrieges getränkt haben. Das Volk hatte gehofft, in Frieden sich mit den Errungenschaften der Revolution auseinandersetzen zu können; aber die Partei der Bolschewiki, die im Sold fremder Mächte steht, hat diesen schönen Traum mit Waffengewalt zerstört, die konstituierende Versammlung auseinandergetrieben und unschuldiges Blut in Strömen vergossen. Ihr Jungen, die ihr heute ins Feld geht, rettet und erneuert die Ehre des russischen Heeres! Wir stehen in der Schuld unserer treuen Verbündeten und haben unsere Würde in den Schmutz treten lassen; denn tatenlos sehen wir zu, wie nach den Roten nunmehr auch Deutschland und Österreich ihr freches Haupt erheben. Gott ist mit uns, ihr Tapferen!« sagte Galusin noch, aber seine letzten Worte gingen im Lärm der Menge unter. Hurrageschrei brach aus, und man versuchte, Wlas Pachómytsch im Triumph fortzutragen. Er setzte das Glas an die Lippen und trank in kleinen Schlucken den billigen, schlecht destillierten Branntwein, der ihm widerstand. Er war gute, schwere Weine gewohnt. Aber das Bewußtsein, daß dies ein Opfer sei, das er der Gemeinschaft darzubringen hatte, erfüllte ihn mit Genugtuung.

»Dein Vater ist ein Adler. Der versteht es, Reden zu halten! Genausogut wie irgendein Miljukov von der Duma. Beim lebendigen Gott!« Mit halbtrunkener Zunge, inmitten des aufbrandenden wüsten Stimmengewirrs, rief Goschka Rjabych diese Worte seinem Freunde und Tischnachbarn Teréntij Galusin zu. »Gut gebrüllt. Ein Adler! Man sieht, er gibt sich nicht umsonst Mühe. Er wird dafür sorgen, daß du beim Militär einen Ruheposten erhältst.«

»Was soll das, Goschka? Schämst du dich nicht? Einen Ruheposten! Wir beide haben gemeinsam den Gestellungsbefehl erhalten, das ist vielleicht das einzig Beruhigende. Wir kommen sicherlich in dieselbe Einheit. Mich haben sie aus der Schule geholt, die Schurken, und meine Mutter macht sich nun Sorgen. Wenn man uns nur nicht zu den ›Freiwilligen‹ steckt! Papa – ja, der ist als Festredner unübertroffen. Ich möchte nur wissen, woher ihm die Worte zufliegen. Es ist ihm angeboren, glaube ich, denn er hat niemals Unterricht genossen.«

»Hast du von Sanjka Pafnutkin gehört?«

»Natürlich. Er soll sich angesteckt haben.«

»Und wird allmählich an der Krankheit zugrunde gehen. Aber es ist seine eigene Schuld. Man hat ihm dringend empfohlen aufzupassen, mit wem er sich einläßt.«

»Was wird nun aus ihm werden?«

»Es ist eine Tragödie! Er hat sich erschießen wollen. Er wurde heuer von der Kommission in Jermoláy untersucht; man wollte ihn sogar nehmen. Ich werde, sagte er, unter die Partisanen gehen und Rache nehmen für die Pestbeulen der Gesellschaft.«

»Hör mal zu, Goschka. Du sagtest etwas von Ansteckung. Geht

man aber nicht dorthin, so kann man sich an etwas anderem an
stecken!«

»Ich weiß schon, wovon du redest; die Sache scheint dich sehr
zu beschäftigen. Das ist keine Krankheit, sondern ein geheimes
Laster.«

»Ich schlag' dir ins Gesicht, Goschka, für solche Worte, wage nicht,
einen Kameraden zu beleidigen, verdammter Lügner!«

»Ich habe ja nur gescherzt, beruhige dich doch. Was ich noch sagen wollte: ich habe in Paschinsk wie ein Fürst gelebt. In Paschinsk
hielt ein Durchreisender einen Vortrag über ›Die Befreiung der
Persönlichkeit!‹ Sehr interessant. Mir hat es gut gefallen. Ich will
Anarchist werden. Alle Kraft, sagte er, ist in uns. Im Geschlecht
und im Charakter kommt die animalische Energie zum Ausdruck.
Das war ein rechtes Wunderkind! Ich bin vollkommen verwirrt.
Und dabei brüllt die Menge, daß man sein eigenes Wort nicht
versteht. Man ist richtig betäubt. Ich kann nicht mehr, Tereschka,
halt's Maul, sag' ich!«

»Du, Goschka, nur das noch! Ich kenne den sozialistischen Wortschatz noch nicht genau. Was bedeutet zum Beispiel der Ausdruck ›Saboteure‹?«

»Ach, laß mich in Ruhe. Ich bin Fachmann in diesen Dingen, Tereschka, aber jetzt habe ich zuviel getrunken. Ein Saboteur ist ein
Angehöriger einer Clique. Verstanden, du Esel?«

»Dacht' ich mir's doch, daß es ein Schimpfwort ist. Aber was die
animalische Energie betrifft, so hast du vollkommen recht. Ich
habe auf eine Anzeige hin mir aus Petersburg einen elektrischen
Gürtel kommen lassen. Um die Kräfte zu steigern. Per Nach-
nahme. Aber dann kommt plötzlich ein neuer Umsturz, und man
hat keine Zeit mehr, an Gürtel zu denken!«

Teréntij hatte noch nicht zu Ende gesprochen, als der Tumult
betrunkener Stimmen im Donner einer unfernen Explosion unter-
ging. Einen Augenblick lang war Ruhe an den Tischen. Dann erhob der Lärm sich von neuem, nur noch verworrener und betäu-
bender als vorher. Einige sprangen von ihren Plätzen auf. Wer
seiner Sinne noch mächtig war, hielt sich schwankend aufrecht,
andere taumelten und suchten davonzulaufen, aber ihre Beine versagten, und sie rollten unter den Tisch und fingen sofort an zu
schnarchen. Weiber kreischten. Es war eine richtige Panik.

Wlas Pachómytsch ließ seine Blicke umherschweifen, um die

Ursache des Getöses zu entdecken. Anfangs glaubte er, der furchtbare Krach wäre in nächster Nähe bei Kutéinyj, vielleicht sogar nicht einmal weit von den Tischen entfernt ausgelöst worden. Sein Hals schwoll dick an, sein Gesicht wurde puterrot, und er brüllte aus voller Kehle:

»Wer war der Judas, der sich in unsere Reihen drängte, um hier Unfug zu treiben? Welcher Hundesohn spielt hier mit Granaten? Mit meinen eigenen Händen werde ich den Kerl erwürgen, selbst wenn es mein Sohn ist. Wir dulden solche Scherze nicht, Bürger! Ich fordere eine sofortige Untersuchung. Wir werden das Dorf Kutéinyj Possád umzingeln und den Provokateur fangen! Der Bursche darf uns nicht entwischen!«

Anfangs hörte man auf ihn, dann wurde die Aufmerksamkeit abgelenkt durch eine dunkle Rauchsäule, die aus dem Amtsbezirksgebäude von Jermoláy langsam gen Himmel stieg. Alle liefen dem Abhang zu, um zu sehen, was geschehen war.

Aus dem brennenden Jermoláyewschen Amtsgebäude stürzten einige halbnackte Rekruten, barfuß der eine und nur mit einer hastig übergestreiften Hose bekleidet, und ihnen nach Oberst Strese und die anderen Mitglieder der Kommission. Durch das Dorf sprengten Kosaken und berittene Miliz mit geschwungenen Knuten, hochaufgerichtet auf ihren schlanken Gäulen, deren federnde, geschmeidige Bewegung an Schlangenleiber denken ließ. Irgend jemand wurde verfolgt. Auf dem Wege nach Kutéinyj drängte sich das Volk, und der brausende Ton der Glocken von Jermoláy jagte hinter den Fliehenden her.

Die Ereignisse folgten mit erschreckender Geschwindigkeit aufeinander. Strese setzte bis in die Dämmerung hinein seine Aktion fort und rückte mit seinen Kosaken gegen das benachbarte Kutéinyj vor. Nachdem er das Dorf mit seinen Truppen eingekreist hatte, wurde jedes Haus und jeder Hof genau durchsucht.

Um diese Zeit war die Hälfte derjenigen, die geehrt werden sollten, sozusagen total fertig, nachdem sie sich derart betrunken hatten, daß sie außerstande waren, einen Finger zu rühren; sie schliefen, die Köpfe an die Tischränder gestützt, sie lagen unter den Tischen, auf der bloßen Erde. Es war schon dunkel, als bekannt wurde, daß die Miliz ins Dorf eingedrungen sei.

Einige junge Burschen stürzten voll Angst vor der Miliz durch die Hinterhöfe fort, drängten einander mit Stößen und Püffen und verkrochen sich in der ersten besten Scheune. In der Dunkelheit war nicht festzustellen, wessen Scheune es war, aber nach dem Fisch- und Petroleumgeruch zu urteilen, war es ein Vorratsraum des ›Konsums‹.

Keiner der jungen Männer hatte etwas auf dem Gewissen. Es war eigentlich nur ein Versehen, daß sie nach einem Unterschlupf gesucht hatten. In ihrer Dummheit und Besoffenheit waren sie blindlings davongestürzt. Einigen wurde wieder schlecht, und sie mußten sich erbrechen. Es herrschte vollkommene Finsternis, und der Gestank benahm einem den Atem. Die zuletzt hereingekrochen waren, hatten die Öffnung mit Erde und Steinen verstopft, damit das Loch sie nicht verriet. Dann hörte das Schnarchen und Stöhnen der Betrunkenen auf. Es war totenstill. Alle schliefen ruhig. Nur aus einer Ecke drang leises Flüstern: dort lagen Teréntij Galusin, der zu Tode erschrocken war, und der Raufbold und Schläger aus Jermoláy, Kosjka Nechwalénych.

»Sei doch still, du Rotznase, du wirst uns alle noch verraten! Hörst du denn nicht, wie Streses Leute hinter uns her sind? Jetzt haben sie die Straße verlassen und kommen über den Hof. Gleich sind sie hier. Still, keinen Laut, sonst erwürge ich dich! – Na, dein Glück, jetzt sind sie vorüber. Welcher Satan hat dich eigentlich hierhergeführt? Und warum versteckst du Dummkopf dich? Kein Mensch hätte dir ein Haar gekrümmt.«

»Ich hörte Goschka brüllen: ›Versteck dich, Idiot!‹ Da bin ich hergekrochen.«

»Goschka, das ist eine andere Sache. Die Rjabychs stehen auf der Liste, sie sind nicht zuverlässig. Sie haben Verwandte in Chodátskoje. Lieg still, Rindvieh. Überall haben sie hingekotzt. Wenn du dich bewegst, wirst du uns beide besudeln. Merkst du denn nicht, wie es stinkt? Warum schleicht Strese nur durch das Dorf? Wahrscheinlich sucht er die Pashinskis. Es sind Flüchtlinge.«

»Sag, Kosjka, was ist denn eigentlich geschehen?«

»Sanjkas wegen kam alles auf – wegen Sanjka Pafnutkin. Wir stehen da alle nackt in einer Reihe. Er ist dran. Und er will sich nicht ausziehen. Sanjka war schon betrunken in das Amtszimmer gekommen. Der Schreiber sagt zu ihm: ›Ziehen Sie sich aus‹, höflich: ›Sie‹. Der Militärschreiber! Sanjka aber fährt ihn grob an: ›Ich zieh’ mich nicht aus! Ich denke nicht daran, Teile meines Körpers allen zu zeigen.‹ Als würde er sich schämen. Und dann geht er unauffällig auf den Schreiber zu, so als habe er gar nichts im Sinn, und schlägt ihm ins Gesicht. Jawohl! Und was denkst du geschah dann. Wir hatten kaum Zeit, einmal Atem zu holen, als Sanjka sich schon gebückt, den kleinen Kanzleitisch am Bein gepackt und ihn mit allem, was darauf lag, mit dem Tintenfaß und den Militärlisten, auf den Fußboden geschleudert hatte. In der Tür des Verwaltungsamts steht Strese. Er brüllt: ›Ich dulde hier keine Unordnung; ich komme euch schon mit eurer unblutigen Revolution und eurer Mißachtung der Gesetze in Amtsräumen. Wer war der Urheber?‹

Schon ist Sanjka am Fenster. ›Gewalt‹, schreit er, ›nehmt eure Kleider auf! Wir sind verloren...‹ Ich greife mir also meine Kleider, zieh' mich im Laufen an – und bin bei Sanjka. Sanjka zertrümmert mit der Faust die Fensterscheibe und ist mit einem Sprung auf der Straße; ich ihm nach. Und noch einige. Dann sind wir gerannt und gerannt, die Verfolger immer auf den Fersen. Wenn du mich fragst, warum alles so gekommen ist – ich habe keine Ahnung.«

»Aber die Bombe?«

»Welche Bombe?«

»Wer hat denn die Bombe geworfen? Wenn nicht die Bombe – so die Granate?«

»Mein Gott, wir sind es bestimmt nicht gewesen!«

»Wer denn sonst?«

»Wie soll ich das wissen? Irgend jemand. Er sieht, da geht alles durcheinander, und denkt: ›Holla, bei der Gelegenheit könnte man das Bezirksamt in die Luft jagen.‹ Mich trifft kein Verdacht. Sicherlich war es ein politischer Agent, und von denen gibt es hier in Páshinsk mehr als genug. Ruhe jetzt! Halt's Maul! Stimmen. Hörst du? Da sind sie wieder. Jetzt ist es aus mit uns. Keinen Laut, hab' ich gesagt!«

Die Stimmen kamen immer näher. Man hörte das Knarren der Stiefel und das Geklirr der Sporen.

»Keinen Widerspruch. Mich haut ihr nicht übers Ohr. Ich bin sicher, hier Worte gehört zu haben«, ließ sich die Stimme des Obersten herrisch vernehmen.

»Euer Exzellenz haben ohne Zweifel richtig gehört«, versuchte ihn der Dorfälteste von Malojermolájewsk, der Fischhändler Otwjashístin, zu beruhigen. »Kein Wunder, wenn irgendwo gesprochen wird. – Wir sind in einem Dorf und nicht auf dem Friedhof. Es ist sehr gut möglich, daß irgendwo gesprochen wurde. In den Häusern wohnen schließlich nicht nur stumme Kreaturen. Vielleicht hat auch ein Hausgeist irgend jemanden im Schlafe gepeinigt.«

»Ganz bestimmt! Ich werde euch lehren, die unschuldigen Waisenknaben zu spielen. Hausgeist! Ihr werdet euch selbst demnächst mit eurem Gefasel zum Bolschewismus überreden. Ein Hausgeist!«

»Aber bedenken Sie doch, Exzellenz, das hier sind alles Dummköpfe, Trottel, buchstäblich Hinterwäldler. Sogar im Gesangbuch können sie kein Wort richtig lesen. Was haben die mit den Bolschewisten und der Revolution zu schaffen!«

»So redet ihr immer, bis man euch schließlich am Wickel hat. Hausdurchsuchung in sämtlichen Räumen des ›Konsums‹. Vom Keller zum Dach! Alle Truhen und Kisten kontrollieren! Unter den Pritschen nachsehen! Auch die anliegenden Gebäude werden durchsucht.«

»Zu Befehl, Exzellenz!«

»Daß ihr mir den Pafnutkin, Rjabych, Nechwalénych herschafft, tot oder lebendig! Und wenn ihr sie vom Meeresboden holen müßt. Und diesen jungen Hund, den Galusin! Väterchens patriotische Reden sind mir vollkommen gleichgültig. Er glaubt, daß er uns damit irreführen kann. Im Gegenteil. Das macht uns nur hellhörig. Wenn der Krämer anfängt, Reden zu schwingen, ist Vorsicht geboten. Nichts ist verdächtiger, nichts naturwidriger. Wir haben geheime Mitteilung erhalten, daß er auf seinem Hof in Krestodwíshensk politische Verbrecher verborgen hält und geheime Versammlungen stattfinden läßt. Daß mir der Kerl nicht entwischt! Ich weiß noch nicht, was ich mit ihm machen werde, aber wenn irgend etwas nicht stimmt, dann lasse ich ihn augenblicklich hängen, den anderen zur Lehre.«

Die Soldaten zogen weiter. Als sie schon eine ziemliche Strecke entfernt waren, fragte Kosjka Nechwalénych den vor Schreck halbtoten Terjóscha Galusin:

»Hast du gehört?«

»Ja«, flüsterte Teréntij verstört.

»Jetzt haben wir nur noch einen Ausweg: mit Sanjka und Goschka direkt in den Wald. Ich sage nicht, daß es für immer ist. Bis sie wieder Vernunft angenommen haben. Dann wird es sich zeigen, ob wir wieder zurückkehren können.«

Waldwehr

I

Jurij Andréitsch war bereits seit zwei Jahren Gefangener der Partisanen. Die Grenzen seiner Unfreiheit waren recht weit gesteckt. Kein Gitter umschloß den Ort seiner Gefangenschaft, und niemand bewachte oder beobachtete ihn. Das Partisanenheer war die ganze Zeit über in Bewegung. Jurij Andréitsch machte alle Vormärsche und Rückzüge mit. Wenn das Heer durch besiedeltes Gebiet zog, so wahrte es keineswegs strenge militärische Ordnung, sondern mischte sich unbedenklich unter das Volk und löste sich in ihm auf.

Man hätte vermuten können, daß es Abhängigkeit und Gefangenschaft für den Doktor überhaupt nicht gab, daß er frei sei, aber sich seiner Freiheit nicht zu bedienen wisse. Seine Abhängigkeit unterschied sich in nichts von den anderen Arten der Unfreiheit und des Zwangs, die das Leben belasten; auch sie bleiben oft unsichtbar und erscheinen unwirklich, traumhaft. Obwohl es keine Fesseln, keine Ketten und keine Wachmannschaft gab, war der Doktor gezwungen, sich mit seiner Unfreiheit abzufinden, die nicht eingebildet war, obwohl es den Anschein hatte.

Drei Versuche, den Partisanen zu entfliehen, führten jedesmal zu seiner Festnahme. Doch wurden diese Fluchtversuche ihm nicht zur Last gelegt. Immerhin war es ein Spiel mit dem Feuer, und er ließ davon ab.

Der Partisanenführer Liberij Mikulízyn ließ ihn in allem gewähren; er erlaubte ihm, in seinem Zelt zu übernachten, und schätzte seine Gesellschaft. Jurij Andréitsch litt unter dieser erzwungenen Vertraulichkeit.

II

Es war zu der Zeit, als die Partisanen in fast ununterbrochener
Bewegung ostwärts vordrangen. Zuweilen fanden ihre Aktionen
nach einem regelrechten Angriffsplan statt; dann wieder, wenn die
Weißen die Partisanen umgingen und den Versuch machten, sie
einzukesseln, wurde der Marsch nach Osten zu einem Rückzug.
Der Doktor vermochte den Sinn des Ganzen lange Zeit nicht
zu erfassen.
Die kleinen Städte und Dörfer entlang der großen Heerstraße, die
dieser Bewegung ihre Richtung vorschrieb, waren, je nachdem
es das Kriegsglück wollte, bald in den Händen der Weißen, bald
in denen der Roten. Nach ihrem Aussehen hätte man nicht
bestimmen können, wer gerade in ihnen herrschte.
Während die Bauernwehr durch diese Städte und Dörfer zog,
schien alles zu vollkommener Unscheinbarkeit herabzusinken. Die
Häuser zu beiden Seiten der Straße waren gleichsam verschwunden
und aufgesogen, während die Reiter, deren Pferde durch den Dreck
stapften, die Kanonen und die sich drängenden Schützen von der
Bewegung emporgehoben wurden und die Häuser überragten.
Eines Tages hatte der Doktor in einem dieser Städtchen einen Vorrat erbeuteter englischer Medikamente übernehmen können, die
hier beim Rückzug des Kappelschen Offizierskorps liegengeblieben
waren.
Es war ein dunkler, regenschwerer Tag, der nur zwei Farben trug.
Was vom Licht berührt wurde, war weiß, alles andere lag in tiefem
Schwarz. Auch in die Seele war dieses dichte Dunkel gedrungen,
und kein farbiger Schimmer, kein Lichtschein hatte sich ihm gegen-
über behaupten können.
Der durch die häufigen Truppenbewegungen aufgewühlte Weg
glich einem schwarzen Strom, der nur an wenigen Stellen trockenen
Fußes zu passieren war. Die Übergänge lagen so weit voneinander
entfernt, daß man oft große Umwege machen mußte, um von einer
Seite auf die andere zu gelangen. An diesem Tage begegnete der
Doktor in Páshinsk seiner Reisegefährtin von einst, Pelagéja
Tjagunóva.
Sie erkannte ihn zuerst. Er vermochte sich dieser Frau, deren
Gesicht ihm vertraut war, nicht gleich zu entsinnen, während sie
ihm über den Weg, wie von einem Kanalufer zum andern, mit

ihren Blicken zuzuwinken schien, entschlossen, ihn zu begrüßen, wenn er sie erkennen würde, und bereit, sich wortlos zurückzuziehen, wenn er ihr keine Aufmerksamkeit schenken sollte.

Einen Augenblick später war ihm alles wieder gegenwärtig: der überfüllte Güterwagen, die zum Arbeitsdienst gezwungenen Leute, ihre Bewachungsmannschaft und die eine Reisende, deren Zöpfe über die Brust herabhingen. Und inmitten dieses unerwarteten Bildes sah er die Seinen. Alle Einzelheiten des im vorletzten Jahr unternommenen Familienumzuges standen deutlich vor seinem Auge. Lauter vertraute Gesichter, nach denen er sich schmerzlich zurückgesehnt hatte. Nun sah er sie lebendig vor sich.

Mit einem Kopfnicken bedeutete er der Tjagunóva, sie möge die Straße hinaufsteigen bis zu der Stelle, wo einige Steine aus dem Schmutz aufragten; auch er ging auf diese Stelle zu und begrüßte sie.

Sie hatte ihm viel zu erzählen. Sie erinnerte ihn an den zum Arbeitsdienst gezwungenen hübschen und unverdorbenen Jungen Wassja, der mit ihnen zusammen im gleichen Güterwagen gereist war. Sie schilderte dem Doktor ihr Leben im Dorfe Weretenniki bei Wassjas Mutter. Sie hatte es dort sehr gut gehabt. Aber im Dorf mißtraute man ihr als einer Fremden und Zugereisten, verleumdete sie und behauptete schließlich, sie habe intime Beziehungen zu Wassja unterhalten. Sie mußte den Ort verlassen, weil man sie fast totgeschlagen hätte. Sie hatte sich dann in der Stadt Krestowosdwíshensk bei ihrer Schwester Olga Galusina eingerichtet. Das Gerücht, man habe Prituljew hier gesehen, hatte sie hergelockt. Die Nachricht hatte sich aber als falsch erwiesen, und so war sie in Páshinsk geblieben und hatte auch eine Arbeit gefunden.

Inzwischen war schweres Unheil über die Menschen gekommen, die ihr nahestanden. Sie hatte erfahren, daß das Dorf Wreténnikov wegen nicht erfolgter Getreideablieferungen bestraft und eingeäschert worden war. Von Birykins Haus standen nur noch die Grundmauern; irgend jemand aus Wassjas Familie sollte ums Leben gekommen sein. In Krestowosdwíshensk hatte man Haus und Habe der Galusins beschlagnahmt. Von dem Schwiegersohn hieß es, er sei im Gefängnis oder vielleicht sogar standrechtlich erschossen worden, während der Neffe spurlos verschwunden war. In der ersten Zeit wäre Schwester Olga fast verhungert; nun aber arbeitete sie im Hause von Verwandten, die für sie sorgten.

Der Zufall wollte es, daß die Tjagunóva als Putzfrau in der Páshinsker Apotheke angestellt wurde, deren Medikamente der Doktor demnächst übernehmen sollte. Für alle, die in der Apotheke arbeiteten, nicht zuletzt für die Tjagunóva, war diese Maßnahme ein Verhängnis. Aber der Doktor konnte nichts daran ändern. Die Tjagunóva war dabei, als die Medikamente ihm übergeben wurden. Der Bauernwagen Jurij Andréitschs hielt auf dem Hinterhof der Apotheke vor der Tür des Lagerhauses. Ballen, große Flaschen in Weidenkörben und Kisten wurden herangeschleppt.

Von seinem Stall aus schaute der hagere und elende Gaul des Apothekers dem traurigen Geschäft zu. Der Regentag neigte sich dem Abend zu. Der Himmel riß auf, und für einen Augenblick löste sich die untergehende Sonne aus der Umklammerung der Wolken. Ihre Strahlen sprühten in Bronzegarben in den Hof und ließen die Jauchepfützen dunkel erglühen. Ein leichter Wind strich über die reglosen Lachen hin. Aber das Wasser, das nach dem Regen auf der Chaussee stehengeblieben war, kräuselte sich in zinnoberroten Wellen.

Die Truppen marschierten am Rande der Straße. Sie umgingen die tiefsten Pfützen und Wasserlöcher oder fuhren darum herum. Unter den beschlagnahmten Arzneien befand sich auch ein ganzes Glas voll Kokain, das der Partisanenführer neuerdings schnupfte.

III

Der Doktor hatte im Partisanenheer sehr viel zu tun. Im Winter hatte er vornehmlich Flecktyphus zu behandeln, im Sommer Dysenterie, an Kampftagen außerdem zahlreiche Verwundete.

Trotz der Mißerfolge und zahlreichen Rückzüge wurden die Reihen der Partisanen ununterbrochen aufgefüllt durch neu hinzukommende Aufständische, aber auch durch Überläufer aus dem feindlichen Lager. Während der anderthalb Jahre, die der Doktor Gefangener der Partisanen war, hatte sich das Heer verzehnfacht. Als auf der Sitzung des illegalen Stabes in Krestowosdwíshensk Liberij Mikulízyn die Stärke seiner Truppen angab, hatte er in Übertreibung ungefähr die zehnfache Anzahl angegeben. Nun waren die damals genannten Zahlen tatsächlich erreicht.

Jurij Andréitsch hatte jetzt Gehilfen, einige frischbackene Sanitäter mit entsprechenden Erfahrungen. Seine beiden Assistenten waren der ungarische Kommunist und kriegsgefangene Militärarzt Kerényi Lajos, der im Lager nur der »bellende Genosse« genannt wurde, und der Wundarzt Angeljar, ein Kroate, ebenfalls Kriegsgefangener. Mit Lajos konnte Jurij Andréitsch deutsch sprechen, Angeljar war in der Lage, sich russisch zu verständigen.

IV

Die Internationale Rote-Kreuz-Konvention sieht vor, daß Militärärzte und Angestellte im Sanitätswesen nicht das Recht haben, bewaffnet an Kriegshandlungen teilzunehmen. Doch einmal mußte der Doktor, entgegen seinem Willen, dieses Gebot übertreten. Während eines Scharmützels war er gezwungen, das Schicksal der Kämpfenden zu teilen und Feuer zu geben.

Die Partisanen lagen am Rande eines Wäldchens in Deckung. Vom Feuer überrascht, warf sich der Doktor neben einem Funker auf die Erde. Die Partisanen hatten die Taiga im Rücken, vor sich das weite, kahle Feld, in dem die Weißen ihren Angriff vortrugen. Sie waren bereits so nah herangekommen, daß der Doktor ihre Gesichter unterscheiden konnte. Es waren meist Knaben und junge Männer aus den bürgerlichen Gesellschaftskreisen der Hauptstadt und einige ältere Männer, die als Reservisten eingezogen worden waren. Aber der Ton wurde von der Jugend angegeben, von Studenten, die vielleicht im ersten Semester standen, und von Gymnasiasten der achten Klasse, die sich vor kurzem als Freiwillige gemeldet hatten.

Der Doktor kannte keinen von ihnen; aber die Gesichter schienen ihm vertraut, als habe er sie früher schon gesehen. Manche erinnerten ihn an seine ehemaligen Schulkameraden. Vielleicht waren es deren jüngere Brüder? Andere glaubte er in früheren Jahren irgendwo im Theater gesehen zu haben oder im Vorübergehen auf der Straße. Ihren ausdrucksvollen, sympathischen Gesichtern fühlte er sich verwandt.

Ihre Jugend und ihre hohe Vorstellung von Pflicht begeisterten sie zu einem Heroismus, der die Gefahr herausforderte. Sie gingen in aufgelöster Kampfordnung vor, aufrecht und stolz und kühner als die Offiziere der Garde; sie spielten mit der Gefahr, und sie suchten nicht, sie durch schnellen Lauf zu vermeiden. Sie warfen sich nicht einfach auf den Boden, obwohl es dort Unebenheiten, kleine Erdhügel und Erdhaufen genug gab, hinter denen man in Deckung hätte gehen können. Die Kugeln der Partisanen mähten fast alle, Kopf für Kopf, hinweg.

Mitten in dem weiten, kahlen Felde, auf dem die Weißen angriffen, stand ein halbverkohlter, abgestorbener Baum. Vielleicht war er durch Blitzschlag in Brand geraten oder durch ein Lagerfeuer, oder in früheren Gefechten versengt und zerschossen worden. Jeder der vorstürmenden Freiwilligen warf dem Baum einen flüchtigen Blick zu und kämpfte mit der Versuchung, hinter dem Stamm Deckung zu suchen, um ungefährdet auf den Gegner zu zielen, aber alle widerstanden der Versuchung und gingen mutig voran.

Die Partisanen verfügten nur über einen kleinen Vorrat an Patronen. Es mußte also gespart werden, und die Schützen folgten dem Befehl, nur auf kurze Entfernungen zu feuern und auf jedes Ziel nur einen Schuß abzugeben.

Der Doktor lag ohne Waffe im Grase und beobachtete den Fortgang des Kampfes. Seine ganze Teilnahme war auf seiten der Jungen, die wie Helden in den Tod gingen. Von ganzem Herzen wünschte er ihnen den Sieg. Fast alle kamen aus Familien, die ihm geistig nahestanden. Sie waren erzogen wie er und ihm verwandt in ihrer moralischen Haltung und ihren Vorstellungen.

Einmal fuhr ihm der Gedanke durch den Kopf, seine Stellung zu verlassen, hinüberzulaufen, sich ihnen zu ergeben und so die Freiheit zu gewinnen. Aber das schien ihm zu gefährlich.

Man hätte ihn, ehe er mit erhobenen Händen in der Mitte des Feldes angelangt wäre, von beiden Seiten getroffen, durch Schüsse in die Brust und in den Rücken; seine eigenen Leute zur Strafe für den begangenen Verrat, die andern, weil sie seine Absichten nicht kannten. Er hatte sich mehr als einmal in ähnlicher Lage befunden und alle Möglichkeiten durchdacht und schon längst eingesehen, daß diese Fluchtpläne Hirngespinste waren. So überließ er sich seinen zwiespältigen Empfindungen und lag da, das Gesicht der Lichtung zugekehrt, und folgte, waffenlos, aus dem Grase dem Verlauf des Gefechts.

Aber tatenlos zu beobachten und abzuwarten in einem Kampf auf Leben und Tod, war undenkbar und überstieg die menschlichen Kräfte. Hier ging es nicht darum, einer bestimmten Partei die

Treue zu halten, zu der er durch seine Gefangennahme gezwungen war. Es ging auch nicht um Selbstverteidigung, sondern alles vollzog sich in der Ordnung des Geschehens, nach dem Gesetz dessen, was sich vor ihm und um ihn her abspielte. Es hätte den Regeln nicht entsprochen, teilnahmslos zuzuschauen. Man mußte tun, was die andern taten. Der Kampf war im Gange. Auf ihn und auf seine Kameraden wurde geschossen. So mußte er denn das Feuer erwidern.

Als der Nachrichtenmann neben ihm krampfartig aufzuckte und dann sich langstreckte und erstarrt und bewegungslos dalag, kroch Jurij Andréitsch zu ihm hinüber, nahm ihm den Beutel und das Gewehr ab, kehrte auf seinen früheren Platz zurück und löste nun einen Schuß nach dem anderen.

Aber sein Mitgefühl hinderte ihn, auf die jungen Leute zu zielen, an denen sein Herz hing und die er bewunderte. Ziellos in die Luft zu knallen, wäre töricht gewesen. So wählte er denn jene Augenblicke, da sich zwischen ihm und seinem Ziel kein Angreifer befand, und feuerte auf den dürren, versengten Baum. Das Gewehr im Anschlag, ließ er die Finger mit dem Abzug spielen, bis der Druckpunkt erreicht war und sich der Schuß nun gleichsam von selbst löste, um von dem toten Baum die unteren, dürren Äste abzureißen.

Aber wie sehr er auch achtgab, niemanden zu treffen, es kam doch immer wieder vor, daß sich bald dieser, bald jener Angreifer im entscheidenden Augenblick zwischen ihm und dem Baum bewegte und die Schußlinie durchquerte. Zwei Mann verwundete er leicht; ein dritter aber sank tödlich getroffen unter dem Baum zu Boden.

Endlich schien sich der Befehlshaber der Weißen von der Zwecklosigkeit des Versuches überzeugt zu haben, und man ordnete den Rückzug an.

An dieser Stelle waren nur wenige Partisanen eingesetzt. Das Gros ihrer Streitkräfte befand sich teils im Vormarsch, teils im Kampf irgendwo gegen größere Verbände des Gegners. Die Abteilung verfolgte die Zurückweichenden nicht, um ihre eigene geringe Zahl nicht zu verraten.

Der Wundarzt Angeljar führte zwei Sanitäter mit Tragbahren zur Lichtung. Der Doktor befahl, sich der Verwundeten anzunehmen, während er zu dem bewegungslos daliegenden Funker ging. Er hegte die vage Hoffnung, jener würde vielleicht noch atmen, und er würde ihn retten können. Aber der Funker war tot, und um sich davon zu überzeugen, öffnete Jurij Andréitsch das Hemd und legte das Ohr an die Brust des Mannes und horchte sein Herz ab. Es schlug nicht mehr.

Um den Hals trug der Tote an einer Schnur ein Amulett. Jurij Andréitsch knüpfte es ab. Er fand darin in ein Läppchen eingenäht ein vergilbtes Blatt, dessen Ränder zerschlissen waren. Der Doktor entfaltete die auseinanderfallenden Fetzen.

Das Papier enthielt Auszüge aus dem neunzigsten Psalm mit jenen Veränderungen, wie sie das Volk in seinen Gebeten vorzunehmen pflegt, die sich immer mehr von der Urschrift entfernen. Der kirchenslawische Text war ins Neu-Russische übersetzt.

Ursprünglich hieß es im Psalm: ›Wer unter dem Schirm des Höchsten wohnt‹, aber in der Übersetzung stand ›lebendiger Schutz‹, und dies war gleichsam zum Leitwort des kleinen Gebets geworden. Der Vers des Psalms ›du fliehst nicht den Pfeil, der am Tage fliegt‹, war umgedichtet worden zu einem Wort der Ermunterung: ›Fürchte nicht den fliegenden Pfeil des Krieges.‹ Hieß es im Psalm: ›Ich bin bei ihm in der Not, und ich will ihm heraushelfen . . .‹, so stand auf dem Zettel zu lesen: ›Herr, hilf mir aus aller Not.‹

Psalmworte hielt man für ein wundertätiges Mittel, um die Kugeln abzuwehren. Die Soldaten trugen diese Beschwörungsformeln bereits im Kriege von 1914 als Talisman mit sich herum. Später nähten die Gefangenen solche Zettel in ihre Kleider ein, und die Sträflinge wiederholten die Worte im stillen, wenn sie in der Nacht zum Verhör geführt wurden.

Jurij Andréitsch verließ den Funker und ging auf das Feld zu dem Weißgardisten, den er erschossen hatte. Das schöne Gesicht des Jünglings trug noch die Züge der Unschuld und eines alles verzeihenden Leidens. ›Warum habe ich ihn getötet?‹ dachte der Doktor. Er knöpfte den Mantel des Toten auf und breitete ihn auf dem Boden aus. In das Futter hatte eine liebende Hand, vielleicht die Mutter, in sorgfältigen schönen Buchstaben den Namen eingenäht: »Serjoscha Rancéwitsch«.

Durch den Schlitz in Serjoschas Hemd war ein Kreuzlein an einer Kette herausgefallen, ein Medaillon, und noch irgendein flaches, goldenes Etui oder eine kleine Büchse, deren Deckel durch einen Nagel eingedrückt zu sein schien. Das Etui war halb geöffnet. Ein zusammengefaltetes Papier fiel heraus. Der Doktor öffnete es und glaubte seinen Augen nicht zu trauen: es war derselbe neunzigste Psalm, aber abgedruckt im vollständigen slawischen Text des Originals.

In diesem Augenblick stöhnte Serjoscha auf und reckte sich. Er lebte. Wie der Doktor später feststellte, war er bewußtlos durch eine innere Quetschung. Die Kugel war am Amulett der Mutter abgeprallt, und das hatte ihn gerettet. Was sollte aber nun mit dem besinnungslos Daliegenden geschehen?

Um diese Zeit hatte die Grausamkeit der Kämpfenden ihren Höhepunkt erreicht. Gefangene wurden, noch bevor sie ihren Bestimmungsort erreicht hatten, kurzerhand umgebracht. Dem verwundeten Feind gegenüber gab es kein Erbarmen.

Da die Zusammensetzung des Partisanenheeres sich fortwährend veränderte, indem ununterbrochen Freiwillige sich der Truppe anschlossen, andere desertierten und zum Feinde übergingen, war es nicht schwer, Rancéwitsch für einen fahnenflüchtigen Gegner auszugeben, wenn nur das Geheimnis streng gewahrt wurde.

Jurij Andréitsch zog dem gefallenen Funker das Obergewand aus und kleidete mit Hilfe Angeljars, den der Doktor in seine Pläne einweihte, den bisher noch nicht wieder zum Bewußtsein erwachten Jüngling um.

Er und der Wundarzt pflegten den Verwundeten bis zu seiner Genesung. Als er wiederhergestellt war, ließen sie ihn laufen, obwohl er vor seinen Rettern keinen Hehl daraus machte, daß er in die Koltschakarmee zurückkehren und den Kampf gegen die Roten fortführen wolle.

V

Im Herbst hatten die Partisanen in der sogenannten ›Fuchsschleife‹, einem kleinen Walde auf einer Anhöhe, ihr Lager aufgeschlagen, das von drei Seiten vom Wasser eines schnell dahinfließenden, schäumenden Flüßchens umgeben war.

Vor den Partisanen hatten an dieser Stelle die Truppen Kappels überwintert. Sie hatten mit Hilfe der in der Umgebung wohnenden Bevölkerung die Stellung befestigt, waren aber dann im Frühjahr abgezogen. Nun hatten sich in den nicht gesprengten Schützengräben und Unterständen die Partisanen eingerichtet.

Liberij Averkjewitsch teilte seine Erdhütte mit dem Doktor. Es war schon die zweite Nacht, daß er ihn mit seinen Gesprächen unterhielt und ihn um den Schlaf brachte.

»Für mein Leben gern würde ich wissen, was mein hochzuverehrender Erzeuger, mein werter Vater, mein Herzenspapa, jetzt wohl treiben mag.«

Der Doktor seufzte still für sich: ›O Gott, wie sehr mir diese Bajazzomanier verhaßt ist! Dabei ist er das vollkommene Ebenbild seines Vaters!‹

»Soweit ich aus unseren früheren Unterhaltungen schließen konnte, hatten Sie Gelegenheit, Avertkij Stepanowitsch hinreichend kennenzulernen. Und Sie hatten, wie mir scheint, keine schlechte Meinung von ihm – nicht wahr, mein Verehrtester?«

»Liberij Averkjewitsch, morgen haben wir eine Wahlversammlung, die auf dem freien Platz stattfinden soll. Außerdem werden wir über die Sanitäter, die Schwarzbrennerei getrieben haben, zu Gericht sitzen müssen. Ich habe mit Kerényi Lajos noch nicht alle Beweisstücke beisammen. Wir wollen uns morgen noch darüber unterhalten. Zwei Nächte hindurch habe ich nicht geschlafen. Wollen wir unser Gespräch nicht auf später verschieben? Haben Sie ein Einsehen!«

»Ja, aber lassen Sie uns noch über Avertkij Stepanowitsch sprechen. Was halten Sie von meinem Alten?«

»Ihr Vater ist noch sehr jung, Liberij Averkjewitsch. Warum sprechen Sie so von ihm? Ich will Ihnen antworten. Ich habe Ihnen oft gesagt, daß ich mich in den verschiedenen Spielarten des Sozialismus schlecht auskenne und keinen großen Unterschied zwischen den Bolschewiki und den anderen Sozialisten sehe. Ihr Vater gehört zu den Leuten, denen Rußland die Unruhe und Verwirrung der letzten Zeit zu verdanken hat. Avertkij Stepanowitsch ist ein durchaus revolutionärer Charakter. Ebenso wie Sie ist er der Ausdruck des unruhigen, revolutionären Elements der russischen Seele.«

»Ist das nun ein Lob oder ein Tadel?«

»Ich bitte noch einmal, unsere Unterhaltung auf eine bequemere Stunde zu verlegen. Im übrigen möchte ich Ihre Aufmerksamkeit auf das Kokain lenken, das Sie wieder, ohne Maß zu halten, inhalieren. Sie eignen es sich selbstherrlich aus Beständen an, für die ich die Verantwortung trage. Wir brauchen es für andere Zwecke – ganz davon zu schweigen, daß es ein Gift ist und daß ich für Ihre Gesundheit verantwortlich bin.«

»Sie fehlten gestern wieder bei unserem politischen Schulungskurs. Ich stelle bei Ihnen eine Atrophie der sozialen Ader fest, wie bei Bauern, die des Lesens und Schreibens unkundig sind, oder bei unverbesserlich indolenten Kleinbürgern. Aber Sie sind Arzt, sind belesen, und es hat sogar den Anschein, daß Sie selbst an einem Buch schreiben. Erklären Sie mir bitte die Zusammenhänge.«

»Das kann ich nicht. Wahrscheinlich gehört nichts zusammen, da ist wohl nichts zu machen. Ich bin zu bedauern.«

»Ergebung ist schlimmer als Hochmut. Statt höhnische Reden zu führen, sollten Sie sich lieber mit dem Programm unserer Kurse vertraut machen und erkennen, daß Ihr Hochmut unangebracht ist.«

»Guter Gott, Liberij Averkjewitsch! Wie könnte ich hochmütig sein! Alle Achtung vor Ihrer erzieherischen Arbeit! Eine Übersicht der Fragen, die Sie behandeln, wird in jedem Tagesbefehl wiederholt. Ich habe sie gelesen. Ihre Gedanken über die geistige Entwicklung der Soldaten sind mir bekannt. Ich bin davon entzückt, was Sie über das Verhältnis des Kriegers der Volksarmee zu seinen Kameraden, zu den Schwachen und Hilflosen, zur Frau, zur Idee von Reinheit und Ehre sagen. Das sind ja genau die Prinzipien, auf die sich der Bund der ›Duchoborzen‹ beruft, diese Bruderschaft, die die Lehren Tolstois und die Idee einer menschenwürdigen Existenz verficht. In meiner Jugend habe ich mich viel mit diesen Gedanken beschäftigt. Wie sollte ich jetzt darüber spotten!

Die Ideen der allgemeinen Vervollkommnung, wie man sie seit dem Oktober propagiert, können mich nicht begeistern. Im übrigen sind wir von ihrer Verwirklichung noch weit entfernt. Für die bloße Phrase ist bis heute schon so viel Blut gezahlt worden, daß man wohl sagen kann, das Ziel rechtfertigt die Mittel nicht. Wenn ich von der Umgestaltung unseres Daseins reden höre, gerate ich in Verzweiflung und verliere die Gewalt über mich.

Umgestaltung des Daseins! So können nur Menschen reden, die vielleicht allerlei in ihrem Leben gesehen haben, die aber kein einziges Mal das Leben wirklich begriffen, den Geist des Lebens, seine Seele empfunden haben. Für sie ist das Dasein nur roher Stoff, der durch nichts veredelt wird und leblos daliegt, um von ihnen bearbeitet zu werden. Das Leben aber ist in Wirklichkeit niemals wesenlose Materie. Es ist, wenn ich es Ihnen denn sagen soll, das eine sich immer aus sich selbst erneuernde und umgestaltende Prinzip, das ohne unser Dazutun wirken wird bis in alle Ewigkeit.

Es ist unendlich erhaben über die Begriffe, die wir, Sie und ich, uns von ihm machen.«

»Dennoch aber könnte der Besuch unserer Versammlungen und der Umgang mit unseren prachtvollen, bewundernswürdigen Männern Ihre Stimmung, ich wage das zu behaupten, heben. Sie würden sich nicht mehr melancholischen Gedanken hingeben. Ich weiß schon, woher es kommt. Sie sind deprimiert, daß wir geschlagen werden, und Sie sehen vor sich nirgends Licht. Doch darf, lieber Freund, niemand sich selbst verwirren. Ich kenne Dinge, die um vieles schrecklicher sind, die mich persönlich berühren – zur Zeit darf davon nicht gesprochen werden –, und dennoch verliere ich meine Fassung nicht! Unsere Mißerfolge werden ein Ende haben. Koltschaks Untergang ist gewiß. Denken Sie an meine Worte. Sie werden sehen: wir siegen! Sie können beruhigt sein.«

Der Doktor dachte: ›Nein, so etwas ist wirklich unerhört! Welche Kurzsichtigkeit! Wie kindisch ist das alles. Ich wiederhole ihm immer wieder, daß unsere Anschauungen sich widersprechen; er hat mich mit Gewalt greifen lassen und hält mich mit Gewalt bei sich fest, und er bildet sich ein, seine Mißerfolge könnten mich irritieren, seine Berechnungen und Hoffnungen aber mir neuen Mut einflößen! Welche Verblendung! Die Interessen der Revolution und die Existenz des Sonnensystems sind ihm ein und dasselbe.‹

Jurij Andréitsch fuhr zusammen. Er antwortete ihm keine Silbe, zuckte nur mit den Schultern. Nicht im mindesten versuchte er zu verbergen, daß Liberijs Naivität das Maß seiner Geduld erschöpft hatte und daß er nur mit Mühe an sich halten konnte. Liberij bemerkte es.

»Jupiter, du zürnst, folglich bist du im Unrecht«, sagte er.

»Verstehen Sie, verstehen Sie doch endlich, daß das alles nichts für mich gilt: ›Jupiter‹, ›mich selbst verwirren‹, ›Wer A sagt, muß auch B sagen‹, ›Der Mohr hat seine Schuldigkeit getan, der Mohr kann gehen‹ – alle diese Banalitäten sind nicht für mich. Ich sage ›A‹, aber ich werde nicht ›B‹ sagen, und wenn Sie vor Ärger darüber zerplatzen! Ich lasse gelten, daß ihr die Fackel und die Befreier Rußlands seid, daß es ohne euch zugrunde gehen, in Armut und Unbildung ersticken würde – und dennoch geht ihr mich nichts an. Ich kümmere mich nicht um euch! Ich liebe euch nicht und wünsche euch alle zum Teufel.

Eure Lehrmeister treiben Schindluder mit Sprichwörtern, aber den wichtigsten Spruch haben sie vergessen: ›Mit Gewalt erreicht man keine Liebe!‹ Und so haben sie sich daran gewöhnt, jene zu befreien und zu beglücken, die darum nicht bitten. Sicherlich bilden Sie sich ein, daß es für mich keinen besseren Fleck auf der Erde gibt als euer Lager und eure Gesellschaft. Ich müßte euch noch dafür segnen und euch danken, daß ihr mich gefangengenommen habt, daß ihr mich von meiner Familie, von meinem Sohn, von meinem Hause, von meiner Arbeit, von allem, was mir teuer ist und wofür ich lebe, befreit habt.

Es geht das Gerücht, daß unbekannte, nichtrussische Truppen Warykino überrannt haben. Kamennodwórskij leugnet es nicht. Angeblich ist es meinen und Ihren Angehörigen gelungen, zu entkommen. Seltsame Gestalten mit schräggeschlitzten Augen, in wattierten Jacken und mit hohen Lammfellmützen sollen bei klirrendem Frost die Rynjwa überschritten haben. Ohne ein Wort zu sagen, hätten sie alles Lebendige in der Siedlung abgeknallt und wären dann auf ebenso rätselhafte Weise wieder verschwunden, wie sie aufgetaucht waren. Wissen Sie etwas darüber? Ist es wahr?«

»Blödsinn! Dummes Geschwätz! Von bösen Zungen verbreitete Erfindungen.«

»Wenn Sie so gut und großmütig sind, wie es in Ihren Abhandlungen über die sittliche Erziehung der Soldaten zu lesen steht, so lassen Sie mich doch frei. Ich werde mich auf die Suche nach den Meinen machen, von denen ich nicht einmal weiß, ob sie noch leben und wo sie sich aufhalten. Wenn Sie aber nicht so großmütig sind, so schweigen Sie endlich. Und lassen Sie mich in Ruhe. Alles andere interessiert mich nicht im mindesten. Ich stehe nicht mehr für mich ein. Und schließlich habe ich doch, der Teufel soll's holen, das gute Recht, schlafen zu wollen!«

Jurij Andréitsch legte sich mit dem Gesicht nach unten auf die Pritsche und drückte den Kopf in sein Kissen. Er bemühte sich mit aller Kraft, nicht hinzuhören, was Liberij zu seiner Rechtfertigung vorbrachte, der fortfuhr, ihn zu beruhigen: man würde die Weißen, wenn es erst Frühling sei, gewiß schlagen; der Bürgerkrieg würde zu Ende sein, und Freiheit und Wohlstand würden in die Welt zurückkehren. Dann würde niemand es wagen, den Doktor noch länger zurückzuhalten. Aber bis zu diesem Zeitpunkt müsse man durchhalten. Nach allem, was man erduldet habe, nach so vielen

Opfern, würde die Sehnsucht nach einem besseren Leben sich bestimmt erfüllen. Und wohin wolle sich der Doktor jetzt wenden? Zu seinem eigenen Besten geschehe es, daß man ihn jetzt nirgendwohin allein ziehen lasse.

Dreht er schon wieder seinen Leierkasten, der Satan! Daß er sich nicht schämt, jahrelang immer dasselbe zu quatschen! seufzte Jurij Andréitsch tief erzürnt. ›Dieser unglückselige Kokainist‹, dieser ›Goldmund‹ hat sich an seinem eigenen Geschwätz berauscht. Er kennt nicht die Nacht. An seiner Seite zu schlafen, überhaupt zu leben, ist unmöglich. Oh, wie ich ihn hasse, den Verfluchten! Gott ist mein Zeuge, irgendwann werde ich ihn erschlagen.

O Tonja, mein armes Mädchen! Ob du noch lebst? Wo bist du jetzt? O Gott, sie sollte doch schon längst das Kind zur Welt gebracht haben! Ist die Entbindung glücklich verlaufen? Was ist es, ein Knabe oder ein Mädchen? Ihr alle meine Lieben, wie mag es euch gehen? Tonja, du wirst mir ein ewiger Vorwurf sein, denn ich trage Schuld vor dir! Lara, ich fürchte, dich beim Namen zu nennen, um nicht zusammen mit deinem Namen meine Seele auszuhauchen, o Gott, o Gott! Und dieser da redet ohne Ende und will nicht aufhören – die verhaßte, gefühllose Bestie! Oh, irgendwann halte ich es nicht mehr aus und erschlage ihn, ich erschlage ihn!

VI

Der Altweibersommer war vorüber. Die klaren Tage des goldenen Herbstes waren da. Im westlichen Winkel der ›Fuchsschleife‹ ragte aus der Erde das hölzerne Türmchen eines erhalten gebliebenen Blockhauses der Freiwilligen. Jurij Andréitsch hatte sich hier mit Doktor Lajos, seinem Assistenten, verabredet, um einige allgemeine Dinge zu besprechen. Jurij Andréitsch war rechtzeitig erschienen. Er wandelte auf dem schmalen Rande eines eingestürzten Schützengrabens umher, ging in das Blockhaus und blickte durch die leeren Schießscharten eines Maschinengewehrstandes über den Fluß in die waldige Ferne.

Schon zog der Herbst wahrnehmbar zwischen Nadel- und Laubwald eine Grenze. Wie eine düstere, fast schwarze, stachelige Mauer stand der Nadelwald da, während die rotflammenden Laubkronen, die ihn überragten, an eine alte Burg mit goldenen Gemächern und schimmernden Fenstern erinnerten, die inmitten des Waldes aus den Stämmen seiner Bäume errichtet ist.

Auf der Sohle des Grabens, in dem der Doktor dahinschritt, in den Wagenspuren, die hart waren vom Frost, lagen hochaufgeschichtet die dunklen, schmalen, zu kleinen Röhren gedrehten Blätter einer nun kahlen Weide. Den bitteren Geruch des braunen Laubes mischte die Herbstluft mit den verschiedenartigsten Düften. Begierig atmete Jurij Andréitsch das würzige Aroma der bereiften Äpfel ein, er schmeckte die bittere Trockenheit der Luft und den Dunst, der mit den rauchigen Nebeln des Septembermorgens verschmolz und aufstieg wie Dampf über der frisch gelöschten Glut einer Brandstätte.

Jurij Andréitsch hatte nicht bemerkt, wie Lajos von hinten auf ihn zukam.

»Guten Tag, Herr Kollege«, begrüßte dieser ihn in deutscher Sprache. Das Gespräch wandte sich gleich dem Geschäftlichen zu.

»Wir haben drei Fragen zu behandeln. Erstens die Affäre mit den Schwarzbrennern; dann die Umgestaltung des Lazaretts und der Apotheke, drittens endlich, worauf ich bestanden habe, die ambulante Behandlung von Geisteskranken, soweit uns die Mittel zur Verfügung stehen. Vielleicht halten Sie das nicht für unbedingt notwendig, aber meinen Beobachtungen zufolge sind wir alle drauf und dran, den Verstand zu verlieren, mein lieber Lajos, die geistigen Störungen nehmen heute geradezu epidemische Formen an.«

»Die Frage ist sehr interessant. Ich komme später noch darauf zurück. Jetzt geht es um folgendes: Im Lager ist es unruhig. Das Schicksal der Schwarzbrenner ruft Teilnahme hervor. Auch regen sich viele über das Schicksal der Familien auf, die vor den Weißen aus ihren Dörfern geflohen sind. Ein Teil der Partisanen weigert sich, einen Vorstoß aus dem Lager zu machen, weil Transportwagen mit ihren Weibern, Kindern und Greisen unterwegs sind.«

»Ja, man wird abwarten müssen.«

»Und dies alles kurz vor der Wahl eines Oberkommandierenden, dem auch die anderen, uns nicht unterstellten Abteilungen verantwortlich sein sollen. Ich bin der Meinung, Genosse Liberij ist der einzige Kandidat, der in Frage kommt. Eine Gruppe von Jugendlichen wünscht einen anderen, nämlich Wdowitschénko; für diesen stimmt auch der nichtkommunistische Flügel, der mit den Schwarzbrennern gemeinsame Sache macht. Kinder von Kulaken und

Kleinhändler, Deserteure der Koltschakarmee sind dabei: sie machen den größten Lärm.«

»Was wird aus den Sanitätern, die den Sprit gebrannt und verkauft haben?«

»Ich meine, man wird sie zum Tode durch Erschießen verurteilen, aber begnadigen und ihnen Strafaufschub gewähren.«

»Aber kommen wir zur Sache – die Umgestaltung des Lazaretts. Das würde ich gern an erster Stelle behandelt sehen.«

»Gut. Ich muß aber sagen, daß ich in Ihrem Vorschlag einer psychiatrischen Prophylaxe nichts Besonderes erblicke. Ich bin ganz Ihrer Meinung: wir haben es mit einer Verbreitung von Geisteskrankheiten besonderer Art zu tun, die für unsere Zeit typisch sind und die sich unmittelbar aus den historischen Gegebenheiten unserer Epoche herleiten. Wir haben hier einen Soldaten, der noch unter dem Zaren gedient hat, politisch sehr versiert ist und ein natürliches Klassenbewußtsein besitzt. Die Angst um seine nächsten Angehörigen hat Pamfil Palých um den Verstand gebracht. Er überlegt folgendermaßen: falls er sterben sollte, sie aber in die Hände der Weißen gerieten, so würden sie für ihn einstehen müssen. Eine recht komplizierte Psychologie. Seine Angehörigen folgen uns mit dem Troß der Flüchtlinge in einiger Entfernung und werden uns wahrscheinlich einholen. Da ich die Sprache nicht zureichend beherrsche, kann ich ihn nicht richtig ausfragen. Versuchen Sie, von Angeljar oder Kamennodwórskij Näheres zu erfahren. Man wird sich mit ihm unterhalten müssen.«

»Ich kenne Palých sehr genau. Eine Zeitlang gerieten wir im Armeesowjet immer wieder aneinander. Er ist ein dunkler Typ, zäh, und hat eine niedrige Stirn. Ich begreife nicht, was Sie an ihm Gutes gefunden haben. Er ist immer für extreme Maßnahmen, für Strenge, auch für Strafen. Ich hatte immer eine Abneigung gegen ihn. Aber es ist schon recht. Ich will mich seiner annehmen.«

VII

Es war ein klarer Sonnentag; während der ganzen letzten Woche war das Wetter beständig und trocken gewesen.

Aus der Tiefe des Lagers drangen verworrene Geräusche, die an den entfernten Schlag der Meeresbrandung erinnerten, der dumpf dröhnende Lärm einer großen Menschenansammlung: Schritte von Leuten im Wald, Stimmengewirr, Axtschläge, das Donnern der Ambosse, Pferdegewieher, Hundegebell, Hahnenkrähen. Durch den Wald zogen Scharen von sonnenverbrannten, lächelnden, weißzähnigen Leuten. Einige erkannten den Doktor und begrüßten ihn, andere, die ihn nicht kannten, zogen, ohne ihn zu beachten, vorüber.

Die Partisanen wollten die ›Fuchsschleife‹ nicht aufgeben, ehe die Wagen mit ihren Angehörigen eintrafen; diese waren noch einige Tagemärsche entfernt, und im Walde bereitete man sich schon auf schleunigen Abbruch des Lagers vor, um es weiter nach Osten zu verlegen. Manches war noch in Ordnung zu bringen und zu säubern. Kisten wurden zugenagelt, die Wagen gezählt und überprüft.

In der Mitte des Waldes befand sich eine große Lichtung, auf der früher einmal ein Lager gestanden hatte, dessen Überbleibsel noch zu sehen waren. Heute kamen die Soldaten zusammen, um wichtige Neuigkeiten zu erfahren.

Im Walde war noch viel Grün zu sehen. Je tiefer man hineindrang, desto frischer schien das Laub zu sein. Die Strahlen der niedrigstehenden Nachmittagssonne sickerten in den Wald. Das Laub ließ das Sonnenlicht durchscheinen und glühte wie grünes Flaschenglas. In der offenen Lichtung war der Kommandant des Nachrichtenwesens, Kamennodwórskij, gerade damit beschäftigt, alle unnötigen Papiere, die aus der Feldkanzlei Kappels übernommen worden waren, samt den Akten seines eigenen Archivs zu verbrennen. Die Sonnenstrahlen durchdrangen die Flammen wie die grünen Blätter des Laubes. Man konnte das Feuer kaum wahrnehmen, und nur die Säule erwärmter Luft, die wie Perlmutter schimmerte, zeigte an, daß etwas verbrannt wurde.

Hier und dort glänzten reife Beeren in den verschiedensten Farben – Vogelbeeren in schweren Dolden, schwarzer und roter Holunder und die weißen und himbeerfarbenen Schneeballen. Auch die Libellen schienen durchsichtig zu sein wie das Feuer – und wie der Wald, wenn sie mit ihren schwirrenden gläsernen Flügeln langsam durch die Luft vorübersurrten.

Jurij Andréitsch hatte von Kind auf das Lichterspiel im abendlichen Walde geliebt. In solchen Augenblicken hatte er das Gefühl, daß auch durch ihn das Licht floß wie der Geist des Lebens, der in seine Brust strömte, sein ganzes Wesen durchdrang und ihn auf

Flügeln hinwegtrug. Jeder Mensch schafft sich im Geiste ein Bild, das ihn während seines ganzen Lebens begleitet und das er in späten Jahren seine Innenwelt, das unverwechselbare Eigene seiner Person nennen wird. Dieses Bild in all seiner Kraft und ursprünglichen Unschuld war Jurij Andréitsch gerade wiedergegeben worden, und er sah nun in der ganzen Natur, im Wald, im Abendrot und in jedem Ding der Welt nur eines: das große, unschuldige Gesicht eines jungen Mädchens. »Lara!« flüsterte er mit geschlossenen Augen. Das Wort galt seinem ganzen Leben, der Erde mit allem, was vor ihm ausgebreitet lag, und dem grenzenlosen, lichterfüllten Raum.

Aber die Forderungen des Augenblicks waren immer gegenwärtig: die Oktoberrevolution hatte stattgefunden, und er war Gefangener der Partisanen! Ohne es zu merken, trat er an das Herdfeuer Kamennodwórskijs.

»Sie vernichten die Schriftstücke. Sind Sie nicht bald fertig?«

»Durchaus nicht! Es ist noch genug von diesem Zeug da.«

Der Doktor stieß mit der Fußspitze an einen Haufen Papier, der auseinanderfiel. Es waren Telegramme vom Hauptquartier der Weißen! Er hatte die wirre Vorstellung, daß er unter den Papieren vielleicht Rancéwitschs Namen entdecken könne; aber diese Hoffnung erwies sich als trügerisch. Es war eine völlig uninteressante Kollektion von chiffrierten Depeschen aus dem vorigen Jahr, die nicht zu entziffern gewesen waren.

»Omsk Gen. Quart. Komm. erste Kopie Amsk usw. usw.« Er warf mit dem Fuß noch einen anderen Haufen durcheinander, und da fanden sich alte Protokolle von ihren Versammlungen. Obenauf lag ein Zettel: »Sehr dringend! Betrifft den Urlaub, Neuwahl von Mitgliedern für die Revisionskommission und laufende Angelegenheiten. Weil die Anklagen gegen die Lehrerin des Dorfes Ignatodworzy sich als unbegründet erwiesen haben, hat der Armeesowjet beschlossen . . .«

Kamennodwórskij entnahm irgend etwas seiner Tasche, reichte es dem Doktor und sagte:

»Hier ist eine Aufstellung, die Ihre medizinische Abteilung betrifft für den Fall, daß wir das Lager auflösen. Die Fuhrwerke mit den Angehörigen unserer Leute sind schon recht nahe gerückt. Die Unstimmigkeiten im Lager werden heute beigelegt. Es steht zu erwarten, daß wir von einem Tag zum andern abrücken.«

Der Doktor warf einen Blick auf das Papier und seufzte: »Das ist ja weniger, als man mir das letzte Mal bewilligt hat. Und wieviel Verwundete sind inzwischen dazugekommen! Wer einigermaßen laufen kann, soll zu Fuß gehen. Aber das sind wenige. Womit soll ich die Schwerverwundeten und Kranken befördern? Und die Medikamente, die Tragbahren, die ganze Ausrüstung!«

»Sie müssen zusehen, daß Sie alles irgendwie verstauen. Man muß sich den Verhältnissen anpassen. Nun aber zu etwas anderem: Eine gemeinsame Bitte aller an Sie. Wir haben hier einen Kameraden, kampferprobt, zuverlässig, der Sache treu ergeben, ein vorzüglicher Soldat. Aber irgendwas ist mit ihm nicht in Ordnung.«

»Palých? Lajos hat mich auf ihn aufmerksam gemacht.«

»Ja, gehen Sie zu ihm. Untersuchen Sie ihn.«

»Wohl eine psychiatrische Angelegenheit?«

»Ich nehme es an. Vermutlich Halluzinationen. Er drückt sich ungenau aus, klagt über Schlaflosigkeit und Kopfschmerzen.«

»Gut. Ich gehe sofort zu ihm. Ich habe gerade nichts zu tun. Wann beginnt die Versammlung?«

»Ich glaube, die Leute treten schon zusammen. Aber was wollen Sie da? Ich gehe doch auch nicht hin. Man wird ohne uns auskommen.«

»Dann gehe ich zu Pamfil, obwohl ich mich kaum auf den Beinen halten kann und am liebsten schlafen möchte. Liberij Averkjewitsch liebt es, in der Nacht zu philosophieren. Er hat mich fast totgeredet. Wie komme ich am besten zu Pamfil? Wo ist er untergebracht?«

»Sie kennen den jungen Birkenhain hinter dem Steinbruch?«

»Ich werde hinfinden.«

»Dort sind auf einer Lichtung die Kommandeurbaracken. Eine haben wir Pamfil eingeräumt, weil er seine Familie erwartet. Frau und Kinder kommen mit einem Fuhrwerk. Wegen seiner Verdienste als Revolutionär haben wir ihn dort untergebracht.«

VIII

Auf dem Wege zu Pamfil merkte der Doktor, daß er zu müde war, um weiterzugehen. Er vermochte seiner Mattigkeit nicht mehr Herr zu werden, nachdem er während der letzten Nächte kaum geschlafen hatte. Er hätte in den Unterstand zurückgehen und dort schlafen können. Aber er zögerte. Jeden Augenblick konnte Liberij dort erscheinen und ihn wieder stören.

Er legte sich auf einer kleinen Lichtung im Walde nieder in das goldene Herbstlaub, das von den Bäumen herabgefallen war. Die Blätter lagen auf der Wiese in einem schachbrettartigen Muster verstreut, und die Sonnenstrahlen entwarfen ein ähnliches Muster auf dem goldenen Teppich. Dieses doppelte Farbenspiel verwirrte ihn und schläferte ihn ein wie das Lesen einer kleinen Schrift oder das eintönige Gemurmel eines Baches.

Der Doktor legte sich auf dem seidig rauschenden Blätterteppich nieder. Er hielt die Arme unter dem Kopf verschränkt und lehnte an den knorrigen Wurzeln eines Baumes, die von dichten Moospolstern umhüllt waren. Er schlief sofort ein. Das Gewirr der bunten Sonnenflecken, das ihn eingeschläfert hatte, bedeckte seinen ausgestreckten Körper, und so war er versunken und unsichtbar geworden im Kaleidoskop der Strahlen und Blätter. Er lag da wie unter einer Tarnkappe.

Sehr bald wachte er vor Übermüdung wieder auf. Ursachen lösen nur dann ihre natürliche Wirkung aus, wenn zwischen beiden das rechte Verhältnis besteht. Das Bewußtsein, das nicht zur Ruhe kam, arbeitete fieberhaft ins Leere. Die Bruchstücke seiner Gedanken wirbelten im Kreis, ratternd wie eine schadhafte Maschine. Diese psychische Überreiztheit quälte und ärgerte den Doktor. ›Liberij, dieser Halunke‹, sagte er empört zu sich selber. ›Es genügt ihm nicht, daß es in der Welt heute Hunderte von Anlässen gibt, einen Menschen um seine Vernunft zu bringen. Mit seiner ständigen Überwachung, seiner Freundschaft und mit seinem närrischen Geschwätz macht er ohne weiteres aus einem Gesunden einen Neurastheniker. Irgendwann werde ich ihn erschlagen.‹ Wie ein farbiger Fetzen, der sich faltet und wieder öffnet, taumelte im Sonnenlicht ein braungetupfter Schmetterling vorüber. Mit schläfrigen Augen folgte der Doktor seinem Fluge. Er setzte sich immer dorthin, wo die Färbung seiner eigenen entsprach, auf braungesprenkelte Föhrenrinde, mit der er so völlig verschmolz, daß er kaum noch zu erkennen war. Der Schmetterling machte sich unsichtbar, wie auch Jurij Andréitsch für ein fremdes Auge im Spiel des über ihn gebreiteten Netzes von Schatten und Sonnenflecken spurlos verschwand.

Jurij Andréitsch bewegte sich wieder im gewohnten Kreis seiner Gedanken, die er in vielen medizinischen Fachzeitschriften dargelegt hatte. Er hatte geschrieben vom Willen und von der Zweckmäßigkeit organischer Formen, die die Folge der sich vervollkommnenden Anpassung sind. Über Mimikri und über die verschiedenen Schutzfarben; darüber, daß die anpassungsfähigsten Arten sich am Leben erhalten und daß vielleicht der Weg der natürlichen Auslese auch der Weg der Geburt und Entwicklung des Bewußtseins sei. Was ist das Subjekt? Und was das Objekt? Wie soll man deren Identität näher bestimmen? In des Doktors Überlegungen verbanden sich Darwins Gedanken mit denen Schellings; der vorüberfliegende Falter aber erinnerte ihn an moderne Malerei, an impressionistische Kunst. Er dachte an die Schöpfung, an die Geschöpfe, an das Schaffen und an die Nachahmung.

Und er schlief abermals ein, um nach einer Minute wieder zu erwachen. Gedämpftes Sprechen in seiner Nähe hatte ihn geweckt. Einige Worte, die an sein Ohr drangen, genügten Jurij Andréitsch, um zu begreifen, daß irgend etwas Geheimes, Widergesetzliches geplant wurde. Die Verschwörer hatten ihn augenscheinlich nicht bemerkt und seine Nachbarschaft nicht erwartet. Hätte er jetzt durch eine Bewegung seine Anwesenheit verraten, so hätte es ihn das Leben kosten können. Jurij Andréitsch verhielt sich so still, wie er nur konnte, und horchte.

Einige Stimmen waren ihm bekannt. Es war der Abschaum, die Hefe der Partisanen, Halbwüchsige, die sich zusammengetan hatten, so Sanjka Pafnútkin, Goschka Rjabých, Kosjka Nechwalénych, und in ihrem Schlepptau – Teréntij Galusin. Ihnen war jede Gemeinheit und Niedertracht zuzutrauen. Auch Saschar Gorásdych gehörte dazu, eine noch dunklere Existenz. Er hatte sich an der Schwarzbrennerei beteiligt, war aber noch nicht zur Verantwortung gezogen worden, da er die Hauptschuldigen verraten hatte. Jurij Andréitsch staunte nicht wenig über die Anwesenheit eines Partisans aus der ›Silberkompanie‹, eines gewissen Siwobluj, der zur Leibwache des Kommandanten gehörte. Man nannte diesen Günstling Liberijs wegen des ihm erwiesenen Vertrauens ›das Ohr des Atamans‹. Auch er war also an der Verschwörung beteiligt.

Die Verschwörer versuchten, sich mit Abgesandten der feindlichen Vorhut zu verständigen. Die Parlamentäre waren gar nicht zu hören, so leise trafen sie ihre Verabredung mit den Verrätern;

und nur daran, daß die Verschwörer ihr Geflüster zuweilen unterbrachen, konnte Jurij Andréitsch erkennen, daß jetzt die Vertreter des Gegners redeten.

Der Wortführer war der Trunkenbold Saschar Gorásdych, der ständig mit seiner heiseren, brüchigen Stimme fluchte und wetterte. Er hatte sicherlich das Komplott angezettelt.

»Jetzt paßt auf. Das Wichtigste ist: Geheimhaltung – Verschwiegenheit. Wenn jemand doppeltes Spiel treibt, Verrat begeht – hier ist mein finnischer Dolch. Damit angele ich ihm eigenhändig die Gedärme aus dem Leib, verstanden! Wir haben keine Wahl mehr! Wenn wir versuchen kehrtzumachen, erwartet uns der Strick! Pardon muß man sich verdienen. Wir müssen ein Stückchen liefern, wie es die Welt noch nicht gesehen hat! Sie wollen ihn lebendig haben, mit Stricken gebunden. Jetzt paßt auf: er kommt in diese Wälder, sagen sie, ihr Hundertschaftsführer Gulewój (man hatte ihm richtig souffliert, aber er hatte es nicht verstanden und verbesserte sich selbst: General Galéjew). Das ist die Gelegenheit. Hier stehen ihre Abgesandten. Sie werden euch das weitere erzählen. Sie sagen, man müsse ihn unbedingt gebunden, bei lebendigem Leibe, herbeischaffen. Fragt die Genossen selber, redet doch, ihr andern! So sagt ihnen etwas, Brüder!«

Nun begannen die Abgesandten zu reden. Jurij Andréitsch vermochte kein Wort aufzufangen. Da aber die Stille recht lange dauerte, war zu vermuten, daß alle Einzelheiten ausführlich besprochen wurden. Und wieder begann Gorásdych zu reden:

»Verstanden, Leute? Ihr seht nun selber, welch ein Schatz uns hier zugefallen ist. Eine niedliche kleine Giftschlange, was? Und für *den* sollen wir unsern Kopf hinhalten! Ist er überhaupt ein Mensch? Ein verdorbener Bursche, ein Strolch! Jedenfalls eine Art Mißgeburt oder ein Eremit; nimm dich zusammen, Teréschka! Und mach keine schlechten Witze, du Schwein! Das ist nicht Wasser auf deine Mühle. Jawohl. Ein halbwüchsiger Eremit – das ist er. Wer sich mit ihm einläßt, ist auch bald so ein kraftloser Betbruder. Man muß nur hören, was er für Reden schwingt: Fluchen sei verpönt in unserer Mitte. Kampf der Trunkenheit, Aufmerksamkeit den Frauen gegenüber – kann man so leben!? Mein letztes Wort: Heute abend, beim Übergang über den Fluß, dort, wo die Steine geschichtet sind, werde ich ihn in den Tannenwald locken. Dann alle Mann auf ihn. Es ist eine Kleinigkeit für uns, mit ihm fertig zu werden. Das ist so viel, als wenn man einmal ausspuckt. Die Sache hat nur einen Haken. Sie wollen ihn bei lebendigem Leibe haben. Wir müssen ihn also binden. Wenn ich aber merke, daß es nicht so geht, wie wir wollen, will ich ihn selber fertigmachen und mit meinen Händen erwürgen. Sie werden uns ihre Leute schon zu Hilfe schicken.«

Der Redende fuhr fort, den Plan der Verschwörung zu entwickeln, aber er entfernte sich jetzt mit den andern, und der Doktor konnte sie nicht mehr hören.

›Sie wollen Liberij umbringen, die Halunken!‹ dachte Jurij Andréitsch voller Entsetzen und Empörung, wobei er ganz vergaß, wie oft er selber seinen Quälgeist verflucht und ihm den Tod gewünscht hatte. ›Die Schurken haben vor, ihn den Weißen auszuliefern oder ihn umzubringen. Wie kann ich das verhindern? Soll ich wie zufällig ans Herdfeuer gehen und – ohne Namen zu nennen – Kamennodwórskij alles erzählen? Auf irgendeine Weise muß Liberij vor der drohenden Gefahr gewarnt werden.‹

Es stellte sich heraus, daß Kamennodwórskij nicht mehr an seinem früheren Platz war. Das Herdfeuer war am Erlöschen. Kamennodwórskijs Bursche bewachte es, damit es nicht unversehens um sich greifen konnte.

Doch der Anschlag kam nicht zustande. Er wurde im Keime erstickt. Es stellte sich nämlich heraus, daß die Verschwörung schon vor längerer Zeit ruchbar geworden war. An diesem Tage war sie aufgedeckt worden, und die Verschwörer wurden alle gefaßt. Siwobluj hatte die Doppelrolle eines Spitzels und Aufwieglers gespielt. Dem Doktor wurde das Ganze erst recht widerwärtig.

IX

Es sprach sich herum, daß die Flüchtlinge mit ihren Kindern nur noch wenige Tagemärsche entfernt waren. In der ›Fuchsschleife‹ traf man Vorbereitungen für das bevorstehende Wiedersehen mit den Angehörigen und für die Aufhebung des Lagers. Jurij Andréitsch begab sich zu Pamfil Palých.

Der Doktor traf ihn am Eingang des Blockhauses mit einer Axt in der Hand. Vor dem Zelt lag ein hochgeschichteter Haufen junger Birkenstämme. Pamfil hatte sie noch nicht behauen. Etliche waren an Ort und Stelle geschlagen worden und mit ganzer Wucht niedergestürzt, wobei sie sich mit den Spitzen der abgebrochenen Äste in den feuchten Boden gebohrt hatten. Andere wieder hatte er herangeschleppt und sie auf den schon vorhandenen Haufen geworfen. Von ihren biegsamen Zweigen wie von Sprungfedern gestützt, schwankten die Birken hin und her, tänzelten über dem Boden, ohne einander zu berühren. Sie schienen sich wie mit Händen gegen Pamfil, der sie gefällt hatte, zur Wehr zu setzen und versperrten ihm mit einem Dickicht frischen Grüns den Eingang zu seiner Baracke.

»Ich vertreibe mir die Zeit, bis meine Familie hier ist«, sagte Pamfil, um zu erklären, womit er sich hier beschäftigte. »Meiner Frau und den Kindern wird das Haus zu niedrig sein. Außerdem regnet es herein. Ich will mit den Pfählen das Dach abstützen. Deshalb habe ich sie geschlagen.«

»Du glaubst wohl, Pamfil, daß man deine Familie zusammen mit dir hier wohnen läßt. Wann hätte es das je gegeben, daß Zivilisten, Frauen und Kinder im Lager bei den Soldaten sein dürfen? Man wird sie irgendwo abseits mit ihren Planwagen unterbringen. In deiner Freizeit kannst du sie dann besuchen und Wiedersehen feiern, soviel du magst. Aber daß sie ins Lager eingelassen werden, glaube ich nicht. Doch darum geht es jetzt nicht. Du sollst sehr abgemagert sein, keinen Appetit haben und an Schlaflosigkeit leiden, hat man mir gesagt. Aber du siehst gut aus; dein Bart ist stark gewachsen, das ist alles.«

Pamfil Palých war ein überaus kräftiger Bauer mit schwarzem, wirrem Kopf- und Barthaar. Eine beulenartige Verdickung des Stirnknochens machte den Eindruck, als sei seine Stirn einmal in einen eisernen Reifen geschlagen worden. Das gab ihm ein ungutes, ja bösartiges Aussehen.

Zu Beginn der Revolution, als man befürchtete, daß auch dieses Mal, wie im Jahre 1905, die Revolution nur eine Episode in der Geschichte der oberen Stände sein würde, die die unteren Schichten kaum berühren, geschweige denn in die Tiefe wirken würde, bemühte man sich, das Volk auf die mannigfaltigste Weise propagandistisch zu beeinflussen, um es zu erregen, aufzurühren und in Wut zu versetzen.

In diesen ersten Tagen waren Leute wie der Soldat Pamfil Palých, die ein wilder, tierischer Haß gegen alle Intellektuellen, gegen die

Herren und Offiziere erfüllte, für die Fanatiker der Linken ein willkommenes Werkzeug. Die Unmenschlichkeit dieser Leute galt als ein wahres Wunder an Klassenbewußtsein; ihre Barbarei hielt man für ein Musterbeispiel proletarischer Unerschütterlichkeit und revolutionärer Gesinnung. Das war die Glorie, die Pamfil umgab. Er stand bei den Partisanen und deren Führern wie auch in der Parteiführung hoch im Ansehen.

Jurij Andréitsch hielt diesen finsteren, ungeselligen Berserker wegen seiner Seelenlosigkeit, seiner Stumpfheit und der Dürftigkeit seiner Interessen und Neigungen für anormal.

»Komm, wir wollen in die Hütte gehen«, lud ihn Pamfil ein.

»Nein, das ist nicht nötig. Ich kann da nicht hineinkriechen. Draußen an der frischen Luft ist es besser.«

»Schon recht, wie Sie wollen. Es ist wirklich eine Höhle. Wir können hier auf den Stämmen sitzen, während wir miteinander reden.«

So ließen sie sich denn auf den Birkenstämmen nieder, die unter ihnen nachgaben und federten.

»Man sagt, daß eine Sache rascher erzählt ist als getan. Aber meine Geschichte ist nicht so bald erzählt. Drei Jahre würden nicht genug sein. Ich weiß gar nicht, womit ich beginnen soll.

Also fangen wir an. Wir lebten zusammen – ich und meine Frau –, wir waren jung. Sie hielt das Haus in Ordnung. Ich war zufrieden mit meiner Landarbeit. Kinder wurden geboren. Man steckte mich unter die Soldaten. Man schickte mich als Flügelmann in den Krieg. Na, und der Krieg! Was soll ich davon erzählen! Du hast ihn erlebt, Genosse Doktor. Na, und dann – die Revolution! Da habe ich die Augen aufgemacht, und alle Soldaten haben die Augen aufgemacht. Nicht die Deutschen waren der Feind, sondern unsere eigenen Leute. Die Soldaten der Weltrevolution haben die Seitengewehre in die Erde gebohrt und sind von der Front weg gegen die Bürger losgegangen! Und so weiter. Du weißt das alles selber, Genosse Doktor. Und so fort. Bürgerkrieg. Ich ging zu den Partisanen. Ich lasse vieles aus, sonst wird nie ein Ende. Und jetzt, was sehe ich in diesem Augenblick? Dieser Parasit hat von der Russischen Front das erste und zweite Stawropolsche Regiment zurückgezogen sowie das erste Orenburger Kosakenregiment. Bin ich ein Kind, daß ich das nicht verstehe? Habe ich etwa nicht in der Armee gedient!? Unsere Sache steht schlecht, Doktor, unsere Sache ist keinen Schuß Pulver wert. Was will er, der Lumpenhund? Er will sich mit dem ganzen Haufen auf uns stürzen und uns in die Zange nehmen.

Jetzt sind Frau und Kinder bei mir. Wenn er aber siegt, wohin sollen sie fliehen? Wird er begreifen, daß sie unschuldig sind und gar nichts mit der Sache zu tun haben? Es wird ihm egal sein. Meiner Frau wird er die Hände fesseln, er wird sie foltern, er wird sie und die Kinder zu Tode quälen und jedem die Gelenke einzeln brechen. Und da soll einer noch schlafen und essen, verstehst du das? Es hilft nicht, daß man eiserne Nerven hat; der Gedanke daran macht einen wahnsinnig.«

»Du bist ein komischer Kerl, Pamfil! Ich kann dich nicht begreifen. Jahrelang bist du ohne die Deinen ausgekommen, hast nichts von ihnen gewußt und ihnen nicht nachgetrauert. Jetzt aber, da du sie heute oder morgen wiedersehen sollst, stimmst du, statt dich zu freuen, Totengesänge um sie an.«

»Zwischen einst und jetzt ist ein großer Unterschied. Das Ungeheuer mit den weißen Epauletten übermannt uns. Aber von mir ist gar nicht die Rede. Auf mich wartet der Sarg. Dorthin geht mein Weg. Aber meine Familie werde ich nicht mit ins Jenseits nehmen. Sie wird dem Schurken in die Hände fallen, und er wird ihnen das Blut Tropfen für Tropfen aussaugen.«

»Und deshalb siehst du jetzt Gespenster, wie man mir erzählt hat.«

»Laß gut sein, Doktor, ich habe dir nicht alles gesagt. Die Hauptsache habe ich dir nicht gesagt! Aber du sollst alles hören, die ganze bittere Wahrheit; mach mir nur keine Vorwürfe, wenn ich dir alles geradeheraus ins Gesicht sage.

Ich habe viele von euren Leuten umgebracht. Das Blut von Herren und Offizieren habe ich vergossen, aber es ist mir gleichgültig. Ich weiß weder Namen noch Zahlen, alles ist wie Wasser zerronnen. Nur einer will mir nicht aus dem Kopf, ein Taugenichts, den habe ich so erledigt, daß ich's nicht vergessen kann. Weshalb habe ich das Bürschchen umgebracht? Er hat nur Spaß gemacht; ich hätte mich schier totlachen können über ihn, und vor lauter Lachen habe ich ihn dann umgebracht, bloß so, aus purer Dummheit. Für nichts, für gar nichts.

Es war im Februar. Unter Kerenskij. Wir hatten gemeutert. Man hatte uns einen Bengel, so einen ›Agitator‹ geschickt, der uns mit seinem Geschwätz anfeuern sollte, damit wir bis zum siegreichen Ende kämpften. Da kommt dieser Kadett und will uns mit großen Worten Vernunft beibringen, ein schmächtiges, gebrechliches Kerlchen. ›Bis zum siegreichen Ende!‹ schrie er. Er war auf eine Wassertonne gesprungen, die da am Bahnhof herumstand, zum Feuerlöschen. Er springt also auf die Tonne, um uns von dort oben anzufeuern. Aber plötzlich dreht sich der Deckel unter seinen Füßen, und er liegt im Wasser. Das war ein Gelächter! Ich habe mich auf dem Boden gewälzt und bin fast gestorben vor Lachen. War das komisch! Und dabei habe ich das Gewehr in den Händen gehabt, und ich lache und lache, und es ist – du kannst dich drehen und wenden wie du willst –, es ist so, als hätte er mich zu Tode gekitzelt. Na, da ging ich eben in Anschlag und habe ihn – peng – erledigt. Kann's selber nicht fassen, wie das so kam – als hätte irgend jemand mir einen Stoß versetzt.

Nun, und seit der Zeit verfolgen mich Gespenster. In den Nächten glaube ich noch immer den Bahnhof vor mir zu sehen. Damals war es sehr komisch, jetzt peinigt es mich.«

»Es war in der Stadt Meljusejewo, die Station hieß Birjutschi, nicht wahr?«

»Hab's vergessen.«

»Ihr habt dort zusammen mit den Sybuschinsker Bewohnern gemeutert?«

»Ich weiß nicht mehr.«

»Und an welcher Front geschah das? Im Westen?«

»Könnte im Westen gewesen sein. Kann überall gewesen sein. Hab's vergessen.«

Die Eberesche

I

Die Familien der Partisanen folgten seit langem in ihren Fuhrwerken mit Kind und Kegel dem Gros der Armee. Am Ende des Flüchtlingszuges wurden ungezählte Viehherden mitgetrieben, vor allem Kühe, zu Tausenden.

Zusammen mit den Familien der Partisanen erschien im Lager noch eine neue Person, das Soldatenweib Slydarícha oder Kubarícha. Sie war bewandert in der Tierheilkunde, aber ganz im geheimen auch Zauberin.

Sie trug eine Tellermütze auf dem Kopf, die sie keck auf die Seite geschoben hatte, und einen erbsengrünen Mantel schottländischer Königsschützen aus den englischen Uniformlieferungen an den Obersten Kommandierenden. Sie beteuerte jedoch, sie habe diese Sachen aus einer Gefangenenkappe und einem Gefangenenmantel, einem sogenannten Chalat, zusammengenäht, nachdem die Roten sie aus dem Zentralgefängnis von Keshémsk befreit hätten, wo sie, man wußte nicht weshalb, von Koltschak gefangengehalten wurde. Um diese Zeit hatten die Partisanen neue Stellungen bezogen. Man war allgemein der Ansicht, daß es sich nur um einen kurzen Aufenthalt handeln würde, der nur so lange dauern sollte, bis man die Umgebung erkundet und einen geeigneten Platz für ein sicheres Winterlager ausgemacht hätte. Aber dazu kam es nicht, und die Partisanen wurden gezwungen, hier zu bleiben und zu überwintern.

Dieser neue Lagerplatz glich nicht im mindesten der erst kürzlich verlassenen ›Fuchsschleife‹. Man war hier mitten im dichtesten Wald, in der vollkommen undurchdringlichen Taiga, die sich jenseits des Weges bis zum Horizont ausdehnte. In den ersten Tagen, als das Heer sich im neuen Lager einrichtete, blieb Jurij Andréitsch viel freie Zeit. Er drang in den Wald, strich darin ziellos umher, in der Absicht, ihn zu erkunden, und merkte, wie leicht man sich hier verirren konnte. Zwei Stellen im Walde erregten sogleich seine Aufmerksamkeit und blieben ihm im Gedächtnis. Dort, wo das Lager an den Wald grenzte, der jetzt vom Herbst entlaubt dastand, so daß der Blick in ihn eindringen konnte, als habe sich ein Tor ins Leere aufgetan, wuchs einsam eine schöne Eberesche, die als einzige unter allen Bäumen ihr volles rotbraunes Laub behalten hatte. Sie wuchs auf einer Anhöhe in dem mit Moos bedeckten, sumpfigen Boden und reckte die flachen Dolden mit den glühendroten Beeren zum bleigrauen vorwinterlichen Himmel empor. Kleine Vögel, deren Gefieder so grellfarbig war wie frostiges Morgenrot, Dompfaffen und Meisen ließen sich in ihren Zweigen nieder und pickten langsam und wählerisch an den größten Beeren der Dolden, hoben dann ihr Köpfchen und schluckten sie mit Mühe hinunter.

So entstand eine innige Beziehung zwischen den Vögeln und dem Baum, in dem ein seltsames Leben herrschte. Man könnte sagen, daß die Eberesche das alles sah, sich lange gegen die Anstrengung der Vögel sträubte, ihnen dann aber in lauterem Erbarmen schließlich nachgab, sich öffnete und ihnen die Brust reichte wie eine Amme. ›Je nun, was soll man schon mit euch machen. Ja, freßt mich nur, freßt von mir. Ernährt euch!‹ Und dann lächelte sie.

Aber der andere Punkt im Walde schien dem Doktor noch viel bemerkenswerter. Er war oben auf einer Anhöhe, die auf der einen Seite schroff abfiel. Man hätte denken können, daß unten ein Fluß oder eine Schlucht oder eine versteckte Wiese liege, über die noch nie eine Sense gegangen war. Aber man entdeckte dort denselben Pflanzenwuchs wie oben, nur daß man auf die Baumwipfel unter den Füßen blickte. Sicher war diese Landschaftsbildung durch einen Erdrutsch entstanden.

Dieser wilde und kühne Wald, der bis zu den Wolken aufragte, war gleichsam an dieser Stelle gestrauchelt und wäre in einen Abgrund hinabgestürzt, hätte ihn nicht die Erde wie durch ein Wunder aufgefangen und ihn unversehrt und kräftig erhalten.

Aber die Waldhöhe war nicht allein hierdurch bemerkenswert. Die Plattform, die den Gipfel bildete, wurde von schroffen, dunklen Granitfelsen begrenzt. Diese erinnerten an die flachen, polierten Flächen prähistorischer Dolmen. Als Jurij Andréitsch zum erstenmal diese Plattform betrat, hätte er geschworen, daß der Ort mit seinen Steinen nicht natürlichen Ursprungs war, sondern die Spuren von Menschenhand trüge. Hier mußte in grauer Vorzeit ein Götzentempel der Eingeborenen, eine Stätte heidnischer, unbekannter Götter, ein Ort für die darzubringenden Opfer und ihre heiligen Handlungen gewesen sein.

Hier nun sollte an einem kalten, nebligen Morgen die Todesstrafe an den elf Hauptschuldigen der Verschwörung und an zwei Sanitätern, die sich als Schwarzbrenner betätigt hatten, vollstreckt werden.

Eine Gruppe von etwa zwanzig der Revolution besonders ergebenen und erprobten Partisanen hatte die Verurteilten unter besonderer Bewachung hergeführt. Sie hatten sich im Halbkreis um die zum Tode Verurteilten aufgestellt, die Gewehre in Anschlag gebracht und die Gefangenen in schnellem, drängendem Schritt in die felsige Ecke der Terrasse getrieben, von wo es für sie keinen Ausweg als den Sprung in die Tiefe, in den Abgrund gab.

Die Verhöre, die lange Gefangenschaft unter Bewachung und die Erniedrigungen, die sie hatten erdulden müssen, hatten ihr menschliches Antlitz verzerrt, ja zerstört. Sie waren ganz mit Haaren bedeckt, schwärzlich im Gesicht, aufs äußerste ermattet und glichen Gespenstern.

Gleich zu Beginn des Prozesses hatte man ihnen die Waffen genommen. Es war niemandem in den Sinn gekommen, sie noch ein zweites Mal vor der Hinrichtung abzutasten und zu durchsuchen. Das erschien als eine überflüssige Erniedrigung, als eine Verächtlichmachung der Menschen vor ihrem nahen Tod.

Neben Wdowitschénko ging sein Freund Rshanízkij, wie jener ein alter, ideologischer Anarchist, und plötzlich schoß er dreimal auf das Exekutionskommando, wobei er auf Siwobljui zielte. Rshanízkij war ein vortrefflicher Schütze, aber vor Erregung zitterte seine Hand, und der Schuß ging fehl.

Und wieder verbot es das Feingefühl und das Mitleid gegenüber den ehemaligen Kameraden der Wache, sich auf Rshanízkij zu stürzen oder mit einer vorzeitigen Salve sein Attentat zu beantworten, noch ehe das allgemeine Kommando erfolgt war. Rshanízkij hatte noch drei Patronen zur Verfügung, aber mochte er es in seiner Erregung vergessen haben oder durch die Fehlschüsse um seine Haltung gebracht worden sein, jedenfalls schleuderte er seinen Browning gegen einen Stein. Hierdurch löste sich ein vierter

Schuß und verwundete den zum Tode verurteilten Patschkolja am Fuß.

Der Sanitäter Patschkolja schrie auf, griff sich an den Fuß und fiel hin, wobei er wieder und wieder vor Schmerz wimmerte. Die ihm zunächst Stehenden, Pafnútkin und Gorásdych, hoben ihn auf, packten ihn unter den Armen und schleppten ihn fort, damit er nicht bei der herrschenden Unordnung von den Genossen zertrampelt würde, denn keiner von ihnen war mehr recht bei Besinnung. Patschkolja humpelte an den steinigen Rand, wohin die zum Tode Verurteilten gedrängt wurden. Er war außerstande, mit dem angeschossenen Fuß aufzutreten, und er schrie ununterbrochen. Sein unmenschliches Geheul wirkte ansteckend. Wie auf ein Signal hin hatten alle ihre Selbstbeherrschung verloren. Es geschah etwas völlig Unvorstellbares: wüste Schimpfworte, Flehen, Klagen, Flüche wurden laut.

Der junge Galusin riß die Gymnasiastenmütze mit der gelben Kante, die er noch trug, vom Kopf, kniete nieder und kroch dann so auf Knien, ohne sich zu erheben, immer weiter in der Schar zu den fürchterlichen Steinen. Oft, sehr oft verneigte er sich bis an die Erde vor der Convoywache, schluchzte zum Erbarmen und flehte sie heulend und halb besinnungslos an:

»Ich bin schuldig, Brüderlein! Erbarmt euch meiner; ich tu's nicht wieder. Tötet mich nicht. Richtet mich nicht zugrunde. Ich habe noch nicht gelebt, bin noch zu jung, um schon zu sterben. Mütterchen, ich möchte noch so furchtbar gern leben, und nur einmal noch mein Mütterchen, mein Mütterchen wiedersehen! Vergebt mir, Brüder! Erbarmt euch meiner. Ich werde eure Füße küssen. Ich werde für euch das Wasser herbeischleppen. Ach, welch ein Unglück, alles ist hin, Mütterchen, Mütterchen!«

Aus der Mitte der Truppe wurde ein Flehen hörbar; aber man wußte nicht, woher es stammte:

»Ihr lieben Genossen, ihr Guten! Wie ist denn das? Besinnt euch doch, wir haben zusammen in zwei Kriegen unser Blut vergossen, haben für dieselbe Sache gekämpft, sind für dieselbe Sache eingestanden, erbarmt euch, gebt mich frei, wir werden eure Wohltat unser Lebtag nicht vergessen, werden uns verdient machen, werden es mit der Tat beweisen. Hört ihr es nicht! Seid ihr denn taub, daß ihr nicht antwortet! Tragt ihr denn kein Kreuz am Halse!«

Man schrie dem Siwobljui zu:

»Du Judas, du Christusverräter! Was für Verräter sind schon wir, gemessen an dir! Du selber, du Hund, bist dreifacher Verräter; ersticht solltest du werden! Deinem Zaren hast du die Treue geschworen, hast deinen legitimen Zaren umgebracht, hast uns Treue geschworen und uns dann verraten. Jetzt kannst du deinen Waldteufel umarmen, wenn du ihn noch nicht verraten hast. Du wirst ihn verraten!«

Wdowitschénko blieb sich bis zum Grabe treu. Erhobenen Hauptes rief er laut, so daß es alle hören konnten, als ›communard‹ zum ›communard‹, als stünde er auf der Barrikade von Paris, zu Rshanízkij gewandt:

»Erniedrige dich nicht, Bonifazij! Dein Protest wird nicht bis zu ihnen, diesen neuen ›Opritschniks‹*, diesen Scharfrichtern und Meistern neuer Folterkammern dringen. Laß den Mut nicht sinken! Die Geschichte wird alles an den Tag bringen. Die Nachkommen werden die Schergen des Kommissarunwesens und ihr schwarzes Werk an den Schandpfahl bringen. Wir sterben als Märtyrer einer Idee, im Morgenrot der Weltrevolution. Es lebe die Revolution des Geistes! Es lebe die Weltanarchie!«

Eine Salve aus zwanzig Gewehren, die auf ein lautloses Kommando hin, das nur von den Schützen verstanden wurde, abgegeben wurde, mähte die Hälfte der Verurteilten nieder, die Mehrzahl war zu Tode getroffen. Die Überlebenden wurden durch eine zweite Salve erledigt. Am längsten zuckte Terjóscha Galusin, der Knabe, aber schließlich und zu guter Letzt streckte auch er sich und blieb bewegungslos liegen.

II

Zunächst hatte man erwogen, das ganze Winterlager weiter nach Osten zu verlegen. Die Erkundungen der Gegend jenseits der Wytsko-Keshémsker Wasserscheide zogen sich lange hin. Liberij zog häufig aus dem Lager in die Taiga, und der Doktor blieb allein zurück.

Aber es war schon zu spät, um noch einen anderen Platz für das

---

* Leibgarde Iwans des Schrecklichen, die wegen ihrer Grausamkeit berüchtigt war

Winterlager zu finden. Es war die Zeit der größten Mißerfolge der Partisanen. Vor ihrem endgültigen Zusammenbruch hatten die Weißen beschlossen, ein für allemal mit den irregulären Einheiten der Waldtruppen aufzuräumen, sie mit vereinten Kräften von allen Seiten zu umzingeln und zu schlagen. So fühlten sich die Partisanen überall bedroht. Das hätte für sie zur Katastrophe werden können, wenn der Radius der Umzingelungen kleiner gewesen wäre. Die unermeßliche Weite des Umfassungsmanövers rettete sie. Hart vor Anbruch des Winters war der Feind außerstande, seine Seitenflügel in der undurchdringlichen, unendlichen Taiga zusammenzuziehen und die bäuerlichen Heerhaufen enger aneinander zu schließen.

Jedenfalls war es den Partisanen unmöglich geworden, sich zu bewegen. Natürlich hätte man sich den Plan einer Umgruppierung denken können, der bestimmte taktische Vorzüge gebracht hätte. So wäre zum Beispiel ein Durchbruch möglich gewesen, und man hätte unter dauernden Kämpfen durch die Umzingelung stoßen und auf eine neue Stellung vordringen können.

Aber kein derartiger Plan wurde verfolgt. Alles war zu sehr erschöpft. Die jüngeren Kommandeure hatten den Mut verloren; auch versiegte ihr Einfluß auf die Untergebenen. Die ältesten Vorgesetzten fanden sich Abend für Abend beim Kriegsrat zusammen, wo die widersprechendsten Vorschläge zur Diskussion gestellt wurden.

Es kam darauf hinaus, daß man jedes weitere Suchen nach anderen Lagerplätzen aufgab und sich für den Winter in der tiefsten Tiefe des besetzten Waldgebietes verschanzen wollte. Die Schneemassen, die alles verhüllten, machten es dem Gegner, der ohnehin nur unzureichend mit Skiern ausgerüstet war, unmöglich, hier einzudringen. Man mußte sich also eingraben und größere Lebensmittelvorräte sammeln.

Bissjurin, der Verwalter der Vorräte, meldete größten Mangel an Mehl und Kartoffeln. Vieh gab es allerdings mehr als genug, und Bissjurin sah voraus, daß im Winter Fleisch und Milch die Hauptnahrung sein würden.

Es fehlte auch an Winterkleidung. Ein Teil der Partisanen lief halbnackt umher. Sämtliche Hunde im Lager wurden erwürgt. Alle Kürschner und wer sich in diesem Handwerk nur einigermaßen auskannte, mußten aus Hundefellen Pelze anfertigen, bei denen das Fell nach außen gekehrt war. Dem Doktor wurden keine Verbandmittel mehr zur Verfügung gestellt. Die Wagen wurden jetzt für wichtigere Dinge benötigt. Beim letzten Tagesmarsch wurden die Kranken vierzig Werst weit auf Tragbahren geschleppt.

An Medikamenten hatte Jurij Andréitsch nur Chinin, Jod und Glaubersalz zur Verfügung, Jod, das für die Operationen und für Verbände gebraucht wurde, war nur in Kristallen vorrätig. Diese mußten in Spiritus aufgelöst werden. Nun bedauerte man es, daß man den selbstverfertigten Spiritus vernichtet hatte, und hielt sich an die wenigen Schuldigen, nämlich an die Schwarzbrenner, die man seinerzeit freigesprochen hatte; man gab ihnen den Auftrag, die in Stücke gegangene Apparatur wieder in Ordnung zu bringen und eine neue einzurichten. Die liquidierte Fabrikation für selbstverfertigten Spiritus wurde jetzt für ärztliche Zwecke neu in Gang gebracht. Im Lager zwinkerte man einander zu und schüttelte die Köpfe. Wieder herrschte überall Trunkenheit, was den Zerfall im Lager und die Auflösung nur weitertrieb.

Es gelang tatsächlich, fast reinen Alkohol herzustellen. Die kristallinen Präparate ließen sich in dieser hochprozentigen Flüssigkeit gut lösen. Mit diesem selbstverfertigten Spiritus, auf Chinarinde abgezogen, kurierte Jurij Andréitsch in der Folgezeit die bei erneutem Kälteeinbruch wieder auftretenden Typhusfälle.

III

In diesen Tagen sah der Doktor Pamfil Palých mitsamt seiner Familie. Seine Frau und die Kinder hatten den ganzen vergangenen Sommer auf der Flucht zugebracht, auf staubigen Wegen und unter offenem Himmel. Die durchlebten Schrecken hatten sie zerrüttet, und sie bangten vor dem Kommenden. Dieses Wanderleben hatte sie mit untilgbaren Spuren gekennzeichnet. Der Frau und den drei Kindern Pamfils, einem Söhnchen und zwei Töchtern, war das Haar aschblond gebleicht worden, und die bleichen, strengen Brauen standen in den von Wind und Sonne gebräunten Gesichtern. Die Kinder waren noch zu klein, um auch andere Merkmale des Überstandenen zu tragen; aber die erlittenen Erschütterungen und Gefahren hatten im Gesicht der Mutter jeden Ausdruck des

Lebens getilgt und nichts hinterlassen als eine trockene Regelmäßigkeit der Züge, fest aufeinandergepreßte Lippen, die schmal waren wie ein Fädchen, eine angespannte Regungslosigkeit, in der sich die ständige Bereitschaft zur Selbstverteidigung spiegelte.

Pamfil liebte sie alle, besonders die Kinder; er liebte sie maßlos. Und mit einer Geschicklichkeit, die den Doktor verblüffte, schnitzte er ihnen mit einem Eckchen des scharf geschliffenen Beiles Kinderspielzeug aus dem Holz: Häschen, Bären, Hähne.

Als sie eintrafen, wurde Pamfil heiterer; es ging ihm auch besser, und sein Geist regte sich wieder. Nun wurde aber verbreitet, daß man wegen des schädlichen Einflusses der Familien auf die Lagerstimmung die Partisanen unbedingt von ihren Angehörigen trennen müsse, um das Lager von dem unnötigen, nichtmilitärischen Anhängsel zu befreien und den Train der Flüchtlinge unter ständiger Bewachung irgendwo, ähnlich etwa wie ein Zigeunerlager, weitab im tieferen Walde überwintern zu lassen. Es war mehr ein Gerede, als daß tatsächlich Vorbereitungen getroffen wurden. Der Doktor hielt diese Maßnahmen nicht für ausführbar. Aber Pamfil wurde zusehends finsterer, und wieder waren es die alten Gespenster, von denen er sich verfolgt glaubte.

IV

An der Schwelle des Winters gab es oftmals bedrohliche Situationen, die das Lager längere Zeit beunruhigten und im ungewissen hielten.

Die Weißen brachten die geplante Umzingelung der Aufrührer zur Ausführung. An der Spitze dieser Operation standen die Generale Wizyn, Quadri und Basalygo. Diesen Generälen ging der Ruf harter, unerbittlicher Entschlossenheit voraus. Schon ihre Namen ließen die Frauen der Aufrührer im Lager und die ganze friedliche Bevölkerung, die bisher die heimatlichen Ortschaften noch nicht verlassen hatte und in ihren hinter der Frontlinie liegenden Dörfern geblieben war, erzittern.

Wie schon gesagt, waren die Maßnahmen nicht vorauszusehen, die getroffen werden konnten, um den Kreis der feindlichen Umzingelung enger zu ziehen. In dieser Hinsicht konnte man beruhigt sein. Aber es war andererseits auch unmöglich, sich teilnahmslos zu der Tatsache der Umzingelung zu verhalten. Dieses ›Sich-in-die-Verhältnisse-Schicken‹ war eine moralische Stützung des Gegners. Man mußte aus dieser wenn auch ungefährlichen Falle zu entkommen suchen, schon zum Zweck einer militärischen Demonstration.

Man sonderte deshalb größere Partisanenverbände aus und stellte sie gegen den westlichen Bogen des Kessels. In einem viele Tage währenden, hitzigen Kampf hatten die Partisanen dem Feinde eine Niederlage zugefügt und an dieser Stelle seine Linie durchbrochen und konnten ihm nun in den Rücken fallen.

Durch die Bresche in der Front des Gegners hatte sich in der Taiga die Möglichkeit einer Vereinigung mit den illegalen Einheiten der Waldtruppen ergeben. Diese Vereinigung war auch das Ziel vieler Flüchtlingsscharen. Dieser Zustrom friedlicher Bauernbevölkerung nährte sich nicht nur aus den Angehörigen der Partisanen. In Angst versetzt durch die Vergeltungsmaßnahmen der Weißen, hatte sich die ganze umliegende Bauernschaft von ihren Wohnstätten getrennt, und es war nur natürlich, daß sie nach einem Anschluß an die Bauernwehr in der Taiga trachtete, die sie als ihre Verteidiger ansah.

Im Lager aber herrschte das Bestreben vor, sich von allen Parasiten freizuhalten. Die Partisanen hatten andere Aufgaben, als sich um diese Eindringlinge zu kümmern. Man ging den Flüchtlingen entgegen, hielt sie unterwegs an und lenkte sie zu einer im Rodeland gelegenen Mühle, an dem kleinen Fluß Tschilimka. Die Ortschaft im unbewaldeten Neubruch, die sich um die Mühle durch die Bauten der Zuwanderer gebildet hatte, hieß Dwory. Man hatte die Absicht, das Winterlager der Flüchtlinge eben hier in Dwory einzurichten, und hier sollte auch ein Lebensmitteldepot angelegt werden.

Während diese Beschlüsse gefaßt wurden, nahmen die Dinge ihren Lauf. Das Lagerkommando kam den Ereignissen nicht mehr nach. Der Sieg, den man über den Feind davongetragen hatte, zeitigte üble Folgen. Nachdem man die außerhalb der Umzingelung befindliche Partisanengruppe hatte abziehen lassen, stellten die Weißen ihre Frontlinie wieder her. Jenen Truppen, die den Kessel durchbrochen und hinter sich gelassen hatten, war die Rückkehr zu den eigenen Leuten in der Taiga abgeschnitten. Um das eigentliche Geschick der Vorstoßtruppe brauchte man sich keine Sorgen zu machen. Man konnte sicher sein, daß diese Handvoll irregulärer Truppen irgendeinen Weg finden würde, um sich mit den regulären Truppen der Roten Armee zu verbinden. Aber das Fehlen einer Eliteabteilung wirkte sich auf die, die im Lager geblieben waren, schmerzhaft genug aus, da sich hierdurch ihre Wehrkraft, aber auch ihre Verteidigungsmöglichkeiten verringerten.

Auch mit den Weibern lagen die Dinge ungünstig genug. Im Dickicht der Taiga war es leicht, sich zu verfehlen. Die Leute, die man nach ihnen sandte, hatten die Spur der Flüchtenden nicht finden können und kehrten unverrichteterdinge zurück, während die Frauen sich wie ein entfesselter Strom in die Tiefe der Taiga ergossen und unterwegs eine geradezu bewundernswerte Umsicht entwickelten: rechts und links von ihrem Weg wurden Bäume gefällt, Brücken geschlagen und Knüppeldämme angelegt, so daß richtige Wege entstanden.

Dies alles stand den Absichten des Hauptquartiers der Waldtruppen entgegen und durchkreuzte alle Pläne und Absichten Liberijs.

V

Darum war er auch wütend, als er sich mit Swirid unweit vom großen Wege besprach, der hier eine kurze Strecke durch die Taiga führte. Auf dem Wege befanden sich die Führer der Truppenverbände und stritten miteinander, ob sie die längs dem Weg gezogenen Telegrafendrähte abschneiden sollten oder nicht. Die letzte Entscheidung mußte nun Liberij fällen; er aber schwätzte mit diesem Swirid, einem Herumtreiber und Tierfänger! Liberij winkte mit der Hand, um anzudeuten, daß er gleich zu ihnen kommen würde, sie möchten auf ihn warten und nicht fortgehen.

Swirid hatte lange Zeit die Verurteilung und die Hinrichtung Wdowitschénkos, der völlig schuldlos war, nicht ertragen; es war ja nur dessen Einfluß gewesen, der mit der Autorität Liberijs rivalisierte und Zwistigkeiten ins Lager trug. Swirid wollte nun fort von den Partisanen, um wieder so wie früher sein Eigenleben in Freiheit führen zu können. Aber das war jetzt nicht mehr möglich. War einer einmal angeworben, so hatte er sich auch damit verkauft, und seiner wartete das Los der Hingerichteten, wenn er sich jetzt von den Waldbrüdern getrennt hätte.

Das Wetter war scheußlich und übertraf alles bisher Dagewesene. Ein scharfer Wind trieb dicht über die Erde schwarze Wolkenfetzen hin, die wie Rauchfahnen in den Bäumen hängenblieben. Plötzlich nun entluden sich diese Wolken und ließen Unmengen von Schnee niedergehen, und zwar in solchen Stürmen, als wäre der weiße Wahnsinn ausgebrochen.

In wenigen Augenblicken war das ganze Land in ein weißes Totenhemd gehüllt. Aber im nächsten Augenblick flatterte das Linnen auf und schmolz dahin, so daß die schwarze Erde zum Vorschein kam, darüber der schwarze Himmel und von oben her einschießende, schmutzige Lichter, Wolkenwände, die irgendwo in der Ferne als Regen niedergingen. Die Erde vermochte die Wassermengen nicht mehr in sich aufzunehmen. Zuweilen wurde es heller; dann teilten sich die Wolken, als wollten sie den Himmel lüften und die vom Regen triefenden, kalten und gläsern blinkenden Fenster aufstoßen. Das vom Erdreich nicht aufgenommene Wasser blieb in Pfützen und Seen liegen und spiegelte das Geschehen am Himmel noch einmal wider.

Das Unwetter glitt als Rauch über die harzigen Nadeln des Föhrenwaldes hin, ohne in sie einzudringen, wie auch Wasser vom Wachstuch nicht aufgesogen wird. Die Telegrafendrähte waren wie Perlenschnüre mit Regentropfen behangen. Die hingen eng aneinander und rissen nicht ab.

Swirid gehörte zu einer Abteilung jener, die in die Taiga den geflüchteten Weibern entgegengeschickt worden waren. Er wollte dem Chef von den Vorfällen berichten, deren Zeuge er geworden war, von dem Durcheinander, das sich aus verschiedenen gegenseitigen Zusammenstößen ergab, aber auch, weil die Anordnungen und Befehle nicht befolgt werden konnten, von den Greueltaten, die von dem schwächeren Teil der Weiberlager, die allen Glauben verloren hatten, begangen wurden: zu Fuß wankten sie dahin mit ihren Bündeln, Säcken, mit Säuglingen an der Brust, und hatten doch keine Milch mehr; ihre Beine trugen sie nicht, so daß die jungen Mütter in ihrer Verzweiflung ihre Kinder einfach auf den Weg warfen, das Mehl aus den Proviantsäcken ausschütteten und wieder umkehrten. Denn besser ein schneller Tod als ein langsames Hungersterben. Besser man fällt dem Feind in die Hände als einem wilden Waldtier in den Rachen.

Andere wieder, das waren die stärkeren unter ihnen, waren musterhaft in Haltung und Tapferkeit, wie man es bei Männern niemals finden wird. Swirid hatte noch mehr zu berichten. Er wollte den Führer vor der Gefahr, die das Lager bedrohte, warnen, vor einem neuen Aufstand, viel schrecklicher als der bereits unterdrückte, aber er fand keine Worte, weil Liberijs Ungeduld und Eile ihn um die Möglichkeit einer Mitteilung brachten. Liberij aber unterbrach Swirid jeden Augenblick, nicht nur, weil man ihn auf dem Wege erwartete und ihm zuwinkte und zurief, sondern auch, weil man sich in den beiden letzten Wochen an ihn immer wieder mit solchen Erwägungen wandte und weil ihm alles schon bekannt war.

»Hetz mich nicht, Genosse Führer. Ich bin ohnehin nicht beredt. Mir bleibt das Wort im Halse stecken; ich werde am Wort ersticken. Was sage ich dir denn? Geh du in das Flüchtlingslager und sage den Weibern das Gesetz, und was zu tun ist. Schau du, was dort für eine Wirrnis herrscht. Ich frage dich, was tut sich bei uns: ›Alle gegen Koltschak‹ oder eine Weiberschlacht?«

»Mach es kurz, Swirid. Du siehst, man ruft mich. Hör jetzt auf mit deiner Leier.«

»Dann ist da noch dieses Waldweib, der Teufel soll sich da auskennen, was dieses Weib ist! Die Slydarícha. Sie sagt, man soll sie, sagt sie, beim Vieh einstellen als Veterinärweib...«

»Als Veterinärin, Swirid.«

»Wovon rede ich denn! Ich sage es ja, als Veterinärweib, um Viehblähungen zu kurieren. Was willst du denn mit diesem Vieh machen?! Sie ist zu den Popenlosen gegangen, zu den Altgläubigen, abtrünnig ist sie geworden, Kuhmessen feiert sie, will andere Flüchtlingsweiber vom rechten Weg abbringen. Ja, sagt sie, ihr solltet euch selber fragen, wohin es führt, wenn man mit hochgezogenen Röcken hinter der roten Fahne herrennt. Ein zweites Mal tut ihr es nicht!«

»Ich verstehe nicht, von was für Flüchtlingsweibern du sprichst? Von den unseren, die zu den Partisanen gehören, oder noch von irgendwelchen andern?«

»Versteht sich – von den andern. Von den neuen, aus fremden Ortschaften. Aber wir hatten doch die Verfügung, sie sollten sich bei der Siedlung Dwory an der Tschilimsker Mühle zusammenfinden. Wie kommen sie plötzlich hierher?«

»Ach was, die Siedlung Dwory! Von deinem Dwory ist nur ein

Aschenhaufen übriggeblieben, spärliche Reste nach der Feuersbrunst, die Mühle ist zum Teufel gegangen, nichts als ein Kohlenhaufen blieb. Von Tschilimka, sehen Sie, ist nichts übrig als ein wüstes Land. Die Hälfte von ihnen kam von Sinnen, schreit, heult, brüllt und will zurück zu den Weißen; die andern aber sind mit ihren Fuhrwerken allesamt hergekommen.«

»Durch den dichten Urwald, durch den Moorgrund?«

»Und wozu haben die denn Äxte und Sägen, wozu? Man hat ihnen unsere Bauern geschickt, die werden sie schützen, ihnen helfen. Dreißig Werst weit, sagen sie, haben sie den Wald niedergelegt. Auch Brücken geschlagen, solche Bestien! Und da soll man noch sagen – Weiber! Die werden euch eine schöne Hungersnot heraufbeschwören.«

»Du Dummkopf! Worüber freust du dich, dreißig Werst Weges! Das kommt ja Wizyn und Quadri gerade recht. Sie haben ihnen eine Bresche in die Taiga geschlagen. Da kann man mit Artillerie voran kommen.«

»Riegelt den Weg ab. Macht eine Abriegelung. Setzt sie davor und basta!«

»Gebe Gott, daß ich ohne dich auf irgendeinen guten Gedanken komme.«

VI

Die Tage wurden immer kürzer. Schon um fünf begann es zu dunkeln. Einmal, nach der Dämmerung, überschritt Jurij Andréitsch die Straße an der Stelle, wo vor etlichen Tagen Liberij und Swirid miteinander geredet hatten. Der Doktor begab sich ins Lager. In der Nähe der Lichtung und der Anhöhe, auf welcher der Vogelbeerbaum wurzelte, was als Merkzeichen für das Lager galt, hörte er das wüste, aufreizende Geschimpf der Kubarícha, seiner Konkurrentin, wie er scherzweise die Heilkundige und Zauberin nannte. Diese seine Konkurrentin sang mit kreischender Stimme irgendwas Lustiges, Aufreizendes; sicher waren es volkstümliche Weisen. Man hörte sie gern. Beifallsgelächter wurde laut; die Männer lachten, und die Frauen grölten. Dann wurde alles still. Wahrscheinlich waren sie auseinandergegangen.

Alsdann begann die Kubarícha auf eine andere Art, mit leiser

Stimme vor sich hin zu singen. Sie mochte glauben, sie sei hier allein. Um nicht in den Moorgrund zu geraten, ging Jurij Andréitsch in der Dämmerung langsam einen Pfad entlang, der die sumpfige Waldwiese vor dem Vogelbeerbaum im Bogen umging, und blieb wie angewurzelt stehn. Die Kubarícha sang eine alte russische Weise. Jurij Andréitsch kannte das Lied nicht. War es eine Improvisation?

Das russische Lied ist wie Wasser im Stausee. Es scheint fest zu liegen und ohne jede Bewegung zu sein. Aber in der Tiefe, da sprudelt es unaufhörlich aus den Schleusen, und die Stille an der Oberfläche trügt nur.

Auf jede erdenkliche Weise, durch Wiederholung und Parallelismen, wird der Lauf des Liedes aufgehalten. An irgendeinem Grenzpunkt erschließt es sich plötzlich, und wir sind bestürzt. Die zurückhaltende, ihrer selbst mächtige, melancholische, wehmütige Kraft äußert sich auf diese Weise. Es ist der wahnsinnige Versuch, mit Worten der Zeit Halt zu gebieten. Was die Kubarícha vortrug, war halb gesungen, halb gesprochen:

Lief da wohl ein kleiner Hase durch die weite, weiße Welt,
durch die weiße Welt, ja, durch den weißen Schnee.
Lief er da in Haken um den Ebereschenbaum,
Haken schlug er, und er klagt der Eberesche all sein Leid.
Ich, der Hase, hab' ein banges Herz,
ein banges Herz, ein kaltes.
Angst hab' ich, das Häslein, vor der Spur des wilden Tiers.
Vor des wilden Tieres Spur, vor des Wolfes Hungerbauch.
Habe Mitleid du mit mir, du Ebereschenstrauch;
die du bist, o Eberesche, Vogelbeere, Schmuck des Waldes.
Gib du deine Schönheit nicht dem bösen Feinde hin,
nicht dem bösen Feind, dem bösen Raben.
Streue aus die roten Beeren in den Wind,
handvollweis' in Wind und Welt, in den weißen Schnee.
Wirf du sie in das heimatliche Land –
dort vors letzte Haus mit dem Gehege, wirf sie
in das allerletzte Fensterlein hinein, in ihre Kammer,
dort verbirgt sich die Ersehnte,
die Erwünschte, Einsame, Erwählte.
Raune ihr ins Ohr – ich habe Weh um sie,

sag ihr ein heißes Wort, ein glühendes.
Leid' ich doch, Gefangener, und schwer wird mir, Soldat,
    die Fremde.
Dann reiß' ich mich los aus bitt'rer Pein,
will zu ihr, zu meinem schönsten, meinem Beerelein.

VII

Das Soldatenweib, die Kubarícha, besprach die kranke Kuh der
Palicha, der Frau des Pamfalon, der Agafja Fotjewna, im Volks-
mund geheißen – Fatewna. Die Kuh wurde aus der Herde in ein
Gestrüpp geführt, man band sie mit den Hörnern an einen Baum.
Vor den Vorderfüßen der Kuh saß die Besitzerin auf einem Baum-
strunk; an den Hinterfüßen, auf einem Melkschemel, das Soldatenweib, die Besprecherin.

Die ganze übrige, unzählbare Herde drängte sich auf der kleinen
Waldwiese zusammen. Der finstre Wald umgab sie wie eine Mauer
mit den himmelhohen, dreieckigen Nadelbäumen, die gleichsam
mit dem dicken Hinterteil der weit ausladenden unteren Äste auf
der Erde hockten.

In Sibirien wurde irgendeine besonders prämiierte Schweizer Rasse
gezüchtet. Fast alle waren von einerlei Farbe, schwarz mit weißen
Flecken; die Kühe waren durch die Entbehrungen und die drangvolle Enge nicht weniger heruntergekommen als die Menschen bei
den Tagesmärschen. Flanke an Flanke standen sie da und kamen
in dem Gedränge fast von Sinnen. Halb betäubt, wie sie waren,
vergaßen sie ihr Geschlecht und bestiegen einander mit Gebrüll
wie die Stiere, wobei sie Mühe hatten, die schweren Euter nach-
zuziehen. Die von ihnen gedeckten Färsen rissen sich von ihnen los
und rannten mit aufgereckten Schwänzen, Sträucher und Geäst
durchbrechend, ins Dickicht, wohin ihnen die Hütejungen und die
alten Hirten schreiend nachsetzten.

Und ebenso gebannt in einen Kreis, der von den Wipfeln der Tannen nachgezogen wurde, ebenso stürmisch und ungeordnet drängten und bedeckten einander die schneeträchtigen, schwarzweißen
Wolkenmassen über der Waldwiese.

Die in Gruppen umherstehenden Neugierigen störten die Zauberin
bei ihrem Tun. Mit bösen Blicken maß sie diese Leute von Kopf

bis Fuß. Doch wäre es unter ihrer Würde gewesen zu gestehen, daß sie sich von ihnen behindert fühlte. Die Selbstliebe des Artisten verbot ihr das. Und sie tat so, als bemerkte sie überhaupt nichts. Aus den hintersten Reihen beobachtete sie der Arzt, ohne daß sie ihn bemerkte.

Es war das erste Mal, daß er sie genau mustern konnte. Wie immer trug sie die unvermeidliche englische Pilotenjacke und den erbsgrauen Interventionsschal mit den nachlässig zur Seite geschlagenen Enden. Übrigens gewahrte man eine dumpfe Leidenschaft, die ihre hochmütigen Züge belebte und die den Augenbrauen des nicht mehr jungen Weibes ein jugendliches Feuer gab. An ihrem Gesicht war abzulesen, wie gleichgültig es ihr war, daß sie so herumlaufen mußte.

Doch das Aussehen der Frau Pamfils erschreckte Jurij Andréitsch. Er erkannte sie fast nicht wieder. In wenigen Tagen war sie um Jahre gealtert. Ihre hervorquellenden Augen schienen aus den Höhlen zu treten. Ein nervöses Zucken riß an ihrem Halsmuskel. Das also hatten die geheimen Ängste aus ihr gemacht.

Agafja sagte: »Sie läßt sich nicht melken, das gute Tier. Ich dachte, sie hätte ein Kalb; aber nein, die Milch hätte längst kommen müssen, aber jetzt hat sie noch immer keine.«

»Was heißt das schon. Da hat sie ein Weh am Strich, den Anthrax. Ich gebe dir ein Kraut auf Schmalz, zum Einreiben. Und natürlich werde ich sie besprechen.«

»Mein andrer Kummer ist der Mann.«

»Ich spreche einen Zauber über ihn, daß er sich nicht mehr herumtreibt. Das kann man. Er klebt dann so fest an dir, daß du ihn nicht wieder los wirst. Nenne jetzt deinen dritten Kummer.«

»Aber er treibt sich ja gar nicht herum. Täte er es nur. Aber das ist ja gerade das Unglück, daß er, gerade umgekehrt, unerträglich fest an mir und den Kindern hängt; seine Seele ist ausgedörrt nach uns. Ich weiß schon, was er denkt... Er glaubt, die Lager würden getrennt; man würde uns in verschiedene Gegenden verschicken. Wir kämen zu den Leuten von Basalyshsk; und er könnte nicht bei uns sein, um uns zu beschützen. Sie werden uns zu Tode quälen, werden sich an unsren Qualen freuen. Ich kenne doch seine Gedanken. Wenn er sich nur kein Leid antut!«

»Wir werden's überlegen! Wir nehmen ihm den Kummer von der Seele. Sag jetzt deine dritte Not.«

»Aber die gibt's ja gar nicht, die dritte! Das ist alles; die Kuh und der Mann.«

»Da wärst du wahrhaftig arm an Nöten, meine Kleine. Sieh doch nur, wie gnädig Gott mit dir war. Man muß lange suchen, bis man ein solches Glückskind wie dich findet. Zwei Nöte, zwei Kümmernisse hat das arme Köpfchen, weiter nichts! Sie beklagt sich über einen zu besorgten Mann. Was gibst du mir für die Kuh? Unterhalten wir uns über den Preis.«

»Und du, was willst du dafür?«

Alles lachte.

»Du machst dich wohl lustig über mich, wie?«

»Ist's dir zu viel, verzichte ich auf das Weißbrot, ich gebe mich mit dem Mann zufrieden.«

Das Gelächter ringsum verdoppelte sich.

»Wie ist der Name? Nicht des Mannes, sondern – der Kuh.«

»Krassáwa heißt sie.«

»Hier scheint die Hälfte der Herde so zu heißen – lauter Krassáwas. Na, schon recht, Gott segne sie.«

Und nun begann sie die Kuh zu besprechen. Zunächst richtete sie ihren Singsang wirklich auf das Tier. Aber dann ließ sie sich hinreißen und begann Agafja eine Lektion über Zauberei und deren Anwendung zu erteilen. Jurij Andréitsch lauschte gebannt den phantastischen Sprüchen, wie damals, bei der Fahrt aus dem europäischen Rußland nach Sibirien, auf das blumige Geschwätz des Pferdeknechtes Vacksh.

Das Soldatenweib sagte:

»Alles muß man wissen, Agafjuschka.

Du schaust und denkst, es sei der Wald. Es ist aber anders: die unsauberen Mächte kämpfen gegen das Heer der Engel und schlagen aufeinander ein, und das ist der Sinn von euch und Bassalyshsk. Oder schau zum Beispiel hin, wohin ich jetzt zeige, du siehst nicht dorthin, meine Liebe – schau mit den Augen, nicht mit dem Hinterkopf, und schau nach dort, wohin ich mit dem Finger zeige! So ist's recht. Du denkst, was soll dir das? Du denkst, da oben auf der Birke habe der Wind einen Zweig mit einem andern Zweig verflochten und verwirrt? Du denkst, ein Vogel wolle dort sein Nest bauen? Weit gefehlt, es ist aber wahrhaft eine Teufelssache. Die Nixe hat ihrer Tochter einen Kranz geflochten. Sie hörte Menschen vorübergehen; da hat sie es aufgegeben. In der Nacht macht sie es fertig, flicht den Kranz zu Ende – du wirst schon sehen. Oder da wäre beispielsweise diese eure rote Fahne. Was denkst du dabei? Denkst du, es ist eine Fahne? Aber schau nur hin, es ist keine Fahne. Es sind die Moorjungfern, die winken mit dem himbeer-farbenen Winketuch, um zu verführen, sage ich, und warum denn zu verführen? Den jungen Burschen mit dem Tuch zu winken, die Burschen zur Schlachtbank, in den Tod zu führen, die Pest ihnen anzuwünschen. Ihr, die ihr glaubt, dies sei eine Fahne, kommt zu mir, Proletarier aller Länder, kommt zu mir, Bettler!

Heute ist es vonnöten, alles zu wissen, Mutter Agafja, alles, alles ganz genau – alles. Was ein Vogel ist, was der Stein bedeutet, was das Gras? Jetzt zum Beispiel wäre dieser Vogel ein Fabelvogel, der Fabelvogel Star. Das Tier aber wird ein Luchs sein.

Du möchtest mit einem andern Mann dein Vergnügen haben: dann brauchst du es nur zu sagen. Ich will ihn dir, wenn du willst, herzaubern. Und wäre es euer Führer vom Waldvolk! Oder, wenn du willst, Koltschak; oder gar Iwan, der Zarensohn. Du denkst vielleicht, ich schneide auf, ich prahle, ich lüge – aber schau an, ich lüge nicht. Nu schau mal her, hör zu. Es kommt der Winter. Die Schneestürme heben an und wirbeln ganze Säulen auf. Und ich will dir an den Schneewehen ein Messer wetzen. Treibe das Messer in den Schnee bis an den Griff und ziehe es dann, ganz von Blut überströmt, aus dem Schnee heraus. Wie nun, hast du es gesehen?! Ahe? Aber du hast gedacht, ich lüge. Aber woher, sag mal, woher kommt das Blut aus dem Schneeorkan. Der Wind ist doch Luft, Schneestaub; aber das eben ist es, Base, kein Wind ist es, sondern ein Orkan.

Sie sucht im Felde, weint um ihn und kann ihn nicht finden, und gerade in sie wird mein Messer dringen. Darum auch das Blut. Und ich will dir mit dem Messer seinen Schatten herausschneiden und mit Seide an deinen Saum heften. Und dann geht er hinter dir, gleichviel ob es Koltschak ist oder Strelnikov oder ein neuer Zar, irgendeiner – der folgt deiner Spur, begleitet dich, wohin du auch gehst. Du aber dachtest, ich lüge. Bei mir finden sich die Barfüßler aller Lande ein.

Oder es fallen Steine vom Himmel, fallen nieder wie ein Regen. Ein Mensch kommt aus dem Hause, tritt über die Schwelle, aber da hageln Steine auf ihn nieder. Und wieder andere haben Reiter gesehen, die über den Himmel sprengen, und die Rosse berühren mit ihren Hufen die Dächer. Oder was schon die Wahrsager in alten Zeiten entdeckten: dieses Weib hält den Kern oder den Honig oder den Zobel in sich verborgen. Und der Gepanzerte öffnet die Schultern der Frau, als wäre sie eine Lade, eine Truhe. Und mit dem Schwert schnitt er daraus ein Maß Gerste und eine Honigwabe. Mitunter stößt man in der Welt auf ein großes und starkes Gefühl. Dazu gesellt sich immer ein Mitleid. Der Gegenstand unserer Vergötterung erscheint uns desto mehr als Opfer, je mehr wir ihn lieben. Es gibt solche, deren Mitleid mit der Frau alle denkbaren Grenzen übersteigt. Ihre Einbildungskraft schafft um die Frauen ein Reich der Unwirklichkeit, Situationen, die es nur in der Phantasie geben kann. Sie werden eifersüchtig auf die Luft, die sie umgibt, auf die Naturgesetze, die sie beherrschen, und auf die Jahrtausende, die vor ihnen dahingegangen sind.«

Jurij Andréitsch war hinreichend gebildet, um in den letzten Worten der Wahrsagerin die Anfangszeilen aus irgendeiner Chronik, vielleicht der von Nowgorod oder der Ipatjewschen, zu vermuten, die durch Entstellungen in eine apokryphe Schrift verwandelt worden waren. Jahrhundertelang haben Wahrsager, Hexenmeister und Märchenerzähler diese Texte von Geschlecht zu Geschlecht überliefert. Und noch früher haben die Abschreiber manches durcheinandergebracht und zusammengelogen.

Wie kam es nun, daß der Zauber der Sage ihn derart hatte gefangennehmen können? Hatte er sich vor dieser Fabel ohne Hand und Fuß nicht so verhalten, als handle es sich um wahrhafte Realitäten?

Man hatte Lara die linke Schulter geöffnet. So wie man mit einem Schlüssel durch die geheime Tür eines eisernen, eingebauten Geheimfaches gelangt, so hatte man ihr mit einer Wendung des Schwertes das Schulterblatt geöffnet. In der Tiefe der freigelegten Innenschicht offenbarten sich die von ihrer Seele gehüteten Geheimnisse. Fremde Städte, fremde Straßenzüge, fremde Häuser, fremde Welten zogen sich in Bändern hin, rollten sich auf, um als Bänderrollen herauszufallen.

Oh, wie sehr er sie liebte! Wie war sie doch schön! Genauso, wie er es sich immer gedacht und erträumt hatte, und wie er sie brauchte! Was war es mit ihrer Schönheit? War sie etwas, das man mit einem Namen hätte bezeichnen können? O nein! O nein! Es war diese einfache und sichere unnachahmliche Linie, mit der sie

Gott, der Schöpfer, in einem einzigen Zug hingestellt hatte, dieser göttliche Umriß, in dem sie seiner Seele anvertraut worden war und der sie so fest umschloß wie die Tücher den Jüngling nach seinem Bad.

Und er, wo war er jetzt, und was geschah mit ihm? Wald, Sibirien, Partisanen. Sie sind umzingelt, und er wird das gemeinsame Schicksal aller teilen. Was für ein Teufelsspuk! Wie unerhört! Und wieder wurde sein Blick trübe und auch sein Kopf. Alles schwamm vor ihm her. Um diese Zeit begann statt des erwarteten Schneefalls Regen niederzugehen. Wie ein ungeheures Plakat, das über einer Straße von einem Hause zum andern reichte, entfaltete sich über der Waldlichtung das riesige, verschwommene Abbild eines wundervollen angebeteten Gesichts. Der niedergehende Regen küßte und benetzte das weinende Gesicht.

»Geh jetzt«, sagte die Wahrsagerin zu Agafja, »deine Kuh habe ich besprochen; sie wird gesund. Bete zur Muttergottes, denn sie ist die Lade der Welt und das Buch des lebendigen Gottes.«

VIII

Es kam zu Kämpfen an den westlichen Grenzen der Taiga. Die war aber so riesengroß, daß es ihnen schien, als spiele sich der Krieg in den fernen Gemarkungen des Reiches ab. Und die in dem Wald zusammengescharten Heerhaufen waren so zahlreich, daß, so viele Leute auch in den Kampf ziehen mochten, dennoch genug zurückblieben, so daß das Lager niemals leer wurde.

Das Getöse des fernen Kampfes erreichte das Lager kaum. Plötzlich aber knallten durch den Wald einige Schüsse. Sie folgten hart aufeinander, in nächster Nähe, und gingen im Nu über in ungeordnetes Kleingewehrfeuer. Die von der Schießerei Überraschten stürzten blindlings in aufgelöster Ordnung auseinander. Die Männer der Hilfstruppen rannten zu ihren Fahrzeugen. Der Tumult war unbeschreiblich. Alle machten sich kampfbereit.

Aber der Tumult legte sich bald wieder. Es stellte sich heraus, daß es nur blinder Alarm gewesen war. Das Volk strömte zurück an die Stelle, wo die Schüsse gefallen waren. Die Menge wuchs. Zu den Umstehenden gesellten sich Neue.

Die Menschenschar umstand einen auf der Erde liegenden, blutüberströmten Verstümmelten. Der Unglückliche atmete noch. Der rechte Arm und das linke Bein waren ihm abgehauen. Es war unfaßlich, wie der Unglückliche mit der andern Hand und mit dem andern Bein bis zum Lager hatte kriechen können. Der abgehauene Arm wie auch das Bein waren ihm als fürchterliche, blutige Klumpen auf den Rücken gebunden samt einer langen Beschriftung auf einem Brett, wo in wüsten Schimpfereien ausgeführt wurde, man habe dies aus Rache getan für die Bestialitäten verschiedener roter Abteilungen, zu der die Partisanen der Waldbrüderschaft nicht die mindeste Beziehung hatten. Außerdem hieß es, mit allen würde so verfahren, wenn sich zu einem bestimmten genannten Termin die Partisanen nicht ergeben und ihre Waffen den Vertretern der Armeen des Wizyn-Korps abliefern würden.

Nahe am Verbluten, berichtete der Märtyrer mit schwacher Stimme und immer wieder in Bewußtlosigkeit versinkend, von den Martern und Folterqualen, die er in den Etappenstellungen des Strafbataillons des Generals Wyzin und seiner Militärgerichte erduldet hatte. Man hatte ihn zum Tode durch den Strang verurteilt, ihm aber, als Gnade, eben die Strafe des Abhauens von Arm und Bein zugebilligt, um ihn in dieser furchtbaren Verstümmelung in das Partisanenlager zu schicken. Erst trug man ihn auf Händen bis zu der feindlichen Linie, dann aber legte man ihn auf die Erde nieder und befahl ihm weiterzukriechen, wobei er noch von ferne durch Schüsse angetrieben wurde.

Der zu Tode Gequälte bewegte kaum noch die Lippen. Um sein kaum verständliches Geflüster zu verstehen, beugten sich die Leute zu ihm herab. Er sagte: »Nehmt euch in acht, Brüder. Man hat eure Linie durchbrochen.«

»Wir schickten zur Deckung eine Abteilung hin. Dort wird tüchtig gekämpft. Wir werden sie schon zurückschlagen.«

»Ein Durchbruch. Ein Durchbruch. Er will euch täuschen. Ich weiß es. Ach, ich kann nicht mehr, Brüder! Ihr seht, ich verblute; ich huste Blut, ich muß sterben!«

»Bleib nur liegen, schöpf Atem, brauchst nicht zu reden; laßt ihn doch nicht sprechen, ihr Unmenschen! Ihr seht doch, daß es ihn tötet.«

»Sie haben keine lebendige Stelle an mir gelassen, diese Blutsauger, diese Hunde. Du wirst dich, so sagte er, mit deinem eigenen Blut bei mir waschen! Sag jetzt an: Wer bist du? Aber wie sollte ich das sagen, Brüder, wenn ich doch selber wahr und wahrhaftig ein echter Deserteur bin. Jawohl, ich bin von ihm zu den Euren übergelaufen.«

»Da sprichst du immer von einem ›er‹! Wer hat dich denn so im Schraubstock gehabt?«

»Och, Brüder, mein ganzes Innere kehrt sich um! Laßt mich erst wieder zu Atem kommen. Ich sag's euch gleich. Es ist der Ataman Bekeschin. Strese hieß der Oberst. Es sind Wizyns Leute. Ihr hier im Walde wißt von nichts. Aber durch die Stadt geht ein Seufzen. Aus lebendigen Menschen kocht man da Eisen. Die Haut der Lebenden wird zu Riemen geschnitten. Da wird man am Genick gepackt und hereingeschleppt und rings Höllenfinsternis; wo man ist, weiß man nicht. Man tastet herum – ein Käfig, ein Waggon. Im Käfig – über vierzig! Und alle im bloßen Hemde! Und immer wieder öffnet man den Käfig, und eine Tatze greift herein und packt im Wagen den ersten besten. Man zerrt ihn 'raus. Genauso wie beim Hühnerschlachten. Bei Gott. Der eine wird gehängt, der andere vor die Flinte gestellt, ein dritter zum Verhör geführt. Man reißt ihm die Kleider vom Leibe, streut ihm Salz in die Wunden, gießt kochendes Wasser hinein. Wenn er sein Wasser läßt oder in die Hose macht, so zwingt man ihn, es aufzuessen! Und die Kinder erst, die Frauen, o Gott!«

Der Unglückselige lag in den letzten Zügen. Er vermochte nicht zu Ende zu sprechen, schrie auf und verschied. Das verstanden alle Umstehenden, sie nahmen ihre Mützen ab und schlugen das Kreuz.

Am Abend verbreitete sich eine andere noch viel schrecklichere Nachricht mit Windeseile im Lager.

Pamfil Palých hatte in der Menge gestanden, die sich um den Sterbenden scharte. Er hatte den Bericht vernommen und die Drohungen gelesen, die auf der Tafel standen.

Die Angst, die an ihm nagte, wenn er an das Geschick der Seinen im Falle seines Todes dachte, erfaßte ihn jetzt in nie dagewesenem Ausmaß. In seiner Vorstellung sah er schon, wie sie langsam gefoltert wurden, sah ihre von Qualen entstellten Gesichter, hörte ihr Stöhnen und ihre Hilferufe. Um sie vor künftigen Leiden zu bewahren und seine eigenen abzukürzen, erschlug er selbst seine Frau und seine drei Kinder mit demselben rasiermesserscharfen Beil, mit dem er Spielzeug für sein Töchterchen und den Lieblingssohn Fljonuschaka geschnitzt hatte.

Zum Erstaunen ist es, daß er nicht gleich danach Hand an sich selber legte. Woran mochte er denken? Was konnte seiner warten? Welche Aussichten, welche Absichten? Es war offensichtlich die Wahnsinnstat einer unwiderruflich abgeschlossenen Existenz.

Während Liberij, der Doktor und die Mitglieder des Armee-Sowjets auf einer Sitzung berieten, was man mit ihm machen solle, ging er frei im Lager umher, den Kopf tief auf die Brust gesenkt, ohne mit den gelblich trüben, schielenden Augen noch etwas wahrzunehmen. Ein stumpfes, unmenschliches Lächeln irrte über seine Züge und war der Ausdruck eines grenzenlosen, unüberwindbaren Leides.

Keiner hatte Mitleid mit ihm. Alle wichen vor ihm zurück. Stimmen wurden laut, man sollte selber Gericht über ihn halten. Aber sie fanden keinen Widerhall.

Was sollte er noch auf dieser Welt? Im Morgengrauen verschwand er aus dem Lager, wie ein krankes, wasserscheues, tollwütiges Tier vor sich selber davonläuft.

IX

Schon seit langem war es Winter – es fror Stein und Bein. Zerfetzte Töne und Formen ohne ersichtlichen Zusammenhang tauchten im Frostnebel auf, standen da, bewegten sich, schwanden hin. An Stelle der Sonne hing eine Art purpurroter Kugel zwischen den Bäumen des Waldes. Von ihr gingen schwer und langsam, wie im Traum oder wie im Märchen, zwei Strahlen aus, die ein bernsteinfarbenes, honiggelbes Licht aussandten. Diese Strahlen erstarrten in der Luft und froren an die Bäume an.

Unsichtbare Füße in Filzstiefeln bewegten sich nach allen Richtungen und berührten mit den Sohlen kaum den Boden, der dennoch unter jedem ihrer Schritte knirschte und knackte, während die dazugehörigen Gestalten mit den Schneehauben und Pelzjacken einzeln durch die Luft zu schweben schienen, wie die auf ihrer Bahn dahinziehenden Lichter der Himmelssphären.

Bekannte blieben stehen, knüpften ein Gespräch an. Sie steckten ihre Köpfe zusammen, die wie nach einem Bad gerötet waren. An den Bärten hingen ihnen Eiszapfen. Aus ihren Mündern stieg der dichte, zähe Dampf in Wolken, deren Größe mit der Kürze der gleichsam eingefrorenen Worte ihrer Rede kontrastierte.

Auf einem Pfade stießen Liberij und der Doktor aufeinander.

»Ah, Sie sind es? Lange nicht gesehen! Bitte für den Abend in meine Erdhütte zu kommen. Übernachten Sie bei mir. Wir wollen mal von alten Dingen sprechen. Auch habe ich eine Mitteilung.«

»Ist der Kurier zurück? Sind Nachrichten aus Warykino gekommen?«

»Weder von den Meinen noch von den Ihren enthält die Meldung auch nur ein Wort. Aber gerade das beruhigt mich. Sie haben sich also rechtzeitig retten können. Sonst hätte man sie erwähnt. Übrigens, über all das sprechen wir heute abend. Also ich erwarte Sie!«

In der Erdhütte wiederholte der Doktor seine Frage.

»Sagen Sie nur das eine: was wissen Sie von unseren Familien?«

»Schon wieder wollen Sie nicht weiter sehen als bis zur Spitze Ihrer Nase. Die Unseren sind allem Anschein nach am Leben und in Sicherheit; aber es handelt sich ja gar nicht um sie. Wundervolle Neuigkeiten. Wollen Sie Fleisch? Kalten Kalbsbraten?«

»Nein, danke. Werfen Sie nicht alles durcheinander. Kommen Sie zur Sache.«

»Sie haben unrecht. Ich will essen. Wir haben Skorbut im Lager. Die Leute vergessen, was Brot ist und Gemüse. Man hätte im Herbst die Nuß- und Beerenernte besser organisieren sollen, solange es hier noch geflüchtete Weiber gab. Ich sage, unsere Angelegenheiten stehen ganz ausgezeichnet. Das, was ich immer vorausgesagt habe, ist eingetroffen. Das Eis ist gebrochen. Koltschak befindet sich auf allen Fronten im Rückzug. Das ist eine vollständige Niederlage, die sich täglich vergrößert. Sehen Sie nun?! Was habe ich gesagt! Sie hingegen haben immer Trübsal geblasen.«

»Wann je hätte ich Trübsal geblasen?«

»Immer, besonders, als uns Wizyn auf den Fersen war.«

Der Doktor dachte an den vergangenen Herbst, an die standrechtlichen Erschießungen der Meuterer, an die Kindermorde und die Ermordung der Frau Palýchs, an die blutigen Auseinandersetzungen, an die Menschenschlächterei, die kein Ende nehmen wollte. Der Fanatismus der Weißen und der Roten wetteiferte in Grausamkeiten miteinander, wobei mit immer zunehmender Kraft auf jeden Schlag ein Gegenschlag erfolgte. Vom Blutvergießen konnte einem übel werden; das Blut stieg einem bis zum Hals; die Augen schwammen in Blut. Das war alles andere als ›Trübsalblasen‹. Aber wie hätte man das Liberij klarmachen sollen? In der Erdhütte roch es nach Ofenqualm, der zur Decke aufstieg und Nase und Hals reizte. Die Erdhütte wurde von dünnen Spänen erleuchtet, die in einem eisernen Dreifuß brannten. War der Span am Erlöschen, so fiel das angebrannte Ende in eine darunter befindliche Wasserschale, und Liberij steckte dann einen neuentzündeten Span in den Ring.

»Sehen Sie, was ich hier verbrenne. Das Öl ist alle. Wir nehmen statt dessen getrocknetes Holz. Diese Späne brennen schnell ab. Ja, wir haben Skorbut im Lager. Sie weigern sich also kategorisch, Kalbsbraten zu essen? Ja, Skorbut. Was schauen Sie denn so, Doktor? Es liegt noch kein Grund vor, den Stab einzuberufen, die Lage zu beleuchten, eine Anweisung für den Fall von Skorbut zu geben und welche Maßnahmen da zu treffen wären.«

»Um Gottes willen, quälen Sie mich nicht damit. Was wissen Sie noch über unsere Angehörigen?«

»Ich habe Ihnen schon gesagt, daß ich überhaupt keine genauen Nachrichten von ihnen habe. Ich habe aber nicht alles gesagt, was ich nach den letzten allgemeinen militärischen Aufstellungen weiß. Der Bürgerkrieg ist zu Ende. Koltschak ist aufs Haupt geschlagen. Die Rote Armee treibt ihn die Hauptlinie entlang nach Osten, um ihn ins Meer zu werfen. Ein anderer Teil der Roten Armee eilt, sich mit uns zu verbünden, um mit gemeinsamen Kräften mit der Vernichtung der zahlreichen überall verstreuten Etappenstellungen zu beginnen. Der Süden Rußlands ist gesäubert. Warum freuen Sie sich nicht? Genügt Ihnen das nicht?« – »Es ist nicht wahr. Ich freue mich. Wo aber sind unsere Familien?«

»In Warykino sind sie nicht, und das ist ein großes Glück. Obwohl die im Sommer kursierenden Legenden Kamennodwórskis, wie anzunehmen war, sich nicht bestätigt haben – Sie erinnern sich an die blöden Gerüchte von einem Angriff auf Warykino durch irgendeinen geheimnisvollen Volksstamm? – Aber die Siedlung ist jetzt völlig menschenleer. Es scheint dort immerhin irgend etwas vorgefallen zu sein, und es ist sehr gut, daß beide Familien sich rechtzeitig von dort entfernt haben. Wir wollen annehmen, daß sie sich gerettet haben. Das sind auf Grund meines Nachrichtenapparats die Vermutungen der wenigen, die dort verblieben sind.«

»Und Jurjatino – was tut sich dort? In wessen Hand ist es?«

»Auch das ist etwas Unglaubhaftes. Ohne Zweifel eine falsche Nachricht.«

»Und zwar?«

»Angeblich sollen da noch die Weißen liegen. Das ist eine absolute Unmöglichkeit! Ich will es Ihnen jetzt gleich vollkommen deutlich beweisen.«

Liberij setzte einen neuen Span in den Ring und entfaltete eine ziemlich stark mitgenommene Zwei-Werst-Karte, die so gefaltet war, daß die überflüssigen Teile nicht sichtbar wurden; nun erläuterte er an Hand der Karte mit dem Bleistift.

»Schauen Sie her. Auf allen diesen Abschnitten wurden die Weißen zurückgedrängt. Hier, hier und hier, im ganzen Kreise. Können Sie mir folgen?«

»Ja.«

»Sie können in der Richtung nach Jurjatino nicht vordringen. Andernfalls würden sie, da alle Verbindungen abgeschnitten sind, unweigerlich in die Falle geraten. Es ist ausgeschlossen, daß ihre Generäle, so dumm sie auch sein mögen, das nicht kapieren sollten. Sie ziehen sich den Pelz an. Wohin wollen Sie?«

»Sie entschuldigen, ich gehe für einen Augenblick hinaus. Bin gleich wieder da. Hier riecht es so nach ›Machorka‹ und nach Kienspänen. Ich fühle mich nicht wohl. Ich möchte etwas frische Luft schöpfen.«

Nachdem der Doktor hinausgegangen war, fegte er mit seinem Ärmel den Schnee von einem dicken Baumstamm, den man der Länge nach am Eingang als Sitzgelegenheit hingelegt hatte. Er setzte sich darauf und stützte den Kopf in beide Hände und überlegte. Die winterliche Taiga, das Waldlager, die achtzehn Monate, die er bei den Partisanen zugebracht hatte – alles das war weggeweht. Er hatte es vergessen. Das, was in seiner Erinnerung fest haftete, waren die ihm Nahestehenden. Er rätselte lange herum, aber alle Mutmaßungen waren entsetzlich, eine entsetzlicher als die andere. Da sah er Tonja, wie sie im Schneesturm mit Schurotschka auf den Armen übers Feld ging. Sie wickelte ihn ganz fest in eine Decke. Bei jedem Schritt brechen ihre Füße tief in den Schnee ein, und sie hat Mühe, sie wieder herauszuziehen; der Schneesturm aber fegt über sie dahin, dringt auf sie ein, daß sie schier umsinkt. Sie fällt und steht wieder auf; sie kann sich nicht mehr auf den schwach gewordenen, wankenden Beinen halten. Oh, aber er hat ja wahrhaftig vergessen, daß sie *zwei* Kinder hat und daß das jüngere noch gestillt wird. Sie ringt ihre beiden Hände genauso wie die Flüchtlingsweiber auf Tschilimka, sie ringt sie – vor lauter Kummer und weil die Anspannung, die alle ihre Kräfte übersteigt, sie um ihren Verstand bringt.

Beide Hände sind voll in Anspruch genommen, und es ist niemand da, der helfen könnte. Schurotschkas Papa ist, man weiß nicht wohin, verschwunden. Er ist weit fort, immer weit fort; sein ganzes Leben führt er abseits von ihnen; und ist es überhaupt ein Papa, wären denn die wirklichen Papas tatsächlich so? Und wo ist Tonjas eigener Papa? Wo ist Alexander Alexandritsch, wo Njuscha? Wo alle andern? Oh, besser wäre es, alle diese Fragen nicht aufzuwerfen, besser – nicht denken, besser – nicht tiefer eindringen.

Der Doktor erhob sich von dem Baumstamm in der Absicht, wieder in die Erdhütte hinabzusteigen, aber plötzlich schlugen seine Gedanken eine andere Richtung ein. Er wollte nicht mehr zu Liberij hinunter in dessen Hütte.

Die Skier, einen Beutel mit Zwieback und alles Notwendige für eine Flucht hatte er längst beisammen. Er hatte diese Dinge im Schnee vergraben hinter dem Lager, unter einer großen sibirischen Weißtanne, die er, um ganz sicher zu gehen, noch mit einem Zeichen versehen hatte. Dorthin begab er sich nun auf einem Pfad, der sich zwischen Schneewehen hinschlängelte. Die Nacht war klar. Es war Vollmond. Der Doktor wußte, wo für die Nacht Wachen aufgestellt waren. Es gelang ihm, diese mit Erfolg zu umgehen. Aber an der Waldwiese mit der vereisten Eberesche wurde er von dem dort aufgestellten Posten angerufen. Er stand auf den schnell dahingleitenden Schneeschuhen und kam auf ihn zugefahren.

»Halt! Ich schieße! Wer da? Sprich!«

»Aber was fällt dir ein, Bruder! Bist du verrückt, hast du mich nicht erkannt? Ich bin doch euer Doktor Schiwago.«

»Verzeihung. Sei mir nicht gram, Genosse Shelwak. Ich habe dich nicht erkannt. Aber wenn du auch Shelwak bist, so lasse ich dich doch nicht durch. Alles geht nach der Regel.«

»Also – schon recht! Parole – rotes Sibirien, Gegenruf: fort mit den Interventionisten.«

»Das ist eine andere Sache. Geh jetzt, wohin du willst. Hinter welchem Satan bist du jetzt her! In stockfinsterer Nacht? Sind es Kranke?«

»Ich kann nicht einschlafen und habe Durst. Ich sagte, ich gehe mal 'raus und esse ein wenig Schnee. Ich sah dort die Eberesche mit ihren gefrorenen Beeren. Da möchte ich hin und die kauen.«

»So also – eine Herrenlaune. Im Winter nach Beeren gehen! Drei Jahre lang kauen wir sie, und kauen hinten und vorn, aber es nutzt alles nichts. Geh, hol deine Ebereschen, du komischer Kauz! Mir sind sie nicht leid.«

Der Wachtposten nahm einen starken Anlauf und fuhr auf seinen langen Schneeschuhen seitwärts ab und entfernte sich immer weiter auf Neuschnee – immer weiter und weiter, hinter die spärlichen, kahlen Wintersträucher, die so aussahen wie gelichtetes Haar. Der Pfad aber, auf dem der Doktor fuhr, brachte ihn zu der genannten Eberesche. Sie stand zur Hälfte im Schnee, zur Hälfte war sie noch mit gefrorenem Laub und mit ihren Beeren bedeckt, und sie reckte ihm zwei beschneite Äste grüßend entgegen. Er mußte an Laras weiße Arme denken, die so voll und so freigebig waren, und er griff nach den Zweigen und zog den Baum an sich heran. Wie zur Antwort überschüttete ihn die Eberesche mit ihrem Schnee von Kopf bis Fuß. Er murmelte, wußte aber nicht, was er sagte, so sehr war er außer sich:

»Ich werde dich sehen, du Himmelsbild, du meine Fürstin, du meine Eberesche!«

Die Nacht war klar, der Mond schien. Er fuhr weiter in die Taiga hinein, zu der bewußten sibirischen Weißtanne; dort grub er seine paar Sachen aus und verließ das Lager.

Das Haus mit den Standbildern

I

Die große Kaufmannsstraße führte den Hügel hinab zur kleinen Spasskaja und zur Nowoswalotschnaja. Auf diese Straße blickten die Häuser und Kirchen der höher gelegenen Stadtteile hinunter. An der Straßenkreuzung befand sich das dunkelgraue Haus mit den Standbildern. Auf den riesigen, viereckigen Steinen des schräg nach oben aufsteigenden Fundaments waren die neuesten Nummern der Regierungsblätter frisch angeklebt. Kleinere Gruppen von Vorübergehenden blieben längere Zeit auf dem Trottoir stehen und studierten sie schweigend.

Nach dem vorübergehenden Tauwetter war es jetzt wieder trocken. Frost fiel ein, und es wurde empfindlich kühler. Am Tage hatte man schon herrliches Wetter. Der Winter war noch nicht lange vorüber. Die Leere des frei gewordenen Raumes wurde nun vom Licht erfüllt, das sich bis in den Abend hielt. Dieses Licht regte die Menschen auf, lockte sie in die Ferne, erschreckte sie und machte sie mißtrauisch.

Vor kurzem erst hatten die ›Weißen‹ den ›Roten‹ die Stadt geräumt. Die Beschießungen, das Blutvergießen, die kriegerischen Unruhen waren zu Ende. Auch das wirkte erschreckend und ebenso Mißtrauen erweckend wie das Abklingen des Winters und das Längerwerden des Frühlingstages.

Die Bekanntmachungen, die von den Vorübergehenden im Abendlicht gelesen wurden, lauteten folgendermaßen:

›Zur Kenntnis der Bevölkerung. Arbeitsbücher für Bemittelte werden für fünfzig Rubel per Stück in der Verkaufsstelle des Jur-Sowjets in der Oktoberstraße, ehedem Generalgouverneurstraße 5, Zimmer 137, abgegeben. Das Fehlen eines Arbeitsbuches oder eine unrichtige Eintragung in dasselbe wird mit aller Strenge der Kriegszeiten geahndet. Genaue Instruktionen über die Benutzung der Arbeitsbücher wurden publiziert im I. J. I. K. Nr. 86/1013 des laufenden Jahres; Aushang in der Verkaufsstelle des Jur-Sowjets, Zimmer Nr. 137.‹

In einer anderen Bekanntmachung wurde mitgeteilt, daß es in der Stadt hinreichende Vorräte an Lebensmitteln gab, die von der Bourgeoisie nur versteckt gehalten würden, um die Verteilung zu desorganisieren und ein Chaos in der Ernährungslage herbeizuführen. Diese Erklärung schloß mit den Worten:

›Jeder, dem die Aufbewahrung und Geheimhaltung von Lebensmittelvorräten nachgewiesen wird, wird an Ort und Stelle standrechtlich erschossen.‹

Eine dritte Ankündigung machte den Vorschlag:

›Im Interesse einer richtigen Organisierung der Lebensmittelbeschaffung werden die nicht den Ausbeutern zugezählten Elemente in Konsumkommunen erfaßt. Genaueres ist zu erfahren in der Versorgungsstelle des Jur-Sowjets, Oktoberstraße, ehedem Generalgouverneurstraße 5, Zimmer Nr. 137.‹

Militärpersonen wurden so gewarnt:

›Wer seine Waffen nicht abgeliefert hat oder sie – ohne entsprechende Genehmigung zum Tragen der neuesten Typen – führt, wird mit aller Strenge des Gesetzes bestraft. Die Genehmigungen werden eingetauscht im Jr. Rev. Kom., Oktoberstraße 6, Zimmer 63.‹

II

Einer Gruppe der Lesenden schloß sich ein ganz abgemagerter, verwildert aussehender Mensch an, der sich lange nicht gewaschen haben mußte und darum dunkelhäutig aussah; im übrigen hatte er einen Beutel geschultert und einen Stock; sein langes, ungeschorenes Haar zeigte noch kein weißes Haar, während der dunkelblonde Bart, der sein Gesicht umgab, am Ergrauen war. Dies war der Doktor Jurij Andréitsch Schiwago. Den Pelz hatte man ihm sicher unterwegs abgenommen, oder er hatte ihn gegen Lebensmittel eingetauscht. Er trug offensichtlich eingetauschte kurzärmelige, schmutzige Wäsche, die einem Fremden gehört haben mußte und ihn nicht wärmte.

In seinem Brotbeutel hatte er nicht mehr als eine aufgesparte Brot-

rinde, die man ihm beim Passieren eines Vorstadtdorfes zugescho-
ben hatte samt einem Stück Speck. Vor etwa einer Stunde war er
in der Stadt eingetroffen und kam von der Bahnstrecke her; er
hatte eine ganze Stunde benötigt, um vom städtischen Schlagbaum
bis zu diesem Kreuzungspunkt zu gelangen – so sehr war er von
der Wanderung der letzten Tage erschöpft und erledigt. Er blieb
oft stehen und mußte an sich halten, um nicht auf die Erde niederzufallen und die Steine der Stadt zu küssen, die er nicht erwartet
hatte, je wiederzusehen, und deren Anblick ihn so erfreute, als habe
er ein lebendes Wesen vor sich.

Sehr lange, fast die Hälfte seiner Wanderung, war er entlang der
Bahnlinie gegangen. Diese Linie war total vernachlässigt und längst
nicht mehr in Benutzung; auch war sie ganz verschneit. Sein Weg
hatte ihn an weißgardistischen Transporten vorbeigeführt, an Pas-
sagier- oder Güterzügen, die durch Schneeverwehungen, aber auch
durch die Niederlage Koltschaks und durch den Mangel an Heizmaterial steckengeblieben waren. Diese unterwegs festgefahrenen
und unter dem Schnee begrabenen Züge bildeten ein fast ununter-
brochenes Band auf Dutzende von Wersten. Sie dienten bewaffneten Banden, die unterwegs auf den Wegen räuberten, als Festungen
oder als Zufluchtsstätten für kriminelle und politische Flüchtlinge,
den unfreiwilligen Herumtreibern jener Zeit, am allermeisten aber
als Brudergräber und Kollektivmausoleen für Erfrorene und an
Typhus Verstorbene. Die Epidemie wütete entlang der Bahnlinie
und hatte in der Umgegend ganze Dörfer niedergemäht.

Diese Zeit rechtfertigte den alten Spruch: Homo homini lupus. Der
Wandersmann pflegte, wenn er einem anderen Wanderer begegnete, abzuschwenken, denn einer tötete den anderen, um nicht
selber getötet zu werden. Auch vereinzelte Fälle von Menschen-
fresserei waren vorgekommen. Die Menschengesetze der Zivili-
sation waren aufgehoben. Es herrschte das Gesetz der wilden Tiere.
Der Mensch träumte die prähistorischen Träume des Höhlenzeit-
alters.

Einzelne Schattengestalten, die abseits vom Wege schlichen, kamen
Jurij Andréitsch, der ihnen vorsorglich auswich, aus irgendeinem
Grunde bekannt vor. Es war ihm, als hätte er sie früher schon ge-
sehn. Sie schienen aus dem Partisanenlager zu kommen. In der
Mehrzahl der Fälle versah er sich aber, doch einmal hatte ihn das
Auge nicht getrogen. Ein Halbwüchsiger, der aus einem Schnee-

berge herauskroch, der einen internationalen Schlafwagen vollkommen verdeckte, verschwand wieder, nachdem er seine Notdurft verrichtet hatte, in seinem Unterschlupf. Er hatte tatsächlich den Waldbrüdern angehört. Es war der nur scheinbar zu Tode getroffene Teréntij Galusin. Man hatte ihn nicht ganz erledigt, er hatte lange ohnmächtig dagelegen, war dann wieder zum Bewußtsein gekommen, war vom Ort der Hinrichtung fortgekrochen, hatte sich in den Wäldern versteckt gehalten, wo er sich von seinen Verwundungen erholte, und nun hatte er die Absicht, heimlich unter einem anderen Namen, zu seinen Angehörigen nach Krestowosdwíshensk zurückzukehren, wobei er sich unterwegs vor den Menschen in den verschütteten Zügen versteckte.

Vor diesen Bildern hatte man den Eindruck von etwas Überirdischem. Sie erschienen wie Fragmente des ungeahnten Lebens von einem anderen Planeten, das durch ein Versehen hierher verschlagen worden war. Und nur die Natur blieb der Geschichte treu und gaukelte dem Auge Bilder vor, wie sie von Künstlern der neuesten Zeit dargestellt werden.

Die Winterabende waren friedlich in lichtem Grau und tiefem Rot. Die dunklen Birkenwipfel hoben sich wie Federzeichnungen von dem lichten Abendhimmel ab. Schwarze Bäche flossen unter der grauen Kruste einer leichten Eisschicht und zwischen dem an den Ufern zu Bergen aufgetürmten Schnee hin, der von unten das Wasser aufsog. Frostig, durchsichtig und von einem Grau, das so rührend wie der Flaum von Weidenkätzchen wirkte, war der Abend, der sich jetzt über das Haus mit den Standbildern in Jurjatino senkte.

Der Doktor trat vor die Anzeigen an der steinernen Wand des Hauses, um die Regierungsbekanntmachungen zu lesen. Aber sein Blick glitt immer wieder hinüber zur gegenüberliegenden Seite; er war nach oben gerichtet, nach einigen Fenstern der zweiten Etage des gegenüberliegenden Hauses. Diese auf die Straße hinausgehenden Fenster waren früher einmal mit Kreide geweißt gewesen. In den dahinterliegenden zwei Zimmern war das Mobiliar der Wohnungsinhaber aufgespeichert. Obwohl der Frost den unteren Teil der Fensterbretter mit einer dünnen Kristallschicht überzog, war doch zu sehen, daß die Fenster jetzt transparent waren und man den Kreidebelag abgewaschen hatte. Was mochte dieser Wechsel bedeuten? Waren die Wohnungsinhaber inzwischen zurückgekehrt?

Oder war Lara ausgezogen? Waren neue Mieter eingezogen, und war dort überhaupt alles anders?

Die Ungewißheit regte den Doktor auf. Er wurde seiner Erregung nicht Herr. Er ging über die Straße, betrat von der Paradeanfahrt aus den Flur und stieg die ihm so wohlbekannte und seinem Herzen so liebe Treppe hinauf. Wie oft hatte er im Waldlager sich an den geringsten Schnörkelzierat, an das durchbrochene Muster der gußeisernen Stufenplatten erinnert! Wenn man an einer Treppenwendung durch das Gitter unter den Füßen hindurchsah, so konnte man unten Eimer, Spülschüsseln und zerbrochene Stühle erkennen. So war es auch jetzt. Also hatte sich gar nichts verändert. Der Doktor war der Treppe beinahe dankbar, daß sie der Vergangenheit die Treue hielt.

Irgendwann hatte es an der Tür eine Klingel gegeben. Aber sie war schon damals vor der Waldgefangenschaft des Doktors nicht mehr gegangen. Er wollte an die Tür klopfen, merkte aber, daß sie auf eine neue Art geschlossen war, nämlich durch ein schweres Vorhängeschloß, das man durch Ringe gezogen hatte, die grob in die Zierverkleidung aus altem Eichenholz mit den guten und teilweise abgebrochenen Schnitzereien eingeschraubt waren. Früher hätte man eine solche Barbarei nicht geduldet. Man bediente sich eingepaßter Türschlösser, die gut schließbar waren; kam es aber vor, daß so ein Schloß zerbrach, so gab es Schlosser, die es wieder in Ordnung brachten. Diese nichtigen Kleinigkeiten bekundeten auf ihre Weise den allgemeinen, schlimm fortgeschrittenen Verfall.

Der Doktor war überzeugt, daß Lara und Katjenka nicht in dem Hause waren, vielleicht aber auch nicht in Jurjatino, ja, vielleicht nicht einmal auf der Welt. Er war bereit, sich der schrecklichsten Verzweiflung hinzugeben. Doch nur um des guten Gewissens willen beschloß er, in dem Loch nachzufühlen, welches er und Katjenka so sehr fürchteten, und er klopfte mit dem Fuß an die Mauer, um nicht mit der Hand eine Ratte in der Vertiefung zu packen. Er hoffte nicht, in diesem geheimen Versteck etwas finden zu können. Vor das Loch war ein Ziegelstein geschoben. Jurij Andréitsch nahm den Ziegelstein heraus und steckte seine Hand in die Vertiefung. Oh, welch ein Wunder! Der Schlüssel war da, dazu ein beschriebenes Blatt. Es war ein großes Blatt, und da stand ziemlich viel geschrieben. Der Doktor trat an das Treppenfenster im

Vorflur. Ein noch größeres Wunder, und noch unwahrscheinlicher!
Der Brief war an ihn gerichtet! Er überflog ihn schnell:

»O Gott, welch ein Glück! Man sagt, Du seiest am Leben und
habest Dich eingefunden. Man hat Dich in der Umgegend gesehen;
man kam gelaufen und hat es mir gesagt. In der Annahme, daß Du
ganz zuerst nach Warykino eilen würdest, begebe ich mich selber
dorthin mit Katja. Für alle Fälle liegt der Schlüssel am gewohnten
Platz. Warte auf meine Rückkehr. Gehe nicht fort, nirgends hin.
Richtig, Du weißt ja noch nicht, ich bewohne jetzt die Zimmer im
vorderen Teil der Wohnung, die auf die Straße hinausgehen. Übrigens wirst Du das selber schon erraten haben. Im Hause ist mehr
Raum als nötig. Alles ist öde, ich habe einen Teil des Mobiliars
der Bewohner verkaufen müssen. Ich habe einige wenige Nahrungsmittel dagelassen, vor allen Dingen abgekochte Kartoffeln. Du
mußt den Deckel des Topfes mit einem Bügeleisen beschweren
oder sonst mit irgend etwas Schwerem, wie ich es gemacht habe,
damit die Ratten nicht darüber herfallen. Ich bin ganz von Sinnen
vor Freude.«

Damit schloß die erste Seite des Briefes. Der Doktor achtete nicht
darauf, daß das Papier auch auf der anderen Seite beschrieben war.
Er führte das entfaltete Blatt an die Lippen, dann faltete er es,
ohne weiter hinzusehen, und steckte es, zusammen mit dem Schlüssel, in seine Tasche. Ein fürchterlicher, stechender Schmerz überkam ihn zugleich mit seiner unbeschreiblichen Freude. Wenn sie so
unumwunden, ohne alle Vorbehalte, sich nach Warykino begeben
hatte, so war folgerichtig seine Familie nicht dort. Außer der Aufregung, in die ihn diese Vermutung versetzte, überfiel ihn ein un-
sagbarer Kummer um die Seinen. Warum hatte sie mit keiner Silbe
von ihnen gesprochen, auch davon nicht, wo sie sich jetzt aufhiel-
ten, als existierten sie überhaupt nicht mehr? Doch er hatte keine
Zeit, lange zu überlegen. Draußen begann es zu dunkeln. Es galt,
eine ganze Reihe von Dingen noch vor Anbruch der Dunkelheit
zu erledigen. Nicht zuletzt war es seine Absicht, sich über den Inhalt des auf der Straße aushängenden Dekrets zu informieren. In
jener Zeit konnte man seine Unwissenheit mit dem Leben bezahlen, wenn man gegen irgendeine Bestimmung verstieß. So schloß
er die Wohnung zunächst nicht auf, nahm auch seinen Sack nicht
von der Schulter, sondern begab sich wieder auf die Straße und trat
an die Mauer, die mit den verschiedensten Plakaten beklebt war.

Alle diese Drucksachen bestanden aus Zeitungsartikeln, protokollierten Reden aus Tagungen und aus Dekreten. Jurij Andréitsch durchlief die Überschriften. ›Requisitionsordnung und Besteuerung der besitzenden Klassen. Über die Arbeitskontrolle. Über die Fabrik- und Werkkomitees.‹ Es waren Verfügungen, mit der die neue Macht jene Ordnung ablöste, die früher in der Stadt gegolten hatte. Das neue Regime appellierte an die Unantastbarkeit ihrer Fundamente, die die Bürgerschaft – vielleicht unter der zeitweiligen Herrschaft der Weißen – vergessen haben mochte. Aber Jurij Andréitsch wurde schwindelig von diesen gleichartigen, unendlichen Wiederholungen. Aus welchen Jahren mochten diese Titel stammen? Stammten sie aus der Zeit des ersten Umsturzes oder der nachfolgenden Perioden, nach einigen weißgardistischen Aufständen in der Zwischenzeit? Was war nun mit diesen Titeln? Stammten sie aus dem vergangenen Jahr oder aus dem vorletzten? In seinem Leben war er begeistert gewesen von der Vorbehaltlosigkeit dieser Sprache und der Unmittelbarkeit der Gedanken. Mußte er nun wirklich für seine unvorsichtige Begeisterung damit zahlen, daß er sein Lebtag nichts anderes mehr sehen sollte als diese im Verlauf von langen Jahren unabänderlichen, langweiligen, banalen Exklamationen und Forderungen, die, je häufiger sie wiederholt wurden, desto stumpfer, schwerverständlicher und unausführbarer wurden? Sollte er wirklich durch einen Augenblick allzu bereitwilliger Anerkennung sich selber für alle Ewigkeit gebunden haben? Zufällig fiel sein Blick auf einen Ausschnitt dieser Ankündigungen. Er las:

»Die Nachrichten über die Hungersnot beweisen eine unvorstellbare Fahrlässigkeit der lokalen Organisationen. Die Tatsache der Veruntreuung liegt auf der Hand; die Spekulation ist unerhört! Was aber hat das Büro der Ortsverwaltung getan? Was haben die Sowkomy der Stadt und der umliegenden Ortschaften getan? Solange wir keine durchgreifenden Haussuchungen in den Lagerräumen von Jurjatino im Bezirk Jurjatin-Raswilje und Raswilje-Rybalka ausgeführt haben, solange wir nicht schärfste Terrormaßnahmen gegen Spekulanten – auch Erschießungen – anordnen, wird es keine Rettung vor dem Hunger geben.«

›Wie ich sie um ihre Verblendung beneide!‹ dachte der Doktor.

›Von welchem Getreide war hier die Rede, wenn doch schon seit geraumer Zeit keines mehr wuchs? Wo waren die besitzenden Klassen? Was sind das für Spekulanten, die doch schon längst nach dem Wortlaut der voraufgehenden Dekrete vernichtet sein müßten? Was für Bauern, was für Dörfer – wenn es diese nicht mehr gibt? Was für eine Fahrlässigkeit der eigenen Planungen und Maßnahmen, die schon längst im Leben keinen Stein auf dem andern liegen ließen? Wie konnte man mit diesem Fieber, das nicht abkühlte, Jahr für Jahr über nicht existente Themen phantasieren, über Dinge, die längst abgeschafft waren, wie konnte man sich gegen alles verschließen, was um einen her geschah?‹

Den Doktor erfaßte Schwindel. Er stürzte besinnungslos auf den Bürgersteig nieder. Als er wieder zu sich kam, half man ihm beim Aufstehn und erbot sich, ihn dorthin zu bringen, wo er wohnte. Er dankte aber und verzichtete auf jede Hilfe mit der Erklärung, er müsse nur über die Straße gehen.

IV

Und noch einmal stieg er die Treppe hinauf und öffnete die Tür zu Laras Wohnung. Auf dem Treppenabsatz war es immer noch hell, nicht dunkler als bei seinem ersten Besuch. Mit dankbarer Freude stellte er fest, daß die Sonne ihn nicht zur Eile trieb.

Das Knirschen des Schlüssels im Schloß war wie ein Aufruhr. Die menschenleere Wohnung empfing ihn mit Geklirr und Geklapper umgeworfener Blechbüchsen. Die Ratten klatschten auf den Fußboden und rannten erschrocken davon. Dem Doktor sank das Herz vor Hilflosigkeit angesichts dieses Durcheinanders und in dem Gestank, der sich in dieser höllischen Finsternis verbreitet hatte.

Und vor jedem andern Versuch, sich hier für die Nacht einzurichten, beschloß er als erstes, eine Abwehr gegen die Rattenplage zu schaffen, sich in einem leicht abteilbaren und gut abschließbaren Raum zu sichern und mit Glasscherben und scharfen Blechabfällen sämtliche Rattenlöcher zu verstopfen.

Aus dem Vorzimmer begab er sich nach links in den ihm noch unbekannten Teil der Wohnung. Nachdem er ein dunkles Durchgangszimmer durchschritten hatte, befand er sich in einem hellen Raum, von dem zwei Fenster auf der Straßenseite lagen. Direkt den Fenstern gegenüber war auf der andern Straßenseite die dunkle Front des Hauses mit den Standbildern sichtbar. Der untere Teil der Fassade war mit den aufgeklebten Bekanntmachungen der Zeitungen bedeckt, und Passanten, die ihm den Rücken kehrten, blieben davor stehen.

Das Zimmer wie die Straße war in das gleiche noch nicht beruhigte abendliche Licht des frühesten Frühjahrs getaucht. In diesem Gleichgewicht des Lichts erschienen Straße und Zimmer durch nichts voneinander getrennt. Nur einen geringfügigen Unterschied gab es. In Laras Schlafzimmer, wo Jurij Andréitsch jetzt stand, war es kälter als draußen in der Kaufmannsstraße.

Als Jurij Andréitsch auf seinem letzten Tagesmarsch der Stadt näher gekommen und vor zwei Stunden oder vor einer Stunde durch die Straßen gegangen war, schien ihm seine rasch zunehmende Schwäche das Anzeichen einer drohenden, nahe bevorstehenden Krankheit zu sein, und das erschreckte ihn.

Aber die Freude an der Gleichheit der Beleuchtung im Hause und draußen erfüllte ihn jetzt ebenso wie vorher die Angst. Die Säule abgekühlter Luft war hier und dort die gleiche, ob nun auf dem Hof draußen oder drinnen in der Wohnung, und das war wie eine Annäherung an die gestrigen Passanten auf der Straße, an die Stimmung der Stadt, an das Leben der Welt. Seine Ängste zerstreuten sich. Er fürchtete nicht mehr, daß er erkranken würde.

Die abendliche Transparenz des frühlingshaften, überall eindringenden Lichtes schien ihm ein Unterpfand zu sein für ferne und verschwenderische Hoffnungen. Er glaubte, alles würde sich zum Besseren wenden, und er würde alles im Leben erreichen, würde alle wiederfinden und sie miteinander versöhnen, alles zu Ende denken und zum Ausdruck bringen. Und die Wonnen des Wiedersehens mit Lara erwartete er als den höchsten Beweis.

Eine wahnsinnige Erregung und ungezügelte Geschäftigkeit folgten auf den vorausgegangenen Kräftezusammenbruch. Diese Belebung war ein zuverlässigeres Symptom für die beginnende Krankheit als der vorherige Schwächezustand. Jurij Andréitsch konnte einfach nicht still sitzen. Und wieder trieb es ihn auf die Straße, und diesmal aus folgendem Anlaß.

Er wollte, ehe er sich hier niederlegte, sein Haar schneiden und sich rasieren lassen. Im Hinblick darauf hatte er bereits bei seinem Gang durch die Stadt einen Blick in die Schaufenster der ehemaligen Friseurgeschäfte geworfen. Ein Teil der Geschäftsräume stand leer oder wurde für andere Zwecke gebraucht. Andere, die noch ihrer früheren Bestimmung dienten, waren abgeschlossen und verriegelt. Man konnte sich nirgends das Haar schneiden und sich rasieren lassen. Jurij Andréitsch besaß kein eigenes Rasiermesser. Hätte er eine Schere unter Laras Sachen gefunden, so wäre ihm geholfen gewesen. Aber in der unruhigen Hast, mit der er alles, was sich auf dem Toilettentisch befand, durchwühlte, fand er nichts.

Da fiel ihm ein, daß sich auf der kleinen Spasskaja irgendwann früher einmal eine Nähstube befunden hatte. Wenn dieses Unternehmen noch weiter bestand und darin gearbeitet wurde, und wenn es ihm gelänge, noch vor Toresschluß Einlaß zu finden, so würde er vielleicht bei irgendeiner der dort Angestellten um eine Schere bitten können.

Und so begab er sich noch einmal auf die Straße.

V

Sein Gedächtnis hatte ihn nicht getäuscht. Die Nähstube befand sich immer noch an der alten Stelle, und es wurde dort gearbeitet. Diese Stube war in einem Laden untergebracht, der zu ebener Erde direkt am Bürgersteig lag und von diesem nur durch eine große Fensterscheibe getrennt war. Man konnte durch das Fenster bis zur gegenüberliegenden Wand alles überblicken. Die Angestellten arbeiteten so, daß sie von allen Passanten auf der Straße gesehen werden konnten.

Im Zimmer herrschte drangvolle Enge. Zu den gelernten Arbeiterinnen mochten sich jetzt sicherlich auch einige Hilfskräfte gesellt haben, etwa ältere Damen aus der Gesellschaft von Jurjatino, die auf diese Weise zu Arbeitsbüchern kommen wollten, von denen im Dekret an der Mauer des Hauses mit den Standbildern die Rede war.

In der Art ihrer Tätigkeit unterschieden sie sich von den gelernten Schneiderinnen. In dieser Nähstube wurden nur Militärsachen genäht, wattierte Beinkleider, Steppjacken; aber es wurden auch mit großen Stichen, so wie es Jurij Andréitsch bereits im Partisanenlager gesehen hatte, Pelze aus verschiedenfarbigem Hundefell zusammengesteppt, die freilich närrisch genug aussahen. Mit ihren ungeschickten Fingern versuchten die Hilfsarbeiterinnen die gehefteten Säume unter die Maschinennadel zu schieben, um sie zusammenzunähen, eine Arbeit, mit der sie mangels jeder Erfahrung schwer fertig wurden, zumal es zu einem guten Teil Kürschnerarbeit war.

Jurij Andréitsch klopfte ans Fenster und gab durch ein Zeichen mit der Hand zu verstehen, daß er Einlaß begehrte. Mit denselben Zeichen wurde ihm bedeutet, daß von Privatpersonen keine Bestellungen entgegengenommen würden. Jurij gab nicht nach und wiederholte seine Handbewegung; er bestand darauf, eingelassen und gehört zu werden. Mit abwehrenden Bewegungen wurde ihm zu verstehen gegeben, daß sie eine eilige Arbeit hätten; er möge sich fortscheren, nicht stören und weitergehen. Eine der Meisterinnen machte ein erstauntes Gesicht und fragte mit den Augen, sichtlich verstimmt, was er denn eigentlich wolle. Mit zwei Fingern, dem Zeigefinger und dem mittleren, versuchte er die Schneidebewegung der Schere zu mimen. Aber diese Bewegung wurde nicht verstanden. Man kam zu der Meinung, es müßten unanständige Gesten sein, und er wolle mit den Frauen einfach anbändeln. Mit seinen zerfetzten Kleidern und seinem merkwürdigen Benehmen machte er in der Tat den Eindruck eines Kranken oder eines Irrsinnigen. In der Werkstube wurde gekichert, gelacht, und man winkte ihm mit den Händen ab, um ihn vom Fenster wegzukriegen. Endlich kam er auf den Gedanken, durch den Hof des Hauses zu gehen und an der Hintertür, die er auch fand, um Einlaß zu bitten; so klopfte er denn an diesem sogenannten schwarzen Eingang an der Tür der Werkstube an.

VI

Die Tür wurde von einer älteren, dunkelhäutigen Schneiderin in einem dunklen Kleide geöffnet; sie blickte mit Strenge drein, und vielleicht war sie die Aufsichtsdame des Unternehmens.

»Warum fallen Sie einem zur Last! Das ist ja geradezu eine Strafe. Nun rasch, was wollen Sie? Ich habe keine Zeit.«

»Ich brauche eine Schere, staunen Sie bitte nicht. Ich bitte Sie, sie mir für eine Minute zu leihen. Ich würde mir in Ihrer Gegenwart den Bart schneiden und Ihnen mit Dank die Schere zurückgeben.«

Die Augen der Schneiderin blickten ungläubig erstaunt. Es war vollkommen klar, daß sie an den geistigen Fähigkeiten ihres Gesprächspartners zweifelte.

»Ich komme von weit her, bin eben erst in der Stadt eingetroffen; ich würde mir gern das Haar schneiden lassen. Aber es gibt keine einzige Friseurstube mehr. So dachte ich, daß ich es vielleicht selber machen könnte; nur müßte ich eine Schere haben. Leihen Sie mir diese bitte.«

»Gut. Ich werde Ihnen das Haar schneiden. Aber merken Sie wohl: wenn Sie etwas anderes im Sinne haben, wenn Sie mit schlauen Plänen kommen, Ihr Äußeres zu verändern, etwa aus politischen Gründen, dann müssen Sie mich jedenfalls entschuldigen! Unser Leben wollen wir für Sie nicht riskieren; wir werden aber zuständigenorts Klage erheben. Die Zeiten sind heute nicht ungefährlich.«

»Aber wo denken Sie hin, was für Befürchtungen!«

Die Schneiderin ließ den Doktor eintreten, führte ihn in ein kleines Seitengemach, das nicht viel breiter als ein Verschlag war. Nach einer Minute saß er – ganz wie beim Friseur – auf einem Stuhl; um den Hals hatte sie ihm eine Serviette gebunden und hinten am Nacken eingesteckt.

Die Schneiderin entfernte sich, um ihr Werkzeug zu holen, und nach kurzer Zeit kam sie mit einer Schere, einem Kamm, Haarschneidemaschine, einem Rasiermesser und einem Schleifriemen.

»Ich habe alles im Leben ausprobiert«, erklärte sie, da der Doktor staunte, weil hier alles gleich parat lag. »Ich habe als Friseuse gearbeitet. Im Kriege war ich auch Krankenschwester und habe gelernt, Haar und Bart zu schneiden. Den Bart wollen wir zunächst einmal mit der Schere kappen und ihn dann glatt mit dem Messer nachrasieren.

»Wenn Sie das Haar schneiden wollen, so bitte ich Sie, möglichst kurz.«

»Wir wollen uns bemühen. Merkwürdig, diese Intellektuellen, die Unwissenheit vortäuschen! Man rechnet jetzt nicht mehr nach Wochen, sondern nach Dekaden. Heute ist der siebzehnte, und an allen Tagen mit einer sieben haben die Friseurläden geschlossen. Als ob Sie das nicht wußten!«

»Mein Ehrenwort. Warum sollte ich mich verstellen? Ich habe es ja gesagt: ich komme von weit her. Bin kein Hiesiger.«

»Halten Sie sich ruhiger. Zucken Sie nicht immer wieder. Wenn Sie so weitermachen, werde ich Sie schneiden. Sie sind also ein Zugereister? Wie sind Sie hergekommen?«

»Auf meinen Beinen.«

»Sind Sie auf dem großen Wege, auf dem Trakt hergekommen?«

»Teils so, teils auch die Bahnlinie entlang. Wie viele Züge es da gibt, die unter dem Schnee begraben sind! Alle Sorten sind vertreten, Luxuszüge, Extrazüge . . .«

»Jetzt bliebe noch ein ganz kleines Endchen. Hier muß ich noch etwas abnehmen, und dann fertig. Sie kommen also aus Familiengründen?«

»Was heißt da schon Familie! In Sachen des ehemaligen Verbandes der Kreditgenossenschaften. Ich war als Inspektor auf Reisen unterwegs. Hatte eine Revision zu machen. Der Teufel weiß wohin. Ich blieb in Ostsibirien stecken, und zurück ging es einfach nicht mehr. Da gab es einfach keine Züge. Ich mußte zu Fuß laufen, da hilft kein Schreiben. Anderthalb Monate bin ich gelaufen. Ich habe Dinge gesehen, von denen ich ein Leben lang erzählen könnte.«

»Das ist auch nicht nötig, daß Sie hier erzählen. Ich will Ihnen schon Vernunft beibringen. Jetzt warten Sie aber einen Augenblick! Da haben Sie einen Spiegel. Ziehen Sie Ihre Hand unter dem Tuch hervor und halten Sie ihn. Nun können Sie sich bewundern! Na, wie gefallen Sie sich?«

»Ich finde, Sie haben zuwenig geschnitten. Man hätte das Haar kürzer halten sollen.«

»Dann wäre es nichts mehr mit der Frisur. Ich sage, man braucht auch nicht zu erzählen. Heutzutage ist das allerbeste, überhaupt zu schweigen. Kreditgesellschaften, Luxuszüge, die im Schnee stekkenbleiben, Inspektoren und Revisoren, da täten Sie besser daran, diese Vokabeln einfach zu vergessen. Sie sind heute nicht mehr zeitgemäß. Es wäre besser, wenn Sie was erfänden, Sie wären Doktor oder Lehrer. Na ja, den Bart hätte ich im Groben gekappt; jetzt wollen wir ihn mal richtig wegrasieren. Seifen Sie ihn schon ein! Inzwischen hole ich heißes Wasser; dann sind Sie im Handumdrehen zehn Jahre jünger.«

›Wer mag diese Frau sein!‹ dachte der Doktor in ihrer Abwesenheit. ›Ich habe das dunkle Gefühl, daß wir uns schon einmal begegnet sind, und als müßte ich sie kennen. Irgendwo könnte ich

sie gesehen haben. Wahrscheinlich erinnert sie mich an irgendwen
– aber der Teufel mag wissen, an wen denn eigentlich!‹
Die Schneiderin kehrte zurück.

»Jetzt geht es also ans Rasieren. Es wäre besser, überhaupt nie etwas Überflüssiges zu sagen. Das bleibt eine ewige Wahrheit. Reden
ist Silber, Schweigen ist Gold. Alle diese Extrazüge und diese Kreditgesellschaften . . . denken Sie sich etwas anderes aus, etwa, Sie
wären Doktor oder Lehrer. Daß Sie aber viel in Ihrem Leben gesehen haben, das behalten Sie besser für sich! Wen könnte man
schon heute damit in Erstaunen setzen? Ist das Messer scharf
genug?«

»Es kratzt ein wenig.«

»Ja, es reißt, es muß reißen, das weiß ich selber. Halten Sie ein
bißchen aus, mein Lieber. So einfach geht die Sache denn doch
nicht . . . Das Haar ist lang und gröber geworden. Auch ist die
Haut an die Rasur nicht mehr gewöhnt. Jawohl! Mit dem, was
man gesehen hat, wird man heute keinen Menschen in Erstaunen
setzen. Die Menschen sind eben auf den Geschmack gekommen!
Auch wir haben unser bitteres Leid gelöffelt! In der Atamanzeit
sind hier Dinge passiert! Raub, Mord, Gefängnis! Man machte
auf Menschen Jagd. So hatte beispielsweise ein kleiner Satrap,
einer von den Leuten Ssapunows, verstehen Sie wohl, einen Leutnant nicht gerade in sein Herz geschlossen. Er schickte also einen
Soldaten in den Hinterhalt, in die Nähe des Wäldchens, dem Haus
Krapuljskijs gegenüber. Dort wird er festgenommen, entwaffnet
und unter Konvoibegleitung nach Raswilje gebracht. Raswilje war
aber damals bei uns dasselbe, was heute die ›Gubtscheka‹ die Gou-
vernements-Tscheka ist. Also – Hinrichtungsstätte! Was schütteln
Sie so mit dem Kopf? Ziept es? Ich weiß schon, mein Lieber, ich
weiß! Da kann man nichts für! Hier muß man direkt gegen den
Strich an, zudem ist das Haar hart wie Borsten, da ist noch so eine
Stelle. Seine Frau bekommt einen hysterischen Anfall, die Frau
des Leutnants. Kolja, mein Kolja! und rennt geradewegs zum
Chef, das heißt, man sagt das nur so – geradewegs. Wer wird sie da
schon vorlassen. Protektion! Da war irgendeine Person in der
Nachbarstraße, die die Schliche kannte, wie man bis zum Chef
vordringen konnte, und die sich auch für alle einsetzte. Ein ausnehmend humaner Mensch, gar nicht zu vergleichen mit andern,
entgegenkommend, aufnahmebereit. Der Chef hieß General Galiul-

lin. Ringsum aber Lynchjustiz, Bestialitäten, Eifersuchtsdramen. Ganz wie in spanischen Romanen.«

›Jetzt redet sie von Lara‹ dachte der Doktor, schwieg aber vorsichtshalber und stellte keine weiteren Fragen. ›Aber wie sie das sagte: ‚Wie in spanischen Romanen‘ – da hat sie mich so merkwürdig an wen erinnert? Gerade mit diesem nicht zutreffenden Wort, das weder zum Dorf noch in die Stadt paßt.‹

»Heute liegen die Dinge natürlich ganz anders. Gewiß – Verhöre, Denunziationen, Erschießungen – kurz, alles über- und übergenug! Aber in der Idee ist es doch etwas ganz anderes. Erstens einmal ist eine neue Macht da. Sie ist nun schon bald ein Jahr am Ruder; ist aber nicht auf den Geschmack gekommen. Zweitens aber mag man sagen, was man will, sie stehen für das einfache Volk, und hierin liegt gerade ihre Kraft. Mich miteingerechnet, waren wir vier Schwestern. Allesamt werktätig. Selbstredend neigten wir den Bolschwiken zu. Eine Schwester starb, sie war mit einem ›Politischen‹ verheiratet. Ihr Mann war auf einem der hiesigen Werke als Verwalter in Stellung. Deren Sohn, mein Neffe, ist der Anführer unserer Bauernpartisanen, man kann von ihm sagen – eine Art Berühmtheit.«

›Das ist es also!‹ erkannte Jurij Andréitsch plötzlich. ›Das ist Liberijs Tante, die Ortsberühmtheit – in aller Leute Mund; zudem Mikulízyns Schwägerin, Friseuse, Näherin, Weichenstellerin, stadtbekannt als Alleskönnerin. Aber ich will mich nicht verraten; also schweige ich.‹

»Diesen Drang zum Volk hatte der Neffe von Kind auf gehabt. Er wuchs beim Vater unter Arbeitern auf, auf dem ›Swjatogór‹. Vielleicht haben Sie von den Warykinschen Werken gehört? Aber was tue ich denn mit Ihnen? Ach, ich dumme Gans! Ihr Kinn ist zur Hälfte rasiert, zur anderen Hälfte aber nicht. Das kommt also vom Schwätzen. Und Sie selber, warum haben Sie mich nicht erinnert! Die Seife am Gesicht ist trocken geworden. Ich geh’ mal schnell und will das Wasser wärmen. Es ist kalt geworden.«

Als die Tunzewa zurückkehrte, fragte Jurij Andréitsch: »Warykino – das ist doch wohl ein Gottesländchen mitten im Walde, rings Urwald und nirgends Gefahren und Erschütterungen?«

»Na ja, wie man’s nimmt – Gottesländchen . . . Diesem Urwald ist es vielleicht schlimmer ergangen als unsereinem! Durch Warykino sind Banden gezogen; wem sie angehörten – niemand weiß es. Jedenfalls redeten sie nicht in unserer Sprache. Haus um Haus haben sie die Einwohner hinausgeführt und abgeknallt. Und dann zogen sie ab, ohne auch nur ein Wort zu sagen. Die Toten blieben einfach im Schnee liegen. Die Sache spielte ja im Winter. Warum zucken Sie denn immer so? Bald wäre ich mit dem Messer Ihnen durch die Gurgel gefahren.« –

»Sie sagten doch, Ihr Schwager habe in Warykino gewohnt. Sind denn diese Greuel an ihm vorübergegangen?«

»Nein, wieso denn! Gott ist aber barmherzig. Er war mit seiner Frau rechtzeitig fortgezogen. Das heißt, mit der neuen, mit der zweiten Frau. Wo sie sich aufhalten, ist unbekannt; aber sicher ist, daß sie sich gerettet haben. In der letzten Zeit waren dort neue Menschen hingezogen. Eine Familie aus Moskau, Zugereiste! Die waren noch früher weggezogen. Der Jüngste der Männer, ein Doktor, Haupt der Familie, ist verschollen. Aber was heißt das schon, verschollen! Das ist doch nur eine Redewendung, wenn man wen nicht betrüben will. In Wirklichkeit, muß man annehmen, ist er gestorben, ermordet. Man hat nach ihm gesucht überall – hat ihn aber nicht gefunden. Zur selben Zeit hatte man den andern, den älteren, in seine Heimat zurückgerufen. Der war Professor. Für Landwirtschaft. Wie es heißt, war er von der Regierung selber angefordert worden. Durch Jurjatino war er noch vor dem zweiten Einfall der Weißen durchgekommen. Jetzt fangen Sie schon wieder an, Genosse! Wenn Sie so unter dem Rasiermesser hin und her zucken, könnte man wahrhaftig seinen Klienten umbringen. Sie verlangen gewiß gar zuviel vom Friseur.«

›Also sind sie in Moskau.‹

VII

›In Moskau‹, so klang es bei jedem Schritt in seiner Seele, während er nun zum drittenmal die Stufen der gußeisernen Treppe hinaufstieg. Die leerstehende Wohnung empfing ihn abermals wie ein Sodom von springenden, fallenden, rennenden Ratten. Es war Jurij Andréitsch klar, daß er in der Nachbarschaft dieser widerlichen Bestien kein Auge würde schließen können, wenn er auch noch so müde war. Die Vorbereitung für die Nacht begann er damit, die Löcher der Ratten zu verstopfen. Glücklicherweise waren derer im Schlafzimmer nicht so viele, ja viel weniger als in den übrigen Räumen, wo auch die Fußböden und das Gemäuer schlechter zusammenhielten. Aber man mußte eilen. Die Nacht rückte heran. Allerdings wartete auf ihn in der Küche auf dem Tisch, vielleicht in der Annahme seines Eintreffens, eine von der Wand abgehakte und halb mit Petroleum gefüllte Lampe, neben der in der halboffenen Streichholzschachtel ein paar Hölzer lagen, alles in allem zehn, wie Jurij Andréitsch zählte. Aber das eine wie das andere, das Petroleum und die Streichhölzer, mußten sorgsam gespart werden. Im Schlafzimmer fand sich noch ein Nachtlicht, und in dem Glas waren noch Spuren von Ampelöl, das fast bis auf den letzten Tropfen, vermutlich von den Ratten, aufgeleckt worden war.

An einigen Stellen war die Leiste am Fußboden abgesprungen. Jurij Andréitsch tat in die Ritzen einige Schichten flach zusammengelegter, mit den spitzen Seiten nach innen gekehrter Glasscherben. Die Tür des Schlafzimmers schloß haargenau an die Schwelle an. Sie ließ sich gut zumachen und schließen. Auf diese Weise konnte man das Zimmer mit den verstopften Ritzen von der übrigen Wohnung absondern. In einer knappen Stunde hatte Jurij Andréitsch das alles geschafft.

Eine Ecke des Schlafzimmers wurde durch einen Kachelofen mit einem knapp an die Zimmerdecke reichenden Gesims abgeschrägt. In der Küche war ein kleiner Vorrat an Brennholz, etwa zehn Bündel. Jurij Andréitsch beschloß, Lara zu berauben und zwei Armvoll dieses Holzes zu verheizen – er ließ sich auf ein Knie nieder und packte das Brennholz auf seinen linken Arm. Er trug es dann in das Schlafzimmer, lud es am Ofen ab, machte sich mit dessen Einrichtung vertraut und prüfte in aller Eile, in welchem Zustand er sich befand. Er wollte das Zimmer mit dem Schlüssel schließen, doch erwies es sich, daß das Türschloß nicht in Ordnung war. Daher stopfte er ein paar Papierlagen so fest dazwischen, daß sie nicht aufgehen konnte, und nun begann er, ohne sich zu übereilen, mit der Heizerei.

Beim Auflegen des Brennholzes im Ofen entdeckte er an der Schnittstelle eines Scheits eingebrannte Merkzeichen. Er kannte diese Zeichen von früher. Das waren noch die Spuren der letzten Markierungen, zwei Anfangsbuchstaben ›K‹ und ›D‹, die auf den noch nicht zersägten Stämmen den Abschnitt des Waldes und der betreffenden Holzschichtung bezeichneten. Mit diesen Buchstaben hatte man noch zuzeiten Krügers das Holz von Kulabýschewo und von Warykino markiert, als noch die Fabriken und Werke mit dem überzähligen Heizmaterial des Waldes Handel trieben. Das Vorhandensein dieser Holzsorten in Laras Wirtschaft bewies ihm, daß sie mit Samdewjatov bekannt sein mußte und daß dieser für sie sorgte, wie er damals den Doktor und seine Familie mit allem Notwendigen versorgt hatte. Diese Entdeckung war ihm wie ein Stich ins Herz. Auch früher schon hatte ihn die Hilfe Anfím Jefímowitschs bedrückt. Doch jetzt wurde das peinliche Gefühl noch durch Empfindungen anderer Art verstärkt.

Anfím würde sich kaum nur um Larissas schöner Augen willen zu dieser Art von Wohltätigkeit bereitgefunden haben. Jurij Andréitsch stellte sich die ungenierten Manieren Anfím Jefímowitschs vor und desgleichen Laras weibliche, impulsive Unüberlegtheit. Es war ausgeschlossen, daß es zwischen den beiden nichts gegeben haben sollte.

Im Ofen knatterte stürmisch das trockene Brennholz von Kulabýschewo, und je weiter das Feuer um sich griff, desto mehr wurde Jurij Andréitschs eifersüchtige Verblendung, die mit schwachen Vermutungen eingesetzt hatte, zur absoluten Gewißheit.

Aber seine Seele war zerrissen, und ein Schmerz verdrängte den anderen. Er brauchte seinen Verdacht nicht erst zu steigern. Die Gedanken selber sprangen, ohne daß er sich anzustrengen brauchte, von einem Gegenstand zum andern. Die Erinnerungen an seine Familie, die mit neuer Kraft auf ihn einstürmten, überlagerten seine eifersüchtigen Empfindungen für eine Weile.

›Also seid ihr in Moskau, ihr meine Lieben‹, dachte er, und es schien ihm, als habe die Tunzewa ihm ihr wohlbehaltenes Eintreffen bestätigt. ›So habt ihr denn ein zweites Mal, ohne mich, diese lange, schwere Reise gemacht. Und wie war denn eure Reise?‹ Und worin bestand Alexander Alexandritschs Berufung? Sicher war es eine Aufforderung der Akademie, seine Vorlesungen dort wiederaufzunehmen?! ›Was habt ihr zu Hause vorgefunden?‹ Ach was, ob dieses Haus überhaupt noch steht? Oh, wie schwer, wie weh ist das alles! Nur nicht denken! Nur nicht denken, o mein Gott! Wie wirr die Gedanken durcheinanderirren. Was ist das mit Tonja? Ich glaube, ich bin krank. Was wird aus mir und aus euch allen? Tonja, Tonetschka, Tonja, Schurotschka, Alexander Alexandritsch? Warum hast du mich von deinem Angesicht verstoßen, o Licht, das nimmer untergeht! Warum werdet ihr im Leben immer wieder von mir fortgetrieben? Aber wir werden bald wieder zusammensein; wir kommen zusammen, nicht wahr? Ich werde zu Fuß zu euch kommen, wenn es schon gar nicht anders geht. Wir werden uns wiedersehen. Alles wird in Ordnung kommen, nicht wahr?

Aber wie ist es möglich, daß die Erde mich noch trägt. Ich vergesse alles. Tonja sollte ein Kind bekommen und hat es wahrscheinlich schon geboren! Es ist nicht das erste Mal, daß ich diese Vergeßlichkeit an den Tag lege. Wie war die Geburt? Wie ging sie vonstatten? Auf dem Wege nach Moskau waren sie in Jurjatino.

Wenn auch Lara tatsächlich nicht mit ihnen bekannt ist; aber zum Beispiel jener Näherin und Friseuse, die ihr doch ganz fremd ist, konnten ihre Geschicke nicht unbekannt bleiben, während Lara nicht mit einem einzigen Wort in ihrem Schreiben darauf Bezug nimmt. Welch merkwürdige, geradezu teilnahmslose Unaufmerksamkeit! Nicht weniger erklärbar als das Verschweigen ihrer Beziehungen zu Samdewjatov.

Jurij Andréitsch betrachtete prüfend die Wände des Schlafzimmers. Er wußte, daß von allen Dingen, die dort standen und aufgehängt waren, nicht das geringste Lara gehörte und daß die Einrichtung der früheren, unbekannten, nun aber in der Verborgenheit lebenden Wohnungsinhaber in keiner Weise ein Zeugnis von Laras Geschmack ablegen konnten.

Aber plötzlich wurde es ihm inmitten der von den Wänden auf ihn herabblickenden Männer und Frauen auf den vergrößerten Fotografien recht ungemütlich. Feindselig rührte ihn auch das geschmacklose Mobiliar an. Er fühlte sich hier, in diesem Schlaf-zimmer, fremd, überflüssig.

Und er, der Narr – wie oft hatte er an dieses Haus zurückgedacht! Sehnsucht nach ihm gehabt, und wie oft hatte er dieses Zimmer nicht etwa als irgendeinen Raum betreten, sondern so, als ginge er da ein in seine Sehnsucht nach Lara. Die Art des Empfindens – wie lächerlich mochte sie Außenstehenden erscheinen! Ob starke Naturen, die mitten im praktischen Leben stehn, etwa in der Art von Samdewjatov, die sogenannten schönen Männer, ob sie wirklich so lebten, sich so benahmen und so zum Ausdruck brachten?! Und warum sollte Lara seine Charakterlosigkeit, die dunkle, un-

wirkliche Sprache seiner anbetenden Verehrung, den andern vorziehen? Bedurfte sie dieses Unsinns überhaupt? Wollte sie denn
selber *das* sein, als was sie ihm erschien?

Aber als was erschien sie ihm denn wirklich? Oh, auf diese Frage
hatte er immer eine Antwort bereit.

Da draußen – der Frühlingsabend, die Luft aufgewühlt von Tönen.
Die Stimmen spielender Kinder, weit in die Ferne verstreut, gleichsam als ein Zeichen dafür, daß der Raum ein durch und durch
Lebendiges ist. Und diese Ferne – dieses unvergleichliche, mütterliche Rußland, dessen Wellenschlag auch jenseits der Meere von
sich reden macht, die ruhmreich Gebärende, ›Russj‹, Märtyrerin,
diese eigenwillige, besessene, querköpfige, vergötterte, mit ihren
ewig majestätischen und zum Untergang führenden Ausbrüchen,
die sich niemals voraussehen ließen! Oh, wie süß ist es zu existieren!
Wie süß ist es, in der Welt zu leben und das Leben zu lieben! Oh,
wie sehr verlangt einen immer danach, dem Leben selber, dem
Sein selber zu danken, von Angesicht zu Angesicht! Und all das
war Lara! Da man das Wort an jene verdeckten Kräfte nicht
richten konnte, verkörperte Lara ihre Gegenwart. Sie war ihr
Symbol. Sie war zugleich Zeugnis und begnadeter Ausdruck der
schweigenden Prinzipien des Lebens.

Und es ist nicht wahr, es ist alles tausendmal nicht wahr, was er
hier in einem Augenblick des Zweifels von ihr gesagt hatte. Wie
ist doch alles an ihr vollkommen und ohne Makel!

Tränen der Reue und Verzückung verhängten seinen Blick. Er
öffnete die Ofentür und stocherte mit dem Schürhaken im Feuer.
Die flammende Glut schob er nach hinten und zerrte die angekohlten Holzstücke nach vorne, wo der Zug kräftiger war. Eine
Zeitlang ließ er das Ofentürchen offen. Es bereitete ihm einen
Genuß, das Spiel von Wärme und Licht auf seinem Gesicht und
an seinen Händen zu spüren. Der bewegliche Widerschein der
Flamme ernüchterte ihn endgültig. Oh, wie sehr sie ihm jetzt fehlte,
wie sehr bedurfte er gerade in diesem Augenblick irgendeines
Trostes, der von ihr ausging.

Er nahm ihren verknüllten Brief aus seiner Tasche. Er zog ihn
umgekehrt heraus, nicht so, wie er ihn zuerst gelesen hatte, und
stellte erst jetzt fest, daß das Blatt auch weiter unten beschrieben
war. Er glättete das zerknitterte Papier und las im tanzenden Lichtschein der Ofenglut:

»Über die Deinen bist Du unterrichtet. Sie sind in Moskau. Tonja hat eine Tochter geboren.« Dann kamen einige durchgestrichene, unleserliche Zeilen. Dann folgte: »Ich habe es ausgestrichen, weil es so dumm war in diesem Brief. Wenn wir einander Auge in Auge gegenüberstehen, werden wir Zeit haben, uns auszusprechen. Ich habe es eilig; ich muß sehen, daß ich ein Pferd bekomme. Ich weiß nicht, was ich mir ausdenken sollte, wenn ich es nicht bekäme. Mit Katjenka würde es schwer sein . . .« Das Ende des Satzes war verwischt und unleserlich.

›Sie wird zu Anfím gelaufen sein, um ihn um das Pferd zu bitten, und sicher wird sie es bekommen haben, da sie nicht zurückgekehrt ist‹, überlegte Jurij Andréitsch ruhig. ›Wäre ihr Gewissen nicht ganz rein in dieser Hinsicht, dann hätte sie diese Einzelheiten nicht weiter erwähnt.‹

VIII

Nachdem der Ofen eingeheizt war, schloß der Doktor die Ofentür und wollte etwas essen. Nach dem Essen wurde er von einem unüberwindlichen Schlafbedürfnis überfallen. Ohne sich auszukleiden, legte er sich auf den Diwan und schlief fest ein. Er hörte nicht das wilde und hemmungslose Treiben der Ratten hinter Tür und Wänden des Zimmers. Er hatte nacheinander zwei schwere Träume.

Er befand sich in Moskau in einem Zimmer hinter einer abgeschlossenen Glastür, deren Klinke er noch sicherheitshalber in der Hand behielt. Auf der anderen Seite der Tür weinte und schluchzte und bettelte sein Söhnchen Schurotschka im Kindermäntelchen, in Matrosenhosen und einem Mützchen; er sah reizend aus und sehr unglücklich. Hinter dem Kinde donnerte und rauschte ein Wasserstrahl nieder und bespritzte Tür und Kind. Vielleicht stammte das Wasser aus einem undichten Leitungsrohr oder aus der Kanalisation – einer häufigen Erscheinung in jenen Zeiten –, vielleicht war es wirklich so, daß hier irgendeine wilde Bergwasserader auslief, sich gegen die Tür warf und in ungestümem Fall alle seit Jahrhunderten in der Klamm gespeicherte Kälte und Finsternis mit sich führte.

Der donnernde Wassersturz erschreckte den Knaben zu Tode.

Man konnte nicht hören, daß er schrie; das Getöse übertönte die Schreie des Kindes. Aber Jurij Andréitsch sah, wie er mit seinen Lippen die Worte bildete: »Väterchen, Väterchen!«

Jurij Andréitsch glaubte, sein Herz müßte zerspringen. Mit allen seinen Kräften wollte er das Kind an sich reißen und mit ihm davonlaufen, ohne zurückzuschauen, gleichviel wohin.

Aber tränenüberströmt hielt er die Klinke fest und ließ den Knaben nicht herein. Er brachte ihn einer falschen Vorstellung von Ehre und Pflicht einem Weibe gegenüber zum Opfer, die nicht des Kindes Mutter war und die in jedem Augenblick von einer anderen Seite das Zimmer betreten konnte.

Jurij Andréitsch erwachte schweißgebadet und in Tränen.

›Ich habe Fieber. Ich werde krank‹, dachte er sogleich. Das ist nicht Typhus. Das ist eine sehr schwere, gefährliche Form der Übermüdung, irgendeine Krankheit, die ihre Krisis hat, wie das bei allen ernsten Infektionen der Fall ist, und in denen es immer um die Frage geht, ob das Leben oder der Tod siegt. Aber wie sehr verlangte ihn danach zu schlafen, und er schlief wieder ein.

Ihm träumte von einem dunklen Wintermorgen in irgendeiner Straße Moskaus, in der noch die Laternen brannten. Alles deutete darauf hin, daß es vor der Revolution war: der belebte morgendliche Verkehr, das Klingeln der ersten elektrischen Straßenbahnen, die Gaslaternen, die in der Dämmerung den grauen Schnee mit ihren gelben Lichtstreifen überzogen.

Er träumte von einer langgestreckten Wohnung mit vielen niedrigen Fenstern, die alle nach der einen Seite auf die Straße hinausgingen und bis an den Fußboden reichende Gardinen hatten. In der Wohnung, die sich wahrscheinlich im zweiten Stockwerk befand, schliefen in allen möglichen Posen nicht ausgekleidete Reisende, und es herrschte eine Unordnung wie in einem Eisenbahnzug. Man sah Speisereste auf speckigen, aufgeschlagenen Zeitungen liegen, abgenagte Knochen von gebratenen Hühnern, ihre Flügel und Beinchen, und auf dem Fußboden standen paarweise aufgereiht die Schuhe der hier versammelten Gäste. Sehr geschäftig und lautlos eilte Lara durch diese Wohnung von einem Ende zum andern. Sie schien hier die Inhaberin zu sein; sie hatte einen Morgenrock in Eile übergeworfen, und er selber folgte ihr auf Schritt und Tritt und fiel ihr mit unerquicklichen, überflüssigen Erklärungen zur Last. Sie selbst schien keine freie Minute zu haben und beantwortete seine Erklärungen nur mit einem Neigen des Kopfes, einem zerstreuten Blick und dem unschuldigen Aufklingen ihres unvergleichlichen silbernen Lachens, den einzigen Zeichen, die ihnen aus ihrer Vertrautheit noch verblieben waren. Wie fern war sie ihm gerückt, wie kühl und anziehend war sie, der er doch alles aufgeopfert hatte, die er allem vorgezogen hatte und für die er alles andere einem Nichts gleichgesetzt hatte.

IX

Nicht er selber, aber irgend etwas Allgemeineres als er selber schluchzte und weinte in ihm mit zärtlichen und hellen, in der Dunkelheit wie Phosphor leuchtenden Worten. Und zusammen mit seiner schluchzenden Seele weinte er. Er tat sich leid.

›Ich werde krank, ich bin krank‹, überlegte er in Augenblicken des Erwachens zwischen den Träumen, Fieberphantasien und Ohnmachten. ›Es muß doch so etwas wie ein Typhus sein, der aber nicht in den Handbüchern beschrieben wird, eine Form, die wir in der medizinischen Fakultät nicht durchgenommen haben. Ich müßte mir etwas zubereiten, sonst sterbe ich vor Hunger!‹

Aber gleich beim ersten Versuch, sich aufzurichten, überzeugte er sich, daß er nicht die Kraft hatte, sich zu rühren. Er wurde ohnmächtig und fiel zurück.

›Wie lange liege ich nun so da?‹ überlegte er in lichteren Augenblicken. ›Wieviel Stunden? Wieviel Tage? Als ich zusammenbrach, war der Frühling im Anzug. Jetzt aber liegt Reif auf dem Fenstersims. Es ist so feucht und schmutzig, daß es davon dunkel im Zimmer wird.‹

In der Küche tobten die Ratten über umgestürztes Geschirr, rannten von der anderen Seite die Wand hinauf und fielen mit ihren schweren Leibern klatschend auf den Fußboden, wobei sie widerlich mit tiefer, wimmernder Stimme winselten.

Und wieder schlief er und wachte auf und entdeckte, daß die Fenster und ihr schneeiges Reifnetz in den rosigen Farben der Dämmerung glühten, die wie roter Wein in den Kristallgläsern schimmerte. Und er wußte nicht und fragte nicht, welche Dämmerung es war, ob Morgen oder Abend?

Einmal glaubte er, Menschenstimmen irgendwo in nächster Nähe

zu hören, und er verzagte und glaubte, das wäre der Anfang vom
Wahnsinn. Aus Mitleid weinte er über sich selbst und haderte mit
dem Himmel, warum er sich von ihm gewandt und ihn verlassen
habe.

Und plötzlich begriff er, daß er nicht träumte und daß es vollkommen wahr war: er lag ausgekleidet und gewaschen und in einem sauberen Hemd nicht auf dem Diwan, sondern auf einem
frisch bezogenen Bette, und ihr Haar berührte das seine, ihre Tränen flossen mit den seinen zusammen. Lara weinte mit ihm zusammen, sie saß neben seinem Bett und beugte sich über ihn. Er
verlor das Bewußtsein vor Seligkeit.

X

In seinem Wahn hatte er vor kurzem den Himmel gelästert, daß
er keine Teilnahme für ihn habe, indessen aber ließ sich der Himmel in seiner ganzen Weite auf sein Lager nieder, und zwei große,
bis an die Schultern weiße Frauenarme legten sich um ihn. Ihm
wurde dunkel vor den Augen vor Wonne, und so, wie man die Besinnung verliert, glaubte er nun in einen Abgrund von Beseligung
zu sinken.

Sein ganzes Leben lang hatte er gearbeitet; immer war er beschäftigt. Er war im Hause oder als Arzt seinen Gedanken nach-
gegangen, hatte geforscht und gewirkt. Wie schön war es nun, mit
dem Tun aufzuhören, nicht mehr nach etwas zu trachten, nicht
mehr zu denken und für eine Zeit diese Mühe der Natur zu überlassen, selber zu einer Sache zu werden, zu einem Werk in ihren
gnadenspendenden, schönheitsverschwendenden Armen.

Jurij Andréitsch erholte sich bald wieder. Lara pflegte ihn gesund.
Sie heilte ihn mit ihrer Fürsorge, mit ihrer schwanengleichen An-
mut, mit dem atmenden Geflüster ihrer Fragen und Antworten.

Ihre halblaut geführten Gespräche, selbst die über alltägliche
Dinge, waren voller Bedeutung wie Platos Dialoge.

Noch mehr aber als die Seeleneinheit einte sie der Abgrund, der
sie von der übrigen Welt trennte. Ihnen beiden war alles fatal Typische am heutigen Menschen gleichermaßen verhaßt – seine erzwungene Begeisterung, sein schreiendes Pathos und jene Ohnmacht, die in all den zahllosen Arbeiten in Kunst und Wissen-

schaft zum Ausdruck kam, während das Genie nach wie vor eine ganz große Seltenheit blieb.

Ihre Liebe war sehr groß. Alle Welt liebt, ohne das Einmalige des Gefühls gewahr zu werden.

Aber sie, und darin bildeten sie eine Ausnahme, empfanden und erkannten in jenen Augenblicken, da wie der Hauch des Ewigen sich der Atem der Leidenschaft über ihr todgeweihtes Dasein legte, immer neue Geheimnisse über sich selber und über ihr Leben.

XI

»Du mußt unbedingt zu den Deinen zurückkehren. Keinen überzähligen Tag werde ich dich bei mir behalten. Aber du siehst, was geschehen ist. Kaum waren wir mit Sowjetrußland verschmolzen, als wir schon von seinem Elend, seiner Not verschlungen wurden. Mit Sibirien und mit dem Osten will man die Löcher stopfen. Du weißt ja überhaupt von nichts. Im Laufe deiner Krankheit hat sich in der Stadt sehr vieles geändert! Die Vorräte in unseren Depots und Niederlagen werden ins Zentrum nach Moskau geschafft. Für Moskau ist das ein Tropfen ins Meer. Diese Frachten und Ladungen verschwinden in der Riesenstadt wie in einem Faß ohne Boden; wir aber stehen ohne alle Lebensmittel da. Die Post funktioniert nicht mehr, der Personenverkehr hat völlig aufgehört. Das einzige, was aufrechterhalten wird, sind die Getreidetransporte. Wieder hört man in der Stadt dieses Murren wie vor Gaidas Aufstand, und wieder wird dieses Anzeichen von Unzufriedenheit durch das Wüten der Tscheka erstickt werden.

Und wohin willst du in deiner jetzigen Verfassung – du bist ja nichts als Haut und Knochen, und die Seele hält sich kaum noch im Leibe? Willst du wirklich wieder zu Fuß aufbrechen? Aber du wirst ja nie ankommen! Werde erst stark und gesund; sammle erst neue Kräfte – dann wird man sehen.

Ich wage nicht, dir zu raten, aber an deiner Stelle würde ich, ehe ich zurückkehrte, hier ein wenig Dienst tun, und zwar unbedingt in deinem eigenen Fach, das weiß man zu schätzen; ich würde in das Gouvernements-Sanitätsamt gehen. Es befindet sich immer noch in der ehemaligen Ärzteverwaltung.

Und überlege doch selbst: du, der Sohn eines sibirischen Millionärs, der sich erschossen hat, deine Frau – Tochter eines hiesigen Fabrikbesitzers und Großgrundbesitzers! Du warst bei den Partisanen und bist von dort geflohen. Du magst sagen, was du willst – es war eine Flucht, ein eigenmächtiges Verlassen der Revolutionsreihen, ein Desertieren, und unter gar keinen Umständen darfst du hier ohne Beschäftigung bleiben als einer, der aller bürgerlichen Rechte verlustig geht. Meine Lage ist keineswegs sicherer. Auch ich werde mir eine Arbeit suchen in der Gouvernementsverwaltung. Auch mir brennt der Boden unter den Füßen.«

»Wieso denn? Und Strelnikov?«

»Eben darum brennt er ja, weil es um Strelnikov geht. Ich habe dir schon früher gesagt, wie viele Feinde er hat. Die Rote Armee hat gesiegt. Jetzt schickt man die parteilosen Offiziere fort, die zu hoch stehen und allzuviel wissen. Sie können sich noch glücklich preisen, wenn man ihnen den Laufpaß gibt und sie nicht einfach mit dem Knüppel totschlägt, um keine Spuren zu hinterlassen. In ihrer Reihe ist Pascha einer der ersten. Er schwebt in höchster Gefahr. Er war im Fernen Osten. Ich hörte, er ist geflohen; er verbirgt sich. Wie es heißt, wird nach ihm gefahndet. Aber genug von ihm; ich mag nicht weinen; wenn ich aber auch nur ein Wort noch über ihn sage, so weiß ich, daß ich heulen muß.«

»Du liebtest ihn, und du liebst ihn auch immer noch sehr?«

»Aber ich bin doch mit ihm verheiratet, er ist mein Mann, Jurotschka! Er ist ein würdiger, großherziger Charakter. Ich bin tief in seiner Schuld. Ich habe ihm nichts Schlechtes getan. Es wäre gelogen, wenn man das sagte. Aber er ist ein angenehmer, wertvoller Mann, ein großer Mensch, ein Mensch von einer großen Geradheit; ich aber – bin ein Dreck; im Vergleich zu ihm bin ich überhaupt nichts. Das ist meine Schuld. Aber bitte, lassen wir es genug sein. Ein andermal werde ich wieder darauf zurückkommen. Ich verspreche es dir. Was ist sie doch für eine wundervolle Frau, diese deine Tonja. Wie aus einem Gemälde von Botticelli! Ich war bei ihrer Entbindung. Wir haben uns so wundervoll verstanden. Aber auch darüber – ein andermal, ich bitte dich! Also, wir wollen uns beide irgendeine Arbeit suchen. Wir werden jeden Monat Gehälter in Milliardenbeträgen bekommen. Bis zum letzten Umsturz waren hier noch sibirische Banknoten im Umlauf. Man hat sie vor kurzem eingezogen; und lange Zeit, während deiner ganzen Krankheit, haben wir ohne Geld gelebt. Ja, stell dir das nur vor! Man kann es nicht glauben, und doch ist es irgendwie gegangen. Nun hat man in das ehemalige Finanzamt ganze Ladungen von Papiergeld geschafft. Man spricht von vierzig Eisenbahnwagen – nicht weniger. Es ist auf großen Bogen in zwei Farben gedruckt, blau und rot, wie Briefmarken; und alles ist in kleine Felder geteilt. Ein Feld blauer – gleich fünf Millionen. Die roten – je zehn Millionen. Diese Farben sind schlecht und bleichen; ein übler Druck, die Farbe verschwimmt.«

»Ich habe dieses Geld gesehen. Man führte es kurz vor unserer Abreise in Moskau ein.«

XII

»Was hast du so lange in Warykino getan? Da ist doch kein Mensch, es ist alles leer? Was hielt dich dort fest?«

»Ich habe mit Katjenka euer Haus in Ordnung gebracht. Ich dachte, du würdest zuerst dorthin kommen. Ich wollte aber nicht, daß du eure Wohnung in dem Zustand wiederfändest.«

»In was für einem Zustand? Wie sah es denn aus?«

»Unordnung, Schmutz. Ich habe alles aufgeräumt.«

»Wie einsilbig sind deine Antworten! Du verheimlichst mir irgend etwas, du sprichst nicht zu Ende. Ich will dich nicht nötigen. Erzähle mir von Tonja! Wie wurde die Kleine getauft?«

»Sie heißt Mascha, in Erinnerung an deine Mutter!«

»Sprich mir von ihnen.«

»Darf ich – vielleicht irgendwann später? Ich sagte dir, daß ich Mühe habe, nicht zu weinen.«

»Dieser Samdewjatow, der dir das Pferd gegeben hat, ist ein interessanter Mensch, was denkst du?«

»Hochinteressant.«

»Ich kenne ja Anfím Jefímowitsch sehr gut. Er war hier unser Hausfreund, in dieser Gegend, die uns ganz neu war; er hat uns geholfen.«

»Ich weiß. Er erzählte mir davon.«

»Ihr seid doch sicher befreundet! Er bemühte sich doch gewiß, dir nützlich zu sein?«

»Er überschüttete mich einfach mit Wohltaten. Ich wüßte einfach nicht, was aus mir ohne ihn geworden wäre.«

»Kann ich mir nicht vorstellen! Sicher hattet ihr gute kameradschaftliche Beziehungen zueinander, schlicht und einfach? Er
macht dir wohl gehörig den Hof?«

»Und ob! Unablässig.«

»Und du – aber ich muß um Entschuldigung bitten. Ich habe die
Grenzen des Erlaubten überschritten. Was hätte ich für ein Recht,
dich auszufragen! Verzeih mir, es ist unbescheiden.«

»Aber ich bitte dich! Es interessiert dich gewiß, welche Beziehungen wir zueinander haben? Du willst wissen, ob sich nicht in die
gute Bekanntschaft auch etwas Persönliches eingeschlichen hat?
Nein, natürlich nicht. Ich bin Anfím Jefímowitsch unendlich verpflichtet, bin ganz und gar in seiner Schuld; aber wenn er mich
vergolden wollte, wenn er sein Leben für mich hingäbe, so würde
ich ihm dadurch nicht einen Schritt nähergekommen sein. Ich
hatte von meiner Geburt an eine Abneigung gegen diese Art kalter
Menschen. In Angelegenheiten des praktischen Lebens sind diese
unternehmungslustigen, ihrer selbst sicheren, befehlshaberischen
Naturen unersetzlich. Aber in Fragen des Herzens ist die schnurr-
bärtige Selbstzufriedenheit eines Mannes, der sich wie ein Hahn
brüstet, widerwärtig! Ich fasse die Nähe zum Leben ganz anders
auf. Und nicht genug – in sittlicher Hinsicht erinnert mich Anfím
an einen andern, viel abstoßenderen Menschen, der daran schuld
ist, daß ich so geworden bin, wie ich bin.«

»Ich verstehe nicht recht? Wie bist du geworden? Wovon sprichst
du? Erklär es deutlicher. Du bist besser als alle Menschen auf der
Welt!«

»Ach, Jurotschka, wie kann man so etwas sagen? Ich rede in allem
Ernst mit dir, und du kommst mir mit Salonkomplimenten. Du
fragst mich, wie ich wäre? Ich bin gebrochen, ich habe für mein
ganzes Leben einen Riß in mir. Man hat mich viel zu früh, ver-
brecherisch früh zur Frau gemacht. Man hat mich von der schlechtesten Seite in die verlogenen, boulevardmäßigen Lebensanschau-
ungen eines selbstsicheren, schon älteren Genießers früherer Zeiten
eingeweiht, der sich alles gestattete und einfach alles an sich riß.«

»Ich glaube zu verstehen. Ich habe so etwas vermutet. Aber warte
einen Augenblick! Es ist leicht, sich deinen Schmerz vorzustellen,
der zu stark war für ein Kind, den Schrecken geängstigter Uner-
fahrenheit, die erste Kränkung, die einem noch nicht erwachsenen
Mädchen widerfährt. Aber das sind ja längst vergangene Sachen.

Ich meine, nicht du solltest dir heute deshalb Kummer machen, sondern die Menschen, die dich lieben, wie zum Beispiel ich. Ich bin es, der sich das Haar raufen und verzweifelt sein sollte, weil ich zu spät komme, weil ich nicht schon damals bei dir war, um das Geschehene abzuwenden, wenn es für dich tatsächlich ein Schmerz war. Wirklich erstaunlich! Leidenschaftlich und mörderisch eifersüchtig kann ich nur auf einen Menschen sein, der niedriger steht als ich und mir wesensfremd ist. Die Rivalität mit Höherstehenden ruft bei mir ganz andere Empfindungen hervor. Wenn ein mir im Geiste Verwandter, dem ich meine Liebe zuwende, wenn ein solcher Mensch dieselbe Frau liebte wie ich, so würde ich für ihn brüderliches Mitgefühl, aber weder Abscheu noch Feindschaft empfinden. Ich würde natürlich keine Sekunde meine Liebe mit ihm teilen können. Ich würde aber mit dem Gefühl eines ganz anderen Leidens als Eifersucht zurücktreten, nicht mit dieser aufbegehrenden, blutrünstigen Leidenschaft. Dasselbe würde mir widerfahren beim Zusammenstoß mit einem Künstler, der mich durch überlegene Kraft in Arbeiten, die den meinen verwandt sind, niederzwingen würde. Ich würde gewiß meine Bemühungen aufgeben, die nur wiederholen können, was er schon vollendet und sieghaft zum Ausdruck gebracht hatte.

Aber ich schweife ab. Ich glaube, ich würde dich nicht so mächtig lieben, wenn du über nichts klagen und nichts bedauern müßtest. Ich liebe nicht jene, die nie vom Wege gewichen, die nie gefallen sind, die nie in die Irre gingen. Deren Tugend ist tot und hat keinen Wert. Des Lebens Schönheit hat sich ihnen nicht erschlossen.«

»Aber gerade von dieser Schönheit rede ich ja. Mir scheint, daß es, um sie zu gewahren, der Unberührtheit der Phantasie, des uranfänglichen, keuschen Aufnahmevermögens bedarf. Aber gerade das hat man mir geraubt. Vielleicht hätte sich in mir eine andere Auffassung vom Leben gebildet, wenn ich es nicht bei meinen ersten Schritten in einem fremden, banalisierenden Zerrbild gesehen hätte. Aber das ist noch nicht alles. Wegen des Eingriffs dieses mit seiner Mittelmäßigkeit zufriedenen, unsittlichen Mannes in mein erst beginnendes Leben ist meine spätere Ehe mit einem großen, bedeutenden Menschen, der mich über alles liebte und dem ich mit der gleichen Liebe begegnete, zerbrochen.«

»Warte – von deinem Mann erst später! Ich sagte dir, daß Eifersucht in mir durch Niedrigstehende, nicht durch das mit mir

Gleichstehende erweckt wird. Auf deinen Mann bin ich nicht eifersüchtig, aber jener andere?«

»Welcher andere?«

»Jener wüste Lebemann, der dich zugrunde gerichtet hat. Wer ist er?«

»Ein ziemlich bekannter Moskauer Rechtsanwalt. Er war meines Vaters Schulfreund, und nach des Vaters Tod hat er meine Mutter materiell unterstützt, als wir ins Elend kamen. Er ist Junggeselle, vermögend. Dadurch, daß ich ihn anschwärze, bringe ich ihm bestimmt ein übersteigertes Interesse entgegen und überschätze auch seine Bedeutung. Das ist nichts Ungewöhnliches. Wenn du willst, nenne ich ihn dir.«

»Nein, nicht nötig. Ich weiß schon. Einmal habe ich ihn gesehen.«

»Unmöglich!«

»Das war in dem Gasthaus, als deine Mutter sich vergiften wollte. Wir waren noch Kinder, Gymnasiasten.«

»Ach, ich kann mich an den Fall erinnern. Ihr wart gekommen und befandet euch in der Dunkelheit, im Flur der Etage. Vielleicht wäre mir diese Szene nie eingefallen, aber du hast mir schon einmal geholfen, sie der Vergangenheit zu entreißen. Ich glaube, du hast mich in Meljusejewo daran erinnert.«

»Komarovskij war da.«

»Wirklich? Es wäre wohl möglich. Es war leicht, mich und ihn zusammen zu treffen. Wir waren oft zusammen.«

»Warum errötest du?«

»Weil der Name ›Komarovskij‹ von deinen Lippen so seltsam klingt. So ungewohnt und überraschend!«

»Ich war mit einem Kameraden zusammen. Wir waren beide im selben Gymnasium. Folgendes hat er mir damals in dem Zimmer des Gasthauses mitgeteilt: er hatte in Komarovskij jenen Menschen wiedererkannt, den er einmal zufällig und unter unvorhergesehenen Umständen gesehen hatte. Durch Zufall war dieser Knabe, der Gymnasiast Mischa Gordon, auf einer Eisenbahnfahrt Augenzeuge des Selbstmords meines Vaters, eines Millionärs und Großindustriellen, geworden. Der Vater war in der Absicht, seinem Leben ein Ende zu machen, aus dem Zuge gesprungen und blieb tot liegen. Sein Rechtsberater war eben Komarovskij, der auch meinen Vater begleitete. Komarovskij sorgte dafür, daß mein Vater dem Trunk verfiel; er war es, der seine Geschäfte durcheinander-

brachte und ihn in den Bankrott trieb, ihn also in Verderben und
Untergang stieß. Er trägt an seinem Selbstmord die Schuld und
daran, daß ich verwaist zurückblieb.«

»Das kann nicht sein. Ist das wirklich wahr? So war er auch dein
böser Dämon! Wie bringt uns das einander nahe! Das ist Vorsehung!«

»Und gerade auf ihn bin ich rasend eifersüchtig! Unheilbar!«

»Aber was redest du! Ich liebe ihn ja gar nicht. Und noch mehr:
ich verachte ihn!«

»Solltest du dich selber wirklich so gut kennen? Die menschliche
Natur, besonders die weibliche, ist so dunkel und widerspruchsvoll!
Mit einem winzigen Teil deines Abscheus bist du vielleicht in größerer Abhängigkeit von ihm als von irgendeinem anderen Menschen, den du liebst! Aus freien Stücken liebst – ohne jede Nöti-
gung.«

»Wie furchtbar das ist, was du sagst! Und wie immer hast du
recht, und diese Widernatürlichkeit ist sicher wahr. Aber gerade
darum – wie furchtbar!«

»Beruhige dich. Höre nicht hin, was ich sage. Ich meine nur, daß
ich auf das Dunkle, auf das Unbewußte eifersüchtig bin, auf das,
womit keine Auseinandersetzung denkbar ist, auf etwas, was man
nicht einmal erraten kann. Ich bin eifersüchtig auf deine Toiletten-
sachen, auf die Schweißtropfen deiner Haut, auf die Bakterien, die
in der Luft umherwirbeln, die dir vielleicht anhaften und dein Blut
vergiften könnten. Und wie auf eine solche Ansteckung bin ich auf
Komarovskij eifersüchtig, der dich mir irgendwann einmal wegnehmen wird, so wie uns irgendwann einmal mein oder dein Tod
trennt. Ich weiß, dir muß das wie eine Anhäufung von Unklarhei-
ten erscheinen. Ich vermag es nicht deutlicher und verständlicher
zu sagen. Wahnsinnig, besinnungslos, unendlich liebe ich dich!«

XIII

»Erzähle mir mehr von deinem Mann. ›Im Buch des Schicksals
stehen wir auf derselben Seite‹, wie Shakespeare sagt.«

»Wo steht das?«

»In ›Romeo und Julia‹!«

»Ich habe dir viel von ihm in Meljusejewo erzählt, als ich nach ihm suchte. Und dann – hier – in Jurjatino, bei unserer ersten Begegnung, als ich von dir selber erfuhr, daß er dich in seinem Waggon verhaften wollte. Ich habe es dir erzählt, vielleicht aber auch nicht, daß ich ihn einmal von ferne gesehen habe, als er sich in den Zug begab. Aber könntest du dir vorstellen, wie er bewacht wurde! Ich fand, daß er sich überhaupt nicht verändert hatte. Dasselbe, ehrliche, entschlossene Gesicht, das ehrlichste von allen, allen Gesichtern, die ich je auf der Erde gesehen habe. Keine Spur von Geziertheit, ein männlicher Charakter! So war er immer. Und so ist er geblieben. Und dennoch – eine Änderung habe ich bemerkt, und sie brachte mich in Erregung.

Es war, als wäre etwas Abstraktes in dieses Antlitz gekommen und habe es farblos gemacht. Das lebendige Menschenantlitz war zu einer Personifikation, zu einem Prinzip, zu einer Idee geworden. Mein Herz krampfte sich zusammen, als ich das wahrnahm. Ich begriff, daß es eine Auswirkung jener Mächte war, deren Gewalt er sich ausgeliefert hatte, erhabener Mächte, aber todbringender und erbarmungsloser, die auch ihn irgendwann nicht schonen würden. Mir schien, daß er das Mal seiner Verdammnis an sich trug. Aber vielleicht verwirren sich meine Gedanken. Vielleicht sind deine Worte, die du mir sagtest, als du eure Begegnung beschriebst, in mir gekeimt. Abgesehen von der Gemeinsamkeit unserer Empfindung habe ich doch so viel von dir übernommen!«

»Nein, erzähle mir von eurem Leben vor der Revolution.«

»Ich habe schon früher immer wieder über die Reinheit grübeln müssen. Er stellte mir ihre Verkörperung dar. Wir waren ja fast auf demselben Hof aufgewachsen. Ich, er, Galiullin. Ich war seine Jugendliebe. Wenn er mich sah, so erstarrte er; er erstarb gleichsam. Gewiß, es ist nicht gut, daß ich das sage und es weiß; aber noch schlimmer wäre es, wenn ich so täte, als wüßte ich es nicht. Ich war die Passion seiner Jugend, jene unterjochende Leidenschaft, die man verbirgt, die der kindliche Stolz nicht offenbaren will, die ohne alle Worte im Gesicht geschrieben steht und von jedermann wahrgenommen wird. Wir waren gute Freunde. Wir waren so sehr voneinander verschieden, wie ich mit dir ein und dasselbe bin. Ich habe ihn damals mit meinem Herzen erwählt. Ich beschloß, mein Leben mit diesem wunderbaren Knaben zu vereinen, sobald wir erst beide herangewachsen wären, und in meinem Innersten hatte ich mich mit ihm verlobt.

Und nun denke dir, welche Gaben er hatte! Sie waren außerordentlich! Der Sohn eines einfachen Weichenstellers oder eines Bahnwärters, der allein durch seine Begabung und durch seinen Eifer – ich hätte fast gesagt das Niveau, muß aber sagen – den Gipfel des heutigen akademischen Wissens in zwei Fachwissenschaften, in der Mathematik und den Geisteswissenschaften, erreichte. Das ist wahrhaftig keine Kleinigkeit!«

»Aber was konnte denn in diesem Falle euren häuslichen Frieden stören, wenn ihr euch doch so liebhattet?«

»Ach, wie schwer, hierauf zu antworten! Ich will es dir gleich sagen, aber es ist zum Erstaunen. Wie kann ich, eine schwache Frau, dir, einem so klugen Menschen, erklären, was jetzt eben im Leben vor sich geht und mit dem Menschenleben in Rußland, und warum die Familien hier zerfallen, darunter die deine und die meine? Ach, man könnte ja sagen, es läge an den Menschen, am Harmonieren der Charaktere. Alles, was das tägliche Leben ausmacht, was zum Hause der Menschen und der Ordnung gehörte, ist durch den Umbruch der ganzen Gesellschaft und ihren Umbau wie Spreu zerstoben. Alles, was zu Sitte und Brauch gehört, ist gestürzt und liegt zertrümmert am Boden. Nichts blieb als ein ungewöhnliches, nacktes Verlangen nach Liebe, für die sich nichts geändert hat, denn all die Zeit über hat sie gezittert vor Frost und gebebt und sich zu einer Herzensangst hingezogen gefühlt, die ebenso nackt und einsam ist wie sie. Wir beide sind wie die beiden ersten Menschen, wie Adam und Eva, die nichts hatten, womit sie sich nach der Erschaffung hätten bedecken können; und wir sind jetzt genauso nackend und ohne ein Dach über uns am Ende der Welt; und wir beide – ich und du – sind die letzten Erinnerungen an das unübersehbar Große und Gewaltige, das in der Welt im Laufe der Jahrtausende zwischen ihnen und uns geschaffen wurde. Und in Erinnerung an diese dahingeschwundenen Wunder atmen wir und lieben wir, weinen wir und halten uns aneinander fest und fühlen uns zueinander hingerissen.«

XIV

Nach einer Pause fuhr sie viel ruhiger fort:

»Ich will dir sagen: wenn Strelnikov noch einmal zu ›Paschenjka

Antipov‹ würde, wenn er aufhörte, sich irrsinnig zu gebärden und Aufruhr zu stiften, wenn man die Zeit zurückdrehen könnte, wenn irgendwo in weitester Ferne am Rande der Welt durch ein Wunder das Fenster unseres Hauses aufleuchtete von der Lampe da drinnen, und es lägen da auf dem Tisch Paschas Bücher – ich glaube, ich würde dann auf den Knien dort hingekrochen kommen. Alles in mir würde emporflammen. Ich könnte dem Ruf der Vergangenheit, dem Ruf der Treue keinen Widerstand entgegensetzen; alles würde ich opfern. Selbst das Allerteuerste: dich. Und meine Nähe zu dir, die so leicht, so ungezwungen, so selbstverständlich ist. Oh, verzeih mir! Ich sage es nicht richtig. Es ist nicht wahr.«

Sie warf sich ihm an den Hals, schluchzend. Sehr bald faßte sie sich wieder. Sich die Tränen trocknend, sprach sie:

»Es ist ja aber doch dieselbe Stimme der Pflicht, die dich zu Tonja treibt. O Gott, was sind wir doch armselig! Was wird aus uns werden? Was sollen wir tun?«

Als sie sich wieder beruhigt hatte, fuhr sie fort: »Ich habe dir noch nicht geantwortet, wie es kam, daß unser Glück zerbrach. Erst später habe ich es klar empfunden. Ich will es dir sagen. Das wird dann eine Geschichte sein, nicht nur von uns, sondern vom Schicksal vieler.«

»So sprich, mein Kind, mein kluges!«

»Wir hatten kurz vor Ausbruch des Krieges, es waren zwei Jahre vorher, geheiratet. Und kaum hatten wir uns so eingerichtet, wie wir es wünschten, in unserem eigenen Hausstand, da erfolgte die Kriegserklärung. Ich bin jetzt überzeugt, daß er – dieser Krieg – schuld an allem ist, was sich dann später ereignete und was bis zur Gegenwart unsere unglückselige Generation heimsuchte. Wie gut kann ich mich meiner Kindheit erinnern! Ich habe noch die Zeit erlebt, da die friedlichen Ideen des vorigen Jahrhunderts herrschten. Es war selbstverständlich, daß man auf die Stimme der Vernunft hörte. Alles, was das Gewissen einem sagte, hielt man für natürlich und notwendig. Daß ein Mensch von einem andern umgebracht wurde, war eine Ausnahme, etwas Ungewöhnliches, eine Erscheinung, die ganz aus der Reihe fiel. Mord und Totschlag, so nahm man an, kamen nur in Tragödien oder in Romanen, in der Welt der Detektive und in Zeitungsmitteilungen vor.

Und plötzlich dieser Sprung aus ruhigem, unschuldigem Maßhalten in Blutvergießen und Jammergeheul, dieser epidemische

Wahnsinn, diese Verwilderung des Alltags, ja einer jeden Stunde, diese Verherrlichung des Totschlags!

Sicher wird so etwas nicht ungerächt bleiben. Du wirst dich gewiß besser als ich erinnern können, wie plötzlich alles zusammenbrach. Der ganze Zugverkehr, die Versorgung der Städte mit Lebensmitteln, die Grundlagen des häuslichen Lebens, die sittlichen Fundamente des Bewußtseins.«

»Fahr fort! Ich weiß, was du noch sagen willst. Wie gut du alles erfaßt und analysierst! Welch eine Freude, dir zuhören zu können!«

»Damals kam die Ungerechtigkeit, die Lüge ins russische Land. Das Hauptelend, die Wurzel des kommenden Bösen, war der Verlust des Glaubens an den Wert der eigenen Meinung. Man bildete sich ein, daß die Zeit, da man den Eingebungen des sittlichen Empfindens folgte, vorüber sei. Jetzt muß man sich dem Gleichschritt anpassen und sich nach den Regeln der Gemeinschaft einrichten. Die Tyrannei der Phrase nahm immer mehr zu. Erst waren es monarchistische Ideen, nun sind es revolutionäre. Diese Verirrung der Gesellschaft erfaßte alles, steckte alles an. Alles geriet unter ihren Einfluß. Auch unser Haus hielt diesem Übel nicht stand. Irgend etwas geriet an ihm ins Wanken. Statt der ungezwungenen Lebhaftigkeit, die immer in unserem Hause geherrscht hatte, kam jetzt etwas von diesem sinnlosen Deklamierton in unsere Gespräche. Man wollte etwas Kluges sagen über Dinge, die jetzt an der Tagesordnung waren, und über Weltfragen philosophieren. Konnte ein so kluger Mann, der so unerbittlich gegen sich selber war wie Pascha, der mit unfehlbarer Sicherheit Sein und Schein zu unterscheiden wußte, an dieser Lüge, die sich eingeschlichen hatte, vorübergehen, ohne sie zu merken?

Und hier nun beging er einen verhängnisvollen Fehler, der seine Zukunft bestimmen sollte. Die Zeichen der Zeit, das soziale Übel, betrachtete er als seine Privatangelegenheit. Die Unnatürlichkeit des Tones, das Sterile unserer Gedanken und Gespräche bezog er auf sich selber und dachte, er sei ein mittelmäßiger Mann, ein Pedant. Es wird sicher wenig glaubhaft erscheinen, daß solche Lappalien im Zusammenleben etwas bedeuten können. Du kannst dir nicht vorstellen, wie wichtig sie sind. Was für Dummheiten hat Pascha deshalb nicht angestellt!

Er wollte in den Krieg, was ja kein Mensch von ihm verlangte.

Er tat es, um uns von sich, von seiner eingebildeten Tyrannei zu befreien. So begannen seine Verrücktheiten. In einer Art jugendlicher, fehlgelenkter Selbstliebe war er es, der sich verletzt fühlte, und zwar wegen solcher Dinge, die einen nicht kränken können. Er schmollte wegen des Ablaufs des Geschehens, wegen der Geschichte. Er grollte ihr, das ist bis heute so geblieben, er rechnet mit ihr ab. Von hier stammt seine vorwurfsvolle Querköpfigkeit. Wegen dieses dummen Ehrgeizes geht er dem sicheren Untergang entgegen. Oh, wenn ich ihn retten könnte!«

»Wie unwahrscheinlich rein und stark du ihn liebst! Liebe ihn, liebe ihn! Ich bin seinetwegen nicht eifersüchtig; ich stehe dir nicht im Wege.«

XV

Unvermerkt, wie er kam, ging der Sommer dahin. Der Doktor war genesen. Zeitweilig bekleidete er im Hinblick auf die geplante Reise nach Moskau drei Stellen gleichzeitig. Die sich sehr schnell steigernde Geldentwertung zwang einen, verschiedene Ämter zu übernehmen.

Der Doktor pflegte mit den Hähnen aufzustehen; dann ging er die Kaufmannsstraße hinunter, vorbei an dem Kino ›Gigant‹, zur ehemaligen Druckerei des Uralkosakenheers, jetzt umbenannt in ›Die rote Presse‹. An der Ecke der Stadtstraße entdeckte er an der Tür der ›Geschäftsverwaltung‹ ein kleines Brett mit der Beschriftung ›Beschwerdestelle‹. Er ging quer über den Platz und kam auf die kleine Bujánowka hinaus. Hatte er dann die Stenhop-Fabrik passiert, so begab er sich durch den Hinterhof des Krankenhauses in die Ambulanz des ›Militärhospitals‹; hier hatte er seine Hauptanstellung. Die Hälfte des Weges führte unter schattenspendenden Bäumen hin, vorbei an kuriosen Holzhäuschen mit steilgiebeligen Dächern, siebartigen Gittern, geschnitzten Toren und verzierten Fensterverkleidungen.

In nächster Nachbarschaft zur Ambulanz, im ehedem der Kaufmannsfrau Goregljadowa gehörigen Garten, befand sich ein niedriges, komisches Haus in altrussischem Stil. Es war mit glasierten, facettierten Kacheln verziert, die wie kleine Pyramiden wirkten, etwa so, wie man es in alten Moskauer Bojarenhäusern sieht.

Aus der Ambulanz pflegte sich Jurij Andréitsch etwa drei- oder viermal innerhalb der Dekade in das ehemalige Haus Ligetti auf der alten Miasskaja zu den Sitzungen des Jurjatinschen Kreisgesundheitsamtes zu begeben.

In einem ganz andern, entfernten Bezirk befand sich ein Haus, das Anfíms Vater, Jefím Samdewjatov, der Stadt gestiftet hatte zur Erinnerung an seine verstorbene Frau, die bei der Geburt Anfíms gestorben war. Im Hause befand sich das von Samdewjatov begründete Gynäkologische Institut, zugleich auch eine Hebammenschule. Zur Zeit waren dort die Rosa-Luxemburg-Kurse in Chirurgie untergebracht. Jurij Andréitsch hielt Vorlesungen über allgemeine Pathologie und ein paar andere Wahlfächer.

Kam er von all diesen Ämtern zu später Abendstunde erschöpft und hungrig nach Hause, so traf er Larissa Fjodorowna bei der häuslichen Arbeit, entweder am Herd oder am Waschzuber. In ihrem prosaischen Alltagskleide, mit zerzaustem Haar, mit aufgerollten Ärmeln und aufgestecktem Rocksaum wirkte sie durch ihre königliche, atemberaubende Anziehungskraft stärker, als wenn er sie plötzlich vor einer Ausfahrt auf einem Ball getroffen hätte – in Schuhen mit hohen Absätzen, im Dekolleté und in üppig rauschenden Röcken.

Sie machte die Küchenarbeit, sie kochte oder wusch die Wäsche, und mit dem übriggebliebenen Seifenwasser scheuerte sie die Fußböden im Hause. Oder es gab eine ruhigere und weniger aufreibende Arbeit: sie bügelte und brachte ihre und Katjenkas Wäsche in Ordnung. Oder sie unterrichtete Katjenka, wenn sie mit der Kocherei, mit der Wäsche, mit dem Aufräumen fertig war. Oder sie studierte in Lehrbüchern und befaßte sich damit, sich politisch umzuorientieren, bevor sie sich wieder als Lehrerin in einer reorganisierten Schule einstellen lassen wollte.

Je näher er dieser Frau und ihrer Tochter kam, desto weniger wagte er es, sie vertraulich zu behandeln, um so mehr nahm er seine Empfindungen in Zucht – in Gedanken an seine Angehörigen und die qualvolle Treue, die er ihnen hielt. In dieser Beschränkung lag für Lara und Katjenka nichts Kränkendes. Ganz im Gegenteil, diese zurückhaltende Art des Fühlens umfaßte eine ganze Welt von Ehrerbietung, die jede Ungeniertheit und Vertraulichkeit ganz von selber ausschloß.

Jedoch blieb diese Spaltung immer quälend und schmerzlich, und

Jurij Andréitsch gewöhnte sich daran, wie man sich an eine unheilbare Wunde gewöhnen mag.

XVI

So vergingen zwei bis drei Monate. Einmal, im Oktober, sagte Jurij Andréitsch zu Larissa Fjodorowna:

»Weißt du, mir scheint, ich werde meinen Dienst aufgeben müssen. Es ist die alte, sich ewig wiederholende Geschichte. Alles beginnt ganz ausgezeichnet. ›Wir freuen uns immer über jede ehrliche Arbeit. Um so mehr über neue Gedanken. Wie sollten wir Sie nicht willkommen heißen. Wir begrüßen Sie! Arbeiten Sie bei uns, kämpfen Sie mit uns; forschen Sie mit uns!‹

Bei genauerer Prüfung ergibt sich aber, daß man unter Gedanken nicht mehr versteht als ein Wortgepränge zur Verherrlichung der Revolution und der Machthaber. Das macht einen so müde und wirkt langweilig. Auf diesem Gebiet bin ich nicht gerade Meister. Und sie haben sicherlich recht! Natürlich stehe ich nicht auf ihrer Seite. Aber es fällt mir schwer, mich mit dem Gedanken abzufinden, daß sie Helden, lichtvolle Persönlichkeiten sein sollten – ich habe aber eine unscheinbare kleine Seele, die sich für den Kampf gegen die Finsternis und Knechtung der Menschen einsetzt. Hast du jemals den Namen Nikolaj Wedenjapin gehört?«

»Aber natürlich. Noch vor der Bekanntschaft mit dir, und später aus vielem, was du von ihm erzähltest. Sima Tunzewa erwähnte ihn oft. Sie ist seine Nachfolgerin, hat aber seine Werke, zu ihrer Schande, nicht gelesen. Ich kann Aufsätze nicht leiden, die ausschließlich der Philosophie gewidmet sind. Meiner Meinung nach muß Philosophie ein sparsam angewandtes Ingredienz in Kunst und Leben sein. Sich ausschließlich mit ihr abzugeben, wäre ebenso merkwürdig, wie wenn man nichts als Meerrettich essen wollte. Aber verzeih bitte, ich habe dich mit meinen Dummheiten vom Thema abgelenkt.«

»Nein, im Gegenteil; ich bin einverstanden mit dir. Deine Art zu denken kommt mir sehr nahe. Ja, so ist es auch mit dem Onkel. Vielleicht bin ich tatsächlich durch seinen Einfluß verdorben. Aber sie selber – es gab nur eine Stimme, und überall rief man: ›Genialer Diagnostiker – genialer Diagnostiker.‹ Und es ist wahr, es kommt selten vor, daß ich mich bei der Bestimmung einer Krankheit irre. Aber das macht ja gerade die ihnen so verhaßte Intuition, die mich angeblich dazu verführt, das einheitliche Ganze, alles auf einmal im Bild zu erfassen.

Ich bin versessen auf das Problem der Mimikry, der äußerlichen Anpassung der Organismen an die jeweilige Tönung des sie umgebenden Milieus. In dieser Angleichung an die Farbe liegt ein erstaunlicher Übergang vom Inneren zum Äußeren beschlossen.

Ich habe es gewagt, an diese Fragen in meinen Vorlesungen zu rühren. Und da ging es los: ›Idealismus. Mystik. Goethes Naturphilosophie, Neo-Schellingianer‹.

Ich muß hier weg. Aus dem Kreisgesundheitsamt und aus dem Institut werde ich auf Grund meiner eigenen Bittschrift entlassen; im Krankenhaus aber will ich versuchen, mich so lange zu halten, bis man mich dort vor die Türe setzt. Ich möchte dich nicht erschrecken, aber zuzeiten habe ich die Empfindung, als wenn ich – wo nicht heute, so morgen – verhaftet würde.«

»Gott bewahre dich, Jurotschka. Bis dahin haben wir glücklicherweise noch einen weiten Weg. Aber du hast recht. Man kann nicht vorsichtig genug sein. Soweit ich beobachtet habe, durchläuft eine jede junge Revolutionsmacht mehrere Phasen. Im Anfang ist ein Triumph der Vernunft, des kritischen Geistes, des Kampfes gegen Vorurteile. Dann beginnt die zweite Periode, die Vorherrschaft der Eindringlinge und heuchlerisch Sympathisierenden. Nun wächst das Mißtrauen, das Denunziantentum, es wird intrigiert; man gibt seinem Haß freien Lauf. Und du hast recht, wir befinden uns am Beginn der zweiten Phase.

Man braucht nicht lange zu suchen, um ein Beispiel zu finden. Man hat hierher ins Kollegium des Revolutionstribunals aus Chodatskoje zwei alte politische Zwangsverschickte, ehemals Arbeiter, hergeschickt: einen gewissen Tiversín und Antipov.

Beide kennen mich sehr gut, und einer davon ist sogar ganz einfach der Vater meines Mannes, also mein Schwiegervater. Aber ich zittere eigentlich erst seit ihrer Ankunft um mein und um Katjenkas Leben. Sie wären imstande, eines Tages mich und sogar Pascha im Namen der höheren revolutionären Gerechtigkeit zu vernichten.«

Die Fortsetzung dieses Gesprächs erfolgte kurz darauf. Um diese Zeit wurde in der Nacht im Hause Nr. 48 in der kleinen Bujanowka, neben der Ambulanz, bei der Witwe Goregljadowa eine Haussuchung gemacht. Man fand im Hause ein Lager von Waffen und entdeckte eine gegenrevolutionäre Organisation. Dann wurden in der ganzen Stadt viele Menschen verhaftet. Haussuchungen und Verhaftungen wurden fortgesetzt. Aus diesem Anlaß ging das Gerede, ein Teil der Verdächtigen wäre über den Fluß auf und davon. Erwägungen wurden laut wie diese: ›Was wird es ihnen schon helfen? Fluß und Fluß sind zweierlei. Es gibt schon, muß gesagt sein, richtige Flüsse. In Blagowestschensk am Amur beispielsweise herrscht an einem Ufer die Sowjetmacht, am andern – China. Man springt ins Wasser, schwimmt hinüber und – adieu, da kann man lange suchen. Das ist nun freilich, kann man sagen, ein Fluß. Es ist eben eine ganz andere Sache.‹

»Die Atmosphäre verdichtet sich«, sagte Lara. »Mit unserer Sicherheit ist es wohl aus. Man wird uns bestimmt, dich und mich, verhaften. Was wird dann aus Katjenka? Ich bin ihre Mutter. Ich muß dem Unglück zuvorkommen und mir irgend etwas ausdenken. Ich muß, mit Rücksicht auf diese Dinge, einen fertigen Entschluß haben. Bei diesem Gedanken glaube ich den Verstand zu verlieren.«

»Komm, laß uns überlegen. Was können wir tun? Sind wir imstande, diesen Schlag abzuwehren? Es handelt sich ja um eine Schicksalsfrage.«

»Fliehen kann man nicht; und wohin sollte man auch! Aber man könnte in den Schatten zurücktreten, auf den zweiten Plan. Beispielsweise nach Warykino fahren. Ich denke zuweilen an das Haus in Warykino. Es ist ziemlich abgelegen von hier, und alles ist dort einsam und verlassen. Aber wir würden bei keinem Menschen dort Ärgernis erregen wie hier. Der Winter naht. Ich würde schon die Mühe auf mich nehmen, dort zu überwintern. Bis man uns ausfindig gemacht hat, wäre vielleicht ein Jahr des Lebens gewonnen – schon ein Vorteil. Samdewjatov würde helfen, die Beziehungen zur Stadt aufrechtzuerhalten. Vielleicht wäre er dann einverstanden, uns zu verstecken. Nun, was sagst du dazu? Allerdings, dort ist jetzt keine Menschenseele, nichts als Öde und Leere. Wenigstens war es im März so, als ich zum letzten Mal hinfuhr. Es heißt, da wären Wölfe. Fürchterlich. Aber die Menschen, besonders solche wie Antipov oder Tiversín sind jetzt furchtbarer als Wölfe.«

»Ich weiß nicht, was ich sagen soll. Du treibst mich ja selbst immer wieder nach Moskau; du willst, daß ich die Fahrt unter keinen Umständen hinausschiebe. Jetzt im Augenblick ist es etwas leichter geworden. Ich habe mich auf dem Bahnhof erkundigt. Was die Hamsterer betrifft, so scheint man ein Kreuz darüber gemacht zu haben. Nicht alle blinden Passagiere werden festgenommen. Man ist des Erschießens müde. Erschießungen finden seltener statt. Es beunruhigt mich, daß alle meine Briefe nach Moskau unbeantwortet bleiben. Ich muß unbedingt irgendwie hinkommen und erfahren, was aus den Angehörigen geworden ist. Du selber hast mir das wiederholt gesagt. Aber wie soll ich dann das, was du von Warykino sagst, verstehen? Würdest du es wirklich wagen, ohne mich in diese fürchterliche Öde zu ziehen?«

»Nein, ohne dich wäre es natürlich undenkbar.«

»Und dann drängst du mich, nach Moskau zu reisen?«

»Ja, es ist unerläßlich.«

»Hör mal. Weißt du was, ich habe einen hervorragenden Plan. Fahren wir zusammen nach Moskau, du, Katjenka und ich.«

»Nach Moskau? Du bist wohl wahnsinnig. Wie käme ich dazu? Nein, ich muß hierbleiben. Ich muß mich hier irgendwo in der Nähe bereithalten. Hier werden sich Paschenjkas Geschicke entscheiden. Ich muß die Auflösung abwarten, um nötigenfalls gleich bei der Hand zu sein.«

»Dann laß uns über Katjenka nachdenken.«

»Zuweilen besucht mich Sima Tunzewa. Wir haben noch in diesen Tagen von ihr gesprochen.«

»Ja, freilich. Ich sehe sie oft bei dir.«

»Ich kann nur staunen über dich. Wo habt ihr Männer nur eure Augen? An deiner Stelle hätte ich mich unbedingt in sie verliebt. Was ist das für ein herrlicher Mensch! Schon ihr Äußeres! Ihr Wuchs. Ihre Linie. Ihr Geist. Die Belesenheit und Güte. Das klare Urteil.«

»Am Tage meiner Rückkehr aus der Gefangenschaft bin ich von ihrer Schwester, der Näherin Glafira, rasiert worden.«

»Ich weiß. Die Schwestern leben zusammen mit der älteren, mit Awdotja, die eine Anstellung als Bibliothekarin hat. Wirklich, eine ehrlich arbeitsame Familie! Ich will sie darum bitten, im äußersten Fall, wenn wir beide festgenommen werden sollten, Katjenka zu sich zu nehmen. Aber fest entschlossen bin ich noch nicht.«

»Aber wirklich – das käme nur im alleräußersten Fall in Frage, wenn es keinen anderen Ausweg gibt. Aber bis zu diesem Unglückstag, möge Gott es geben, ist es vielleicht noch weit.«

»Wie man sagt, ist Sima nicht ganz bei Sinnen. Tatsächlich kann man sie nicht als eine ganz normale Frau betrachten; das hängt aber mit ihrer Tiefe und ihrer Originalität zusammen. Sie ist unglaublich gebildet, aber nicht wie die sogenannten Intellektuellen, sondern wie das Volk. Deine und ihre Ansichten kommen einander erstaunlich nahe. Ich würde Katja leichten Herzens ihrer Erziehung anvertrauen.«

XVII

Wieder begab er sich auf den Bahnhof und kam unverrichteterdinge heim. Alles blieb unentschieden, sowohl sein Schicksal wie das von Lara. Der Tag war kalt und dunkel, wie immer vor dem ersten Schnee. Über den Straßenkreuzungen, wo man ein größeres Stück des Himmels überblicken konnte als in den langgezogenen Straßen, zeigte er sein winterliches Gesicht.

Als Jurij Andréitsch nach Hause kam, war gerade Sima bei Lara zu Gast. Die beiden unterhielten sich; das Gespräch erinnerte an eine Vorlesung, die die Besucherin für die Hausfrau hielt. Jurij Andréitsch wollte nicht stören. Außerdem hatte er das Bedürfnis, ein wenig allein zu sein. Die Frauen unterhielten sich im Nebenzimmer. Die Tür zu diesem Zimmer stand halb offen. Vom oberen Querbalken des Türrahmens hing bis an den Fußboden eine Portiere, so daß man das Gespräch Wort für Wort hören konnte.

»Ich werde nähen, aber lassen Sie sich nicht stören, Sima. Ich höre Ihnen zu. Ich habe auf den Universitätskursen seinerzeit Geschichte und Philosophie belegt. Gedankenarbeit liegt mir sehr. Außerdem ist es für mich eine große Erleichterung, Sie sprechen zu hören. Wir haben in den letzten Nächten wegen verschiedener Sorgen nicht gut geschlafen. Meine Mutterpflicht Katjenka gegenüber gebietet, daß ich mich um ihre Sicherheit kümmere für den Fall, daß uns Unannehmlichkeiten entstehen. Ich muß die Sache nüchtern überlegen. Das ist nicht meine Stärke, und ich bin traurig, das erkennen zu müssen. Müdigkeit und Unausgeschlafenheit haben mich sehr mitgenommen. Ihre Worte beruhigen mich. Davon abgesehen, müßte jetzt sehr bald Schnee fallen. Es ist ein Genuß, bei Schneefall langen, klugen Gedankengängen zu lauschen. Schielt man durch das Fenster, wenn es schneit, so hat es wahrhaftig den Anschein, als käme jemand über den Hof zum Hause gegangen. Fangen Sie an, Sima. Ich höre.«

»Wo waren wir das letztemal stehengeblieben?«

Jurij Andréitsch konnte nicht hören, was Lara antwortete. Er hörte aber, was Sima sagte.

»Man kann sich der Worte ›Kultur‹ oder ›Epoche‹ bedienen. Diese werden aber sehr verschieden bewertet; weil der Sinn dieser Worte verschieden deutbar ist, wollen wir nicht zu ihnen unsere Zuflucht nehmen. Wir wollen andere Ausdrücke wählen.

Ich würde sagen, der Mensch besteht aus zwei Teilen. Aus Gott und der Arbeit. Die Entwicklung des Menschengeistes zerfällt in einzelne Arbeiten von außerordentlich großem Ausmaß. Diese Arbeiten wurden von Generationen geleistet und folgten aufeinander. Eine solche Arbeit war Ägypten, eine solche Arbeit war Griechenland, eine solche Arbeit war die biblische Gotteserkenntnis der Propheten. Die letzte dieser Arbeiten, die bisher noch von keiner anderen abgelöst wurde und an der alle schöpferischen Kräfte der Epoche mitgewirkt haben, ist das Christentum.

Um mit ganzer Frische, intuitiv, nicht so, wie Sie selber es wissen und daran gewöhnt sind, sondern einfacher, unmittelbarer, Ihnen jenes Neue, noch nie Dagewesene, was es gebracht hat, darzustellen, will ich mit Ihnen einige Abschnitte aus liturgischen Texten analysieren, nur einige Kleinigkeiten daraus, und auch das in gekürzter Form.

Die große Mehrzahl der kirchlichen Lobgesänge sind Zusammenstellungen aus einer Reihe von Berichten des Alten und des Neuen Testaments. Mit den Vorstellungen der Alten Welt, des nicht verbrennenden Dornbusches, des Auszugs der Kinder Israel aus Ägypten, der drei Jünglinge im Feuerofen, des Propheten Jonas im Bauch des Walfisches und so weiter, werden die grundlegenden Vorstellungen des Neuen Testamentes in Parallele gesetzt, zum Beispiel die Vorstellung von der Empfängnis der Gottesmutter und von der Auferstehung Christi.

In dieser häufig, ja fast regelmäßig gebrachten Zusammenstellung treten das Alter des Alten, die Neuheit des Neuen und deren Unterschiede besonders deutlich hervor.

In einer Unmenge von Versen wird die Unbefleckte Empfängnis Mariens mit dem Durchzug der Juden durch das Rote Meer verglichen. Zum Beispiel heißt es in dem Stichos: ›Das Rote Meer war früher das Bild der Himmelsbraut‹; sodann heißt es: ›Nach dem Durchzug Israels ist das Meer nie wieder begangen worden, so soll die nach der Geburt des Immanuel Unbefleckte unverweslich bleiben.‹ Das heißt, nach dem Durchzug der Kinder Israels schlug das Meer wieder zusammen. Die Jungfrau aber, nachdem sie den Herrn gebar, blieb unberührt. Welche Art von Ereignissen wird hier in Parallele gebracht? Beide Ereignisse sind übernatürlich, beide werden gleichermaßen als Wunder bezeichnet. Worin erblickten nun zwei so verschiedene Epochen wie die älteste, uranfängliche Zeit und die neue Zeit, die auf Rom folgte und so viel weiter fortgeschritten war, das Wunderbare dieser Ereignisse?

In einem Falle teilt sich das Meer auf Geheiß des Volksführers, des Patriarchen Moses; nachdem er seinen Zauberstab geschwungen hat, läßt er ein ganzes Volk hindurchziehen. Eine unübersehbare, aus Hunderttausenden bestehende Menge; und nachdem der letzte hindurchgegangen ist, schließt es sich wieder und bedeckt und ersäuft die Verfolger, die Ägypter. Das Schauspiel entspricht dem Geiste des Altertums: das Element des Wassers ist der Stimme des Zauberers gehorsam; große, drängende Menschenmengen, wie die römischen Legionen auf ihren Zügen, Volk und Führer, sind sichtbare und hörbare Dinge.

Im andern Falle: eine Jungfrau – etwas Alltägliches –, die von der alten Welt nicht weiter beachtet worden wäre, gibt geheim und verborgen einem Kinde das Leben, bringt *das* Leben zur Welt, das *Wunder* des Lebens, das Leben aller, wie er auch später genannt wird: ›Das Leben aller‹. Ihre Mutterschaft ist ein Skandal und nicht allein, weil sie in den Augen der Schriftgelehrten außerehelich ist. Sie widerspricht den Gesetzen der Natur. Die Jungfrau gebiert nicht kraft der Notwendigkeit, sondern durch ein Wunder, durch Inspiration. Eben durch diese Inspiration vermag das Evangelium, das das Außerordentliche dem Gewöhnlichen und den Feiertag dem Alltag gegenüberstellt, das Leben gegen alle Nötigungen neu aufzubauen. Von welch großer Bedeutung ist diese Umgestaltung! Auf welche Weise wurde dem Himmel – denn vor dem Antlitz des Himmels, im geheiligten Bezirk ausschließlicher

Einmaligkeit geschah dies alles –, auf welche Weise wurde dem Himmel ein einzelner, menschlicher Umstand, eine Nichtigkeit, wie die Alten wohl dachten, nun so bedeutungsvoll wie die Wanderung eines ganzen Volkes?

Es hatte sich in der Welt etwas verändert. Rom hatte sein Ende erreicht. Tot waren die Macht der Zahl und die mit Waffengewalt aufgezwungene Notwendigkeit, im Verband eines Volkes zu leben. Führer und Völker gehörten nun der Vergangenheit an.

Die Persönlichkeit, die Predigt von der Freiheit traten an deren Stelle. Das einzelne, menschliche Leben wurde zur Geschichte Gottes, erfüllte mit seinem Gehalt des Weltalls Raum. Wie es in einem kirchlichen Gesang der Verkündigung heißt: ›Adam wollte Gott sein, und er versah sich, er wurde nicht Gott, aber nun wird Gott Mensch, um Adam zum Gott zu machen.‹ « Sima fuhr fort:

»Ich will Ihnen gleich noch etwas zum selben Thema sagen. Zunächst nur eine kleine Abschweifung. Im Hinblick auf die Sorgen um die Werktätigen, um den Mutterschutz, um den Kampf gegen die Macht des Gewinns ist unsere Revolutionszeit eine nie dagewesene, unvergeßliche Zeit mit Errungenschaften, die für immer bleiben werden. Was nun aber das Verstehen des Lebens betrifft, die Philosophie des Glücks, wie sie jetzt gleichsam eingepflanzt wird, so möchte man einfach nicht glauben, daß das ernst gemeint ist, ein so lächerliches Restchen ist geblieben. Diese Deklamationen über Führer und Völker könnten uns in die alttestamentarische Zeit der viehzüchtenden Stämme und Patriarchen zurückführen, wenn ihnen die Kraft innewohnte, das Rad des Lebens zurücklaufen zu lassen und die Geschichte um Jahrtausende zurückzudrehen. Glücklicherweise ist das unmöglich. Ein paar Worte noch über Christus und Magdalena. Ich entnehme das nicht dem evangelischen Bericht, sondern den Gebeten in der Karwoche, ich glaube am Dienstag oder Mittwoch. Aber Sie wissen das auch ohne mich, Larissa Fjodorowna. Ich möchte Ihnen nur etwas in Erinnerung bringen, habe aber durchaus nicht die Absicht, Sie zu belehren.

Im Slawischen bedeutet das Wort ›Strastij‹, wie Sie sicher wissen, vor allen Dingen ›Leiden‹, ›Leiden des Herrn‹, ›Der Herr, der freiwillig dem Leiden entgegengeht‹. Außerdem wird dieses Wort im späteren Sprachgebrauch in der Bedeutung von Laster und sinnlicher Begierde gebraucht.

Ich bin sicher ein sehr verdorbener Mensch, aber die vorösterlichen

Lesungen dieser Art, die der Zähmung der Sinnlichkeit und der Abtötung des Fleisches gelten, mag ich nicht. Mir will immer scheinen, daß diese groben, oberflächlichen Gebete, ohne jede Poesie, wie sie den andern geistlichen Texten eigen ist, von dickwanstigen, feisten Mönchen verfaßt sein müssen. Und nicht darum handelt es sich, daß sie selber nicht nach der Regel lebten und die andern betrogen. Mögen sie nach ihrem Gewissen gelebt haben. Es geht hier nicht um sie, sondern um den Inhalt dieser Bruchstücke. Diese Zerknirschung und Reue verleiht verschiedenen Schwächen des Leibes und dem Umstande, ob er gut genährt ist oder abgezehrt, unnötige Bedeutung. Das ist ekelhaft. Hier wird eine schmutzige, unsinnige Nebensächlichkeit zu einer Bedeutung erhoben, die ihr nicht gebührt. Verzeihen Sie bitte, daß ich die Hauptsache so hinausziehe. Ich werde Sie gleich für meine Langatmigkeit belohnen.

Es hat mich immer beschäftigt, warum Magdalena ausgerechnet am Vorabend des Osterfestes genannt wird, an der Schwelle des Todes Christi und seiner Auferstehung. Ich kenne die Ursache nicht; aber die Erinnerung an den tieferen Sinn des Lebens kommt so gelegen im Augenblick des Abschiednehmens von ihm und in der Zeit vor seiner Wiederkehr. Nun hören Sie, mit welch wirklicher Leidenschaftlichkeit, mit welcher Geradheit, die auf nichts Rücksicht nimmt, diese Erwähnung gemacht wird. Es wurde darüber gestritten, ob es sich um Magdalena handelt oder um Maria Aegyptiaca oder um irgendeine andere Maria. Wie dem auch sei, sie bittet den Herrn:

›Löse mich von meiner Schuld, wie auch ich mein Haar löse.‹ Wie sachlich ist hier die Sehnsucht nach ›Vergebung‹, nach Reue zum Ausdruck gebracht! Man kann es fassen, es mit Händen greifen.

Und einen ähnlichen Ausruf vernehmen wir in einem andern Troparion desselben Tags, noch ausführlicher, wo mit noch größerer Bestimmtheit eben von Magdalena die Rede ist.

Hier bricht sie in Reue zusammen, in furchtbarer, ergreifender Zerknirschung über das Vergangene, darüber, daß die alt eingewurzelten Gewohnheiten in ihr Nacht für Nacht wieder aufflammen.

Sie fleht Christus an, ihre Reuetränen gnädig hinzunehmen und auf das Flehen ihres Herzens zu achten, auf daß sie seine reinen Füße mit ihrem Haar trocknen dürfe, unter dessen Mantel sich einst im Paradies Eva in ihrer Scham und ihrem Schrecken verbarg.

Und plötzlich hören wir nach dem Passus mit den Haaren den Ausruf, der sich ihrem Herzen entringt: ›Wer die Vielfalt meiner Sünden kennt, erfaßt auch die Tiefe deines Plans.‹ Welch gedrängte Kürze, welche Gleichsetzung von Gott und Leben, von Gott und Persönlichkeit, von Gott und Weib!«

XVIII

Jurij Andréitsch war müde vom Bahnhof zurückgekehrt. Er hatte seinen freien Dekadentag. Gewöhnlich pflegte er sich an diesem Tag für die ganze Woche auszuschlafen. Er saß zurückgelehnt auf dem Diwan, mitunter in halb liegender Stellung, oder er streckte sich ganz aus. Obgleich er Sima zwischen Anfällen von Schläfrigkeit reden hörte, beglückten ihn ihre Ausführungen. ›Natürlich, das hat sie alles von Kolja‹, dachte er. ›Aber sie ist doch sehr begabt, eine kluge Person!‹ Er sprang vom Diwan auf und trat ans Fenster. Es öffnete sich zum Hof, so wie auch das Nachbarzimmer, in dem Lara und Sima jetzt undeutlich miteinander flüsterten.
Das Wetter war schlechter geworden. Draußen dunkelte es. In den Hof kamen zwei Elstern geflattert und spähten, wo sie sich niederlassen könnten. Der Wind plusterte ihr Gefieder auf. Sie ließen sich auf dem Deckel des Müllkastens nieder, flogen dann auf den Zaun, dann auf die Erde und stolzierten nun im Hofe umher.
›Elstern bedeuten Schnee‹, dachte der Doktor. Im selben Augenblick hörte er hinter der Portiere sagen: »Elstern bedeuten Nachrichten.« Mit diesen Worten wandte sich Sima an Lara. »Gäste sind zu Ihnen unterwegs. Oder – Sie bekommen einen Brief!«
Kurz darauf wurde geschellt – Jurij Andréitsch hatte vor einigen Tagen die Klingel in Ordnung gebracht. Larissa Fjodorowna kam hinter der Portiere vor und begab sich eiligen Schrittes ins Vorzimmer, um zu öffnen. Dem Gespräch, das dort geführt wurde, konnte Jurij Andréitsch entnehmen, daß Simas Schwester Glafira Ssewerinowna gekommen war. »Sie wollen wohl Ihre Schwester abholen?« fragte Larissa Fjodorowna. »Sima ist bei uns.«
»Nein, ich komme nicht deshalb. Wir könnten übrigens zusammen gehen, wenn sie nach Hause wollte. Nein, ich kam nicht deshalb. Hier ist ein Brief für Ihren Freund. Er kann sich bei mir bedanken; ich war vor längerer Zeit auf der Post angestellt. Durch wie viele

Hände ist dieser Brief gegangen. Ich erhielt ihn schließlich durch eine Bekannte. Aus Moskau. Fünf Monate unterwegs. Man konnte den Empfänger nicht finden. Ich weiß genau, wer er ist. Er hat sich irgendwann von mir rasieren lassen.«

Der Brief war lang, viele Seiten, verknüllt, mit Fettflecken, in einem geöffneten, verblichenen Umschlag: von Tonja. Es kam dem Doktor nicht zum Bewußtsein, wie der Brief in seine Hände gelangte; er merkte es nicht, als ihm Lara das Kuvert gab. Als er den Brief zu lesen begann, erinnerte er sich noch, in welcher Stadt, in welchem Hause er sich befand; doch je länger er las, desto mehr ging ihm das Bewußtsein dafür verloren. Sima kam, grüßte ihn und verabschiedete sich gleichzeitig. Ganz mechanisch antwortete er mit den üblichen Worten, widmete ihr aber keine weitere Aufmerksamkeit. Daß sie dann fortging, beachtete er nicht mehr. Allmählich vergaß er immer mehr, wo er sich jetzt befand und was um ihn her vorging.

›Jura‹, schrieb Antonina Alexándrowna, ›weißt Du, daß wir eine Tochter haben? Man hat sie auf den Namen Mascha getauft – in Gedenken an Mama, an die entschlafene Marja Nikolajewna.

Jetzt aber – etwas ganz anderes. Einige prominente Funktionäre, Professoren, die der konstitutionell-demokratischen Partei angehören, und Rechtssozialisten, so Miljuków, Kisewetter, Kusov und einige andre, auch Nikolai Alexandritsch Gromeko, Papa und wir – als Mitglieder seiner Familie – werden aus Rußland ausgewiesen. Das ist ein Unglück, besonders darum, weil es in Deiner Abwesenheit geschieht. Man muß sich aber fügen und Gott für diese sanfte Form der Verbannung in einer so furchtbaren Zeit danken; es hätte ja viel, viel schlimmer kommen können. Hätte man Dich gefunden, und wärest Du hier, so würdest Du mit uns reisen. Aber wo bist Du jetzt? Ich schicke diesen Brief an die Adresse der Antipova; sie wird ihn Dir geben, wenn sie Dich findet. Mich quält die Ungewißheit, ob man die Erlaubnis zur Reise auch Dir als Mitglied unserer Familie später, irgendwann einmal, wenn es so bestimmt sein sollte und Du Dich einfindest, die Erlaubnis, die wir alle erhalten haben, erteilen wird. Ich glaube, daß Du lebst und daß man Dich finden wird. Das sagt mir mein liebendes Herz, und ich vertraue seiner Stimme. Es könnte sein, daß die Lebensbedingungen in Rußland zu der Zeit, wenn man Dich findet, leichter sein werden als jetzt, so daß Du Dir selber die Genehmigung zur Auslandsreise erwirken kannst; und wir alle würden dann wieder an einem Ort zusammen sein. Aber ich schreibe das, ohne daran zu glauben, daß dieses Glück zur Wirklichkeit werden könnte.

Das ganze Unglück ist, daß ich Dich liebe, Du aber liebst mich nicht. Ich bemühe mich, den Sinn dieser Verurteilung zu finden, sie zu deuten, sie zu rechtfertigen; ich wühle in mir selber und suche nach Gründen, ich lasse unser ganzes Leben und alles, was ich von mir weiß, an mir vorbeiziehen, finde aber den Anfang nicht und kann mich nicht erinnern, was ich getan habe und wodurch ich dieses Unglück auf mich gezogen habe. Du siehst mich irgendwie falsch, mit unguten Augen; Du siehst mich entstellt, wie in einem Zerrspiegel.

Aber ich liebe Dich. Ach, wie habe ich Dich lieb! Wenn Du Dir das nur vorstellen könntest! Ich liebe alles Besondere an Dir, alles Vorteilhafte und Unvorteilhafte, alle Deine alltäglichen Seiten, die mir so wert sind in ihrem ungewöhnlichen Zusammenspiel. Dein durch den inneren Gehalt so edles Gesicht, das, wenn er fehlte, vielleicht nicht schön genannt werden könnte. Deine Begabung und Deinen Geist, die gleichsam an die Stelle des völlig fehlenden Willens getreten sind. Alles das ist mir teuer, und ich kenne keinen Menschen, der besser wäre als Du.

Doch höre, was ich Dir sagen will! Selbst wenn Du mir nicht so teuer wärest und Du mir nicht in diesem Grade gefallen würdest, so würde sich mir doch die traurige Wahrheit meines erkalteten Gefühls nicht offenbart haben, würde ich dennoch denken, daß ich Dich liebe – einfach aus Angst davor, wie erniedrigend, wie vernichtend die Strafe der Nichtliebe ist, würde ich mich unbewußt davor hüten, zu verstehen, daß ich Dich nicht liebe. Weder ich noch Du würden das dann je erfahren. Mein eigenes Herz hätte es vor mir verborgen, weil Nichtliebe fast dasselbe ist wie Mord, und ich hätte die Kraft nicht, gleichviel wem einen solchen Schlag zu versetzen.

Obwohl noch nichts definitiv beschlossen ist, werden wir wahrscheinlich nach Paris fahren. Ich werde in fernen Ländern sein, wohin man Dich, als Du noch Knabe warst, brachte und wo Papa und der Onkel einst erzogen wurden. Papa läßt Dich grüßen. Schura ist groß geworden. Durch Schönheit zeichnet er sich nicht aus; er ist aber ein großer, starker Junge, und wird Deiner gedacht, so weint er immer bitterlich. Ich kann nicht mehr. Mein Herz

wird von Tränen zerrissen. Nun leb wohl. Komm, laß Dich bekreuzigen für die ganze Zeit der unendlichen Trennung, der
Prüfung, der Ungewißheit, für Deinen ganzen langen, langen
dunklen Weg. Ich klage Dich nicht an. Kein einziger Vorwurf.
Führe Dein Leben so, wie Du es willst – wenn *Du* es nur gut hast.
Vor der Abreise aus diesem furchtbaren und für uns verhängnisvollen Ural habe ich Larissa Fjodorowna recht gut kennengelernt.
Ich danke ihr; sie war immer und immer bei mir, wenn ich es
schwer hatte, und hat mir bei der Entbindung geholfen. Ich muß
aufrichtig sagen – sie ist ein guter Mensch; aber ich will mir nichts
vormachen – sie ist genau das Gegenteil von mir. Ich bin in dieser
Welt geboren, um das Leben zu vereinfachen und einen rechten
Weg zu suchen; sie aber – um es zu komplizieren und zu verwirren.
Leb wohl, ich muß schließen. Man kommt, um den Brief zu holen,
und es wird Zeit, daß ich meine Sachen packe. O Jura, Jura! Mein
Lieber, mein Geliebter, mein Mann, Vater meiner Kinder, ja, was
ist denn das? Wir werden uns niemals, niemals wiedersehen. Jetzt
habe ich diese Worte hingeschrieben; ob Du Dir wohl über ihre
Bedeutung klar bist? Verstehst Du, verstehst Du? Man treibt mich
zur Eile, und das ist wie ein Zeichen, daß man zu mir kommt, um
mich zur Hinrichtung zu führen. Jura! Jura!‹
Jurij Andréitsch hob seine abwesenden, tränenlosen Augen. Nach
nirgendhin blickten sie, ausgetrocknet vor Schmerz, leer geworden
durch das Leid. Er sah nichts mehr ringsum, nichts kam ihm zum
Bewußtsein. Draußen schneite es. Der Wind trieb den Schnee durch
die Luft, immer schneller, immer dichter, als müßte er irgend
etwas einholen! Jurij Andréitsch aber blickte so durchs Fenster, als
fiele da kein Schnee, sondern als läse er immer noch Tonjas Brief,
und alles flimmerte an seinen Augen vorbei, nicht die trockenen
Schneesternchen, sondern die winzigen Zwischenräume im weißen
Papier zwischen den kleinen schwarzen Buchstaben: weiß und
weiß, ohne Ende, ohne Ende.
Jurij Andréitsch ächzte unwillkürlich und faßte nach seiner Brust.
Er fühlte, daß er ohnmächtig wurde, machte einige wankende
Schritte auf den Diwan zu und brach über ihm zusammen.

Wieder in Warykino

I

Der Winter war da, der Schnee fiel in dichten, weichen Flocken. Jurij Andréitsch kam vom Krankenhaus nach Hause.

»Komarovskij ist da!« Mit diesen Worten empfing ihn Lara; ihre Stimme klang gedrückt und heiser. Man stand im Vorzimmer. Sie sah niedergeschlagen aus, als hätte sie Schläge bekommen.

»Wohin? Zu wem? Ist er bei uns?«

»Natürlich nicht. Er kam am Morgen und wollte am Abend wieder da sein. Er muß bald erscheinen. Er möchte dich sprechen.«

»Warum ist er gekommen?«

»Ich verstand nicht alles, was er sagte. Er wäre hier auf der Durchreise in den Fernen Osten und hätte absichtlich den Umweg über Jurjatino genommen, um uns zu sehen. Hauptsächlich deinetwegen, aber auch Paschas wegen. Er sprach viel über euch beide. Er beteuert, daß wir drei, das heißt, daß du, Patulja und ich in Todesgefahr sind, und nur er könne uns retten, wenn wir ihm folgten.«

»Ich gehe weg. Ich wünsche ihn nicht zu sehen.«

Lara brach in Tränen aus; sie machte den Versuch, vor dem Doktor niederzufallen, seine Beine zu umfassen, den Kopf an seine Knie zu lehnen, aber er verhinderte das mit einiger Gewaltanwendung.

»Ich flehe dich an, bleibe hier um meinetwillen. Ich fürchte mich überhaupt nicht im mindesten, ihm Auge in Auge gegenüberzustehen; aber es bedrückt mich. Befreie mich vor einer Begegnung unter vier Augen. Außerdem ist er ein praktischer Mensch, der so manches erlebt hat. Vielleicht könnte er uns wirklich einen Rat geben. Dein Widerwille gegen ihn ist so natürlich. Aber ich bitte dich, tue dir Gewalt an. Bleibe!«

»Was hast du denn, mein Engel? Beruhige dich. Was tust du? Steh doch auf. Sei wieder fröhlich. Vertreibe die Vorstellungen, die dich verfolgen. Er hat dir fürs ganze Leben Angst eingejagt. Ich

bin bei dir. Wenn es nötig ist, wenn du es befiehlst, bringe ich ihn um.«
Nach einer halben Stunde brach die Dämmerung herein, und bald
war es dunkel. Es war schon ein halbes Jahr her, daß die Löcher
im Fußboden überall verstopft waren. Jurij Andréitsch achtete
sorgfältig darauf, wenn sich neue bildeten, und verstopfte sie sofort.
Sie hatten sich für die Wohnung einen großen, langhaarigen
Kater angeschafft, der sein Leben in regungslosen, rätselhaften
Betrachtungen verbrachte. Die Ratten waren zwar nicht verschwunden, aber sie waren vorsichtiger geworden.

In Erwartung Komarovskijs hatte Larissa Fjodorowna einige Scheiben vom rationierten Schwarzbrot abgeschnitten und außerdem
auf den Tisch einen Teller mit ein paar abgekochten Kartoffeln
gesetzt. Sie wollte den Gast im ehemaligen Speisezimmer empfangen, das seiner Bestimmung erhalten geblieben war. In diesem
Raum befanden sich ein großer, eichener Speisetisch und ein ebenfalls großes, schweres Büfett aus demselben dunklen Eichenholz.
Auf dem Tisch brannte ein Docht in einem mit Rizinusöl gefüllten
Kugelglas; dies war des Doktors transportable Zimmerleuchte.
Komarovskij kam aus dem Dezemberdunkel ganz verschneit im
Pelz herein. Der Schnee fiel in Klumpen von seiner Pelzmütze,
seinem Mantel und seinen Galoschen; auf dem Fußboden bildeten
sich Pfützen. Der Schnee klebte am Bart, den Komarovskij früher
rasiert hatte, jetzt aber stehenließ, was etwas närrisch und fast
nach Karneval aussah. Im übrigen trug er einen gut erhaltenen
Anzug und gestreifte, gebügelte Beinkleider. Noch ehe er etwas
sagte und die Anwesenden begrüßte, kämmte er mit einem kleinen
Kamm sein feuchtes Haar und wischte mit seinem Taschentuch
den nassen Bart und Schnurrbart trocken. Dann streckte er mit
vielsagendem Ausdruck gleichzeitig beide Hände hin – die linke
zu Larissa Fjodorowna, die rechte zu Jurij Andréitsch.
»Nehmen wir an, daß wir bekannt sind«, wandte er sich an Jurij
Andréitsch. »Ich stand mich doch so gut mit Ihrem Vater; Sie
werden es gewiß gehört haben. Er ist in meinen Armen gestorben.
Ich sehe Sie an und möchte eine Ähnlichkeit herausfinden. Nein,
Sie sind scheinbar nicht nach dem Vater geraten. Eine großspurige
Natur, wie man bei uns zu sagen pflegt. Ein heftiger, ungestümer
Mensch. Dem Äußeren nach zu urteilen, gleichen Sie mehr Ihrer
Frau Mutter. Sie war weich, eine Träumerin.«
»Larissa Fjodorowna hat mich gebeten, Sie anzuhören. Ihren Wor-

ten zufolge haben Sie ein geschäftliches Anliegen an mich. Ich habe Ihrer Bitte entsprochen. Unsere Unterhaltung ist, ob man will oder nicht, eine erzwungene. Aus eigenem Antrieb hätte ich die Bekanntschaft mit Ihnen nicht gesucht und meine auch nicht, daß wir einander bekannt sind. Darum also – zu den Geschäften. Was wünschen Sie?«

»Ich begrüße Sie, meine Lieben! Ich kann alles, alles nachfühlen und restlos verstehen. Sie verzeihen meine Kühnheit, Sie gleichen einander ungemein. Ein harmonisches Paar – im höchsten Grade.«

»Ich möchte Ihnen ins Wort fallen. Ich bitte Sie, sich nicht in Dinge einzumischen, die Sie nichts angehen. Sie werden nicht um Ihr Mitgefühl gebeten, Sie überschreiten die Grenzen.«

»Sie sollten nicht gleich in Flammen auffahren, junger Mann. Nein, vielleicht gleichen Sie doch eher Ihrem Vater; der stand auch immer gleich in Flammen. Also mit Ihrer freundlichen Erlaubnis beglückwünsche ich Sie, meine Kinder! Sie sind aber bedauerlicherweise nicht nur Ihrem Aussehen nach Kinder, sondern in der Tat Kinder, die von nichts eine Ahnung haben und sich über nichts Gedanken machen. Ich bin hier erst zwei Tage und habe mehr von Ihnen erfahren, als Sie selber vermuten. Ohne es zu ahnen, wandeln Sie am Rande eines Abgrunds. Wenn es nicht gelingt, den Gefahren irgendwie zu begegnen, so dürften die Tage Ihrer Freiheit, vielleicht aber auch Ihres Lebens, gezählt sein.

Es gibt einen bestimmten kommunistischen Stil. Mit diesem Maß läßt sich nicht jeder messen. Aber niemand verletzt diese Manier zu leben und zu denken so augenfällig wie Sie, Jurij Andréitsch. Ich begreife nicht, was es für einen Sinn haben kann, Gänse zu reizen. Sie sind ein einziger Hohn auf diese Welt, eine Beleidigung! Aber es gibt hier einflußreiche Menschen aus Moskau. Ihr Innenleben ist jenen bis ins kleinste bekannt. Sie beide sind den hiesigen Themispriestern recht unbehaglich. Die Genossen Antipov und Tiversín fletschen die Zähne, wenn sie an Larissa Fjodorowna und an Sie denken.

Sie sind ein Mann, Sie sind – ein freier Kosak, oder wie man das nennt. Querköpfigkeit und das Spiel mit dem Leben sind gewiß Ihr heiliges Recht. Aber Larissa Fjodorowna ist kein freier Mensch. Sie ist Mutter. Sie hat für ein Kind zu sorgen, und das Schicksal ihres Kindes liegt in Ihrer Hand. Es ist ihr nicht bestimmt, sich in Phantasien zu ergehen und über den Wolken zu schweben.

Ich habe den ganzen Morgen geopfert, um sie davon zu überzeugen, sich ernsthafter mit den hiesigen Verhältnissen ausein-
anderzusetzen. Sie wollte mich nicht anhören. Bitte, setzen Sie
Ihre Autorität ein und versuchen Sie, Larissa Fjodorowna zu
beeinflussen. Sie hat nicht das Recht, mit Katjenkas Leben zu
spielen. Sie darf auch meine Vorschläge nicht einfach ignorieren.«
»Ich habe nie in meinem Leben jemanden zu überzeugen und zu
vergewaltigen versucht. Besonders aber nicht mir nahestehende
Menschen. Larissa Fjodorowna mag Sie anhören oder nicht. Das
ist ihre Sache. Außerdem weiß ich gar nicht, wovon hier die Rede
ist. Das, was Sie Ihre Vorschläge nennen, ist mir unbekannt.«
»Nein, wahrhaftig, Sie erinnern mich immer mehr an Ihren Vater.
Auch er war so halsstarrig. Aber gehen wir auf die Hauptsache
ein. Da es sich aber um eine recht komplizierte Materie handelt,
müssen Sie sich mit Geduld wappnen; ich bitte Sie, mich anzuhören und mich nicht zu unterbrechen.
Auf den höchsten Posten stehen große Änderungen bevor. Nein,
nein, ich habe es aus absolut sicherer Quelle; Sie brauchen nicht zu
zweifeln. Man plant einen Übergang auf demokratische Gleise,
ein Nachgeben im Sinne der allgemeinen Gesetzmäßigkeit, und
das wird eine Angelegenheit der allernächsten Zukunft sein.
Aber gerade darum werden die Strafinstitutionen, die jetzt vor
ihrer Ablösung stehen, zu guter Letzt desto mehr wüten und
desto eiliger ihre eigenen, lokalen Abrechnungen halten. Ihre Vernichtung, Jurij Andréitsch, steht bevor. Ihr Name steht auf den
Listen. Ich sage es nicht, um zu scherzen; ich habe es mit eigenen
Augen gesehen. Sie können mir glauben. Denken Sie an Ihre
Rettung, bevor es zu spät ist.
Das alles war aber nur Vorwort. Ich komme nun zum Wesent-
lichen. An der Küste des Stillen Ozeans hat man politische Kräfte
zusammengezogen, die der gestürzten Interimsregierung und der
aufgelösten konstituierenden Versammlung treu geblieben sind.
Ehemalige Dumaabgeordnete und Beamte, prominente ehemalige
Semstwo-Anhänger, Geschäftsleute und Industrielle kommen zu-
sammen. Die Freiwilligen-Generäle konzentrieren hier die Über-
reste ihrer Armeen.
Die Sowjetmacht schließt die Augen vor dem Entstehen dieser
Fernöstlichen Republik. Das Vorhandensein eines solchen Gebildes
im Grenzland ist ihr nur vorteilhaft – als eine Art Puffergebiet

zwischen dem Roten Sibirien und der Außenwelt. Die Regierung der Republik wird sich aus den verschiedensten Schichten zusammensetzen. Den größeren Teil der Stellen hat man von Moskau aus den Kommunisten zugedacht, um mit deren Hilfe, wenn es gelegen ist, den Umsturz zu bewirken und die Republik in die Hand zu bekommen. Der Plan ist sehr durchsichtig, und es kommt nur darauf an, die Zwischenzeit entsprechend zu nützen.

Ich war irgendwann vor der Revolution Rechtsberater der Brüder Archarow, der Merkulows und anderer Handels- und Bankhäuser in Wladiwostok. Man kennt mich dort. Ein geheimer Emissär der zu bildenden Regierung hat mir teils geheim, teils mit offizieller Duldung der Sowjets die Aufforderung überbracht, als Justizminister der Fernöstlichen Regierung beizutreten. Ich war einverstanden und reise hin. Das alles erfolgte, wie ich soeben sagte, mit Wissen und stillschweigendem Einverständnis der Sowjetregierung; es wäre aber trotzdem nicht gut, darüber zu sprechen.

Ich kann Sie und Larissa Fjodorowna mitnehmen. Von dort können Sie sich leicht zur See zu den Ihren durchschlagen. Sie wissen natürlich schon, daß man diese ausgewiesen hat. Die Geschichte hat viel von sich reden gemacht, und ganz Moskau spricht davon. Ich habe Larissa Fjodorowna versprochen, das Schwert, das über Pawel Pawlowitsch hängt, abzulenken. Als Mitglied einer selbständigen und anerkannten Regierung werde ich Strelnikov in Ostsibirien ausfindig machen und seinen Übertritt in unser autonomes Gebiet betreiben. Sollte es ihm nicht gelingen zu fliehen, so werde ich vorschlagen, ihn im Tausch gegen irgendeine Persönlichkeit auszuliefern, die von den Verbündeten zurückgehalten wird und für die Moskauer Zentralregierung vielleicht einen Wert darstellt.«

Larissa Fjodorowna hatte Mühe, dem Gespräch zu folgen, dessen Sinn ihr oft entglitt. Aber bei Komarovskijs letzten Worten, in denen von der Sicherheit des Doktors und Strelnikovs die Rede war, gab sie den Zustand träumerischer Versunkenheit auf, hörte aufmerksam zu, errötete ein wenig und fügte hinzu:

»Du verstehst, Jurotschka, wie wichtig diese Pläne für dich und Pascha sind.«

»Du bist zu vertrauensselig, mein liebes Kindchen! Es ist unmöglich, etwas, was eben erst erdacht wurde, bereits als vollendete Tatsache zu betrachten. Ich möchte nicht sagen, daß Victor Ippolitowitsch uns ganz absichtlich an der Nase herumführt. Aber das ist ja alles sozusagen in den Wind gesprochen! Nun aber, Victor Ippolitowitsch, ein paar Worte, die mich betreffen. Ich bin Ihnen dankbar für die Aufmerksamkeit, die Sie meinem Schicksal zugewandt haben; glauben Sie aber wirklich, ich würde es dulden, daß Sie es in Ihre Hand nehmen? Was Ihre Bemühungen um Strelnikov betrifft, so wird Lara guttun, sich das zu überlegen.«

»Worauf läuft die Frage hinaus? Sollen wir mit ihm fahren, wie er vorschlägt, oder nicht? Du weißt sehr wohl, ohne dich würde ich nicht fahren.«

Komarovskij nahm des öfteren einen Schluck vom verdünnten Sprit, den Jurij Andréitsch aus der Ambulanz mitgebracht hatte; dazu kaute er die Kartoffeln und wurde allmählich betrunken.

II

Es war schon spät. Der Docht in der Lampe, der von Zeit zu Zeit gesäubert werden mußte, knisterte, wenn er aufflammte, wodurch das Zimmer hell erleuchtet wurde. Dann versank alles wieder in Dunkelheit. Die Gastgeber waren sehr müde; auch mußten sie unter vier Augen miteinander sprechen. Komarovskij aber dachte nicht daran, sich zu erheben. Seine Anwesenheit bedrückte sie wie das schwere eichene Büfett, und die eisige Dezemberdunkelheit vor dem Fenster lag wie eine Bürde auf ihnen.

Er blickte sie nicht an, sondern schaute über ihre Köpfe hinweg. Seine kugelrunden, trunken glitzernden Augen fixierten einen entfernten Punkt, und mit schläfriger, lallender Stimme plapperte er immer von denselben, langweiligen Dingen. Sein Steckenpferd war jetzt der Ferne Osten; das war es, was er unaufhörlich wiederkäute, indem er Lara und dem Doktor seine Ansichten über die politische Bedeutung der Mongolei auseinandersetzte.

Jurij Andréitsch und Larissa Fjodorowna hatten nicht darauf geachtet, an welcher Stelle des Gesprächs er auf die Mongolei kam. Der Umstand, daß sie das versäumt hatten, vermehrte nur die Langeweile des fremden, abliegenden Themas.

Komarovskij sagte:

»Sibirien ist in Wahrheit ein neues Amerika, wie man es nennt. Es birgt unendliche Möglichkeiten. Es ist die Wiege der großen russischen Zukunft, das Unterpfand unserer Demokratisierung, unseres Aufstiegs, der politischen Gesundung. Noch verlockender sind aber die Möglichkeiten der künftigen Mongolei, der Äußeren Mongolei, unserer großen Nachbarn im Fernen Osten. Was wissen Sie schon von ihr? Sie scheuen sich nicht, zu gähnen und unaufmerksam mit den Augen zu zwinkern; indessen umfaßt diese Oberfläche allein anderthalb Millionen Quadratwerst unerschlossener Erzlager, das Land befindet sich noch im Zustand der Jungfräulichkeit; und nach diesem Lande strecken China und Japan und Amerika begierig die Hände aus, sehr zum Nachteil unserer russischen Interessen, die von allen Konkurrenten, gleichviel bei welcher Aufteilung der Einflußsphäre in diesem fernen Erdenwinkel, anerkannt werden.

China weiß die feudal-theokratische Rückständigkeit der Mongolei für sich zu nutzen, indem es die Lamas beeinflußt. Japan stützt sich auf die dortigen Leibeigenschaftsfürsten, mongolisch heißt das ›Choschun‹. Das rote kommunistische Rußland findet einen Verbündeten in dem revolutionären Verband aufsässiger Hirten der Mongolei, der Chamdshilas. Was mich betrifft, so wünschte ich der Mongolei tatsächlich das Beste unter der Verwaltung eines freigewählten Kurultais, einer Volksversammlung. Und dann interessiert die Mongolei noch aus einem anderen Grund: ein Schritt über ihre Grenze – und die Welt liegt Ihnen zu Füßen, und Sie sind frei wie ein Vogel.«

Dieses langweilige Gerede über ein Thema, das gar keine Beziehungen zu ihnen hatte, reizte Larissa Fjodorowna. Durch diesen ausgedehnten Besuch war sie am Ende ihrer Kräfte. Sie streckte entschlossen Komarovskij ihre Hand zum Abschied hin und sagte: »Es ist sehr spät geworden. Sie müssen gehen. Ich möchte jetzt schlafen.«

»Ich hoffe, Sie werden nicht so ungastlich sein, mich jetzt zu so später Stunde vor die Tür zu setzen. Ich bin nicht sicher, ob ich bei nachtschlafender Zeit den Weg in einer fremden, unbeleuchteten Stadt finde.«

»Das hätten Sie sich früher überlegen und nicht so lange bleiben sollen. Niemand hat Sie zurückgehalten.«

»Warum sprechen Sie in diesem Ton zu mir? Sie haben sich nicht einmal erkundigt, ob ich hier irgendwo eine Bleibe habe.«

»Das interessiert uns durchaus nicht. Ihnen wird schon nichts zustoßen. Sie gehören zu denen, die überall durchkommen. Wenn Sie

sich aber hier für die Nacht einnisten wollen – das eine lassen Sie
sich gesagt sein: im hinteren Zimmer, wo wir zusammen mit Katjenka schlafen, können Sie nicht bleiben, und in dem anderen
Zimmer würden Sie es mit den Ratten zu tun bekommen!«

»Ah, vor denen habe ich keine Angst.«

»Nun denn, wie Sie wollen.«

III

»Was ist dir, mein Engel? Wieviel Nächte hast du nicht geschlafen?
Bei Tisch rührst du nichts an; du gehst den ganzen Tag wie ein
Nachtwandler umher und sinnst vor dich hin. Was verfolgt dich
denn? Man soll sich nicht in schwarze Gedanken verlieren.«

»Schon wieder ist der Krankenwärter Isot dagewesen. Er hat hier
im Haus ein Verhältnis mit der Waschfrau. Einen Augenblick ist
er auch bei uns gewesen und hat mir etwas mitgeteilt: ›Es ist ein
grausiges Geheimnis‹, sagt er, ›dein Freund kommt um den Fall-
strick nicht herum. Paß auf, heute oder morgen steckt man ihn ins
Kittchen, und dann bist du an der Reihe.‹ – ›Woher weißt du das,
Isot?‹ fragte ich. ›Verlaß dich auf mich und sei beruhigt‹, sagte er.
›Das hat mir einer von der ‚Hundehütte‘ erzählt.‹ Mit ›Hundehütte‹ ist, wie du weißt, das Exekutivkomitee gemeint.«

Larissa Fjodorowna und der Doktor lachten.

»Er hat ganz recht. Die Gefahr steht uns unmittelbar bevor. Wir
müssen sofort abreisen. Die Frage ist nur – wohin?

Nach Moskau? Unmöglich. Schon die Vorbereitungen wären so
kompliziert, daß sie auffallen müßten. Alles muß im geheimen
geschehen, damit kein Mensch etwas merkt. Weißt du was, meine
Liebe? Deine Anregung ist ausgezeichnet. Wir werden für unbestimmte Zeit spurlos verschwinden. Nach Warykino, denke ich.
Vielleicht zwei oder drei Wochen lang.«

»Ich danke dir. Oh, wie ich mich freue! Ich verstehe gut, wie sich
alles in dir gegen diesen Entschluß wehren muß. Aber es ist ja nicht
von eurem Hause die Rede. Dort zu wohnen wäre für dich wirklich undenkbar. Die leeren, verlassenen Räume, die Vorwürfe, die
man sich macht, die Vergleiche! Ich verstehe das sehr gut. Sein
Glück auf dem Leid anderer aufzubauen – das mit Füßen zu treten,
was einem teuer und heilig war! Nie würde ich ein solches Opfer

von dir annehmen! Aber darum geht es jetzt nicht. Euer Haus ist in einem Zustand, der es kaum gestattet, die Zimmer nur halbwegs bewohnbar zu machen. Wie wäre es mit dem jetzt leerstehenden Haus Mikulízyns?«

»Du hast vollkommen recht. Ich danke dir für deine Rücksicht. Aber warte einen Augenblick. Ich habe dich die ganze Zeit etwas fragen wollen und es immer wieder vergessen: wo könnte Komarovskij sich jetzt aufhalten? Ist er noch hier oder schon fort? Seit meinem Streit mit ihm, als ich ihn aus dem Hause warf, habe ich nichts mehr von ihm gehört.«

»Ich weiß auch nichts. Aber was willst du von ihm?«

»Ich komme immer mehr zu der Überzeugung, daß wir beide uns verschieden zu seinem Vorschlag verhalten sollten. Wir befinden uns nicht in derselben Lage. Du hast für deine Tochter zu sorgen. Selbst wenn du entschlossen wärest, mit mir zu sterben, du hättest nicht das Recht dazu. Aber reden wir von Warykino. Natürlich wäre es Wahnsinn, sich im härtesten Winter in diese Wildnis zu begeben – ohne Vorräte, geschwächt, wie wir sind, ohne jede Hoffnung. Aber gut. Wir wollen wahnsinnig sein, wenn uns nichts anderes bleibt als eben der Wahnsinn. Wollen wir uns noch einmal demütigen und Anfím um ein Pferd bitten? Wollen wir ihn oder irgendwelche Spekulanten, die ihm unterstehen, bitten, uns Mehl und Kartoffeln zu liefern – auf Treu und Glauben, ohne jede Garantie. Wir werden ihm zureden, daß wir nicht gleich bei seiner Ankunft die uns erwiesene Wohltat entgelten müssen, sondern später, wenn er sein Pferd zurückverlangt. Wir wollen allein sein. Laß uns gleich fahren, mein Herz! Wir wollen sechs Klafter Holz aufladen und ein großes Feuer anzünden. Noch einmal: verzeih mir, wenn meine Worte unsicher und verwirrt klingen. Wie sehr verlangt mich danach, gerade mit dir ohne Pathos zu sprechen! Aber wir haben wirklich keine Wahl. Nenne es, wie du willst, es ist so – das Verderben pocht an unsere Tür. Unsere Tage hier sind gezählt. Wir wollen sie nach unserem Gutdünken ausnutzen und sie hinnehmen, als wären sie wirklich die letzten unseres Lebens, der letzte Augenblick des Zusammenseins vor einer langen Trennung. Laß uns Abschied nehmen von allem, was uns teuer ist, Abschied von unseren gewohnten Vorstellungen, von allem, was wir je geträumt haben, von unserer Ehe und von unseren Hoffnungen, Abschied voneinander. Wir wollen einander noch einmal unsere

502

geheimen Worte sagen, die wir in den Nächten miteinander tauschten, Worte, die so groß und still sind wie der Name des Asiatischen Ozeans. Es ist kein Zufall, daß du am Ende meines Lebens stehst, du mein geheimer, verbotener Engel, unter einem Himmel des Krieges und der Revolution; es ist lange her, daß du mir unter dem friedlichen Himmel meiner Kindheit, am Anfang meines Lebens zum ersten Male erschienen bist.

Damals in der Nacht, als Oberschülerin der letzten Klasse, in deinem kaffeebraunen Schulkleid, sah ich dich im Halbdunkel eines Gasthauszimmers, und wie jetzt erschütterte mich deine Schönheit. Später in meinem Leben habe ich oft versucht, jenes Leuchten der Beseligung, welches du damals schon in mich senktest, jenen allmählich dunkler werdenden Strahl und jenen sterbenden Ton näher zu bestimmen und mit Namen zu nennen, die seit jener Zeit durch mich hindurchgegangen sind und für mich der Schlüssel wurden zu allen Dingen dieser Welt.

Als du damals wie ein Schatten, im Schulkleid, aus dem Dunkel des abgeteilten Zimmers im Gasthof hervortratest, habe ich, ein Knabe noch, der keine Ahnung von dir hatte, mit aller Qual die von dir ausströmende Kraft begriffen: dieses schmächtige Mädchen war vom Zauber des Weiblichen umgeben wie von einem elektrischen Feld. Man hätte an sie herantreten und sie mit dem Finger berühren müssen, und ein Funken hätte das Zimmer erleuchtet, der einen entweder auf der Stelle getötet oder fürs ganze Leben ein schmerzliches Verlangen nach ihr in einem entzündet hätte. Von wirren Tränen erfüllt, weinte und strahlte mein Inneres. Ich fühlte grenzenloses Mitleid mit mir und mehr noch mit dir. Mein ganzes Wesen war Staunen und Fragen. Wenn Liebe so viel Schmerz bereitet und es so weh tut, von dem Funken getroffen zu werden, welche Qual muß dann die Frau erdulden, in der der Funke entspringt, die Liebe erregt?

Nun habe ich gesagt, was ich sagen wollte! Man könnte darüber den Verstand verlieren. Und ich bin ganz darin gefangen.«

Larissa Fjodorowna lag am Rande des Bettes; sie war angekleidet und schien sich zu quälen. Jurij Andréitsch saß auf einem Stuhl neben ihr und sprach leise mit langen Pausen. Mitunter hob sich Larissa Fjodorowna etwas empor, stützte sich auf den Ellenbogen, legte ihr Kinn in die Hand und blickte mit weit aufgerissenen Augen Jurij Andréitsch an. Manchmal lehnte sie sich an seine

Schulter und weinte still und beseligt vor sich hin, ohne ihre eigenen Tränen zu fühlen. Endlich neigte sie sich ihm entgegen und flüsterte freudig bewegt:

»Jurotschka, Jurotschka! Wie klug du bist! Du weißt alles, du ahnst alles, Jurotschka, du bist meine feste Burg, meine Zuflucht und meine Stütze – Gott der Herr möge mir die Lästerung verzeihen. Oh, wie bin ich glücklich! Wir fahren, wir fahren, mein Geliebter! Wenn wir dort angelangt sind, will ich dir sagen, was mich beunruhigt.«

›Vielleicht will sie damit sagen, daß sie ein Kind haben wird‹, dachte er. ›Aber ich täusche mich wohl.‹

»Ich weiß«, sagte er.

IV

Am Morgen eines grauen Wintertages verließen sie die Stadt. Es war mitten in der Woche. Die Menschen in den Straßen gingen ihren Geschäften nach. Mitunter begegneten ihnen Bekannte. An den holprigen Straßenkreuzungen vor den alten Wasserhäuschen standen in langen Reihen die Frauen, die über keinen eigenen Brunnen verfügten; sie hatten ihre Eimer und Schulterjoche zur Seite gestellt und warteten, bis es an ihnen war, Wasser zu schöpfen. Der Doktor mußte das Samdewjatovsche hellbraune Pferd, eine ›Sawraska‹, das mächtig voranstrebte, scharf zügeln, um vorsichtig an den sich drängenden Frauen vorbeizufahren. Der Schlitten glitt von der höckerigen, vereisten Straße des öfteren ab und geriet aufs Trottoir, wobei er mit den Schlittenflügeln Laternenpfosten und Prellsteine streifte.

In voller Fahrt überholten sie Samdewjatov und blickten nicht zurück, um sich zu überzeugen, ob er sie und sein Pferd erkannt habe und ihnen nun noch irgend etwas nachriefe. An einer anderen Stelle überholten sie auf die gleiche Weise, ohne Grüße zu tauschen, Komarovskij, und sie sagten sich, daß er nun wohl endgültig in Jurjatino bleiben werde.

Glafira Tunzewa rief ihnen von der anderen Seite der Straße zu: »Ich dachte, ihr seid gestern gefahren. Wollt ihr Kartoffeln hamstern?« Mit der Hand bedeutete sie, daß sie keine Antwort gehört hatte und winkte ihnen nach.

Als sie Sima sahen, brachte Jurij Andréitsch den Schlitten auf einem Hügel an einer ziemlich unbequemen Stelle zum Stehen. Sima war von Kopf bis Fuß in Tücher eingehüllt, so daß ihre Gestalt an einen Baumstamm erinnerte. Mit steifen Schritten trat sie an den Schlitten heran und wünschte ihnen gute Fahrt.

»Wenn Sie wieder zurück sind, werden wir miteinander reden müssen, Jurij Andréitsch.«

Endlich hatten sie die Stadt hinter sich. Obwohl Jurij Andréitsch diesen Weg auch im Winter bisweilen gefahren war, erinnerte er sich nur daran, wie er im Sommer aussah, und so war ihm die Straße nicht vertraut.

Die Säcke mit Lebensmitteln und ihr Gepäck lagen vorn im Schlitten, unter Heu sicher verstaut. Jurij lenkte, indem er entweder auf dem Boden des breit auslaufenden niedrigen Schlittens kniete oder an der Seite auf einer der Kufenrippen saß, wobei er die Beine nach außen baumeln ließ. Er hatte von Samdewjatov hohe Filzstiefel bekommen.

Am Nachmittag, da das trügerische Winterlicht schon lange vor Sonnenuntergang den Anschein erweckte, als neige der Tag sich bereits seinem Ende zu, trieb Jurij Andréitsch unbarmherzig sein Pferdchen mit der Peitsche an. Es sauste wie ein Pfeil dahin. Auf der unebenen, ausgefahrenen Straße schwankte der Schlitten wie eine Barke. Katja und Lara waren in Pelze gehüllt, die keine Bewegung zuließen. Wenn der Schlitten umzuschlagen drohte, schrien sie laut auf und schüttelten sich vor Lachen. Wie plumpe Säcke rollten sie von einem Rand des Schlittens zum andern durch das Heu. Mitunter ließ der Doktor absichtlich eine Kufe über einen Schneehügel fahren, so daß der Schlitten sich zur Seite neigte und Lara und Katja, ohne daß ihnen etwas widerfuhr, in den Schnee rollten. Er ließ dann für einen Augenblick die Zügel locker, brachte das Pferd zum Stehen und setzte den Schlitten wieder auf seine beiden Kufen. Sowohl Lara als Katja wuschen ihm dann gehörig den Kopf und krochen, den Schnee von sich abschüttelnd, lachend und zugleich etwas verärgert in den Schlitten zurück.

»Jetzt will ich euch die Stelle zeigen, wo mir die Partisanen entgegenkamen«, versprach ihnen der Doktor, als sie ein gutes Stück von der Stadt entfernt waren, konnte aber das Versprechen nicht einlösen, weil die winterliche Öde des Waldes und die tote Stille ringsum die ganze Landschaft bis zur Unkenntlichkeit verändert hatten. »Jetzt kommt es bald!« rief er, aber er hatte den ersten Wegweiser ›Moro und Wetschinkin‹, der im Felde stand, mit dem im Walde verwechselt, wo man ihn damals festgenommen hatte. Als sie aber an diesem Straßenschild vorbeiflogen, das bei der Sakminsker Wegkreuzung stand, konnten sie es nicht erkennen, weil ein dichtes Rauhreifnetz sich wie silbernes Filigran über den dunklen Wald gelegt hatte.

Es war noch hell, als sie in Warykino einfuhren und vor dem alten Haus der Schiwagos haltmachten, da es näher lag als das Mikulízyns. Sie gingen schnell hinein, denn schon hatte es angefangen zu dämmern. Drinnen im Hause war es bereits dunkel. Die eigentliche Zerstörung und Verunreinigung hatte Jurij Andréitsch in der Eile nur zu einem Teile bemerken können. Einige Stücke des vertrauten Mobiliars waren noch heil. In dem leeren Warykino wohnte niemand mehr, der das begonnene Werk der Zerstörung hätte zu Ende führen können. An häuslichen Geräten konnte Jurij Andréitsch nichts entdecken. Da er aber nicht bei der Abfahrt seiner Familie zugegen gewesen war, konnte er nicht wissen, was sie alles mitgenommen hatte und was dageblieben war. Indessen sagte Lara:

»Wir müssen uns beeilen; es ist gleich Nacht. Wir haben keine Zeit, lange zu grübeln. Wenn wir uns hier einrichten wollen, dann müßten wir zuerst einmal das Pferd in die Scheune bringen. Die Lebensmittel kommen auf den Flur, und wir selber werden uns hier in diesem Zimmer einrichten. Aber vielleicht sollten wir doch nicht hier wohnen. Es wäre für uns beide unangenehm. Was ist das hier – euer Schlafzimmer? Nein, das Kinderzimmer, hier steht das Bettchen deines Jungen. Für Katja wäre es zu klein. Andererseits – die Fenster, die Fenster sind noch heil, die Wände und die Zimmerdecken zeigen nirgends Spalten und Risse. Außerdem steht da ein herrlicher Ofen, ich war gleich entzückt, als ich ihn sah. Wenn du nun darauf bestehst, daß wir hierbleiben, obwohl ich dagegen bin, so müßten wir sofort die Pelze ablegen und uns ans Werk machen. Vor allen Dingen muß geheizt werden. Heizen, heizen und wieder heizen! Die ersten vierundzwanzig Stunden wird man ununterbrochen heizen müssen. Aber was hast du denn, mein Lieber? Du antwortest nicht?«

»Gleich. Es ist nichts. Bitte verzeih. Wir wollen doch lieber zu Mikulízyn.« Und so fuhren sie denn weiter.

Das Haus Mikulízyns war durch ein Vorhängeschloß gesichert.
Jurij Andréitsch rüttelte längere Zeit daran, bis er es mit den
Schrauben aus dem Holz herausgerissen hatte. Wieder stürzten sie
hinein, ohne sich ihrer Pelze zu entledigen, mit den Mützen auf
den Köpfen und in ihren hohen Filzstiefeln.
Auffällig war die peinliche Ordnung, hier und dort, vor allem in
Avertkij Stepanowitschs Arbeitszimmer. Hier mußte vor kurzer
Zeit noch jemand gewohnt haben. Wer konnte es sein? Wenn es
die Hausbesitzer waren oder nur einer von ihnen, so blieb zu fragen, wo sie sich jetzt aufhalten mochten und warum sie die Außen-
tür nicht richtig abgesperrt, sondern mit einem Vorhängeschloß
versehen hatten. Wenn die Hausinhaber selber hier lange Zeit
gewohnt hätten, so wäre das Haus nicht nur in einzelnen Teilen
aufgeräumt gewesen, sondern überall. Irgend etwas schien darauf
hinzudeuten, daß es nicht Mikulízyn gewesen sein konnte. Aber
wer sonst? Den Doktor und Lara beunruhigte diese Ungewißheit
nicht weiter. Sie zerbrachen sich deshalb nicht den Kopf. Heutzutage gab es so viele verlassene Wohnungen, die geplündert wurden.
Und gab es nicht auch Verfolgte? »Es könnte beispielsweise ein weißer
Offizier gewesen sein, der gesucht wird«, so schlossen sie einmütig.
»Wenn er wiederkommt, werden wir uns schon mit ihm verständigen.«
Und wieder, wie damals, stand Jurij Andréitsch betroffen an der
Schwelle dieses Arbeitszimmers und bewunderte dessen Geräumig-
keit und staunte über die Breite und bequeme Form des Schreib-
tisches am Fenster. Und wieder ging ihm auf, wie diese strenge
Behaglichkeit gelassener, fruchtbarer Arbeit förderlich sein mußte.
Außer den Wirtschaftsgebäuden hatte Mikulízyn dicht neben der
Scheune einen Pferdestall eingerichtet. Er war verriegelt, und Jurij
Andréitsch wußte nicht, in welchem Zustand er sich befand; um
nicht unnütz Zeit zu verlieren, beschloß er, das Pferd in der ersten
Nacht in der Scheune unterzubringen, die leicht zu öffnen war.
Er schirrte es also ab und tränkte es, nachdem es sich abgekühlt
hatte. Jurij Andréitsch wollte dem Pferd zu fressen geben, aber das
Heu, das er im Schlitten mitgeführt hatte, war als Futter nicht mehr
zu gebrauchen. Glücklicherweise fand sich auf dem Boden über
Stall und Scheune, in den Ecken und entlang den Wänden, noch
genügend Heu.

Sie verbrachten die Nacht unausgekleidet und deckten sich mit ihren Pelzen zu. Sie schliefen fest und ruhig, wie Kinder nach einem Tag voll von Spielen und Bewegung.

VI

Als man aufgestanden war, betrachtete Jurij Andréitsch den verführerischen Tisch am Fenster mit neidischen Blicken. Es verlangte ihn danach, sich dort hinzusetzen und zur Feder zu greifen. Aber dieses Recht wollte er sich erst am Abend nehmen, wenn Lara und Katjenka bereits zu Bett gegangen waren. Bis dahin wollte er wenigstens zwei Zimmer in Ordnung gebracht haben; zu tun gab es mehr als genug.

Er hatte keine bedeutende Arbeit vor an diesem Abend. Aber die Leidenschaft, eine Feder zu ergreifen, sie in die Tinte zu tauchen und zu schreiben, bemächtigte sich seiner.

Er wollte nur kritzeln und Linien auf dem Papier ziehen. Fürs erste würde es ihn befriedigen, irgend etwas aus der Erinnerung niederzuschreiben, um nach so langer Untätigkeit sich zu üben und seine Fertigkeit wiederzugewinnen. Vielleicht aber, hoffte er, würde es ihm und Lara gelingen, hier längere Zeit zu bleiben, und dann würde er Gelegenheit haben, nach Herzenslust etwas Neues und Bedeutendes in Angriff zu nehmen.

»Bist du an der Arbeit? Was machst du?«

»Ich heize und heize. Warum?«

»Ich brauche einen Zuber.«

»Wenn wir so weiterheizen, wird unser Holzvorrat höchstens für drei Tage reichen. Wir müssen prüfen, wieviel Holz noch in der Scheune unseres alten Hauses ist. Wenn dort noch genügend Heizmaterial liegt, würde ich es mit zwei, drei Fuhren herschaffen. Das soll morgen meine Sorge sein. Du batest mich um einen Zuber. Gestern abend habe ich einen gesehen – aber wo; daran kann ich mich nicht mehr erinnern.«

»Mir geht es genauso. Ich sah ihn und hab' vergessen – wo. Sicher war einer da, aber er stand nicht an seinem Platz. Sehr ärgerlich. Ich brauche warmes Wasser, um das Haus zu putzen, und dann will ich auch noch meine und Katjas Wäsche waschen. Bei dieser Gelegenheit kannst du mir gleich deine schmutzige Wäsche geben.

Am Abend, wenn alles getan ist und wir uns über unsere Pläne für die nächste Zukunft im klaren sind, wollen wir vor dem Schlafengehen jeder ein Bad nehmen.«

»Ich will gleich meine Wäsche herrichten. Vielen Dank. Schränke und andere schwere Möbelstücke habe ich, wie du wolltest, von den Wänden abgerückt.«

»Sehr gut. Statt im Zuber werde ich die Wäsche in der Spülschüssel waschen. Die Schüssel ist allerdings sehr verschmiert. Man wird das Fett an den Seiten abschrubben müssen.«

»Wenn der Ofen richtig glüht, werde ich ihn schließen und dann alle Laden und Kästen durchsehen. Bei jedem Schritt stößt man auf neue Funde. Seife, Streichhölzer, Bleistifte, Papier, Schreibutensilien. Und was offen daliegt, ist überraschend. Auf dem Tisch eine Lampe mit Petroleum im Behälter. Das gehört nicht Mikulízyn, ich weiß es bestimmt. Das kommt aus einer anderen Quelle.«

»Erstaunlich! Das ist sicherlich wieder er, der geheimnisvolle Bewohner. Wie bei Jules Verne! Aber da sind wir schon wieder ins Schwatzen gekommen und reden drauflos, während mein Wasser am Überkochen ist.«

Sie machte sich an die Arbeit, lief durch die Zimmer, bald hierhin, bald dorthin; sie hielt die verschiedensten Gegenstände in Händen, und im Laufen stieß sie sich an den Möbeln oder stolperte über Katjenka, die ihr immer im Wege stand. Das kleine Mädel drückte sich aus einer Ecke in die andere, störte beim Räumen und zog ein Gesicht, wenn man ihm Vorhaltungen machte. Sie fror und beklagte sich laut.

›Die armen Kinder von heute, Opfer unseres Zigeunertums, dazu verdammt, uns auf unseren Irrfahrten ohne Murren zu begleiten‹, dachte der Doktor, sagte aber zu Katjenka:

»Ach, bitte, verzeih mir, liebes Kind. Aber du brauchst dich wirklich nicht wie ein Igel zusammenzurollen. Das ist doch nur Einbildung und Laune. Der Ofen glüht.«

»Kann sein, daß der Ofen heiß ist; mir ist kalt.«

»Dann mußt du dich ein bißchen gedulden, Katjuscha. Am Abend werde ich noch einmal kräftig einheizen, und Mama sagt, sie wird dich dann auch baden, hast du gehört? Einstweilen nimm das hier zum Trost, fang auf!« Und er schüttete einen ganzen Haufen alter Spielsachen auf den Fußboden, die noch Liberij gehört hatten und die er in einer eiskalten Kammer gefunden hatte: teils heile, teils zerbrochene Bausteinchen, Holzklötzchen, Eisenbahnwagen und Lokomotiven, Spielmarken und Würfel.

Katjenka fühlte sich gekränkt, als wäre sie schon erwachsen: »Ach, was soll ich denn damit, Jurij Andréitsch? Das gehört andern und ist für kleine Kinder. Ich bin schon groß.«

Aber schon kurze Zeit später hatte sie sich mitten auf dem Teppich hingesetzt, und all das Spielzeug wurde im Handumdrehen in ihren Fingern zu Baumaterial, aus dem sie für ihre aus der Stadt mitgebrachte Puppe Ninka ein Haus errichtete, das weit zweckmäßiger und solider war als die vielen Unterkünfte, die sie selbst im Laufe der Zeit kennengelernt hatte.

»Welch ein natürliches Talent zur Hausfrau, welch ein unzerstörbarer Instinkt für Ordnung und Behaglichkeit!« meinte Larissa Fjodorowna, die von der Küche das Spiel ihrer Tochter beobachtete. »Die Kinder sind ohne Scheu aufrichtig und schämen sich vor der Wahrheit nicht; wir aber sind aus Furcht, für rückständig zu gelten, bereit, das kostbarste Gut zu verraten; wir preisen Abstoßendes und bejahen voller Eifer das Unverständliche.«

»Der Zuber hat sich gefunden«, unterbrach sie der Doktor, der aus dem dunklen Flur mit diesem Gerät in der Hand auftauchte. »Tatsächlich war er dort, wo ich ihn fand, nicht an seinem richtigen Platz. Er stand sicherlich schon seit dem Herbst unter einem Loch in der Zimmerdecke auf dem Fußboden.«

VII

Zum Mittagessen, das gleich für drei Tage aus den frisch angebrochenen Vorräten zubereitet worden war, hatte Larissa Fjodorowna allerlei ungewohnte Gerichte gekocht – Kartoffelsuppe und Hammelbraten mit Kartoffeln. Katjenka war auf den Geschmack gekommen und konnte nicht genug essen, zwischendurch brach sie in schallendes Gelächter aus und machte allerhand Späße; aber dann, als sie satt war, schwelgte sie im Wohlgefühl behaglicher Wärme, kuschelte sich in das Plaid der Mama ein und sank auf dem Diwan in süßen Schlummer.

Larissa Fjodorowna, die direkt vom Herd kam, müde, verschwitzt, schläfrig wie ihre Tochter, tief befriedigt vom Eindruck, den ihre Kochkünste hinterlassen hatten, beeilte sich nicht, den Eßtisch ab-

zuräumen, und setzte sich hin, um sich etwas zu erholen. Sie überzeugte sich davon, daß ihr Mädchen schlief, und sagte, die Brust
gegen den Tisch gelehnt und den Kopf mit der Hand stützend:
»Ich würde meine Kräfte gewiß nicht schonen und fände mein
Glück darin, wenn ich nur wüßte, daß das alles nicht umsonst geschieht und uns unseren Zielen wirklich näherbringt. Du mußt
auch immer wieder daran erinnern, daß wir hier sind, um zusammen zu leben. Mach mir Mut und laß mich nicht ins Grübeln kommen. Denn, um die Wahrheit zu sagen, wenn wir die Dinge nüchtern betrachten, so müssen wir eingestehen, daß wir recht zweifelhaft handeln: wir sind hier in eine fremde Wohnung eingebrochen,
verfügen über alles, was wir hier vorfinden, und hasten voran, um
nicht sehen zu müssen, daß das alles nicht das Leben ist, sondern
Theaterspiel, nicht lebensecht, sondern ›zum Lachen‹, wie Kinder
zu sagen pflegen, eine Puppenkomödie! Ein Scherz!«
»Aber liebes Kind, du hast doch darauf bestanden, daß wir diese
Fahrt machen. Besinn dich, ich habe mich dem lange widersetzt.«
»Du hast recht. Ich widerspreche nicht. Ich sage, daß ich unrecht
gehabt habe. Du zauderst, besinnst dich, während bei mir alles
folgerichtig und logisch sein muß. Wir betraten das Haus, du sahst
das Kinderbettchen deines Sohnes, und schon wankten deine Knie;
vor Schmerz warst du nahe daran, in Ohnmacht zu fallen. Das ist
dein Recht; mir ist nur bange um Katja, meine Gedanken an die
Zukunft muß ich zurückdrängen um der Liebe willen, die ich für
dich empfinde.«
»Aber Laruscha, mein Engel, überlege doch! Nie ist es zu spät, sich
zu besinnen und einen gefaßten Entschluß rückgängig zu machen.
Ich war der erste, der dir riet, Komarovskijs Worte ernst zu nehmen. Wir haben ein Pferd. Wenn du willst, jagen wir morgen noch
nach Jurjatino. Komarovskij ist gewiß noch dort; wir sahen ihn
doch auf der Straße vom Schlitten aus. Er hat uns, glaube ich, nicht
bemerkt. Wir werden ihn ganz bestimmt noch antreffen.«
»Ich habe fast nichts gesagt bis jetzt, und schon klingt deine Stimme unzufrieden. Aber sage doch selbst, habe ich nicht recht? Ein so
unsicheres Versteck wählen, heißt mit dem Feuer spielen. Das hätten wir auch in Jurjatino haben können. Wenn man aber wirklich
auf Rettung sinnt, so muß man einen wohldurchdachten Plan
haben, wie ihn uns letzthin dieser erfahrene und nüchtern den-
kende, wenn auch widerliche Mensch vorschlug. Wir sind hier der

Gefahr näher als irgendwo sonst! Diese grenzenlose, allen Winden offenstehende Ebene! Und wir ganz allein – in einer Nacht kann uns der Schnee hier so völlig zudecken, daß wir am Morgen nicht mehr in der Lage sein werden, uns zu befreien. Oder unser geheimnisvoller Wohltäter könnte unversehens Einlaß fordern. Am Ende ist er ein Räuber, der uns erwürgt. Hast du wenigstens eine Waffe bei dir? Nein, nun siehst du wohl! Deine Sorglosigkeit ist entsetzlich. Ich bin völlig verwirrt.«

»Aber sag mir doch, wie du dich in diesem Fall verhalten würdest, und was ich tun soll?«

»Das weiß ich auch nicht. Erhalte mich unentwegt im Gehorsam zu dir. Erinnere mich unablässig daran, daß ich dich liebe, daß ich dir untertan bin und nicht denken soll. Oh, ich will es dir sagen! Unsere Angehörigen, deine und meine, sind tausendmal besser als wir. Aber geht es denn darum? Die Gabe der Liebe ist wie jede andere Gabe! Sie mag groß sein oder gering, ohne Segen ist sie nichts. Mit uns aber steht es so, daß wir gelernt haben, uns im Himmel zu küssen und dann wie die Kinder gleichzeitig in der Welt zu leben, um uns gegenseitig unsere Liebe immer wieder zu beweisen. Wie die Krone die Stirn, so umschließt uns eine vollkommene Gemeinschaft, in der es keine Parteilichkeit gibt, keine Unterschiede zwischen hoch und niedrig. Und durch die himmlische Freude, die ihr Wesen ist, ist alles in uns Seele geworden. Aber in dieser wilden Zärtlichkeit, die uns jeden Augenblick überfallen kann, steckt etwas kindlich Ungebändigtes, Unerlaubtes. Es ist eine willkürliche, zerstörende Kraft, die allem Häuslichen feind ist. Meine Pflicht ist es, vor ihr auf der Hut zu sein, ihr nicht zu trauen.«

Sie umfing ihn mit ihren Armen; sie kämpfte mit den Tränen und fuhr fort:

»Versteh mich recht, wir befinden uns nicht in derselben Lage. Dir sind Flügel gegeben, dich über die Wolken emporzuschwingen. Mein Teil aber ist es, mich an die Erde zu schmiegen und mit den Flügeln die Küken vor jeder Gefahr zu schützen.«

Ihre Worte taten ihm wohl, aber er zeigte es ihr nicht, weil er sich vor übertriebener Empfindsamkeit fürchtete. Zurückhaltend gab er zur Antwort:

»Unser unstetes Leben ist etwas Unnatürliches, du hast vollkommen recht. Aber wir haben es nicht gewollt. Das irrsinnige Hin-

und-her-geworfen-Sein ist heute das Los aller; es gehört zu dieser Zeit. Ich habe selber seit dem frühen Morgen darüber nachgedacht. Ich möchte wirklich alles daranwenden, hier einige Zeit zu bleiben. Ich kann dir nicht sagen, wie sehr ich mich nach meiner Arbeit sehne. Ich denke jetzt nicht an die Landwirtschaft. Wir alle im Hause hatten uns früher damit beschäftigt, und uns war Erfolg beschieden. Aber ich habe nicht die Kraft, noch einmal von vorn anzufangen. Ich habe etwas andres im Sinn.

Das Leben findet allmählich seine Ordnung wieder. Vielleicht wird man irgendwann einmal wieder Bücher drucken.

Ich habe mir folgendes gedacht. Man könnte vielleicht mit Samdewjatov vereinbaren, daß er zu günstigen Bedingungen für ihn uns ein halbes Jahr lang hier Unterkunft gewährt und uns verköstigt. Das Werk, das ich in dieser Zeit schreiben will, ein medizinisches Handbuch vielleicht oder ein Band Gedichte, wird ihm als Pfand dienen. Vielleicht könnte ich auch ein berühmtes, weltbekanntes Buch übersetzen, denn ich bin in den Sprachen gut bewandert; jüngst las ich eine Anzeige eines großen Petersburger Verlages, der sich nur mit der Herausgabe von Übersetzungen befaßt. Das macht sich bestimmt bezahlt. Ich wäre glücklich, wenn ich mich mit etwas Derartigem beschäftigen könnte.«

»Ich danke dir, daß du mich daran erinnerst. Ich habe heute Ähnliches gedacht. Aber ich glaube nicht, daß wir hier durchhalten werden. Im Gegenteil, ich habe eine Vorahnung, daß wir sehr bald weitergetrieben werden. Aber solange wir hier in Frieden leben, tu mir das eine zuliebe, um das ich dich bitte. Opfere mir einige Stunden der nächsten Nächte und schreibe mir alles auf, was du mir auswendig zu verschiedenen Zeiten vorgetragen hast. Die Hälfte davon ist für immer verloren. Die andre Hälfte aber ist nicht niedergeschrieben, und ich befürchte, daß du dich später nicht mehr daran erinnern wirst und daß dann alles verloren sein wird, wie es dir schon mehrmals ergangen ist.«

VIII

Als der Tag zur Neige ging, konnten sich alle mit heißem Wasser waschen. Lara badete Katjenka. Jurij Andréitsch saß am Tisch vor dem Fenster, den Rücken zur Stube gekehrt, wo Lara, wundervoll duftend, in ihren Bademantel gehüllt, das nasse Haar turbanartig mit einem Frottierhandtuch umwunden, Katjenka schlafen legte und die Betten aufdeckte. Ganz hingegeben an das Vorgefühl baldiger konzentrierter Arbeit nahm Jurij Andréitsch alles, was um ihn her geschah, durch den Schleier zärtlichster und alles umspannender Aufmerksamkeit wahr.

Es war ein Uhr nachts, als Lara, die sich die ganze Zeit schlafend gestellt hatte, endlich wirklich einschlief. Ihre und Katjenkas Wäsche, die Laken auf den Betten, alles strahlte, tadellos gebügelt, in frischem Weiß. Lara hatte es selbst in jenen schweren Jahren immer verstanden, die Wäsche leicht zu stärken.

Jurij Andréitsch genoß die Stille ringsum, das beseligende, volle Glück süß atmenden Lebens. Das Lampenlicht fiel in ruhigen, gelblichen Tönen auf die weißen Papierbogen und schwamm golden auf der Oberfläche der Tinte im Tintenglas. Jenseits der Fenster war die kalte blaue Winternacht. Jurij Andréitsch ging in das nicht geheizte, unbeleuchtete Zimmer hinüber, von dem aus man besser hinausschauen konnte, und blickte durchs Fenster. Im Vollmondlicht schien der flüchtige Schneeglanz der Wiese zu einer schweren, weißen Flüssigkeit zu werden. Die Pracht der Winternacht war unbeschreiblich. In des Doktors Seele war der Friede eingekehrt. Er kehrte zurück in das hell erleuchtete, warm geheizte Zimmer und begann zu schreiben.

Er achtete darauf, daß in den schön geschwungenen Buchstaben die lebendige Bewegung seiner Hand lag und daß die Schrift nicht ihre Seele und ihren Ausdruck verlor. In großen Zügen, in Linien, die immer weiter und klarer wurden, schrieb er die Gedichte nieder, die ihm noch in Erinnerung waren: der ›Stern der Geburt‹ und die ›Winternacht‹ und einige Verse ähnlicher Art, die er später vergaß, die verlorengingen und nie wiedergefunden wurden.

Dann arbeitete er an jenen reifen und schönen Strophen, die er vor längerer Zeit begonnen und dann halbfertig liegengelassen hatte. Er fand den Ton und entwarf einige Verse, ohne zu hoffen, daß er sie in nächster Zeit werde vollenden können. Sein Eifer wuchs. Er ließ sich von ihm forttragen und ging zu neuen Dingen über.

Nachdem er zwei oder drei leicht dahinfließende Strophen geschrieben hatte mit einigen Metaphern, die ihn selbst erstaunten, ergriff seine Arbeit von ihm Besitz, und er fühlte die Nähe dessen, was man Inspiration nennt: das gewohnte Verhältnis der Kräfte, die bei dem schöpferischen Vorgang zusammenwirken, scheint sich in sein Gegenteil zu verkehren. Den Vorrang hat nun nicht mehr der Mensch und sein Seelenzustand, für den nach einem Ausdruck gerungen wird, sondern die Sprache, in der er diesen zum Ausdruck bringen will. Die Sprache, diese Heimat der Schönheit und des Sinnes, beginnt selber zu denken und für den Menschen zu sprechen und wird Musik, nicht durch äußerlich hörbare Laute, sondern durch den Schwung und die Macht ihres inneren Sich-Verströmens. Dann findet, ähnlich der ungeheuren, rauschenden Masse eines Stromes, der durch seine Bewegung die Steine am Grunde abschleift und der die Räder der Mühlen treibt, die dahinströmende Sprache von selbst, kraft ihrer inneren Gesetze Rhythmus und Reim; und tausend Formen, tausend unbekannte Figuren der Sprache entstehen, von niemandem gewußt bis dahin und von niemandem geahnt.

In solchen Augenblicken empfand Jurij Andréitsch, daß nicht mehr er selber es war, der die Arbeit verrichtete, sondern das, was höher war als er und ihn lenkte: der universelle Weltgeist und die Weltpoesie, ihre Zukunft und jener nächste Schritt, der getan werden muß, damit sich ihre Entwicklung in jedem Augenblick der Geschichte vollendet und dennoch dauernd fortschreitet. Er selbst fühlte sich lediglich als Anlaß und Hebelpunkt, damit sie in diese Bewegung versetzt wird.

So befreite er sich wenigstens für eine gewisse Zeit von Selbstvorwürfen, von der Unzufriedenheit mit sich selber und vom Gefühl der eigenen Nichtigkeit. Er wandte den Kopf und blickte um sich. Er sah die Köpfe der schlafenden Lara und Katja auf ihren blütenweißen Kissen. Die saubere Wäsche, die gereinigten Zimmer, die Klarheit aller Konturen verbanden sich mit der Reinheit der Nacht, des Schnees, der Sterne und des Mondes zu einer einzigen unteilbaren Bewegung, die über das Herz des Doktors hinging, die ihn weinen und schluchzen ließ und die ihn mit dem Gefühl der erhabenen Reinheit des Lebens erfüllte.

»O Gott! O Gott!« flüsterte er. »Und das alles – mir! Diese Fülle. Wie nah hast du mich dir gebracht. Wie danke ich dir, daß du mich über diese deine wunderbare Erde gehen läßt, unter deinen Gestirnen, zu Füßen dieser vernunftlosen, demütigen, unglückseligen, wundervollen Schönheit, über die zu staunen ich nicht müde werde.«

Es war drei Uhr in der Nacht, als Jurij Andréitsch seine Augen vom Tisch und vom Schreibpapier hob. Die geistige Anspannung wich von ihm, und er fand nun zu sich selbst zurück, zur Wirklichkeit; glücklich, stark und ruhig. Plötzlich vernahm er in der Stille der unendlichen Ebene, die sich jenseits des Fensters ausbreitete, einen klagenden, heulenden Ton.

Er begab sich ins Nebenzimmer, das nicht beleuchtet war, um von dort durch das Fenster zu sehen. Während der Stunden, die er am Schreibtisch verbracht hatte, waren die Scheiben so stark bereift, daß man nicht hinaussehen konnte. Jurij Andréitsch stieß den zusammengerollten Teppich, der, um die Zugluft abzuwehren, vor die Tür geschoben worden war, zur Seite, warf seinen Pelz über die Schultern und ging hinaus auf den Flur.

Der weiße vibrierende Widerschein des Mondlichts auf dem Schnee blendete ihn. Zunächst vermochte er nichts zu erkennen. Aber nach wenigen Augenblicken vernahm er ein durch die Entfernung abgeschwächtes, gedehntes, hungriges, winselndes Geheul, und da gewahrte er am Feldrain, jenseits der Schlucht vier langgestreckte Schatten.

Die Wölfe standen in einer Reihe, die Schnauzen dem Hause zugewandt, mit emporgehobenen Köpfen, und so heulten sie den Mond an oder die Silberspiegelungen in den Fenstern des Mikulízynschen Hauses. Einige Augenblicke standen sie regungslos da; aber Jurij Andréitsch hatte kaum erfaßt, daß es Wölfe waren, als sie schon wie Hunde mit hängender Rute über das Feld davontrabten, als hätten sie die Gedanken des Doktors begriffen. Der Doktor hatte nicht einmal Zeit festzustellen, nach welcher Richtung sie verschwunden waren.

›Eine unangenehme Neuigkeit!‹ dachte er. ›Die haben uns gerade noch gefehlt. Sollten sie wirklich irgendwo seitab in unserer Nähe ihr Lager haben? Vielleicht in der Schlucht? Furchtbar! Und zu allem Unglück steht noch das Pferd Samdewjatovs im Stall. Sicherlich wittern sie das Pferd.‹

Er beschloß, einstweilen Lara nichts zu sagen, um sie nicht zu ängstigen. Er ging ins Haus, schloß die äußere Tür, zog die Zwischentür zu, die die kalte Wohnungshälfte von der geheizten trennte, verstopfte die Öffnungen und Ritzen und trat wieder an den Tisch. Wie früher brannte die Lampe hell und gemütlich. Aber es war ihm nicht mehr nach Schreiben zumute. Er konnte sich nicht beruhigen, dachte nur an die Wölfe und andere drohende Gefahren. Zudem war er müde. Gerade da wachte Lara auf.

»Und du, du brennst und wärmst mich immer noch, du mein Licht, mein strahlendes!« sprach sie mit belegter Stimme. »Komm nur für einen Augenblick, setz dich her, rück etwas näher heran. Ich will dir erzählen, was mir träumte.«

Und er löschte die Lampe.

IX

Und wieder ging ein Tag vorüber in stillem Verzücktsein. Im Hause fand sich ein Kinderschlitten. Katja, ganz rot im Gesicht, sauste in ihrem Pelzchen laut lachend auf dem nicht gekehrten Weg des Blumengartens von einem Eisberg herunter, den ihr der Doktor gebaut hatte, indem er den Schnee mit der Schaufel fest zusammengeklopft und ihn dann mit Wasser begossen hatte. Immer wieder konnte sie lächelnd den Berg erklimmen und den kleinen Schlitten an einer Schnur hinter sich herschleppen.

Es fror, und der Frost nahm merklich zu. Der Himmel war klar, und der Schnee glänzte gelb unter den Strahlen der Mittagssonne. In dieses honigfarbene Gelb mischte sich, wie eine köstliche Flüssigkeit, der orangefarbene Ton des früh einsetzenden Abends.

Durch die gestrige Wäsche und das Baden war die Luft im Hause feucht geworden. Die Fenster waren vereist, die Tapeten wellten sich infolge des Dampfes, und von der Zimmerdecke bis zum Fußboden zogen sich dunkle Streifen. In den Zimmern war es dunkel und ungemütlich. Jurij Andréitsch schleppte Brennholz und Wasser herbei; außerdem setzte er die noch nicht abgeschlossene Besichtigung des Hauses fort, die immer wieder Überraschungen brachte, und half Lara im Haushalt, da sie vom frühen Morgen ununterbrochen mit den verschiedensten Angelegenheiten beschäftigt war.

Und wieder war es so, daß mitten in einer Arbeit ihre Hände sich berührten und ineinander lagen. Den schweren Gegenstand, den sie zusammen emporgehoben hatten, um ihn fortzutragen, setzten sie auf den Fußboden nieder, ohne daß das Ziel erreicht war, und ein Gefühl der Zärtlichkeit überkam sie und hüllte sie ein wie Nebel. Und wieder fiel ihnen alles aus den Händen, ohne daß sie es merkten. Und wieder gingen die Minuten hin und wurden zu Stunden, und es wurde spät; und beide erschraken bei dem Gedan-

ken, daß sie Katjenka nicht weiter beachtet oder das Pferd nicht
gefüttert und getränkt hatten; dann überstürzten sie sich, um die
verlorene Zeit wieder einzubringen und das Versäumte nachzu-
holen, und sie wurden von Gewissensbissen gequält.

Aus Mangel an Schlaf hatte der Doktor Kopfweh. Eine sanfte Trunkenheit hatte ihn erfaßt, und er fühlte eine glückselige Schwäche in
seinem Körper. Voller Ungeduld wartete er auf den Abend, um
sich wieder seiner Arbeit, die er unterbrochen hatte, hinzugeben.
Dieser träumerische Nebel, der seine Gedanken einhüllte und ihn
ganz erfüllte, so daß er seine Umgebung nur wie durch einen
Schleier sah, gab ihm im voraus das Gefühl, seine Arbeit schon zur
Hälfte getan zu haben. Dieses flutende Element, in dem alle
Dinge zusammenschmolzen, ließ die Vollendung der sinnerfüllten
Form ahnen. Die Verworrenheit der ersten Entwürfe, die quälende
Mattigkeit während des ganzen Tages gingen unvermeidbar der
schöpferischen Arbeit der Nacht voraus.

Die durch die Müdigkeit hervorgerufene Untätigkeit ließ nichts
unbeeinflußt. Alles verwandelte sich und nahm ein anderes Aussehen an.

Jurij Andréitsch fühlte schmerzhaft, daß sein Traum, sich für
längere Zeit in Warykino niederzulassen, nicht in Erfüllung gehen
konnte, daß die Stunde seiner Trennung von Lara nahte, daß er sie
unweigerlich verlieren mußte und damit auch die Kraft zum Leben,
vielleicht sogar das Leben selbst einbüßen würde. Dieser Gram
zehrte an ihm. Aber mehr noch quälte ihn die Erwartung des
Abends und das Verlangen, sich diese Angst vom Herzen zu
weinen.

Die Wölfe, an die er den ganzen Tag denken mußte, waren nun
nicht mehr Wölfe im Schnee bei Vollmond, sondern das Symbol
einer feindlichen Macht, deren Ziel es war, den Doktor und Lara
zu vernichten oder sie aus Warykino zu vertreiben. Die Idee dieser
Feindschaft entwickelte sich immer mehr und war gegen Abend
so übermächtig geworden, als hätten sich in Schutjama Spuren
eines vorsintflutlichen Drachen gefunden und als hielte sich in der
Schlucht ein Ungeheuer verborgen, das ihn und Lara verschlingen
wollte.

Der Abend nahte. Wie gestern zündete der Doktor auf dem Tisch
die Lampe an. Lara und Katja waren früher als sonst zur Ruhe
gegangen.

In dem, was er nachts geschrieben hatte, ließen sich zwei Stadien der Ausführung unterscheiden. Die früheren Entwürfe, die er umgearbeitet und verändert hatte, waren in tadelloser Schrift aufgezeichnet. Das Neue war nur skizziert und kaum leserlich angedeutet.

Während er diese verworrenen Zeichen zu entziffern suchte, fühlte sich der Doktor verzweifelt. Während der Nacht konnten einige unerwartete, glückliche Wendungen ihn zu Tränen rühren und ihn begeistern. Jetzt aber waren es gerade diese vermeintlichen Erfolge, die ihn verwirrten: er sah etwas Gewolltes und Künstliches in ihnen, und das war ihm peinlich.

Immer hatte er von einer gedämpften, zurückhaltenden Originalität geträumt, die kaum sichtbar in Erscheinung tritt und sich unter dem Schleier unscheinbarer und vertrauter Wendungen verbirgt. Sein ganzes Leben lang hatte er danach gestrebt, sich diesen zurückhaltenden, nicht anmaßenden Stil anzueignen, der es dem Leser ermöglicht, den Inhalt unwillkürlich und ohne Anstrengung zu erfassen. Mit allen Kräften hatte er sich um diesen ›unmerklichen‹ Stil bemüht, und er war verzweifelt, wenn er bedachte, wie weit entfernt er noch von diesem Ideal war.

In den Skizzen von gestern hatte er versucht, durch die einfachsten Mittel, die bis zum Gestammel reichten und an die Innigkeit eines Wiegenliedes erinnerten, den Zustand seiner Seele, in dem Liebe und Angst, Sehnsucht und Kühnheit sich verbanden, so zum Ausdruck zu bringen, daß diese Stimmungen aus sich selber heraus und gewissermaßen unabhängig von der Sprache wirkten.

Nun aber fand er bei der Durchsicht dieser Versuche, daß noch der Zusammenhang fehlte und die Strophen in einzelne Verse zerfielen. Nach und nach, indem er das Geschriebene verbesserte, begann Jurij Andréitsch in derselben lyrischen Weise die Legende vom tapferen Jegor zu schreiben. Er begann mit breit angelegten Pentametern, die große Freiheit gewährten. Der unabhängig vom Inhalt dem Rhythmus selber eigentümliche Wohllaut verstimmte ihn durch seine Glätte und Künstlichkeit. Er gab den hochtrabenden Rhythmus mit der Zäsur auf, preßte die Zeilen zu einem Tetrameter zusammen, so wie man in der Prosa gegen übertriebenen Wortreichtum anzukämpfen pflegt. Das Schreiben fiel jetzt nicht so leicht, war aber verlockender. Die Arbeit ging flinker von der Hand, dennoch machte sich immer wieder eine überflüssige Geschwätzigkeit bemerkbar. Er zwang sich dazu, die Zeilen noch mehr zu kürzen. Die Worte fühlten sich beengt im Trimeter. Die letzten Spuren von Schläfrigkeit verschwanden, er war wach, er geriet in Feuer: die Enge der Zeilenzwischenräume zeigte von selber an, womit sie aufgefüllt werden wollten. Dinge, die in Worten kaum auszudrücken sind, zeichneten sich mit Bestimmtheit im Bereich der Begriffe ab, die sie umschreiben. Er hörte den Gang eines Pferdes in seinen Versen, so wie der Schritt des Paßgängers in einer Ballade Chopins deutlich zu vernehmen ist. Der siegreiche heilige Georg sprengte auf seinem Roß durch den unermeßlichen Raum der Steppe dahin. Jurij Andréitsch verfolgte, wie er im Davonreiten in der Ferne kleiner wurde. Er schrieb in fieberhafter Eile und nahm sich kaum Zeit, Worte und Verse, die ihm unablässig zuströmten, vollständig aufzuzeichnen. Er merkte nicht, wie Lara sich vom Bette erhob und an den Tisch herantrat. Sie schien schmächtig, ja hager zu sein und größer, als sie in Wirklichkeit war, während sie in ihrem langen Nachtgewand, das ihr bis an die Fersen reichte, vor ihm stand. Jurij Andréitsch erbebte, als sie plötzlich neben ihm aus dem Boden aufzusteigen schien, die Hand vorstreckte und mit blassem erschrockenem Gesicht fragte:

»Hörst du? Ein Hund heult, zwei sogar. Oh, ich habe Angst. Ein schlimmes Vorzeichen! Bis zum Morgen werden wir durchhalten, aber dann fahren wir. Ich bleibe keine Minute länger hier.«

Nach langem Zureden beruhigte Larissa Fjodorowna sich schließlich und schlief wieder ein. Jurij Andréitsch trat auf den Flur hinaus. Die Wölfe wagten sich jetzt näher heran als in der vergangenen Nacht und verschwanden noch schneller. Und wieder hatte Jurij Andréitsch nicht sehen können, nach welcher Seite sie sich gewandt hatten. Sie standen im Rudel da, er war nicht imstande, sie zu zählen. Er glaubte, daß es diesmal mehr waren.

X

Seit zwölf Tagen wohnten sie in Warykino. Alles war genau wie am Tage ihrer Ankunft. Wie am Abend zuvor heulten die Wölfe, die während der Woche verschwunden waren. Larissa Fjodorowna, die sie wieder für Hunde hielt, beschloß abermals, am nächsten Morgen abzufahren, weil das böse Vorzeichen sie erschreckte.

Zeiten ausgeglichener Stimmung wechselten mit solchen der Angst und Unruhe, was bei einer arbeitenden Frau, die nicht gewohnt war, den Tag in Herzensergießungen und maßlosen Zärtlichkeiten hinzubringen, natürlich war.

Alles wiederholte sich, so daß man an diesem Morgen der zweiten Woche, da Larissa wieder daran dachte zurückzukehren, hätte glauben können, die Tage dazwischen seien gar nicht gewesen.

Wieder war es feucht in den Zimmern, die der graue trostlose Wintertag verdüsterte. Der Frost hatte etwas nachgelassen; vom dunklen Himmel, der mit niedrig hängenden Wolken bedeckt war, mußte jeden Augenblick Schnee fallen. Wegen der seelischen und körperlichen Ermüdung, die die anhaltende Schlaflosigkeit verursacht hatte, fühlte Jurij Andréitsch sich niedergeschlagen. Seine Gedanken gingen durcheinander; seine Kräfte waren zermürbt; ihn fror vor Schwäche, und er ging, sich die Hände reibend, im ungeheizten Zimmer auf und ab, ohne zu wissen, was Larissa Fjodorowna beschließen würde und wie er ihren Entschluß aufnehmen müsse.

Ihre Absichten waren unklar. Eben noch wollte sie ihr Leben dafür hingeben, dieser anarchischen Freiheit zu entkommen und sich einer Ordnung zu unterwerfen, einem Gesetz, das ihr Arbeiten, Pflichten und einen vernünftigen, ehrlichen Lebenswandel auferlegen würde.

Sie begann diesen Tag wie gewöhnlich, brachte die Betten in Ordnung, räumte die Zimmer auf und bereitete dem Doktor und Katja das Frühstück. Dann begann sie, ihre Sachen zu packen, und bat den Doktor, er möge anspannen. Den Entschluß, wegzufahren, hatte sie fest und unabänderlich gefaßt.

Jurij Andréitsch versuchte nicht, ihr abzuraten. In die Stadt zurückzukehren, die sie kurz zuvor verlassen hatten, wo es täglich zu Verhaftungen kam, war Wahnsinn. Aber es wäre wohl kaum vernünftiger gewesen, allein und ohne Waffen in dieser schrecklichen Winteröde zu bleiben, die von drohenden Gefahren erfüllt war.

Außerdem waren die letzten Heureste, die der Doktor in den Nachbarscheunen zusammengerafft hatte, aufgebraucht, und neue Zufuhr war nicht zu erwarten. Natürlich, wenn man sich hier hätte fest ansiedeln wollen, dann wäre der Doktor überall in der Umgebung herumgefahren und hätte sich bemüht, ihre Lebensmittelvorräte aufzufüllen und Futter für das Tier zu beschaffen.

Aber für einen ungewissen Aufenthalt von wenigen Tagen lohnte es nicht. Der Doktor verwarf den Gedanken und ging, um das Pferd anzuspannen.

Damit hatte es seine Schwierigkeit. Zwar waren ihm von Samdewjatov die Handgriffe gezeigt worden, aber Jurij Andréitsch hatte sie vergessen. Schließlich brachte er es umständlich und wenig geschickt dennoch dahin, daß er mit Pferd und Schlitten am Hause vorfahren konnte. Hier band er das Pferd fest und ging hinein, um Lara zu rufen. Er traf sie in einem Zustand äußerster Verwirrung. Sie und Katja waren für die Fahrt angekleidet. Alles war eingepackt, aber Larissa Fjodorowna rang die Hände und bat mit tränenerstickter Stimme Jurij Andréitsch, sich für einen Augenblick niederzusetzen. Sie warf sich in einen Sessel und stand gleich wieder auf; sie sprach hastig und unzusammenhängend mit hoher, fast singend klagender Stimme, stolperte über ihre eigenen Worte und unterbrach sich immer wieder mit dem Ausruf »nicht wahr«.

»Mich trifft keine Schuld. Ich weiß nicht, wie es so kommen konnte. Aber du mußt dir doch selbst darüber im klaren sein, daß wir jetzt gleich keinesfalls fahren können. Bald wird es dunkel. Und die Nacht überrascht uns in diesem fürchterlichen Walde! Nicht wahr! Ich tue, was du befiehlst; aber ich kann mich nicht dazu entschließen, jetzt abzufahren. Irgend etwas hält mich zurück. Mein Herz ist nicht in Ordnung. Aber tu, was du für richtig hältst. Nicht wahr? Warum sagst du nichts? Wir haben den ganzen Morgen nichts getan, den halben Tag vertrödelt. Morgen darf sich das nicht wiederholen, wir werden umsichtiger sein, nicht wahr? Vielleicht bleiben wir noch einen Tag länger? Wir wollen morgen früher aufstehen, schon in der Dämmerung, um sieben oder sogar um sechs. Was hältst du davon? Du wirst den Ofen heizen, wirst noch einen Abend länger schreiben können, und wir verbringen hier noch eine Nacht. Wäre das nicht herrlich, wäre das nicht wunderbar! Warum antwortest du nicht? Bin ich wieder schuld, ich Unglückselige?«

»Du übertreibst. Bis zur Abenddämmerung ist es noch lange. Wir haben erst Nachmittag! Aber wie du willst. Wir bleiben. Nur beruhige dich. Sei nicht so aufgeregt. Komm, laß uns unsere Pelze ablegen und auspacken! Und Katja sagt, sie hat Hunger. Wollen wir nicht etwas essen? Du hast vollkommen recht. Es ist töricht, so plötzlich und unvorbereitet abzureisen. Aber bitte, rege dich nicht wieder auf und weine nicht! Ich will gleich heizen. Aber vorher werde ich das letzte Brennholz aus unserer alten Scheune holen, da das Pferd nun einmal angespannt ist und der Schlitten vor der Tür steht. Unser Holzvorrat hier ist verbraucht. Jetzt weine nicht. Ich bin bald zurück!«

XI

Im Schnee vor der Scheune waren noch die Schlittenspuren von Jurij Andréitschs früheren Fahrten zu sehen. Der Schnee auf der Hausschwelle war festgetreten und verschmutzt vom Holz, das er zwei Tage vorher geholt hatte.

Die Wolken, die seit dem Morgen den Himmel bedeckt hatten, waren verschwunden. Der Himmel war klar, und der Frost hatte sich verschärft. Der ausgedehnte Park von Warykino, der Haus und Hof umgab, war nah an die Scheune herangerückt, so als wollte er dem Doktor ins Gesicht sehen und ihn an etwas erinnern. In diesem Winter lag hoher Schnee. Er ragte über die Schwelle der Scheune hinaus, so daß der Balken des Türrahmens niedriger und die ganze Scheune eingesunken zu sein schien. Vom Dach hing, fast über dem Kopf des Doktors, wie der Schirm eines mächtigen Pilzes eine Schneewehe herab. Genau über dem Dachvorsprung stand der junge aufgehende Mond, der seine Spitze in den Schnee zu bohren schien, in fahlem grauem Schein.

Obgleich es noch Tag und ziemlich hell war, hatte der Doktor das Gefühl, sich am späten Abend tief in den dunklen Urwald seines Lebens verirrt zu haben. Es war finster in seiner Seele, und er fühlte sich unglücklich. Und der junge Mond leuchtete vor ihm fast in Höhe seines Gesichts als ein Vorzeichen der Trennung, als ein Gleichnis seiner Einsamkeit.

Jurij Andréitsch glaubte vor Müdigkeit umzusinken. Er warf das Holz über die Scheunenschwelle in den Schlitten und ergriff weniger Scheite auf einmal als gewöhnlich. Trotz seiner Fäustlinge schmerzten ihn die Finger vom Anfassen der eisüberkrusteten Holzklötze. Auch als er sich rascher bewegte, wurde ihm nicht warm. Irgend etwas in ihm war zum Stocken gekommen und zerrissen. Er verfluchte sein Schicksal und flehte zu Gott, das Leben dieser unbeschreiblich schönen, dieser traurigen, demütigen, herrlichen Frau zu erhalten. Der Mond aber stand immer noch über der

Scheune und lohte, ohne zu wärmen, leuchtete, ohne zu erleuchten. Plötzlich wandte sich das Pferd in die Richtung, aus der sie gekommen waren, hob den Kopf und wieherte erst leise und schüchtern, dann laut und zuversichtlich.

›Was ist denn los?‹ dachte der Doktor. ›Warum die Freude! Ausgeschlossen, daß es vor Angst wiehert. Welches Roß würde aus Angst wiehern. So blöde ist das Vieh nicht, den Wölfen ein Zeichen zu geben, wenn es sie wittert. Wie munter es ist. Sicher ist es die Vorfreude, daß es jetzt nach Hause geht! Es will in seinen Stall. Einen Augenblick nur, gleich ist es soweit!‹

Dann sammelte Jurij Andréitsch in der Scheune Späne und einige große Stücke Birkenrinde, die die Form eines Stiefelschaftes hatten, um sich das Anzünden des Feuers zu erleichtern. Schließlich zog er noch ein Seil über die Bastmatte, mit der er das Holzfuder bedeckte, und nun schritt er neben dem Schlitten einher und brachte das Holz in Mikulízyns Scheune.

Und wieder wieherte das Pferd. Diesmal aber war es die Antwort auf ein fernes Wiehern, das auch der Doktor vernommen hatte. ›Wo könnte das sein?‹ dachte der Doktor auffahrend. ›Wir dachten, Warykino sei völlig verlassen. Offenbar haben wir uns getäuscht.‹ Es fiel ihm nicht ein, daß Besuch da sein und das Wiehern aus dem Garten vor der Auffahrt des Mikulízynschen Hauses herkommen könnte. Er führte das Pferd auf Umwegen durch Hinterhöfe nach den Wirtschaftsgebäuden. Die Front des Wohnhauses blieb seinem Blick durch einige Bodenwellen verdeckt.

Ohne sich zu beeilen – und warum hätte er sich auch beeilen sollen –, warf er das Brennholz in die Scheune, spannte aus, schob den Schlitten in die Scheune und führte das Pferd in den kalten und leeren Stall nebenan, in die erste Box gleich rechts vom Eingang, wo es leidlich windgeschützt war. Dann schüttete er einige Armvoll des restlichen Heus in die Futterkrippe.

Beunruhigt begab er sich in das Haus. Vor der Anfahrt hielt ein sehr breiter Bauernschlitten mit bequemer Sitzgelegenheit, davor ein gutgenährter Rapphengst. Ein unbekannter, ebenso wohlaussehender Bursche in einer gutsitzenden Pelzjacke ging um das Pferd herum. Er klopfte ihm auf die Flanken und besah prüfend die Fesselgelenke. Im Hause ging es geräuschvoll zu. Da Jurij Andréitsch die andern nicht belauschen wollte und auch nicht wußte, was er aus den Geräuschen machen sollte, verlangsamte er unwillkürlich den Schritt und blieb wie angewurzelt stehen. Ohne die Worte zu verstehen, erkannte er doch Komarovskijs, Laras und Katjas Stimmen. Wahrscheinlich hielten sie sich in dem Zimmer nahe der Haustür auf. Komarovskij stritt mit Lara, die dem Ton ihrer Antworten nach erregt war und weinte und bald mit Schärfe erwiderte, bald mit Komarovskij einverstanden zu sein schien. Aus irgendeinem Grunde hatte Jurij Andréitsch den Eindruck, daß Komarovskij gerade in diesem Augenblick auf ihn zu sprechen kam: man könne ihm kein Vertrauen schenken – ›da er zwei Herren dient‹, wie Jurij Andréitsch herauszuhören meinte –, und man wisse nicht, wem er die Treue halte, seiner Familie oder Lara. Lara könne sich auf ihn nicht verlassen, denn wenn sie sich dem Doktor anvertraue, ›jage sie zwei Hasen nach und sitze schließlich zwischen zwei Stühlen‹. Jurij Andréitsch trat in das Haus.

Tatsächlich stand im ersten Zimmer, in einem bis zum Boden reichenden Pelzmantel, Komarovskij. Lara hielt Katja am oberen Kragenrand ihres Mäntelchens fest und versuchte, ihn zuzuhaken. Sie ärgerte sich über das Kind, schrie es an, es möge nicht so hin und her tanzen, während Katja jammerte: »Mamachen, bitte nicht so stark ziehen; du würgst mich ja.« Alle standen angekleidet da, zur Fahrt bereit. Als Jurij Andréitsch eintrat, eilten ihm sowohl Lara als Victor Ippolitowitsch entgegen.

»Wo warst du denn? Wir brauchten dich so sehr.«

»Guten Tag, Jurij Andréitsch! Trotz der Grobheiten, die wir uns beim letztenmal gegenseitig an den Kopf warfen, bin ich, wie Sie sehen, wieder ohne besondere Einladung gekommen.«

»Guten Tag, Victor Ippolitowitsch!«

»Wo warst du so lange? Höre dir jetzt an, was er zu sagen hat und entschließe dich gleich – für dich selber und für mich. Wir dürfen keine Zeit verlieren, wir müssen uns beeilen.«

»Warum stehen wir denn so da? Setzen Sie sich, Victor Ippolitowitsch. Wie kannst du nur fragen, wohin ich verschwunden bin, Larotschka. Du weißt doch, daß ich Brennholz geholt und das Pferd abgeschirrt habe. Ich bitte Sie, Victor Ippolitowitsch, nehmen Sie Platz.«

»Du bist nicht überrascht? Warum zeigst du denn gar kein Erstaunen? Wir bedauerten, daß wir diesen Menschen fahren ließen, ohne seinen Vorschlag anzunehmen. Jetzt steht er nun vor dir, und du bist nicht einmal erstaunt. Aber noch viel überraschender sind die neuen Nachrichten, die er bringt. Sagen Sie ihm alles, Victor Ippolitowitsch.«

»Ich weiß nicht, was Larissa Fjodorowna meint, will aber meinerseits folgendes hinzufügen: ich habe absichtlich das Gerücht von meiner Abreise verbreitet, blieb aber noch für ein paar Tage in der Stadt, um Ihnen und Larissa Fjodorowna Zeit zu lassen, alle angeschnittenen Fragen noch einmal zu überlegen und dann zu einem weniger überstürzten Entschluß zu kommen.«

»Es darf aber nicht länger gezögert werden. Gerade jetzt ist für die Abfahrt die günstigste Zeit. Morgen in der Frühe . . . Aber Victor Ippolitowitsch soll selber alles sagen.«

»Einen Augenblick, Lara. Sie entschuldigen, Victor Ippolitowitsch – warum stehen wir eigentlich in unseren Pelzen herum? Wollen wir nicht ablegen und Platz nehmen. Unser Gespräch ist ernst genug. Es läßt sich nicht im Handumdrehen erledigen. Verzeihen Sie schon, Victor Ippolitowitsch. Unsere Auseinandersetzungen berühren einige seelische Feinheiten. Diese Dinge analysieren zu wollen, wäre komisch und verfehlt. Ich habe niemals an eine Fahrt mit Ihnen gedacht. Etwas anderes ist es, was Larissa Fjodorowna betrifft. In einem jener seltenen Augenblicke, da unsere Beunruhigung uns voneinander trennt und wir uns daran erinnern, daß wir nicht *ein* Wesen sind, sondern zwei Menschen mit zwei voneinander verschiedenen Schicksalen, war ich der Meinung, Lara müsse, besonders Katjas wegen, Ihre Vorschläge aufmerksam überlegen. Das tut sie auch unentwegt, indem sie immer wieder auf diese Möglichkeiten zu sprechen kommt.«

»Aber nur unter der Bedingung, daß du mitfährst.«

»Uns beiden fällt es gleich schwer zu denken, daß wir uns trennen könnten; aber man müßte sich vielleicht Gewalt antun und das Opfer bringen, weil davon auch nicht im entferntesten die Rede sein kann, daß ich mitfahre.«

»Aber du weißt noch gar nicht, worum es geht! Hör doch erst zu. Morgen früh . . . Victor Ippolitowitsch!«

»Larissa Fjodorowna hat allem Anschein nach die Nachrichten im Auge, die ich mitbrachte und ihr bereits mitteilte. Auf der Bahnstrecke steht in Jurjatino, unter Volldampf, ein Dienstzug der Fernöstlichen Regierung. Dieser Zug traf gestern aus Moskau ein und wird morgen weiterfahren. Es ist ein Zug unseres Verkehrsministeriums. Er besteht zur Hälfte aus internationalen Schlafwagen. Ich muß diesen Zug benutzen. Man hat mir Plätze für Begleitpersonen angeboten, die zu meinen Mitarbeitern im Kabinett gehören werden. Wir würden mit allem Komfort reisen. Eine solche Gelegenheit wird sich nicht wieder bieten. Ich weiß, Sie streuen Ihre Worte nicht in den Wind und werden Ihre Weigerung, mit uns zu fahren, nicht ändern. Sie sind ein Mensch, der an seinen Entschlüssen festhält. Ich weiß es. Aber dennoch: tun Sie sich um Larissa Fjodorownas willen Gewalt an. Sie hörten, sie will ohne Sie nicht fahren. Fahren Sie mit uns, wenn auch nicht bis Wladiwostok, so doch wenigstens nach Jurjatino. Wir werden dann weitersehen. Aber in dem Fall werden wir uns beeilen müssen. Wir dürfen keinen Augenblick verlieren. Ich habe, da ich selber schlecht kutschiere, einen Mann bei mir. Zu fünft werden wir uns in meinem Schlitten nicht einrichten können. Wenn ich nicht irre, ist Samdewjatovs Pferd bei Ihnen. Sie sagten, Sie hätten eben Brennholz mit diesem Pferd gefahren. Haben Sie noch nicht ausgespannt?«

»Doch, ich habe abgeschirrt.«

»Dann schirren Sie so schnell wie möglich wieder an. Mein Kutscher wird Ihnen helfen. Übrigens wissen Sie, lassen wir doch den andern Schlitten zum Teufel gehen. Irgendwie werden wir es auch mit dem meinen schaffen. Aber um Gottes willen, Eile tut not. Für unterwegs nehmen Sie nur das Notwendigste mit, was Sie gerade zur Hand haben. Lassen Sie das Haus so, wie es ist, ohne abzuschließen. Das Leben des Kindes steht auf dem Spiel; es geht nicht darum, die Schlüssel zu allen Schlössern zu finden.«

»Ich kann Sie nicht begreifen, Victor Ippolitowitsch. Sie sprechen so, als hätte ich mein Einverständnis gegeben. Fahren Sie in Gottes Namen, wenn Lara will. Was das Haus betrifft, so seien Sie unbesorgt. Ich bleibe, und nach Ihrer Abfahrt werde ich Ordnung machen und es verschließen.«

»Was redest du da, Jura? Es ist ein ausgemachter Unsinn, an den du selber nicht glaubst, ›wenn Larissa Fjodorowna es so will‹. Und er weiß selber genau, daß ohne deine Beteiligung von Larissa Fjodorownas Fahrt oder von sonstigen Beschlüssen keine Rede sein kann. Warum dann diese Phrasen: ›Ich werde im Hause alles in Ordnung bringen und für alles sorgen.‹«

»Sie bleiben also unerbittlich. In diesem Falle hätte ich eine andere Bitte. Mit Larissas Einverständnis möchte ich Ihnen, wenn möglich unter vier Augen, noch ein paar Worte sagen.«

»Strelnikov wurde gefangen. Man hat ihn zu schwersten Strafen verurteilt, und das Urteil wurde vollstreckt.«

»Entsetzlich! Ist es möglich?«

»So hat man mir gesagt. Ich bin davon überzeugt.«

»Sagen Sie Lara nichts. Sie wird den Verstand verlieren.«

»Das kann ich mir denken. Darum bat ich Sie auch hierherzukommen. Nach dieser Erschießung befindet sie sich mit ihrer Tochter in unmittelbarer Gefahr. Helfen Sie mir, sie zu retten. Sie weigern sich kategorisch, uns zu begleiten?«

»Ich habe es schon gesagt. Natürlich.«

»Aber ohne Sie wird sie nicht fahren. Ich weiß einfach nicht, was ich tun soll. So wird von Ihnen eine andere Hilfe nötig sein. Tun Sie so, auch wenn es ein Betrug ist, als wollten Sie einwilligen, geben Sie sich den Anschein, als seien Sie überzeugt. Ich kann mir Ihren Abschied nicht vorstellen. Weder hier am Ort noch auf dem Bahnhof in Jurjatino, wenn Sie tatsächlich mitfahren wollten, um uns zu begleiten. Man muß sie in dem Glauben lassen, daß auch Sie mitfahren. Wenn auch nicht gleich, so doch nach einer gewissen Zeit, wenn ich Ihnen eine neue Gelegenheit biete, die Sie zu nützen versprechen werden. Hier nun müßten Sie imstande sein, einen Meineid auf sich zu nehmen, aber meinerseits sind das keine leeren Worte. Ich gebe Ihnen mein Ehrenwort, bei Ihrem ersten Wunsch will ich Sie, zu welcher Zeit Sie bestimmen, von hier zu uns und auch noch weiter bringen lassen, wohin immer Sie reisen wollen. Larissa Fjodorowna muß davon überzeugt sein, daß Sie uns begleiten. Bestätigen Sie ihr das mit aller Überzeugungskraft, die Ihnen zu Gebote steht. Sagen wir, Sie tun so, als ob Sie forteilen, um das Pferd anzuspannen; und reden Sie uns zu, sofort, ohne zu warten, abzufahren, bis Sie selber angespannt und uns unterwegs eingeholt haben.«

»Die Nachricht von der Erschießung Pawel Pawlowitschs hat mich erschüttert, und ich kann mich immer noch nicht fassen. Ich habe Mühe, Ihren Worten zu folgen. Doch bin ich mit Ihnen einverstanden. Nach der Erschießung Strelnikovs ist im Sinne unserer gegenwärtigen Logik auch Larissa Fjodorownas Leben bedroht. Irgendeiner von uns wird gewiß der Freiheit beraubt werden, somit wird man uns so oder anders voneinander trennen. In diesem

Fall wäre es wirklich besser, daß Sie uns trennen und Lara irgendwohin, möglichst ans Ende der Welt, schaffen. Jetzt, da ich es mit
Ihnen bespreche, laufen die Dinge ohnehin so, wie Sie es wollen.
Bestimmt würde das meine Kräfte übersteigen, und unter Preis-
gabe meines Stolzes und meiner Eigenliebe würde ich demütig zu
Ihnen kommen, um auch Lara und ihr Leben aus Ihren Händen
zu empfangen; dazu dann noch die Seereise zu meinen Angehörigen und meine eigene Rettung. Aber geben Sie mir Zeit, mich in
allem zurechtzufinden. Die von Ihnen mitgeteilte Neuigkeit hat
mich völlig umgeworfen. Ich bin von Leid erdrückt und bin unfähig, zu denken und zu überlegen. Vielleicht würde ich, wenn ich
mich Ihnen unterwerfe, einen schicksalhaften, nie wieder gutzu-
machenden Fehler begehen, der mich mein ganzes Leben lang reuen
würde; aber im Nebel dieses Schmerzes, der mich um meine Kräfte
bringt, ist das einzige, was ich jetzt kann, mechanisch und blind, in
willenloser Unterwerfung ›ja‹ zu sagen. Somit erkläre ich zum
Scheine, um ihres Heiles willen, daß ich das Pferd anspannen und
sie einholen will, während ich hier allein zurückbleibe. Nur noch
eine Kleinigkeit. Wie wollen Sie jetzt fahren? Die Nacht bricht
bald herein. Der Weg führt durch den Wald; überall sind Wölfe;
nehmen Sie sich in acht.«
»Ich weiß. Ich habe ein Gewehr und einen Revolver bei mir. Beunruhigen Sie sich nicht. Übrigens habe ich für den Fall zu starken
Frostes auch eine Kleinigkeit an Alkohol mitgenommen. Das Quan-
tum dürfte genügen. Ich könnte mit Ihnen teilen. Wollen Sie?«

XIII

›Was habe ich angerichtet? Was habe ich getan? Ich habe sie aufgegeben, sie verraten, sie abgetreten! Soll ich ihnen jetzt nach-
laufen und sie einholen, sie wieder herbringen, Lara, Lara! Aber
sie hören nicht. Der Wind trägt meine Worte nach der andern
Seite. Und sicher werden sie laut miteinander sprechen. Sie hat
allen Grund, fröhlich und ruhig zu sein. Sie ist auf den Betrug
hereingefallen und vermutet nicht, in welchem Irrtum sie sich befindet. Jetzt denkt sie wohl: alles hat sich zum besten gewendet,
so wie sie es wünschte. Ihr Jurotschka, der eigensinnige Phantast,
ist endlich – Gott sei gedankt – weich geworden und wird sich zu-

sammen mit ihr irgendwohin an eine sichere Stelle begeben, zu Menschen, die klüger sind als sie, unter den bewährten Schutz von Gesetz und Ordnung. Wenn er aber, um auf seiner Meinung zu beharren und seinen Charakter zu beweisen, aufbegehren sollte und sich morgen nicht in ihren Zug setzen würde, wäre ja Victor Ippolitowitsch immer bereit, einen anderen Zug nach ihm zu schicken, und dann würde er in kürzester Zeit bei ihr sein.

Jetzt eben ist er aber natürlich schon im Stall, um mit vor Erregung und Eile zitternden, alles falsch machenden, nicht gehorchenden Fingern Sawraska, das Pferd, anzuspannen und dann unverzüglich ihnen nachzujagen, um sie einzuholen, so daß er sie im Felde, noch ehe sie in den Wald kommen, erreichen würde.‹

So wird Lara sicher denken. Sie hatten nicht einmal richtig Abschied voneinander genommen; nur Jurij Andréitsch hatte mit der Hand gewinkt und sich abgewandt, bemüht, einen Schmerz herunterzuwürgen, der ihm die Kehle zusammenschnürte, als habe er sich an einem Apfelstück verschluckt.

Der Doktor hatte seinen Pelz über die eine Schulter geworfen und stand so in der Hauseinfahrt. Mit der freien, vom Pelz nicht bedeckten Hand hatte er mit solcher Kraft eine kleine, zerbrechliche Säule dicht unter der Decke gepackt, als wollte er sie erwürgen. All seine Gedanken waren auf einen entfernten Punkt am Horizont gerichtet, wo man zwischen einzelstehenden Birken ein Stück des ansteigenden Weges sah. Ein Strahl der tiefstehenden, untergehenden Sonne fiel auf diese Stelle. Gleich mußte der schnell dahinjagende Schlitten, der soeben eine kleine Schlucht durchquerte, dort sichtbar werden.

»Leb wohl, leb wohl«, wiederholte der Doktor tonlos und wie von Sinnen. »Leb wohl, du einzige Geliebte, du für ewig Verlorene!«

»Da sind sie! Da sind sie!« flüsterten seine blutleeren Lippen in überstürzter Hast, als der Schlitten wie ein Pfeil von unten heraufgeschossen kam, eine Birke nach der andern hinter sich ließ, dann seinen Lauf mäßigte und – o welche Freude! – bei der letzten Birke haltmachte.

Oh, wie sein Herz schlug, oh, wie es schlug! So mächtig, daß ihn die Beine kaum mehr trugen und er vor lauter Erregung weich wurde wie Filz, wie der Pelz, der von seinen Schultern abglitt! O mein Gott, du scheinst es so zu fügen, daß du sie mir wiedergibst? Was ist geschehen? Was geht da vor sich auf diesem weit entfernten Wegstreifen? Wo ist die Erklärung? Warum halten sie da? Nein! Alles vorbei. Sie haben's geschafft. Sie fahren wieder los. Wahrscheinlich hatte sie ihn gebeten, für einen Augenblick zu halten, um noch einmal einen Blick zum Abschied auf das Haus zu werfen. Oder sie wollte sich vielleicht überzeugen, ob Jurij Andréitsch vielleicht schon abgefahren sei und nun hinter ihnen herjagte, um sie einzuholen. Aber sie sind fort. Sie sind fort!

Wenn sie es schaffen, wenn die Sonne nicht früher untergeht (denn in der Dunkelheit würde er sie nicht mehr zu Gesicht bekommen), so würde er sie noch einmal vorbeiflitzen sehen und diesmal zum allerletztenmal – jenseits der Schlucht, auf der Feldwiese, wo in der Nacht, vorgestern, die Wölfe waren.

Auch dieser Augenblick kam und verflog. Die purpurrote Sonne stand noch wie eine kreisende Scheibe über der blauen Linie der Schneewehen. Der Schnee sog begierig die Erdbeerröte in sich auf, mit der sie ihn überflutete. Und da – man sah sie. Sie jagten dahin! Sie waren fort! »Leb wohl, Lara. Auf Wiedersehen in jener Welt, leb wohl, du meine Schönste! Leb wohl, du meine Freude, du Grenzenlose, du Unerschöpfliche, du Ewige.« Und jetzt waren sie verschwunden. »Nie werde ich dich wiedersehen, niemals, nie in meinem Leben, nie werde ich dich in meinem Leben wiedersehen!«

Die Dämmerung brach an. Im Nu verblichen und erloschen die über den Schnee verstreuten dunkelroten, bronzefarbenen Flecken des Abendrotes. Die aschfarbene Weichheit der Landschaft versank im fliederfarbenen Abendleuchten, das immer mehr in eine violette Tönung überging. Mit dem rauchfarbenen Grau schmolz das Spitzenfiligran der Birken am Wege zusammen, die so zart hingezeichnet waren an den bleich rosafarbenen Himmel, der plötzlich irgendwo zu versinken schien. Der Schmerz erhöhte unsagbar Jurij Andréitschs Empfindlichkeit. Er fing alles mit verdoppelter Schärfe auf. Alles, was ihn umgab, erschien im Licht der Einmaligkeit, auch die Luft. Niemals zuvor schien ein Winterabend so sehr in Mitgefühl sich zu öffnen. Als wäre noch nie eine solche Abenddämmerung niedergesunken; ja, zum erstenmal, und eben nur heute, war es Abend geworden zum Trost für den verwaisten, in Einsamkeit versinkenden Menschen. Die Wälder auf den Höhen ringsum schienen nicht mehr eine unbewegliche Kulisse zu sein, sondern sich erst jetzt über diese Hügel verteilt zu haben, um ihre Teilnahme zum Ausdruck zu bringen.

Fast hätte der Doktor diese spürbare Schönheit der Stunde abgelehnt, wie man einen Schwarm zudringlicher Teilnehmender abweist, und war beinahe bereit, den Strahlen der Dämmerung, die sich bis zu ihm hin erstreckten, zuzuflüstern: »Ich danke. Es ist nicht nötig.«

Noch immer stand er auf dem Außenflur, das Gesicht der geschlossenen Tür zugekehrt, abgewandt von der Welt. ›Meine lichte Sonne ist untergegangen‹, wiederholte irgend etwas in ihm. Er hatte nicht die Kraft, diese Worte der Reihe nach laut herzusagen, so war ihm die Kehle zugeschnürt.

Er ging ins Haus. Ein doppelter Monolog vollzog sich in ihm: der eine, trocken und scheinbar sachlich, richtete sich an ihn selbst, der andere – uferlos dahinströmend – war für Lara bestimmt. Das etwa waren seine Gedanken: ›Nun – nach Moskau. Und zu allererst – alles ausleben. Nicht sich der Schlaflosigkeit hingeben. Nicht schlafen gehen. In der Nacht arbeiten bis zur Bewußtlosigkeit, bis die Müdigkeit einen wie tot niederwirft. Und dann noch etwas: gleich im Schlafzimmer anheizen, damit man nachts nicht tierisch friert.‹

Aber auch noch andere Gespräche führte er mit sich selber: »Du meine Unvergeßliche, du meine Herrlichkeit! Solange sich die Beuge meiner Arme deiner erinnert, solange ich dich noch an meinen Händen und an meinen Lippen spüre, werde ich bei dir sein. Aus meinen Tränen um dich soll etwas hervorgehen, das bleibt und deiner wert ist. Ich will meine Erinnerung an dich niederschreiben in einer ganz zärtlichen, beklemmend traurigen Schilderung. Ich bleibe so lange hier, bis ich es geschafft habe. Alsdann gehe auch ich. So aber will ich dich schildern: ich will deine Züge aufs Papier bannen wie nach einem furchtbaren Sturm, der das Meer bis zum Grunde aufwühlt, daß nur die allerstärkste Welle, die am weitesten hinaufspritzt, auf dem Sande ihre Spuren hinterläßt. In einer gebrochenen Wellenlinie wirft das Meer Bimsstein, Kork, kleine Muscheln, Algen, das Allerleichteste und Gewichtsloseste, was es nur hatte aufnehmen können, dahin. Diese sich unendlich den Strand entlang hinziehende Linie bezeichnet die Höhe der Flut. So hat es dich vom Sturm des Lebens, o du mein Stolz, zu mir hingetrieben. So will ich dich darstellen.«

Er betrat das Haus, schloß die Tür, legte den Pelz ab. Als er in das Zimmer kam, das von Lara am Morgen früh so sorgsam und gut aufgeräumt war und in dem nun alles durcheinandergewühlt lag infolge der überstürzten Abreise, als er das zerwühlte und nicht mehr geordnete Bett sah und alle die Dinge, die unordentlich umherlagen auf dem Fußboden und auf den Stühlen, sank er wie ein Kind vor dem Bett in die Knie, preßte sich mit der Brust an den harten Rand des Bettes, ließ sein Gesicht in das Ende der herabhängenden Bettdecke fallen und weinte erleichtert und doch wieder bitterlich, ganz wie ein Kind. Das dauerte nicht lange. Jurij Andréitsch erhob sich, wischte schnell die Tränen ab, warf einen erstaunten, müde abwesenden Blick auf alles ringsum, holte dann die von Komarovskij bereitgestellte Flasche hervor, entkorkte sie, goß ein halbes Glas voll, füllte mit Wasser auf, mischte dazu Schnee, und mit einem Genuß, der den eben noch unstillbaren Tränen gleichkam, setzte er dieses Gemisch an die Lippen und trank es in langsamen, gierigen Zügen.

XIV

Mit Jurij Andréitsch ereignete sich etwas Seltsames. Langsam schwanden ihm die Sinne. Noch nie zuvor hatte er ein so absonderliches, so eigentümliches Leben geführt. Er ließ das Haus verwahrlosen; er hörte auf, für sich selber zu sorgen; er machte die Nächte zum Tage und verlor den Sinn für die Zeit, die seit Laras Abreise vergangen war.

Er trank, und er schrieb Dinge, die ihr gewidmet waren; aber die Lara seiner Verse und Aufzeichnungen entfernte sich mit den Korrekturen und Überarbeitungen immer mehr vom wirklichen Urbild, von der lebendigen Mutter Katjas, die sich mit dem Kind zusammen auf der Reise befand.

Jurij Andréitsch nahm diese Streichungen vor aus Erwägungen der Genauigkeit und Kraft des Ausdrucks, doch entsprachen sie auch ebenso der inneren Eingebung und einer gewissen Zurückhaltung, die ihm nicht gestattete, gar zu offen die persönlichen Erfahrungen und das, was sich wirklich ereignet hatte und nicht ausgedacht war, zu entblößen, um diese Gefühle und Geschehnisse nicht zu verletzen. So wurde das pulsierende Blut, das überhitzte und nicht abgekühlte, aus den Versen verdrängt, und aus dem Blutvollen und Krankhaften mündeten die Verse in eine befriedete Weite, dank welcher das Einzelerlebnis emporgehoben und allen zugänglich wurde. Er wollte nichts erzwingen; aber diese Weite kam selber zu ihm wie ein Trost, den ihm die Reisenden von unterwegs als einen fernen Gruß zusandten, als eine Erscheinung im Traum gleichsam, oder als berührte ihre Hand seine Stirn. Und er liebte in seinen Versen diesen veredelnden Abdruck ihrer Spur.

Nach diesen Wehklagen um Lara brachte er dann auch seine nur flüchtig hingeworfenen Skizzen aus ganz verschiedenen Zeiten, Kleinigkeiten über alles mögliche, zum Abschluß – über die Natur, über Alltägliches. Wie immer, so war es auch jetzt wieder eine Fülle von Gedanken aus seinem persönlichen Leben und aus dem Leben der Gesellschaft. Sie kamen ihm im Verlauf dieser Arbeit, gleichzeitig mit ihr, zugeflogen.

Wieder kam ihm der Gedanke, daß er die Geschichte, das heißt, was man den Gang der Geschichte nennt, nicht so darstellte, wie es üblich war, daß seine Vorstellungen aber sich ungefähr mit seinen Ideen vom Leben der Pflanzenwelt deckten. Im Winter, unter der Schneedecke, sind die nackten Zweige der Laubbäume schmächtig und elend, wie Härchen an der Warze eines Greises. Im Frühling aber wandelt sich der Wald in ein paar Tagen, er hebt sich hoch bis an die Wolken, in dem mit Laub bedeckten Dickicht kann man sich leicht verirren, aber auch verstecken. Diese Wandlung wird durch eine Bewegung erzeugt, die in ihrer Zielstrebigkeit die Bewegungen des Tieres übertrifft, weil das Tier nicht so schnell wächst wie eine Pflanze, die sich niemals beobachten läßt. Der Wald ändert seinen Standort nicht; wir können ihn nicht zudecken und beobachten. Immer wieder werden wir ihn im Stadium der Unbeweglichkeit antreffen, und in der gleichen Unbeweglichkeit finden wir auch die ewig wachsende, sich ewig wandelnde, nicht verfolgbare Wandlung im Leben der Gesellschaft, der Geschichte.

Tolstoi hat seine Gedanken nicht zu Ende gebracht, wenn er bei Napoleon die Rolle der führenden Persönlichkeit, die Rolle des Herrschers, des Feldherrn verneinte. Er hatte eben genau dasselbe gedacht, aber es nicht mit ganzer Klarheit zum Ausdruck gebracht. Niemand macht Geschichte; man kann sie nicht sehen, wie man nicht sehen kann, wie Gras wächst. Kriege, Revolutionen, Zaren, Herrscher, Robespierre – das sind die organischen Erreger, die treibende Hefe. Revolutionen werden von Aktivisten, von einseitigen Fanatikern, von Genies der Selbstbeschränkung gemacht. In wenigen Stunden oder Tagen stürzen sie die alte Ordnung. Die Umwandlungen dauern Wochen, viele auch Jahre; dann aber beugen sie sich jahrzehntelang dem Geiste der Borniertheit und Mittelmäßigkeit, als wäre dies eine heilige Verpflichtung.

Nach einer Wehklage um Lara beweinte er auch jenen Sommer in Melusejewo, als die Revolution noch wie ein vom Himmel auf die Erde herabgestiegener Gott war, der Gott jenes Sommers, und als jeder auf seine Weise verrückt war und das Leben eines jeden noch für sich selber existierte, nicht aber als eine Bestätigung und Rechtfertigung der höheren Politik.

Nach diesen Aufzeichnungen über die verschiedensten Dinge überprüfte er von neuem seine Auffassung von der Kunst und vermerkte, daß sie immer im Dienst der Schönheit stehe, Schönheit sei aber das Glück der Formbeherrschung; Form sei wiederum der organische Schlüssel zum Sein; alles Lebende müsse seine Form haben, um zu sein, und daher sei die Kunst, darunter auch die tragische Kunst, ein erzählender Bericht vom Glück des Seins. Diese Gedanken und Niederschriften waren für ihn auch ein Glück, aber so tragisch und erfüllt von Tränen, daß ihm der Kopf weh tat und von dieser Arbeit ermattete.

Anfím Jefímowitsch traf ein, um nach ihm zu sehen. Auch er hatte Schnaps mitgebracht und erzählte von der Abreise der Antipova mit ihrer Tochter und Komarovskij. Er war auf der Draisine gekommen, also auf dem Schienenwege. Er schalt den Doktor, daß er das Pferd nicht genügend gepflegt habe, und nahm es trotz der Bitten Jurij Andréitschs, es ihm noch für drei oder vier Tage dazulassen, wieder mit. Dafür versprach er aber, persönlich den Doktor nach dieser Frist abzuholen und ihn endgültig aus Warykino wegzubringen.

Wenn Jurij Andréitsch sich müde geschrieben und in seine Arbeiten verrannt hatte, mußte er plötzlich an die fortgereiste Frau denken, und er sah sie so deutlich vor sich, daß er vor Zärtlichkeit und in der Qual des Verlustes geradezu den Kopf verlor. Wie einst in seiner Kinderzeit in der ganzen Pracht der sommerlichen Natur mit ihrem vielfältigen Vogelgezwitscher und Gesang glaubte er die Stimme der verstorbenen Mutter zu hören, die der Stimme Laras so sehr glich; sein Gefühl, das sich ganz auf ihre Stimme eingestellt hatte, trog ihn bisweilen. Es war eine Gehörshalluzination, wenn er mitunter aus dem Nachbarzimmer ›Jurotschka‹ rufen hörte.

Aber auch andere Gefühlstäuschungen überkamen ihn im Laufe dieser Woche. Eines Nachts wachte er plötzlich auf von dem schweren, unsinnigen Traum, unter dem Hause habe sich ein Drache eingenistet. Er schlug die Augen auf, und plötzlich war der Abgrund von Feuer erleuchtet, und er hörte, wie ein Schuß fiel. Aber seltsamerweise fiel der Doktor sogleich nach diesem außergewöhnlichen Ereignis wieder in den Schlaf zurück und glaubte am anderen Morgen, er habe alles nur geträumt.

XV

Etwas geschah in diesen Tagen. Der Doktor hörte endlich auf die Stimme der Vernunft. Er sagte sich, daß, wenn es sein Ziel sei, sich zugrunde zu richten, er einen Weg finden müsse, der schneller und unter weniger Qualen zum Ziel führte. Er gab sich selber das Wort, daß er, wenn Anfím Jefímowitsch käme, um ihn zu holen, unverzüglich von hier abreisen würde.

Vor Sonnenuntergang, es war noch hell, hörte er laut knirschende Schritte auf dem Schnee. Irgendwer ging gelassen und sicher, entschlossenen Schrittes, auf das Haus zu.

Seltsam. Wer konnte das sein? Anfím Jefímowitsch wäre mit dem Pferde gekommen. Passanten waren in dem verödeten Warykino undenkbar. ›Man kommt und sucht mich‹, schloß Jurij Andréitsch. ›Ich werde in die Stadt gerufen oder vorgeladen. Oder man will mich verhaften. Aber wie wollen sie mich denn befördern? Und in dem Falle kämen sie ja zu zweit. Das muß Mikulízyn sein, Avertkij Stepanowitsch‹, so nahm er an und freute sich, als er, wie ihm schien, den Besucher an seinem Gang erkannte. Der Mensch, der ihm einstweilen noch ein Rätsel war, hielt sich für eine kurze Zeit an der Tür mit dem abgeschlagenen Schloß auf; da er es aber nicht finden konnte, ging er mit den sicheren Schritten eines Mannes, der sich hier auskannte, weiter, öffnete wie ein Hausherr die Türen und schloß sie wieder sorgsam hinter sich.

Jurij Andréitsch saß am Schreibtisch; er hatte den Rücken zur Tür gekehrt. Während er sich vom Stuhle erhob und sein Gesicht der Tür zuwandte, um dem Fremden entgegenzugehen, stand dieser schon wie angewurzelt auf der Schwelle.

»Zu wem wollen Sie?« entfuhr es dem Doktor so mechanisch, daß darin kaum eine Frage lag, und als keine Antwort erfolgte, war Jurij Andréitsch nicht weiter überrascht.

Der Eintretende war ein kräftiger, stattlicher Mann mit schönen Gesichtszügen, in einem kurzen Pelzrock, in pelzgefütterten Hosen und in warmen Ziegenfellstiefeln. Über der Schulter hing ihm am Riemen ein Gewehr.

Nur der Augenblick, in dem der Fremde eintrat, war unerwartet, nicht aber sein Kommen selbst. Die Funde, die er im Haus gemacht hatte, aber auch andere Anzeichen, hatten Jurij Andréitsch auf diese Begegnung vorbereitet. Der Eintretende war offensichtlich derjenige, dem alle die im Hause vorgefundenen Vorräte gehörten. Sein Äußeres schien dem Doktor wohlbekannt. Vermutlich war der Besucher auch darüber informiert, daß das Haus nicht leerstand, denn kein Zeichen des Staunens war an ihm bemerkbar. Möglich auch, daß man ihm mitgeteilt hatte, wen er vorfinden würde. Vielleicht kannte er sogar den Doktor.

›Wer ist das? Wer ist das?‹ zermarterte Jurij Andréitsch sein Gedächtnis. ›Großer Gott, wo habe ich ihn nur schon getroffen? Ist es möglich? Ein heißer Maimorgen, ich weiß nicht mehr, in welchem Jahre. Die Station Raswilje. Der nichts Gutes verheißende Waggon des Kommissars. Klarheit der Vorstellung, Gradlinigkeit, Prinzipienstrenge, Rechtlichkeit, Rechtlichkeit, Rechtlichkeit – Strelnikov!‹

XVI

Schon lange sprachen sie miteinander, einige geschlagene Stunden. Sie redeten so, wie nur russische Menschen in Rußland miteinander reden können, alle Verängstigten und alle Trauernden, alle Wahnsinnigen und Rasenden; und nur solche gab es damals in diesem Lande. Der Abend nahte. Es wurde dunkel.

Diese unruhige Redseligkeit war nichts Außergewöhnliches, aber man spürte, daß Strelnikov noch aus einem anderen Grund ohne Unterlaß redete.

Er konnte sich nicht genug aussprechen und klammerte sich mit allen Kräften an die Unterhaltung mit dem Doktor, um der Einsamkeit zu entfliehen. Ob er wohl Gewissensbisse fürchtete, oder ob ihn traurige Erinnerungen verfolgten? Krankte er an einer Unzufriedenheit mit sich selbst, in der er sich unerträglich und ver-

haßt vorkam und vor Scham am liebsten sterben wollte? Oder
sollte er irgendeinen furchtbaren, aber nicht mehr aufzuhaltenden
Entschluß gefaßt haben, mit dem er nicht allein bleiben wollte
und dessen Ausführung er so weit wie möglich hinausschob, wozu
ihm der Gedankenaustausch mit dem Doktor und dessen Gesellschaft verhalf?

Was es auch sein mochte, Strelnikov hielt irgendein wichtiges
Geheimnis zurück, das ihn bedrückte, wobei er sich nur um so ver-
schwenderischer über alle anderen Dinge unterhielt.

Es war das die Krankheit jener Zeit, der Revolutionswahnsinn der
Epoche. In ihren Gedanken waren die Menschen ganz anders als
in ihren Worten und in ihrem äußeren Verhalten. Kein Mensch
hatte ein reines Gewissen; jedermann konnte sich mit gutem
Grund für alles schuldig bekennen, im geheimen ein Verbrecher,
ein nicht überführter Betrüger zu sein.

Kaum bot sich irgendein Anlaß, so schäumte die selbstbezich-
tigende Einbildungskraft maßlos über. Die Menschen gerieten ins
Phantasieren, sie versetzten sich unter dem Druck der Angst, aber
auch aus vernichtender, krankhafter Sucht, aus gutem Willen sogar,
in eine metaphysische Trance und in jene Leidenschaft der Selbstanklage, der man nur die Zügel schießen zu lassen braucht, um ihr
nie wieder Einhalt gebieten zu können.

Wie viele solcher vor dem Tode gegebenen Aussagen, schriftliche
wie mündliche, hatte seinerzeit der bedeutende Soldat, der mitunter auch Kriegsgerichtsverfahren zu leiten hatte – Strelnikov –
lesen und vernehmen müssen. Nun war er selber in der Verfassung
eines Besessenen, der in der Wut der Selbstanklage sein ganzes
Dasein umzukehren sucht, alles summarisch aburteilt, alles in
Fieberglut entstellt und im Krampf verzerrt sieht.

Strelnikov erzählte ungeordnet, von einem Geständnis zum anderen springend.

»Es war bei Tschitá. Sie waren vielleicht erstaunt über die seltsamen Dinge, mit denen ich die Schubladen und Schränke in diesem Hause vollgestopft habe? Das stammt alles aus Requisitionen,
die wir bei der Besetzung Ostsibiriens durch die Rote Armee vorgenommen haben. Versteht sich, ich habe das alles nicht allein auf
meinem Buckel hergeschleppt. Das Leben hat mich immer mit
treuen, mir ergebenen Leuten verwöhnt. Kerzen, Streichhölzer,
Kaffee, Tee, Schreibutensilien – das und anderes mehr stammt aus

tschechischem Heeresgut, teils auch aus japanischem und englischem. Verrücktes Zeug, nicht wahr? Einer der Lieblingsausdrücke meiner Frau – Sie werden es sicher bemerkt haben – dieses: ›nicht wahr?‹

Ich wußte nicht, ob ich es Ihnen gleich sagen sollte, aber jetzt will ich es gestehen. Ich bin hergekommen, um sie und meine Tochter wiederzusehen. Man hat mir zu spät mitgeteilt, daß sie hier sind. Ich bin nicht rechtzeitig gekommen. Als ich durch Klatsch und Gerüchte von Ihren nahen Beziehungen zu ihr hörte und mir zum ersten Male der Name ›Doktor Schiwago‹ genannt wurde, habe ich unter Tausenden von Gesichtern, die im Laufe dieser Jahre an mir vorübergezogen sind, unbegreiflicherweise mich an dieses eine, an das Gesicht des Doktors, der mir nur einmal zum Verhör vorgeführt worden war, erinnert.«

»Und Sie haben bedauert, daß Sie ihn nicht erschießen ließen?«

Strelnikov beachtete diese Bemerkung nicht. Vielleicht hatte er nicht einmal gehört, daß sein Gesprächspartner seinen Monolog unterbrach. Zerstreut und nachdenklich fuhr er fort:

»Natürlich, ich war eifersüchtig, und ich bin es auch jetzt noch. Wie hätte es anders sein können. Hier, in dieser Gegend, verberge ich mich erst seit einigen Monaten, nachdem ich mich im Osten nicht länger habe halten können. Wegen einer Verleumdung sollte ich vors Kriegsgericht. Es ließ sich leicht ahnen, was mir bevorstand. Ich wußte von keiner Schuld. Ich hegte die Hoffnung, mich rechtfertigen und mir meinen guten Ruf künftig – unter günstigeren Umständen – zurückgewinnen zu können. Ich beschloß, rechtzeitig zu verschwinden, bevor ich verhaftet werden würde, mich verborgen zu halten und als Wanderer oder gewissermaßen als Eremit zu leben. Vielleicht wäre es mir schließlich gelungen, mich zu retten. Aber ein junger Strolch hatte sich in mein Vertrauen geschlichen und mich hintergangen.

Ich bin dann im Winter durch Sibirien nach Westen gewandert und habe mich versteckt, habe gehungert. Ich grub mich in Schneewehen ein, habe in Zügen übernachtet, von denen viele damals auf der sibirischen Hauptstrecke im Schnee begraben lagen.

Meine Wanderungen brachten mich mit einem Bengel, einem Strolch zusammen, der vorgab, bei einer Massenexekution der Partisanen durch glücklichen Zufall mit dem Leben davongekommen zu sein. Angeblich hat er unter einem Haufen von Toten gelegen, sich allmählich erst von seinen Verwundungen erholt und sich in Höhlen und Schlupfwinkeln verborgen gehalten wie ich auch. Jedenfalls hat er es mir so erzählt. Dieser Taugenichts war noch ein halbes Kind, verdorben, zurückgeblieben und wegen Unfähigkeit der Schule verwiesen.«

Je genauer Strelnikov erzählte, desto deutlicher erkannte der Doktor diesen Knaben.

»Er hieß Teréntij mit Vornamen, mit Zunamen Galúsin?«

»Ja.«

»Nun, was er damals von den Partisanen über die Erschießung sagte, stimmt alles. Das hat er sich nicht ausgedacht.«

»Dieser Junge hatte nur einen einzigen guten Zug, er liebte seine Mutter grenzenlos. Sein Vater war als Geisel festgenommen worden. Er hatte erfahren, daß die Mutter im Gefängnis war und das Los des Vaters teilen wollte, und so beschloß er, das Äußerste zu wagen, um sie zu befreien. In der Kreis-Tscheka, wohin er kam, um öffentlich Abbitte zu tun und seine Dienste zur Verfügung zu stellen, erklärte man sich einverstanden, ihm alle Vergehen um den Preis zu verzeihen, daß er wichtige Persönlichkeiten verraten würde. Er gab den Ort an, wo ich mich verborgen hielt. Ich konnte seinem Verrat zuvorkommen und rechtzeitig verschwinden.

Unter unglaublichen Schwierigkeiten und tausend Abenteuern ist es mir gelungen, Sibirien zu durchwandern. So bin ich hierher gekommen, wo man mich als einen Geächteten kennt und am wenigsten erwartet, mich anzutreffen, weil man mir eine solche Dreistigkeit nicht zutraut. Tatsächlich wurde noch lange in der Umgegend von Tschitá nach mir gesucht, bis ich mich hier in diesem Häuschen oder irgendwo in der Umgebung verbarg. Jetzt aber ist alles aus. Man hat mich hier aufgespürt. Hören Sie. Es wird dunkel. Das ist die Stunde, die mir verhaßt ist, weil ich schon lange nicht mehr schlafen kann. Sie wissen, welch eine Qual das ist. Wenn Sie noch nicht alle meine Kerzen – vorzügliche Stearinkerzen, nicht wahr? – verbraucht haben, so lassen Sie uns noch ein Weilchen plaudern. Wir wollen so lange sprechen, wie Sie Lust dazu haben, und uns den Luxus leisten, die Nacht über die Kerzen brennen zu lassen.«

»Einige Kerzen sind noch da. Ich habe nur ein Päckchen verbraucht. Meistens habe ich Petroleum benutzt, das ich hier vorfand.«

»Haben Sie Brot?«

»Nein.«

»Wovon haben Sie denn gelebt? Ach, törichte Frage! Von Kartoffeln, ich weiß schon.«

»Ja. Man bekommt hier, soviel man will. Die hiesigen Bauern waren schlau und wußten sich Vorräte zu schaffen. Sie haben die Kartoffeln vergraben, so daß sie jetzt weder verfault noch gefroren sind.«

Unvermittelt begann Strelnikov von der Revolution zu reden.

XVII

»Das alles ist nichts für Sie. Sie können es nicht verstehen. Sie sind in einer anderen Welt groß geworden. Es gab eine Welt der Vorstädte, eine Welt der Bahngleise und der Arbeiterkasernen: Schmutz, drangvolle Enge, Bettelarmut; werktätiger Mensch zu sein – ein Schimpfwort; und erst die Frauen – wie hat man sie behandelt! Es gab die lachende, ungestrafte Gemeinheit der Muttersöhnchen, der Studentenstutzer und Kaufmannssöhne. Mit einem Witz oder aufbegehrend in verächtlicher Gereiztheit setzten sie sich über die Tränen und Klagen der Erniedrigten, der Beleidigten, der Verführten hinweg. Welch olympischer Hochmut dieser Parasiten, die nur dadurch bemerkenswert waren, daß sie sich um nichts kümmerten, nichts suchten, der Welt weder etwas gaben noch ihr irgend etwas hinterließen.

Wir hingegen betrachteten das Leben als einen Feldzug; für jene, die wir liebten, haben wir Berge versetzt. Und obwohl wir ihnen nichts gebracht haben als Not und Kummer, haben wir sie nicht gekränkt, weil wir, wie sich herausstellte, noch größere Märtyrer waren als sie.

Doch ehe ich fortfahre, fühle ich mich verpflichtet, Ihnen das eine zu sagen. Sie müssen unverzüglich fort von hier, wenn Ihnen Ihr Leben lieb ist. Man hat mich hier eingekreist, und es mag kommen wie es will. Sie sind kompromittiert, Sie sind in meine Angelegenheiten allein schon durch unser Gespräch verwickelt. Außerdem gibt es hier viele Wölfe; ich habe sie in diesen Tagen durch Schüsse in Schach gehalten.«

»Ah, Sie waren es also!«

»Ja, natürlich! Haben Sie's gehört? Ich wollte ein anderes Versteck aufsuchen, aber noch ehe ich es erreichte, merkte ich aus verschiedenen Anzeichen, daß man es entdeckt hatte und die dort versammelten Leute bestimmt umgekommen waren. Ich will nicht lange bei Ihnen bleiben, nur übernachten; am Morgen will ich wieder gehen. Also mit Ihrer Erlaubnis – ich fahre jetzt fort!

Sollte es denn ein Twerskój-Jamskój* mit seinen eleganten Stutzern, die mit ihren Mädchen in feinen Mietkutschen fahren, die Mützen schief aufgesetzt, die Hosen tadellos gebügelt, nur in Moskau gegeben haben und nur in Rußland? Die Straße, die Straße zu später Abendstunde, die Straße unseres Jahrhunderts – mit Trabern, mit unseren Sawraskern – das hat es überall gegeben! Was hielt nun die Epoche zusammen, was hat dem 19. Jahrhundert seine geschichtliche Einheit gegeben? Es war das Aufkeimen des sozialistischen Gedankens. Es kam zu Revolutionen. Opferbereite junge Menschen gingen auf die Barrikaden. Die Journalisten zerbrachen sich die Köpfe, wie man die viehische Dreistigkeit der Kapitalisten zähmen könne und wie die Würde, die menschliche Würde der Armen aufs Banner zu schreiben und zu verteidigen sei. Es kam der Marxismus. Er entdeckte die Wurzel des Übels und das Mittel zu ihrer Heilung. So ist er zur machtvoll bewegenden Kraft des Jahrhunderts geworden. Das alles gehört zusammen, das alles ist das Twerskój-Jamskój des Jahrhunderts: der Dreck, das Erstrahlen der Heiligkeit, das Laster und die Arbeiterviertel, Proklamationen und Barrikaden.

Ach, wie schön war sie als Mädchen! Als sie noch das Gymnasium besuchte! Sie können es sich nicht vorstellen! Sie pflegte oft ihre Schulfreundin zu besuchen, in einem Hause, das von Beamten und Angestellten der Brest-Litowsker Eisenbahn bewohnt wurde. So hieß die Linie anfangs, inzwischen ist sie mehrmals umbenannt worden. Mein Vater, zur Zeit Mitglied des Tribunals von Jurjatino, war damals Eisenbahner im Bahnhofsviertel. Ich besuchte häufig das Haus und habe sie dort getroffen. Sie war noch ein Kind; aber die Erregung des Jahrhunderts konnte man schon damals von ihrem Gesicht und von ihren Augen ablesen. Alle Fragen jener Zeit, alle Tränen und Kränkungen, alle Impulse, die ganze aufgehäufte Rachgier und der Stolz standen in ihrem Gesicht und in ihrem Mienenspiel geschrieben, hatten ihre schlanke, kühne Erscheinung geformt und sich mit ihrer mädchenhaften Verschämt-

---

* Vor der Revolution zweifelhaftes Viertel von Moskau

heit verbunden. Eine Anklage gegen das Jahrhundert hätte man in ihrem Namen, mit ihren Lippen in die Welt rufen sollen. Sie müssen zugeben, das war keine Kleinigkeit! Hier handelt es sich um Vorherbestimmung, um das Zeichen des Schicksals. Eben das mußte man von Natur mitbringen, man mußte von Geburt an ein Recht darauf haben.«

»Sie sprechen ganz ausgezeichnet von ihr. Ich habe sie damals genauso erlebt, wie Sie sie schildern. In ihr waren die Schülerin des Gymnasiums und die Heldin eines nicht mehr kindlichen Mysteriums eins. Ihr Schatten zeigte sich an der Wand, wehrlos, aber jeden Augenblick bereit zur Selbstverteidigung. So habe ich sie gesehn, so kann ich mich an sie erinnern. Sie haben es ganz wunderbar ausgedrückt.«

»Sie haben es gesehen, und Sie können sich erinnern – und welchen Beitrag haben Sie geleistet?« – »Das ist eine andere Frage!«

»Nun, sehen Sie, das ganze neunzehnte Jahrhundert, seine Revolutionen in Paris, die Generationen russischer Emigranten mit Herzen an ihrer Spitze, alle Zarenmorde, die mißlungenen wie die gelungenen, die ganze Arbeiterbewegung der Welt, der Marxismus in den Parlamenten und Universitäten Europas, das gesamte neue System von Ideen, mit der Neuartigkeit und durchschlagenden Kraft ihrer Konsequenzen, ihrer Ironie und den im Namen der Barmherzigkeit propagierten, unbarmherzigen Errungenschaften. Alles das hat einer in sich aufgenommen und allgemeingültig zum Ausdruck gebracht, Lenin, um als personifizierter Rachegeist für alles, was geschah, über die Vergangenheit herzufallen.

Und an seiner Seite erstand das unauslöschliche, gewaltige Bild Rußlands, das vor den Augen der ganzen Welt plötzlich als ein Licht der Erlösung von allem Unheil und von allem Mißgeschick, das über die Menschheit gekommen war, erstrahlte. Doch warum sage ich Ihnen das? Für Sie sind meine Worte nicht mehr als Schellengeklingel und leeres Gerede.

Um dieses Mädchens willen ging ich zur Universität, ihretwegen wurde ich Lehrer und kam hierher, in dieses mir damals noch unbekannte Jurjatino, um meinen Beruf auszuüben. Ich habe eine Unmenge von Büchern verschlungen und ein riesiges Wissen in mir aufgehäuft, um ihr nützlich zu sein und ihr zur Hand zu gehen, falls sie meiner Hilfe bedürfte. Ich bin dann in den Krieg gegangen, um sie mir nach dreijähriger Ehe neu zu erobern, und habe nach dem Kriege und nach der Rückkehr aus der Gefangenschaft es mir zunutze gemacht, daß man mich für gefallen hielt, um unter einem Decknamen mich ganz und gar in die Revolution zu stürzen, um alles Leid, das sie hatte erdulden müssen, zu vergelten, um die kummervollen Erinnerungen ganz zu löschen, um eine Rückkehr in die Vergangenheit für immer zu verhindern und um dieses Twerskój-Jamskój vollständig zu beseitigen. Und die beiden, sie und ihre Tochter, waren hier! Welche Kräfte hat es mich gekostet, den Wunsch, sofort zu ihnen zu stürzen, sie zu sehen, zu unterdrücken! Aber ich wollte erst das Werk meines Lebens zu Ende geführt haben. Oh, was würde ich jetzt dafür geben, nur einen einzigen Blick auf sie werfen zu dürfen. Wenn sie das Zimmer betrat, dann war es, als flöge das Fenster auf; der ganze Raum war erfüllt von Licht und reiner Luft!«

»Ich weiß, wie teuer sie Ihnen war; aber, vergeben Sie, haben Sie eine Vorstellung davon, wie sehr sie Sie geliebt hat?«

»Verzeihung, was haben Sie eben gesagt?«

»Ich fragte, ob Sie wissen, wie teuer *Sie* ihr waren; teurer als alles auf der Welt.«

»Wie kommen Sie darauf?« – »Sie hat es mir selbst gesagt.«

»Sie? – Ihnen?« – »Ja.«

»Verzeihen Sie. Ich weiß wohl, daß diese Bitte nicht erfüllbar ist; aber wenn die Diskretion es Ihnen erlaubt und wenn es in Ihrer Kraft liegt, so versuchen Sie, sich genau der Worte zu erinnern, die sie damals zu Ihnen gesagt hat.«

»Sehr gern. Sie nannte Sie einen vorbildlichen Menschen; einzigartig in seiner unbedingten Aufrichtigkeit, und sie habe niemals jemanden gefunden, der Ihnen gleicht. Und dann sagte sie, wenn in weiter Ferne noch einmal das Bild des Hauses auftauchen würde, das sie einst mit Ihnen teilte, so würde sie sich auf den Knien bis zu dieser Schwelle hinschleppen, gleichviel wo sie sich befände, auch wenn es am Ende der Welt wäre.«

»Ich bitte um Entschuldigung. Wenn es nicht an Dinge rührt, die Sie heilig halten, so bitte ich Sie, sich zu erinnern, unter welchen Umständen sie das gesagt hat.«

»Sie war gerade dabei, dieses Zimmer aufzuräumen. Und dann ging sie hinaus, um den Teppich auszuschütteln.«

»Sie verzeihen – welchen Teppich? Hier sind zwei.« – »Den größeren.«

»Er ist zu schwer für sie allein. Sie haben ihr geholfen.« – »Ja.«

»Sie haben die entgegengesetzten Teppichenden gehalten, während sie, die Arme hebend, sich zurückwarf wie auf einer Schaukel, ihr Gesicht abwandte vom Staub, der aufflog, die Augen schloß und aus vollem Halse lachte, nicht wahr? Oh, wie ich ihre Gewohnheiten kenne! Dann aber kamen Sie aufeinander zu. Sie legten den schweren Teppich zunächst einfach zusammen, dann doppelt und vierfach, und sie scherzte und machte Späße? Nicht wahr, nicht wahr?«

Die Männer erhoben sich von ihren Plätzen, sie traten jeder an ein Fenster und blickten nach verschiedenen Richtungen hinaus. Nach einem Augenblick des Schweigens ging Strelnikov auf Jurij Andréitsch zu, ergriff seine Hände und preßte sie an seine Brust. Er setzte ebenso hastig und überstürzt wie vorhin hinzu: »Sie verzeihen, ich weiß, daß ich hier an etwas rühre, das Sie für sich behalten, weil es Ihnen teuer ist. Aber wenn Sie mir erlauben, will ich Sie noch weiter ausfragen. Nur gehen Sie nicht fort. Lassen Sie mich nicht allein. Bald werde ich selber gehen. Denken Sie nur, sechs Jahre der Trennung, sechs Jahre, während derer ich mich habe beherrschen müssen. Aber ich glaubte, noch sei die volle Freiheit nicht erobert. Und erst müßte ich sie erobern helfen, bevor ich ihr ganz angehören durfte. Meine Hände würden dann nicht mehr gebunden sein. Und nun sind alle meine Pläne zunichte und mit ihnen mein Leben! Morgen wird man mich greifen. Sie stehen ihr nahe, Sie sind ihr im Geiste verwandt. Vielleicht werden Sie sie irgendwann einmal wiedersehen. Doch nein, wozu das? Es ist ja Wahnsinn! Man wird mich greifen und mir nicht die Möglichkeit geben, mich zu rechtfertigen; sie werden sich alle auf mich stürzen, schreiend und schimpfend mir den Mund zuhalten. Wer denn sollte wissen, wie so etwas geschieht, wenn nicht ich!«

XVIII

Endlich konnte er sich einmal gründlich ausschlafen. Zum erstenmal seit langem schlief Jurij Andréitsch, kaum daß er sich ausgestreckt hatte, ein, ohne nachzudenken. Strelnikov übernachtete bei ihm. Jurij Andréitsch hatte ihn im Nebenzimmer untergebracht. Von Zeit zu Zeit öffnete Jurij Andréitsch die Augen, um sich auf die andere Seite zu legen oder um die Bettdecke, die heruntergerutscht war, über sich zu breiten, und jedesmal fühlte er die stärkende Wirkung seines gesunden Schlafes, und jedesmal war es ihm ein Genuß, sich von ihm umfangen zu lassen. In der zweiten Hälfte der Nacht sah er im Traum flüchtige Bilder aus seiner Kindheit; sie waren klar und sinnvoll bis in die Einzelheiten, so daß er sie leicht für Wirklichkeit hätte halten können.

So sah er im Traum ein Aquarell an der Wand, das seine Mutter gemalt hatte und das eine italienische Meeresküste darstellte. Plötzlich fiel das Bild herab, und das Zersplittern des Glases weckte Jurij Andréitsch. Er öffnete die Augen. Nein, es mußte etwas anderes sein. Gewiß ist es Antipov gewesen, Laras Mann, Pawel Pawlowitsch Strelnikov, der wieder, wie Vacksh sich ausdrückte, in der Schutjama die Wölfe schreckte. Aber nein, das ist ja Unsinn. Natürlich ist das Bild von der Wand gefallen. Da liegen die Scherben auf dem Boden, bestätigte er sich, schon wieder gefangen im Traum, der sich fortspann.

Er erwachte mit Kopfschmerzen, weil er zu lange geschlafen hatte. Er konnte nicht gleich erfassen, wer er war, wo er war und in welcher Welt er sich befand.

Plötzlich fiel ihm ein: ›Aber Strelnikov übernachtet doch bei mir. Es ist schon spät. Ich will mich ankleiden. Er ist sicher schon aufgestanden; wenn nicht, so werde ich ihn wecken, werde Kaffee kochen. Wir werden zusammen Kaffee trinken.‹

»Pawel Pawlowitsch!«

Keine Antwort. ›Er schläft noch. Er schläft aber fest.‹

Jurij Andréitsch kleidete sich ohne Eile an und begab sich in das Nebenzimmer. Auf dem Tisch lag Strelnikovs Lammfellmütze, er selber war verschwunden. ›Vielleicht geht er spazieren. Aber ohne Mütze? Er will sich abhärten. Heute müssen wir Abschied nehmen von Warykino und in die Stadt ziehen. Es ist schon spät. Wie jeden Morgen habe ich zu lange geschlafen.‹

Jurij Andréitsch heizte den Herd und nahm den Eimer, um Wasser aus dem Brunnen zu holen. Wenige Schritte vom Flur entfernt lag, über den Weg hingestreckt, mit dem Kopf in einer Schneewehe, Pawel Pawlowitsch; er hatte sich erschossen. Der blutgetränkte Schnee unter der linken Schläfe war zu einem roten Klumpen zusammengesunken. Feine Blutstropfen waren mit dem Schnee zu kleinen roten Kugeln verschmolzen, die aussahen wie die gefrorenen Beeren einer Eberesche.

Ende

I

Was nun noch bleibt, ist, Jurij Andréitschs einfache Geschichte zu
vollenden: von den acht oder neun letzten Jahren seines Lebens zu
erzählen, in deren Verlauf seine Kräfte immer mehr nachließen
und er zusehends verfiel. Sein ärztliches Wissen schwand dahin, und
auch seine schriftstellerischen Fähigkeiten büßte er ein. Für kurze
Zeit erhob er sich zwar aus dem Zustand der Niedergeschlagenheit
und des Verfalls, gewann einen Teil seiner alten Lebhaftigkeit zurück und nahm eine bestimmte Tätigkeit auf; bald aber, nach dem
schnellen Verlöschen seiner unstet aufflammenden Lebenskräfte,
sank er zurück in die Teilnahmslosigkeit sich und der Welt gegenüber. Sein altes Herzleiden, das er selbst erkannt hatte, ohne sich
jedoch über seine Bedeutung im klaren zu sein, hatte sich in diesen
Jahren verschlimmert.

Er war zur Zeit der sogenannten NEP, der ›Neuen Ökonomischen
Politik‹, dieser bedenklichsten und fehlerreichsten aller Epochen
sowjetischer Herrschaft, nach Moskau gekommen. Er war mager,
struppig und noch verwahrloster als zur Zeit seiner Rückkehr aus
der Gefangenschaft der Partisanen nach Jurjatino. Unterwegs gab
er allmählich alle seine wertvollen Kleidungsstücke für Brot und
altes zerlumptes Zeug hin, um mit dem Notdürftigsten versehen
zu sein und nicht nackt dazustehen. So hatte er seinen zweiten Pelz
und seinen Anzug gegen Lebensmittel eingetauscht, und er erschien
in den Straßen Moskaus in einer grauen Lammfellmütze, Fuß-
lappen und einem abgeschabten Soldatenmantel, der ihm, nachdem alle Knöpfe bis auf einen verlorengegangen waren, das Aussehen eines Zuchthäuslers gab. In diesem Aufzug unterschied er
sich in nichts von unzähligen Rotarmisten, die die großen Plätze,
Boulevards und Bahnhöfe der Hauptstadt überfluteten.

Er war nicht allein nach Moskau gekommen. Überall folgte seinen

Spuren ein hübscher Bauernjunge, der ebenfalls wie ein Soldat gekleidet war. In dieser Begleitung erschien Jurij Andréitsch in jenen
heilgebliebenen Moskauer Gasthöfen, wo er seine Kinderjahre verbracht hatte, wo man sich an ihn erinnerte und ihn mit seinem Gefährten aufnahm, nachdem man sich vorsorglich danach erkundigt
hatte, ob er nach seiner langen Wanderung in einem Badehaus gewesen sei, denn überall herrschte damals Flecktyphus. Dort erfuhr
Jurij Andréitsch gleich in den ersten Tagen von den Umständen,
unter denen seine Angehörigen Moskau verlassen hatten und ins
Ausland geflohen waren.

Beide waren menschenscheu. Sie vermieden es aus Schüchternheit,
allein irgendwo Besuche zu machen, weil man dann nicht schweigen durfte, sondern eine Unterhaltung bestreiten mußte. Gewöhnlich tauchten die beiden abgerissenen Gestalten nur dann bei Bekannten auf, wenn sich eine größere Gesellschaft eingefunden hatte.
Sie verkrochen sich möglichst in irgendeine Ecke und verbrachten
den Abend schweigend, ohne an dem Gespräch teilzunehmen.

Mit dem jungen Gefährten zur Seite glich der schmächtige hochge-
wachsene Doktor in seinem unansehnlichen Gewand einem Wahr-
heitssucher aus dem Volke; sein ständiger Begleiter aber einem
gehorsamen Schüler und ihm, dem Meister, blind ergebener Jünger. Wer war sein junger Weggefährte?

II

Den letzten Teil des Weges, schon in der Nähe von Moskau, hatte
Jurij Andréitsch mit der Bahn zurückgelegt; bis dahin war er gewandert.

Der Anblick, den die Dörfer auf seinem Wege boten, unterschied
sich in nichts von dem, den er in Sibirien und im Ural während
seiner Flucht aus der Gefangenschaft gehabt hatte. Nur war es
damals Winter gewesen. Jetzt neigte sich der Sommer seinem Ende
zu, der Frühherbst war mild und trocken, und so war die Reise
um vieles angenehmer.

Die Hälfte aller Dörfer, die er durchwanderte, war verwüstet,
wie nach dem Durchzug feindlicher Truppen. Die Felder lagen
verlassen da, die Ernte war nicht eingebracht worden. Das waren
die Folgen eines Krieges, des Bürgerkrieges.

Zwei oder drei Tage lang, gegen Ende September, führte sein Weg am steil abfallenden Hochufer eines Flusses entlang. Jurij Andréitsch wanderte stromaufwärts. Zur Linken, vom Rande des Weges bis zum wolkenumlagerten Horizont, dehnten sich nichtabgeerntete Felder. Mitunter machten sie Laubwäldern Platz, die vornehmlich aus Eichen, Ahorn und Ulmen bestanden. Die Wälder zogen sich in tiefen Schluchten bis zum Flußufer hin und kreuzten die Straße mit ihren Tobeln und Steilhängen.

Das Korn auf den Feldern war überreif und fiel aus schweren Ähren zu Boden. Jurij Andréitsch stopfte sich den Mund mit Körnern voll, die er mit Mühe zwischen den Zähnen zerrieb; und er ernährte sich davon in seinem Elend, da er kein Mittel wußte, aus den Getreidekörnern einen Brei zu kochen. Der Magen verdaute die rohe, unzureichend gekaute Nahrung schlecht.

Jurij Andréitsch hatte niemals in seinem Leben den Roggen so unheilverkündend braun gesehen. Die Färbung erinnerte an dunkelgewordenes Altgold. Wenn das Korn rechtzeitig gemäht wird, pflegt es viel heller zu sein.

Über diese dunkelglühenden Felder, die ohne Flamme zu brennen schienen, über die schweigenden Felder, die lautlos schrien in ihrer Not, wölbte sich in kalter Klarheit ein grenzenloser Himmel, der schon den Winter verkündete; denn, wie Schatten über ein Antlitz, so zogen unaufhaltsam lange, geschichtete Schneewolken, deren Grau an den Rändern in Weiß überging, über ihn hin. Und alles war erfüllt von langsamer, gleichmäßiger Bewegung. Der Fluß strömte dahin. Der Weg schien in die entgegengesetzte Richtung zu weisen. Auf diesem Wege ging der Doktor. Mit ihm zogen die Wolken über den Himmel. Aber auch die Felder waren in Bewegung. Etwas regte sich in ihnen, sie waren unheimlich durchwühlt, und ihre wimmelnde Unruhe rief in einem das Gefühl des Ekels hervor.

In einem bisher noch nie wahrgenommenen Ausmaß hatten sich in den Feldern die Mäuse vermehrt. Wenn der Doktor im Felde übernachten mußte und sich sein Lager bereitete, huschten sie ihm über Gesicht und Hände und krochen ihm in die Hosenbeine und Ärmel. Tagsüber liefen sie zu Füßen des Wanderers in Scharen über den Weg und wurden, wenn er auf sie trat, zu einer schleimigen, piependen, sich regenden Masse.

Grauenvoll verwilderte, in Lumpen gekleidete Bauernkinder folgten ihm in einiger Entfernung. Sie warfen einander Blicke zu, als wollten sie beraten, wann sie über den Doktor herfallen sollten, um ihn zu zerreißen. Sie nährten sich von Aas, empfanden aber auch keinen Widerwillen gegen die Mäuse, die die Felder aufwühlten, und von ferne spähten sie nach dem Doktor aus, folgten ihm zuversichtlich, als erwarteten sie etwas von ihm. Seltsamerweise gingen sie nicht in die Wälder; und je näher der Doktor diesen kam, desto weiter blieben sie zurück, kehrten endlich um und verschwanden. Wald und Feld standen damals in schroffem Gegensatz zueinander. Die Felder, die der Mensch verlassen hatte, waren der Vernichtung preisgegeben, seine Abwesenheit lag über ihnen wie ein Fluch. Aber die Wälder, die der Mensch sich selbst überlassen hatte, lebten herrlich auf: Gefangene, denen die Freiheit wiedergegeben ist.

Für gewöhnlich warten die Dorfkinder nicht das Ausreifen der Nüsse ab und pflücken sie, wenn sie noch grün sind. Jetzt waren die Waldhänge und Schluchten dicht bekleidet mit unberührtem, rauhem, goldenem Laub, über das der Atem des Herbstes glanzlosen trüben Staub hingeblasen zu haben schien. Aus dem Laub reckten sich die Nüsse, deren Büschel wie Fächer auseinander fielen oder wie Sträuße von grünen Bändern umwunden waren. Die Früchte waren überreif und drohten, aus ihren grünen Hüllen herauszufallen. Jurij Andréitsch knackte sie unterwegs in Mengen. Seine Taschen und sein Schultersack waren vollgestopft mit Nüssen, und eine Woche lang nährte er sich fast ausschließlich von diesem Vorrat.

In den Augen des Doktors waren die Felder vom Fieber und den tödlichen Schauern einer schweren Krankheit ergriffen, der Wald aber stand da im heiteren Licht der Genesung; im Walde wohnte Gott, aber durch die Felder züngelte das böse Lächeln des Teufels.

III

Gerade in jenen Tagen begab sich der Doktor in ein bis auf den Grund niedergebranntes und von seinen Bewohnern verlassenes Dorf. Die Häuser hatten alle mit der Stirnseite zum Fluß in einer Reihe längs der Straße gestanden. Einige Gebäude, die verschont worden waren, standen rauchgeschwärzt, leer und unbewohnbar da. Von anderen war nur ein Haufen Asche übriggeblieben, aus dem die schwarzen Schlote sich in den Himmel reckten.

In den Abhang zum Fluß waren Höhlen gegraben, in denen die Bauern ihre Mühlsteine brachen, von denen drei, die noch roh und unbehauen waren, vor der letzten Hütte des Dorfes auf der Erde lagen. Auch dieses Haus, das zu den wenigen unzerstörten gehörte, stand leer.

Jurij Andréitsch trat ein. Es war ein stiller Abend, aber kaum hatte der Doktor das Haus betreten, als jäh der Wind sich auf ihn zu stürzen schien. Über den Fußboden wirbelte Heu; an den Wänden schaukelten Papierfetzen, die sich abgelöst hatten. Alles geriet in Bewegung, und überall wisperten Mäuse, die auch hier, wie in der ganzen Gegend, zur Plage geworden waren.

Der Doktor verließ die Hütte. Jenseits der Felder war die Sonne am Untergehen. Ihr heißes goldenes Licht überflutete das gegenüberliegende Ufer, wo die schimmernd bewegten Spiegelbilder der Büsche sich wie Landzungen weit in den Strom hinausstreckten. Jurij Andréitsch überquerte den Weg und setzte sich, um etwas zu rasten, auf einen der im Grase liegenden Mühlsteine. Hinter der Schlucht tauchten erst ein blonder Kopf, dann Schultern und Arme auf. Einen Wassereimer in der Hand, stieg ein Mann den schmalen Pfad vom Fluß herauf. Als er den Doktor erblickte, machte er halt. Bis zum Gürtel verdeckte ihn noch die Böschung.

»Willst du etwas Wasser, Freund? Tust du mir nichts zuleide, so tue auch ich dir nichts Böses.«

»Danke. Laß mich trinken. Komm nur herauf, du brauchst dich nicht zu fürchten. Warum sollte ich dir etwas antun?«

Es war ein zerlumpter, barfüßiger junger Mann. Trotz der freundlichen Worte des Doktors betrachtete er ihn argwöhnisch. Er schien sonderbar bewegt zu sein. Plötzlich setzte er seinen Eimer ab, stürzte auf den Doktor zu, machte auf halbem Wege halt und stotterte:

»Unmöglich . . . Es kann nicht sein . . . Das kann nicht sein, ich habe mich getäuscht. Dennoch . . . Verzeihen Sie, Kamerad. Erlauben Sie, daß ich Sie etwas frage. Ich glaube Sie zu kennen. Aber gewiß, kein Zweifel. Sie sind es. Der Herr Doktor.«

»Und wer bist denn du?«

»Sie erkennen mich nicht?«

»Nein.«

»Ich reiste mit Ihnen aus Moskau. Wir waren im selben Wagen. Man hatte uns zum Arbeitsdienst kommandiert.«

Es war Wassja Brykin. Er fiel vor dem Doktor nieder, küßte seine Hände und begann zu weinen.

Die niedergebrannte Ortschaft war Wassjas Heimatdorf Weretenniki. Seine Mutter lebte nicht mehr. Während über das Dorf Gericht gehalten wurde und alles in Flammen aufging, hatte sich Wassja in einer Höhle, vor deren Zugang sich ein Stein befand, versteckt; die Mutter glaubte, man habe Wassja in die Stadt geschleppt; vor Gram hatte sie den Verstand verloren und sich in der Pelga ertränkt, an deren Ufer jetzt der Doktor und Wassja miteinander sprachen. Wassjas Schwestern – Aljónka und Aríschka – sollten sich in einem anderen Bezirk in einem Kinderheim aufhalten. Der Doktor nahm Wassja mit nach Moskau. Unterwegs erzählte er Jurij Andréitsch von den Greueln der jüngsten Vergangenheit.

IV

»Sehen Sie, daß die Wintersaat verdorben ist? Das Korn fällt aus den Ähren. Kaum war die Saat im Boden, da fing das Elend an. Als Tante Polja abfuhr. Erinnern Sie sich noch an Tante Palascha?«

»Nein. Ich habe sie nie gekannt.«

»Pelagéja Nílowna! Sie fuhr doch mit uns. Tjagunóva nannte sie sich. Ein offenes, volles helles Gesicht!«

»War es die, die immer ihre Zöpfe flocht und wieder auflöste?«

»Die Zöpfe. Ganz recht, die Zöpfe!«

»Jetzt erinnere ich mich. Warte. Natürlich, ich habe sie später in Sibirien auf der Straße getroffen.«

»Unmöglich! Tante Palascha?«

»Was ist denn mit dir los, Wassja? Warum schüttelst du wie närrisch meine Hände! Paß auf, du wirst sie mir noch abreißen. Und du bist rot geworden wie ein junges Mädchen!«

»Ja, wie geht es ihr denn? Sagen Sie es schnell, recht schnell!«

»Nun, sie war gesund und munter, als ich sie sah. Sie erzählte auch von euch. War es nicht so, daß sie bei euch gelebt hat oder zu Besuch war? Aber vielleicht täusche ich mich auch und bringe alles durcheinander!«

»Ja, freilich, freilich, bei uns ist sie gewesen. Mamachen hat sie liebgehabt wie ihre eigene Schwester. Sie war still und fleißig und verstand sich gut auf Handarbeiten. Solange sie bei uns wohnte, fehlte es unserem Hause an nichts. Dann hat man sie aus Weretenniki vertrieben, hat ihr keine Ruhe gelassen mit Klatsch und bösartigen Reden.

Da war dieser Charlam Gniloj, ein Bauer aus dem Dorf. Er stellte Pelagéja nach. Ein widerlicher Schnüffler und Spion. Sie sah ihn überhaupt nicht an. Deshalb nahm er mich aufs Korn. Er erzählte schlimme Sachen von uns, von mir und von Polja; dann fuhr sie fort. Er hat sie vertrieben. Und dann ging es los.

Nicht weit von hier ereignete sich ein furchtbarer Mord. Man hatte eine Witwe in einem einsamen Häuschen am Wald nahe von Buisk erschlagen. Sie trug immer große Gummistiefel wie ein Mann und hatte einen bissigen Hund, der an einer langen Kette lag, so daß er den Hof und das ganze Haus bewachen konnte. Mit der Wirtschaft, auch mit ihren Äckern, wurde sie ohne Gehilfen fertig. Da brach unvermutet früh der Winter herein. Es schneite schon, als noch niemand daran dachte. Die Witwe hatte keine Zeit gehabt, ihre Kartoffeln zu ernten. Sie geht also nach Weretenniki und sagt: helft mir doch, ich gebe euch einen Anteil, oder ich bezahle es euch.

Ich bot mich an, ihr die Kartoffeln auszugraben. Ich komme also zu ihr ins Haus, aber schon ist Charlam bei ihr. Er hatte vor mir um die Anstellung gebeten. Sie hatte es mir nicht gesagt. Na ja, deshalb wird man sich ja nicht prügeln. Wir nahmen also gemeinsam die Arbeit auf. Wir gruben bei schlimmstem Wetter. Regen und Schnee, Schmutz. Wir gruben und gruben; das Kartoffelkraut verbrannten wir; am heißen Rauch trockneten wir die Kartoffeln. Na, schließlich hatten wir sie also heraus, und sie bezahlte uns anständig. Den Charlam ließ sie ziehen, mir aber blinzelte sie zu; sie wollte damit sagen, daß sie noch irgend etwas für mich hatte. Ich sollte später wiederkommen oder noch ein wenig dableiben.

Ein andermal kam ich dann zu ihr. ›Ich will‹, sagte sie, ›den Überschuß meiner Kartoffeln nicht dem Staat abgeben. Du bist ein guter Junge, das weiß ich, und du wirst mich nicht verraten. Du siehst, ich verberge dir nichts. Ich würde selbst ein Loch graben, um die Kartoffeln zu verstecken, aber du siehst ja, was draußen vorgeht. Ich habe zu spät daran gedacht – jetzt ist der Winter da. Allein kann ich es nicht schaffen. Wenn du mir hilfst, werde ich mich erkenntlich zeigen. Wir trocknen die Kartoffeln und graben sie dort ein.‹

Ich grub also ein Loch, gerade recht, um etwas zu verstecken: nach unten zu breit, wie ein Krug, nach oben nur ein schmaler Schacht. Dann zündeten wir ein Feuer an, um das Loch zu trocknen und vom Rauch anwärmen zu lassen. Das geschah bei fürchterlichem Schneefall. Schließlich hatten wir die Kartoffeln glücklich alle untergebracht und Erde draufgeschüttet. Keine Mücke konnte etwas gesehen haben! Natürlich, was die Grube betrifft, so war ich mäuschenstill. Keiner Menschenseele habe ich etwas gesagt. Auch der Mama nicht, auch meinen Schwestern nicht.

Soweit war alles gut! Kaum einen Monat später wird dieses Haus beraubt. Leute, die aus Buisk kamen, erzählten, daß sie alle Türen haben offenstehen sehen. Das Haus sei völlig leer, von der Witwe – keine Spur! Der Hund Gorlan habe sich von der Kette losgerissen und sei davongelaufen.

Und wieder vergingen einige Wochen. Als das erste Tauwetter in diesem Winter einsetzte, kurz vor Neujahr, am Vorabend des Basiliustages, goß es in Strömen. Der Regen spülte den Schnee von den Hügeln; bald sah man wieder die Erde. Plötzlich taucht der Gorlan auf und fängt auf dem Grundstück der Witwe genau dort an zu graben, wo die Kartoffeln lagerten. Er gräbt, räumt die Erde fort, und was kommt zum Vorschein? Die Beine der Alten mit den Gummistiefeln. Entsetzlich, nicht wahr?

In Weretenniki tat die Witwe allen sehr leid. Niemand hatte Charlam in Verdacht. Wie hätte man auch darauf kommen können. Unmöglich. Wenn er der Täter gewesen wäre, wie hätte er dann die Frechheit haben können, in Weretenniki zu bleiben und wie ein Hahn durchs Dorf zu stolzieren? Wir hätten ihn schon bald hinausgesetzt.

Im Dorfe freuten sich die reichen Bauern über diese Untat am meisten. Los, sprachen sie, wir wollen das Dorf in Verwirrung bringen. Da sieht man wieder, sagten sie, was die Städter alles fertigbringen. Das soll eine Lehre und eine Drohung für euch sein! Dein Brot sollst du nicht verstecken, deine Kartoffeln nicht vergraben. Aber ihr Schwachköpfe habt euch natürlich weismachen lassen, Räuber aus den Wäldern seien die Übeltäter gewesen. Wie denn, wenn die Räuber unter uns sind, auf unseren Höfen? Aber nein, ganz ausgeschlossen. Welch ein Einfall! Hört nur immer auf die Städter. Die werden euch noch ganz andere Dinge zeigen, werden euch durch Hunger schon mürbe machen! Wünschst du dir ein kleines Dorf, ein Gut – so folge uns! Und wenn sie schließlich da sind, dann werden sie euch euren Besitz wegnehmen, alles, was ihr im Schweiße eures Angesichts erworben habt, und ihr werdet sagen: kein Korn der ganzen Ernte bleibt uns, von Gewinn und Verdienst gar nicht zu reden. Wenn es dahin kommt, dann greift man eben zu den Heugabeln. Wer aber gegen die Dorfgemeinschaft ist, der soll sich in acht nehmen. Die Alten murrten, führten das große Wort und taten sich zusammen; Charlam aber, dieser Intrigant, hatte nur darauf gewartet; ohne ein Wort zu sagen verschwand er in die Stadt und erzählte dort alles: so steht es im Dorf; und ihr sitzt hier und schaut einfach zu? Wir müssen ein Komitee der armen Bauern bilden. Beschließt es nur, im Handumdrehen werde ich einen gegen den anderen hetzen! Dann aber hat er sich aus dem Staube gemacht, und niemand hat ihn je wieder in dieser Gegend gesehen.

Alles andere geschah dann ganz von allein. Niemand hatte gehetzt; keinen konnte man beschuldigen. Aus der Stadt kamen Rotarmisten und ein Militärtribunal. Ich wurde sofort gegriffen. Charlam hatte Lügen über mich verbreitet. Ich sollte von irgendwo geflohen sein, mich der Arbeitspflicht entzogen und das Dorf zum Aufstand aufgeputscht haben, und zu alldem hätte ich die Witwe ermordet. Ich wurde sofort eingesperrt. Zum Glück kam ich auf den Gedanken, ein Dielenbrett herauszuheben, und so konnte ich fliehen. Dann habe ich mich unter der Erde in einer Höhle versteckt. Über meinem Kopf brannte das Dorf ab – ich hab's nicht gesehen; über mir hat sich mein liebes Mamachen in den Fluß gestürzt, und ich wußte nichts davon. Alles kam von selbst.

Den Rotarmisten hatte man eine Hütte überlassen; man gab ihnen Schnaps, und sie waren völlig betrunken. In der Nacht darauf geriet aus Unvorsichtigkeit das Haus in Brand, und die Flamme sprang über auf die Nachbarhäuser. Die Leute stürzten hinaus; die Soldaten aber – selbstverständlich hatte niemand ihre Hütte angesteckt – sind bis auf den letzten Mann bei lebendigem Leibe verbrannt. Kein Mensch dachte daran, die Bauern aus dem verwüsteten Dorf zu vertreiben. Aus Furcht, man würde sie anklagen und bestrafen, sind sie geflüchtet. Die erfahrenen Rädelsführer redeten ihnen ein, jeder Zehnte würde erschossen werden. Ich habe dann niemand mehr angetroffen. Sie haben sich zerstreut. Jeder versucht, allein mit seinem Elend fertig zu werden.«

V

Im Frühjahr 1922, zu Beginn der NEP, kamen der Doktor und Wassja nach Moskau. Das Wetter war mild und trocken. Die Sonne blinkte auf den goldenen Kuppeln der Erlöserkathedrale, und Lichtblitze stürzten auf die viereckigen Steinfliesen des Platzes und auf das Gras, das in den Ritzen wucherte.

Das Verbot, private Geschäfte abzuschließen, wurde aufgehoben; in engen Grenzen wurde der Freihandel wieder zugelassen. Allerdings war man zum bloßen Tauschhandel zurückgekehrt, der besonders auf den Trödelmärkten blühte. Die Geringfügigkeit dieser Geschäfte förderte die Spekulation, und es kam zu Mißbräuchen. Durch die fragwürdigen Unternehmungen der Kaufleute wurde der verödeten und verarmten Stadt nicht geholfen. Aber mit dem nutzlosen Wiederverkauf von Dingen, die schon zehnmal verkauft worden waren, konnte man ein Vermögen verdienen.

Die Besitzer von einigen sehr bescheidenen Hausbibliotheken legten ihre Bestände zusammen. Man meldete im Stadt-Sowjet den Wunsch an, eine kooperative Buchhandlung zu eröffnen, und bat um einen geeigneten Geschäftsraum hierfür. Man erhielt einen Lagerraum für Schuhwaren zugewiesen, der bereits seit den ersten Monaten der Revolution leerstand, oder ein Treibhaus eines ebenfalls geschlossenen Blumengeschäfts und verkaufte dann in den großen gewölbten Räumen seine spärlichen und zufälligen Bücherkollektionen.

Die Professorenfrauen, die schon früher in den schweren Zeiten insgeheim weiße Semmeln gebacken und entgegen dem Verbot unterderhand verkauft hatten, handelten jetzt offen damit, in irgendeiner Fahrradwerkstatt, die vielleicht während der letzten Jahre als leerstehender Raum registriert gewesen war. Man fand sich ab mit dem, was geschehen war, akzeptierte die Revolution und sagte: »In Gottes Namen denn«, statt »Ja« und »Gut«.

Jurij Andréitsch sagte in Moskau: »Wassja, du wirst etwas anfangen müssen.«

»Ich habe mir gedacht, daß ich in eine Lehre gehen werde.«

»Das versteht sich von selbst.«

»Und dann habe ich noch allerhand Ideen. Ich möchte ein Porträt meiner Mutter nach der Erinnerung zeichnen.«

»Sehr gut. Aber dann müßtest du zeichnen können. Hast du es früher schon einmal versucht?«

»Auf dem Markt in Apraxin habe ich, wenn es der Onkel nicht sah, mit Kohle gezeichnet.«

»Gut, vielleicht läßt es sich einrichten. Wir versuchen es einmal.« Bald stellte sich heraus, daß Wassja kein besonderes Talent zum Zeichnen hatte, aber er war begabt genug, um es in der angewandten Kunst zu etwas zu bringen. Dank seiner Beziehungen gelang es Jurij Andréitsch, ihn in der Stroganowschule unterzubringen, wo Wassja, nachdem er an einem einführenden Kursus teilgenommen hatte, in die Klasse für Buchgestaltung eintrat. Hier beschäftigte er sich mit der Lithographie, Buchbinderei und Typographie und mit der Technik künstlerischer Buchausstattung.

Der Doktor und Wassja vereinten ihre Bemühungen. Der Doktor schrieb kleine Abhandlungen über die verschiedensten Fragen, und Wassja druckte diese Aufsätze in seiner Schule als Prüfungsarbeiten, die ihm für sein Examen angerechnet wurden. Die kleinen Bücher erschienen in wenigen Exemplaren und wurden in neueröffneten Buchläden, die gemeinsame Bekannte gegründet hatten, vertrieben.

In diesen Aufsätzen legte Jurij Andréitsch seine philosophischen Gedanken nieder, seine medizinischen Erkenntnisse, seine Ansichten über Krankheit und Gesundheit, seine Lehre von der Abstammung und Evolution, von der Persönlichkeit als der biologischen Grundlage des Organismus und seine Ideen über Religion und Geschichte, die mit den Ansichten des Onkels und Simuschkas übereinstimmten. Er ließ seine Studien über die Gegenden, in denen seinerzeit Pugatschov aufgetreten war und die er selbst aufgesucht hatte, drucken; endlich auch seine Verse und Erzählungen. Die Arbeiten waren leicht verständlich und in Dialogform gehalten; allerdings entsprachen sie nicht den Absichten jener Publizisten, die jeden Gegenstand vereinfachen und popularisieren, denn sie stellten oft eigenwillige Ansichten zur Diskussion, die noch nicht genügend geprüft waren. Immer aber waren seine Ausführungen lebendig und originell. Diese kleinen Bücher fanden ihre Liebhaber und verkauften sich gut.

Gerade damals war alles, Dichtung wie auch die Kunst des Übersetzens, zu einer Angelegenheit für Spezialisten geworden; über alles erschienen theoretische Abhandlungen, und für alles gab es besondere Lehranstalten. Es entstanden die verschiedensten Paläste des Geistes und Akademien für künstlerisches Denken. Jurij

Andréitsch war an mehr als der Hälfte dieser prätentiösen und künstlichen Bildungsinstitute als Dozent tätig.

Lange Zeit dauerte die Freundschaft zwischen ihm und Wassja, und sie wohnten zusammen. Sie zogen von Zimmer zu Zimmer und verließen immer wieder diese halbzerstörten, kaum bewohnbaren und aus den verschiedensten Gründen wenig komfortablen Unterkünfte.

Gleich nach seiner Ankunft in Moskau hatte Jurij Andréitsch das alte Haus in Ssiwzew aufgesucht, das, wie er erfahren hatte, seine Angehörigen bei ihrer Durchreise durch Moskau nicht mehr bewohnt hatten. Die traurige Tatsache ihrer Landesverweisung hatte alles völlig verändert. Die Zimmer, die der Doktor für sich und seine Angehörigen vertraglich reserviert hatte, wurden von anderen bewohnt; von seinen eigenen Sachen, wie auch von den Sachen seiner Familie war nichts mehr vorhanden. Wenn Jurij Andréitsch sich zeigte, so wichen alle seine Bekannten zurück wie vor einem gefährlichen Menschen.

Der alte Pförtner Markel hatte Karriere gemacht und war nicht mehr in Ssiwzew. Man hatte ihn zum Kommandanten im Mutschnoj Gorodok ernannt, wo er eine Dienstwohnung für sich und seine Familie als Verwalter beanspruchen durfte, doch hatte er es vorgezogen, in der alten Hausdienerwohnung zu bleiben, weil hier fließendes Wasser war und zudem ein gewaltiger russischer Ofen, der den ganzen Raum aufwärmte. In allen Wohnvierteln des Gorodok brachen im Winter die Rohre der Wasserleitungen und Heizungsanlagen. Nur in der Hausdienerwohnung war es warm, und das Wasser gefror dort nicht.

In dieser Zeit entfernten der Doktor und Wassja sich innerlich voneinander. Wassja hatte große Fortschritte gemacht. Er sprach und dachte nun nicht mehr wie der barfüßige kleine Junge aus Weretenniki an der Pelga. Die Grundsätze, die während der Revolution verkündet und verfochten worden waren, überzeugten ihn immer mehr. In der bilderreichen, anschaulichen Sprache des Doktors, die er nur selten verstand, glaubte er die Stimme des offiziell verurteilten Irrtums zu vernehmen, der sich seiner Schwäche bewußt ist und darum vor der Wirklichkeit auszuweichen sucht.

Der Doktor suchte die verschiedensten Amtsstellen auf: um zweierlei war es ihm zu tun: um die politische Rechtfertigung seiner Familie und die Bewilligung ihrer Rückkehr in die Heimat, und um einen Auslandspaß für sich und die Erlaubnis, Frau und Kinder aus Paris abzuholen.

Wassja staunte, wie kalt und matt diese Versuche des Doktors waren. Jurij Andréitsch war allzu schnell bereit, festzustellen, daß seine Bemühungen vergeblich waren, und verkündete allzu sicher und fast mit Genugtuung, daß jede weitere Anstrengung zu nichts führen würde.

Wassja kritisierte den Doktor immer häufiger. Dieser fühlte sich zwar nicht gekränkt, wenn der Tadel gerechtfertigt war, aber das Vertrauen zwischen beiden schwand. Schließlich erlosch ihre Freundschaft, und sie trennten sich. Der Doktor überließ Wassja das Zimmer, das sie gemeinsam bewohnt hatten, und zog in das Stadtviertel Mutschnoj Gorodok, wo der allmächtige Markel ihm schließlich einen Teil der Swentizkijschen Wohnung zuerkannte, ein altes, längst nicht mehr benutztes Badezimmer, ein kleines Zimmer mit einem einzigen Fenster und eine Küche, deren Fußboden holprig und morsch war. Zu diesen Räumen, die am äußersten Ende der Wohnung lagen, führte eine verfallene und zur Hälfte eingestürzte Hintertreppe. Dorthin also zog Jurij Andréitsch, und wenig später gab er seinen Beruf auf. Immer seltener traf er Freunde und Bekannte, er kümmerte sich um nichts und verkam.

VI

Es war ein früher Sonntag im Winter. Der Rauch stieg nicht mehr wie früher aus den Kaminen über den Dächern in die Luft; er drang säulengerade in schwarzen Wölkchen aus den schmalen Klappfenstern, durch die trotz des Verbots die Rohre der kleinen Notöfen geleitet wurden. Das städtische Leben hatte immer noch nicht seine Ordnung und seinen geregelten Gang zurückgewonnen. Die Bewohner des Mutschnoj Gorodok waren schmutzig und zerlumpt, litten an Furunkulose, froren und waren erkältet.

Weil es Sonntag war, war Markel Schapovs Familie vollzählig beisammen.

Die Schapovs speisten an demselben Tisch, auf dem vor Jahren die Brotrationen ausgegeben worden waren. Jeden Morgen in der Dämmerung zerschnitt man sorgfältig die Brotmarken aller Mieter des Hauses, zählte sie, ordnete sie und legte sie zu kleinen Häufchen zusammen, die behutsam eingewickelt in ein Tuch oder ein Stück Papier dann in die Bäckerei gebracht wurden. Dann wurde auf eben diesem Tisch das Brot gebrochen, zerschnitten, zerteilt und jedem Bewohner seine Portion zugewogen. Heute war das alles in sagenhafte Ferne gerückt. Die Lebensmittelregistrierung hatte man durch andere Arten der Kontrolle ersetzt. Am langen Tisch aß man mit Appetit, kauend und schmatzend, mit knackenden Kinnbacken.

Gut die Hälfte des Zimmers nahm der mächtige russische Ofen ein; auf dem Ofen, dicht unter der Zimmerdecke, befand sich eine Schlafstelle; von dieser hing eine Bettdecke herab.

Nahe dem Eingang ragte über dem Waschbecken, das zugleich als Ausguß diente, ein Wasserhahn aus der Wand, dessen Leitung vollkommen intakt war. An den Wänden des Zimmers zogen sich Bänke entlang, unter die man in Säcken oder Kisten seine Habe geschoben hatte. Links stand der Küchentisch. Über dem Tisch hing an der Wand ein Regal für das Geschirr.

Der Ofen brannte. In der Stube war es heiß. Vor dem Ofen hantierte Markels Frau, Agafja Tichonowna, die Ärmel bis über die Ellenbogen aufgekrempelt, mit einer langen Ofengabel, so daß sie leicht an alle Töpfe heranreichte und sie bald dicht zusammenstellen, bald wieder etwas auseinanderschieben konnte, wie es ihr notwendig erschien. Ihr verschwitztes Gesicht wurde manchmal von der Ofenglut beleuchtet, dann verschwand es wieder im Dampf der Speisekessel. Nachdem sie die Töpfe alle zur Seite geschoben hatte, zog sie aus dem Ofen eine Pastete, die dort auf einem Eisenblech gebacken wurde. Mit einer geschickten Bewegung wendete sie die Pastete und setzte sie wieder aufs Feuer, um sie auf allen Seiten gleichmäßig braun werden zu lassen. Jurij Andréitsch trat ein, in jeder Hand einen Eimer.

»Guten Appetit.«

»Willkommen. Nimm Platz und iß mit uns.«

»Danke, ich habe gerade gegessen.«

»Wir kennen dein Mittagessen. Setz dich doch und iß etwas Warmes. Willst du nicht? Gebackene Kartoffeln und Grützpastete.«

»Nein, wirklich nicht, danke. Verzeih, Markel, daß ich so oft komme und dir die Kälte in deine Stube bringe. Ich möchte gern einen etwas größeren Wasservorrat haben. Die Zinkwanne bei Swentizkijs habe ich auf Hochglanz geputzt, ich will sie füllen und auch Wasser in die Kübel tun. Ich muß noch fünfmal kommen, vielleicht auch zehnmal; aber dann werde ich euch lange Zeit nicht mehr zur Last fallen. Verzeih mir bitte, daß ich zu dir komme. Außer dir ist niemand da, an den ich mich wenden könnte.«

»Nimm nur, soviel du magst. Das wenigstens haben wir umsonst. Sirup kann ich dir nicht geben, aber Wasser, soviel du willst. Nimm nur. Wir feilschen nicht.«

Am Tisch wurde laut gelacht.

Als Jurij Andréitsch zum dritten Male kam, um den fünften oder sechsten Eimer Wasser zu holen, hatte sich der Ton schon etwas gewandelt, und das Gespräch ließ sich anders an als zuvor.

»Die Schwäger fragen, wer du bist. Ich sagte es ihnen; aber sie glauben mir nicht. Du kannst ruhig Wasser nehmen, sei unbesorgt. Nur darfst du nichts verschütten, Dummkopf. Sieh dich vor! Die Schwelle hast du mir schon bespritzt. Wenn das gefriert, wirst du gewiß nicht mit dem Brecheisen kommen und das Eis abschlagen. Auch die Tür dürftest du getrost fest zumachen, es zieht vom Hof herein. Jawohl, ich habe den Schwägern gesagt, wer du bist; sie wollen es nicht glauben. Soviel Geld hat man für dich ausgegeben! Da hast du nun studiert und studiert, und all diese Anstrengungen waren umsonst.«

Als Jurij Andréitsch zum fünften oder sechsten Male kam, machte Markel ein verdrießliches Gesicht.

»Na, einmal sollst du es noch haben; dann aber – Schluß! Man soll schließlich nichts übertreiben. Du hast hier eine Fürsprecherin, Marina, unsere Jüngste, sonst könntest du ein noch so feiner Mensch sein, die Tür blieb' dir doch verschlossen. Erinnerst du dich noch an Marina? Da sitzt sie, die kleine Schwarze am Tischende. Schau nur hin, wie sie rot wird! ›Kränke ihn nicht, Papachen‹, sagt sie. Als wenn man dir etwas zuleide tun würde! Marina ist Telegrafistin am Hauptpostamt; sie kann Fremdsprachen. ›Er ist unglücklich‹, sagt sie. Für dich wäre sie bereit, durchs Feuer zu gehen, so leid tust du ihr. Bin denn ich schuld daran, wenn nichts aus dir geworden ist? Du hättest nicht nach Sibirien ziehen und das Haus in diesen unsicheren Zeiten preisgeben sollen! Euch selber trifft die Schuld. Nimm dir ein Beispiel an uns. Wir haben die Hungersnot ertragen, während der ›Weißen Blockade‹ ausgehalten, ohne zu wanken, und wir sind heil und unversehrt. Jetzt kannst du dich selber anklagen. Deine Tonja hast du dir nicht erhalten können; die treibt sich im Ausland herum. Aber was geht's mich an! Es ist deine Sache. Nur sei mir nicht böse, wenn ich frage, was du mit all dem Wasser anstellen willst? Vielleicht hast du vor, aus dem Hof eine Eislaufbahn zu machen! Aber, was kümmert's mich. Deinetwegen werde ich mich nicht aufregen. Armer Kerl!«

Wieder wurde am Tisch laut gelacht. Marina streifte die anderen mit einem unzufriedenen Blick, wurde glühend rot und begann, ihnen Vorwürfe zu machen. Jurij Andréitsch hörte ihre Stimme und war überrascht; doch wußte er noch nicht um ihr Geheimnis.

»Im Hause muß geputzt werden, Markel. Man muß Ordnung halten. Die Fußböden. Dann will ich noch das eine oder andere bei mir waschen.« – Am Tisch tat man wieder erstaunt.

»Und du schämst dich nicht, so was zu sagen, geschweige denn so was zu tun, du chinesische Waschbude!«

»Jurij Andréitsch, erlauben Sie, daß ich meine Tochter zu Euch schicke. Sie wird kommen, wird die Wäsche waschen und in Ordnung bringen. Wenn irgend etwas zerrissen ist, wird sie es flicken und herrichten. Fürchte dich nicht vor ihm, Töchterchen. Er ist zartfühlend, nicht so wie die anderen. Keiner Fliege tut er etwas zuleide.«

»Nein, was sagen Sie da, Agafja Tichonowna! Das darf nicht sein. Niemals werde ich erlauben, daß Marina sich meinetwegen schmutzig macht. Sie ist doch keine Magd. Ich komme auch ohne sie zurecht.«

»Sie dürfen sich beschmutzen, Jurij Andréitsch, ich aber nicht? Wie sind Sie doch unzugänglich, Jurij Andréitsch. Warum weigern Sie sich? Und wenn ich mich bei Ihnen einlade, würden Sie mich dann hinaussetzen?«

Aus Marina hätte eine Sängerin werden können. Sie hatte eine klare, klangvolle, kräftige Stimme von ungewöhnlichem Umfang. Obwohl Marina nicht laut sprach, war ihre Stimme stärker, als die Unterhaltung es erforderte, und sie und Marina waren nicht eins, sondern die Stimme schien losgelöst und entfernt zu sein von der Gestalt, schien aus einem andern Zimmer hinter ihrem Rücken zu kommen. Diese Stimme war ihr Schutz, ihr Schutzengel. Wie hätte man die Frau, zu der sie gehörte, kränken oder beleidigen können?

Diese Ereignisse waren der Beginn der Freundschaft zwischen dem Doktor und Marina. Sie kam häufig zu ihm, um ihm im Haushalt zu helfen. Einmal blieb sie die Nacht über, und danach kehrte sie nicht mehr in die Wohnung ihrer Familie zurück. So wurde sie, ohne vor dem Gesetz anerkannt zu sein, Jurij Andréitschs dritte Frau, obwohl er von der ersten nicht geschieden worden war. Sie bekamen Kinder. Vater und Mutter Schapov nannten ihre Tochter nicht ohne Stolz ›Frau Doktor‹. Markel knurrte, daß Jurij Andréitsch sich mit Marina weder kirchlich noch standesamtlich trauen ließ. »Du bist ja toll geworden!« entgegnete ihm die Frau. »Was sollte man davon denken, wenn Antonina am Ende noch lebt? Das wäre Bigamie.« – »Du bist der Idiot«, erwiderte Markel. »Was geht uns Tonja an? Tonja ist so gut wie nicht vorhanden. Es gibt kein Gesetz, das sie in Schutz nimmt.«

Jurij Andréitsch sagte mitunter im Scherz, daß ihre Verbindung ein Roman von zwanzig Eimern sei, so wie es Romane gibt, die aus zwanzig Kapiteln oder zwanzig Briefen bestehen.

Marina verzieh dem Doktor seine Grillen, die wunderlichen Einfälle eines gescheiterten Menschen, der sich seines Scheiterns bewußt ist, den Schmutz und die Unordnung, die er um sich verbreitete. Sie ertrug sein Brummen, seine Empfindlichkeit und seine Mißlaunigkeit.

Ihre Selbstaufopferung aber reichte noch weiter. Als sie durch seine Schuld ins Unglück geraten und verarmt waren, gab Marina, um ihn in seiner schwierigen Verfassung nicht allein zu lassen, ihren Dienst auf, wo sie geschätzt wurde und wo man sie nach der erzwungenen Unterbrechung gern wieder aufgenommen hätte. Sie gab den Launen Jurij Andréitschs nach und begleitete ihn, während er seine Hilfe an den Türen anbot. Zusammen sägten sie den Mietern eines großen Hauses das Brennholz. Literaten, Künstler, Wissenschaftler, die gute Beziehungen zur Regierung unterhielten und vor allem diejenigen, die während der NEP durch Spekulation reich geworden waren, begannen sich in der Gegend niederzulassen und einzurichten. Eines Tages brachten Marina und Jurij Andréitsch einen Vorrat Holz in eine dieser Wohnungen. In ihren Filzstiefeln gingen sie behutsam über die Teppiche, um keine Sägespäne zu verstreuen. Der Hausherr saß an seinem Schreibtisch in irgendeine Lektüre versunken und schenkte weder dem Holzträger noch seiner Begleiterin einen Blick. Seine Frau hatte sie angestellt, überwachte ihre Arbeit und würde ihnen schließlich ihren Lohn auszahlen.

›Was liest der Kerl denn dort so Spannendes!‹ fragte sich der Doktor neugierig. ›Warum streicht er wie wütend mit seinem Bleistift darin herum?‹ Während er mit dem Holz um den Tisch herumging, warf er einen Blick über die Schulter des Lesenden. Auf dem Tisch lagen die Broschüren Jurij Andréitschs, die Wassja in der Akademie gedruckt hatte.

VII

Marina lebte mit dem Doktor in der Spiridonowka-Straße. Gordon hatte ein Zimmer in der Nähe in der Malaia Bronnaja gemietet. Marina und der Doktor hatten zwei Mädchen, Kapka und Klaschka. Kapitolina, Kapka genannt, war sieben Jahre, die kleine Clawdia oder Klaschka sechs Monate alt.

Der Sommer des Jahres 1929 setzte mit großer Hitze ein. Bekannte, die zwei oder drei Straßen voneinander entfernt wohnten, pflegten einander ohne Hüte und ohne Rock zu besuchen.

Gordons Zimmer war eigenartig angelegt. Irgendwann hatte dort im zweiten Stockwerk ein Modeschneider seine Werkstatt gehabt. Beide Etagen hatten nach der Straße zu ein großes Schaufenster, das in goldenen Buchstaben den Namen des Besitzers und die Bezeichnung seines Handwerks trug. Innen verband eine Wendeltreppe die beiden Stockwerke.

Aus den zwei Räumen dieser Werkstatt hatte man neuerdings drei gemacht. Aus Brettern und Bohlen war eine zweite Zimmerdecke geschaffen worden und so ein Zwischengeschoß entstanden, dessen Fenster ein sehr merkwürdiges Aussehen hatte: es war ein Meter hoch und begann unmittelbar über dem Fußboden. Zwischen den Resten der goldenen Buchstaben konnte man die Beine der Bewohner sehen. In diesem Zimmer lebte Gordon. Bei ihm saßen gerade Schiwago, Dudurov und Marina mit ihren Kindern. Im Unterschied zu den Erwachsenen sah man die Kinder in ganzer Größe im Fensterrahmen. Marina ging bald mit den Kindern fort, und die drei Männer waren nun allein.

Die Unterhaltung war wie die Jahreszeit, schläfrig und träge. Sie sprachen, wie ehemalige Schulkameraden zu sprechen pflegen, die nicht mehr wissen, wie viele Jahre ihre Freundschaft schon dauert. Es ist nicht schwer, sich ein Gespräch dieser Art vorzustellen.

Der eine oder andere verfügt wohl über einen hinreichenden Wortschatz, der ihn befriedigt. Er redet und denkt natürlich und zusammenhängend. Jurij Andréitsch war hier der einzige, auf den dies zutraf.

Seine Freunde konnten sich nur mit Mühe richtig ausdrücken. Sie waren keine Redner. Um über die Armseligkeit ihres Wortschatzes hinwegzutäuschen, gingen sie sprechend im Zimmer auf und ab, sogen an ihren Zigaretten, fuchtelten mit den Armen und wiederholten ein paarmal die gleichen Wendungen: »Das ist aber nicht ehrlich, Bruder: genau das – nicht ehrlich: jaja, unehrlich ist es!«

Es kam ihnen nicht zum Bewußtsein, daß diese höchst überflüssige Dramatik ihren Worten weder Temperament noch Schwung verlieh, sondern den Mangel und die Unvollkommenheit nur um so deutlicher hervorkehrte.

Sowohl Gordon wie Dudurov gehörten einem Kreis angesehener Professoren an. Sie hatten ihr Leben zwischen guten Büchern, ausgezeichneten Denkern, guten Komponisten verbracht, hatten gute Musik gehört und wußten nicht, daß mittelmäßiger Geschmack ein größeres Unheil ist als selbst die Geschmacklosigkeit.

Gordon und Dudurov wußten nicht, daß die Vorwürfe, mit denen sie Schiwago überhäuften, ihnen nicht vom Gefühl ihrer Ergebenheit dem Freunde gegenüber und vom Wunsche, ihn zu beeinflussen, eingegeben waren, sondern lediglich vom Unvermögen, frei zu denken und ein Gespräch nach ihrem Willen zu führen. Wie ein schwerfälliger, ungelenker Karren schlug ihre Unterhaltung, nachdem sie einmal in Schwung gebracht worden war, eine falsche Richtung ein. Sie vermochten nicht umzukehren, sie stießen auf ein Hindernis, an dem sie sich verletzten.

Es war Jurij Andréitsch, mit dem sie im Ungestüm ihrer Lehren und klugen Reden zusammenstießen.

Er wußte genau, wie es um die Kraft ihrer Emphase stand, er erkannte die Hinfälligkeit ihrer Teilnahme für ihn, er durchschaute den plumpen Mechanismus ihrer Argumente. Und dennoch konnte er ihnen nicht sagen: ›Liebe Freunde, wie heillos abgeschmackt ihr doch seid; ihr und der Kreis, den ihr repräsentiert, und der Glanz und die Kunst der Namen, auf deren Autorität ihr euch so oft beruft. Das einzig Besondere an euch ist, daß ihr in einer Zeit lebt mit mir und daß ihr mich kennt.‹ Was aber würde geschehen, wenn es möglich wäre, seinen Freunden Geständnisse dieser Art zu machen! Um sie nicht zu verärgern, hörte Jurij Andréitsch ihnen bescheiden zu.

Dudurov war gerade aus seiner ersten Verbannung zurückgekehrt. Man hatte ihn in alle seine Rechte wiedereingesetzt, und er konnte seine Vorlesungen an der Universität wiederaufnehmen.

Nun ließ er seine Freunde an den Empfindungen und den Zuständen seiner Seele teilnehmen. Er sprach zu ihnen aufrichtig und ohne Heuchelei. Seine Worte waren nicht durch Feigheit oder durch irgendeine unlautere Absicht eingegeben. Er sagte, daß die Begründungen der Anklage gegen ihn, seine Behandlung im Gefängnis und nach der Befreiung, besonders aber die Gespräche unter vier Augen mit dem Untersuchungsrichter ihm eine Lehre gewesen seien und ihn politisch umerzogen hätten. Für viele Dinge hätten sie ihm jetzt erst die Augen geöffnet, und er sei als Mensch durch seine Erlebnisse gereift. Gerade weil Dudurovs Ausführungen nichts weiter waren als abgedroschene Reden, bewegten sie Gordon. Er nickte teilnahmsvoll zu allem, was dieser sagte, und war vollkommen einverstanden. Gerade das Schablonenhafte seiner Worte und Empfindungen griff Gordon ans Herz. Die bequeme Allgemeingültigkeit dieser Platitüden hielt er für ein Zeichen von Universalität.

Dudurovs tugendsame Reden entsprachen durchaus dem Geist der Zeit. Aber gerade die Trivialität, die offenkundige Scheinheiligkeit empörten Jurij Andréitsch aufs äußerste. Der Unfreie pflegt immer seine Unfreiheit zu idealisieren. So war es im Mittelalter gewesen; damit hatten die Jesuiten gerechnet. Jurij Andréitsch konnte den politischen Mystizismus der sowjetischen Intellektuellen, den diese für ihre größte Errungenschaft und für den geistigen Überbau der Epoche hielten, nicht ertragen. Er verbarg dieses Gefühl vor seinen Freunden, um jeden Streit zu vermeiden.

Etwas anderes rief sein Interesse wach: Dudurov erzählte von Bonifaz Orlezow, seinem Gefährten in der Gefangenschaft, einem Priester und Anhänger des Patriarchen Tichon, der ein sechsjähriges Töchterchen, Christina mit Namen, hatte. Die Verhaftung und das fernere Schicksal des geliebten Vaters hatten das Kind tief erschüttert. Die Worte ›Götzendiener‹ oder ›Entrechteter‹ und ähnliches erschienen ihr als ein entehrender Makel. Vielleicht hatte sie sich irgendwann einmal in ihrem heißen Kinderherzen geschworen, diesen Flecken auf der Ehre und dem Namen des Vaters zu tilgen

Dieses Ziel, das sie so früh schon ins Auge gefaßt hatte, und dieser Entschluß, dessen Feuer mit niemals versiegender Kraft in ihr brannte, ließen sie schon jetzt in kindlicher Begeisterung für all das eintreten, was ihr am Kommunismus unwiderlegbar erschien.

»Ich gehe jetzt«, sagte Jurij Andréitsch. »Sei mir nicht böse, Mischa. Man erstickt hier, es ist zu heiß heute. Ich brauche dringend frische Luft.«

»Du siehst doch, daß dort unten am Fußboden die Luftklappe geöffnet ist. Verzeih, wir haben zuviel geraucht. Wir vergessen immer, daß man in deiner Gegenwart nicht rauchen darf. Ich bin ja nicht schuld daran, daß dieses Zimmer so unglücklich gebaut ist. Wenn du für mich ein anderes Zimmer findest . . .«

»Schon recht, mein lieber Gordoscha. Ich gehe. Wir haben uns genügend ausgesprochen. Ich danke euch, daß ihr euch um mich sorgt, Freunde. Das ist nicht Eigensinn bei mir. Ich bin krank, das wißt ihr, Herzsklerose. Die Kranzgefäße sind angegriffen, sie werden immer dünner und können eines schönen Tages platzen. Dabei bin ich noch nicht einmal vierzig. Ich trinke nicht und bin auch sonst nicht leichtfertig.«

»Du hast dein Sterbelied aber früh angestimmt. Das ist doch alles Unsinn. Du lebst gewiß noch lange.«

»Heutzutage sind solche mikroskopisch kleinen Blutergüsse im Herzen sehr verbreitet. Sie müssen nicht immer zum Tode führen. Heilung ist möglich bei diesem Leiden, das typisch ist für unsere Zeit. Ich glaube, daß seine Ursachen sittlicher Natur sind. Die Mehrzahl der Menschen ist heutzutage zu dauernder, bis zum System perfektionierter Heuchelei gezwungen. Ohne Folgen für die Gesundheit kann man nicht Tag für Tag genau das Gegenteil von dem tun, was man empfindet, mit Leib und Seele für das einstehen, was man nicht liebt, sich freuen über das, was einem Unglück bringt. Unser Nervensystem ist keine Fiktion, keine Illusion. Es ist ein aus unzähligen Fasern bestehendes organisches Gebilde. Unsere Seele hat einen Platz im Raum inne und ist in uns, wie die Zähne im Munde sind. Man kann sie nicht dauernd ungestraft vergewaltigen. Es ist mir schwergefallen, deinen Bericht über die Verbannung anzuhören, Dudurov: wie du durch sie gereift bist und wie sie dich umerzogen hat. Es ist, als wollte ein Pferd erzählen, wie es sich selbst durch die Manege geritten hat.«

»Ich muß für Dudurov Partei nehmen. Du bist es nicht mehr gewohnt, menschliche Worte zu vernehmen. Sie erreichen dich nicht mehr.«

»Das kann schon sein, Mischa, jedenfalls bitte ich, daß ihr mir verzeiht und mich gehen laßt. Es macht mir Mühe, Atem zu holen. Wirklich – ich übertreibe nicht.«

»Ach was, das sind nur Ausflüchte. Wir lassen dich nicht gehen, bevor du uns eine bestimmte, von Herzen aufrichtige Antwort gegeben hast. Siehst du ein, daß du dich ändern, daß du dein Leben umgestalten mußt? Was also willst du tun? Du mußt Klarheit in dein Verhältnis zu Tonja und zu Marina bringen. Das sind Lebewesen, Frauen, die fähig sind, zu leiden und zu empfinden, nicht aber wesenlose Ideen, die in deinem Kopf arbeiten und willkürliche Verbindungen eingehen. Außerdem ist es eine Schmach und Schande, daß ein Mensch wie du seine Fähigkeiten ungenutzt läßt. Du mußt aus dem Schlaf und aus deiner Trägheit erwachen, dich aufraffen, zu begreifen suchen, was geschieht, ohne allen Hochmut, der ohnehin durch nichts gerechtfertigt ist – jawohl, ohne diese ganz unerlaubte Anmaßung der Umwelt gegenüber mußt du deine Tätigkeit als Arzt wieder aufnehmen.«

»Also gut, ihr sollt meine Antwort hören. Ich habe selbst darüber in der letzten Zeit oft nachgedacht und kann euch, ohne schamrot zu werden, einiges versprechen. Ich denke, alles wird bald zu einem guten Ende kommen. Ihr werdet sehen. Nein, bei Gott, ich versichere euch, es wird alles gut werden. Ich habe den leidenschaftlichsten Willen zu leben; Leben aber bedeutet immer: dem Höheren, der Vollkommenheit entgegenstreben, sich emporschwingen und versuchen, den Gipfel zu erreichen.

Ich freue mich, Gordon, daß du dich für Marina einsetzt, so wie du früher immer Tonjas Partei ergriffen hast. Aber ich bin ja gar nicht mit ihnen uneins; ich lebe mit niemandem auf Kriegsfuß, mit ihnen nicht und mit keinem anderen Menschen. Du hast mir anfangs vorgeworfen, daß ich mich von ihr mit ›Sie‹ anreden lasse, während ich ›du‹ zu ihr sage und daß ich mich Jurij Andréitsch nennen lasse. Als wenn mir selbst das nicht peinlich gewesen wäre! Inzwischen aber ist längst die tiefe Unstimmigkeit, die der Grund dieses künstlichen, gespreizten Wesens war, beseitigt. Alles ist in Ordnung, und die Gleichheit ist wiederhergestellt.

Ich kann euch eine andere angenehme Neuigkeit mitteilen. Ich bekomme wieder Briefe aus Paris. Die Kinder sind herangewachsen, sie fühlen sich frei und glücklich inmitten ihrer französischen Altersgenossen. Schura wird demnächst die Grundschule, die école primaire, abschließen, und Manja fängt gerade an zu lernen. Ich kenne meine Tochter gar nicht. Ich weiß nicht warum, aber ich bin des sicheren Glaubens, daß sie, obwohl sie nun die französische Staatsangehörigkeit erworben haben, bald zurückkehren werden und daß alles wie durch Zauberspruch glücklich enden wird.

Vieles deutet daraufhin, daß mein Schwiegervater und Tonja über Marina und die Mädchen unterrichtet sind. Ich selber habe davon nicht gesprochen. Sie müssen von anderer Seite etwas gehört haben. Alexander Alexandritsch fühlt sich natürlich in seinen väterlichen Empfindungen gekränkt; es tut ihm leid für Tonja. Das erklärt wohl auch die fast fünfjährige Unterbrechung unserer Korrespondenz. Nach meiner Rückkehr nach Moskau habe ich eine Zeitlang mit ihnen regelmäßig Briefe gewechselt. Aber plötzlich hörten sie auf, mir zu antworten. Kein Wort mehr von ihnen.

Seit einiger Zeit aber erhalte ich wieder Briefe von drüben. Alle schreiben mir, sogar die Kinder. Warme, herzliche Briefe, irgendein Widerstand scheint beseitigt zu sein. Vielleicht hat sich in Tonjas Leben einiges geändert, vielleicht hat sie einen neuen Lebensgefährten dort gefunden – ich wünsche es ihr. Auch ich schreibe ihnen manchmal. Aber wahrhaftig, jetzt halte ich es hier nicht mehr aus – ich gehe, sonst bekomme ich einen Erstickungsanfall. Auf Wiedersehen!«

Tags darauf erschien Marina mehr tot als lebendig vom schnellen Laufen bei Gordon. Da sie niemanden kannte, dem sie ihre Töchter hätte anvertrauen mögen, trug sie die Jüngste, Clawdia, in eine Decke gehüllt im Arm und preßte sie an ihre Brust, während sie an der freien Hand Kapka hinter sich herzog, die sich widersetzte und nicht mitgehen wollte.

»Ist Jurij bei Ihnen, Mischa?« fragte sie mit fremder, unvertrauter Stimme. – »Hat er denn nicht zu Hause übernachtet?«

»Nein.«

»Nun, dann wird er bei Innokentij Dudurov sein.«

»Ich war dort. Innokentij hat an der Universität zu tun. Aber die Nachbarn kennen Jurij. Sie haben ihn nicht gesehen.«

»Seltsam, wo kann er nur sein?«

Marina legte Clawdia eingewickelt, wie sie war, auf den Diwan. Ein Nervenanfall ließ sie zusammenbrechen.

VIII

Zwei Tage lang wichen Gordon und Dudurov nicht von Marinas Seite. Sie wechselten einander in der Pflege ab, weil sie fürchteten, sie allein zu lassen. In der Zwischenzeit machten sie sich auf die Suche nach dem Doktor. Sie forschten überall, wo man ihn hätte vermuten können. Sie waren im Hause Siwzews, im Mutschnoj Gorodok, und fragten nach ihm in allen Akademien und Lehranstalten, wo er früher einmal gearbeitet hatte. Auch seine alten Bekannten besuchten sie, deren Adressen sie ausfindig machen konnten, obwohl sie nur wenig von ihnen wußten. Aber alles war vergebens.

Der Polizei erstatteten sie keine Anzeige, um die Behörden nicht an einen Menschen zu erinnern, der zwar gemeldet war und niemals vor Gericht gestanden hatte, der aber im Licht der gegenwärtig herrschenden Ideen alles andere als ein Vorbild darstellte. Sie beschlossen, die Polizei nur im äußersten Falle zu Hilfe zu rufen. Am dritten Tage erhielten Marina, Gordon und Dudurov nacheinander jeder einen Brief von Jurij Andréitsch. Er bedauerte darin, ihnen Unruhe und Sorgen bereitet zu haben und bat, ihm zu verzeihen und sich zu beruhigen, und beschwor sie, ihre Nachforschungen nach ihm einzustellen, da sie ohnehin zu nichts führen würden.

Er sprach davon, daß er, um sein Schicksal zu bedenken und sein Leben neu zu begründen, eine Zeitlang in der Einsamkeit bleiben wolle, um alle Gedanken auf die Fragen seines Daseins richten zu können; sobald er sich gefunden habe und sobald er davon überzeugt sei, daß es nach der Umwälzung keine Rückkehr mehr zum alten geben könne, werde er sein geheimes Versteck aufgeben und zu Marina und den Kindern zurückkehren.

An Gordon schrieb er, daß er ihm Geld für Marina überwiesen habe. Er bat ihn, eine Erzieherin für die beiden Kinder zu suchen, um Marina zu entlasten und ihr die Möglichkeit zu geben, ihre alte Arbeit wiederaufzunehmen. Er erklärte, daß er das Geld nicht unmittelbar an ihre Adresse überwiesen habe, weil er befürchtete, daß die genannte Summe, ehe sie in ihren Händen sein werde, gestohlen werden könnte.

Bald traf das Geld ein. Die Summe ging weit über die Verhältnisse des Doktors hinaus und setzte sogar seine Freunde in Erstaunen.

Man nahm ein Mädchen für die beiden Kinder, und Marina erhielt wieder ihre Anstellung auf dem Telegrafenamt. Lange Zeit konnte sie sich nicht beruhigen, aber da sie von früher her an mancherlei Seltsamkeiten Jurij Andréitschs gewöhnt war, fand sie sich zuletzt auch mit diesem eigenwilligen Einfall ab. Trotz seiner Bitten und Warnungen stellten Gordon, Dudurov und Marina die Suche nach ihm nicht ein; aber sie mußten sich davon überzeugen, daß des Doktors Vorhersagen richtig waren. Sie fanden ihn nicht.

IX

Inzwischen lebte er nur wenige Schritt von ihnen entfernt, sozusagen vor ihrer Nase und allen sichtbar, fast im Zentrum des Kreises ihrer Nachforschungen.

Als er am Tage seines Verschwindens noch vor Anbruch der Dämmerung bei Gordon aufgebrochen war und die Bronnaja erreicht hatte, um nun in die Spiridonovka einzubiegen, hatte er noch keine hundert Schritte getan, als er auf seinen Stiefbruder Jewgraf Schiwago stieß. Jurij Andréitsch hatte ihn länger als drei Jahre nicht gesehen und nichts von ihm gehört. Es stellte sich heraus, daß der Zufall Jewgraf vor wenigen Tagen nach Moskau geführt hatte. Wie immer schien er vom Himmel gefallen, und er blieb unzugänglich für alle Fragen, denen er mit einem stummen Lächeln oder mit einem Scherz auszuweichen verstand. Hingegen brachte er es fertig, ohne sich mit Einzelheiten abzugeben, durch zwei oder drei an Jurij Andréitsch gerichtete Fragen sich über dessen kümmerliche und ungeordnete Verhältnisse Klarheit zu verschaffen. Ohne Zögern begann er, an Ort und Stelle, an den schmalen Biegungen der gewundenen Gasse, im Gedränge der sie überholenden und ihnen entgegenkommenden Fußgänger, einen praktischen Plan zu entwerfen, um seinem Bruder zu helfen und ihn zu retten. Jewgrafs Idee war es gewesen, Jurij Andréitsch möge sich fürs erste in die Verborgenheit zurückziehen.

Er mietete für Jurij Andréitsch ein Zimmer in der Gasse, die noch immer Kammerherrnstraße hieß, neben dem Künstlertheater. Er versorgte ihn reichlich mit Geld und machte Anstalten, ihm einen guten Posten in einem Krankenhaus zu verschaffen, der es ihm erlauben würde, seine Forschungen zu betreiben. Er tat alles, um seinem Bruder das Leben zu erleichtern. Endlich versprach er, daß er sich nach Kräften bemühen werde, ihn und seine Familie wieder zusammenzuführen. Entweder müsse Jurij Andréitsch zu ihnen reisen, oder sie würden zu ihm kommen. Jewgraf versicherte, er werde sich der Sache annehmen und alles einrichten. Die Unterstützung durch den Bruder beflügelte Jurij Andréitsch. Wie immer blieb es rätselhaft, woher ihm, Jewgraf, Macht und Einfluß kamen; aber Jurij Andréitsch versuchte nicht, in das Geheimnis einzudringen.

X

Das Zimmer lag nach Süden. Zwei Fenster öffneten sich auf die Dächer der Häuser, die dem Theater gegenüberlagen. Weit hinten, hoch über Ochótnoje, stand die Sommersonne, die das Pflaster der engen Gasse im Schatten ließ. Für Jurij Andréitsch war das Zimmer mehr als nur ein Arbeitsraum, mehr als ein Büro. In dieser Zeit einer fast maßlosen Aktivität, als seine Pläne und Entwürfe nicht mehr in flüchtigen Notizen, die sich auf dem Tisch häuften, festzuhalten waren, und die Bilder, die er im Geiste formte und in geahntem Umriß vor sich sah, in den Ecken des Raumes, gleichsam in der Luft schwebend verharrten, so wie im Atelier eines Künstlers angefangene Arbeiten in großer Zahl herumstehen, da war das Zimmer des Doktors ein Festsaal des Geistes, ein Schuppen der Unvernunft und ein Vorratshaus ungeahnter Einsichten und Entdeckungen.

Glücklicherweise zogen sich die Verhandlungen mit der Direktion des Krankenhauses in die Länge; und der Zeitpunkt, zu dem der Doktor seine Arbeit aufnehmen sollte, rückte in eine unbestimmte, ferne Zukunft. Er konnte also schreiben und den unerwarteten Aufschub, der ihm gewährt war, ausnutzen.

Jurij Andréitsch begann damit, diejenigen Arbeiten von früher auszuführen und zu verändern, von denen ihm entweder Bruchstücke im Gedächtnis geblieben waren, oder die Jewgraf im Manuskript oder in einer Abschrift sich von irgendwoher zu verschaffen wußte und ihm überbrachte. Die Ungleichartigkeit dieser Fragmente zwang Jurij Andréitsch, seine Kräfte noch mehr zu zerstreuen, als es ohnehin schon von Natur seine Art war. Bald legte er diese Arbeiten beiseite, unterließ es, das unvollendet gebliebene Werk zu beenden, und ging, angeregt durch seine letzten Entwürfe, zu Neuem über.

Stets legte er einen Aufsatz zuerst in seinen Grundzügen fest, in der Art jener flüchtigen Notizen, die er während seines Aufenthalts in Warykino gemacht hatte, und schrieb wohl auch einzelne Verse oder Strophen auf, die ihm gerade einfielen: so standen, bunt und zufällig gemischt, die Anfangszeilen neben den Schlußzeilen eines Gedichts und dem Mittelteil eines anderen. Manchmal fiel es ihm schwer, dem schnellen Strom der Eingebungen zu folgen, die sich überstürzten und den Worten, die er abgekürzt in hastigen Zügen auf das Papier warf, davoneilten. Er schrieb im Fluge. Wenn seine Phantasie ermattete und die Arbeit sich verzögerte, begann er, die Ränder des Blattes mit flüchtig hingestrichelten Zeichnungen zu bedecken, um sich anzuregen und anzuspornen. Er zeichnete Waldschneisen und städtische Straßenkreuzungen, wo ein Reklameplakat zu sehen war mit der Aufschrift ›Moro und Witschinkin. Sämaschinen, Dreschmaschinen‹.

Die Aufsätze und Gedichte behandelten alle ein Thema: die Stadt.

XI

Man fand später unter seinen Papieren folgende Aufzeichnung: »Als ich 1922 nach Moskau zurückkam, fand ich es verödet und halb zerstört. So war es aus den Prüfungen der ersten Revolutionsjahre hervorgegangen, so ist es bis heute geblieben. Die Bevölkerung ist spärlicher geworden. Man errichtet keine Neubauten mehr, die alten Häuser werden nicht instand gehalten.

Aber selbst in dieser Gestalt bleibt es eine große, moderne Stadt, das geistige Zentrum einer wahrhaft neuen und gegenwärtigen Kunst. Das ungeordnete Aufzählen von äußerlich unvereinbaren Gegenständen und Begriffen, die willkürlich zusammengebracht zu sein scheinen, wie es bei den Symbolisten, bei Block, Verhaeren und Whitman zu beobachten ist – diese Eigentümlichkeit ist keineswegs Ausdruck stilistischer Willkür. Sie stellt eine neue Ordnung des Sehens, der Wiedergabe von Eindrücken dar, die unmittelbar aus dem Leben und der Natur herrühren.

Wie diese Dichter Reihen von Bildern in ihren Versen an uns vorüberziehen lassen, so wogt die geschäftig belebte Straße einer Stadt des ausgehenden neunzehnten Jahrhunderts hin und her und treibt ihre Menschenmassen, ihre Karossen und Wagen an uns vorüber, die zu Beginn unseres Jahrhunderts abgelöst werden von den Waggons der elektrischen Straßenbahnen und Untergrundbahnen.

Für das Hirtenidyll ist hier kein Raum. Seine falsche Einfalt ist literarischer Betrug, artifizielle Manier, ein theoretisches Phänomen, das niemals in lebendiger Berührung mit der Landschaft gestanden, vielmehr seinen Ursprung in akademischen Bücherschränken hat. Die lebendige, vom Leben geformte Sprache, die auf natürliche Weise mit dem Geist unserer Zeit übereinstimmt, ist die Sprache der Städte.

Ich wohne hier an einer belebten Straßenkreuzung der Stadt. Es ist Sommer. Der bis zur Weißglut erhitzte Asphalt der Höfe, das Sonnenlicht, das an den Glasscheiben der oberen Stockwerke in Reflexen versprüht, das Aufblühen der Wolken und die Boulevards, ganz Moskau, von der Sonne geblendet, wirbelt um mich herum, macht mich schwindlig und fordert, daß ich zu seinem Ruhme auch die anderen in diesen Taumel stürze. Dafür hat es mich erzogen und mir die Kunst in die Hand gegeben.

Die Tag und Nacht lärmend bewegte Straße und die Seele unseres Zeitalters gehören ebenso eng zusammen wie die aufklingende Ouvertüre und der geschlossene Bühnenvorhang, der noch erfüllt ist von Geheimnis und Dunkelheit und der doch schon im Rampenlicht verheißungsvoll erglüht. Die Stadt, die jenseits der Türen und Fenster unablässig brandet und tost, ist die gewaltige Einleitung unseres Lebens. Das sind die Züge, die ich ihrem Bilde geben will.«

In dem Heft mit Gedichten Schiwagos, das nach seinem Tode gefunden wurde, standen keine Verse dieser Art. Vielleicht gehörte das Gedicht ›Hamlet‹ dahin?

XII

Ende August stieg Jurij Andréitsch eines Morgens an der Haltestelle der Gasetnaja in die Straßenbahn, die die Nikitskaja entlang von der Universität zur Kudrinskaja fährt. An diesem Tage sollte er seinen Dienst im Botkin-Krankenhaus antreten, das damals noch Soldatenkrankenhaus genannt wurde.

Jurij Andréitsch hatte kein Glück. Der Wagen, in dem er saß, war
defekt, und immer wieder gab es Aufenthalte. Bald war ein Bauernkarren mit seinen Rädern im Gleise steckengeblieben und sperrte
die Durchfahrt, bald war unterhalb des Wagens oder auf dem
Wagendach ein Isolator schadhaft, so daß es einen Kurzschluß
gab und irgend etwas knatternd verbrannte. Der Wagenführer
stieg oft, mit einem Schraubenschlüssel versehen, von seinem Sitz
herab, ging um den stehengebliebenen Wagen herum, bückte
sich und kroch zwischen die Räder, um unter der hinteren Plattform Teile des Motors zu reparieren. Das unglückliche Gefährt
ließ auf der ganzen Linie den Verkehr stocken. Schon war die
Straße gesperrt von haltenden Straßenbahnen, deren Zahl ständig
wuchs. Die Reihe reichte bereits bis zur Manege und zog sich bald
noch weiter hin. Die Passagiere der hinteren Züge stiegen in den
ersten ein, der die Störung verursacht hatte, weil sie glaubten, auf
diese Weise Zeit zu sparen. Der Morgen war heiß, und man meinte,
inmitten des Gedränges zu ersticken. Über den Köpfen der Menge,
die von einem Wagen zum andern drängte, schob sich blauschwar-
zes Gewölk aus der Richtung des St.-Nikita-Tores am Himmel
zusammen. Ein Gewitter kündigte sich an.
Jurij Andréitsch saß auf einer Bank der linken Seite gegen ein Fenster gedrückt. Das Trottoir der Nikitskaja, an der sich das Konservatorium befand, konnte er die ganze Zeit überblicken. Unwillkürlich musterte er die Fußgänger und Fahrenden, die auf dieser
Seite vorüberzogen. Keiner entging seinem Blick.
Eine alte, grauhaarige Dame mit einem Hut aus hellem Stroh, den
Margeriten und Kornblumen schmückten, und in einem fliederfarbenen, altmodisch enganliegenden Kleide, atmete hastig und
fächelte sich mit einem flachen Paket, das sie in der Hand trug,
Kühlung zu. Sie war in ein Korsett gepreßt und litt qualvoll unter
der Hitze. Schweißüberströmt wischte sie sich mit einem Spitzen-
tüchlein die feuchten Brauen und Lippen. Ihr Weg führte sie
entlang der Fahrbahn. Jurij Andréitsch hatte sie schon einige
Male aus den Augen verloren, da die reparierte Straßenbahn wieder anfuhr und sie überholte. Immer wieder jedoch erspähte er
sie, sobald eine Störung die Straßenbahn abermals zum Halten
zwang und die Dame den Vorsprung einholte.
Jurij Andréitsch erinnerte sich an die Schulaufgaben, bei denen
es galt, die Geschwindigkeit und die Ankunftszeit zweier Züge zu

berechnen, die nicht gleichzeitig abgefahren sind und sich mit unterschiedlicher Schnelligkeit vorwärts bewegen. Er versuchte, sich die Methode der Lösung zu vergegenwärtigen, aber es gelang ihm nicht. Diese Überlegungen führten ihn unversehens zu anderen, die noch verwickelter waren.

Er dachte an den Lebensablauf erwachsener Menschen, und wie diese Menschen sich auf verschiedenen Bahnen bewegen, und er fragte sich, in welchem Augenblick das Schicksal den einen über den andern hinaushebt und wer den andern überlebt. Er begriff, daß auch in der Arena des Lebens eine Art Relativitätsprinzip bestimmend wirkt. Dann aber fand er sich in seinen verwickelten Vorstellungen nicht mehr zurecht und gab sich diesen vergleichenden Betrachtungen nicht länger hin.

Ein Blitz zuckte auf, der Donner grollte. Die unglückselige Straßenbahn war wieder einmal stehengeblieben. Die Dame im lila Kleid erschien einen Augenblick später innerhalb des Fensterrahmens, schritt an der Straßenbahn entlang und entfernte sich. Die ersten schweren Tropfen fielen auf das Trottoir, die Fahrbahn und auf die Dame. Ein Windstoß wirbelte den Staub auf, zauste die Bäume, warf einen Haufen Blätter durcheinander, riß der Dame beinahe den Hut vom Kopf und verfing sich in ihren Kleidern. Dann wurde es still.

Der Doktor fühlte, wie ihm plötzlich übel wurde und seine Sinne zu schwinden drohten. Er kämpfte die Schwäche nieder, stand von seiner Bank auf und versuchte, durch scharfes Anziehen des Fensterriemens das Wagenfenster zu öffnen. Aber seine Anstrengungen waren vergebens.

Man rief ihm zu, daß das Fenster gar nicht aufzumachen sei. Da er aber noch immer gegen seinen Schwächeanfall ankämpfte und ihn plötzlich ein Gefühl der Beklemmung und der Angst erfaßt hatte, begriff er nicht, daß diese Rufe ihm galten, und verstand ihren Sinn nicht. Noch immer versuchte er, das Fenster zu öffnen, und wieder riß er nach allen Seiten an dem Riemen, als er plötzlich einen unbekannten, unstillbar wilden Schmerz in seinem Inneren spürte. Da begriff er, daß etwas in ihm zerrissen war, daß mit dieser Bewegung sich sein Schicksal erfüllte und daß dies das Ende war. In diesem Augenblick fuhr der Wagen wieder an. Doch blieb er wenig später abermals stehen.

Mit übermenschlicher Willensanstrengung bahnte sich Jurij Andréitsch schwankend einen Weg durch die dichtgedrängte Menge im Mittelgang und erreichte schließlich die hintere Plattform. Man wollte ihn nicht durchlassen und beschimpfte ihn. Es kam ihm vor, als habe die einströmende Luft ihn erfrischt, als sei vielleicht doch noch nicht alles verloren, als fühle er sich schon etwas wohler.

Er drängte sich nun durch die Masse auf der hinteren Plattform hindurch, beschwor aufs neue Flüche, Schmähungen und Verwirrung herauf und wurde von allen Seiten gestoßen. Ohne auf die Rufe zu achten, strebte er dem Ausgang zu, stieg aus der haltenden Straßenbahn, machte einen Schritt, einen zweiten, noch einen, und brach auf dem Steinpflaster zusammen, um sich nicht wieder zu erheben.

Man lärmte und redete hin und her; man schalt und gab gute Ratschläge. Einige Leute waren von der Plattform heruntergestiegen und umringten den Doktor. Bald hatte man festgestellt, daß er nicht mehr atmete und daß sein Herz nicht mehr schlug. Passanten verließen den Bürgersteig, um sich der Gruppe zu nähern. Einige fühlten sich erleichtert, andere schienen enttäuscht, daß der Mann nicht verstümmelt war und sein Tod nichts mit der Straßenbahn zu tun hatte. Immer dichter wurde das Gedränge. Die Dame in Lila trat hinzu, stand eine Weile da, blickte den Toten an, hörte auf die Reden der Leute und ging weiter. Sie war Ausländerin, aber sie hatte verstanden, daß die einen rieten, den Entseelten in die Straßenbahn zu heben und ins Krankenhaus zu fahren, während andere meinten, man müsse die Polizei benachrichtigen. Sie setzte ihren Weg fort, ohne abzuwarten, welchen Entschluß man faßte.

Die Dame in Lila war Französin: Mademoiselle Fleury aus Melusejewo. Sie war alt, sehr alt geworden. Zwölf Jahre lang hatte sie sich mit Bittgesuchen um die Erlaubnis bemüht, in ihre Heimat zurückzukehren. Vor kurzem hatte sie die Bewilligung erhalten. Sie war nach Moskau gekommen, um sich das Ausreisevisum zu besorgen. An diesem Tage begab sie sich zur Botschaft ihres Landes, und unterwegs fächelte sie sich mit den Dokumenten, die von einem Band zusammengehalten wurden, Kühlung zu. Und so schritt sie dahin, wurde zum zehnten Mal von der Elektrischen überholt und ahnte nicht, daß sie Schiwago überholt und überlebt hatte.

Blickte man vom Korridor durch die halb offenstehende Tür, so konnte man eine Ecke des Zimmers sehen, in der schräg ein Tisch stand. Auf dem Tisch, das untere, schmale Ende der Tür zugekehrt, befand sich ein Sarg, der wie ein grobgezimmerter Kahn aussah; gegen dieses Ende stemmten sich die Füße des Toten. Es war derselbe Tisch, an dem Jurij Andréitsch sonst zu schreiben pflegte. Einen anderen gab es im Zimmer nicht. Die Manuskripte hatte man in eine Schublade gelegt und den Sarg auf den Tisch gehoben. Die Kopfkissen waren hoch aufgeschichtet, und der Leichnam lag in dem Sarg wie auf dem Abhang eines Hügels.

Blumen häuften sich ringsum, ganze Büsche des damals noch seltenen weißen Flieders, Alpenveilchen, Zinnerarien in Töpfen und in Körben. Die Blumen fingen das Licht auf, von dem nur ein schwacher Schein auf das wachsbleiche Gesicht und die Hände des Toten, auf das Holz und auf die Beschläge des Sarges fiel. Auf dem Tisch bildeten die Schatten, die eben erst zur Ruhe gekommen zu sein schienen, spielerisch ein schönes Muster.

Der Brauch, die Toten einzuäschern, war damals sehr verbreitet. In der Hoffnung, eine Rente für die Kinder zu erhalten, und weil man fürchtete, ihnen auf irgendeine Weise in der Schule und Marina in ihrem Dienstverhältnis zu schaden, war auf alle kirchlichen Zeremonien verzichtet worden, und man hatte beschlossen, sich auf die bürgerliche Einäscherung zu beschränken. Man hatte sich an die zuständige Organisation gewandt und erwartete deren Vertreter.

Sie waren noch nicht erschienen, und das Zimmer stand leer wie eine Wohnung, die von ihren alten Mietern verlassen wurde und nun auf den Einzug der neuen wartet. Diese Stille wurde nur unterbrochen durch die behutsamen, leisen Schritte derjenigen, die auf Zehenspitzen eingetreten waren, um dem Toten die letzte Ehre zu erweisen. Es waren nicht viele, immerhin mehr, als man hätte annehmen sollen. Die Nachricht vom Tode eines Menschen, dessen Name fast unbekannt war, hatte sich mit einer Geschwindigkeit, die ans Wunderbare grenzte, verbreitet. Viele Menschen waren gekommen, die Schiwago zu verschiedenen Zeiten seines Lebens gekannt hatten und die er später aus den Augen verloren und vergessen hatte. Zahlreicher noch waren die unbekannten Bewunderer seiner wissenschaftlichen Lehren und seiner Kunst. Nie zuvor hatten sie diesen Mann, zu dem sie sich hingezogen fühlten, gesehen; nun waren sie gekommen, um ihn zum ersten und gleichzeitig zum letzten Mal zu erblicken.

In diesen Stunden, da das allgemeine Schweigen, das keine feierliche Handlung unterbrach, den Verlust, den diese Menschen erfahren hatten, fast wie etwas Körperliches spürbar werden ließ, waren es allein die Blumen, die den Gesang und den Trauergottesdienst ersetzten. Es war nicht genug, daß jede für sich blühte und duftete. Wie im Chor verströmten sie ihren flüchtigen Balsam und beschleunigten dadurch vielleicht den Zerfall des Körpers. Allen teilten sie von ihrer duftenden Kraft mit, und es war, als ob sie eine heilige Handlung vollzögen.

Es ist so leicht, sich vorzustellen, daß das Reich der Pflanzen dem des Todes benachbart ist. Hier, auf der grünenden Erde, zwischen den Bäumen des Friedhofs, inmitten der aus den Beeten aufsteigenden Blumen, schließen sich vielleicht alle Geheimnisse der Verwandlung und alle Rätsel des Lebens, mit denen wir uns abmühen, zusammen. Als Jesus aus dem Grabe auferstand, erkannte Maria ihn zuerst nicht und hielt ihn für einen Gärtner, der über den Friedhof ging: »Sie meinte, es sei der Gärtner ...«

XIV

Als der Verstorbene in das Haus in der Kammerherrnstraße gebracht worden war, wo er zuletzt gelebt hatte, und als die durch die Nachricht von seinem Tode erschütterten Freunde sich in der weit geöffneten Wohnung versammelt hatten, da war Marina, die ihnen folgte, lange Zeit wie von Sinnen und ihrer selbst nicht mehr mächtig; sie wälzte sich auf dem Boden und schlug mit dem Kopf gegen den Rand einer langen Truhe, die im Vorzimmer stand und als Sitzgelegenheit diente. Dort lag der Leichnam, während man auf den Sarg wartete und ein Nebenzimmer gesäubert und aufgeräumt wurde. Marina weinte und schluchzte, flüsterte und schrie auf, und ihre Worte, die wie das Weinen der Klageweiber klangen, schienen sie zu ersticken. Wie das Volk, das sich in seiner Trauer hemmungslos und ohne Scheu vor fremden Menschen gehenläßt, kannte sie im Ausdruck ihres Schmerzes kein

Maß. Marina hatte sich an dem Körper des Toten festgekrallt, und es war unmöglich, sie von ihm wegzureißen. Der Leichnam sollte in das andere Zimmer getragen werden, das man inzwischen hergerichtet und von unnützem Mobiliar befreit hatte. Dort bettete man ihn nach der Leichenwäsche in den Sarg, der gerade eingetroffen war. Alles das war noch am Sterbetag geschehen. Am Morgen danach war Marina ruhiger, und der Schmerz wich allmählich einer stumpfen Niedergeschlagenheit. Immer noch schien sie verstört, und kein Wort kam aus ihrem Munde.

Den ganzen gestrigen Tag und die Nacht über hatte sie sich nicht von der Stelle gerührt. Einige Male hatte man ihr die kleine Clawdia gebracht, die sie stillte. Auch Kapka und das Küchenmädchen waren gekommen.

Um sie waren ihre Freunde Dudurov und Gordon, die ihren Schmerz teilten. Neben sie auf die Bank setzte sich ihr Vater Markel, der leise schluchzte und sich geräuschvoll schneuzte. Auch ihre Mutter und ihre Schwester kamen, setzten sich an ihre Seite und weinten. Dann waren da noch zwei Menschen in der allgemeinen Flut, ein Mann und eine Frau, die sich von den anderen unterschieden. Sie drängten sich nicht vor, um dem Toten besonders nahe zu sein, und in ihrem Schmerz wetteiferten sie nicht mit Marina, ihren Töchtern und den Freunden des Verstorbenen. Obwohl diese beiden in keinem verwandtschaftlichen Verhältnis zu dem Verstorbenen standen, schienen sie doch ein besonderes Anrecht auf ihn zu haben. Niemand wagte, an ihre unbegreifliche und unsichtbare Vorrangstellung zu rühren und sie ihnen streitig zu machen. Sie waren es ohne Zweifel, die für das Begräbnis sorgten. Mit unerschütterlicher Ruhe nahmen sie sich der Sache an, als bereite es ihnen eine gewisse Genugtuung.

Diese vornehme Gesinnung fiel allen auf und hinterließ einen seltsamen Eindruck. Es hatte den Anschein, daß diese Menschen nicht nur an dem Begräbnis, sondern auch an diesem Tode beteiligt waren; nicht so, daß sie in irgendeiner Weise dafür die Verantwortung trügen! Aber nach allem, was geschehen war, schienen sie ihr Einverständnis zu dem Ereignis gegeben, sich mit ihm ausgesöhnt zu haben und ihm keine entscheidende Bedeutung mehr beizumessen. Wenigen waren sie bekannt; andere errieten, welche Bewandtnis es mit ihnen hatte; die meisten beachteten sie nicht. Sobald aber dieser Mann mit seinen durchdringenden, schmalen Kirgisenaugen und diese Frau in ihrer mühelosen Schönheit das Zimmer, in dem der Sarg stand, betreten hatten, machten alle, die da saßen oder standen, sogar Marina, ohne ein Wort und wie auf Verabredung Platz, erhoben sich von den an den Wänden aufgestellten Stühlen und Hockern und drängten in den Korridor und in das Vorzimmer hinaus, während der Mann und die Frau hinter den geschlossenen Türen allein blieben wie zwei Eingeweihte, die berufen sind, in der Stille und in heiliger Abgeschiedenheit eine ernste Handlung zu vollziehen. – Sie saßen sich auf zwei Hockern an der Wand gegenüber und begannen zu sprechen:

»Was haben Sie in Erfahrung gebracht, Jewgraf Andréitsch?«

»Die Einäscherung findet heute abend statt. In einer halben Stunde wird eine Abordnung des Ärzte-Berufsverbandes kommen und den Leichnam in das Klubgebäude überführen. Für vier Uhr ist die Gedenkfeier angesetzt. Kein einziges Dokument war in Ordnung. Sein Arbeitsbuch war ungültig, der Mitgliedsausweis des Berufsverbandes ebenfalls; die Beiträge waren jahrelang nicht entrichtet worden. Das alles mußte geregelt werden. Daher der Aufschub und die Verzögerungen. Bevor der Sarg aus dem Hause gebracht wird – es ist gleich soweit; wir müssen uns bereit halten –, lasse ich Sie hier allein, wie Sie mich gebeten haben. Hören Sie? Ein Telefonanruf. Entschuldigen Sie mich bitte für einen Augenblick.«

Jewgraf Schiwago begab sich in den Korridor, der gedrängt voll war von unbekannten Berufskollegen, ehemaligen Schulkameraden, Angestellten des Krankenhauses und Buchdruckern. Marina war da, die beiden Kinder im Arm, die sie mit einem Mantel zugedeckt hatte, denn es war ein kalter Tag, und von der Tür zog es herein. Sie saß am Rande einer Bank und wartete darauf, daß die Tür sich öffnen würde, so wie die Frau eines Gefangenen wartet, bis die Wache sie in das Besuchszimmer eintreten läßt. Im Korridor war es sehr eng, und nur ein Teil der Besucher hatte dort Platz gefunden. Die Tür zur Treppe stand offen. Viele Leute gingen im Vorzimmer und auf dem Flur hin und her und rauchten. Auf der Treppe, die hinunterführte, wurde die Unterhaltung immer lauter und freier, je näher man der Straße kam.

Jewgraf mußte in dem dumpfen Stimmengewirr aufmerksam hinhören. Mit gedämpfter Stimme, wie es der Anstand forderte, sprach er in den Apparat und gab, indem er mit der Hand die Öffnung der Muschel abschirmte, über Einzelheiten des Begräbnisses und über die näheren Umstände beim Tode des Doktors Bescheid. Dann kehrte er in das Zimmer zurück, und das unterbrochene Gespräch wurde fortgesetzt.

»Bitte, gehen Sie nicht nach der Einäscherung fort, Larissa Fjodorowna; ich habe eine große Bitte an Sie. Ich weiß nicht, wo Sie wohnen. Ich muß unbedingt wissen, wo ich Sie finden kann. Ich will in der allernächsten Zeit, morgen oder übermorgen, damit beginnen, den schriftlichen Nachlaß meines Bruders zu ordnen. Ich werde Ihrer Hilfe bedürfen. Sie wissen so vieles und sicherlich mehr als alle anderen. Sie sagten, daß Sie erst vorgestern aus Irkutsk gekommen sind und sich nicht lange in Moskau aufhalten wollen. Sie sagten, daß Sie aus einem anderen Grunde in diese Wohnung gekommen seien, zufällig, ohne zu ahnen, daß mein Bruder hier in den letzten Monaten gelebt hat, und ohne von den Ereignissen etwas zu wissen. Einen Teil Ihrer Worte konnte ich nicht verstehen. Ich bitte um keine Erklärung, aber ich beschwöre Sie, gehen Sie nicht einfach fort; ich kenne Ihre Adresse nicht. Es wäre das beste, wenn wir diese paar Tage, die wir mit dem Ordnen der Manuskripte zubringen werden, unter einem Dach wohnen oder zumindest nicht weit voneinander entfernt, vielleicht in zwei anderen Zimmern dieses Hauses. Das läßt sich wohl einrichten. Ich kenne den Hausverwalter.«

»Sie sagen, daß Sie mich nicht verstanden haben. Was ist an meinen Erzählungen unverständlich? Ich kam nach Moskau. Ich gab meine Sachen in Aufbewahrung; ich gehe durch die Straßen der Altstadt; die Hälfte von ihnen erkenne ich nicht wieder – ich habe vieles vergessen. Schließlich gerate ich in die Kusnezkaja, und plötzlich, fast mit Schrecken, erkenne ich jene Straße wieder, die mir wie keine andere vertraut gewesen ist, die Kammerherrngasse. Hier hatte Antipov, mein Mann, der erschossen wurde, als Student ein Zimmer gemietet, gerade dieses Zimmer, in dem wir sitzen. Nun, dachte ich, ich will hinaufgehen; vielleicht sind die alten Wohnungsinhaber noch am Leben. Daß man sich ihrer nicht einmal mehr erinnert und daß hier alles anders geworden ist, das habe ich durch viele Fragen erst später erfahren. Am folgenden Tag und heute. Aber Sie waren ja dabei – warum erzähle ich es also? Ich war wie vom Donner gerührt; die Tür zur Straße war geöffnet, das Zimmer voller Menschen, ein Sarg, im Sarge ein Toter. Wer mag es wohl sein? Ich trete ein, trete näher heran und glaube den Verstand zu verlieren oder zu träumen. Aber Sie waren ja Zeuge von allem, nicht wahr? – Warum erzähle ich es Ihnen dann?«

»Warten Sie, Larissa Fjodorowna – ich muß Sie unterbrechen. Ich habe Ihnen schon gesagt, daß weder ich noch mein Bruder jemals nur von fern geahnt haben, wieviel wundersame Erinnerungen mit diesem Zimmer verbunden sind: daß, um nur ein Beispiel zu nennen, Antipov hier früher einmal gewohnt hat. Doch noch mehr hat mich eine Bemerkung erstaunt, die Sie beiläufig machten. Zu Beginn des Bürgerkrieges war von Antipov unter dem Pseudonym Strelnikov, das er während der Revolution angenommen hatte, häufig, fast täglich die Rede. Ein- oder zweimal bin ich mit ihm zusammen gewesen, ohne freilich zu ahnen, wie nahe er mir einmal stehen würde. Sie verzeihen, vielleicht habe ich mich verhört, aber sprachen Sie nicht davon – in diesem Falle hätten Sie sich geirrt –, daß Antipov erschossen wurde? Wissen Sie denn nicht, daß er Selbstmord begangen hat?«

»Das wird zwar behauptet; aber ich glaube nicht daran. Es ist unmöglich, daß sich Pawel Pawlowitsch das Leben genommen hat.«

»Es ist dennoch so. Wie mir mein Bruder erzählte, hat sich Antipov in dem kleinen Hause erschossen, von dem aus Sie nach Jurjatino und weiter nach Wladiwostok fuhren. Bald nach Ihrer Abreise ist es geschehen. Mein Bruder hat ihn gefunden und begraben. Sollten Sie davon wirklich nichts erfahren haben?«

»Mir ist anders berichtet worden. Dann könnte es also doch wahr sein, daß er sich das Leben genommen hat? Viele sagten es, aber ich habe nicht daran geglaubt. Und in demselben Häuschen? Das kann nicht sein! Was Sie mir da erzählen, klingt sehr seltsam. Verzeihen Sie, Sie wissen nicht, ob sie sich getroffen haben, er und Schiwago, und miteinander gesprochen haben?«

»Nach dem, was Jurij mir berichtet hat, haben sie ein langes Gespräch miteinander geführt.«

»Wirklich? Gott sei Dank. Das ist gut.« Sie bekreuzigte sich langsam. »Welch erstaunliche, wunderbare, himmlische Fügung! Sie werden mir erlauben, noch einmal darauf zurückzukommen und Sie nach allen Einzelheiten zu fragen? Der geringste Umstand ist mir wichtig. Aber jetzt bin ich nicht mehr dazu imstande. Nicht wahr? Ich bin sehr erregt. Ich kann nicht länger sprechen; ich brauche Ruhe, um mich zu sammeln, nicht wahr?«

»Aber gewiß, selbstverständlich. Ich bitte Sie.«

»Nicht wahr?«

»Ja, natürlich.«

»Ach, nun hätte ich es fast vergessen. Sie baten mich, nach der Einäscherung nicht fortzugehen. Gut. Ich verspreche es Ihnen. Ich gehe bestimmt nicht weg. Ich komme mit Ihnen in diese Wohnung zurück. Wie Sie es einrichten mit einer Unterkunft für mich, wird es mir recht sein, und ich werde so lange bleiben, wie es nötig ist. Wir werden gemeinsam Schiwagos Manuskripte durchsehen. Ich will Ihnen helfen. Und ich zweifle nicht, daß ich nützlich sein kann. Das wäre für mich ein großer Trost! Mit jeder Fiber meines Herzens, jedem Nerv empfinde ich die feinste Schwingung seiner Schrift. Außerdem bin ich auf Ihre Hilfe angewiesen, ich brauche Sie, nicht wahr? Sie sind doch Jurist, wenn ich nicht irre, jedenfalls sind Sie mit den Gesetzen vertraut, mit den älteren und den neuen. Es ist so wichtig zu wissen, an welche Behörde man sich mit einer bestimmten Anfrage zu wenden hat. Kein Mensch findet sich darin zurecht. Ich muß Sie in einer heiklen Angelegenheit um Rat fragen. Es geht um ein Kind. Doch davon später, wenn wir aus dem Krematorium zurück sind. Mein ganzes Leben lang bin ich gezwungen, irgend jemanden zu suchen, nicht wahr? Sagen Sie – wenn es darum geht, die Spuren eines Kindes zu finden, das zur Erziehung fremden Händen anvertraut wurde – gibt es für solche Fälle eine Zentrale, von der aus Nachforschungen in den Archiven aller Kinderheime der Sowjetunion angestellt werden können? Oder hat vielleicht der Staat Listen mit den Namen aller verlassenen Kinder anlegen lassen? Aber antworten Sie nicht gleich, ich flehe Sie an. Später, später. Oh, wie furchtbar, wie ist es furchtbar! Welch eine furchtbare Sache doch das Leben ist, nicht wahr? Ich weiß nicht, wie es weitergehen soll, wenn meine Tochter kommt, aber einstweilen kann ich wohl in dieser Wohnung bleiben. Katja ist sehr begabt fürs Theater und außerordentlich musikalisch; sie versteht es wundervoll, alle Leute nachzuahmen, und sie spielt ganze Szenen, die sie selbst erfunden hat. Außerdem singt sie nach dem Gedächtnis ganze Opernpartien. Sie ist wirklich ein erstaunliches Kind, nicht wahr? Ich möchte sie sehr gern in einen vorbereitenden Kursus der Schauspielschule oder des Konservatoriums geben: dorthin jedenfalls, wo sie in den Kreis der Zöglinge fest aufgenommen wird. Deshalb bin ich gekommen, einstweilen noch ohne sie, um diesen Plan ins Werk zu setzen, dann reise ich wieder ab. Man kann nicht alles erzählen, nicht wahr? Aber wir werden später noch einmal darüber sprechen. Jetzt will ich warten, bis meine Erregung sich gelegt hat, will still sein, meine Gedanken sammeln und versuchen, meiner Ängste Herr zu werden. Außerdem haben wir Juras Anverwandte und Freunde im Korridor stehen lassen. Das geht nicht. Zweimal, bilde ich mir ein, wurde an die Tür geklopft, und man hörte von draußen Bewegung und Lärm. Sicherlich sind die Leute vom Beerdigungsinstitut gekommen. Ich bleibe einstweilen hier und besinne mich. Öffnen Sie inzwischen die Tür und lassen Sie sie alle eintreten. Es ist an der Zeit. Nicht wahr? Halt, einen Augenblick noch! Wir müssen einen Schemel neben den Sarg stellen, sonst wird man nicht an Jurotschka heran können. Ich habe es auf den Zehenspitzen versucht, aber es ist mir kaum gelungen. Marina Markelowna und die Kinder werden ihn sicher brauchen. So will es außerdem die Sitte: ›Und küsset mich mit dem letzten Kuß.‹ Oh, ich ertrage es nicht länger. All der Schmerz. Es ist zuviel. Nicht wahr?«

»Ich lasse gleich alle herein. Aber vorher noch ein Wort. Sie haben soviel Rätselhaftes gesagt und so viele Fragen aufgeworfen, die Sie sichtlich quälen, daß ich um eine Antwort verlegen bin. Eines aber sollen Sie wissen. Von ganzem Herzen gern will ich Ihnen in allem behilflich sein. Und denken Sie daran: niemals und unter keinen Bedingungen dürfen wir verzweifeln. Zu hoffen und zu handeln – das ist unsere Pflicht im Unglück. Tatenlose Verzweiflung bedeutet soviel wie die Pflicht vergessen und sich ihr entziehen. Ich hole sofort die Leute herein, die von Jurij Abschied nehmen wollen. Und was das Bänkchen betrifft, so haben Sie recht. Ich werde mich darum kümmern und es hierhin stellen.«

Aber die Antipova hörte seine Worte nicht mehr. Sie hörte nicht, wie Jewgraf Schiwago die Tür des Zimmers öffnete und wie die Schar der Trauergäste aus dem Korridor hereindrängte, hörte nicht seine Unterredung mit den Leuten vom Beerdigungsbüro und mit den Hinterbliebenen, hörte auch nicht den Lärm der Schritte, das Schluchzen Marinas, das Räuspern der Männer, das laute Weinen der Frauen und ihr Aufschreien.

Sie fühlte sich in einen Strudel gleichförmiger Töne hineingerissen, und ihr wurde übel. Sie spannte alle Kräfte an, um nicht ohnmächtig zusammenzubrechen. Ihr Herz schien zu zerreißen, und ein wahnsinniger Kopfschmerz quälte sie. Sie ließ den Kopf sinken und gab sich ihren Gedanken, Erinnerungen und Ahnungen hin. Sie verlor sich in ihnen, sie ließ sich von ihnen überfluten, und für Stunden war es, als lebe sie in einer anderen Zeit, einer um Jahrzehnte entfernten Zukunft, die sie vielleicht nicht mehr erreichen würde. In diesem Augenblick war sie eine alte Frau. In ihren Gedanken wurde sie hinabgeworfen bis in die letzten Tiefen ihres Unglücks. ›Niemand ist geblieben. Der eine ist gestorben. Der andere hat sich das Leben genommen.‹ Und nur der ist am Leben, den man hätte umbringen müssen; der, den sie erfolglos zu töten versucht hatte; dieser nichtswürdige, unnütze Mensch, dessen Leben zu einer Kette der unwahrscheinlichsten Verbrechen geworden ist. Und dieses Ungeheuer an Gewöhnlichkeit treibt in mythischen Winkeln Asiens, die allenfalls Briefmarkensammlern bekannt sind, sein unruhiges Wesen. Aber von denen, die ihr nahestehen und die sie braucht, ist keiner mehr da.

Ach ja, um Weihnachten war es gewesen, bevor sie beschlossen hatte, die Pistole auf dieses Scheusal an Schlaffheit zu richten. Hier in diesem Zimmer hatte sie damals im Dunkeln mit Pascha, der noch ein Kind war, ein Gespräch geführt; und Jurij, von dem jetzt Abschied genommen wird, war damals noch nicht in den Kreis ihres Lebens getreten.

Sie versuchte angestrengt, sich jenes Gespräch am Weihnachtsabend mit Paschenjka vorzustellen; aber sie vermochte sich an nichts mehr zu erinnern, außer an die Kerze, die auf dem Fensterbrett brannte und um deren Flamme herum sich auf der vereisten Fensterscheibe ein feuchter Kreis gebildet hatte.

Konnte sie ahnen, daß der Tote auf dem Tisch, als er damals hier vorübergefahren war, dieses kleine Auge und die Kerze gesehen hatte? Daß das Schicksal sich dieser von außen erblickten Flamme – ›die Kerze brannte auf dem Tisch, die Kerze brannte‹ – bedienen würde, um sein Leben auf den ihm vorgezeichneten Weg zu führen?

Ihre Gedanken zerstreuten sich. Sie dachte: ›Wie schade, daß ihm kein kirchliches Begräbnis zuteil wird. Die Zeremonie ist so erhaben und feierlich! Die meisten Toten sind ihrer nicht würdig, aber Jurij hat sie verdient! Und er verwandelt deine Klage in ein Halleluja. Der Gesang hätte ihn erlöst, und alles wäre gut mit ihm geworden.‹

Und sie fühlte in sich eine Welle des Stolzes und der Erleichterung aufsteigen wie jedesmal, wenn sie an Jurij dachte, und wie damals, in den kurzen Zeiten ihres Zusammenlebens. Der Hauch von Freiheit und Unbeschwertheit, der immer von ihm ausging, umgab sie auch jetzt. Ungeduldig erhob sie sich von dem Hocker, auf dem sie gesessen hatte. Etwas Unbegreifliches ging in ihr vor. Sie hatte das Verlangen, sich mit seiner Hilfe in die Freiheit, in reinere Lüfte aufzuschwingen, die Ketten des Leids, die sie niederzwangen, abzustreifen, sei es auch nur für einen Augenblick. Wie früher wollte sie das Glück der Befreiung erleben. Dieses Glück, diese Befreiung würden der Abschied von ihm sein, die Gelegenheit und das Recht, sich ungestört und uneingeschränkt dem Schmerz hinzugeben und um ihn zu weinen.

Und mit der Ungeduld der Leidenschaft ließ sie ihren Blick über die Menge schweifen, einen vom Schmerz gebrochenen Blick, der blind war und tränenschwer wie ein Auge, in das brennende Tropfen geträufelt wurden; und alle, die da waren, gerieten in Bewegung, schneuzten sich, traten zur Seite, gingen hinaus und ließen sie endlich hinter der geschlossenen Tür allein. Sie aber bekreuzigte sich rasch und trat an den Tisch, stieg auf das Bänkchen, das Jewgraf dort hingestellt hatte, schlug dreimal groß und langsam das Zeichen des Kreuzes über dem Toten und küßte ihm Stirn und Hände. Sie spürte nicht, daß die erkaltete Stirn kleiner geworden zu sein schien, wie eine zur Faust geballte Hand. Es war gut, daß sie es nicht bemerkte. Eine Zeitlang verharrte sie unbeweglich; sie sprach nicht, sie dachte und weinte nicht, sie bedeckte die Mitte des Sarges, die Blumen und den Leichnam mit ihrem Körper, mit ihrem Kopf, ihrer Brust und ihren Händen, die groß waren wie ihre Seele.

XV

Von verhaltenem Schluchzen bebte ihr ganzer Leib. Sie kämpfte lange dagegen an, aber plötzlich verließen sie ihre Kräfte, die Tränen brachen hervor und flossen über ihr Gesicht, auf ihr Kleid, ihre Hände und den Sarg, an den sie sich klammerte.

Noch immer sprach und dachte sie nicht. Gedanken, Vorstellungen, Erkenntnisse drängten sich ihr auf, zogen wie Wolken am Himmel vorüber, genauso, wie es damals in ihren nächtlichen Gesprächen geschehen war. Das hatte sie damals beseligt und befreit: ihr brennendes Wissen, das nicht vom Verstand her kam und das einer dem andern einprägte – instinktiv und unmittelbar.

Wieder war sie erfüllt von diesem dunklen, unbestimmten Wissen um den Tod und die furchtlose, gelassene Bereitwilligkeit. Es war, als hätte sie schon zwanzigmal gelebt und ebensooft Jurij Schiwago verloren, als hätte sie in ihrem Herzen so viele Erfahrungen angesammelt, daß alles, was sie empfand und an diesem Sarg tat, richtig war.

Oh, welche Liebe zwischen ihnen beiden! Frei, unerhört, unvergleichlich! Sie dachte so, wie andere vor sich hinsingen.

Sie liebten einander nicht, weil sie nicht anders konnten, nicht ›von der Leidenschaft entflammt‹, wie es wohl heißt, wenn die Liebe falsch und unwahr dargestellt wird. Sie liebten einander, weil alles ringsum es wollte: die Erde unter ihren Füßen, der Himmel über ihren Köpfen, die Wolken und die Bäume. Vielleicht gefiel der Welt ringsum ihre Liebe noch mehr als ihnen selbst: den Unbekannten auf der Straße, den Fernen mit ihren unendlichen Wegen, den Zimmern, in denen sie wohnten und einander trafen.

Und das war das Wesentliche, was sie einander nahebrachte und einte! Niemals, selbst nicht in den Augenblicken besinnungslosen Glückes, verließ sie die größte ergreifendste Empfindung: das selige Bewußtsein, daß auch sie die Schönheit der Welt bilden halfen, daß zwischen ihnen als einem Teil des Ganzen und dem Universum in seiner Schönheit eine tiefe Entsprechung herrschte.

Diese Harmonie war das Prinzip ihres Lebens. Die Erhöhung des Menschen über die ganze andere Natur, die modische humanitäre Überheblichkeit und die Vergötterung des Menschen berührten sie darum nicht. Die Prinzipien eines verlogenen Kults der Gesellschaft, übertragen auf die Politik, waren in ihren Augen erbärmlich und unverständlich.

XVI

Die Worte, mit denen sie nun von ihm Abschied nahm, waren die schlichten, alltäglichen Worte einer lebhaften, vertraulichen Unterhaltung, die die Grenzen des Wirklichen verwischt, Worte, die nicht sinnvoller waren als die Chöre und Monologe der Tragödien, als Verse, als Musik, und alle uns vertrauten Formen des Ausdrucks, die nur dadurch gerechtfertigt sind, daß jedes Gefühl nach einem Ausdruck verlangt. Auch die Spannung ihrer leichten, spontanen Unterhaltung war an eine vertraute Form des Ausdrucks gebunden: an ihre Tränen, in denen diese alltäglichen Worte ertranken.

Diese tränenfeuchten Worte schienen von selbst zu einem zärtlichen, raschen Geflüster zusammenzufließen, das wie das Rauschen des Windes in seidigem, feuchtem, von warmem Regen verwirrtem Laub klang:

»Jetzt sind wir wieder vereint, Jurotschka. Gott hat es gewollt, daß wir uns unter diesen Umständen wiedersehen. Wie entsetzlich, denk doch nur! Oh, ich kann nicht mehr! O mein Gott! Ich weine unaufhörlich! Denk nur, wir haben wieder etwas, das uns gemäß ist, das im Buch unsres Schicksals steht. Dein Fortgang, mein Ende. Wieder etwas Großes, Unabänderliches! Das Rätsel des Lebens, das Rätsel des Todes, der Zauber des Genius, der Zauber der Nacktheit, das alles haben wir verstanden. Was aber die kleinlichen Geschäfte der Welt, die Umgestaltung des Erdballs etwa, anbelangt, so müssen wir bedauern, daß sie unsere Sache nicht sind.

Leb wohl, du mein Großer, du mein Stolz, mein Geliebter, leb wohl, du mein rasch dahinfließender tiefer Fluß! Wie liebte ich, deine Wellen zu umarmen, wie liebte ich es, mich in deine kühle Flut zu stürzen!

Erinnerst du dich, wie ich damals im Schnee von dir Abschied nahm? Wie hast du mich getäuscht! Wäre ich denn je ohne dich gefahren? Oh, ich weiß, du tatest es meinetwegen, aber es ging über deine Kraft. Und dann brach alles zusammen. O Gott, was habe ich erleben und erleiden müssen! Aber von alldem weißt du nichts. Oh, was habe ich angerichtet, was habe ich angerichtet! Ich bin eine Verbrecherin, wie du sie dir fürchterlicher nicht ausdenken kannst! Aber mich trifft die Schuld nicht. Drei Monate lag ich damals im Krankenhaus, davon einen Monat ohne Bewußtsein. Seit der Zeit ist mein Leben dahin, Jura. Die Seele findet keine Ruhe vor Qual und Reue. Aber das Wesentliche sage ich nicht; das enthülle ich nicht. Davon zu sprechen geht über meine Kraft. Wenn ich an diesen Punkt meines Lebens rühre, sträuben sich mir vor Entsetzen die Haare. Ich kann nicht einmal mit Sicherheit sagen, ob ich noch vollkommen normal bin. Aber sieh, ich trinke nicht, wie so viele andere, so weit lasse ich es mit mir nicht kommen, denn eine betrunkene Frau ist das Ende, das Unmögliche, nicht wahr?«

Und sie sprach weiter, schluchzte und litt. Plötzlich erhob sie erstaunt den Kopf und blickte umher. Im Zimmer hatten sich schon längst wieder Leute eingefunden, die besorgt und unruhig waren. Sie stieg von dem kleinen Bänkchen herunter und trat wankend vom Sarge zurück, sie fuhr mit der Handfläche über ihre Augen, und es war, als wollte sie einen Rest unausgeweinter Tränen herausdrücken, um sie auf den Fußboden zu schütten.

Dann traten die Männer an den Sarg und hoben ihn auf drei ausgespannten Tüchern empor. So begann die Bestattung.

XVII

Larissa Fjodorowna verbrachte einige Tage in der Kammerherrnstraße. Sie war bei der Durchsicht der Papiere dabei, wie sie es mit Jewgraf Andréitsch besprochen hatte, doch wartete sie den Abschluß der Arbeit nicht ab. Die Unterredung mit Jewgraf Andréitsch, um die sie ihn gebeten hatte, kam zustande. Er erfuhr von ihr ein wichtiges Geheimnis.

Eines Tages ging Larissa Fjodorowna aus dem Haus und kehrte nicht mehr zurück. Vielleicht war sie auf der Straße verhaftet worden, und sie starb oder verschwand irgendwo als eine Namenlose, eine beliebige Nummer auf einer verlorengegangenen Liste, in einem der zahllosen Konzentrationslager des Nordens.

Epilog

I

Es war im Sommer 1943 nach dem Durchbruch am Bogen von Kursk und nach der Entsetzung von Orel. Major Dudurov und Gordon, der gerade zum Unterleutnant befördert worden war, kehrten einzeln zu ihrer gemeinsamen Truppeneinheit zurück. Beide kamen aus Moskau; Dudurov war in dienstlicher Mission dort gewesen, Gordon hatte einen dreitägigen Urlaub in der Stadt verbracht.

Auf der Rückreise hatten sie sich getroffen, und sie übernachteten in Tscherni, einem kleinen Städtchen, das zwar geplündert worden, aber dem Schicksal der meisten Ortschaften dieser ›Wüstenzone‹, die der Gegner auf seinem Rückzug dem Erdboden gleichgemacht hatte, entgangen war.

Zwischen den Ruinen, den Haufen zerbrochener Ziegel und zu Staub zermahlenen Gesteins hatten sie eine heile Scheune gefunden. Dort wollten sie die Nacht verbringen.

Sie konnten nicht schlafen und unterhielten sich fast die ganze Nacht hindurch. Etwa um drei, als es schon anfing zu tagen, wurde Dudurov, der eben eingeschlafen war, dadurch geweckt, daß Gordon sich neben ihm zu schaffen machte. Mit den Bewegungen eines ungeschickten Schwimmers wühlte und grub Gordon in dem weichen Heu, um seine Habe zusammenzusuchen und sein Bündel zu schnüren. Dann kroch er ebenso ungeschickt von dem Heuhaufen herab zum Eingang.

»Wohin gehst du? Es ist noch früh.«

»Zum Fluß. Ich will meine Wäsche waschen.«

»Du bist wohl verrückt; heute abend sind wir bei unserer Truppe. Tanja, die Wäscherin, wird dir frisches Zeug zum Wechseln geben. Wozu die Eile?«

»Ich will's nicht länger aufschieben. Ich habe stark geschwitzt, und meine Wäsche ist schmutzig. Es ist heiß heute morgen. Ich spüle das Zeug schnell durch und wringe es tüchtig aus; die Sonne trocknet es dann im Handumdrehen. Inzwischen bade ich.«

»Aber weißt du, ganz richtig ist es nicht. Schließlich bist du Offizier!«

»Es ist noch früh. Alles schläft. Ich suche mir ein Plätzchen hinter einem Gebüsch. Niemand wird mich sehen. Leg du dich nur wieder aufs Ohr. Du bringst dich um den Schlaf, wenn du noch lange redest.«

»Jetzt kann ich ohnehin nicht mehr einschlafen. Ich begleite dich.« So gingen sie gemeinsam an den Fluß, vorbei an den weißen Ruinen, die in der heißen Morgensonne glühten. Inmitten der ehemaligen Straßen lagen auf dem Boden ausgestreckt, in der prallen Sonne, einige Leute und schliefen mit lautem Schnarchen. Die Gesichter waren gerötet und mit Schweiß bedeckt. Die meisten von ihnen waren Ortsbewohner, Greise, Frauen und Kinder, deren Häuser zerstört waren; doch befanden sich auch einige Soldaten unter ihnen, die den Anschluß an ihre Truppe verloren hatten und sie nun wieder einzuholen suchten. Gordon und Dudurov gingen vorsichtig zwischen den Schlafenden hindurch und achteten auf ihre Schritte, um niemanden zu verletzen.

»Sprich doch leiser, du weckst sonst die ganze Stadt, und dann ist es aus mit meiner Wäscherei.«

Mit gedämpfter Stimme setzten sie nun ihr nächtliches Gespräch fort.

II

»Welcher Fluß ist das?«

»Ich weiß nicht. Ich habe nicht danach gefragt. Vermutlich die Suscha.«

»Nein, die Suscha ist es bestimmt nicht.«

»Nein, dann kann ich es dir nicht sagen.«

»An der Suscha hat Christina ihre Heldentat vollbracht.«

»Ja, aber weiter stromabwärts. Die Kirche soll sie heilig gesprochen haben.«

»Dort stand ein steinernes Gebäude, das der ›Pferdestall‹ genannt wurde. In der Tat war es ehemals ein Pferdestall, der zu einer Kolchose gehörte. Der Name ist in die Geschichte eingegangen.

Ein alter Pferdestall mit dicken Mauern. Die Deutschen hatten ihn zu einer uneinnehmbaren Festung ausgebaut. Von hier aus konnten sie das ganze umliegende Land unter Feuer nehmen. Dadurch wurde unser Vormarsch aufgehalten. Der Pferdestall mußte unter allen Umständen erobert werden. Christina vollbrachte Wunder an Tapferkeit und Scharfsinn. Es gelang ihr, in die befestigte Stellung einzudringen und sie in die Luft zu sprengen. Sie wurde von den Deutschen gefangengenommen und gehängt.«

»Warum heißt sie Christina Orlezowa und nicht Dudurova?«

»Wir waren noch nicht verheiratet. Im Sommer 1941 hatten wir uns verlobt. Nach dem Ende des Krieges wollten wir heiraten. Dann irrte ich mit unserer geschlagenen Armee umher. Meine Einheit wurde immer wieder verlegt. So verlor ich sie aus den Augen, um sie niemals wiederzusehen. Von ihrer kühnen Tat und ihrem Heldentod erfuhr ich, wie wir alle, nur durch Zeitungsmeldungen und Tagesbefehle. Irgendwo in dieser Gegend soll ihr ein Denkmal errichtet werden. Ich habe gehört, daß der General Schiwago, Jurijs Bruder, sich in der Nähe aufhält, um Material über sie zu sammeln.«

»Verzeih bitte, daß ich das Gespräch auf sie gebracht habe. Für dich ist es sicher sehr schwer.«

»Darum geht es nicht. Aber wir reden zuviel. Ich will dir nicht weiter im Wege sein. Zieh dich aus, geh ins Wasser und tue, was du vorhast. Ich strecke mich inzwischen hier am Ufer aus mit einem Halm zwischen den Zähnen; ich will träumen, vielleicht schlafe ich auch noch einmal ein.«

Nach einigen Minuten kam das Gespräch wieder in Gang.

»Wo hast du eigentlich das Waschen gelernt?«

»In der Not lernt man vieles. Wir hatten kein Glück. Wir gerieten ausgerechnet in das übelste aller Straflager. Nicht viele kamen mit dem Leben davon. Gleich nach unserer Ankunft ging es los. Unsere Gruppe wurde aus den Waggons geholt. Schneewüste ringsum. In der Ferne – Wald. Bewachungsmannschaft in Bereitschaft mit gesenktem Gewehr; Wachhunde. Fast gleichzeitig mit uns wurden andere Gruppen Gefangener herangeführt. Man ließ uns auf dem Feld in einem riesigen Viereck Aufstellung nehmen, den Rücken zur Mitte, damit einer den anderen nicht sehen konnte. Dann wurde befohlen, daß wir niederknieten. Jeder Verstoß gegen das Verbot, zur Seite zu blicken, sollte die sofortige

Exekution des Betreffenden zur Folge haben. Dann begann die endlose, entwürdigende Prozedur des namentlichen Aufrufens, die sich über Stunden erstreckte. Und wir die ganze Zeit über auf den Knien! Schließlich ließ man uns aufstehen. Die anderen Gruppen wurden abgeführt, uns gab man bekannt: ›Das hier ist euer Lager. Richtet euch ein, wie ihr wollt.‹ Ein Schneefeld unter freiem Himmel; in der Mitte ein Pfahl mit der Aufschrift: ›Gulag 92 I a 90‹.«

»Nein, wir hatten es dagegen leichter. Das Glück begünstigte uns. Für mich war es ja schon die zweite Gefängnisstrafe, die notwendig auf die erste folgen mußte. Diesmal ging es um einen anderen Paragraphen, dementsprechend waren auch die Bedingungen andere. Nach meiner Entlassung wurde ich rehabilitiert und bekam wieder die Erlaubnis, an der Universität zu dozieren. Beim Ausbruch des Krieges wurde ich als Major eingezogen; und ich kam nicht, wie du, in ein Regiment für Vorbestrafte.«

»Ja. Ein Pfahl mit dem Zeichen ›Gulag 92 I a 90‹ und sonst nichts. In der ersten Zeit mußten wir bei Frost mit bloßen Händen Stangenholz brechen, um Hütten daraus zu bauen. Nun ja, du wirst es kaum glauben, aber nach und nach haben wir ohne fremde Hilfe unser eigenes Straflager gebaut. Wir haben Bäume gefällt, unsere Unterstände errichtet, haben Palisadenzäune gezogen, Gefängnisse und Wachttürme gebaut – alles wir allein. Wir mußten als Holzfäller arbeiten. Ganze Wälder wurden abgeschlagen. Zu acht spannten wir uns vor den Schlitten, um die Stämme fortzuschaffen, nicht selten versanken wir dabei bis zur Brust im Schnee. Lange haben wir nicht gewußt, daß der Krieg ausgebrochen war. Man verheimlichte es uns. Aber dann hieß es eines Tages, daß, wer als Freiwilliger mit einem Strafgefangenenregiment an die Front geht und sich in dauerndem Kampf bewährt, die Freiheit erhalten würde. Und dann – ein Angriff nach dem anderen, kilometerweit elektrisch geladener Stacheldraht, Minen, Minenwerfer, Granatwerfer, Monat für Monat im Trommelfeuer! Nicht umsonst nannte man uns Todeskommandos. Bis zum letzten Mann wurden wir niedergemäht. Wie habe ich's überstanden? Wie habe ich's überlebt? Dennoch, mußt du wissen, war diese blutige Hölle ein Paradies, verglichen mit den Greueln des Konzentrationslagers; durchaus nicht wegen der schwierigen Lebensbedingungen, sondern aus einem andern Grunde.«

»Ja, mein Lieber, dir haben sie bös mitgespielt.«

»Hier ging es nicht ums Wäschewaschen; hier konntest du alles erlernen, was du nur wolltest.«

»Erstaunlich! Nicht nur für dich als Konzentrationslagerinsassen, sondern für uns alle, die wir in den dreißiger Jahren, in den Jahren der Freiheit, ein Leben des Wohlbefindens mit Universitätstätigkeit, mit Büchern, Geld und Bequemlichkeit geführt hatten, brach der Krieg wie ein Sturm der Läuterung und Befreiung mit einem frischen Luftstrom herein.

Ich meine, die Kollektivierung war eine falsche, eine mißglückte Maßnahme, aber den Fehler konnte man schlecht eingestehen. Um den Mißerfolg zu verheimlichen, mußte man den Menschen mit allen Mitteln der Einschüchterung das Denken und Urteilen abgewöhnen und sie dazu nötigen, Dinge zu sehen, die es gar nicht gab und die dem Augenschein widersprachen. Von hier stammte die beispiellose Härte der Politik, die Proklamation einer Konstitution, die jedoch nie verwirklicht wurde, die Einführung von Wahlen, die aber nicht nach dem Wahlprinzip aufgebaut waren. Als dann der Krieg ausbrach, erwiesen sich die realen Greuel, die reale Gefahr und die Bedrohung durch den realen Tod als ein Segen im Vergleich zu der unmenschlichen Herrschaft des bloß Erdachten, und das schaffte dann Erleichterung; denn durch ihn wurde die zauberische Macht des toten Buchstabens in Grenzen gehalten. Nicht nur die Konzentrationslagerinsassen, wie du, atmeten freier auf, sondern alle in der Etappe und an der Front waren von dem Gefühl wahrer Glückseligkeit erfüllt und stürzten sich in den Hochofen des grausamen Kampfes, der zum Tode führen konnte und zur Erlösung.

Der Krieg ist ein besonderes Glied in der Kette der Revolutionsjahrzehnte. Die Wirkung der Ursachen, die unmittelbar in der Natur des Umsturzes lagen, hatte aufgehört.

Auch andere indirekte Ergebnisse zeigten sich – eine Frucht der Früchte, eine Folge der Folgen. Die durch die Not verursachte Stählung der Charaktere der jungen Generation, ihr Heldentum, ihre Bereitschaft zum Großen, Verzweifelten, Unerhörten. Das sind märchenhafte, erstaunliche Tugenden, die jetzt zur Blüte gekommen sind.

Diese Beobachtungen erfüllen mich mit einem Glücksgefühl, trotz des Martertodes von Christina, trotz meiner Verwundungen und unserer Verluste, des hohen, blutigen Preises des Krieges. Die

Aureole des Opfertodes, die Christinas Ende wie unser aller Leben umgibt, hilft mir, ihren Verlust zu ertragen.

Zur gleichen Zeit, als du armer Kerl unzählige Martern ertragen mußtest, kam ich frei. Die Orlezowa war um diese Zeit als Studentin der historischen Fakultät eingetragen. Ich leitete die Sektion, welche sie gewählt hatte. Schon lange vorher, nach meiner ersten Gefangenschaft im Konzentrationslager, als sie noch ein Kind war, hatte ich meine Aufmerksamkeit auf dieses Mädchen gerichtet. Noch als Jurij lebte, du erinnerst dich, habe ich davon gesprochen. Nun ja, jetzt kam sie also als meine Hörerin zu mir.

Damals war es zur Mode geworden, daß die Lehrer von ihren Schülern verunglimpft wurden. Die Orlezowa stürzte sich mit Feuereifer darauf. Gott allein weiß, warum sie mich so wütend in Grund und Boden kritisierte. Ihre Angriffe waren so hartnäckig, so ungerecht, so wütend, daß die andern Studenten sich mitunter gegen sie wandten und für mich eintraten. Die Orlezowa konnte sehr sarkastisch und witzig sein. Unter einem Decknamen, den sie sich für mich erdacht hatte, der aber so gewählt war, daß mich alle gleich erkannten, machte sie sich über mich in den Wandzeitungen lustig, soviel sie nur wollte. Endlich kam es durch einen reinen Zufall heraus, daß diese eingefleischte Feindschaft nichts weiter war als eine Verkleidung ihrer jungen keimenden Liebe. Ich meinerseits hatte für sie immer die gleichen Empfindungen verspürt.

1941 hatten wir einen herrlichen Sommer; es war die Zeit, als der Krieg erklärt wurde. Einige junge Leute, Studenten und Studentinnen, darunter auch sie, waren für den Sommer in einen Villenort gezogen, wo später auch meine Truppe in Garnison lag. Unsere Freundschaft kam durch die Umstände der militärischen Ausbildung der Jugend zustande; in den Vorstädten wurden Landwehrtruppen aufgestellt, Fallschirmspringerinnen, die Christina unterstanden, die Luftabwehr auf den Dächern gegen die ersten deutschen Nachtangriffe. Ich habe dir schon gesagt, daß wir hier unsere Verlobung feierten und bald darauf infolge der Umgruppierungen, die der Krieg mit sich brachte, getrennt wurden. Dann habe ich sie nicht wiedergesehen.

Als sich für uns eine günstige Wendung im Kriege bemerkbar machte und die Deutschen sich zu Tausenden ergaben, wurde ich nach zwei Verwundungen zur Flak versetzt, in die siebente Abteilung des Stabes, wo Leute gebraucht wurden, die Fremdsprachen beherrschten; ich bestand darauf, daß man auch dich dorthin abkommandierte, nachdem ich dich ausfindig gemacht hatte.«

»Die Wäscheverteilerin Tanja hat die Orlezowa gut gekannt. Sie hatten sich an der Front kennengelernt und waren befreundet gewesen. Sie erzählte viel von Christina. Diese Tanja hatte ein Lächeln, das sich übers ganze Gesicht verbreiten konnte, wie ich es von Jura kannte; hast du es auch beobachtet? Für kurze Zeit verschwinden die Stupsnasigkeit und die vorstehenden Backenknochen, das Gesicht wird anziehend, ja geradezu lieblich. Es ist derselbe Typus, der bei uns sehr verbreitet ist.«

»Ich weiß, was du meinst. Vielleicht hast du recht. Ich habe nicht so darauf geachtet.«

»Aber was für ein barbarischer unwürdiger Name: ›Tonjka Besotscheredowa‹, das heißt ›außer der Reihe‹. Auf jeden Fall ist das kein richtiger Name, sondern eine Erfindung, eine Verzerrung. Was denkst du davon?«

»So hat sie es ja erklärt. Sie gehörte zu den ›unbeaufsichtigten Kindern‹, also zu den Kindern, deren Eltern unbekannt waren. Sicherlich hat man sie irgendwo im tiefsten Rußland, wo die Sprache noch rein und unberührt ist, die ›Vaterlose‹ genannt. Die Straße, die mit diesem Namen nichts anfangen konnte, hat ihn auf ihre Weise umgestaltet und ihrem vulgären Geschmack angepaßt.«

III

Einige Tage später erreichten Gordon und Dudurov die rückwärtigen Truppeneinheiten, die den Hauptkräften der Armee folgten. Es war in Karaschew, einer vollkommen zerstörten Stadt.

Über einen Monat war das Wetter dieses heißen Herbstes klar und still. Von der Hitze des blauen, wolkenlosen Himmels überflutet, war die schwarze fruchtbare Erde der Brynstscha, des gesegneten Landstrichs zwischen Orel und Briansk, gebräunt wie Kaffee und Schokolade. Die ›Große Straße‹ durchquerte als Hauptverkehrsader die Stadt. Auf der einen Seite hatten früher Häuser gestanden, von denen unter dem Bombardement nur Ruinen und Bauschutt zurückgeblieben waren. Entwurzelte und zersplitterte Bäume lagen in den Obstgärten umher. Auf der anderen Seite der

Straße zog sich Ödland hin, das vielleicht auch früher, vor der Zerstörung der Stadt, wenig bebaut war und daher von Feuersbrünsten und Explosionen nicht verändert worden war.

Die ehemaligen Bewohner der Häuser durchsuchten die noch heiße Asche und trugen zusammen, was sie daraus noch hervorgraben konnten. Andere wieder gruben sich in aller Eile Erdlöcher und schnitten aus der Erde Schichtlagen, um den oberen Teil der Wohnstatt mit Rasenstücken zu belegen. Auf der gegenüberliegenden Seite, die nicht bebaut war, waren weiße Plakate angebracht. Dort drängten sich Lastautos und Pferdefuhrwerke jeglicher Art, die zum zweiten Echelon gehörten, Feldlazarette, die von ihren Divisionsstäben getrennt worden waren, verirrte, durcheinandergeratene und einander suchende Abteilungen von verschiedenen Parks, Intendanturen und Proviantdepots. Hier rasteten und stärkten sich viele Soldaten. Man erholte sich oder schlief sich aus, um weiter nach Westen zu marschieren; es waren hagere, blutarme Jugendliche aus Ersatz-Infanteriekompanien, in grauen Fliegerjoppen mit schweren, grauen gerollten Soldatenmänteln, mit verhärmten, erdfarbenen, durch Dysenterie abgezehrten Gesichtern.

Die in Schutt und Asche gelegte Stadt brannte immer noch; auch kam es hie und da zu Explosionen von Minen mit Zeitzündern. Immer wieder unterbrachen Leute, die in den Gärten die Erde umgruben, erschreckt von den Erschütterungen ihre Arbeit. Dann richteten sie die gebeugten Schultern auf, stützten sich auf den Spatengriff, kehrten die Köpfe in die Richtung der Explosion, ruhten eine Weile aus und blickten zum Horizont.

Dort sahen sie die Staubfontänen in den Himmel steigen. Dann quollen düstere, schwere Rauchwolken auf, die sich ausbreiteten, sich entfalteten und in einem grauen, schwarzen flammenden Regen aus Schutt und Asche wieder in sich zusammensanken. Dann griffen die Arbeitenden wieder zu ihrem Spaten.

Eine der Wiesen auf der unbebauten Seite war von Büschen eingefaßt und von großen, alten Bäumen beschattet. Ihre Vegetation schied die Wiese von der übrigen Welt wie einen im kühlen Schatten versunkenen gedeckten Hof.

Die Wäscheausgeberin Tanja wartete mit zwei oder drei Regimentskameraden, mit einigen Weggenossen und mit Gordon und Dudurov vom frühen Morgen an auf den Lastwagen, der sie mit dem ihr anvertrauten Regimentsgut abholen sollte. Diese ganze

Habe bestand in einigen auf der Wiese aufgestapelten Kisten. Tanja bewachte sie und wich keinen Schritt von ihnen; aber auch die andern hielten sich in der Nähe der Kisten auf, um, wenn sich Gelegenheit zum Mitfahren bot, nicht zu spät zu kommen. Fünf Stunden mußten sie warten. Niemand wußte, womit er sich beschäftigen sollte. Sie hörten dem Mädchen zu, dessen Geplapper nicht abbrach, denn sie hatte schon so mancherlei in ihrem Leben gesehen. Gerade erzählte sie von ihrer Begegnung mit dem Generalmajor Schiwago:

»Ja, natürlich! Das war gestern. Ich wurde persönlich zum General geführt, zum Generalmajor Schiwago. Er war hier auf der Durchfahrt, um von Christina zu hören, die ihn interessierte; er fragte überall nach ihr, nach Augenzeugen, die sie persönlich gekannt hatten. Man führte auch mich zu ihm. Man sagte, das ist ihre Freundin. Er ließ mich kommen. Nun gut. So führte man mich hin. Er war gar nicht so schrecklich. Ein Mann, wie andere auch. Mit schrägen Schlitzaugen, schwarzhaarig. Na ja. Was ich wußte, habe ich ihm gesagt. Nachdem er mir zugehört hatte, bedankte er sich. Du selber aber, fragte er, woher kommst du denn und wer bist du? Na, das war natürlich. Ich wollte nicht mit der Sprache heraus. Da gab es ja auch nichts Rühmliches. Ein elternloses, frei aufgewachsenes Kind. Und überhaupt, ihr wißt es ja selber. Korrektionsanstalten, Herumtreiberei. Er aber geht auf nichts ein, leg los, sagte er, genier dich nicht. Was soll das schon! Nun, ich in meiner Schüchternheit sagte zuerst zwei, drei Worte. Dann mehr; er nickte, ich wurde dreister. Ich habe ja auch etwas zu erzählen. Hättet ihr es gehört, ihr hättet geglaubt, sie denkt sich alles nur aus; nu, und er hat auch so gedacht. Als ich zu Ende war, erhebt er sich und geht in der Hütte von einer Ecke zur andern auf und ab. Sage doch bitte, spricht er zu mir, das sind ja ganz erstaunliche Dinge! Na, hör einmal, sagt er, jetzt hab' ich keine Zeit. Aber ich werde dich schon wiederfinden; einmal werde ich dich schon wieder rufen lassen. Wenn ich geahnt hätte, was ich da alles zu hören bekomme. Ich werde dich nicht eher ziehen lassen, als bis da noch verschiedene Einzelheiten klargestellt sind. Und, sagte er, es könnte ja sein, daß ich mich noch als dein Onkel einschreiben lasse und dich zur Generalsnichte erhebe und in die WUS (Hochschule) schicke oder wohin du nur willst. Bei Gott, es ist wahr. So ein lustiger Spaßmacher.«

In diesem Augenblick näherte sich ein leerer, langer Wagen mit hohen Seitenwänden, ein Gefährt, wie man es in Polen und West-rußland benutzt, um das Getreide einzubringen. Die beiden Pferde an der Deichsel wurden von einem Fuhrmann gelenkt – wie es früher hieß, also von einem Soldaten aus dem Kavallerie-Troß. Er brachte die Pferde zum Stehen, sprang von seinem Sitz und spannte aus. Tanja blieb allein mit einigen Soldaten zurück. Alle andern umdrängten den Fuhrmann und bettelten, er möge doch nicht ausspannen und sie statt dessen an ihren Bestimmungsort fahren; und natürlich nicht umsonst. Der Soldat aber weigerte sich, weil er nicht das Recht habe, über Pferd und Wagen zu ver-fügen und den Befehlen gehorchen müsse. Er führte die ausge-spannten Pferde irgendwohin ab und zeigte sich nicht mehr. Alle, die auf der Erde gesessen hatten, standen auf und setzten sich in den leeren Wagen, der auf der Wiese stand. Tanjas Erzählungen aber, die durch das Erscheinen des Wagens und wegen der Unter-handlungen mit dem Fuhrmann unterbrochen worden waren, wurden wieder aufgenommen.

»Was hast du denn dem General erzählt?« fragte Gordon.

»Wenn du kannst, so wiederhole es uns.«

»Nun ja, wenn es sein muß.«

IV

Und sie erzählte ihre Schreckensgeschichte.

»Ich habe wirklich viel zu erzählen. Man sagt ja, ich sei nicht einfacher Leute Kind. Ob mir das Fremde gesagt haben, ob ich das im Herzen bewahrte, jedenfalls habe ich gehört, daß meine Mama, Raissa Komarova, die Frau eines in die weiße Mongolei geflüchteten Ministers, des Genossen Komarov, war. Er war nicht mein Vater; er war nicht mit mir verwandt, muß man annehmen, dieser Komarov. Nun, natürlich, ich bin ein ungebildetes Mäd-chen, ich bin ohne Papa und Mama als Waise aufgewachsen. Euch mag es vielleicht komisch erscheinen, was ich sage; aber mehr weiß ich nicht; man muß sich in meine Lage versetzen.

Ja. So ist alles gewesen, wovon ich euch weiter erzählen will. Es war hinter Kruschizy, am andern Ende Sibiriens, auf der an-dern Seite des Kosakenlandes, näher zur chinesischen Grenze hin.

Als die Roten zu ihrer Weißen Hauptstadt vordrangen, setzte dieser Komarov-Minister Mamachen mitsamt ihrer ganzen Familie in einen Dienstzug und gab den Befehl, sie wegzufahren. Mamachen war sehr aufgeregt und eingeschüchtert. Sie wagte keinen Schritt ohne ihn zu tun.

Aber von mir hatte er überhaupt keine Ahnung, der Komarov. Er wußte nicht, daß ich auf der Welt bin. Mamachen hatte mich fern von ihm auf die Welt gebracht und stand nun Todesängste aus, er könnte etwas davon merken. Er konnte Kinder nicht leiden, er schrie und stampfte mit den Füßen und sagte, das sei ein einziger Dreck und Krach im Hause; ich, sagte er, kann so etwas nicht dulden.

Als nun die Roten im Anrücken waren, schickte Mamachen nach der Bahnwärterin Marja in Nagornaja, einem kleinen Durchgangsbahnhof, von jener Stadt nicht mehr als drei Stationen entfernt. Ich will es gleich erklären. Erst kommt die Station Nisowaja. Dann der Durchgangsbahnhof Nagornaja; dann der Samsonov-Paß. Ich weiß nicht genau, woher Mamachen die Bahnwärterin gekannt hatte. Aber ich denke mir, die Bahnwärterin wird in der Stadt mit Gemüse gehandelt und Milch gebracht haben. Ja, so wird es sein.

Und nun will ich es sagen. Hier gibt es irgend etwas, wovon ich nie etwas erfahren habe. Ich denke mir, daß man Maminka betrogen und ihr nicht die Wahrheit gesagt hat. Man hat ihr Gott weiß was gesagt – es sei für zwei, drei Tage, bis das Durcheinander sich gelegt habe. Aber nicht so, daß ich für immer in fremde Hände kam. Mamachen hätte sich nie trennen können von ihrem eigenen Kind.

Nun ja, man weiß ja, wie es mit Kindern gemacht wird! Komm zur Tante. Tante gibt dir 'nen Lebkuchen. Die Tante ist gut. Brauchst nichts zu fürchten. Daß ich aber Tränen vergoß und mich wehrte und welcher Gram sonst mein Kinderherz zerriß, daran will ich lieber nicht denken. Ich wollte mich erhängen; so klein wie ich war, hätte ich doch fast den Verstand verloren. Ich war damals noch ganz klein. Sicher hat man der Tante Marfuscha für meine Verköstigung Geld gegeben, viel Geld.

Der Hof, der zum Bahnwärterhause gehörte, war reich. Eine Kuh und ein Pferd, und dann versteht sich: allerhand Geflügel. Für einen Gemüsegarten war Platz genug: und selbstredend freie Wohnung. Das Bahnwärterhaus lag direkt an der Strecke. Von meinem Heimatort unten kam der Zug nur mit vieler Mühe hinauf; er überwand die Steigung schwer; kam er aber von euch aus Rußland, so war er in voller Fahrt; dann wurden die Bremsen gezogen. Im Herbst, wenn der Wald entlaubt war, konnte man unten in der Ferne die Station Nagornaja wie auf einem Teller liegen sehen.

Ihn aber, den Onkel Wassilij, nannte ich nach Bauernart ›Väterchen‹. Er war ein lustiger und guter Mensch, nur zu vertrauensselig. Und war er betrunken, dann nahm er das Maul voll, wie man zu sagen pflegt: die Sau sagt's dem Eber, der Eber – der ganzen Stadt. Die ganze Seele schüttete er dem ersten besten, der ihm begegnete, aus.

Was aber die Bahnwärterin betrifft, so hab' ich es niemals über mich gebracht, zu ihr ›Mama‹ zu sagen. Mein Mamachen habe ich nicht vergessen können. Und diese Tante Marfuscha war so gruselig. Ja! Ich nannte also die Bahnwärterin – Tante Marfuscha.

Nun, die Zeit verging. Die Jahre flossen hin. Wie viele, das weiß ich nicht. Damals lief ich schon mit der Fahne hinaus, wenn der Zug kam. Den Gaul auszuspannen oder nach der Kuh zu sehen, war ich gewohnt. Tante Marfuscha hatte mich das Spinnen gelehrt. Den Fußboden kehren, aufräumen oder etwas zubereiten, den Teig anrühren, das hab' ich alles gekonnt. Ja, ich habe vergessen zu sagen, ich war für Petinjka das Kindermädchen. Petinjka hatte gelähmte Beinchen. Er war drei Jahre alt, lag da, konnte nicht gehen. Ich sah nach Petinjka und sorgte für ihn. Viele Jahre sind seitdem vergangen, aber immer noch läuft es mir kalt über den Rücken, wenn ich daran denke, wie Tante Marfuscha nach meinen gesunden Beinen schielte und sich fragte, warum ich nicht gelähmte Beine hatte. Sie hätte lieber gehabt, wenn meine Beine gelähmt gewesen wären und nicht die von Petinjka. Als hätte ich Petinjka mit dem bösen Blick verdorben – denkt euch nur, was es alles in der Welt für Neid und Bosheit gibt.

Jetzt hört noch das an. Bisher war alles nur harmlos. Was jetzt kommt – da werdet ihr erst staunen!

Damals war die NEP. Tausend Rubel waren so gut wie eine Kopeke. Wassilij Anfanassjewitsch hatte unten die Kuh verkauft und zwei Sack Geld dafür bekommen. Man nannte das Geld ›Kerenki‹. Er hatte also über den Durst getrunken, und dann ging es los. Da redete er in ganz Nagornaja von seinem Reichtum.

Ich kann mich erinnern, es war ein stürmischer Herbsttag. Der Sturm deckte das Dach ab und warf einen schier um; die Lokomotiven konnten die Steigung nicht nehmen, weil der Wind ihnen entgegenfuhr. Da sehe ich, kommt von oben eine alte Pilgerin, und der Wind faßt in ihren Rock und zaust an ihrem Kopftuch. Die Pilgerin geht ihres Weges, stöhnt, greift sich an den Leib, bittet, man solle sie aufnehmen ins Haus. Wir legen sie auf die Bank; und sie schreit weh! und ach! ich kann nicht. Mein Leib schmerzt. Ich ertrag's nicht mehr; mein Tod ist gekommen! Und sie bittet: ›Fahrt mich um Christi willen ins Krankenhaus, ich zahl' es euch, aufs Geld wird es mir nicht ankommen.‹ Da hat das Väterchen den Udaloj angespannt; wir legten die Alte in den Bauernwagen, und er brachte sie ins Krankenhaus. Das war fünfzehn Werst von uns entfernt an der Bahnlinie.

Später gingen wir zu Bett, Tante Marfuscha und ich, als wir den Udaloj unter unserm Fenster wiehern hörten. Der Wagen rollte in den Hof. Das ist aber schnell gegangen, zu schnell! Da hat Tante Marfuscha das Feuer angeblasen, hat sich ihre Jacke übergeworfen und wartete nicht erst, bis Väterchen an der Türe klopfen würde; sie selber wirft den Türhaken zurück.

Wirft also den Türhaken zurück, und auf der Schwelle steht kein Väterchen, sondern ein Fremder, ein schwarzer, grausiger Bauer und sagt: ›Zeig her‹, sagt er, ›wo ist das Geld für die Kuh? Ich‹, sagt er, ›habe im Walde deinen Mann erledigt. Aber deiner, du Weib, will ich mich erbarmen, wenn du mir sagst, wo du das Geld hast. Sagst du's aber nicht, so wirst du selber verstehn – nichts für ungut . . . Mit mir sollst du keinen Spaß machen. Hab' keine Zeit, mich mit dir lang aufzuhalten!‹

Ach, Gott im Himmel! Ihr lieben Genossen, was widerfuhr uns da! Versetzt euch in unsere Lage! Wir zittern am ganzen Leibe, sind nicht tot noch lebendig; vor Entsetzen ist die Zunge wie gelähmt, wie fürchterlich! Die erste Sache – Wassilij Afanassjewitsch hat er umgebracht, sagt er selbst. Mit dem Beil hat er ihn erschlagen. Das zweite Unglück aber – wir sind allein – im Bauernhäuschen mit dem Räuber! Der Räuber ist bei uns im Hause – ein Räuber!

In diesem Augenblick muß Tante Marfuscha den Verstand verloren haben. Der Schmerz über den Tod ihres Mannes zerriß ihr das Herz. Aber sie mußte sich aufrechthalten; sie durfte nichts zeigen.

Tante Marfuscha warf sich ihm erst zu Füßen. ›Erbarme dich‹, sagte sie, ›bring mich nicht um; ich weiß von keinem Geld; wovon redest du, ich hör's zum erstenmal.‹ Aber so einfältig war der Verdammte nicht, daß man ihn mit guten Worten losbekommen hätte. Da kam ihr plötzlich ein Gedanke, wie sie ihn überlisten könnte. ›Also gut‹, sagte sie, ›du sollst haben, was du willst. Unter dem Fußboden ist ein Keller. Ich will die Falltür aufheben, dann steig hinunter unter den Fußboden.‹ Er aber, der Satan, durchschaute ihre List. ›Nein‹, sagte er, ›du als Hausfrau weißt ja besser Bescheid. Steig selber hinab. Ob du unter den Fußboden kriechst, ob du auf das Dach kletterst – nur das Geld schaff mir bei! Und denke daran: ich verstehe keinen Spaß!‹

Sie aber sagt zu ihm: ›Gott sei mit dir! Woran zweifelst du denn? Ich würde selbst hinabsteigen, aber ich bin dazu nicht fähig. Ich werde dir lieber‹, sagte sie, ›von der obersten Stufe leuchten. Brauchst nichts zu fürchten; zur Sicherheit lasse ich die Tochter mit dir hinuntergehen.‹ Das war also ich! O weh, ihr lieben Genossen, denkt doch selber nach, was mir da widerfuhr, da ich solches hörte. Nun, denke ich, ist es ganz aus. Vor den Augen wird mir dunkel; ich fühle ich sinke um, die Knie wanken.

Der Bösewicht aber, der ja kein Trottel war, schielt nach uns beiden; mit einem Auge zwinkert und grinst er dann schief übers ganze Maul: mich haust du halt nicht übers Ohr! Da er sieht, daß es ihr um mich nicht leid ist, kann ich nicht ihre Verwandte sein, von fremdem Blut also; und schon packt er Petinjka am Arm und greift mit der andern Hand nach dem Ring an der Falltür und hebt sie hoch. ›Leuchte jetzt‹, sagt er und steigt mit Petinjka hinunter.

Ich aber denke mir, Tante Marfuscha muß da schon von Sinnen gewesen sein, denn sie verstand ja nichts, damals schon war ihr Geist gestört! Kaum war er, der Bösewicht, mit Petinjka hinuntergestiegen bis zur letzten Stufe, da ließ sie den Deckel zufallen; und dann schob sie eine schwere Truhe auf die Falltür und winkte mir zu: ›Hilf mir doch, ich kann nicht, es ist schwer!‹ Dann hatte sie es geschafft, hockte sich noch selber drauf, und da sitzt sie nun und freut sich – die Blöde. Kaum saß sie auf der Truhe, als sich der Räuber von unten bemerkbar macht und an die Tür klopft – tuck, tuck. ›Laß mich lieber gutwillig heraus, sonst mach' ich gleich mit

deinem Petinjka Schluß!‹ Seine Worte waren, weil die Bretter so
dick waren, kaum zu verstehen. Schlimmer als ein Tier im Walde
brüllte er auf, so daß uns Angst befiel. ›Ja‹, schreit er, ›gleich ist
es Schluß mit deinem Petinjka.‹ Sie aber, sie versteht nichts. Sie
sitzt da; sie lacht, sie zwinkert mir zu. ›Du kannst schwatzen, solange du willst, ich aber, ich sitze auf der Truhe und halte die
Schlüssel in meiner Faust.‹ Ich sage Tante Marfuscha dies und das.
Ich brülle ihr in die Ohren, ich will sie von der Truhe herunter-
werfen. Man muß die Falltür aufheben, Petinjka befreien, aber
wie hätte ich das machen sollen! Wie hätte ich mit ihr fertig werden können?

Nun, er klopft an die Tür; er klopft, und die Zeit vergeht; sie sitzt
auf der Truhe, und ihre Augen rollen; sie hört nichts. Und nach
einer gewissen Zeit – o Gott, o Gott! Alles habe ich im Leben erfahren und erduldet, aber nie wieder ein so unseliges Leid. Ich
werde es nie vergessen, und wenn ich bis ans Ende der Zeit leben
sollte, in alle Ewigkeit werde ich Petinjkas jämmerliche Stimme
hören, er schrie, er stöhnte unter der Erde, Petinjka, das Engel-
herzchen – er hat ihn getötet, der Verruchte!

Was sollte ich nun tun, was sollte ich mit der wahnsinnigen Alten
und mit dem Räuber machen? Und die Zeit verstrich. Kaum hatte
ich das gedacht, höre ich, wie Udaloj unterm Fenster wieherte. Er
war ja noch nicht ausgespannt. Ja, gewiehert hat Udaloj, als hätte
er sagen wollen, komm Tanjuscha, komm schnell, wir jagen zu
guten Menschen, wir rufen Hilfe herbei, und ich blicke zum Fenster
hinaus; es begann ein wenig zu dämmern. Es soll so sein, wie du
willst, denke ich, danke dir, Udaloj, für den guten Rat. Wir
wollen gehen. Und kaum hatte ich das gedacht, halt, höre ich
wieder so eine Stimme, die mir aus dem Wald zuruft: halt, beeile
dich nicht, Tanjuscha! Wir wollen diese Sache anders machen. Ich
bin nicht allein im Walde. Von unten her, aus dem Tal höre ich
den vertrauten Pfiff der Lokomotive – ich erkannte die Lokomotive am Pfiff; der Zug stand in Nargonaja immer unter Volldampf,
und man nannte ihn den Schieber, denn er mußte mithelfen, die
Güterzüge an der Steigung heraufzuschieben; dieser Zug aber war
ein gemischter Zug, in jeder Nacht kam er um diese Zeit hier vorbei; ich hörte also, wie mich von unten die bekannte Lokomotive
ruft. Ich höre es, und in mir springt das Herz! Nicht möglich,
denke ich, ich bin wie Tante Marfuscha von Sinnen, weil jede

lebende Kreatur, jede stumme Maschine mit mir in klarer russischer Sprache zu reden scheint!

Aber der Zug war schon nahe und zum Denken keine Zeit. Ich ergriff die Laterne, denn sehr hell war es draußen noch nicht, und rannte wie besessen auf die Gleise, genau in die Mitte, so stehe ich da zwischen den Schienen und winke mit der Laterne hin und her, hin und her.

Den Rest werdet ihr euch denken. Ich brachte den Zug zum Stehen, denn glücklicherweise fuhr er wegen des Windes nur im Schritt den Berg hinauf. Ich hielt den Zug an. Der mir wohlbekannte Maschinist guckt zum Fenster heraus und fragt, aber man konnte nicht hören, was er sagte – der Wind! Ich schrie dem Maschinisten zu: ein Überfall auf den Eisenbahnposten, Mord und Raub! Der Räuber ist noch im Hause! Helft uns, Genosse Onkelchen, eilige Hilfe ist nötig. Während ich das sage, kommt aus dem Mannschaftswagen, denn es war ein Militärzug, ein Rotarmist nach dem andern heraus. Alle fragen: ›Was ist los? Was ist das für eine Geschichte? Mitten auf der Steigung, bei Nacht im Walde wird der Zug angehalten und bleibt stehen.‹

Ich erzählte den ganzen Hergang. Sie zogen den Räuber aus dem Keller. Der piepte mit einem Stimmchen, das noch dünner war als Petinjkas, und jammerte: ›Erbarmt euch, gute Menschen, gute Menschen bringt mich nicht um, ich tu's nicht wieder.‹ Sie schleppten ihn hinaus, sie banden ihn an Armen und Füßen auf den Schienen fest und ließen den Zug über ihn hinrollen. Lynchjustiz nannten sie das.

Ich bin nicht mehr ins Haus zurückgekehrt, um meine Kleider zu holen, so schrecklich war es! Ich bat: nehmt mich, Onkelchen, in den Zug. Dann nahmen sie mich mit und führten mich fort. Ich habe dann, ohne zu lügen, die halbe Erde mit den unbeaufsichtigten Kindern umfahren, und wo bin ich nicht alles gewesen! Da habe ich die Freiheit, da habe ich das Glück kennengelernt, nach der Not meiner Kinderzeit! Aber, es ist wahr, es ist da auch viel Sünde und Leid. Das alles ist aber später gewesen, das will ich dann ein andermal erzählen. Damals aber ist ein Eisenbahner vom Zuge in das Bahnwärterhaus gegangen, um das Staatsgut zu übernehmen und wegen Tante Marfuscha eine Verfügung zu treffen, ihr Leben zu ordnen. Angeblich ist sie in ein Irrenhaus gekommen. Andere aber sagen, sie habe sich erholt und sei gesund gestorben.«

Noch lange nach dieser Erzählung gingen Gordon und Dudurov stumm auf der Wiese hin und her. Dann kam das Lastauto, bog plump und wuchtig vom Wege auf die Wiese. Auf das Auto wurden die Kisten geladen. Gordon sagte: »Hast du verstanden, wer sie ist, diese Wäscheausgeberin Tanja?«

»Oh, natürlich.«

»Jewgraf wird sich um sie kümmern.« Dann fügte er nach einem kurzen Schweigen hinzu: »Es geschieht immer wieder das gleiche in der Geschichte: ein Ideal, eine erhabene Idee vergröbert sich, wird materialisiert. So wurde Griechenland zu Rom; so wurde das Rußland der Aufklärung zum Rußland der Revolution. Denk nur an das Blocksche Gedicht: ›Wir, Rußlands fürchterlicher Jahre Kinder . . .‹, und du wirst sofort den ganzen Unterschied der Epochen erkennen. Als Block dies schrieb, mußte man es im übertragenen Sinne bildlich verstehen. Die Kinder waren keine Kinder, sondern geistige Sprößlinge. Die Schrecken waren keine wirklichen Schrecken, sondern providentiell, apokalyptisch. Jetzt aber ist alles Übertragene buchstäblich erfüllt: die Kinder sind Kinder, und die Schrecken sind schrecklich – das ist der Unterschied.«

V

Fünf oder zehn Jahre waren vergangen, und einmal saßen die beiden, Gordon und Dudurov, an einem stillen Sommerabend wieder irgendwo an einem geöffneten Fenster, und unter ihnen lag das unübersehbare, abendliche Moskau. Sie blätterten in dem von Jewgraf zusammengestellten Heft der Schriften Jurijs, die sie mehr als einmal gelesen hatten und zur Hälfte auswendig kannten. Die Lesenden tauschten von Zeit zu Zeit Bemerkungen aus und hingen ihren Gedanken nach. Als sie in der Mitte des Buches angelangt waren, brach die Dunkelheit ein, und man mußte eine Lampe anzünden.

Unter ihnen lag Moskau, die Stadt, die den Verfasser hervorgebracht und sein halbes Leben bestimmt hatte! Dieses Moskau schien ihnen im Augenblick nicht nur der Schauplatz all dieser Geschehnisse zu sein, sondern die Heldin einer langen Epopöe, an deren Ende sie angelangt waren – an diesem Abend mit diesem Hefte in der Hand.

Wenn auch der Sieg die erhoffte Aufklärung und Freiheit nicht gebracht hatte, so gab es doch eine Vorahnung der Freiheit; und diese bildete den einzigen historischen Gehalt der Nachkriegszeit.

Den beiden altgewordenen Freunden am Fenster wollte es scheinen, als sei diese innere Freiheit schon errungen, als habe sich die Zukunft gerade an diesem Abend spürbar über die Straßen von Moskau niedergesenkt und als seien sie selbst in diese Zukunft eingetreten. Ihre Liebe zu dieser heiligen Stadt und zur ganzen Welt, zu den Personen dieser Geschichte, zu den Überlebenden und deren Kindern, erfüllte sie mit einem Gefühl der Geborgenheit und des Glücks, das sich wie leise Musik um sie ausbreitete. Das Buch, das sie in den Händen hielten, wußte das alles und gab ihren Empfindungen Bestätigung und Sicherheit.

SCHIWAGOS GEDICHTE

HAMLET

1 Lärm verstummt. Ich trat hinaus zur Bühne.
Angelehnt ans Rahmenholz der Tür
Forsche ich im Nachhall ferner Töne,
Was im Leben noch geschieht mit mir.

Fest auf mich der Nacht tiefdunkle Leere
Sich mit tausend Operngläsern dreht.
Abba, Vater, so es möglich wäre,
Gib, daß dieser Kelch vorübergeht.

Mir ist lieb dein unbeirrbar Planen,
Bin den Part zu spielen auch bereit.
Aber jetzt läuft hier ein andres Drama,
Und für dieses Mal laß mich beiseit.

Doch durchdacht rückt Akt um Akt nun näher:
Nichts, das sich dem End entgegenstellt.
Bin allein. Ringsum nur Pharisäer. –
Leben ist kein Gang durch freies Feld.

MÄRZ

2 In der Sonne ists nicht auszuhalten,
Und die Schlucht ist außer Rand und Band.
Wie der drallen Viehmagd flinkes Schalten
Geht sein Werk dem Frühling von der Hand.

Siecher Schnee hat zuviel Blut verloren
Aus des bläulichen Geäders Bahn.
Doch das Leben dampft aus Kuhstalltoren,
Und Gesundheit sprüht der Forke Zahn.

Diese Nächte, diese Tag' und Nächte!
Tröpfeltrommelschlag zur Mittagszeit,
Unterm Dach der Zapfen magre Flechte,
Schlaflos schwätzen Bäche weit und breit!

Auf das Tor des Kuh- und Pferdestalles.
Tauben auf dem Schnee zur Fütterung;
Und der schuld ist und belebt das alles,
Füllt den Hof mit frischem Hauch – der Dung.

PASSIONSZEIT

3   Noch finstre Nacht ist überall.
So früh noch rings im Raume,
Daß Sterne stehen ohne Zahl,
Und jeder hell wie Tages Strahl,
Und hätt die Erde freie Wahl,
Verschlief sie wohl das Ostermahl
Und läg beim Psalm im Traume.

Noch finstre Nacht ist überall:
So früh noch auf der Erde,
Daß ewiglang der Platz und fahl
Sich streckt vom Eck zum Kreuzwegpfahl,
Als obs zum ersten warmen Strahl
Noch ein Jahrtausend währte.

Noch ist die Erde nackt und kahl
Und kann bei Nacht nicht frierend
Frohlocken mit der Glocken Schall,
Dem Chor nicht respondieren.

Und vom Kardonnerstage an
Bis zum Karsamstagabend
Drehn Wasser ihre Wirbelbahn
Die Ufer untergrabend.

Der Wald, auch bloß und unbedeckt
Hat zur Passion des Herren
Wie Beterreihen aufgereckt
Die Stämme seiner Föhren.

Und in der Stadt, auf engstem Raum,
Wie im Versammlungssaale,
Steht splitternackend Baum an Baum
Und schaut zum Domportale.

Und voll Entsetzen ist ihr Schaun,
Begreiflich ihr Gehabe;
Die Gärten treten aus dem Zaun,
Der Erde Bau erbebt voll Graun:
Dort trägt man Gott zu Grabe.

Sie sehn beim Königstor den Schein,
Den schwarzen Schrein, die Kerzenreih'n,
Die blindgeweinten Leute –
Da tritt der Kreuzeszug hervor,
Das Bartuch ausgebreitet,
Und die zwei Birken vor dem Tor
Die müssen still zur Seite.

Der Zug, am Bürgersteig entlang,
Umkreist den Hof gemessen,
Und bringt ins Vorschiff mit vom Gang
Den Frühling, Frühlingsstimmenklang,
Und Luft, die Weihbrotduft durchdrang
Mit Ruß aus Frühlings-Essen.

Und März teilt seine Schneelast aus
Der Krüppelschar vorm Gotteshaus,
Als träte dort ein Mensch heraus
Und schüttelt' seinen Beutel aus
Und wollte nichts behalten.

Und bis zum Frührot singt der Chor,
Die Klagen lang verhallten,
Und leiser dringt nur noch hervor
Vors leere Tor im Lampenflor
Apostel oder Psalter.

Doch mittnachts jedes Wesen schweigt,
Vernimmts im Frühlingswehen,
Daß, wenn nur erst die Sonne steigt,
Der Tod sich doch dem Ansturm beugt,
Besiegt vom Auferstehen.

WEISSE NACHT

4 Vor mir geistert die ferne Vergangenheit:
Haus im Petersburger Quartiere,
Deine ärmliche Landgutbefangenheit,
Bist aus Kursk, hier zum Kurs, zum Studieren.

Du bist hübsch und Verehrer umgeben dich . . .
Weiße Nacht ists, da hocken wir beide –
Auf dein Fenstersims setz ich mich neben dich –
Schaun aus schwindelnder Höh in die Weite.

Unterm frühkalten Hauche verknistern schon –
Schmetterlinge aus Gas – die Laternen.
Das, was ich dir erzähle im Flüsterton,
Ist so ähnlich den schlafenden Fernen.

Uns umhüllt jene gleiche verschlossene
Dem Geheimnis gewidmete Treue
Wie das zum Panorama ergossene
Petersburg hinterm Strom in der Bläue.

Dort, wo fern sich der schlummernde Wald erstreckt,
Sind im nachthellen lenzlichen Glimmen
Alle Tannen vom donnernden Schall erschreckt,
Von dem Lobpreis der Nachtigallstimmen.

Das besessene Schnalzen quillt himmelauf,
Dieser Vogel, der unscheinbar kleine,
Weckt Verzückung, Tumult und Getümmel auf
Tief im Grund der verzauberten Haine.

Dorthin sucht, eine barfüßige Bettlerin,
Sich am Zaun lang die Nacht ihre Fährte.
Hinter ihr zieht vom Fenster, vom Lettner hin
Sich die Spur des Gesprächs, das sie hörte.

In dem Echo von dem, was sie aufgeschnappt
Vom Gespräch, haben rings in den Zäunen
Alle Apfel- und Birnzweige aufgeklappt
Ihre Blüten, um weiß zu erscheinen.

Und die Bäume, die Spukwesen gleichen nun,
Stürzen vor auf die Straße in Scharen,
So als winkten zum Abschied sie Zeichen zu
Jener Nacht, die so vieles erfahren.

FRÜHLINGSUNWEGSAMKEIT

5 Die Abendglut im Schwinden schwelte,
Durch zähen Schlamm im Waldestal
Sich hoch zu Roß ein Reiter quälte
Zum fernen Vorwerk im Ural.

Es schwappt' im Wanst des Pferds beim Traben.
Der Hufe klatschend kaltem Klang
Jagt' nach vom Bach, vom Wald, vom Graben
Der Wasser Schwall als Abgesang.

Als er die Zügel losgelassen
Und ließ sein Pferd im Schritt nun gehn,
Entrollten rings die Wassermassen
All ihr Gepolter und Gedröhn.

Da lachte wer, dann weint' es wieder.
Gestein auf Kies zerschellt' im Schaum.
In Wasserwirbel stürzten nieder
Entwurzelt Stumpf und Stamm und Baum.

Und bei des Abendbrandes Glosen
In ferner Äste schwarzem Wall
War, wie der Sturmesglocke Tosen,
Ganz außer sich die Nachtigall.

Wo ihren Witwenflor die Weide
Hinab zum Hohlweg hängen ließ,
Sie, wie der Räuber von der Heide
Auf seinen sieben Eichen, blies.

Für welches Unheil, welche Flamme
Sich wohl die wilde Glut ergoß?
Auf wen sie wohl von Stamm zu Stamme
Mit solchem groben Schrotsatz schoß?

Es schien, sie würde Waldschrat werden,
Aufs Mal vorm Sträflingsschlupfloch stehn
Und zu den Leuten und den Pferden
Der Partisanenposten gehn.

Erd, Himmel, Wald und Feld verschlangen
Begierig diesen seltnen Schall,
In dem so ausgewogen schwangen
Der Wahn, der Schmerz, das Glück, die Qual.

ERKLÄRUNG

6 Grad so grundlos kam das Leben wieder
Wie sichs damals seltsam unterbrach.
Geh die gleiche alte Gasse nieder
Wie zu jener Stund am Sommertag.

Menschen, die die gleichen Sorgen haben . . .
Noch ist nicht die Abendglut verbrannt,
Wie sie damals rasch der Todesabend
Nagelte an die Manegenwand.

Frauen in blauweißgestreiftem Zwillich
Treten noch die Sohlen ab bei Nacht,
Werden von Mansarden grad so billig
Dann gekreuzigt auf dem Wellblechdach.

Eine kommt mit müden, schweren Tritten
Langsam auf die Schwelle vor dem Haus
Aus der Kellerwohnung raufgeschritten,
Geht dann übern Hinterhof hinaus.

Wieder such ich Finten zu erfinden,
Wieder ist mir alles einerlei.
Und die Nachbarin wird gleich verschwinden
Hinterm Eck, und läßt allein uns zwei.

*

So wein doch nicht, schürz nicht den Mund
Und leg ihn nicht in Falten,
Sonst wird der trockne Märzschorf wund,
Du wirst ihn wieder spalten.

Nimm deine Hand von meiner Brust –
Wir sind geladne Drähte.
Nicht daß es plötzlich unbewußt
Uns neu zusammentäte.

Die Zeit vergeht, und du wirst frein,
Die Unstetheit wird enden.
Ein großer Schritt ists: Frau zu sein,
Und Heldentum: Verblenden.

Mich wird des Weibes Wunderkraft
Mit Hals und Arm und Rücken
Auch so zu treuster Dienerschaft
Mein Leben lang entzücken.

Doch wie der Wehmutsring der Nacht
Auch hindert, daß ich wiche:
Der Drang hinaus hat größre Macht,
Und Leidenschaft will Brüche.

SOMMER IN DER STADT

7   Worte, halblaut geflüsterte,
Und ein hastiges Packen
Wirft die Haare, die knisterten,
Allesamt aus dem Nacken.

Einen Kamm in den Schopf gesteckt,
Wie behelmt zum Gefechte,
Schaut die Frau, hat den Kopf gereckt
Mit dem schweren Geflechte.

Doch von draußen her kündet die
Heiße Nacht ein Gewitter,
Und nach Hause verschwinden die
Letzten schlurfenden Schritte.

Kurzer Donnerschlag knattert dann,
Scharf vom Echo begrenzter,
Und vom Wind fängt zu flattern an
Die Gardine am Fenster.

Dann ein Schweigen, ein Zögern noch,
Unvermindert die Hitze,
Unvermindert durchstöbern noch
Rings den Himmel die Blitze.

Und wenn wieder des leuchtenden
Morgens glühendes Fegen
Dörrt den asphaltbefeuchtenden
Rest vom nächtlichen Regen,

Schauen mürrisch ins Lüftemeer –
Konnten Schlaf ja kaum finden –
Hundertjährig und düfteschwer
Die noch blühenden Linden.

WIND

8 Ich bin am End. Du lebst. – Der Wind
Rüttelt mit Klagen, Weinen, Jammern
Am Wald, am Haus mit allen Kammern,
Nicht daß er einzeln sie bestreite,
Nein alle Bäume wie sie sind,
Die ganze grenzenlose Weite,
Als höb und senkte er geschwind
Die Boote auf der Meerbucht Breite,
Und nicht, weil er auf Tollheit sinnt
Oder ihn ziellos Wüten leite,
Nein, daß er trauernd Worte find'
Und dir ein Wiegenlied bereite.

WILDER WEIN

9 Wo der Efeu die Weiden umquillt,
Wolln wir Schutz vor dem Unwetter finden.
Unsre Schultern der Mantel umhüllt,
Während dich meine Arme umwinden.

Ich vertat mich. Ums Buschwerk im Hain
Ist nicht Efeu, nein Weinrankengleiten.
Darum wird es das beste wohl sein,
Wenn den Mantel wir unter uns breiten.

ALTWEIBERSOMMER

10 Das Johannesbeerblatt ist grobseiden.
Drin im Hause, da lachts und da klirrts,
Da gibts Pfeffern und Sauerkrautschneiden,
Und ins Mus tut man Nelkengewürz.

Und der Wald, wie zum Spaß, wirft mit Wonne
Diesen Lärm an den senkrechten Hang,
Wo der Haselbusch brennt in der Sonne,
Als ob Scheiterstoßglut ihn verschlang.

Hier sinkt abwärts der Weg in die Schrunde,
Hier tut leid dir das Knieholz, das knarrt,
Und der Herbst, der das alles zum Grunde
Als ein Altwarensammler hinscharrt;

Und daß garnicht so schwierig die Welt ist,
Wie manch listiger Schlauberger wähnt,
Daß der Hain wie ins Wasser gestellt ist,
Daß für alles kommt einmal ein End;

Daß es sinnlos ist, klagend zu schauen,
Wenn vor dir alles brennt und verglüht
Und der Herbstruß in weißlichen Tauen
Wie ein Spinnweb zum Fenster rein zieht.

Hinterm Haus bricht der Pfad aus dem Gatter
Und verliert sich im Birkenholz bald.
Drin ist Lachen, geschäftiges Geschnatter,
Grad so schnatterts und lachts fern im Wald.

HOCHZEIT

11 Übern Hof zum Haus der Braut
Zogen immer wieder
Gäste bis der Morgen graut',
Spielten, sangen Lieder.

Hinter unsrer Wirte Tor
Mit dem filznen Börtchen
Drang von eins bis sieb'n hervor
Auch kein Sterbenswörtchen.

Früh im tiefsten Schlafe dann,
Wo das Bett das beste,
Fing die Knautsche wieder an,
Kam zurück vom Feste.

Auf den Flanken des Bajans
Ließ der Spieler rollen
Händetanz und Knöpfeglanz,
Lärmen, Jauchzen, Tollen.

Und dann noch und noch und noch
Eine Stegreifstrophe;
Selbst wer sich ins Bett verkroch,
Hört' den Lärm vom Hofe.

Eine, weiß wie Schnee genau,
Trat aus dem Gewühle,
Schwebte wieder wie ein Pfau,
Ließ die Hüften spielen.

Kopf und rechter Arm war ganz
Zucken, heben, beben,
Und der Tanz auf Pflasterglanz
Schweben, schweben, schweben.

Plötzlich war die laute Hatz
Und das Tanzgetose
Fort, als sänks mit einem Satz
Weg ins Uferlose.

Lärmend war der Hof erwacht.
Widerhall vom Tage
Mischt' sich ins Gespräch der Nacht,
Lachen vom Gelage.

Himmels Unermeßlichkeit
Blaugeflockt entgegen
Flattern Taubenschwärme weit
Aus den Taubenschlägen,

So als wenn zum Hochzeitsfest –
Aus dem Schlaf gerissen –

Man sie schnell noch fliegen läßt
Mit viel guten Grüßen.

Leben ist ja auch nicht mehr
Als ein Nu, ein Schwinden
Unser selbst in all'n umher
Als ihr Angebinde;

Ist nur Hochzeit, die vom Raum
Bricht in unsre Laube,
Nur ein Lied und nur ein Traum,
Eine blaue Taube.

HERBST

12 All meine Nächsten seh ich nimmer,
    Fort ließ ich lange die Verwandtschaft,
    Und Einsamkeit erfüllt wie immer
    Das ganze Herz, die ganze Landschaft.

Da bin ich nun mit dir im Büdchen,
Im Wald ist keine Menschenseele.
Halbzugewachsen, wie im Liedchen,
Sind Weg und Steg um unsre Höhle.

Die Wände, klobig aufgeschichtet,
Auf uns allein mit Trauer sehen.
Wir sind zu keinem Kampf verpflichtet,
Wir werden ehrlich untergehen.

Wir wolln von eins bis drei noch werken –
Ich les ein Buch, du stickst ein Kissen –
Und wenn es dämmert nicht bemerken,
Wie wir auf einmal nicht mehr küssen.

Noch prächtiger, pausenloser, toller,
Ihr Blätter, rauscht und fallt und schüttet,
Den Wermutkelch von gestern voller
Mit heutiger Schwermut überbietet.

Verknüpftheit, Lockung, Wohlgefallen!
Septembersturm, nimm uns von hinnen!

Vergrab dich ganz im Herbstlaubschwalle!
Erstirb nun oder sei von Sinnen!

Du wirfst genauso ab die Kleider
Wie Blätter wirft der Hain vom Aste,
Wenn du in die Umarmung gleitest
Im Schlafrock mit der Seidenquaste.

Du bist das Heil des Schritts zum Sturze,
Wenn Leben mehr als Siechtum quält uns
Und Wagnis ist der Schönheit Wurzel –
Und dies verbindet und vermählt uns.

MÄRCHEN

13   Einst, in jenen Zeiten,
In dem Märchenland,
Zog durchs Feld ein Reiter,
Wo die Distel stand.

Eilt' zum Strauß der Degen,
Und im Steppenstaub
Wuchs von fern entgegen
Wald mit dunklem Laub.

Unlust und Bedenken
Dumpf im Herzen murrt:
Hüt dich vor der Tränke,
Straff den Sattelgurt.

Er verschließt die Ohren,
Will nicht Rast noch Halt.
Gibt dem Roß die Sporen,
Sprengt hinauf zum Wald.

Mußt' ums Steingrab biegen,
Kam ins Tal im Trab,
Ließ die Lichtung liegen,
Ritt den Berg hinab.

Und im tiefen Grunde,
Rings von Wald umstellt,
Hat er dann gefunden
Tieresspur und Quell.

Und dem Ruf verschlossen,
Der ihm Warnung sprach,
Stieg er mit dem Rosse
Ab den Hang zum Bach.

*

Dort ist eine Höhle,
Eine Furt davor.
Als ob Schwefel schwele
Flammts vorm Höhlentor.

Und im Purpurwallen,
Das verdeckt den Blick,
Schallt ein Widerhallen
Rings vom Wald zurück.

Da ritt los der Degen,
Langsam Huf vor Huf,
Zitternd grad entgegen
Jenem fernen Ruf.

Und erkannte vorne,
Und griff schnell zum Speer,
Eines Drachens Formen
Schwarz und schuppenschwer.

Aus dem Rachen gingen
Rauch und Flammenstrahl.
Schlang den Rumpf in Ringen
Um die Maid dreimal.

Und der Hals der Schlange,
Wie ein Peitschenknopf,
Schwankte bang und lange
Bei des Mädchens Kopf.

Jenes Landes Söhne
Brachten als Gebühr
Die gefangne Schöne
Dar dem grausen Tier.

Jener Leute Sitten
Dünkt' die Buße gut:
Wandten von den Hütten
So des Drachens Wut.

Der hielt fest umschlungen
Kehle ihr und Hand,
Da zu Peinigungen
Er bekam dies Pfand.

Aufsah im Gebete
Himmelwärts der Mann.
Nahm die Lanze, drehte,
Legt' zum Kampf sie an.

*

Augen schlummernd ruhten.
Himmel. Wolkendrang.
Furten. Flüsse. Fluten.
Jahr-, jahrhundertlang.

Helmlos nach dem Kampfe
Liegt der Mann, verletzt.
Pferdes Hufe stampfen
Auf den Drachen jetzt.

Pferd und Drachenleiche
Liegen dort im Gras –
Ihm die Sinne weichen,
Ohnmacht sie erfaßt.

Mittäglich gemessen
Zärtlich blickt das Blau.
Wer ist sie? Prinzessin?
Landkind? Fürstenfrau?

Bald des Glückes Quellen
Tränen strömen macht.
Bald vergißt die Seele
Sich in Schlafes Nacht.

Bald wie neugeboren.
Bald ists totenstill.
Soviel Blut verloren,
Daß die Kraft verfiel.

Doch die Herzen beben.
Beide sind bemüht,
Sich vom Grund zu heben,
Und sie sind zu müd.

Augen schlummernd ruhten.
Himmel. Wolkendrang.
Furten. Flüsse. Fluten.
Jahr-, jahrhundertlang.

AUGUST

14 Frühmorgens kam, wie sie versprochen hatte,
Die Sonne pünktlich in mein Zimmer
Vom Vorhang, wo sie sich gebrochen hatte,
Bis zum Diwan als Safranschimmer.

Sie hatt' in ockerheiß Geleucht gehüllt
Den Waldrand, jedes Haus im Orte,
Mein Bett, mein Kissen, das sich feucht anfühlt,
Und ein Stück Wand am Bücherborte.

Da fiel mir ein, warum im Leinentuch
Des Kissens leichte Feuchte hinge:
Mir träumte, daß zu meinem Leichenzug
Gemeinsam durch den Wald ihr ginget.

Gepaart, geschart, kamt ihr zu vielen her;
Da fiel es einem ein, daß heuer
Sechster August nach altem Stile wär,
Wo man des Herrn Verklärung feiert.

Es pflegt ein flammenloses Licht zu gehn
Vom Taborberg an diesem Tage,
Und Herbst, so klar wie ein Gesicht zu sehn,
Hat jeden Blick in Bann geschlagen.

Durchs bettelarme Strauchwerk gingt ihr dann
Im zitternd-nackten Ellernbruche,
Zum Friedhofswald, der rot wie Ingwer brannt'
Als wärs Glasur von Pfefferkuchen.

Um seiner Kronen stumme Reihen lag
Des Himmels nachbarliche Breite,
Und mit entfernten Hahnenschreien sprach
Im Wechselruf gedehnt die Weite.

Im Walde stand, grad wie ein Landmeßmann,
Der Tod inmitten all der Gräber
Und schaute mein gestorbnes Antlitz an,
Nahm Maß, die Grube auszuheben.

Am eignen Leibe spürte jeder dort,
Daß ruhig eine Stimme halle –
's war meiner frühren Stimme Seherwort,
Unangetastet vom Verfalle:

»Leb wohl, Verklärungstag, ich grüße nun
Dein Blau und Gold zum letzten Male.
Mit letzter Frauenzartheit süße nun
Der Scheidestunde bittre Qualen.

Lebt wohl, ihr Jahre voll von Widrigem;
Und Weib, das mutig widerstreitet
Dem Abgrund von Entehrend-Niedrigem!
Ich bin als Walstatt dir bereitet.

Leb wohl, du Schwingenpaar, entfaltetes,
Du Wucht des Flugs in freien Lüften,
Und Bild der Welt, im Wort gestaltetes,
Und Schaffenskraft und Wunderstiften.«

WINTERNACHT

15   Es weht' und wehte fort und fort
     Durch alle Lande.
     Die Kerze brannte auf dem Bord,
     Die Kerze brannte.

Wie sommers Mücken und Geschmeiß
Zur Lampe kamen,
Verklebten Flocken dicht und weiß
Den Fensterrahmen.

Und Ring und Pfeil der Wirbel dort
Aufs Glas hinbannte.
Die Kerze brannte auf dem Bord,
Die Kerze brannte.

Auf die erhellte Decke schlich
Das Spiel der Schatten,
Wo Arm und Bein und Schicksal sich
Gekreuzt schon hatten.

Und zwei Pantoffeln fielen laut
Zum Boden nieder.
Vom Nachtlicht Wachs in Tränen taut
Auf Rock und Mieder.

Und alles war verlorn und fort
im weißen Tanze.
Die Kerze brannte auf dem Bord,
Die Kerze brannte.

Die Kerze flackte sonderbar:
Verführungsflammen
Wuchsen – ein Engelflügelpaar –
Zum Kreuz zusammen.

Es weht' den ganzen Feber fort,
Und oftmals brannte
Die Kerze dort am Fensterbord,
Die Kerze brannte.

TRENNUNG

16 Des Mannes Blick ist stumpf und sucht
An Türen lang und Fluren.
Ihr Fortgehn war wie eine Flucht.
Ringsum Vernichtungsspuren.

Ein Chaos ist im Zimmer drin.
Was alles da zerbrochen,
Kommt ihm vor Tränen nicht zu Sinn
Und vor der Schläfen Pochen.

Die Ohren dröhnen ihm schon lang.
Wacht er? Träumt er im Hellen?
Und woher kommt der stete Zwang,
Das Meer sich vorzustellen?

Wenn hinterm Reif am Fensterglas
Die Welt dem Blick entschwunden,
Dann wird der Kummer ohne Maß
Wie ödes Meer empfunden.

Und teuer war sie ihm so sehr
Mit allen ihren Zügen,
Wie Ufer nahe sind dem Meer,
Sich an die Brandung schmiegen.

So wie verschlingt der Wogen Schlund
Das Schilf, wenn Sturm gewesen,
So sank auf seiner Seele Grund
Ihr Aussehn und ihr Wesen.

In Jahren, voll der schlimmsten Qual,
Unvorstellbaren Plagen,
War sie vom Grund im Schicksalsschwall
Ihm wogend zugetragen.

Durch Hindernisse viel und schwer
Und fährliches Gedränge
Trug sie die Woge, trug sie her
Zu ihm, ganz nah, ganz enge.

Und wenn es auch gewaltsam ist,
Daß sie nun fortgefahren,
Die Trennung und die Sehnsucht frißt
Sie beid mit Haut und Haaren.

Da steht der Mann und schaut sich um:
Bei ihrem Aufbruchshasten

Durchwühlt' sie alles um und dumm
In Kisten und in Kasten.

Er irrt umher, und noch bis spät
Verstaut er in den Schüben
Was sie gestickt, was sie genäht,
Was liegen noch geblieben.

Und als er eine Nadel find't,
Die sie nicht rausgenommen,
Sieht er sie plötzlich ganz – da sind
Ihm still die Tränen kommen.

WIEDERSEHEN

17   Der Schnee deckt Dächerkappen
Und Weg und Stege zu.
Ich gehe, Luft zu schnappen,
Und vor der Tür stehst du.

Allein und ohne Mütze,
Kein Pelz und kein Cachenez,
Dämpfst du die innre Hitze
Und kaust den nassen Schnee.

Es sinken Bäume, Zäune
In Nebelfernen weg.
In all dem Schnee alleine
Stehst du am Mauereck.

Das Wasser rinnt vom Kopfe
Ins Ärmelaufschlagpaar,
Und wie von Taugetropfe
Durchglitzert ist dein Haar.

Des blonden Schopfs Geleuchte
Hat Kopftuch und Gesicht,
Dein Mäntelchen, das feuchte,
Dich ganz, getaucht in Licht.

Der Schnee schmilzt auf den Lidern,
Voll Sehnsucht ist dein Blick.

Unmöglich zu zergliedern
Dein Bild aus einem Stück.

Und wie mit einem glühend
In Schwarz getränkten Erz
Bist du mir schneidend-ziehend
Tief eingebrannt ins Herz.

Und dieser Züge Gnade
Es nun auf ewig hält.
Und darum ist kein Schade,
Daß hart das Herz der Welt;

Drum schwirrt in wirren Tänzen
Die Nacht im Schnee vorbei,
Und kann ich keine Grenze
Mehr ziehen durch uns zwei.

Doch wer sind wir, woher denn,
Wenn all die Jahre ja
Nur Stoff für Schwätzer werden,
Und wir sind nicht mehr da?

DER STERN DER GEBURT

18 Der Winter war lang.
    Der Steppenwind fegte.
    Und fröstelnd das Kind in der Krippe sich regte
    Im Stall dort am Hang.

    Da wärmt' es der Hauch, der vom Ochsen her drang.
    Da war in der Enge
    Ein Haustiergedränge,
    Ein Wölkchen von Wärme die Krippe umschwang.

    Die Hirten im Feld klopften Hirse und Flaus
    Aus zottigen Pelzen
    Und schauten vom Felsen
    In Mitternachtsfernen verschlafen hinaus.

    Da draußen warn Felder im Schnee, und nicht fern
    Ein Friedhof mit Mälern

In schmäleren Tälern,
Und drüber der Nachthimmel, Stern neben Stern.

Und einer, den keiner zuvor je gesehn,
Noch schüchterner glänzt er
Als Lichter im Fenster,
Blieb flimmernd am Wege nach Bethlehem stehn.

Und flackte wie brennendes Stroh, nichts verband
Mit Gott ihn und Himmel,
Wie Flammengetümmel,
Wie fern überm Land ein Gehöft steht in Brand.

Er hob sich empor wie ein Schober aus Heu,
Der flammt in der Ferne,
Und vor diesem Sterne
Erbebte das Weltall in Angst und in Scheu.

Es mußte was heißen, daß über ihm rot
Die Himmel sich teilten;
Drei Sterndeuter eilten
Zu folgen des seltsamen Feuers Gebot.

Hinter ihnen erschienen, gezogen am Zaum,
Mit Geschenken Kamele, und zierliche Esel
Schritten ängstlich talabwärts vom felsigen Saum.

Und sie trauten der Schau ihrer Augen noch kaum:
Da erstand in der Ferne, was später gewesen,
Alles Denken und Sehnen in Zeiten und Raum,
Alle künftigen Kunstgalerien und Museeen,
Alle Taten der Zaubrer und Streiche der Feeen,
Alle Christbäume und aller kindliche Traum.

Alle flimmernden Lichter und schimmernden Ringe,
Alles Blitzen des Flitters am glitzernden Baum . . .
. . . Immer wütender wurden des Wüstenwinds Sprünge . . .
Alle Äpfel und Kugeln aus goldenem Schaum.

Im Tal lag der Teich hinter Weiden und Wald,
Doch war er durch Äste und Nester von Krähen
Vom Feld auf dem Felsen zu sehen, und bald

Vermochten die Hirten den Zug zu erspähen:
Kamele und Esel und manche Gestalt.
– »Kommt, laßt uns dem Wunder zu huldigen gehen!« –
Sie knöpften die Pelze zu, denn es war kalt.

Das Gehen durch Wehen erwärmte die Hirten.
Wie Glimmer zog hin durch die schimmernde Flur
Zur Hütte barfüßiger Wanderer Spur.
Entlang dieser Spur wie nach Brandresten spürten
Die Hunde beim Scheine des Sterns mit Geknurr.

Die frostkalte Nacht war ein einziges Märchen.
Und irgendwer drängte sich ein immerdar
Vom Feld in die Reihen der schreitenden Schar.
Die Hunde sahn scheu in die Runde, zum Herrchen
Schlich jeder und witterte nahe Gefahr.

Durch eben die Gegend, auf eben den Wegen
Bewegten sich Engel mit ihnen ein paar.
Unkörperlich, unsichtbar warn sie zugegen
Und nur durch die Spur auf dem Schnee offenbar.

Zum Stall kam die Menge. Es wurde schon helle,
Die Stämme der Zedern erschienen schon klar.
– »Was wollt ihr so frühe?« – so fragte Maria.
– »Sind Hirten und Boten von Gottes Altar,
Und bringen euch beiden die Huldigung dar.« –
– »Nicht alle zugleich! Wartet dort an der Schwelle!«

Im Frühmorgennebel, der aschfarben war,
Vertraten die Füße sich Treiber und Hirten.
Die Flüche der Reiter und Fußgänger schwirrten,
Am Brunnen die Ketten der Lasttiere klirrten,
Und bockig schrie Esel, Kamel, Dromedar.

Das Morgenlicht fegte, wie Funken so fein,
Die letzten der Sterne hinunter vom Himmel.
Maria ließ nun von dem ganzen Gewimmel
Die Magier allein zu dem Felsentor ein.

Er schlief, ganz im Glanz, in der eichenen Krippe,
Dem Mondstrahl im Hohlraum des Baumstammes gleich.

Vom Ochsen die Nüstern, vom Esel die Lippe
Ersetzten den Schafpelz und wärmten ihn weich.

Sie konnten kaum sehen, so dunkel sind Ställe,
Verhaltenes Flüstern im Raume nur surrt.
Und irgendwer blickte zurück nach der Helle,
Zog sacht einen Magier beiseite am Gurt,
Und der sah sich um: da schaut' von der Schwelle
Als Gast auf die Jungfrau der Stern der Geburt.

MORGENDÄMMER

19   Du warst im Schicksal alles mir,
Dann kam der Krieg und das Zerstören,
Und lange, lange war von dir
Nichts mehr zu sehen und zu hören.

Nach Jahren, ohne dich verbracht,
Ließ neu mich deine Stimme beben:
Ich las dein Wort die ganze Nacht,
Und wacht' aus Ohnmacht auf zum Leben.

Mich treibts zu Menschen, ins Gehetz
Der morgendlich belebten Massen.
Zerfetzen könnt ich alles jetzt
Und alle niederknieen lassen.

Die Treppe renn ich runter, geh,
Als tät ich es zum ersten Male,
Auf diese Straße dort im Schnee,
Des Fahrdamms ausgestorbne Fahle.

Rings steht man auf, macht Licht und ißt,
Trinkt Tee, muß dann zur Trambahn rennen.
Nach wenigen Minuten ist
Die Stadt nicht wiederzuerkennen.

Im Torgang webt der Wind Geflecht
Aus dichtem Fall von weißen Flocken.
Man eilt, daß man noch kommt zurecht,
Den Mund vom Frühstück noch nicht trocken.

Als steckte ich in ihrer Haut,
Fühl ich mit allen ihre Sorgen,
Bin selber, wie der Schnee wenns taut,
Kneif selbst die Brauen, wie der Morgen.

Die ohne Namen rings um mich,
Und die zu Hause, und die Kinder,
Sie alle überwanden mich,
Nur dadurch bin ich Überwinder.

DAS WUNDER

20 Er war unterwegs von Bethanien zur Stadt,
Schon vorher von gramvollen Ahnungen matt.

Am Steinhange lechzten die Stechpalmen kläglich,
Kein Hauch hat den Rauch naher Hütten bewegt,
Die Luft war voll Glut, und das Schilf unbeweglich,
Und nichts hat des Todmeeres Schweigen durchregt.

Und mehr als das Meer selbst, das bittre, verbittert,
So schritt er mit Wolkengefolge dahin
Die staubige Straße, vom Glutfeld umzittert,
Zur Stadt, wo die Jünger schon harrten auf ihn.

Und war in Gedanken versunken so sehr,
Daß Schwermut der Felder als Wermut versprühte.
Ganz still wars. Er stand ganz allein in der Mitte,
Die Landschaft entglitt in Vergessenheit schwer,
Und alles verwob sich: die Wüste, die glühte,
Die Eidechsen, Quellen und Bäche umher.

Ein Feigenbaum reckte sich abseits, nicht weit,
Trug nicht eine Frucht, nichts als Blätter und Äste.
Und er sprach: »Wem nützt du, dir fehlt ja das Beste!
Wie würd ich durch deine Erstarrtheit erfreut?

Mich dürstet und hungert, du bist nicht bereit.
Ein Fels könnte eher zum Troste mir taugen.
Wie unbegabt bist du, wie widrig den Augen –
So bleib, wie du bist, bis ans Ende der Zeit!«

Da hat ihn der Schauder der Fluches durchflammt
Wie Funken vom Blitz den metallenen Leiter.
Der Feigenbaum war zum Verdorren verdammt.

Wärn einen Moment nur vom Zwange befreiter
Die Blätter, die Zweige, die Wurzeln, der Stamm,
Dann hülfe vielleicht das Naturgesetz weiter.
Doch Wunder ist Wunder, und Wunder ist Gott.
Wenn ganz wir verwirrt sind und völlig gescheitert,
Dann bricht es herein, und dann machts uns zum Spott.

DIE ERDE

21   Die Villen Moskaus sind erwacht,
     Der Frühling tost herein mit Knattern,
     Die Motten aus den Schränken flattern,
     Um Sommerhüte zu ergattern,
     Die Pelze werden fortgebracht.

     Auf hölzernen Geländern ragen
     Die Blumentöpfe, die die Pracht
     Von Goldlack und Levkojen tragen,
     Die Zimmer atmen Wohlbehagen,
     Und staubig riecht es unterm Dach.

     Und plumpvertraulich tun die Gassen
     Mit blinden Fenstern oder blassen,
     Am Flusse können sich nicht lassen
     Das Spätrot und die weiße Nacht.

     Im Korridor ist zu verstehen
     Der Straßenlärm, das Hofgeschehen,
     Und wovon im Vorübergehen
     Zum Tröpfeln redet der April;
     Er hats ja tausendfach gesehen
     Und spricht nun von der Menschheit Wehen,
     Und kühles Sonnenuntergehen
     Den Faden weiterspinnen will.

     Und gleiche Schauder, gleiche Gluten
     In Gassen und Gelassen fluten,

Die Luft weiß nicht mehr aus noch ein.
Die gleichen Weidenkätzchenruten,
Das gleiche zarte Knospenbluten
Am Fenster und um die Redouten,
Vorm Tor und auf dem Werkstattschrein.

Was weinen denn im Dunst die Weiten
Und riecht der Dung so streng herein?
Dazu will doch mein Ruf mich leiten,
Der Fernen Trennung zu bestreiten,
Daß vor der Stadt in den Gebreiten
Die Erde sich nicht sehnt allein.

Drum finden sich im Lenz beizeiten
All meine Freunde bei mir ein:
Die Abende sind Abschiedsläuten,
Vermächtnis unsre Festlichkeiten,
Daß der geheime Strom der Leiden
Durchwärmt das frosterstarrte Sein.

SCHLIMME TAGE

22 Als er in der letzten der Wochen
Hinein nach Jerusalem ritt,
Scholl Jubelruf ununterbrochen,
Mit Palmzweigen rannten sie mit.

Doch drohend wuchs täglich das Grauen;
Kein Herz wird von Liebe erhellt.
Verächtlich gerümpft sind die Brauen,
Und schon ist das Urteil gefällt.

Die Himmel warn schwerer und näher
Mit all ihrer bleiernen Last.
Es schwänzeln um ihn Pharisäer,
Beweise zu sammeln befaßt.

Die finsteren Tempelgewalten
Bestellten den Pöbel zum Spruch;
Genau wie die Hochrufe hallten,
So rasend erschallt jetzt der Fluch.

Die Menge, die wohnt in der Nähe,
Riskierte vom Tor einen Blick,
Man drängte, zu sehn, was geschähe,
Und schob sich bald vor, bald zurück.

Von überall schwirrten Gerüchte,
Und Flüstern erfüllte den Raum.
Ägypten, die Kindheitsgeschichte
Erschienen schon fast wie ein Traum.

Man dachte des Bergs in der Wüste,
Des mächtigen Felsens, der Schlucht,
Wo einst mit dem Herrschaftsgelüste
Der Erde ihn Satan versucht;

Und Kanas, des Hochzeitsgelages,
Welch Wunder die Gäste dort sahn,
Und wie er durchs Meer eines Tages
Schritt trocknen Fußes zum Kahn;

Der ärmlichen Hütte voll Jammer,
Des Gangs mit dem Licht in der Hand,
Das ängstlich verlosch in der Kammer,
Als jener vom Tode erstand.

MARIA MAGDALENA (I)

23 Kaum dunkelts, rührt mein Dämon sich,
Zahl ich die Buße fürs Vergangne,
Frißt sich ins Herz mit heißem Stich
Erinnerung an das Begangne,
Da ich der Lust der Männer mich
Als Sklavin gab, ich Wahnbefangne,
Und mein Gelaß der Gasse glich.

Nur Augenblicke sicherlich
Sinds bis zum Schweigen noch, zum Grabe,
Doch ehe diese Frist verstrich,
Soll alles, was ich bin und habe,
Vor dir zerbrochen sein, für dich,
Wie diese Alabastergabe.

Oh, wo, wo wäre ich denn jetzt,
Du mein Erlöser, du mein Lehrer,
Wenn, da ich mich zu Tisch gesetzt,
Mich nachts die Ewigkeit nicht letzt
Wie ein in des Gewerbes Netz
Neueingefangener Verehrer.

Doch deute mir, was Sünde hier,
Tod, Hölle, Schwefelflamme meine,
Wenn ich vor aller Augen schier,
Wie mit dem Baum der Trieb, mit dir
Unendlich sehnend mich vereine;

Wenn ich den Füßen meines Herrn
Als Stütze meine Kniee leihe,
Und so vielleicht umarmen lern
Des Kreuzesholzes Vierkantkern,
Zum Leib mich hebe, sinnenfern,
Und salbend dich zum Grabe weihe.

MARIA MAGDALENA (II)

24 Rings ist Hausputz für das Fest im Zuge.
Abseits von dem Trubel und Getrab
Wasche ich mit Myrrhen aus dem Kruge
Deine allerreinsten Sohlen ab.

Und ich such umsonst nach den Sandalen,
Kann vor Tränen nichts mehr richtig sehn.
In die Augen ist mir wirr gefallen
Meines Haars zerflatterndes Gesträhn.

Deine Füße, fest auf meinem Kleide,
Hab ich, Herr, mit Tränen überspült,
Sie umwunden mit dem Halsgeschmeide,
In mein Haar als Burnus sie verwühlt.

Und die Zukunft bis ins kleinste seh ich,
Gleich als zwängst du zu verweilen sie.
Ich bin jetzt zu Weissagungen fähig
Sibyllinisch greller Prophetie.

Morgen wird der Tempelvorhang splittern,
Abseits stehn gedrängt im Kreise wir,
Und die Erde unterm Fuß wird zittern,
Es mag sein, aus Mitleid auch mit mir.

Die Soldaten werden Posten stellen,
Und die Reiter ziehen ab bereits.
Wie ein Wirbelwind wird aufwärtsschnellen
Uns zu Häupten himmelan dies Kreuz.

Vor ihm werde ich zu Boden gleiten
Und die Lippen beißen wie im Wahn,
Und du wirst vom Kreuz die Hände breiten
Allzuvielen zur Umarmung dann.

Wem denn solche mächtige Gebärde,
Soviel Qual, so zwingende Gewalt?
Gibts denn soviel Seelen auf der Erde?
Soviel Leben, Dörfer, Fluß und Wald?

Doch vergehen werden die drei Tage
Und ins Leere stoßen mich so fern,
Daß ich in der Schreckensspanne Plage
Wachsen bis zur Auferstehung lern.

DER GARTEN GETHSEMANE

25   Vom Flimmern ferner Sterne war gelassen
Des Weges schräge Windung überstrahlt.
Der Weg ging um des Ölbergs dunkle Massen,
Darunter floß der Kidronbach im Tal.

Die Wiese war inmitten abgebrochen,
Dahinter fing die Sternenstraße an.
Und silbergraue Ölbaumgreise krochen
Durch leere Luft der Ferne zu hinan.

Am End war jemands Garten. Vor der Schwelle
Ließ er die Jünger auf dem Weg und sprach:
»Betrübt bis an den Tod ist meine Seele.
Verweilet hier und bleibet mit mir wach.«

Er tat Verzicht, ohne gekämpft zu haben,
Wie auf ein Gut, das nur geliehn für hier,
Auf seine Allmacht, seine Wundergaben,
Und war fortan wie Sterbliche, wie wir.

Die nächtlich finstre Ferne schien, als thronte
Das Wesenlose, die Vernichtung dort.
Nichts Lebendes im Raum des Weltalls wohnte,
Und nur der Garten war des Lebens Ort.

Und schauend dieser Schlünde schwarzes Gähnen,
Wo anfanglos und endlos Leere hing,
Bat er den Vater unter blutigen Tränen,
Daß dieser Todeskelch vorüberging'.

Als das Gebet die Todeslähmung bannte,
Kam er zurück und trat vor das Geheg.
Die Jünger, die der Schlummer übermannte,
Warn hingestreckt ins hohe Gras am Weg.

Er weckte sie: »Euch war in meinen Tagen
Vom Herrn vergönnt zu leben, und ihr schlaft!
Des Menschensohnes Stunde hat geschlagen.
Er gibt sich in der Sünderhände Haft.«

Kaum sprach er's aus, und niemand weiß von wannen,
Mit Fackeln, Schwertern, langen Stangen nahts:
Die Schar der Knechte und gedungnen Mannen,
Vorn Judas mit dem Kusse des Verrats.

Das Schwert zog Petrus, um dem Pack zu wehren,
Und hieb dem einen ab vom Ohr ein Stück.
»Nie endet Streit durch Eisen« muß er hören,
»Tu, Mensch, dein Schwert an seinen Platz zurück!

Wärn nicht Legionen Engel aus den Himmeln
Erschienen, wenn der Vater es gebeut?
Und, ohne mir auch nur ein Haar zu krümmen,
Wär spurlos meiner Feinde Schar zerstreut.

Das Buch des Lebens aber will enthüllen
Den Satz, der wie kein Heiligtum geweiht: